D0580888

il mini *di*
INGLESE

**DIZIONARIO
INGLESE ITALIANO
ITALIANO INGLESE**
a cura di Edigeo

ZANICHELLI

Ideazione e realizzazione editoriale:
    Edigeo s.r.l., via del Lauro 3, 20121 Milano
    e-mail: redazione@edigeo.it
    sito web: www.edigeo.it

In redazione Zanichelli: Alessandra Stefanelli

Progetto grafico della collana: Anna Maria Zamboni

Copertina: Exegi s.n.c., Bologna

Coordinamento di montaggi, stampa e confezione:
    Stefano Bulzoni, Massimo Rangoni

Prima edizione: febbraio 2007

Ristampe:
6   2008   2009   2010   2011

Per segnalazioni o suggerimenti relativi a quest'opera,
l'indirizzo a cui scrivere è:
    Zanichelli editore S.p.A. - Redazioni Lessicografiche
    via Irnerio 34, 40126 Bologna
    fax 051 249782 (from abroad: +39 051 249782)
    e-mail: lineacinque@zanichelli.it
    sito web: www.zanichelli.it

Stampa: L.E.G.O. S.p.A., Stabilimento di Lavis (Trento)

abbagliàre *vt* to dazzle	lemma italiano con accento tonico *Italian entry with tonic stress*
abbàglio *sm* blunder	
abbandonàre *vt* to abandon, to desert, to leave, to forsake ◇ *(rinunciare a)* to renounce, to give up ♦ *vrif* to let oneself go	categorie grammaticali *parts of speech*
abbàttere *vt (atterrare)* to knock down ◇ *(demolire)* to demolish, to put down ♦ *vrif (cadere)* to fall ◇ *(scoraggiarsi)* to lose heart	traducenti - translations
	cambio di accezione con glossa - *change of subsense with annotation*
abbracciàre *vt* to embrace, to hug ◇ *(comprendere)* to enclose, to include ♦ *vrif* to embrace each other	cambio di categoria grammaticale *change of part of speech*
accòrdo *sm (intesa)* agreement, consent [...] ●*andare d'a. con qn* to get on well with sb; *essere d'a.* to agree	inizio della fraseologia *beginning of phraseology*
àncora (1) *sf (naut)* anchor	
ancóra (2) *avv* still ◇ *(in frasi neg)* yet ◇ *(di nuovo)* again ◇ *(di più)* more	omografi - *homographs*
aftermath /ˈɑːftəmæθ/ *s* conseguenza *f* ◇ *(med)* postumi *m pl*	registro linguistico e materie *style and usage labels*
afters /ˈɑːftəs/ *s pl (fam)* dessert *m*	
arid /ˈærɪd/ *a* arido	
to arise /əˈraɪz/ *(pass* **arose**, *pp* **arisen**) *vi* sorgere, alzarsi, levarsi [...]	informazioni grammaticali *grammar information*
arm (1) /ɑːm/ *s* braccio *m* ◇ bracciolo *m* ◇ manica *f*	genere dei traducenti *gender of translations*
as /æz/ *avv/cong (in frasi comp)* come, così, quanto (ES: **as ... as, so ... as** così ... come, tanto ... quanto) [...]	esempi - examples
bank (2) /bæŋk/ *s* banca *f*, banco *m* ◇ *(gioco)* banco *m* ●*b. holiday* giorno di festa; *b. note* banconota [...]	locuzioni e verbi frasali *expressions and phrasal verbs*
to bank (2) /bæŋk/ *vt* depositare in banca ♦ *vi* avere un conto in banca [...] ●*to b. on* fare affidamento su	
banker /ˈbæŋkə/ *s* banchiere *m*	trascrizione fonetica dei lemmi inglesi *phonetic transcription of English entries*
to bargain /ˈbɑːgɪn/ *vt/i* trattare, contrattare ●*to b. for* aspettarsi	
centre /ˈsentə/ *(USA* **center**) *s* centro *m*	varianti americane *American variants*

aggettivo	*a*	adjective
aggettivo possessivo	*a.poss*	possessive adjective
aggettivo predicativo	*a.pred*	predicative adjective
abbreviazione	*abbr*	abbreviation
aeronautica	*aer*	aeronautics
affermativo	*afferm*	affirmative
anatomia	*anat*	anatomy
architettura	*arch*	architecture
archeologia	*archeol*	archaeology
articolo	*art*	article
astronomia	*astr*	astronomy
ausiliare	*aus*	auxiliary
automobilismo	*aut*	cars & motoring
avverbio	*avv*	adverb
biologia	*biol*	biology
botanica	*bot*	botany
chimica	*chim*	chemistry
cinema	*cin*	cinema
commercio	*comm*	business
comparativo	*comp*	comparative
complemento	*compl*	complement
condizionale	*condiz*	conditional
congiunzione	*cong*	conjunction
cucina	*cuc*	gastronomy
diritto	*dir*	law
dubitativo	*dubit*	dubitative
economia	*econ*	economy
edilizia	*edil*	building
elettricità	*el*	electricity
enfatico	*enf*	emphatic
esclamativo	*escl*	exclamative
estensivo	*est*	extended sense
femminile	*f*	feminine
familiare	*fam*	informal
ferrovia	*ferr*	railways
figurato	*fig*	figurative
finanza	*fin*	finance

fisica	*fis*	physics
fotografia	*fot*	photography
geografia	*geogr*	geography
geologia	*geol*	geology
geometria	*geom*	geometry
grammatica	*gramm*	grammar
idiomatico	*idiom*	idiomatic
intransitivo	***i***	intransitive
infinito	*inf*	infinitive
informatica	*inform*	information technology
interiezione	***inter***	interjection
interrogativo	*interr*	interrogative
letterario	*lett*	literary
locuzione	***loc***	compound expression
locuzione avverbiale	***loc.avv***	adverbial expression
locuzione sostantivale	***loc.s***	noun expression
maschile	***m***	masculine
matematica	*mat*	mathematics
meccanica	*mecc*	mechanics
medicina	*med*	medicine
metallurgia	*met*	metallurgy
meteorologia	*meteor*	meteorology
militare	*mil*	military
mineralogia	*min*	mineralogy
musica	*mus*	music
nautica	*naut*	yachting
negativo	*neg*	negative
passato	***pass***	past tense
plurale	***pl***	plural
politica	*pol*	politics
popolare	*pop*	slang
participio passato	*pp*	past participle
participio presente	*ppres*	present participle
pronome, pronominale	***pr***	pronoun, pronominal
pronome personale	***pr.pers***	personal pronoun
pronome possessivo	***pr.poss***	possessive pronoun
pronome relativo	***pr.rel***	relative pronoun

preposizione	**prep**	preposition
presente	**pres**	present tense
psicologia	*psic*	psychology
qualcosa	*qc*	something
qualcuno	*qn*	somebody
relativo	*rel*	relative
religione	*relig*	religion
riflessivo	**rif**	reflexive
sostantivo	*s*	noun
qualcuno	*sb*	somebody
scientifico	*scient*	science
sostantivo femminile	*sf*	feminine noun
singolare	**sing**	singular
sostantivo maschile	**sm**	masculine noun
soggetto	*sogg*	subject
specialmente	*spec*	especially
spregiativo	*spreg*	derogatory
qualcosa	*st*	something
storia	*stor*	history
superlativo	*sup*	superlative
transitivo	*t*	transitive
teatro	*teat*	theatre
tecnologia	*tecn*	technology
telefonia	*tel*	telecommunications
industria tessile	*tess*	textiles
tipografia	*tip*	typography
televisione	*TV*	television
americano	*USA*	American
verbo	*v*	verb
verbo ausiliare	**vaus**	auxiliary verb
verbo intransitivo	**vi**	intransitive verb
verbo impersonale	**vimp**	impersonal verb
volgare	*volg*	vulgar
verbo pronominale	**vpr**	pronominal verb
verbo riflessivo	**vrif**	reflexive verb
verbo transitivo	**vt**	transitive verb
zoologia	*zool*	zoology

Trascrizione fonetica dei termini inglesi

Vocali

/ɑː/	*a* aperta e lunga: **car**, **father**
/æ/	*e* molto aperta, tendente a una *a*: **and**, **man**
/ɛ/	*e* breve: **bed**, **yes**
/ʌ/	*a* breve, tendente a una *o*: **cup**, **up**
/ə/	*e* molto breve: **a**, **mother**
/ɜː/	*e* chiusa e lunga: **girl**, **word**
/ɪ/	*i* molto breve, tendente a una *e*: **pig**, **it**
/iː/	*i* lunga: **tree**, **please**
/ɒ/	*o* molto aperta e breve: **box**, **not**
/ɔː/	*o* aperta e lunga: **wall**, **horse**
/ʊ/	*u* chiusa e breve: **book**, **full**
/uː/	*u* chiusa e lunga: **shoe**, **fool**

Dittonghi

/aɪ/	*ai* normale: **five**, **fly**
/aʊ/	*a* normale seguita da una *u* chiusa e breve: **how**, **house**
/eɪ/	*e* chiusa seguita da una *i* quasi impercettibile: **train**, **name**
/ɛə/	*e* aperta seguita da una *e* molto breve: **there**, **care**
/ɪə/	*i* breve seguita da una *e* molto breve: **ear**, **here**
/əʊ/	*e* molto breve seguita da una *u* quasi impercettibile: **go**, **boat**
/ɔɪ/	*o* aperta seguita da una *i*: **toy**, **oil**
/ʊə/	*u* seguita da una *e* molto breve: **poor**, **sure**

Consonanti

/p/	*p* normale: **pencil**, **stop**
/b/	*b* normale: **book**, **boy**
/t/	*t* normale: **train**, **pot**
/d/	*d* normale: **dog**, **kind**
/k/	*c* dura normale: **car**, **black**
/g/	*g* dura normale: **go**, **egg**
/f/	*f* normale: **floor**, **off**
/v/	*v* normale: **very**, **seven**
/θ/	*t* pronunciata con la punta della lingua tra i denti: **thin**, **mouth**

Trascrizione fonetica dei termini inglesi

/ð/	*d* pronunciata con la punta della lingua tra i denti: **th**is, wi**th**
/s/	*s* sorda: **s**un, pla**c**e
/z/	*s* sonora: **z**oo, noi**s**e
/ʃ/	*sc* dolce: fi**sh**, **sh**ip
/ʒ/	simile alla sillaba finale di *garage*: plea**s**ure, mea**s**ure
/tʃ/	*c* dolce: **ch**urch, **ch**air
/dʒ/	*g* dolce: **j**udge, a**g**e
/l/	*l* normale: **l**eg, fu**ll**
/m/	*m* normale: **m**atch, hi**m**
/n/	*n* normale: **n**ame, pe**n**
/ŋ/	*n* seguita da una *g* quasi impercettibile: ri**ng**, so**ng**
/r/	*r* non rullata: **r**oom, ve**r**y
/ɾ/	*r* praticamente muta (a fine parola): hai**r**, admi**re**
/j/	*i* consonantica: **y**es, **y**ou
/w/	*u* consonantica: **w**ind, a**w**ay
/h/	*h* aspirata: **h**at, **h**and

Segni particolari

/ː/	indica un prolungamento della vocale che lo precede
/'/	accento tonico principale sulla sillaba successiva
/ˌ/	accento tonico secondario sulla sillaba successiva

I caratteri posti tra parentesi tonde si riferiscono a suoni opzionali

ENGLISH-ITALIAN
INGLESE-ITALIANO

A

a /eɪ, ə/ (**an** davanti a vocale e 'h' muta) art un, uno, una (ES: **I see a man and a house** vedo un uomo e una casa; **Bob is an old man** Bob è un uomo anziano) ◇ il, lo, la (ES: **a rose is a flower** la rosa è un fiore; **to smoke a pipe** fumare la pipa) ◇ un certo, una certa, un tale, una tale (ES: **in a sense** in un certo senso; **do you know a Mrs Smith?** conosci una certa signora Smith?) ◇ stesso, stessa (ES: **to be of a height** essere della stessa altezza) ◇ (distributivo) per, al, ogni (ES: **once a year** una volta all'anno) ◇ (spesso non si traduce) (ES: **he doesn't have a clue** non ne ha la più pallida idea; **not a chance** nessuna possibilità; **what a pity!** che peccato!)

aback /əˈbæk/ avv all'indietro ● **to be taken a.** essere colto alla sprovvista

to abandon /əˈbændən/ vt abbandonare, lasciare

to abash /əˈbæʃ/ vt confondere, sconcertare

to abate /əˈbeɪt/ vt diminuire, ridurre ◆ vi placarsi, calmarsi

abbey /ˈæbɪ/ s abbazia f

abbot /ˈæbət/ s abate m

to abbreviate /əˈbriːvɪeɪt/ vt abbreviare

to abdicate /ˈæbdɪkeɪt/ vt/i abdicare

abdominal /æbˈdɒmɪn(ə)l/ a addominale

to abduct /æbˈdʌkt/ vt rapire

to abet /əˈbet/ vt appoggiare, spalleggiare

abeyance /əˈbeɪ(ɪ)əns/ s sospensione f ◇ (dir) disuso m ● **to be in a.** essere in sospeso

to abide /əˈbaɪd/ (pass/pp **abode**) vt resistere a ◇ sopportare ● **to a. by** attenersi a, rispettare

ability /əˈbɪlɪtɪ/ s abilità f

ablaze /əˈbleɪz/ a in fiamme ◇ splendente

able /ˈeɪbl/ a capace ● **a.-bodied** sano, robusto; **to be a. to** essere in grado di, potere, riuscire a

aboard /əˈbɔːd/ avv a bordo ◆ prep a bordo di ● **to go a.** imbarcarsi

abode /əˈbəʊd/ s dimora f, domicilio m

to abolish /əˈbɒlɪʃ/ vt abolire, sopprimere

aborigine /æbəˈrɪdʒɪnɪ/ s aborigeno m

to abort /əˈbɔːt/ vt/i abortire

abortive /əˈbɔːtɪv/ a abortivo ◇ (fig) fallito, mancato

to abound /əˈbaʊnd/ vi abbondare ● **to a. in, with** abbondare di, avere in abbondanza

about /əˈbaʊt/ avv quasi, circa, pressappoco ◇ intorno, attorno ◇ nei pressi ◆ prep circa, riguardo a ◇ intorno a ◇ vicino a, nei pressi di ● **to be a. to** accingersi, prepararsi a; **a.-face/turn** dietrofront

above /əˈbʌv/ avv sopra, di sopra ◇ precedentemente ◆ prep su, sopra, al di sopra di ● *a.* **all** soprattutto; *a.-mentioned* suddetto; *see a.* vedi sopra

abrasive /ə'breɪzɪv/ *a/s* abrasivo *m*

abreast /ə'brest/ *avv* a fianco, fianco a fianco ● *to keep a. of* tenersi aggiornato su

to abridge /ə'brɪdʒ/ *vt* ridurre, riassumere, accorciare (*un testo*) ● *abridged edition* edizione ridotta, compendio

abroad /ə'brɔːd/ *avv* all'estero

to abrogate /'æbrə(ʊ)geɪt/ *vt* abrogare

abrupt /ə'brʌpt/ *a* improvviso ◇ brusco, sbrigativo ◇ ripido, scosceso

abscess /'æbsɪs/ *s* ascesso *m*

to abscond /əb'skɒnd/ *vi* scappare, fuggire

absence /'æbs(ə)ns/ *s* assenza *f* ◇ mancanza *f*

absent /'æbs(ə)nt/ *a* assente ● *a.-minded* distratto

absolute /'æbsəluːt/ *a* assoluto, completo, totale

to absolve /əb'zɒlv/ *vt* assolvere ◇ liberare (*da un obbligo*)

to absorb /əb'sɔːb/ *vt* assorbire ◇ assimilare

absorbing /əb'sɔː(ː)bɪŋ/ *a* assorbente ◇ avvincente

absorption /əb'sɔːpʃ(ə)n/ *s* assorbimento *m*, assimilazione *f* ◇ dedizione *f*

to abstain /əb'steɪn/ *vi* astenersi

abstemious /æb'stiːmjəs/ *a* astemio

abstinence /'æbstɪnəns/ *s* astinenza *f*

abstract /'æbstrækt/ *a* astratto ◆ *s*

riassunto *m*, sommario *m* ◇ astrazione *f*

to abstract /æb'strækt/ *vt* astrarre ◇ sottrarre, rubare ◇ riassumere ◇ rimuovere

absurd /əb'sɜːd/ *a* assurdo ◇ ridicolo

abundance /ə'bʌndəns/ *s* abbondanza *f*

abuse /ə'bjuːs/ *s* abuso *m* ◇ insulti *m pl*, ingiurie *f pl* ● *sexual a.* abuso sessuale

abyss /ə'bɪs/ *s* abisso *m*

academic /ækə'demɪk/ *a* accademico ◇ formale ◆ *s* accademico *m*

academy /ə'kædəmɪ/ *s* accademia *f*

to accelerate /æk'seləreɪt/ *vt/i* accelerare

accent /'æks(ə)nt/ *s* accento *m* ◇ (*fig*) enfasi *f*, tono *m*

to accept /ək'sept/ *vt* accettare

acceptance /ək'sept(ə)ns/ *s* accettazione *f* ◇ approvazione *f*

access /'æksɛs/ *s* accesso *m*

accessory /ək'sesərɪ/ *s* accessorio *m* ◇ (*dir*) complice *m/f* ◆ *a* secondario, accessorio

accident /'æksɪd(ə)nt/ *s* incidente *m*, infortunio *m* ◇ caso *m* ● *by a.* per caso

accidentally /ˌæksɪ'dentlɪ/ *avv* accidentalmente, per caso

to acclaim /ə'kleɪm/ *vt* acclamare

to acclimatize /ə'klaɪmətaɪz/ *vt* ambientare, acclimatare ● *to get acclimatized* ambientarsi

to accomodate /ə'kɒmədeɪt/ *vt* alloggiare, sistemare ◇ contenere, portare ◇ agevolare

accomodating /ə'kɔmədeıtıŋ/ *a* accomodante, compiacente

accomodation /ə,kɔmə'deıʃ(ə)n/ *s* alloggio m, sistemazione f ◇ accordo m ◇ comodità f

to accompany /ə'kʌmp(ə)nı/ *vt* accompagnare ● *a.* scortare

accomplice /ə'kɔmplıs/ *s* complice m/f

to accomplish /ə'kɔmplıʃ/ *vt* compiere, realizzare

accomplished /ə'kɔmplıʃt/ *a* compiuto, finito ◇ esperto

accomplishment /ə'kɔmplıʃmənt/ *s* compimento m, realizzazione f ◇ impresa f ● dote f, talento m

accord /ə'kɔːd/ *s* accordo m ● *of one's own a.* di propria iniziativa, spontaneamente; *with one a.* di comune accordo

to accord /ə'kɔːd/ *vt* accordare, concedere

accordance /ə'kɔːd(ə)ns/ *s* concordanza f ◇ concessione f ● *in a. with* in conformità con

accordingly /ə'kɔːdıŋlı/ *avv* di conseguenza, perciò

according to /ə'kɔːdıŋtu/ *prep* secondo, in base a, in conformità con

accordion /ə'kɔːdjən/ *s* fisarmonica f

to accost /ə'kɔst/ *vt* abbordare, attaccare discorso con

account /ə'kaunt/ *s* conto m ◇ (*banca*) conto m, deposito m ◇ acconto m ◇ relazione f, resoconto m ◇ importanza f, considerazione f ● *a. number* numero di conto; *by all accounts* alla fine dei conti di tutti; *current a.* conto corren-

te; *of no a.* di nessuna importanza; *on a.* a credito; *on a. of* a causa di; *to take into a.* tener conto di; *e-mail a.* casella di posta elettronica

to account /ə'kaunt/ *vt/i* considerare ● *a. for* spiegare, giustificare, essere responsabile per

accountancy /ə'kauntənsı/ *s* contabilità f, ragioneria f

accountant /ə'kauntənt/ *s* contabile m/f

to accrue /ə'kruː/ *vi* derivare, provenire ● *accrued interest* interesse maturato

to accumulate /ə'kjuːmjuleıt/ *vt/i* accumulare, accumularsi

accuracy /'ækjurəsı/ *s* accuratezza f, precisione f

accurate /'ækjurıt/ *a* accurato, preciso, esatto

to accuse /ə'kjuːz/ *vt* accusare, incriminare

to accustom /ə'kʌstəm/ *vt* abituare ● *to a. oneself to* abituarsi

accustomed /ə'kʌstəmd/ *a* abituato, avvezzo ● *a.* abituale ● *to become a. to doing st* abituarsi a fare qc

ace /eıs/ *s* asso m ♦ *a* esperto, ottimo

to ache /eık/ *vi* far male, dolere ◇ (*fam*) desiderare ardentemente

to achieve /ə'tʃiːv/ *vt* compiere ◇ raggiungere, conseguire

achievement /ə'tʃiːvmənt/ *s* risultato m positivo, successo m ◇ impresa f, realizzazione f

acid /'æsıd/ *a/s* acido m

acinus /'æsınəs/ *s* acino m

to acknowledge /ək'nɔlıdʒ/ *vt* ammettere ◇ riconoscere ◇ mostrare apprezzamento per ● *to a. receipt* accusare ricevuta

acknowledg(e)ment /ək'nɒlɪdʒmənt/ *s* riconoscimento *m*, ammissione *f* ◇ riconoscenza *f* ◇ certificato *m*

acorn /ˈeɪkɔːn/ *s* ghianda *f*

acoustics /əˈkuːstɪks/ *s pl* (*v al sing*) acustica *f*

to acquaint /əˈkweɪnt/ *vt* informare, mettere al corrente ● *to a. sb with st* informare qn di qc

acquaintance /əˈkweɪnt(ə)ns/ *s* conoscenza *f* ◇ conoscente *m/f*

to acquiesce /ˌækwɪˈes/ *vi* acconsentire, aderire

to acquire /əˈkwaɪə/ *vt* acquisire, procurarsi

to acquit /əˈkwɪt/ *vt* assolvere ● *to a. oneself well* dare buona prova di sé, comportarsi bene

acquittance /əˈkwɪtəns/ *s* pagamento *m*, saldo *m* ◇ quietanza *f*, ricevuta *f*

acrid /ˈækrɪd/ *a* acre, pungente

acrimonious /ˌækrɪˈməʊnjəs/ *a* aspro, astioso

acrobat /ˈækrəbæt/ *s* acrobata *m/f*

across /əˈkrɒs/ *prep* attraverso ◇ dall'altro lato di, oltre ● *avv* da una parte all'altra, in larghezza ● *a. from* di fronte a; *a. the way* qui vicino

act /ækt/ *s* atto *m*, azione *f* ◇ decreto *m*, legge *f*, documento *m* ◇ (*teat*) atto *m*

to act /ækt/ *vi* agire, comportarsi ◇ funzionare ◇ recitare ◇ fingere ◆ *vt* recitare (la parte di) ● *to a.*

as/for fungere da, agire per conto di; *to a. up* comportarsi male

acting /ˈæktɪŋ/ *a* facente funzione, sostituto ◆ *s* recitazione *f* ◇ finzione *f*

action /ˈækʃ(ə)n/ *s* azione *f*, atto *m* ◇ funzionamento *m*, moto *m* ◇ (*dir*) processo *m*, causa *f* ◇ (*mil*) combattimento *m* ● *out of a.* fuori uso, fuori servizio

to activate /ˈæktɪveɪt/ *vt* attivare

active /ˈæktɪv/ *a* attivo, operoso

activity /ækˈtɪvɪtɪ/ *s* attività *f*

actor /ˈæktə/ *s* attore *m*

actress /ˈæktrɪs/ *s* attrice *f*

actual /ˈæktjʊəl/ *a* reale, effettivo

acute /əˈkjuːt/ *a* acuto

ad /æd/ *s* (*abbr di* **advertisement**) annuncio *m* pubblicitario

to adapt /əˈdæpt/ *vt* adattare ● *to a. oneself* adattarsi

adapter /əˈdæptə/ *s* adattatore *m*

to add /æd/ *vt* aggiungere ◇ addizionare, sommare ◆ *vi* aggiungersi, aumentare ● *to a. in* includere; *to a. up* sommare, fare una somma, avere senso; *to a. up to* ammontare a

adder /ˈædə/ *s* vipera *f*

addict /ˈædɪkt/ *s* tossicomane *m/f* ◇ fanatico *m*, maniaco *m*

addiction /əˈdɪkʃ(ə)n/ *s* dipendenza *f* ● *drug a.* tossicodipendenza

addictive /əˈdɪktɪv/ *a* che dà assuefazione

addition /əˈdɪʃ(ə)n/ *s* addizione *f*, somma *f* ◇ aggiunta *f*, supplemento *m* ● *in a.* inoltre; *in a. to* oltre a

additive /ˈædɪtɪv/ *s* additivo *m*

address /ə'dres/ *s* indirizzo *m*, recapito *m* ◇ discorso *m*

to address /ə'dres/ *vt* indirizzare ◇ rivolgersi a, fare un discorso a ◇ affrontare

addressee /ædre'siː/ *s* destinatario *m*

addresser /ə'dresə/ *s* mittente *m*

adept /ə'dept/ *a/s* esperto *m*, perito *m*

adequate /'ædɪkwɪt/ *a* adeguato, sufficiente

to adhere /əd'hɪə/ *vi* aderire

adherent /əd'hɪərənt/ *a* aderente, attaccato ◆ *s* aderente *m/f*, seguace *m/f*

adhesive /əd'hiːsɪv/ *a* adesivo

adjacent /ə'dʒeɪs(ə)nt/ *a* adiacente, attiguo

adjective /'ædʒɪktɪv/ *s* aggettivo *m*

to adjoin /ə'dʒɔɪn/ *vt* confinare con

to adjourn /ə'dʒɜːn/ *vt* aggiornare, rinviare ◆ *vi* aggiornarsi

to adjudicate /ə'dʒuːdɪkeɪt/ *vi* (*dir*) giudicare ◆ *vt* aggiudicare

to adjust /ə'dʒʌst/ *vt* sistemare, aggiustare ◇ regolare, adattare ◆ *vi* adattarsi a

adjustment /ə'dʒʌstmənt/ *s* adattamento *m*, sistemazione *f* ◇ modifica *f* ◇ (*econ*) conguaglio *m* ◇ regolazione *f*

to administer /əd'mɪnɪstə/ *vt* amministrare ◇ somministrare

administrative /əd'mɪnɪstrətɪv/ *a* amministrativo

admirable /'ædm(ə)rəbl/ *a* ammirevole

admiral /'ædm(ə)r(ə)l/ *s* ammiraglio *m*

to admire /əd'maɪə/ *vt* ammirare

admirer /əd'maɪərə/ *s* ammiratore *m*

admission /əd'mɪʃ(ə)n/ *s* ammissione *f* ◇ riconoscimento *m*, confessione *f* ◇ ingresso *m*, entrata *f* ● *a. fee* prezzo del biglietto d'ingresso

to admit /əd'mɪt/ *vt* ammettere, far entrare ◇ ammettere, riconoscere ◇ contenere, aver posto per ● *to a. of* lasciar adito a

admittance /əd'mɪt(ə)ns/ *s* accesso *m*, ingresso *m* ◇ ammissione *f* ● *no a.* vietato l'ingresso

admittedly /əd'mɪtɪdlɪ/ *avv* per ammissione generale

to admonish /əd'mɒnɪʃ/ *vt* ammonire, mettere in guardia

ado /ə'duː/ *s* rumore *m*, confusione *f*

adolescent /ædə'les(ə)nt/ *a* adolescente, adolescenziale ◆ *s* adolescente *m/f*

to adopt /ə'dɒpt/ *vt* adottare

adoptive /ə'dɒptɪv/ *a* adottivo

to adore /ə'dɔː/ *vt* adorare

to adorn /ə'dɔːn/ *vt* adornare, abbellire

adrift /ə'drɪft/ *avv/a.pred* alla deriva

adult /'ædʌlt/ *a/s* adulto *m*

to adulterate /ə'dʌltəreɪt/ *vt* adulterare, contraffare

adultery /ə'dʌltərɪ/ *s* adulterio *m*

advance /əd'vɑːns/ *s* avanzamento *m*, progresso *m* ◇ aumento *m* ◇ acconto *m*, anticipo *m* ● *in a.* in acconto

to advance /əd'vɑːns/ *vi* avanzare, progredire ◆ *vt* anticipare ◇ far avanzare, spostare avanti ◇ avanzare, proporre, presentare

◇ promuovere, far progredire ◇ aumentare

advantage /əd'vɑːntɪdʒ/ s vantaggio *m*, profitto *m* ● *to take a. of* approfittare di

advent /'ædvənt/ s avvento *m*

adventure /əd'ventʃər/ s avventura *f*

adverb /'ædvɜːb/ s avverbio *m*

adversary /'ædvəs(ə)rɪ/ s avversario *m*

adverse /'ædvɜːs/ *a* avverso, contrario

to advertise /'ædvətaɪz/ *vt* fare pubblicità a ◆ *vi* mettere un'inserzione ● *to a. for* mettere un annuncio per

advertisement /əd'vɜːtɪsmənt/ s inserzione *f*, annuncio *m* pubblicitario

advertising /'ædvətaɪzɪŋ/ s pubblicità *f*

advice /əd'vaɪs/ s consiglio *m* ◇ consulenza *f* ◇ avviso *m*, notizia *f*

to advise /əd'vaɪz/ *vt* consigliare ◇ avvisare, far sapere a

adviser /əd'vaɪzər/ o **advisor** s consigliere *m*, consulente *m/f*

advocate /'ædvəkɪt/ s difensore *m*, sostenitore *m*

to advocate /'ædvəkeɪt/ *vt* sostenere, patrocinare

to aerate /'e(ɪ)əreɪt/ *vt* aerare, ventilare

aerial (1) /'eərɪəl/ *a* aereo ● *a. photography* aerofotografia

aerial (2) /'eərɪəl/ s antenna *f*

aerobics /eə'rəʊbɪks/ s *pl* (*v al sing*) (ginnastica) aerobica *f*

aeronautics /ˌeərə'nɔːtɪks/ s *pl* (*v al sing*) aeronautica *f*

aeroplane /'eərəpleɪn/ s aeroplano *m*

aerospace /'eərə(ʊ)speɪs/ *a* aerospaziale

aesthetics /iːs'θetɪks/ s *pl* (*v al sing*) estetica *f*

afar /ə'fɑːr/ *avv* lontano ● *from a.* da lontano

affair /ə'feər/ s faccenda *f*, affare *m* ◇ relazione *f* extraconiugale

to affect (1) /ə'fekt/ *vt* riguardare, interessare, influenzare ◇ (*di malattia*) colpire ◇ commuovere

to affect (2) /ə'fekt/ *vt* fingere, simulare ◇ preferire

affected /ə'fektɪd/ *a* commosso, afflitto ◇ affettato, lezioso ◇ (*med*) affetto

affection /ə'fekʃ(ə)n/ s affezione *f*, affetto *m* ◇ emozione *f*

affectionate /ə'fekʃnɪt/ *a* affettuoso

affinity /ə'fɪnɪtɪ/ s affinità *f*

to affirm /ə'fɜːm/ *vt* affermare ◇ (*dir*) convalidare

to affix /ə'fɪks/ *vt* affiggere, attaccare ◇ apporre

to afflict /ə'flɪkt/ *vt* affliggere

affluence /'æfluəns/ s abbondanza *f*, ricchezza *f*

affluent /'æfluənt/ *a* ricco, opulento ◇ abbondante ● *a. society* società del benessere

to afford /ə'fɔːd/ *vt* permettersi (*il lusso di*) ◇ offrire, fornire

to afforest /æ'fɒrɪst/ *vt* imboschire

affront /ə'frʌnt/ s affronto *m*, insulto *m*

afield /ə'fiːld/ *avv* lontano

afloat /ə'fləut/ *avv* a galla ◇ in mare (*aperto*) ◇ (*fig*) in circolazione

afoot /ə'fut/ *avv* (*mil*) in marcia ◇ in atto

aforesaid /ə'fɔːsed/ *a* predetto, suddetto

afraid /ə'freɪd/ *a.pred* spaventato, pauroso ● **to be a.** temere, dispiacersi

afresh /ə'freʃ/ *avv* di nuovo, da capo

African /'æfrɪkən/ *a/s* africano *m*

after /'ɑːftə/ *a* posteriore, successivo ◇ di poppa ◆ *prep* dopo ◇ dietro, di seguito a ◇ secondo, alla maniera di ◆ *avv* dopo, in seguito, successivamente ◇ dietro ◆ *cong* dopo che ● *a.* **all** dopotutto; *the day a.* il giorno dopo

aftereffect /'ɑːftərɪˌfekt/ *s* effetto *m* collaterale

aftermath /'ɑːftəmæθ/ *s* conseguenza *f* ◇ (*med*) postumi *m pl*

afternoon /ɑːftə'nuːn/ *s* pomeriggio *m*

afters /'ɑːftəs/ *s pl* (*fam*) dessert *m*

aftersun /'ɑːftəsʌn/ *a* doposole

afterwards /'ɑːftəwədz/ *avv* dopo, più tardi, successivamente

again /ə'gen/ *avv* ancora, nuovamente ◇ inoltre, d'altra parte ● *a.* **and** *a.* ripetutamente

against /ə'genst/ *prep* contro ◇ in senso contrario ◇ su, a contatto con ◇ in previsione di ● **to be a.** osteggiare

age /eɪdʒ/ *s* età *f* ◇ epoca *f*, era *f* ● **to be of** *a.* essere maggiorenne

to age /eɪdʒ/ *vt/i* invecchiare

aged /'eɪdʒɪd/ *a* ◇ anziano ◇ dell'età di ◇ stagionato

ageing /'eɪdʒɪŋ/ *s* invecchiamento *m* ◇ stagionatura *f*

agency /'eɪdʒənsɪ/ *s* agenzia *f*, ente *m* ◇ (*comm*) filiale *f*, agenzia *f* ◇ azione *f*, intervento *m* ◇ dipartimento *m* ministeriale (*del governo*)

agenda /ə'dʒendə/ *s* programma *m*, ordine *m* del giorno

agent /'eɪdʒənt/ *s* agente *m/f* ◇ (*comm*) rappresentante *m/f*

aggressive /ə'gresɪv/ *a* aggressivo

aggrieved /ə'griːvd/ *a* risentito, offeso

aghast /ə'gɑːst/ *a.pred* inorridito ◇ stupefatto

agility /ə'dʒɪlɪtɪ/ *s* agilità *f*, scioltezza *f*

to agitate /'ædʒɪteɪt/ *vt* agitare, scuotere ◇ turbare ◆ *vi* agitarsi

ago /ə'gəʊ/ *avv* fa, in passato, or sono

agog /ə'gɒg/ *a.pred* impaziente, eccitato

agonistic(al) /ˌægə'nɪstɪk((ə)l)/ *a* agonistico

agonizing /'ægənaɪzɪŋ/ *a* angoscioso, straziante

agony /'ægənɪ/ *s* agonia *f* ◇ tormento *m*, supplizio *m*, angoscia *f*

agrarian /ə'greərɪən/ *a* agrario, agricolo

to agree /ə'griː/ *vt* accettare, ammettere ◆ *vi* convenire, essere d'accordo ◇ acconsentire ◇ andare d'accordo ◇ (*gramm*) concordare ◇ confarsi, andare bene per

agreeable /ə'grɪəbl/ *a* gradevole,

simpatico ◇ consenziente, ben disposto

agreed /ə'gri:(:)d/ *a* convenuto, pattuito

agreement /ə'gri:mənt/ *s* accordo *m*, patto *m* ◆ contratto *m* ◇ (*gramm*) concordanza *f*

agriculture /'ægrɪkʌltʃə/ *s* agricoltura *f*

aground /ə'graund/ *a.pred* arenato, in secco

ahead /ə'hed/ *avv* davanti, avanti ◇ in anticipo ◆ *a.pred* in vantaggio

aid /eɪd/ *s* aiuto *m*, soccorso *m* ◇ assistenza *f*, sovvenzione *f*

to aid /eɪd/ *vt* aiutare, assistere ● *to a. and abet sb* essere complice di qn

aileron /'eɪlərɒn/ *s* (*aer*) alettone *m*

ailing /'eɪlɪŋ/ *a* malaticcio, sofferente

aim /eɪm/ *s* mira *f* ◇ scopo *m*, finalità *f* ● *to take a.* prendere la mira

to aim /eɪm/ *vt* puntare ◇ indirizzare ◆ *vi* puntare, mirare ◇ aspirare a ● *to a. at st* mirare a qc, aspirare a qc

air /eə/ *s* aria *f* ◇ ● *a. conditioning* aria condizionata; *by a.* per via aerea; *on the a.* in onda

to air /eə/ *vt* arieggiare, ventilare ◇ rendere noto, diffondere

aircraft /'eəkrɑːft/ *s* velivolo *m* ● *a.-carrier* portaerei

airforce /'eəfɔːs/ *s* aeronautica *f* militare

airliner /'eəlaɪnə/ *s* aereo *m* di linea

airplane /'eəpleɪn/ *s* aereo *m*, aeroplano *m*

airport /'eəpɔːt/ *s* aeroporto *m*

airsickness /'eəsɪknɪs/ *s* mal *m* d'aria

airtight /'eətaɪt/ *a* ermetico

airway /'eəweɪ/ *s* aerovia *f* ◇ (*anat*) via *f* respiratoria ◇ canale *m* TV

airy /'eərɪ/ *a* arioso, ventilato ◇ delicato, lieve ◇ superficiale, noncurante

aisle /aɪl/ *s* navata *f* ◇ passaggio *m*, corridoio *m*

ajar /ə'dʒɑː/ *a.pred* socchiuso

akin /ə'kɪn/ *a* consanguineo ◇ simile, affine

alarm /ə'lɑːm/ *s* allarme *m* ● *a. clock* sveglia

alas /ə'lɑːs/ *inter* ahimè

albeit /ɔːl'biːɪt/ *cong* sebbene

albumen /'ælbjumɪn/ *s* albume *m*

alcoholic /ælkə'hɒlɪk/ *a* alcolico ◇ alcolizzato

ale /eɪl/ *s* birra *f*

alert /ə'lɜːt/ *a* vigile, attento ◆ *s* allarme *m*

to alert /ə'lɜːt/ *vt* mettere in guardia, avvertire

alias /'eɪlɪæs/ *s* pseudonimo *m* ◆ *avv* alias, altrimenti detto

alien /'eɪljən/ *a* straniero ◇ alieno ◆ *s* straniero *m* ◇ alieno *m*, extraterrestre *m/f*

to alienate /'eɪljəneɪt/ *vt* alienare

alight /ə'laɪt/ *a.pred* acceso ◇ in fiamme

to alight /ə'laɪt/ *vi* scendere, smontare ● *to a. on* posarsi su

to align /ə'laɪn/ *vt/i* allineare, allinearsi

alike /ə'laɪk/ *a.pred* simile ◆ *avv* ugualmente, parimenti

alimentary /ælɪ'mentərɪ/ *a* alimentare

alimony /ˈælɪmənɪ/ s (dir) alimenti m pl

alive /əˈlaɪv/ a.pred vivo, in vita ◇ attivo, vivace ● to be a. to essere consapevole di; to be a. with essere pieno di, brulicare di

all /ɔːl/ a tutto, intero ◇ ogni ◇ totale, completo ♦ pr tutto, ogni cosa ◇ pl tutti ♦ avv del tutto, completamente ♦ s il tutto m ● at a. affatto; a. clear cessato allarme; a. day tutto il giorno; a. in tutto compreso; a. of us tutti noi; a. right bene, va bene; a. up senza speranza; most of a. soprattutto

to allay /əˈleɪ/ vt diminuire, alleviare

allegation /ˌælɪˈgeɪʃ(ə)n/ s asserzione f, accusa f

to allege /əˈledʒ/ vt asserire, dichiarare

alleged /əˈledʒd/ a presunto

allegiance /əˈliːdʒ(ə)ns/ s fedeltà f, devozione f

allergy /ˈælədʒɪ/ s allergia f

to alleviate /əˈliːvɪeɪt/ vt alleviare, lenire, attenuare

alley /ˈælɪ/ s vicolo m ● blind a. vicolo cieco

alliance /əˈlaɪəns/ s alleanza f

allied /ˈælaɪd/ a alleato ◇ connesso, affine

to allocate /ˈæləkeɪt/ vt distribuire, assegnare

to allot /əˈlɒt/ vt assegnare

all-out /ˈɔːlaʊt/ a (fam) completo, totale

to allow /əˈlaʊ/ vt permettere ◇ ammettere ◇ concedere, accor-

dare ● to a. for tener conto di; to be allowed avere il permesso

allowance /əˈlaʊəns/ s indennità f, assegno m ◇ concessione f ◇ sconto m, detrazione f ◇ razione f ● to make allowances for st tenere conto di

alloy /ˈælɔɪ/ s (met) lega f

all-purpose /ˈɔːlˌpɜːpəs/ a per tutti gli usi

all-round /ˈɔːlraʊnd/ a completo, globale

all-time /ˈɔːltaɪm/ a massimo, assoluto

to allude /əˈluːd/ vi alludere

all-up /ˈɔːlʌp/ a.pred senza scampo, senza speranza

to allure /əˈljʊə/ vt attrarre, affascinare

allusion /əˈluːʒ(ə)n/ s allusione f

alluvion /əˈluːvjən/ s alluvione f

ally /əˈlaɪ/ s alleato m

almighty /ɔːlˈmaɪtɪ/ a onnipotente

almond /ˈɑːmənd/ s mandorla f

almost /ˈɔːlməʊst/ avv pressoché, quasi

alms /ɑːmz/ s pl carità f, elemosina f ● to give a. fare l'elemosina

aloft /əˈlɒft/ a.pred/avv in alto

alone /əˈləʊn/ a/avv solo, da solo ◇ soltanto ● to leave a. lasciare in pace

along /əˈlɒŋ/ prep lungo, per ♦ avv avanti, in avanti ◇ insieme ● all a. per tutto il tempo, fin dall'inizio; a. with insieme con

alongside /əˌlɒŋˈsaɪd/ avv accanto ♦ prep di fianco a, lungo ◇ a fianco di, insieme a

aloof /əˈluːf/ a appartato, distacca-

amiss

to ◆ *avv* in disparte, a distanza, alla larga

aloud /əˈlaud/ *avv* ad alta voce

alphabet /ˈælfəbɪt/ *s* alfabeto *m*

alpine /ˈælpaɪn/ *a* alpino

alpinism /ˈælpɪnɪzəm/ *s* alpinismo *m*

already /ɔːlˈredɪ/ *avv* già

also /ˈɔːlsəu/ *avv* anche, inoltre

altar /ˈɔːltə/ *s* altare *m* ● **a.-piece** pala d'altare

to alter /ˈɔːltə/ *vt* alterare, cambiare, modificare ◆ *vi* cambiare, modificarsi

altercation /ˌɔːltəˈkeɪʃ(ə)n/ *s* alterco *m*, diverbio *m*

alternate /ˈɔːltəːnɪt/ *a* alterno, alternato ◇ alternativo, sostitutivo

to alternate /ˈɔːltəneɪt/ *vt/i* alternare, alternarsi ● *alternating current* corrente alternata

alternative /ɔːlˈtəːnətɪv/ *a* alternativo ◆ *s* alternativa *f*

alternator /ˈɔːltəneɪtə/ *s* alternatore *m*

although /ɔːlˈðəu/ *cong* benché, sebbene, nonostante

altitude /ˈæltɪtjuːd/ *s* altitudine *f*

altogether /ˌɔːltəˈɡeðə/ *avv* del tutto, completamente ◇ tutto considerato, nell'insieme

altruism /ˈæltruːɪz(ə)m/ *s* altruismo *m*

aluminium /ˌæljuˈmɪnjəm/ (*USA* **aluminum**) *s* alluminio *m*

always /ˈɔːlwəz/ *avv* sempre

to amalgamate /əˈmælɡəmeɪt/ *vt/i* amalgamare, amalgamarsi

to amass /əˈmæs/ *vt* ammassare, accumulare

amateur /ˈæmətɜː/ *a* dilettante

amateurish /ˌæməˈtɜːrɪʃ/ *a* dilettantesco

to amaze /əˈmeɪz/ *vt* meravigliare, sorprendere ● *to be amazed at st* stupirsi di qc

amazing /əˈmeɪzɪŋ/ *a* sorprendente, sbalorditivo

ambassador /æmˈbæsədə/ *s* ambasciatore *m*

amber /ˈæmbə/ *s* ambra *f*

ambience /ˈæmbjəns/ *s* ambiente *m*, atmosfera *f*

ambiguous /æmˈbɪɡjuəs/ *a* ambiguo

ambition /æmˈbɪʃ(ə)n/ *s* ambizione *f*

amble /ˈæmbl/ *s* passeggiata *f* ◇ passo *m* lento ◇ ambio *m*

ambulance /ˈæmbjuləns/ *s* ambulanza *f*

ambulatory /ˈæmbjulətərɪ/ *a* ambulatorio ◆ *s* (*arch*) ambulacro *m*

ambush /ˈæmbuʃ/ *s* imboscata *f*

amenable /əˈmiːnəbl/ *a* disponibile, ben disposto ◇ soggetto a ◇ riferibile, riconducibile

to amend /əˈmend/ *vt* emendare, correggere

amends /əˈmendz/ *s pl* ammenda *f*

amenity /əˈmiːnɪtɪ/ *s* amenità *f* ◇ *al pl* attrattive *f pl*

American /əˈmerɪkən/ *a/s* americano *m*

Amerind /ˈæmərɪnd/ *a/s* amerindio *m*

amiable /ˈeɪmjəbl/ *a* affabile, simpatico

amiantus /ˌæmɪˈæntəs/ *s* amianto *m*

amicable /ˈæmɪkəbl/ *a* amichevole

amid(st) /əˈmɪd(st)/ *prep* fra, tra, nel mezzo di

amiss /əˈmɪs/ *a* sbagliato ◇ fuori

luogo, inopportuno ◆ *avv* male, erroneamente ◇ inopportunamente ● *to take it a.* aversene a male

ammonia /əˈməʊnjə/ *s* ammoniaca *f*

ammunition /ˌæmjʊˈnɪʃ(ə)n/ *s* (*mil*) munizioni *f pl* ◇ (*fig*) materiale *m*

amnesty /ˈæmnestɪ/ *s* amnistia *f*

among(st) /əˈmʌŋ(st)/ *prep* fra, tra, in mezzo a ◇ rispetto a

amortization /əˌmɔːtɪˈzeɪʃ(ə)n/ *s* ammortamento *m*

to amortize /əˈmɔːtaɪz/ *vt* ammortizzare

amount /əˈmaʊnt/ *s* ammontare *m*, importo *m* ◇ quantità *f*

to amount /əˈmaʊnt/ *vi* ammontare ◇ equivalere

ampersand /ˈæmpəsænd/ *s* 'e' *f* commerciale (&)

amphibian /æmˈfɪbɪən/ *a* anfibio *m*

ample /ˈæmpl/ *a* ampio, spazioso ◇ sufficiente, bastevole

to amplify /ˈæmplɪfaɪ/ *vt* aumentare, allargare ◇ amplificare

to amputate /ˈæmpjʊteɪt/ *vt* amputare

amulet /ˈæmjʊlɪt/ *s* amuleto *m*

to amuse /əˈmjuːz/ *vt* divertire

amusement /əˈmjuːzmənt/ *s* divertimento *m*, svago *m* ● *a. park* parco divertimenti

an /æn, ən/ → **a**

anachronism /əˈnækrənɪz(ə)m/ *s* anacronismo *m*

an(a)emia /əˈniːmjə/ *s* anemia *f*

an(a)esthesia /ˌænɪsˈθiːzjə/ *s* anestesia *f*

to an(a)esthetize /æˈniːsθɪtaɪz/ *vt* anestetizzare

anagram /ˈænəɡræm/ *s* anagramma *m*

analog(ue) /ˈænəlɒɡ/ *a* analogico ● *a. line* (*tel*) linea analogica

analogy /əˈnælədʒɪ/ *s* analogia *f*

to analyse /ˈænəlaɪz/ (*USA* **analyze**) *vt* analizzare ◇ (*USA*) psicoanalizzare

analysis /əˈnæləsɪs/ (*pl* **analyses**) *s* analisi *f*

anarchy /ˈænəkɪ/ *s* anarchia *f*

anatomy /əˈnætəmɪ/ *s* anatomia *f*

ancestor /ˈænsɪstə/ *s* antenato *m*

anchor /ˈæŋkə/ *s* ancora *f* (ES: **to drop a.** ancorare, gettare l'ancora) ◇ (*TV*) conduttore *m*, anchorman *m* ◇ (*fig*) appoggio *m*

anchovy /ˈænt͡ʃəvɪ/ *s* acciuga *f*

ancient /ˈeɪnʃ(ə)nt/ *a* antico ● *that's a. history* è acqua passata; *in a. times* anticamente

ancillary /ænˈsɪlərɪ/ *a* ausiliario, accessorio

and /ænd, ən(d)/ *cong* e, ed ◇ (*tra due comp*) sempre più (ES: **farther a. farther** sempre più lontano) ◇ (*tra due v*) a, di (ES: **try a. come next Friday** cerca di venire venerdì) ● *a. so on* eccetera

anecdote /ˈænɪkdəʊt/ *s* aneddoto *m*

anew /əˈnjuː/ *avv* di nuovo ● *to begin a.* ricominciare

angel /ˈeɪn(d)ʒ(ə)l/ *s* angelo *m*

anger /ˈæŋɡə/ *s* collera *f*, rabbia *f*

angle /ˈæŋɡl/ *s* angolo *m* ◇ (*fig*) lato *m*, punto *m* di vista ◇ interesse *m*

to angle /ˈæŋɡl/ *vi* pescare con la lenza

Anglican /ˈæŋɡlɪkən/ *a* anglicano

antirust

Anglo-Saxon /ˌæŋglə(ʊ)'sæks(ə)n/ *a/ s* anglosassone *m/f*

angry /'æŋgrɪ/ *a* arrabbiato, rabbioso ● *to get a.* arrabbiarsi

anguish /'æŋgwɪʃ/ *s* angoscia *f*

animal /'ænɪm(ə)l/ *a/s* animale *m*

animate /'ænɪmɪt/ *a* animato

animator /'ænɪmeɪtə*r*/ *s* animatore *m*

anise /'ænɪs/ *s* anice *m*

ankle /'æŋkl/ *s* caviglia *f*

anklet /'æŋklɪt/ *s* cavigliera *f*

to annex /ə'neks/ *vt* allegare ◇ annettere

to annihilate /ə'naɪəleɪt/ *vt* annientare, annichilire

anniversary /ˌænɪ'vɜːs(ə)rɪ/ *s* anniversario *m*

annotation /ˌænə(ʊ)'teɪʃ(ə)n/ *s* annotazione *f*, nota *f*

to announce /ə'naʊns/ *vt* annunciare

announcer /ə'naʊnsə*r*/ *s* annunciatore *m*, presentatore *m*

to annoy /ə'nɔɪ/ *vt* importunare, infastidire

annoyed /ə'nɔɪd/ *a* infastidito ● *to get a.* infastidirsi

annoying /ə'nɔɪɪŋ/ *a* fastidioso, molesto, seccante

annual /'ænjʊəl/ *a* annuale ◆ *s* pianta *f* annuale ◇ annuario *m*

to annul /ə'nʌl/ *vt* annullare

anomalous /ə'nɒmələs/ *a* anomalo

anonymous /ə'nɒnɪməs/ *a* anonimo

anorak /'ænəræk/ *s* giacca *f* a vento

another /ə'nʌðə*r*/ *a* un altro, uno in più ◇ diverso, differente ◇ un altro simile, un secondo ◆ *pr* un altro, uno in più ◇ un altro, differente

answer /'ɑːnsə*r*/ *s* risposta *f*, responso *m*

to answer /'ɑːnsə*r*/ *vt/i* rispondere (a) ● *to a. back* controbattere; *to a. for* essere responsabile di

answerable /'ɑːns(ə)rəbl/ *a.pred* responsabile

ant /ænt/ *s* formica *f*

antagonist /æn'tægənɪst/ *s* antagonista *m/f*, avversario *m*

to antagonize /æn'tægənaɪz/ *vt* contrapporsi a, inimicarsi

Antarctic /ænt'ɑːktɪk/ *a* antartico

antechamber /'æntɪˌtʃeɪmbə*r*/ *s* anticamera *f*

antelope /'æntɪləʊp/ *s* antilope *f*

antenatal /ˌæntɪ'neɪtl/ *a* prenatale

anthem /'ænθəm/ *s* inno *m*

anthology /æn'θɒlədʒɪ/ *s* antologia *f*

anthropology /ˌænθrə'pɒlədʒɪ/ *s* antropologia *f*

antibody /'æntɪˌbɒdɪ/ *s* anticorpo *m*

to anticipate /æn'tɪsɪpeɪt/ *vt* prevedere, pregustare ◇ prevenire, precedere ◇ anticipare

anticlockwise /ˌæntɪ'klɒkwaɪz/ *a/avv* in senso antiorario

antics /'æntɪks/ *s pl* buffonate *f pl*

antifreeze /ˌæntɪ'friːz/ *s* antigelo *m*

antihistamine /ˌæntɪ'hɪstəmiːn/ *a/s* antistaminico *m*

antiquarian /ˌæntɪ'kweərɪən/ *s* antiquario *m*

antiquated /'æntɪˌkweɪtɪd/ *a* antiquato

antique /æn'tiːk/ *a* antico ◆ *s* pezzo *m* di antiquariato ● *a. show* antiquariato

antiquity /æn'tɪkwɪtɪ/ *s* antichità *f*

antirust /ˌæntɪ'rʌst/ *a* antiruggine

anti-Semitism /ˌæntɪˈsemɪtɪz(ə)m/ s antisemitismo m

anus /ˈeɪnəs/ s ano m

anvil /ˈænvɪl/ s incudine f

anxiety /æŋˈzaɪətɪ/ s ansia f

any /ˈenɪ/ a (in frasi neg, interr, dubit e condiz) alcuno, alcuna, alcuni, alcune, del, della, dei, delle, un po' di (ES: **have you got a. cigarettes?** hai delle sigarette?) ◇ (in frasi afferm) qualsiasi, qualunque (ES: **come at a. time** vieni in qualunque momento) ◆ pr (in frasi neg, interr, dubit e condiz) alcuno, qualcuno, nessuno, ne (ES: **I haven't a.** non ne ho) ◇ (in frasi afferm) chiunque, uno, una, qualunque (ES: **take a. of these books** prendi uno qualsiasi di questi libri) ◆ avv un po', in qualche misura (ES: **is he a. better today?** sta un po' meglio oggi?)

anybody /ˈenɪˌbɒdɪ/ pr (in frasi neg, interr, dubit e condiz) qualcuno, taluno, nessuno (ES: **is a. coming with me?** c'è qualcuno che viene con me?) ◇ (in frasi afferm) chiunque (ES: **a. can understand that** chiunque può capirlo)

anyhow /ˈenɪhaʊ/ avv comunque, non importa come ◇ in ogni caso, a ogni modo

anyone /ˈenɪwʌn/ → **anybody**

anything /ˈenɪθɪŋ/ pr (in frasi neg, interr, dubit e condiz) qualche cosa, qualcosa, niente (ES: **can you hear a.?** senti niente?) ◇ (in frasi afferm) qualunque cosa, qualsiasi cosa (ES: **a. is better than nothing** qualunque cosa è

meglio di niente) ◆ if a. se non altro

anytime /ˈenɪtaɪm/ avv in qualsiasi momento

anyway /ˈenɪweɪ/ → **anyhow**

anywhere /ˈenɪweə/ avv (in frasi neg, interr, dubit e condiz) in qualche luogo, da qualche parte, in nessun luogo, da nessuna parte (ES: **are you going a.?** stai andando da qualche parte?) ◇ (in frasi afferm) dovunque, in qualsiasi luogo (ES: **you can stay a.** puoi metterti dove vuoi)

apart /əˈpɑːt/ avv da parte, a una certa distanza ◇ a parte, separatamente ◆ a. from oltre a; to tell a. distinguere tra

apartment /əˈpɑːtmənt/ s appartamento m, camera f ◆ a. building palazzo

apathetic /æpəˈθetɪk/ a apatico ◆ spiacente

ape /eɪp/ s scimmia f

aperture /ˈæpətjʊə/ s apertura f

apex /ˈeɪpeks/ s apice m

aphrodisiac /ˌæfrə(ʊ)ˈdɪzɪæk/ a/s afrodisiaco m

apiece /əˈpiːs/ avv a testa, per ciascuno

apologetic /əˌpɒləˈdʒetɪk/ a di scusa ◆ spiacente

to apologize /əˈpɒlədʒaɪz/ vi scusarsi, chiedere scusa

apology /əˈpɒlədʒɪ/ s scusa f ◆ to make an a. fare le proprie scuse

apostle /əˈpɒsl/ s apostolo m

apostrophe /əˈpɒstrəfɪ/ s apostrofo m

to appal /əˈpɔːl/ vt atterrire, spaventare

apparatus /ˌæpəˈreɪtəs/ s apparato m

apparel /əˈpær(ə)l/ s paramento m ◇ (USA) abbigliamento m, vestiti m pl

apparent /əˈpær(ə)nt/ a evidente, manifesto ◇ apparente

apparition /ˌæpəˈrɪʃ(ə)n/ s apparizione f

appeal /əˈpiːl/ s supplica f ◇ (dir) appello m ◇ attrattiva f

to appeal /əˈpiːl/ vi fare appello ◇ attrarre, piacere ◇ (dir) appellarsi

to appear /əˈpɪər/ vi apparire, sembrare ◇ (dir) comparire, presentarsi (in giudizio) ◇ apparire, mostrarsi

appearance /əˈpɪər(ə)ns/ s apparizione f, comparsa f ◇ parvenza f, aspetto m

to appease /əˈpiːz/ vt calmare, placare

to append /əˈpend/ vt apporre ◇ aggiungere, allegare, attaccare

appetite /ˈæpɪtaɪt/ s appetito m

appetizer /ˈæpɪtaɪzə/ s antipasto m

to applaud /əˈplɔːd/ vt/i applaudire

applause /əˈplɔːz/ s applauso m

apple /ˈæpl/ s mela f ● **a. pie** torta di mele

appliance /əˈplaɪəns/ s apparecchio m, strumento m ● **household a.** elettrodomestico

applicant /ˈæplɪkənt/ s candidato m

application /ˌæplɪˈkeɪʃ(ə)n/ s applicazione f ◇ richiesta f, istanza f ● **a. form** modulo di domanda

to apply /əˈplaɪ/ vt applicare ◇ azionare ◆ vi rivolgersi, inoltrare domanda ◇ riguardare, concernere ● **to a. for** fare domanda per; **to a. to** riguardare, essere valido

to appoint /əˈpɔɪnt/ vt designare, nominare, eleggere ◇ stabilire, fissare ◇ prescrivere, ordinare

appointment /əˈpɔɪntmənt/ s appuntamento m ◇ nomina f ◇ incarico m, carica f ◇ prescrizione f, decreto m

to appraise /əˈpreɪz/ vt valutare, stimare

to appreciate /əˈpriːʃɪeɪt/ vt apprezzare, stimare ◇ rendersi conto di ◆ vi aumentare di valore

to apprehend /ˌæprɪˈhend/ vt arrestare ◇ afferrare, comprendere

apprehension /ˌæprɪˈhenʃ(ə)n/ s apprensione f

apprentice /əˈprentɪs/ s apprendista m/f

approach /əˈprəʊtʃ/ s avvicinamento m, approccio m ◇ accesso m

to approach /əˈprəʊtʃ/ vi avvicinarsi ◆ vt avvicinare, accostare ◇ rivolgersi a

appropriate /əˈprəʊprɪɪt/ a appropriato, opportuno

to appropriate /əˈprəʊprɪeɪt/ vt appropriarsi, impadronirsi di ◇ accantonare, stanziare

approval /əˈpruːv(ə)l/ s approvazione f

approximate /əˈprɒksɪmɪt/ a approssimato ◇ approssimativo

après-ski /ˌæpreɪˈskiː/ a doposcì

apricot /ˈeɪprɪkɒt/ s albicocca f

April /ˈeɪpr(ə)l/ s aprile m

apron /ˈeɪpr(ə)n/ s grembiule m ◇ (teat) ribalta f

apt /æpt/ *a* adatto ◇ pronto, intelligente ◇ propenso, soggetto

aptitude /ˈæptɪtjuːd/ *s* abilità *f* ◇ attitudine *f*, propensione *f* ◇ prontezza *f*

aquarium /əˈkweəriəm/ *s* acquario *m*

Aquarius /əˈkweəriəs/ *s* (*astr*) acquario *m*

aquarobics /ˌækwəˈrəʊbɪks/ *s* aquagym *f*

aquatic /əˈkwætɪk/ *a* acquatico

aqueduct /ˈækwɪdʌkt/ *s* acquedotto *m*

Arab /ˈærəb/ *a/s* arabo *m*

Arabian /əˈreɪbjən/ *a* arabo, arabico ◆ *s* arabo *m*

Arabic /ˈærəbɪk/ *a* arabo, arabico ◆ *s* arabo *m* (*lingua*) ◆ **A. numerals** numeri arabi

arbiter /ˈɑːbɪtə/ *s* arbitro *m*

arbitrary /ˈɑːbɪtrərɪ/ *a* arbitrario

arc /ɑːk/ *s* arco *m*

arch (1) /ɑːtʃ/ *s* (*arch*) arco *m*, arcata *f*

arch (2) /ɑːtʃ/ *a* arci-, principale ◇ astuto, malizioso

archaeology /ˌɑːkɪˈɒlədʒɪ/ *s* archeologia *f*

archaic /ɑːˈkeɪɪk/ *a* arcaico

archangel /ˈɑːkˌeɪn(d)ʒ(ə)l/ *s* arcangelo *m*

archbishop /ˌɑːtʃˈbɪʃəp/ *s* arcivescovo *m*

archer /ˈɑːtʃə/ *s* arciere *m*

archipelago /ˌɑːkɪˈpelɪɡəʊ/ *s* arcipelago *m*

architect /ˈɑːkɪtekt/ *s* architetto *m*

architrave /ˈɑːkɪtreɪv/ *s* architrave *m*

archive /ˈɑːkaɪv/ *s* archivio *m*

Arctic /ˈɑːktɪk/ *a* artico

arduous /ˈɑːdjuəs/ *a* arduo, difficile

area /ˈeərɪə/ *s* area *f*, zona *f* ◆ *a. code* prefisso telefonico; *roaming a.* (*tel*) copertura, campo

argil /ˈɑːdʒɪl/ *s* argilla *f*

arguable /ˈɑːɡjʊəb(ə)l/ *a* sostenibile ◇ opinabile, discutibile

to argue /ˈɑːɡjuː/ *vi* ragionare, argomentare ◇ disputare, discutere, litigare ◆ *vt* provare, dimostrare ◇ persuadere ● *to a. sb into doing st* persuadere qn a fare qc

argument /ˈɑːɡjʊmənt/ *s* argomento *m* ◇ discussione *f*, litigio *m*

arid /ˈærɪd/ *a* arido

Aries /ˈeərɪːz/ *s* (*astr*) ariete *m*

to arise /əˈraɪz/ (*pass* **arose**, *pp* **arisen**) *vi* sorgere, alzarsi, levarsi ◇ risultare, derivare ◇ presentarsi

aristocracy /ˌærɪsˈtɒkrəsɪ/ *s* aristocrazia *f*

arithmetic /əˈrɪθmətɪk/ *s* aritmetica *f*

ark /ɑːk/ *s* arca *f*

arm (1) /ɑːm/ *s* braccio *m* ◇ bracciolo *m* ◇ manica *f*

arm (2) /ɑːm/ *s al pl* armi *f pl*, armamenti *m pl* ◇ arma *f* (*dell'esercito*)

armchair /ˈɑːmˌtʃeə/ *s* poltrona *f*

armed /ɑːmd/ *a* armato ● *a. robbery* rapina a mano armata

armistice /ˈɑːmɪstɪs/ *s* armistizio *m*

armour /ˈɑːmə/ *s* armatura *f*, corazza *f*

to armour /ˈɑːmə/ *vt* corazzare,

blindare ● *armoured car* autoblindo

armpit /'ɑːmpɪt/ s ascella f

armrest /'ɑːm,rest/ s bracciolo m

army /'ɑːmɪ/ s esercito m ◇ schiera f ● *a. corps* corpo d'armata

aromatic /,ærə(ʊ)'mætɪk/ a aromatico

around /ə'raʊnd/ avv intorno, da ogni parte ◇ in giro ◇ circa ◆ *prep* attorno a, intorno a ● *all a.* tutt'intorno

to arouse /ə'raʊz/ vt svegliare ◇ provocare, suscitare ◇ eccitare

to arrange /ə'reɪn(d)ʒ/ vt ordinare, sistemare ◇ preparare, disporre, stabilire ◇ (mus) arrangiare ◆ vi accordarsi ● *to a. to do st* accordarsi per fare qc

arrangement /ə'reɪn(d)ʒmənt/ s sistemazione f, disposizione f, ordinamento m ◇ piano m, progetto m, preparativo m ◇ accordo m ◇ (mus) arrangiamento m

array /ə'reɪ/ s assortimento m, gamma f ◇ (mil) schieramento m, spiegamento m ◇ schiera f, esposizione f ◇ insieme m

to array /ə'reɪ/ vt ordinare, disporre, schierare ◇ adornare, addobbare

arrears /ə'rɪəz/ s pl arretrati m pl ● *in a.* in arretrato

arrest /ə'rest/ s arresto m, fermo m ◇ fermata f ● *under a.* in arresto

to arrest /ə'rest/ vt arrestare, catturare ◇ fermare ◇ attirare (l'attenzione)

arrival /ə'raɪv(ə)l/ s arrivo m

to arrive /ə'raɪv/ vi arrivare, giun

gere ◇ raggiungere il successo, arrivare

arrogant /'ærəgənt/ a arrogante, prepotente

arrow /'ærəʊ/ s freccia f

art /ɑːt/ s arte f ◇ artificio m ● *a. gallery* galleria d'arte; *Arts* scienze umanistiche

artefact /'ɑːtɪfækt/ (USA artifact) s manufatto m

artery /'ɑːtərɪ/ s arteria f

artful /'ɑːtf(ʊ)l/ a astuto, furbo ◇ abile

arthritis /ɑː'θraɪtɪs/ s artrite f

artichoke /'ɑːtɪtʃəʊk/ s carciofo m

article /'ɑːtɪkl/ s articolo m ◇ *spec al pl* regolamento m, statuto m

articulate /ɑː'tɪkjʊlət/ a articolato ◇ (di parola) chiaro, scandito ◇ (di persona) eloquente

to articulate /ɑː'tɪkjʊleɪt/ vt articolare ◇ pronunciare distintamente, scandire

artifact /'ɑːtɪfækt/ s (USA) → artefact

artifice /'ɑːtɪfɪs/ s artificio m, stratagemma m

artificial /,ɑːtɪfɪʃ(ə)l/ a artificiale

artillery /ɑː'tɪlərɪ/ s artiglieria f

artisan /,ɑːtɪ'zæn/ s artigiano m

artist /'ɑːtɪst/ s artista m/f

artistic /ɑː'tɪstɪk/ a artistico

artless /'ɑːtlɪs/ a semplice, ingenuo

as /æz/ avv/cong (in frasi comp) come, così, quanto (ES: *as ... as, so ... as* così ... come, tanto ... quanto) ◆ cong (temporale) quando, mentre (ES: *as he was eating* mentre mangiava) ◇ (causale) poiché, dal momento che (ES: **as it was raining, we caught a bus** poiché pioveva, prendemmo l'autobus) ◇ (*concessiva*) sebbene (ES: **handsome as he is, he is not happy** sebbene sia bello, non è felice) ◇ (*modale*) come, secondo (ES: **do as I did** fa' come me) ◇ in qualità di, come (ES: **I'm talking to you as a friend** ti parlo come amico) ◇ (*relativo*) che, quale (ES: **you have the same chances as I had** hai le stesse possibilità che ho avuto io) ● **as for** per quanto riguarda

to ascend /ə'send/ *vt* salire, ascendere ◇ risalire

ascent /ə'sent/ *s* ascensione *f*, ascesa *f* ◇ salita *f*, pendio *m*

to ascertain /,æsə'teɪn/ *vt* accertare, constatare

to ascribe /əs'kraɪb/ *vt* attribuire

ash (1) /æʃ/ *s* (*bot*) frassino *m*

ash (2) /æʃ/ *s* cenere *f* ● *A. Wednesday* mercoledì delle ceneri

ashamed /ə'ʃeɪmd/ *a* vergognoso ● *to be a. of* st vergognarsi di qc

ashen /'æʃn/ *a* cinereo, livido

ashore /ə'ʃɔː/ *avv* a riva, a terra

ashtray /'æʃtreɪ/ *s* portacenere *m*

Asian /'eɪʒ(ə)n/ *a/s* asiatico *m*

Asiatic /,eɪʃɪ'ætɪk/ *a/s* asiatico *m*

aside /ə'saɪd/ *avv* da parte, a parte ◆ *s* digressione *f* ◇ (*teat*) a parte *m* ● *a. from* a parte, eccetto

to ask /ɑːsk/ *vt* domandare, chiedere ◇ invitare ● *to a. after, for* sb chiedere di qn; *to a. for* st chiedere (per avere) qc

askance /əs'kæns/ *avv* sospettosamente, di traverso

askew /əs'kjuː/ *a* storto, obliquo ◆ *avv* di traverso

asleep /ə'sliːp/ *a.pred* addormentato ● *to be a.* dormire

asparagus /əs'pærəgəs/ *s* asparago *m*

aspect /'æspekt/ *s* aspetto *m*, apparenza *f* ◇ (*di edificio*) esposizione *f*

aspersion /əs'pɜː(ʃ)(ə)n/ *s* diffamazione *f*

asphalt /'æsfælt/ *s* asfalto *m*

asphyxiation /æs,fɪksɪ'eɪʃ(ə)n/ *s* asfissia *f*

to aspire /əs'paɪə/ *vi* aspirare

ass /æs/ *s* (*zool*) asino *m*, somaro *m* ◇ sciocco *m* ◇ (*volg*) culo *m* ● *to make an a. of oneself* rendersi ridicolo

to assail /ə'seɪl/ *vt* assalire, attaccare

assassin /ə'sæsɪn/ *s* assassino *m*

to assassinate /ə'sæsɪneɪt/ *vt* assassinare

assault /ə'sɔːlt/ *s* attacco *m*, assalto *m*, aggressione *f*

to assemble /ə'sembl/ *vt* riunire ◇ montare, assemblare ◆ *vi* riunirsi

assembly /ə'semblɪ/ *s* assemblea *f*, riunione *f* ◇ montaggio *m*

to assent /ə'sent/ *vi* acconsentire, assentire

to assert /ə'sɜːt/ *vt* asserire, affermare, sostenere ◇ rivendicare, far valere ● *to a. oneself* farsi valere, farsi rispettare

assertion /ə'sɜː(ʃ)(ə)n/ *s* asserzione *f* ◇ rivendicazione *f*

to assess /ə'ses/ *vt* accertare ◇

tassare, gravare d'imposta ◇ valutare

assessment /ə'sɛsmənt/ s accertamento m, valutazione f

asset /'æsɛt/ s bene m, vantaggio m, risorsa f ◇ **al pl** (econ) attivo m

assiduous /ə'sɪdjʊəs/ a assiduo

to assign /ə'saɪn/ vt assegnare ◇ designare, incaricare ◇ stabilire, fissare

to assist /ə'sɪst/ vt assistere, aiutare

assistance /ə'sɪst(ə)ns/ s assistenza f, soccorso m

assistant /ə'sɪst(ə)nt/ s assistente m/f ● **shop a.** commesso

associate /ə'səʊʃiit/ a associato ◆ s socio m, collega m/f

to associate /ə'səʊʃieɪt/ vt associare ◇ unire, congiungere ◆ vi associarsi ● **to a. with sb** frequentare qn

assortment /ə'sɔːtmənt/ s assortimento m

to assume /ə'sjuːm/ vt supporre ◇ assumere, prendere

assumption /ə'sʌm(p)ʃ(ə)n/ s supposizione f ◇ premessa f, ipotesi f ◇ assunzione f, presa f di possesso

assurance /ə'ʃʊər(ə)ns/ s assicurazione f ◇ fiducia f, certezza f

to assure /ə'ʃʊə/ vt assicurare

astigmatic /ˌæstɪg'mætɪk/ a astigmatico

astir /ə'stɜː/ avv/a.pred in agitazione, in moto ◇ in piedi

astonished /ə'stɒnɪʃt/ a stupito ● **to be a. at st** stupirsi di qc

astonishment /ə'stɒnɪʃmənt/ s stupore m, meraviglia f

to astound /ə'staʊnd/ vt sbalordire

astray /ə'streɪ/ avv/a.pred fuori strada

astride /ə'straɪd/ avv a cavalcioni ◆ prep a cavalcioni di

astrologer /ə'strɒlədʒə/ s astrologo m

astrology /ə'strɒlədʒi/ s astrologia f

astronaut /'æstrənɔːt/ s astronauta m/f

astronautics /ˌæstrə'nɔːtɪks/ s pl (v al sing) astronautica f

astronomer /ə'strɒnəmə/ s astronomo m

astronomy /ə'strɒnəmi/ s astronomia f

astute /ə'stjuːt/ a astuto

asylum /ə'saɪləm/ s asilo m, rifugio m ◇ casa f di ricovero ● **lunatic a.** manicomio

at /æt, ət/ prep (luogo, direzione) a, in, da, presso, verso, contro (ES: **at school** a scuola; **he threw a shoe at the cat** tirò una scarpa al gatto) ◇ (tempo) a, di (ES: **at night** di notte) ◇ (condizione) a, in (ES: **at work** al lavoro) ◇ (misura, valore) a (ES: **at a low price** a basso prezzo) ◇ (modo) a, con (ES: **at leisure** con comodo) ◇ (causa) per (ES: **surprised at st** sorpreso per qc)

atheist /'eɪθɪɪst/ s ateo m

athlete /'æθliːt/ s atleta m/f

athletics /æθ'lɛtɪks/ s pl (v al sing) atletica f

athwart /ə'θwɔːt/ prep attraverso ◆ avv di traverso

Atlantic /ət'læntɪk/ a atlantico

atlas /'ætləs/ s atlante m

atmosphere /ˈætməsfɪər/ s atmosfera f

atoll /ˈætɒl/ s atollo m

atom /ˈætəm/ s atomo m

atomizer /ˈætəmaɪzər/ s vaporizzatore m, nebulizzatore m

to atone /əˈtəʊn/ vi espiare

atop /əˈtɒp/ avv/prep in cima (a)

atrocious /əˈtrəʊʃəs/ a atroce ◊ (fam) pessimo, orribile

to attach /əˈtætʃ/ vt attaccare, unire ◊ allegare ◆ apporre

attaché /əˈtæʃeɪ/ s addetto m

attached /əˈtætʃt/ a attaccato, unito ◊ legato, affezionato ◊ addetto, assegnato

attachment /əˈtætʃmənt/ s attaccatura f ◊ attaccamento m, devozione f ◊ (mecc) accessorio m ◊ (inform) allegato m, attachment m

attack /əˈtæk/ s attacco m

to attack /əˈtæk/ vt attaccare, aggredire ◊ iniziare

to attain /əˈteɪn/ vt ottenere, raggiungere, conseguire ● to a. to arrivare a

attainment /əˈteɪnmənt/ s risultato m, conseguimento m ◊ al pl cognizioni f pl, cultura f

attempt /əˈtɛm(p)t/ s tentativo m, sforzo m ◊ attentato m

to attempt /əˈtɛm(p)t/ vt osare, tentare, provare ◊ attentare a

to attend /əˈtɛnd/ vt frequentare, partecipare a ◊ assistere, curare ◊ accompagnare ◆ vi occuparsi di, prendersi cura di ◊ badare, prestare attenzione

attendance /əˈtɛndəns/ s frequenza f, presenza f ◊ assistenza f ◊

pubblico m, spettatori m pl, affluenza f

attendant /əˈtɛndənt/ a connesso, concomitante ◊ dipendente, al servizio di ◊ presente ◆ s guardiano m, custode m/f, inserviente m/f

attention /əˈtɛnʃ(ə)n/ s attenzione f

attentive /əˈtɛntɪv/ a attento ◊ premuroso

to attest /əˈtɛst/ vt attestare, testimoniare

attic /ˈætɪk/ s (arch) attico m ◊ soffitta f

attitude /ˈætɪtjuːd/ s atteggiamento m ◊ (fam) atteggiamento m sostenuto, posa f ◊ (aer) assetto m

attorney /əˈtɜːnɪ/ s procuratore m ◊ avvocato m

to attract /əˈtrækt/ vt attirare, attrarre

attraction /əˈtrækʃən/ s attrattiva f ◊ attrazione f

attribute /ˈætrɪbjuːt/ s attributo m

to attribute /əˈtrɪbjuː(t)/ vt attribuire, ascrivere

attrition /əˈtrɪʃ(ə)n/ s attrito m, logoramento m

atypical /əˈtɪpɪk(ə)l/ a atipico

aubergine /ˈəʊbəʒiːn/ s melanzana f

auction /ˈɔːkʃ(ə)n/ s asta f

to auction /ˈɔːkʃ(ə)n/ vt vendere all'asta

auctioneer /ˌɔːkʃəˈnɪər/ s banditore m

audible /ˈɔːdɪbl/ a udibile

audience /ˈɔːdjəns/ s pubblico m, spettatori m pl ◊ udienza f

audiovisual /ˌɔːdɪəʊ(ʊ)ˈvɪʒʊəl/ a audiovisivo

to audit /ˈɔːdɪt/ *vt* (*comm*) rivedere, verificare (i conti)

audition /ɔːˈdɪʃ(ə)n/ *s* audizione *f*

auditor /ˈɔːdɪtər/ *s* revisore *m* (dei conti) ◇ uditore *m*

to augment /ɔːɡˈment/ *vt* aumentare

to augur /ˈɔːɡər/ *vi* essere di auspicio

August /ˈɔːɡəst/ *s* agosto *m*

aunt /ɑːnt/ *s* zia *f*

auricle /ˈɔːrɪkl/ *s* (*anat*) padiglione *m*

auspicious /ɔːˈspɪʃəs/ *a* propizio, fausto

austere /ɒsˈtɪər/ *a* austero

austral /ˈɔːstr(ə)l/ *a* australe

Australian /ɒsˈtreɪljən/ *a/s* australiano *m*

Austrian /ˈɒstrɪən/ *a/s* austriaco *m*

authentic /ɔːˈθentɪk/ *a* autentico, genuino

to authenticate /ɔːˈθentɪkeɪt/ *vt* autenticare, vidimare

authenticity /ˌɔːθenˈtɪsɪtɪ/ *s* autenticità *f*

author /ˈɔːθər/ *s* autore *m*

authoritative /ɔːˈθɒrɪtətɪv/ *a* autorevole ◇ autoritario

authority /ɔːˈθɒrɪtɪ/ *s* autorità *f* ◇ autorizzazione *f*

to authorize /ˈɔːθəraɪz/ *vt* autorizzare

auto /ˈɒ(ː)təʊ/ *a* automobilistico ◆ *s* (*USA*) automobile *f*

autobiography /ˌɔːtəʊbaɪˈɒɡrəfɪ/ *s* autobiografia *f*

autograph /ˈɔːtəɡrɑːf/ *a/s* autografo *m*

automated /ˈɔːtəˈmeɪtɪd/ *a* automatizzato ● *a. teller machine* bancomat

automatic /ˌɔːtəˈmætɪk/ *a* automatico

automaton /ɔːˈtɒmət(ə)n/ *s* automa *m*

autonomous /ɔːˈtɒnəməs/ *a* autonomo

autonomy /ɔːˈtɒnəmɪ/ *s* autonomia *f*

autumn /ˈɔːtəm/ *s* autunno *m*

auxiliary /ɔːɡˈzɪljərɪ/ *a* ausiliario, di riserva

to avail /əˈveɪl/ *vi* servire, favorire ● *to a. oneself of* servirsi di, approfittarsi di

availability /əˌveɪləˈbɪlɪtɪ/ *s* disponibilità *f*

available /əˈveɪləbl/ *a* disponibile, utilizzabile ◇ libero

avalanche /ˈævəlɑːnʃ/ *s* valanga *f*

to avenge /əˈven(d)ʒ/ *vt* vendicare

avenue /ˈævɪnjuː/ *s* viale *m* ◇ via *f*, strada *f*

average /ˈævərɪdʒ/ *a* medio, comune ◆ *s* (*mat*) media *f* ◇ (*naut*) avaria *f*

to average /ˈævərɪdʒ/ *vt* calcolare la media ◇ fare in media ● *to a. out* aggirarsi su

averse /əˈvɜːs/ *a* contrario

aversion /əˈvɜːʃ(ə)n/ *s* riluttanza *f*

to avert /əˈvɜːt/ *vt* distogliere ◇ evitare

aviation /ˌeɪvɪˈeɪʃ(ə)n/ *s* aviazione *f*

avid /ˈævɪd/ *a* avido, bramoso

to avoid /əˈvɔɪd/ *vt* evitare, fuggire, scansare

avowal /əˈvaʊəl/ *s* ammissione *f*

avuncular /əˈvʌŋkjʊlər/ *a* di zio

to await /ə'weɪt/ *vt* aspettare, attendere

to awake /ə'weɪk/ (*pass* **awoke, awaked**, *pp* **awoken, awaked**) *vt/i* svegliare, svegliarsi

awakening /ə'weɪk(ə)nɪŋ/ *s* risveglio *m*

award /ə'wɔːd/ *s* premio *m* ◊ risarcimento *m*

to award /ə'wɔːd/ *vt* assegnare, attribuire ◊ (*dir*) aggiudicare

aware /ə'weəʳ/ *a.pred* consapevole ◊ informato ● *to be a. of st* rendersi conto di qc

awash /ə'wɒʃ/ *avv* a galla

away /ə'weɪ/ *avv* via ◊ lontano ◊ da parte ◊ continuamente, di seguito ◊ (*sport*) fuori casa ● *far and a.* di gran lunga; *right a.* subito

awe /ɔː/ *s* timore *m*

awesome /'ɔːsəm/ *a* imponente

awful /'ɔːfʊl/ *a* terribile, tremendo

awhile /ə'waɪl/ *avv* per un po'

awkward /'ɔːkwəd/ *a* goffo ◊ scomodo ◊ inopportuno

awry /ə'raɪ/ *a.pred* storto, sbieco ● *avv* di traverso

axe /æks/ *s* scure *f*, ascia *f*

axle /'æksl/ *s* asse *m* ● *a.-shaft* (*aut*) semiasse

ay(e) /aɪ/ *avv* sì ● *s* voto *m* favorevole

azote /ə'zəʊt/ *s* azoto *m*

B

to baa /baː/ (*pass/pp* **baaed**) *vi* belare

to babble /'bæbl/ *vt* balbettare, farfugliare ◆ *vi* balbettare, farfugliare ◊ cianciare, parlare a vanvera

baboon /bə'buːn/ *s* babbuino *m*

baby /'beɪbɪ/ *s* neonato *m*, bambino *m* ● *b. carriage* carrozzina

to baby /'beɪbɪ/ *vt* viziare, coccolare

babyhood /'beɪbɪhʊd/ *s* prima infanzia *f*

to baby-sit /'beɪbɪˌsɪt/ *vi* fare da baby-sitter

bachelor /'bætʃ(ə)ləʳ/ *s* scapolo *m* ◊ laureato *m*

back /bæk/ *a* posteriore ◊ remoto, lontano ◊ arretrato ◆ *s* dorso *m*, schiena *f* ◊ schienale *m* ◊ retro *m*, parte *f* posteriore ◊ fondo *m*, sfondo *m* ● *avv* indietro ◊ di ritorno ◊ prima ◊ di rimando ● *b. to front* alla rovescia; *to be b.* essere di ritorno

to back /bæk/ *vt* far indietreggiare ◊ sostenere, spalleggiare ◊ puntare su, scommettere su ◊ sottoscrivere, controfirmare ◆ *vi* indietreggiare, fare marcia indietro ● *to b. down* indietreggiare; *to b. out of st* ritirarsi da qc; *to b. up* appoggiare, sostenere

backache /'bækeɪk/ *s* mal *m* di schiena

backbone /'bækbəʊn/ *s* colonna *f* vertebrale ◊ (*fig*) carattere *m*, fermezza *f*

to backdate /ˌbæk'deɪt/ *vt* retrodatare

backdrop /'bækdrɒp/ s (teat) fondale m ◊ sfondo m

background /'bækgraʊnd/ s sfondo m ◊ ambiente m, retroterra m ◊ antefatto m ◆ a di fondo

backhanded /bæk'hændɪd/ a (tennis) dato di rovescio ◊ ambiguo, a doppio senso

backing /'bækɪŋ/ s rinforzo m (posteriore) ◊ sostegno m, appoggio m ◊ (mus) sottofondo m

backlash /'bæklæʃ/ s (mecc) rinculo m ◊ (fig) ripercussione f

backlog /'bæklɒg/ s (lavoro) arretrato m

backpack /'bæk'pæk/ s zaino m

backside /'bæk'saɪd/ s parte f posteriore ◊ (fam) sedere m

backstage /'bæk'steɪdʒ/ s retroscena f

backstairs /'bæk'steəz/ s pl scala f di servizio

backstroke /'bæk,strəʊk/ s contraccolpo m ◊ nuoto m sul dorso

backup /'bækʌp/ s riserva f ◊ supporto m, appoggio m ◊ (inform) backup m ◆ a di riserva ● b. copy copia di backup

backward /'bækwəd/ a volto all'indietro ◊ a ritroso, all'indietro ◊ ritardato, sottosviluppato ◊ in ritardo

backwards /'bækwədz/ avv indietro, all'indietro

bacon /'beɪk(ə)n/ s pancetta f

to babysit /'beɪbɪsɪt/ vt/i fare da baby-sitter (a)

bad /bæd/ (comp worse, sup worst) a cattivo ◊ brutto ◊ dannoso ◊ andato a male, guasto ◆ s male

m, rovina f ● to feel b. sentirsi male; to go b. andare a male

badge /bædʒ/ s distintivo m ◊ tesserino m

badger /'bædʒə'/ s (zool) tasso m

badly /'bædlɪ/ avv male, malamente ◊ duramente ◊ grandemente ● b.-off povero, spiantato

bad-tempered /,bæd,tempəd/ a irritabile, irascibile

to baffle /'bæfl/ vt sconcertare, confondere ◊ frustrare, impedire ◊ (tecn) deviare

bag /bæg/ s sacco m, sacchetto m ◊ borsa f, borsetta f ◊ carniere m ◊ al pl occhiaie f pl ● bags of un sacco di

to bag /bæg/ vt insaccare ◊ (fam) intascare ◊ (fam) accaparrare

baggage /'bægɪdʒ/ s bagaglio m ● b. claim ritiro bagagli; b. room deposito bagagli

baggy /'bægɪ/ a gonfio, cascante

bagpipe /'bægpaɪp/ s cornamusa f

bail /beɪl/ s cauzione f ● to be out on b. essere in libertà provvisoria (su cauzione)

to bail /beɪl/ vt dar garanzia per ● to b. sb out ottenere la libertà provvisoria per qn

bailiff /'beɪlɪf/ s ufficiale m giudiziario

bait /beɪt/ s esca f

to bait /beɪt/ vt fornire di esca ◊ adescare, lusingare

to bake /beɪk/ vt/i cuocere al forno

baker /'beɪkə'/ s fornaio m ● b.'s (shop) panetteria f

bakery /'beɪkərɪ/ s panificio m, panetteria f

baking /'beɪkɪŋ/ s cottura f al forno

balance /'bæləns/ *s* bilancia *f* ◇ equilibrio *m* ◇ bilancio *m*, saldo *m* ◇ contrappeso *m* ● *b. sheet* bilancio di esercizio

to balance /'bæləns/ *vt* bilanciare, equilibrare ◇ pesare, valutare ◇ pareggiare, saldare (*i conti*) ♦ *vi* stare in equilibrio ◇ (*comm*) quadrare, essere in pareggio

balcony /'bælkənɪ/ *s* balcone *m* ◇ (*teat*) balconata *f*, galleria *f*

bald /bɔːld/ *a* calvo, pelato ◇ spoglio, disadorno ◇ esplicito, immediato

baldly /'bɔːldlɪ/ *avv* chiaramente, schiettamente

baldness /'bɔːldnɪs/ *s* calvizie *f* ◇ (*fig*) nudità *f*, semplicità *f* ◇ schiettezza *f*

baleful /'beɪlf(ʊ)l/ *a* funesto

ball (1) /bɔːl/ *s* palla *f*, pallone *m* ◇ sfera *f* ◇ gomitolo *m* ● *b. bearings* cuscinetti a sfere; *b.-pen* penna a sfera

ball (2) /bɔːl/ *s* ballo *m* ● *to have a b.* divertirsi un sacco

ballast /'bæləst/ *s* zavorra *f* ◇ equilibrio *m* ◇ massicciata *f*

ballet /'bæleɪ/ *s* balletto *m* ● *b. dancer* ballerino

balloon /bə'luːn/ *s* pallone *m* ● *hot-air b.* mongolfiera

ballot /'bælət/ *s* scheda *f* (per votazione) ◇ voto *m* ● *b. box* urna elettorale

balm /bɑːm/ *s* balsamo *m*

balmy /'bɑːmɪ/ *a* balsamico ◇ (*pop*) svanito, sventato

balustrade /ˌbæləs'treɪd/ *s* balaustra *f*

to ban /bæn/ *vt* proibire, interdire

banal /bə'nɑːl/ *a* banale

band (1) /bænd/ *s* benda *f*, fascia *f*, nastro *m* ◇ (*radio*) banda *f*

band (2) /bænd/ *s* (*mus*) banda *f*, orchestra *f*

bandage /'bændɪdʒ/ *s* benda *f*, fascia *f*

bandit /'bændɪt/ *s* bandito *m*

bandy /'bændɪ/ *a* arcuato ● *b.-legged* con le gambe storte

to bandy /'bændɪ/ *vt* scambiare, scambiarsi (*parole, accuse, colpi*)

bang (1) /bæŋ/ *s* colpo *m*, botta *f* ◇ scoppio *m*

bang (2) /bæŋ/ *s* (*di capelli*) frangia *f*

to bang /bæŋ/ *vt* colpire, battere ◇ sbattere ♦ *vi* scoppiare, esplodere ◇ sbattere

bangle /'bæŋgl/ *s* braccialetto *m*

banish /'bænɪʃ/ *vt* bandire

banisters /'bænɪstəz/ *s pl* balaustra *f*

bank (1) /bæŋk/ *s* argine *m*, riva *f*, sponda *f* ◇ banco *m*, cumulo *m* ● *bottle/paper b.* bidone per la raccolta differenziata di vetro/carta

bank (2) /bæŋk/ *s* banca *f*, banco *m* ◇ (*gioco*) banco *m* ● *b. holiday* giorno di festa; *b. note* banconota; *b. statement* estratto conto; *b. transfer* bonifico bancario

to bank (1) /bæŋk/ *vt* ammucchiare, ammassare ♦ *vi* ammucchiarsi, ammassarsi ◇ (*aer*) inclinarsi in virata

to bank (2) /bæŋk/ *vt* depositare in banca ♦ *vi* avere un conto in banca ◇ (*gioco*) tenere il banco ● *to b. on* fare affidamento su

banker /'bæŋkər/ *s* banchiere *m*

bankrupt /'bæŋkrʌpt/ *a* fallito ● *to go b.* fallire

banner /'bænə*/ *s* bandiera *f*, stendardo *m* ◇ striscione *m*, insegna *f* ◇ (*inform*) banner *m*

banns /bænz/ *s* *pl* pubblicazioni *fpl* di matrimonio

banquet /'bæŋkwɪt/ *s* banchetto *m*

to banter /'bæntə*/ *vt* stuzzicare, canzonare

baptism /'bæptɪz(ə)m/ *s* battesimo *m*

to baptize /bæp'taɪz/ *vt* battezzare

bar (1) /bɑ:*/ *s* barra *f*, spranga *f* ◇ tavoletta *f* ◇ ostacolo *m*, restrizione *f* ◇ banco *m*, bar *m* ◇ (*dir*) sbarra *f*, tribunale *m* ◇ (*mus*) misura *f*, battuta *f* ● *b. code* codice a barre; *the Bar* professione forense

bar (2) /bɑ:*/ *prep* eccetto, tranne

to bar /bɑ:*/ *vt* sbarrare, chiudere ◇ ostacolare, impedire ◇ vietare

barbarian /bɑ:'beərɪən/ *a/s* barbaro *m*

barbaric /bɑ:'bærɪk/ *a* barbaro, barbarico

barbed wire /ˌbɑ:bd'waɪə*/ *s* filo *m* spinato

barber /'bɑ:bə*/ *s* barbiere *m* ● *b.'s shop* barbiere (*bottega*)

barbiturate /bɑ:'bɪtjurɪt/ *s* barbiturico *m*

bare /beə*/ *a* nudo, spoglio, brullo ◇ vuoto, spoglio ◇ semplice

to bare /beə*/ *vt* scoprire, denudare ◇ (*fig*) rivelare, mostrare

barefaced /'beəfeɪst/ *a* a viso scoperto ◇ sfacciato

barefoot /'beəfut/ *a* scalzo

barely /'beəlɪ/ *avv* appena ◇ chia-

ramente, apertamente ◇ poveramente

bargain /'bɑ:gɪn/ *s* affare *m* ◇ accordo *m*, transazione *f* ● *into the b.* per di più

to bargain /'bɑ:gɪn/ *vt/i* trattare, contrattare ● *to b. for* aspettarsi

to barge /bɑ:dʒ/ *vt* trasportare su chiatta ◆ *vi* muoversi pesantemente ● *to b. in* intromettersi a sproposito

bark (1) /bɑ:k/ *s* (*bot*) corteccia *f*

bark (2) /bɑ:k/ *s* abbaio *m*, latrato *m*

barley /'bɑ:lɪ/ *s* orzo *m*

barmaid /'bɑ:meɪd/ *s* barista *f*

barman /'bɑ:mən/ *s* (*pl* **barmen**) barista *m*

barn /bɑ:n/ *s* fienile *m*, granaio *m*

barometer /bə'rɒmɪtə*/ *s* barometro *m*

baron /'bær(ə)n/ *s* barone *m*

baroness /'bær(ə)nɪs/ *s* baronessa *f*

baroque /bə'rəuk/ *a/s* barocco *m*

barracks /'bærəks/ *s* *pl* caserma *f*

barrage /'bærɑ:ʒ/ *s* sbarramento *m* ◇ serie *f* continua

barred /bɑ:d/ *a* sbarrato, ostruito ◇ vietato

barrel /'bær(ə)l/ *s* barile *m*, botte *f* ◇ (*di fucile*) canna *f* ◇ (*di rivoltella*) tamburo *m* ● *b. vault* volta a botte

barren /'bær(ə)n/ *a* sterile ◇ arido

barricade /'bærɪkeɪd/ *s* barricata *f*

barrier /'bærɪə*/ *s* barriera *f*, transenna *f* ● *sound b.* muro del suono

barrister /'bærɪstə*/ *s* avvocato *m*

barrow (1) /'bærəu/ *s* carriola *f* ◇ barella *f*

barrow (2) /ˈbærəʊ/ s altura f ◇ tumulo m

bartender /ˈbɑːˌtendər/ s (USA) barista m/f

barter /ˈbɑːtər/ s baratto m, permuta f

base /beɪs/ s base f ◇ (edil) zoccolo m, basamento m ◆ a basso, ignobile, vile

to base /beɪs/ vt basare, fondare

basement /ˈbeɪsmənt/ s seminterrato m ◇ basamento m

to bash /bæʃ/ vt colpire con violenza

bashful /ˈbæʃf(ʊ)l/ a timido

basic /ˈbeɪsɪk/ a fondamentale, essenziale, di base

basil /ˈbæzl/ s basilico m

basin /ˈbeɪsn/ s bacino m ◇ bacinella f, vasca f ◇ lavandino m

basis /ˈbeɪsɪs/ s (pl **bases**) base f

to bask /bɑːsk/ vi crogiolarsi

basket /ˈbɑːskɪt/ s cestino m, canestro m

basketball /ˈbɑːskɪtˌbɔːl/ s pallacanestro f

bass (1) /beɪs/ s (mus) basso m

bass (2) /bæs/ s pesce m persico

bassoon /bəˈsuːn/ s (mus) fagotto m

bastard /ˈbæːstəd/ a bastardo

to baste /beɪst/ vt imbastire ◇ (cuc) ungere ◇ (fam) picchiare

batch /bætʃ/ s infornata f ◇ (di merce) gruppo m, partita f ◇ (inform) batch m

to bate /beɪt/ vt diminuire ◇ trat-

tenere ● **with bated breath** col fiato sospeso

bath /bɑːθ/ s bagno m ◇ **al pl** bagni m pl pubblici, terme f pl ● **b. towel** asciugamano; **b. tub** vasca da bagno; **b. gel** docciaschiuma; **to have a b.** fare il bagno

to bathe /beɪð/ vt bagnare ◆ vi nuotare, fare il bagno

bather /ˈbeɪðər/ s bagnante m/f

bathing /ˈbeɪðɪŋ/ s il bagnarsi, i bagni m pl ● **b. suit** costume da bagno

bathrobe /ˈbɑːθˌrəʊb/ s accappatoio m

bathroom /ˈbɑːθrʊm/ s stanza f da bagno

baton /ˈbæt(ə)n/ s sfollagente m, bastone m ◇ (mus) bacchetta f

batter /ˈbætər/ s pastella f, impasto m ◇ battitore m

to batter /ˈbætər/ vt/i battere, picchiare ● **to b. down** abbattere

battery /ˈbætərɪ/ s batteria f, pila f ◇ (dir) percosse f pl ● **b. charger** caricabatterie

battle /ˈbætl/ s battaglia f

bawdy /ˈbɔːdɪ/ a osceno

to bawl /bɔːl/ vt/i urlare ◇ piangere ● **to b. out** sgridare

bay (1) /beɪ/ s baia f

bay (2) /beɪ/ s (bot) alloro m

bay-window /ˌbeɪˈwɪndəʊ/ s bovindo m

to be /biː, bɪ/ (pass **was**, pp **been**) v (copula, ausiliare nelle forme passive) essere (ES: **this is a dictionary** questo è un dizionario; **he was not chosen** non fu prescelto) ◇ essere, esistere, stare, trovarsi, andare, venire, fare (ES:

to be or not to be essere o non essere; **to be at school** essere a scuola; **he has been to Paris twice** è stato a Parigi due volte; **has anyone been here?** è venuto qualcuno?; **it is five o'clock** sono le (cinque) ◇ (*seguito da gerundio*) stare (ES: **what are you drinking?** cosa stai bevendo?) ◇ (*preceduto da 'there'*) esserci (ES: **there was no one** non c'era nessuno) ◇ stare (di salute) (ES: **how are you?** come stai?) ◇ costare (ES: **how much is it?** quanto costa?) ◇ avvenire, avere luogo (ES: **the party is tomorrow** la festa è domani) ◇ essere, fare (*di professione*) (ES: **he's a doctor** fa il medico) ◇ (*seguito da infinito*) dovere, essere da (ES: **you are not to see him again** non devi vederlo più)

beach /biːtʃ/ *s* spiaggia *f*, lido *m* ● **b. umbrella** ombrellone

beacon /ˈbiːk(ə)n/ *s* segnale *m*, faro *m* ◇ (*fig*) esempio *m*, guida *f* ● **radio b.** radiofaro

bead /biːd/ *s* perlina *f*, grano *m*

beak /biːk/ *s* (*zool*) becco *m* ◇ rostro *m*, beccuccio *m*

beam /biːm/ *s* trave *f* ◇ raggio *m* (*naut*) baglio *m*

to beam /biːm/ *vi* sfavillare, brillare

bean /biːn/ *s* fagiolo *m* ● **French green b.** fagiolino

bear /beər/ *s* orso *m* ◇ orsacchiotto *m* (*giocattolo*) ◇ (*Borsa*) ribasso *m*

to bear /beər/ (*pass* bore, *pp* borne, born) *vt* portare, reggere ◇ tolle-

rare, sopportare ◇ generare, partorire, produrre ● **to b. away** portar via; **to be born** nascere; **to b. down** schiacciare, sconfiggere; **to b. on** influire; **to b. out** convalidare; **to b. up** farsi forza

beard /bɪəd/ *s* barba *f*

bearer /ˈbeərə/ *s* portatore *m*, latore *m*

bearing /ˈbeərɪŋ/ *s* rapporto *m*, attinenza *f* ◇ condotta *f*, comportamento *m* ◇ (*naut*) rilevamento *m* ◇ supporto *m* (*mecc*) cuscinetto *m*

beast /biːst/ *s* bestia *f*, animale *m*

beat /biːt/ *s* colpo *m* ◇ battito *m* (*mus*) battuta *f*, ritmo *m*

to beat /biːt/ (*pass* beat, *pp*, **beaten**, **beat**) *vt* battere, colpire, percuotere ◇ sbattere (*le uova*) ● **to b. about** perlustrare; **to b. off** respingere; **to b. up** picchiare (*una persona*)

beaten /ˈbiːtn/ *pp di* **to beat** ♦ *a* battuto, picchiato ◇ sconfitto ◇ (*di uovo*) sbattuto ◇ battuto, frequentato

beautician /bjuːˈtɪʃ(ə)n/ *s* estetista *m/f*

beautiful /ˈbjuːtəf(ʊ)l/ *a* bello, piacevole

beauty /ˈbjuːtɪ/ *s* bellezza *f*

beaver /ˈbiːvə/ *s* castoro *m*

because /brˈkɒz/ *cong* perché, poiché ● **b.** *a* causa di

beck (1) /bek/ *s* cenno *m*, segno *m* ● **to beat at sb's b. and call** essere sempre agli ordini di qn

beck (2) /bek/ *s* ruscello *m*

to beckon /ˈbek(ə)n/ *vt* chiamare con un cenno

to become /bɪ'kʌm/ (*pass* **became**, *pp* **become**) *vi* diventare ◊ accadere ♦ *vt* star bene a, donare a

becoming /bɪ'kʌmɪŋ/ *a* che sta bene ◊ adatto, conveniente

bed /bed/ *s* letto *m* ◊ fondo *m*, fondamento *m*, strato *m* sottostante ◊ aiuola *f* ● *b. and breakfast* alloggio e prima colazione; *b. clothes* biancheria da letto

bedlam /'bedləm/ *s* pandemonio *m*

bedridden /'bed,rɪdn/ *a* costretto a letto

bedroom /'bedrum/ *s* camera *f* da letto

bedsitter /,bed'sɪtə²/ *s* monolocale *m*

bedspread /'bedspred/ *s* copriletto *m*

bee /biː/ *s* ape *f*

beech /biːtʃ/ *s* faggio *m*

beef /biːf/ *s* manzo *m*

beehive /'biːhaɪv/ *s* alveare *m*

beep /biːp/ *s* trillo *m*, bip *m*

beeper /'biːpə²/ *s* cicalino *m*

beer /bɪə²/ *s* birra *f*

beet /biːt/ *s* barbabietola *f*

beetle /'biːtl/ *s* scarafaggio *m*

before /bɪ'fɔː²/ *avv* prima, in passato, già ♦ *prep* prima di ◊ davanti a, di fronte a ♦ *cong* prima che, prima di ● *b. long* presto, prossimamente

beforehand /bɪ'fɔːhænd/ *avv/a* in anticipo

to beg /beg/ *vt* pregare, supplicare ◊ chiedere ♦ *vi* chiedere l'elemosina ● *I b. your pardon* chiedo scusa

beggar /'begə²/ *s* accattone *m*,

mendicante *m/f* ◊ (*fam*) individuo *m*

to begin /bɪ'gɪn/ (*pass* **began**, *pp* **begun**) *vt/i* cominciare, incominciare, iniziare ● *to b. again* ricominciare; *to b. with* per cominciare, anzitutto

beginning /bɪ'gɪnɪŋ/ *s* inizio *m*, principio *m*

to begrudge /bɪ'grʌdʒ/ *vt* lesinare ◊ invidiare

to beguile /bɪ'gaɪl/ *vt* ingannare, illudere

behalf /bɪ'hɑːf/ *s* **on b. of** per conto di ◊ **in b. of** a favore di

to behave /bɪ'heɪv/ *vi* comportarsi ◊ funzionare

to behead /bɪ'hed/ *vt* decapitare

behind /bɪ'haɪnd/ *avv* dietro, indietro ◊ in ritardo ♦ *prep* dietro a

to behold /bɪ'həʊld/ (*pass/pp* **beheld**) *vt* vedere, scorgere, guardare

being /'biːɪŋ/ *s* l'essere *m*, esistenza *f* ◊ essere *m*, creatura *f*

belated /bɪ'leɪtɪd/ *a* tardivo, tardo, in ritardo

to belch /beltʃ/ *vt* eruttare ♦ *vi* ruttare

belfry /'belfrɪ/ *s* campanile *m*

Belgian /'beldʒ(ə)n/ *a/s* belga *m/f*

to belie /bɪ'laɪ/ *vt* smentire

belief /bɪ'liːf/ *s* credenza *f*, fede *f* ◊ opinione *f*, parere *m*

to believe /bɪ'liːv/ *vt* credere, prestar fede a ◊ ritenere, pensare ♦ *vi* credere, aver fede, aver fiducia

believer /bɪ'liːvə²/ *s* credente *m/f*

belittle /bɪ'lɪtl/ *vt* sminuire

bell /bel/ s campana f ◇ campanello m • *b. tower* campanile

bellow /ˈbeləʊ/ s muggito m ◇ urlo m ◇ fragore m

bellows /ˈbeləʊz/ s pl soffietto m

belly /ˈbelɪ/ s pancia f, ventre m • *b. ache* mal di pancia

bellyful /ˈbelɪfʊl/ s mangiata f, scorpacciata f

to belong /brˈlɒŋ/ vi appartenere, far parte di ◇ concernere, spettare ◇ stare di posto

belongings /brˈlɒŋɪŋz/ s pl roba f, effetti m pl personali

beloved /brˈlʌvd/ a adorato

below /brˈləʊ/ avv sotto, in basso, giù • *prep* sotto, al di sotto di • *see b.* vedi oltre

belt /belt/ s cintura f, cinghia f ◇ fascia f, zona f

to belt /belt/ vt allacciarsi (*con una cinghia*) ◇ (*fam*) prendere a cinghiate ◇ (*fam*) cantare a squarciagola

beltway /ˈbeltweɪ/ s (*USA*) circonvallazione f

to bemuse /brˈmjuːz/ vt confondere, stupire

bench /bentʃ/ s panca f, panchina f ◇ banco m ◇ seggio m • *the B.* la magistratura

bend /bend/ s curva f

to bend /bend/ (*pass/pp* bent) vt curvare, flettere, piegare ◇ sottomettere • vi piegarsi, curvarsi

beneath /brˈniːθ/ avv sotto, di sotto • *prep* sotto a ◇ inferiore a, indegno di

benediction /ˌbenrˈdɪkʃ(ə)n/ s benedizione f

beneficence /brˈnefɪs(ə)ns/ s beneficenza f

benefit /ˈbenefɪt/ s beneficio m, giovamento m ◇ indennità f • *the b. of the doubt* il beneficio del dubbio

benevolent /brˈnevələnt/ a benevolo ◇ benefico

bent (1) /bent/ s tendenza f, disposizione f

bent (2) /bent/ pp di **to bend** • a piegato, curvo ◇ corrotto, disonesto ◇ (*spreg*) omosessuale • *b. on* deciso, determinato (a)

bereavement /brˈriːvmənt/ s perdita f, lutto m

beret /ˈbereɪ/ s berretto m

berry /ˈberɪ/ s bacca f ◇ chicco m

berth /bɜːθ/ s cuccetta f ◇ ancoraggio m, ormeggio m

to beseech /brˈsiːtʃ/ (*pass/pp* besought) vt supplicare

to beset /brˈset/ (*pass/pp* beset) vt circondare ◇ assalire ◇ (*fig*) tormentare ◇ adornare

beside /brˈsaɪd/ prep presso, accanto a ◇ *to be b. oneself* essere fuori di sé

besides /brˈsaɪdz/ avv inoltre • *prep* oltre a

to besiege /brˈsiːdʒ/ vt assediare ◇ assillare, tempestare

bespoke /brˈspəʊk/ a fatto su misura

best /best/ a (*sup di* good) (il) migliore • avv (*sup di* well) meglio • s il meglio m • *at b.* nella migliore delle ipotesi; *b. man* testimone (dello sposo); *b. before...* da consumarsi preferibilmente entro

to bestow /bɪ'stəu/ vt concedere, conferire

to bet /bet/ (pass/pp **bet**) vt/i scommettere ◆ puntare

to betray /bɪ'treɪ/ vt tradire

better (1) /'betə'/ a (comp di **good**) migliore, meglio ◆ avv (comp di **well**) meglio ◇ di più ◆ s il meglio m ● b. and b. sempre meglio; to get b. migliorare; to like b. preferire

better (2) /'betə'/ s scommettitore m

to better /'betə'/ vt/i migliorare, migliorarsi

between /bɪ'twiːn/ prep fra, tra ◆ avv nel mezzo

beverage /'bevərɪdʒ/ s bevanda f

to beware /bɪ'weə'/ vt/i guardarsi da, stare attento a ● b. the dog attenti al cane

to bewilder /bɪ'wɪldə'/ vt disorientare, confondere

to bewitch /bɪ'wɪtʃ/ vt incantare, affascinare

beyond /bɪ'jɒnd/ prep oltre, al di là di, al di sopra di ◆ avv oltre, al di là ● b. belief incredibile; b. doubt senza dubbio

bias /'baɪəs/ s pregiudizio m, prevenzione f

bib /bɪb/ s bavaglino m

Bible /'baɪbl/ s bibbia f

bibliography /ˌbɪblɪ'ɒgrəfɪ/ s bibliografia f

bicarbonate /baɪ'kɑːbənɪt/ s bicarbonato m

to bicker /'bɪkə'/ vi litigare

bicycle /'baɪsɪkl/ s bicicletta f

bid /bɪd/ s offerta f ◇ tentativo m

to bid /bɪd/ (pass **bid**, **bade**, pp **bid-den**, **bid**) vt dire, augurare ◇ ordinare ◆ vi (a un'asta) fare un'offerta ● to b. sb farewell dire addio a qn

bidder /'bɪdə'/ s offerente m/f

bifocal /baɪ'fəuk(ə)l/ a bifocale ◆ s pl occhiali m pl bifocali

big /bɪg/ a grande, grosso ◇ importante ● b. deal bell'affare; b. toe alluce

big-headed /ˌbɪg'hedɪd/ a presuntuoso

big-hearted /ˌbɪg'hɑːtɪd/ a generoso

bike /baɪk/ s bicicletta f ● stationary b. cyclette

bilberry /'bɪlb(ə)rɪ/ s mirtillo m

bill /bɪl/ s conto m, fattura f, parcella f ◇ manifesto m, locandina f ◇ (USA) banconota f ◇ (comm) effetto m, cambiale f ◇ bolla f, bolletta f, documento m ● b. of credit lettera di credito; b. of fare lista delle vivande

to bill /bɪl/ vt (comm) fatturare ◇ mettere in programma

billboard /'bɪlbɔːd/ s tabellone m

billet /'bɪlɪt/ s (mil) alloggio m

billfold /'bɪlfəuld/ s (USA) portafoglio m

billiards /'bɪljədz/ s pl (v al sing) biliardo m sing

billion /'bɪljən/ s bilione m ◇ (USA) miliardo m

bin /bɪn/ s bidone m, recipiente m ● glass/paper recycling b. bidone per la raccolta differenziata di vetro/carta

to bind /baɪnd/ (pass/pp **bound**) vt legare, fissare ◇ rilegare ◇ obbligare, impegnare ◆ *vi* legare ◇ (*mecc*) grippare

binder /'baɪndə/ *s* rilegatore *m* ◇ cartelletta *f*, raccoglitore *m*

binding /'baɪndɪŋ/ *a* legante ◇ impegnativo, obbligatorio ◆ *s* copertina *f*, rilegatura *f* ◇ legame *m*, vincolo *m*

binoculars /bɪ'nɒkjuləz/ *s pl* binocolo *m*

biochemistry /ˌbaɪə(ʊ)'kemɪstrɪ/ *s* biochimica *f*

biodegradable /ˌbaɪə(ʊ)dɪ'greɪdəb(ə)l/ *a* biodegradabile

biography /baɪ'ɒɡrəfɪ/ *s* biografia *f*

biology /baɪ'ɒlədʒɪ/ *s* biologia *f*

birch /bɜːtʃ/ *s* betulla *f*

bird /bɜːd/ *s* uccello *m*, volatile *m*

birth /bɜːθ/ *s* nascita *f* ◇ origine *f* ● *b. control* controllo delle nascite; *b. rate* indice di natalità; *to give b. to* partorire, procreare, (*fig*) causare

birthday /'bɜːθdeɪ/ *s* compleanno *m*

biscuit /'bɪskɪt/ *s* biscotto *m* ◇ (*USA*) panino *m*

to bisect /baɪ'sekt/ *vt* tagliare in due

bisexual /baɪ'seksjuəl/ *a* bisessuale

bishop /'bɪʃəp/ *s* vescovo *m* ◇ (*scacchi*) alfiere *m*

bison /'baɪsn/ *s* bisonte *m*

bistoury /'bɪstʊrɪ/ *s* bisturi *m*

bit /bɪt/ *s* morso *m*, boccone *m* ◇ pezzo *m*, pezzetto *m*, un poco *m* ◇ (*inform*) bit *m* ● *b. by b.* a poco a poco; *not a b.* niente affatto

bitch /bɪtʃ/ *s* cagna *f*, lupa *f* ◇ (*volg*) puttana *f*

bite /baɪt/ *s* morso *m*, puntura *f* ◇

boccone *m*, spuntino *m* ◇ sapore *m* piccante

to bite /baɪt/ (*pass* **bit**, *pp* **bitten**) *vt* mordere, pungere ◆ *vi* abboccare ● *to b. the bullet* affrontare con coraggio

bitter /'bɪtə/ *a* amaro ◇ pungente ◇ aspro, duro ◇ accanito ◆ *s al pl* amaro *m* ● *b.-sweet* dolceamaro

to blab /blæb/ *vt* spifferare ◆ *vi* fare la spia

black /blæk/ *a* nero, buio, scuro ◇ clandestino, sommerso ◇ lugubre, triste

blackberry /'blækb(ə)rɪ/ *s* mora *f*

blackbird /'blækbɜːd/ *s* merlo *m*

blackboard /'blækbɔːd/ *s* lavagna *f*

blackcurrant /ˌblæk'kʌrənt/ *s* ribes *m* nero

to blacken /'blæk(ə)n/ *vt* annerire, oscurare

blackleg /'blækleg/ *s* imbroglione *m* ◇ crumiro *m*

to blackmail /'blækmeɪl/ *vt* ricattare

blackout /'blækaʊt/ *s* oscuramento *m* ◇ svenimento *m* ◇ interruzione *f* di corrente ● *news b.* silenzio stampa

blacksmith /'blæksmɪθ/ *s* fabbro *m* ferraio, maniscalco *m*

blackthorn /'blækθɔːn/ *s* pruno *m*

bladder /'blædə/ *s* (*anat*) vescica *f*

blade /bleɪd/ *s* lama *f*, lametta *f* ◇ pala *f* ◇ filo *m* d'erba

to blame /bleɪm/ *vt* biasimare ◇ incolpare ● *to be to b.* essere colpevole

bland /blænd/ *a* insipido, insapore ◇ blando

blank /blæŋk/ *a* vuoto, in bianco,

non riempito ◇ vacuo ◇ totale, completo ♦ s lacuna f ◇ spazio m vuoto, spazio m in bianco ◇ (USA) modulo m ♦ b. verse versi sciolti

blanket /'blæŋkɪt/ s coperta f

blare /bleə/ s squillo m

blasphemous /'blæsfɪməs/ a blasfemo

blasphemy /'blæsfɪmɪ/ s bestemmia f

blast /blɑːst/ s raffica f ◇ scoppio m, esplosione f

to blast /blɑːst/ vt far esplodere ◇ rovinare, distruggere ◇ strombazzare ◇ aprire (un varco) con le mine ● to b. off decollare

blasted /'blɑːstɪd/ a maledetto

blatant /'bleɪtənt/ a chiassoso ◇ vistoso, plateale

blaze /bleɪz/ s fiammata f, vampata f ◇ incendio m ◇ splendore m

to blaze /bleɪz/ vi ardere, bruciare, sfavillare, risplendere

to bleach /bliːtʃ/ vt candeggiare

bleak /bliːk/ a brullo ◇ squallido, triste

bleary /'blɪərɪ/ a offuscato, ottenebrato ♦ b.-eyed con lo sguardo annebbiato

to bleat /bliːt/ vi belare ◇ piagnucolare

to bleed /bliːd/ (pass/pp bled) vi sanguinare

blemish /'blemɪʃ/ s macchia f, imperfezione f

blend /blend/ s mescolanza f, miscela f

to blend /blend/ vt mescolare, fondere ♦ vi mescolarsi, fondersi

to bless /bles/ (pass/pp blessed, blest) vt benedire

blight /blaɪt/ s carbonchio m ◇ rovina f, flagello m

blimey /'blaɪmɪ/ inter (pop) accidenti

blind /blaɪnd/ a cieco ◇ chiuso, nascosto, senza aperture ◇ (fig) a scatola chiusa ♦ s cortina f, persiana f ● to turn a b. eye chiudere un occhio

to blind /blaɪnd/ vt accecare ◇ oscurare

blindfold /'blaɪn(d)fəʊld/ s benda f ♦ avv a occhi bendati, alla cieca

to blink /blɪŋk/ vi ammiccare ◇ lampeggiare

bliss /blɪs/ s beatitudine f ◇ gioia f immensa

blister /'blɪstə/ s (med) vescica f, bolla f

blithe /blaɪð/ a allegro

blizzard /'blɪzəd/ s bufera f di neve

to bloat /bləʊt/ vt/i gonfiare, gonfiarsi

blob /blɒb/ s goccia f ◇ macchia f ◇ grumo m

block /blɒk/ s blocco m ◇ ingorgo m, intasamento m ◇ grande edificio m ◇ (USA) isolato m ♦ b. letters stampatello; b. of flats caseggiato; road b. posto di blocco

to block /blɒk/ vt bloccare, ostruire

to blockade /blɒ'keɪd/ vt bloccare ● to run the b. forzare il blocco

blockhouse /'blɒkhaʊs/ s fortino m

bloke /bləʊk/ s (fam) individuo m, tipo m

blond /blɒnd/ a biondo

blood /blʌd/ s sangue m ● *b. group* gruppo sanguigno; *b. poisoning* setticemia; *b. test* analisi del sangue

bloodshed /ˈblʌdʃed/ s spargimento m di sangue, massacro m

bloodshot /ˈblʌdʃɒt/ a iniettato di sangue

bloody /ˈblʌdɪ/ a sanguinante ◇ sanguinoso, cruento ◇ sanguinario ◇ (*fam*) dannato, maledetto ● *b.-minded* scontroso, indisponente

to bloom /bluːm/ vi fiorire

blooming /ˈbluːmɪŋ/ a fiorente ◇ (*enf*) perfetto

to blossom /ˈblɒsəm/ vi fiorire, essere in fiore

to blot /blɒt/ vt macchiare ◇ assorbire, asciugare ● *to b. out* offuscare, nascondere

to blotch /blɒtʃ/ vt macchiare ◆ vi coprirsi di macchie

blouse /blauz/ s camicetta f

blow (1) /bləʊ/ s soffio m, raffica f

blow (2) /bləʊ/ s colpo m, percossa f, pugno m

to blow /bləʊ/ (*pass* blew, *pp* blown) vi soffiare ◇ ansimare ◇ (*di pneumatico*) scoppiare ◆ vt soffiare, spingere (*soffiando*) ◇ far saltare (*strumento a fiato*) suonare ● *to b. away* volare via; *to b. down* abbattere; *to b. out* spegnere, scoppiare; *to b. over* passare, finire; *to b. up* esplodere, far saltare in aria, gonfiare, (*fot*) ingrandire

blue /bluː/ a azzurro, blu ◇ depresso, triste ◇ (*fam*) (*di film*) osceno, pornografico ◆ s blu m ◇ *al pl* (*fam*) tristezza f, depressione f

bluebell /ˈbluː(ˌ)bel/ s campanula f

bluebottle /ˈbluːˌbɒtl/ s (*zool*) moscone m ◇ (*bot*) fiordaliso m

bluff /blʌf/ a ripido, scosceso ◇ brusco ◆ s scogliera f ◇ promontorio m

to bluff /blʌf/ vt bluffare, ingannare

blunder /ˈblʌndə/ s errore m, strafalcione m

blunt /blʌnt/ a smussato, spuntato ◇ brusco

blur /blɜː/ s apparenza f confusa ◇ nebulosità f

blurb /blɜːb/ s (*fam*) trafiletto m pubblicitario ◇ (*di libro*) fascetta f

to blurt /blɜːt/ vt lasciarsi sfuggire, dire senza riflettere ● *to b. cut* spifferare, spiattellare

to blush /blʌʃ/ vi arrossire

blustering /ˈblʌst(ə)rɪŋ/ a rumoroso ◇ infuriato

boar /bɔː/ s cinghiale m

board /bɔːd/ s asse f, tavola f ◇ cartellone m ◇ vitto m ◇ comitato m, consiglio m ◇ (*inform*) scheda f ◇ (*naut*) bordo m ◇ (*USA*) lavagna f ◇ *al pl* (*teat*) palcoscenico m ● *full b.* pensione completa; *half b.* mezza pensione; *on b.* a bordo

to board /bɔːd/ vt ospitare ◇ imbarcarsi su ◆ vi essere a pensione ◇ imbarcarsi

boarding /ˈbɔːdɪŋ/ s tavolato m ◇ imbarco m ● *b. card, pass* carta d'imbarco; *b. house* pensione; *b. school* collegio

to boast /bəʊst/ *vt/i* vantare, vantarsi

boaster /ˈbəʊstə/ *s* gradasso *m*, spaccone *m*, sbruffone *m*

boat /bəʊt/ *s* barca *f*, battello *m*, imbarcazione *f*, nave *f*

boating /ˈbəʊtɪŋ/ *s* canottaggio *m*

to bob /bɒb/ *vt/i* muovere, muoversi avanti e indietro ● *to b. for* cercare di afferrare; *to b. up* saltar fuori

bobby /ˈbɒbɪ/ *s* (*fam*) poliziotto *m*

to bode /bəʊd/ *vi* presagire ● *to b. well* essere di buon augurio

bodily /ˈbɒdɪlɪ/ *a* fisico, corporale ◆ *avv* in persona ◇ di peso, interamente

body /ˈbɒdɪ/ *s* corpo *m*, struttura *f* ◇ busto *m*, tronco *m* ◇ massa *f* ◇ carrozzeria *f*, fusoliera *f* ◇ corporazione *f*, società *f* ◇ cadavere *m* ◇ (*min*) giacimento *m*

bog /bɒg/ *s* acquitrino *m*, palude *f*

to boggle /ˈbɒgl/ *vi* trasalire ◇ esitare, rendere perplesso

bogus /ˈbəʊgəs/ *a* artefatto, finto

to boil /bɔɪl/ *vt/i* bollire, lessare

boiler /ˈbɔɪlə/ *s* caldaia *f*, scaldabagno *m* ● *b. suit* tuta da lavoro

boisterous /ˈbɔɪst(ə)rəs/ *a* chiassoso ◇ turbolento

bold /bəʊld/ *a* baldo, audace ◇ in neretto

boldfaced /ˈbəʊldfeɪsd/ *a* sfacciato

to bolster /ˈbəʊlstə/ *vt* sostenere ● *to b. up* rinforzare

bolt /bəʊlt/ *s* chiavistello *m*, spranga *f* ◇ bullone *m* ◇ freccia *f* ◇ fulmine *m* ◇ balzo *m* ◇ rotolo *m*

to bolt /bəʊlt/ *vt* sprangare ◇ im-

bullonare ◆ *vi* scappare ● *to b. down* tranguggiare

bomb /bɒm/ *s* bomba *f*

bombastic /bɒmˈbæstɪk/ *a* ampolloso

bomber /ˈbɒmə/ *s* bombardiere *m*

bombshell /ˈbɒmʃel/ *s* bomba *f* ◇ (*fig*) notizia *f* esplosiva ◇ (*fig*) schianto *m* di ragazza

bond /bɒnd/ *s* legame *m*, vincolo *m* ◇ impegno *m*, accordo *m* ◇ (*econ*) obbligazione *f* ◇ cauzione *f* ● *goods in b.* merci in attesa di sdoganamento

bondage /ˈbɒndɪdʒ/ *s* schiavitù *f*

bone /bəʊn/ *s* osso *m* ◇ lisca *f*, spina *f* ◇ *al pl* scheletro *m*, ossatura *f* ● *b. china* porcellana

to bone /bəʊn/ *vt* disossare ◇ togliere le lische a ● *to b. up on* (*USA*, *fam*) sgobbare

bonfire /ˈbɒnfaɪə/ *s* falò *m*

bonnet /ˈbɒnɪt/ *s* cuffia *f*, berretto *m* ◇ cofano *m*

to boo /buː/ *vt/i* fischiare, disapprovare

booby /ˈbuːbɪ/ *s* sciocco *m* ◇ seno *m* ● *b. trap* ordigno esplosivo

book /bʊk/ *s* libro *m*, volume *m* ◇ registro *m* ◇ blocchetto *m* ● *b. mark* segnalibro; *note b.* quaderno per appunti

to book /bʊk/ *vt* annotare ◇ prenotare, fissare ◇ multare

bookbindery /ˈbʊkˌbaɪndərɪ/ *s* legatoria *f*

bookcase /ˈbʊkkeɪs/ *s* libreria *f*, scaffale *m* per libri

book-keeper /ˈbʊkˌkiːpə/ *s* contabile *m/f*

bookmaker /'bʊkˌmeɪkə/ s allibratore m

bookshop /'bʊkʃɒp/ s libreria f

bookstall /'bʊkˌstɔːl/ s edicola f

bookstore /'bʊkˌstɔː/ s (USA) libreria f

boom /buːm/ s (econ) boom m ◇ aumento m improvviso

to boom (1) /buːm/ vi prosperare, espandersi

to boom (2) /buːm/ vi rimbombare

boon /buːn/ s vantaggio m

boor /bʊə/ a maleducato, cafone

boost /buːst/ s spinta f, impulso m ◇ aumento m

boot /buːt/ s stivale m, scarpone m ◇ (aut) bagagliaio m

booth /buːð/ s cabina f ◇ bancarella f

booty /'buːtɪ/ s bottino f

booze /buːz/ s (pop) bevanda f alcolica

border /'bɔːdə/ s bordo m, confine m, orlo m ◇ frontiera f

borderline /'bɔːdəlaɪn/ s linea f di demarcazione ♦ a di confine, ai limiti del consentito ◇ discutibile

bore (1) /bɔː/ s foro m ◇ (mecc) alesaggio m

bore (2) /bɔː/ s scocciatore m ◇ seccatura f, noia f

to bore (1) /bɔː/ vt trivellare, perforare, trapanare

to bore (2) /bɔː/ vt seccare, annoiare ● to be bored annoiarsi

born /bɔːn/ pp di to bear ♦ a nato, generato

borough /'bʌrə/ s borgo m, cittadina f ◇ (di città) circoscrizione f amministrativa

to borrow /'bɒrəʊ/ vt prendere in prestito

bosom /'bʊzəm/ s seno m ● b. friend amico del cuore

boss /bɒs/ s padrone m, capo m

bossy /'bɒsɪ/ a prepotente, autoritario

botany /'bɒtənɪ/ s botanica f

both /bəʊθ/ a/pr entrambi, entrambe ● b.... and ... sia ... sia ...

to bother /'bɒðə/ vt assillare, disturbare ♦ vi disturbarsi, preoccuparsi

bothersome /'bɒðəsəm/ a fastidioso

bottle /'bɒtl/ s bottiglia f ◇ biberon m ● b. feeding allattamento artificiale; b. neck collo di bottiglia, strozzatura; b. opener apribottiglie

bottom /'bɒtəm/ a inferiore, ultimo (in basso) ♦ s fondo m, parte f inferiore ◇ carena f ◇ (fam) sedere m

bough /baʊ/ s ramo m

bouillon /'buːjɒn/ s brodo m ● b. cube dado da brodo

boulder /'bəʊldə/ s masso m

to bounce /baʊns/ vt far rimbalzare ◇ respingere ♦ vi rimbalzare ◇ balzare ◇ (di assegno) essere respinto

bouncer /'baʊnsə/ s buttafuori m/f

bound (1) /baʊnd/ pass/pp di to bind ♦ a legato ◇ costretto, obbligato ◇ rilegato ● b. to destinato a; to be b. for essere diretto a

bound (2) /baʊnd/ s limite m, confine m

bound (3) /baʊnd/ s salto m, balzo m

boundary /ˈbaʊnd(ə)rɪ/ s confine m, frontiera f, contorno m

bourgeoisie /ˌbʊəʒwɑːˈziː/ s borghesia f

bout /baʊt/ s prova f ◇ (med) attacco m ◇ incontro m, gara f

bow (1) /bəʊ/ s arco m ◇ (mus) archetto m ◇ fiocco m, nodo m ● **b. tie** cravatta a farfalla, farfallino

bow (2) /baʊ/ s inchino m ● **to take a b.** fare un inchino

bow (3) /baʊ/ s (naut) prua f

to bow /baʊ/ vt piegare, curvare ◆ vi chinarsi, curvarsi, inchinarsi ◇ sottomettersi

bowel /ˈbaʊəl/ s intestino m

bower /ˈbaʊəʳ/ s pergolato m

bowl /bəʊl/ s coppa f, ciotola f, scodella f ◇ boccia f ● **game of bowls** gioco delle bocce

bowler /ˈbəʊləʳ/ s bombetta f

box (1) /bɒks/ s cassa f, cassetta f ◇ scatola f ◇ palco m ◇ riquadro m, casella f ◇ cabina f ◇ (fam) televisione f ◇ (inform) finestra f ● **b. office** botteghino; **P.O. b.** casella postale

box (2) /bɒks/ s pugno m, schiaffo m

to box (1) /bɒks/ vt inscatolare

to box (2) /bɒks/ vi fare a pugni ◇ fare il pugile

boxer /ˈbɒksəʳ/ s pugile m ● **b. shorts** boxer

boxing (1) /ˈbɒksɪŋ/ s imballaggio m, inscatolamento m

boxing (2) /ˈbɒksɪŋ/ s pugilato m

boy /bɔɪ/ s ragazzo m ◇ figlio m ◇ garzone m ● **little b.** bambino

boyfriend /ˈbɔɪfrend/ s ragazzo m, fidanzato m

boyhood /ˈbɔɪhʊd/ s fanciullezza f

bra /brɑː/ s reggiseno m

brace /breɪs/ s sostegno m ◇ **al pl** bretelle f pl

to brace /breɪs/ vt sostenere ◇ rinforzare ● **to b. oneself** farsi coraggio

bracelet /ˈbreɪslɪt/ s braccialetto m

bracing /ˈbreɪsɪŋ/ a tonificante

bracket /ˈbrækɪt/ s parentesi f ◇ supporto m, mensola f

to brag /bræg/ vt/i vantare, vantarsi

to braid /breɪd/ vt intrecciare

brain /breɪn/ s cervello m ◇ **al pl** ingegno m

brainchild /ˈbreɪntʃaɪld/ s (fam) idea f, creazione f

to braise /breɪz/ vt brasare

to brake /breɪk/ vt frenare

bran /bræn/ s crusca f

branch /brɑːn(t)ʃ/ s ramo m ◇ diramazione f ◇ sezione f, succursale f

to branch /brɑːn(t)ʃ/ vi ramificare ◇ diramarsi ● **to b. out** intraprendere una nuova attività

brand /brænd/ s marca f ◇ marchio m ● **b. new** nuovo di zecca

to brandish /ˈbrændɪʃ/ vt brandire

brash /bræʃ/ a insolente, arrogante

brass /brɑːs/ s ottone m ◇ (mus) ottoni m pl ● **b. band** fanfara

brassiere /ˈbræsɪəʳ/ s reggiseno m

brave /breɪv/ a coraggioso, valoroso

to brave /breɪv/ vt sfidare, affrontare

brawl /brɔːl/ s rissa f, tafferuglio m

brawny /ˈbrɔːnɪ/ a muscoloso

bray /breɪ/ *s* raglio *m*

brazen /ˈbreɪzn/ *a* sfacciato, sfrontato

brazier /ˈbreɪzjə/ *s* braciere *m*

breach /briːtʃ/ *s* rottura *f*, breccia *f* ◇ violazione *f*, infrazione *f*

bread /bred/ *s* pane *m* ● *wholemeal, wholewheat b.* pane integrale

breadstick /ˈbredstɪk/ *s* grissino *m*

breadth /bredθ/ *s* larghezza *f*, ampiezza *f*

breadwinner /ˈbredwɪnə/ *s* il sostegno *m* della famiglia

break /breɪk/ *s* rottura *f* ◇ interruzione *f*, intervallo *m*, pausa *f* ◇ (*fam*) opportunità *f* ◇ violazione *f*, irregolarità *f*

to break /breɪk/ (*pass* **broke**, *pp* **broken**) *vt* rompere, spezzare ◇ infrangere, venir meno a ◇ (*un record*) battere, superare ◇ interrompere ◇ rovinare ♦ *vi* rompersi, spezzarsi ◇ interrompersi, fare una pausa ◇ diffondersi ◇ (*di tempesta*) scoppiare ● *to b. away* allontanarsi; *to b. down* guastarsi, rompersi, abbattere, crollare; *to b. even* chiudere in pareggio; *to b. in* irrompere, interrompere; *to b. off* staccare, interrompere; *to b. out* scoppiare, liberarsi da; *to b. through* sfondare, superare; *to b. up* distruggere, fare a pezzi, disperdere

breakage /ˈbreɪkɪdʒ/ *s* rottura *f* (*di relazioni*) ◇ danni *m pl*

breakdown /ˈbreɪkdaʊn/ *s* (*mecc*) guasto *m*, (*naut*) avaria *f* ◇ collasso *m*, esaurimento *m* ◇ insuccesso *m*, rottura *f*

breakfast /ˈbrekfəst/ *s* (prima) colazione *f*

breaking /ˈbreɪkɪŋ/ *s* rottura *f*, frattura *f* ◇ infrazione *f*

breakthrough /ˈbreɪkθruː/ *s* (*mil*) sfondamento *m* ◇ passo *m* avanti, progresso *m*

breakup /ˈbreɪkʌp/ *s* disfacimento *m*

breast /brest/ *s* petto *m*, seno *m* ● *b. pocket* taschino

to breast /brest/ *vt* affrontare, tener testa a ◇ scalare

breastbone /ˈbres(t)bəʊn/ *s* sterno *m*

breaststroke /ˈbres(t)strəʊk/ *s* nuoto *m* a rana

breath /breθ/ *s* fiato *m*, respiro *m* ◇ soffio *m* ◇ mormorio *m* ● *to be out of b.* essere senza fiato; *b. test* etilotest

breathing /ˈbriːðɪŋ/ *s* respirazione *f*, respiro *m*

breathless /ˈbreθlɪs/ *a* senza fiato, ansante ◇ esanime

breathtaking /ˈbreθteɪkɪŋ/ *a* mozzafiato

to breed /briːd/ (*pass/pp* **bred**) *vt* generare, riprodurre ◇ allevare, educare ♦ *vi* (*di animali*) riprodursi, generare ◇ originarsi

breeze /briːz/ *s* brezza *f*

to brew /bruː/ *vt* fare la birra ◇ mettere in infusione, preparare il tè ♦ *vi* essere in fermentazione, essere in infusione ◇ (*fig*) prepararsi

bribery /ˈbraɪbərɪ/ *s* corruzione *f*

brick /brɪk/ s mattone m, laterizio m

bricklayer /ˈbrɪkˌle(ɪ)ər/ s muratore m

bridal /ˈbraɪdl/ a nuziale

bride /braɪd/ s sposa f ● **b.'s cake** torta nuziale

bridegroom /ˈbraɪdgrʊm/ s sposo m

bridesmaid /ˈbraɪdzmeɪd/ s damigella f (d'onore)

bridge /brɪdʒ/ s ponte m ◊ (gioco) bridge m ● **swing b.** ponte girevole

to bridge /brɪdʒ/ vt costruire un ponte su, collegare con un ponte ◊ (fig) colmare ● **to b. over** essere d'aiuto a

bridle /ˈbraɪdl/ s briglia f

brief /briːf/ a breve ◆ s riassunto m ◊ (dir) memoria f, fascicolo m ◊ direttive f pl, istruzioni f pl ● **al pl** mutande f pl

to brief /briːf/ vt riassumere ◊ dare istruzioni a, ragguagliare

briefcase /ˈbriːfkeɪs/ s cartella f (portadocumenti)

bright /braɪt/ a luminoso, brillante ◊ vivace, sveglio (fig)

to brighten /ˈbraɪtn/ vt ravvivare, far brillare ● rallegrare ◆ vi illuminarsi, schiarirsi ● rallegrarsi

brightness /ˈbraɪtnɪs/ s luminosità f ◊ vivacità f, intelligenza f

brights /braɪts/ s pl (USA) (aut) abbaglianti m pl

brilliance /ˈbrɪljəns/ s brillantezza f, splendore m ◊ genialità f

brim /brɪm/ s orlo m, margine m ◊ (di cappello) falda f

to bring /brɪŋ/ (pass/pp brought) vt portare, prendere con sé ◊ causare, produrre ● **to b. about** causare, determinare; **to b. along** condurre con sé; **to b. back** riportare, restituire; **to b. down** far calare, abbattere; **b. forward** avanzare (proposte); **to b. off** portare a termine; **to b. out** tirare fuori, far uscire (un prodotto, un libro); **to b. round** convincere; **b. up** allevare, educare, sollevare (una questione)

brink /brɪŋk/ s orlo m, margine m

brisk /brɪsk/ a svelto, vivace

bristle /ˈbrɪsl/ s setola f

British /ˈbrɪtɪʃ/ a britannico

brittle /ˈbrɪtl/ a fragile, friabile

broach /brəʊtʃ/ s spiedo m ◊ guglia f

to broach /brəʊtʃ/ vt (una botte) spillare ◊ (una bottiglia) stappare ◊ (un argomento) affrontare

broad /brɔːd/ a largo, esteso ◊ evidente, chiaro ◊ marcato, spiccato ◊ generale ● **b.-minded** tollerante

broadcast /ˈbrɔːdkɑːst/ s (radio, TV) trasmissione f

to broaden /ˈbrɔːdn/ vt allargare ◆ vi allargarsi

broadness /ˈbrɔːdnɪs/ s larghezza f

broccoli /ˈbrɒkəli/ s broccolo m

to broil /brɔɪl/ vt cuocere (allo spiedo, alla griglia) ◆ vi bruciare, arrostirsi

broken /ˈbrəʊk(ə)n/ pp di **to break** ◆ a rotto, spezzato ◊ interrotto ◊ indebolito ● **b.-hearted** dal cuore spezzato

broker /ˈbrəʊkər/ s mediatore m, agente m, broker m

bronze /brɒnz/ s bronzo m

brooch /brəʊtʃ/ s spilla f

brood /bruːd/ s nidiata f, covata f

to brood /bruːd/ vt/i covare ◇ (fig) rimuginare

brook /brʊk/ s ruscello m

broom /bruːm/ s (bot) ginestra f ◇ ramazza f, scopa f

broth /brɒθ/ s brodo m

brothel /brɒθl/ s bordello m

brother /brʌðə/ s fratello m ● b.-in-law cognato

brow /braʊ/ s fronte f ◇ al pl sopracciglia f pl ◇ orlo m

brown /braʊn/ a bruno, castano ◇ abbronzato ◆ s marrone m ● b. bread pane nero

to brown /braʊn/ vt/i (cuc) rosolare, rosolarsi

to browse /braʊz/ vi curiosare ◇ brucare

bruise /bruːz/ s ammaccatura f, contusione f, livido m

brunt /brʌnt/ s urto m

brush /brʌʃ/ s spazzola f, spazzolino m ◇ pennello m ◇ boscaglia f ● hair b. spazzola per capelli

to brush /brʌʃ/ vt spazzolare ◇ sfiorare ● to b. away, aside cacciar via, scostare; to b. off rifiutare seccamente, ignorare; to b. up dare una ripassata

brusque /bruː(ə)sk/ a brusco

Brussels sprouts /ˌbrʌs(ə)lz'spraʊts/ s pl cavolini m pl di Bruxelles

brutal /bruːtl/ a brutale

bubble /bʌbl/ s bolla f ● b. bath bagnoschiuma

to bubble /bʌbl/ vi gorgogliare, spumeggiare

to buck /bʌk/ vi (di cavallo) impennarsi ◇ fare resistenza ● to b. up rallegrare, rianimarsi

bucket /bʌkɪt/ s secchio m, secchiello m

to buckle /bʌkl/ vt allacciare (con fibbia) ◆ vi (mecc) deformarsi, piegarsi

buckskin /bʌkskɪn/ s pelle f di daino, pelle f scamosciata

bud /bʌd/ s bocciolo m ◇ gemma f

Buddhism /bʊdɪz(ə)m/ s buddismo m

budding /bʌdɪŋ/ a (bot) in boccio ◇ (fig) in erba

buddy /bʌdɪ/ s (USA, fam) amico m, compagno m

to budge /bʌdʒ/ vt spostare, muovere ◆ vi spostarsi, scostarsi

budget /bʌdʒɪt/ s bilancio m preventivo

to budget /bʌdʒɪt/ vt preventivare, programmare ◆ vi preventivare

buff /bʌf/ s pelle f scamosciata ◇ (fam) appassionato m, fanatico m

buffalo /bʌfələʊ/ s bufalo m

buffer /bʌfə/ s (ferr) respingente m ◇ (mecc, inform) tampone m

buffet (1) /bʌfɪt/ s credenza f ◇ buffet m ● b. car vagone ristorante

buffet (2) /bʌfɪt/ s schiaffo m, colpo m

to buffet /bʌfɪt/ vt colpire, schiaffeggiare ◇ urtare

bug /bʌg/ s cimice f ◇ (USA) insetto m ◇ (fam) microbo m, germe m ◇ (fam) problema m ◇ (inform) errore m, difetto m ◇ (fam) microspia f

buggy /ˈbʌgɪ/ s passeggino m ◇ calesse m

bugle /ˈbjuːgl/ s corno m da caccia, tromba f

build /bɪld/ s struttura f ◇ corporatura f

to build /bɪld/ (pass/pp built) vt costruire, edificare ● to b. in incassare, incorporare; to b. up aumentare, sviluppare, accumulare

building /ˈbɪldɪŋ/ s costruzione f ◇ edificio m ♦ a edile, edilizio ● b. code regolamento edilizio

bulb /bʌlb/ s (bot) bulbo m ◇ lampadina f ● b. socket portalampada

Bulgarian /bʌlˈgeərɪən/ a bulgaro

bulge /bʌldʒ/ s rigonfiamento m

bulk /bʌlk/ s mole f, volume m ◇ la maggior parte f

bull (1) /bul/ s toro m ◇ (di grandi mammiferi) maschio m ◇ (Borsa) rialzista m/f

bull (2) /bul/ s bolla f, editto m

bullet /ˈbulɪt/ s proiettile m

bulletin /ˈbulɪtɪn/ s bollettino m

bulletproof /ˈbulɪt,pruːf/ a antiproiettile, blindato

bullfight /ˈbul,faɪt/ s corrida f

bullock /ˈbulək/ s manzo m

bully /ˈbulɪ/ a prepotente

bulwark /ˈbulwək/ s baluardo m ◇ frangiflutti m ◇ (naut) murata f

bum /bʌm/ s (volg) sedere m

to bum /bʌm/ (pass/pp bummed) vi (USA) oziare, fare il vagabondo ♦ vt (USA, fam) scroccare

bumbag /ˈbʌmbæg/ s marsupio m

bump /bʌmp/ s urto m, colpo m,

scossone m ◇ protuberanza f, bernoccolo m

to bump /bʌmp/ vt/i urtare, collidere ◇ tamponare ● to b. into sbattere contro, imbattersi in

bumper /ˈbʌmpə/ s paraurti m, respingente m ♦ a eccezionale, abbondante

bumptious /ˈbʌm(p)ʃəs/ a presuntuoso

bumpy /ˈbʌmpɪ/ a accidentato, dissestato ◇ scomodo

bun /bʌn/ s focaccia f, ciambella f, panino m dolce

bunch /bʌn(t)ʃ/ s mazzo m, grappolo m ◇ gruppo m

bundle /ˈbʌndl/ s fascio m ◇ involto m, fagotto m

to bundle /ˈbʌndl/ vt affastellare, impacchettare ◇ spingere a forza ● to b. sb off mandare via qn, spedire qn

to bungle /ˈbʌŋgl/ vt pasticciare, abborracciare

bunion /ˈbʌnjən/ s callo m (al piede)

bunk /bʌŋk/ s cuccetta f ● b. bed letto a castello

bunker /ˈbʌŋkə/ s serbatoio m di combustibile ◇ bunker m

bunny /ˈbʌnɪ/ s coniglietto m

bunting /ˈbʌntɪŋ/ s bandierine f pl

to buoy /bɔɪ/ vt far galleggiare, tenere a galla ◇ sostenere

buoyant /ˈbɔɪənt/ a galleggiante ◇ allegro, vivace

to burden /ˈbɜːdn/ vt caricare, gravare

burdensome /ˈbɜːdnsəm/ a gravoso, oneroso

bureau /ˈbjuə(ə)rəʊ/ s (pl bureaux)

ufficio *m* ◇ scrittoio *m*, scrivania *f* ◇ (*USA*) dipartimento *m*

bureaucracy /bjʊ(ə)'rɒkrəsɪ/ *s* burocrazia *f*

burglar /'bɜːglər/ *s* scassinatore *m* ● *b.* **alarm** (allarme) antifurto

burglary /'bɜːglərɪ/ *s* furto *m* con scasso

burial /'berɪəl/ *s* sepoltura *f* ● *b.* ***ground*** cimitero

burly /'bɜːlɪ/ *a* corpulento

burn /bɜːn/ *s* scottatura *f*, ustione *f*

to burn /bɜːn/ (*pass/pp* **burnt**, *raro* **burned**) *vt* bruciare, incendiare ◇ ustionare, scottare ◇ (*inform*) masterizzare ◆ *vi* bruciare, incendiarsi ◇ scottare ◇ divampare ● *to b.* ***down*** distruggere col fuoco; *to b.* ***out*** estinguersi, consumarsi

burner /'bɜːnər/ *s* bruciatore *m* ◇ becco *m* a gas ◇ piastra *f*, fuoco *m* ◇ (*inform*) masterizzatore *m*

to burrow /'bʌrəʊ/ *vt* scavare (una tana) ◆ *vi* rintanarsi, nascondersi

to burst /bɜːst/ (*pass/pp* **burst**) *vi* esplodere, scoppiare, saltare in aria ● *to b.* ***in*** interrompere

to bury /'berɪ/ *vt* seppellire ● *to b.* ***away*** nascondere

bus /bʌs/ *s* autobus *m* ● *b.* **line** autolinea; *b.*-**stop** fermata d'autobus

bush /bʊʃ/ *s* cespuglio *m* ◇ boscaglia *f*

busily /'bɪzɪlɪ/ *avv* alacremente

business /'bɪznɪs/ *s* affare *m*, affari *m pl* ◇ lavoro *m*, occupazione *f* ◇ commercio *m*

businessman /'bɪznɪsm(ə)n/ *s* (*pl* **businessmen**) uomo *m* d'affari

bust (1) /bʌst/ *s* busto *m* ◇ seno *m*

bust (2) /bʌst/ *s* (*fam*) fallimento *m*, rovina *f* ● *a* rotto ● *to go b.* fallire

to bustle /bʌsl/ *vi* agitarsi, darsi da fare

busy /'bɪzɪ/ *a* attivo, indaffarato ◇ (*di telefono*) occupato

busybody /'bɪzɪˌbɒdɪ/ *s* intrigante *m*, ficcanaso *m*

but /bʌt, bət/ *cong* ma, però, tuttavia, eppure ◆ *prep* eccetto, tranne ◆ *avv* soltanto ● *b.* **for** se non fosse stato per, senza di

butcher /'bʊtʃər/ *s* macellaio *m* ● *b.'s* ***shop*** macelleria

butler /'bʌtlər/ *s* maggiordomo *m*

butt (1) /bʌt/ *s* botte *f*

butt (2) /bʌt/ *s* impugnatura *f*, estremità *f* ◇ mozzicone *m* ◇ bersaglio *m* ◇ (*fam*) sedere *m*

to butt /bʌt/ *vt/i* cozzare, urtare ● *to b.* ***in*** intromettersi

butter /'bʌtər/ *s* burro *m*

to butter /'bʌtər/ *vt* imburrare ● *to b.* ***up*** adulare, ungere

butterfly /'bʌtəflaɪ/ *s* farfalla *f*

buttock /'bʌtək/ *s* natica *f*

button /'bʌtn/ *s* bottone *m* ◇ pulsante *m*

buttonhole /'bʌtnhəʊl/ *s* asola *f*, occhiello *m*

buttress /'bʌtrɪs/ *s* sostegno *m* ◇ contrafforte *m*

buxom /'bʌksəm/ *a* (*di donna*) formosa

to buy /baɪ/ (*pass/pp* **bought**) *vt* comprare ● *to b.* ***out*** rilevare; *to b.* ***up*** accaparrarsi

to buzz /bʌz/ *vi* ronzare

buzzer /'bʌzə'/ s pulsante m

by /baɪ/ prep (luogo) presso, davanti, accanto a, attraverso, per, via, verso (ES: **by the river** presso il fiume) ◇ (tempo) di, per, entro (ES: **by night** di notte; **by tomorrow** entro domani) ◇ (mezzo) con, a, per, per mezzo di, in (ES: **by train** in treno, **by cheque** con assegno) ◇ (modo) per, di, a, secondo, da (ES: **to judge by appearances** giudicare dalle apparenze) ◇ (agente) da (ES: **Penicillin was discovered by Fleming** la penicillina fu scoperta da Fleming) ◇ (misura) per, a, di (ES: **2 meters by 3** 2 metri per 3) ◆ avv vicino, accanto ◇ **da parte**, in disparte

bye(-bye) /'baɪbaɪ/ inter ciao, arrivederci

bygone /'baɪgɒn/ a passato, antico

bypass /'baɪpɑːs/ s tangenziale f, circonvallazione f ◇ derivazione f ◇ by-pass m

by-product /'baɪˌprɒdʌkt/ s sottoprodotto m ◇ effetto m secondario

byroad /'baɪrəʊd/ s strada f secondaria

bystander /'baɪˌstændə'/ s spettatore m

by-word /'baɪwɜːd/ s detto m, proverbio m ◇ personificazione f, simbolo m

C

cab /kæb/ s (USA) taxi m ◇ (ferr, di camion) cabina f

cabal /kə'bæl/ s congiura f, intrigo m ◇ combriccola f

cabbage /'kæbɪdʒ/ s cavolo m

cabin /'kæbɪn/ s cabina f ◇ capanna f ● c. boy mozzo

cabinet /'kæbɪnɪt/ s armadio m ◇ vetrina f, mobiletto m ◇ (pol) gabinetto m, consiglio m dei ministri

cable /'keɪbl/ s cavo m ◇ (tel) cablogramma m ● c. car funivia m; c. television televisione via cavo

to cable /'keɪbl/ vt cablare

cableway /'keɪblweɪ/ s teleferica f ◇ funivia f

cabman /'kæbmən/ s (pl cabmen) (USA) taxista m, tassista m

cache /kæʃ/ s nascondiglio m

to cackle /'kækl/ vi schiamazzare

cad /kæd/ s mascalzone m

cadastre /kə'dæstrə'/ s catasto m

cadence /'keɪd(ə)ns/ s cadenza f

cadet /kə'det/ s cadetto m

to cadge /kædʒ/ vi mendicare ◆ vt scroccare

cadre /'kɑːdrə'/ s (mil) quadro m ◇ schema m

café /'kæfeɪ/ s caffè m

cafeteria /ˌkæfɪ'tɪərɪə/ s tavola f calda, mensa f, self-service m

cage /keɪdʒ/ s gabbia f ◇ recinto m

cake /keɪk/ s torta f, dolce m, (salato) focaccia f ◇ tavoletta f ● c. of soap saponetta

to cake /keɪk/ vt/i incrostare, incrostarsi

calamity /kə'læmɪtɪ/ s calamità f

calcium /'kælsɪəm/ s (chim) calcio m

to calculate /'kælkjuleɪt/ vt calcolare ♦ vi fare affidamento su ◇ (USA) credere, ritenere

calculation /ˌkælkjʊ'leɪʃ(ə)n/ s (mat) calcolo m, conto m ◇ congettura f

calculator /'kælkjuleɪtə/ s calcolatrice f

calendar /'kælɪndə/ s calendario m ● c. year anno civile

calf (1) /kɑːf/ (pl calves) s (zool) vitello m

calf (2) /kɑːf/ (pl calves) s polpaccio m

calibre /'kælɪbə/ (USA **caliber**) s (mecc) calibro m ◇ (fig) importanza f

calix /'kælɪks/ s calice m

call /kɔːl/ s richiamo m ◇ chiamata f, telefonata f, comunicazione f ◇ breve visita f ◇ scalo m, (di treno) fermata f ◇ richiesta f ◇ necessità f, motivo m ● c. box cabina telefonica; c. forwarding trasferimento di chiamata; c. waiting avviso di chiamata

to call /kɔːl/ vt chiamare ◇ annunciare ◇ telefonare a ◇ convocare, far venire ♦ vi chiamare, gridare ◇ telefonare ◇ fare una visita, passare ◇ fare scalo, fare una fermata ● to c. for passare a prendere, richiedere; to c. in far intervenire, richiamare; to c. off disdire, annullare; to c. on fare una visita a; to c. out urlare, chiamare a voce alta; to c. up

telefonare a, richiamare alle armi

caller /'kɔːlə/ s persona f che chiama ◇ visitatore m

calling /'kɔːlɪŋ/ s occupazione f, professione f ◇ vocazione f ● c. card biglietto da visita

callous /'kæləs/ a calloso ◇ (fig) insensibile

calm /kɑːm/ a calmo, tranquillo ♦ s calma f

to calm /kɑːm/ vt calmare, placare ● to c. down calmarsi, calmare

calorie /'kælərɪ/ s caloria f

Calvinism /'kælvɪnɪz(ə)m/ s calvinismo m

camber /'kæmbə/ s (tecn) curvatura f

camel /'kæməl/ s cammello m

camera /'kæmərə/ s macchina f fotografica ◇ cinepresa f, telecamera f ● closed circuit c. telecamera a circuito chiuso

camisole /'kæmɪsəʊl/ s canottiera f (di raso o seta)

camomile /'kæməmaɪl/ s camomilla f

camouflage /'kæməflɑːʒ/ s travestimento m, mimetizzazione f

camp /kæmp/ s (mil) campo m, accampamento m ◇ campeggio m ◇ (fig) campo m, partito m

to camp /kæmp/ vi accamparsi ◇ campeggiare

campaign /kæm'peɪn/ s campagna f

camper /'kæmpə/ s campeggiatore m ◇ camper m

camping /'kæmpɪŋ/ s (il fare) campeggio m

campy /'kæmpɪ/ a effeminato

can (1) /kæn, k(ə)n/ (congiuntivo pass

e condizionale **could;** *forme neg* **cannot, can not, can't, couldn't, could not)** *v (possibilità, capacità)* potere, riuscire a, essere in grado di, sapere (ES: **I can write the report today** posso scrivere la relazione oggi; **can he speak Italian?** sa parlare italiano?) ◇ *(permesso)* potere, essere permesso (ES: **you cannot go outside Europe without your passport** non puoi uscire dall'Europa senza il passaporto) ◇ *(per chiedere informazioni, permesso e sim)* potere (ES: **can I use the phone?** posso usare il telefono?; **could you open the window?** potresti aprire la finestra?) ◇ *(supposizione)* essere possibile (ES: **c. it be true?** possibile che sia vero?) ◇ *(idiom)* (ES: **can you see that woman at the window?** vedi quella donna alla finestra?)

can (2) /kæn/ *s* barattolo *m*, latta *f*, lattina *f*, scatola *f* ◇ **tanica** *f* ● *c. opener* apriscatole

Canadian /kə'neɪdjən/ *a/s* canadese *m/f*

canal /kə'næl/ *s* canale *m*

to canalize /'kænəlaɪz/ *vt* canalizzare ◇ incanalare

canary /kə'neərɪ/ *s* canarino *m*

to cancel /'kænsəl/ *vt* cancellare ◇ annullare, disdire

cancellation /ˌkænsə'leɪʃ(ə)n/ *s* cancellazione *f*, annullamento *m*

cancer /'kænsə*r*/ *s* cancro *m*

candid /'kændɪd/ *a* sincero, schietto

candidate /'kændɪdɪt/ *s* candidato *m*

candied /'kændɪd/ *a* candito

candle /'kændl/ *s* candela *f*

candlestick /'kændlstɪk/ *s* candeliere *m* ◇ bugia *f*

candour /'kændə*r*/ (*USA* **candor**) *s* franchezza *f*, candore *m*

candy /'kændɪ/ *s* zucchero *m* candito ◇ (*USA*) caramella *f*, dolciume *m* ● *c. floss* zucchero filato

cane /keɪn/ *s* canna *f*, giunco *m* ◇ bastone *m* (*da passeggio*) ◇ verga *f*

canine /'kænaɪn/ *a/s* canino *m*

canister /'kænɪstə*r*/ *s* contenitore *m* cilindrico

canned /kænd/ *a* in scatola ● *c. food* scatolame

cannibal /'kænɪb(ə)l/ *s* cannibale *m*

cannon /'kænən/ *s* cannone *m*

cannot /'kænɒt/ → **can** (1)

canny /'kænɪ/ *a* circospetto, astuto

canoe /kə'nuː/ *s* canoa *f*

canon /'kænən/ *s* canone *m* ◇ canonico *m*

canonical /kə'nɒnɪk(ə)l/ *a* canonico

canopy /'kænəpɪ/ *s* baldacchino *m*

to cant /kænt/ *vi* inclinarsi, curvarsi

cantankerous /kən'tæŋk(ə)rəs/ *a* (*fam*) irascibile, litigioso

canteen /kæn'tiːn/ *s* mensa *f* ◇ (*mil*) posto *m* di ristoro, spaccio *m* ◇ scatola *f* per posate

canter /'kæntə*r*/ *s* piccolo galoppo *m*

cantilever /'kæntɪˌliːvə*r*/ *s* mensola *f*, trave *f* a sbalzo ● *c. roof* pensilina

canvas /'kænvəs/ *s* tela *f*

canvass /'kænvəs/ *s* propaganda *f*

elettorale, sollecitazione f (di voti) ◇ analisi f

cap /kæp/ s berretto m ◇ tappo m, cappuccio m ◇ (di fungo) cappella f

to cap /kæp/ vt tappare, coprire ◇ coronare ◇ superare

capable /ˈkeɪpəbl/ a capace, abile ◇ suscettibile di

capacious /kəˈpeɪʃəs/ a capiente, spazioso

capacity /kəˈpæsɪtɪ/ s capacità f, capienza f, portata f ◇ capacità f, abilità f

cape /keɪp/ s capo m, promontorio m ◇ cappa f, mantellina f

caper (1) /ˈkeɪpəʳ/ s cappero m

caper (2) /ˈkeɪpəʳ/ s capriola f, salto m ◇ monelleria f

capillary /kəˈpɪlərɪ/ a capillare

capital (1) /ˈkæpɪt(ə)l/ a capitale ◇ (econ) relativo al capitale ◇ (di lettera) maiuscolo ◆ s (di città) capitale f ◇ (lettera) maiuscola f ◇ (econ) capitale m ● c. punishment pena capitale; share c. capitale azionario

capital (2) /ˈkæpɪt(ə)l/ s (arch) capitello m

capitalism /ˈkæpɪtəlɪz(ə)m/ s capitalismo m

to capitalize /kəˈpɪtəlaɪz/ vt capitalizzare ◇ scrivere in maiuscolo ◆ vi capitalizzare ◇ finanziare ◇ valutare

to capitulate /kəˈpɪtjʊleɪt/ vi capitolare, arrendersi

caprice /kəˈpriːs/ s capriccio m

caprine /ˈkæpraɪn/ a caprino

to capsize /kæpˈsaɪz/ vt/i capovolgere, capovolgersi

capsule /ˈkæpsjuːl/ s capsula f

captain /ˈkæptɪn/ s capitano m, comandante m

caption /ˈkæpʃ(ə)n/ s didascalia f, titolo m

to captivate /ˈkæptɪveɪt/ vt avvincere, attrarre

captive /ˈkæptɪv/ a/s prigioniero m

captivity /kæpˈtɪvɪtɪ/ s cattività f

capture /ˈkæptʃəʳ/ s cattura f ◇ preda f, bottino m

car /kɑːʳ/ s automobile f, macchina f, vettura f ◇ vagone m ● c. hire autonoleggio; c. park parcheggio; c. wash autolavaggio

carafe /kəˈrɑːf/ s caraffa f

caramel /ˈkærəmel/ s caramello m ◇ caramella f

caravan /ˈkærəvæn/ s carovana f ◇ (aut) roulotte f

carbohydrate /ˌkɑːbo(ʊ)ˈhaɪdreɪt/ s carboidrato m

carbon /ˈkɑːbən/ s carbonio m ● c. monoxide monossido di carbonio

to carbonize /ˈkɑːbənaɪz/ vt carbonizzare

carburettor /ˌkɑːbjuˈretəʳ/ (USA **carburator**) s carburatore m

carcinogenic /ˌkɑːsɪno(ʊ)ˈdʒenɪk/ a cancerogeno

card /kɑːd/ s scheda f, tessera f ◇ biglietto m da visita ◇ (inform) scheda f ● c. holder schedario; c. member tesserato; post c. cartolina

cardboard /ˈkɑːdbɔːd/ s cartone m

cardiac /ˈkɑːdɪæk/ a cardiaco

cardinal /ˈkɑːdɪn(ə)l/ a/s cardinale m

cardiopath /ˈkɑːdɪo(ʊ)pɑːθ/ s cardiopatico m

care /keə/ s cura f, attenzione f ◇ vigilanza f, custodia f ◇ preoccupazione f ● c. of (abbr c/o, negli indirizzi) presso; take c. stammi bene; to take c. of curare, occuparsi di

to care /keə/ vi preoccuparsi, importare, interessarsi ◇ voler bene ● to c. for prendersi cura di, piacere

career /kəˈrɪə/ s carriera f

carefree /ˈkeəfriː/ a spensierato

careful /ˈkeəf(ʊ)l/ a accurato ◇ attento, sollecito ● be c.! attenzione!

careless /ˈkeəlɪs/ a disattento, incurante ◇ spensierato

to caress /kəˈres/ vt accarezzare

caretaker /ˈkeəˌteɪkə/ s custode m/f

caricature /ˌkærɪkəˈtjʊə/ s caricatura f

caries /ˈkeəriːz/ s carie f

caring /ˈkeərɪŋ/ a premuroso, altruista

carnation /kɑːˈneɪʃ(ə)n/ s garofano m

carnival /ˈkɑːnɪv(ə)l/ s carnevale m

carol /ˈkær(ə)l/ s canto m (gioioso, religioso) ● Christmas c. canzone di Natale

to carp /kɑːp/ vi cavillare, trovare da ridire

carpenter /ˈkɑːpɪntə/ s falegname m, carpentiere m

carpet /ˈkɑːpɪt/ s tappeto m, moquette f

carriage /ˈkærɪdʒ/ s carrozza f, vettura f ◇ trasporto m ◇ carrello m

◇ portamento m ● c. way carreggiata

carrier /ˈkærɪə/ s corriere m, spedizioniere m ◇ portapacchi m ◇ supporto m, sostegno m ◇ (med) portatore m

carrot /ˈkærət/ s carota f

to carry /ˈkærɪ/ (pass/pp carried) vt portare, trasportare ◇ (malattie) trasmettere, diffondere ◇ comportare ● vi raggiungere, farsi sentire ● to be carried away lasciarsi trascinare dall'entusiasmo; to c. back riportare, ricordare; to c. off vincere, cavarsela; to c. on proseguire, mandare avanti; to c. out effettuare, eseguire

carry-on /ˌkærɪˈɒn/ s (fam) confusione f ● c. luggage bagaglio a mano

cart /kɑːt/ s carro m, carrozzino m

cartilage /ˈkɑːtɪlɪdʒ/ s cartilagine f

carton /ˈkɑːtən/ s cartone m, scatola f di cartone ◇ (di sigarette) stecca f

cartoon /kɑːˈtuːn/ s vignetta f, fumetto m ◇ (cin) cartone m animato

cartoonist /kɑːˈtuːnɪst/ s vignettista m/f, disegnatore m (di fumetti, cartoni animati)

cartridge /ˈkɑːtrɪdʒ/ s cartuccia f ◇ (di registratore) cassetta f

to carve /kɑːv/ vt incidere, intagliare ◇ scolpire ◇ trinciare, affettare ● to c. out ottenere con sforzo; to c. up suddividere

cascade /kæsˈkeɪd/ s cascata f

case (1) /keɪs/ s caso m, fatto m, avvenimento m ◇ (dir) causa f,

processo *m* ● **c. history** anamnesi, casistica; *in any c.* in ogni caso; *in c. of* in caso di
case (2) /keɪs/ *s* cassa *f* ◊ astuccio *m*, custodia *f*
cash /kæʃ/ *s* cassa *f* ◊ (denaro) contante *m*, moneta *f* ● **c. desk** cassa; **c. dispenser** cassa di prelievo automatico
to cash /kæʃ/ *vt* incassare, riscuotere
cashier /kæˈʃɪəʳ/ *s* cassiere *m*
casing /ˈkeɪsɪŋ/ *s* involucro *m*, rivestimento *m*
cask /kɑːsk/ *s* barile *m*, botte *f*
casket /ˈkɑːskɪt/ *s* scrigno *m*, cofanetto *m*
casserole /ˈkæsərəʊl/ *s* casseruola *f*, tegame *m*
cassette /kæˈset/ *s* cassetta *f*
cassock /ˈkæsək/ *s* tonaca *f*
cast /kɑːst/ *s* tiro *m*, lancio *m* ◊ (cin) cast *m*
to cast /kɑːst/ (*pass/pp* **cast**) *vt/i* lanciare, buttare ◊ (*cin*) assegnare una parte ● **to c. off** liberarsi di; **to c. out** buttare fuori
castaway /ˈkɑːstəweɪ/ *s* naufrago *m*
cast iron /ˌkɑːstˈaɪən/ *s* ghisa *f*
castle /ˈkɑːsl/ *s* castello *m* ◊ (*scacchi*) torre *f*
to castrate /kæsˈtreɪt/ *vt* castrare
casual /ˈkæʒʊəl/ *a* casuale, accidentale, occasionale ◊ indifferente, noncurante ◊ informale, disinvolto
casually /ˈkæʒʊəlɪ/ *avv* casualmente ◊ con noncuranza
casualty /ˈkæʒjʊəltɪ/ *s* ferito *m*, vittima *f* ◊ infortunio *m*, incidente *m* ● **c. ward** pronto soccorso
cat /kæt/ *s* gatto *m* ● **c.'s eye** catarifrangente
cataclysm /ˈkætəklɪz(ə)m/ *s* cataclisma *m*
catacomb /ˈkætəkəʊm/ *s* catacomba *f*
catalogue /ˈkætəlɒg/ (*USA* **catalog**) *s* catalogo *m*
catalyst /ˈkætəlɪst/ *s* catalizzatore *m*
catalytic /ˌkætəˈlɪtɪk/ *a* catalitico ● **c. converter** marmitta catalitica
catapult /ˈkætəpʌlt/ *s* catapulta *f* ◊ fionda *f*
catarrh /kəˈtɑːʳ/ *s* catarro *m*
catastrophe /kəˈtæstrəfɪ/ *s* catastrofe *f*
catch /kætʃ/ *s* presa *f*, cattura *f* ◊ pesca *f*, retata *f* ◊ gancio *m*, fermo *m* ◊ inganno *m*, trucco *m* ◊ preda *f*, occasione *f*
to catch /kætʃ/ (*pass/pp* **caught**) *vt* prendere, afferrare, sorprendere ◊ attirare, attrarre ◊ agganciare ◊ raggiungere ◆ *vi* impigliarsi, restar preso ◊ far presa ◊ essere contagioso ● **to c. a cold** raffreddarsi; **to c. on** capire, diventare di moda; **to c. out** cogliere in fallo; **to c. up** raggiungere, mettersi in pari
catching /ˈkætʃɪŋ/ *a* contagioso, infettivo ◊ attraente
catchphrase /ˈkætʃfreɪz/ *s* slogan *m*, frase *f* a effetto
catchy /ˈkætʃɪ/ *a* orecchiabile
catechism /ˈkætɪkɪz(ə)m/ *s* catechismo *m*
category /ˈkætɪgərɪ/ *s* categoria *f*

to cater /ˈkeɪtəʳ/ *vi* fornire (*cibi, bevande*), organizzare il servizio (*per ricevimenti*) ◇ provvedere a, considerare

caterpillar /ˈkætəpɪləʳ/ *s* bruco *m*

cathedral /kəˈθiːdr(ə)l/ *s* cattedrale *f*

catholic /ˈkæθəlɪk/ *a* universale, generale ◇ cattolico

catlike /ˈkætlaɪk/ *a* felino

cattle /ˈkætl/ *s* bestiame *m* ◇ (*spreg*) marmaglia *f*

catty /ˈkætɪ/ *a* dispettoso, malizioso

caucus /ˈkɔːkəs/ *s* comitato *m* (politico)

cauliflower /ˈkɒlɪflaʊəʳ/ *s* cavolfiore *m*

causal /ˈkɔːz(ə)l/ *a* causale

cause /kɔːz/ *s* causa *f*, ragione *f*

to cause /kɔːz/ *vt* causare, procurare, produrre ● *to c. sb to do st* far fare qc a qn

caustic /ˈkɔːstɪk/ *a* caustico

caution /ˈkɔːʃ(ə)n/ *s* cautela *f*, circospezione *f* ◇ cauzione *f* ◇ avvertimento *m*

to caution /ˈkɔːʃ(ə)n/ *vt* mettere in guardia, avvertire

cautious /ˈkɔːʃəs/ *a* prudente, cauto

cavalier /kævəˈlɪəʳ/ *a* superbo, altezzoso

cavalry /ˈkæv(ə)lrɪ/ *s* cavalleria *f*

cave /keɪv/ *s* caverna *f*, grotta *f*

to cave /keɪv/ *vt* incavare, scavare ● *to c. in* cedere, arrendersi, sprofondare, crollare

caveman /ˈkeɪvmæn/ (*pl* **cavemen**) *s* uomo *m* delle caverne ◇ (*fig*) troglodita *m*, uomo *m* rozzo

cavern /ˈkævən/ *s* caverna *f*, grotta *f*

caviar(e) /ˈkævɪɑːʳ/ *s* caviale *m*

cavil /ˈkævɪl/ *s* cavillo *m*

cavity /ˈkævɪtɪ/ *s* cavità *f*

to cavort /kəˈvɔːt/ *vi* saltellare, fare capriole

CD /siːˈdiː/ *s* compact disc *m*, CD *m*

to cease /siːs/ *vt/i* cessare

ceaseless /ˈsiːslɪs/ *a* incessante

cedar /ˈsiːdəʳ/ *s* cedro *m*

ceiling /ˈsiːlɪŋ/ *s* soffitto *m* ◇ (*fig*) tetto *m*, plafond *m*

to celebrate /ˈselɪbreɪt/ *vt/i* celebrare ◇ festeggiare

celebrated /ˈselɪbreɪtɪd/ *a* celebre

celebration /ˌselɪˈbreɪʃ(ə)n/ *s* celebrazione *f* ◇ festeggiamento *m*

celebrity /sɪˈlebrɪtɪ/ *s* celebrità *f*

celery /ˈselərɪ/ *s* sedano *m*

celestial /sɪˈlestjəl/ *a* celeste ◇ celestiale

cell /sel/ *s* cella *f* ◇ cellula *f* ◇ (*el*) pila *f* ● *c. phone* telefono cellulare, telefonino

cellar /ˈseləʳ/ *s* cantina *f* ◇ scantinato *m*, sotterraneo *m*

cellular /ˈseljʊləʳ/ *a* cellulare ● *c. (tele)phone* telefono cellulare, telefonino

Celtic /ˈkeltɪk/ *a* celtico

cement /sɪˈment/ *s* cemento *m*

cemetery /ˈsemɪtrɪ/ *s* cimitero *m*

censor /ˈsensəʳ/ *s* censura *f* ◇ censore *m*

censorship /ˈsensəʃɪp/ *s* censura *f*

to censure /ˈsenʃəʳ/ *vt* riprovare, biasimare

census /ˈsensəs/ *s* censimento *m*

cent /sent/ *s* (*USA*) cent *m*, cente-

simo *m (di dollaro)* ◇ centesimo *m*

centaur /ˈsentɔːʳ/ *s* centauro *m*

centenarian /ˌsentɪˈneərɪən/ *a/s (di persona)* centenario *m*

centenary /senˈtiːnərɪ/ *a/s* centenario *m*

centennial /senˈtenjəl/ *a* centennale ◆ *s* centenario *m (anniversario)*

center /ˈsentəʳ/ → **centre**

centigrade /ˈsentɪɡreɪd/ *a* centigrado

centimetre /ˈsentɪˌmiːtəʳ/ *(USA* **centimeter**) *s* centimetro *m*

central /ˈsentr(ə)l/ *a* centrale ● *(remote)* c. **locking** chiusura centralizzata

to centralize /ˈsentrəlaɪz/ *vt* accentrare, centralizzare

centre /ˈsentəʳ/ *(USA* **center**) *s* centro *m*

to centre /ˈsentəʳ/ *vt* centrare ◇ incentrare, concentrare ◆ *vi* convergere, concentrarsi ◇ basarsi, imperniarsi

centrifuge /ˈsentrɪˌfjuːdʒ/ *s* centrifuga *f*

century /ˈsentʃʊrɪ/ *s* secolo *m*

cephalalgy /ˌsefəˈlædʒɪ/ *s* cefalea *f*

ceramics /sɪˈræmɪks/ *s pl (v al sing)* ceramica *f*

cereal /ˈstərɪəl/ *s* cereale *m*

cerebellum /ˌserɪˈbeləm/ *s* cervelletto *m*

cerebral /ˈserɪbr(ə)l/ *a* cerebrale

ceremony /ˈserɪmənɪ/ *s* cerimonia *f*

certain /ˈsɜːtn/ *a* certo, sicuro ● *for* c. di sicuro; *to make* c. *of* st accertarsi di qc

certainly /ˈsɜːtɪnlɪ/ *avv* certamente

certainty /ˈsɜːtntɪ/ *s* certezza *f*, sicurezza *f*

certificate /səˈtɪfɪkɪt/ *s* certificato *m*, diploma *m*

to certify /ˈsɜːtɪfaɪ/ *vt* certificare, attestare, dichiarare ◇ autenticare

cervical /ˈsɜːvɪk(ə)l/ *a* cervicale

to chafe /tʃeɪf/ *vt* sfregare, logorare ◇ irritare ◆ *vi* sfregarsi, logorarsi ◇ irritarsi

chaff /tʃɑːf/ *s* pula *f*, paglia *f*

chafing-dish /ˈtʃeɪfɪŋdɪʃ/ *s* scaldavivande *m*

chagrin /ˈʃæɡrɪn/ *s* imbarazzo *m*, disappunto *m*

chain /tʃeɪn/ *s* catena *f* ● c. **reaction** reazione a catena

to chain /tʃeɪn/ *vt* incatenare

chair /tʃeəʳ/ *s* sedia *f* ◇ seggio *m*, cattedra *f* ● c. **lift** seggiovia; *to take the* c. assumere la presidenza

chairman /ˈtʃeəmən/ *(pl* **chairmen**) *s* presidente *m*

chalet /ˈʃæleɪ/ *s* chalet *m*, villetta *f* di montagna, cottage *m*

chalice /ˈtʃælɪs/ *s* calice *m*

chalk /tʃɔːk/ *s* gesso *m*

challenge /ˈtʃælɪn(d)ʒ/ *s* sfida *f*

to challenge /ˈtʃælɪn(d)ʒ/ *vt* sfidare, provocare ◇ contestare

challenging /ˈtʃælɪn(d)ʒɪŋ/ *a* provocatorio ◇ impegnativo, stimolante

chamber /ˈtʃeɪmbəʳ/ *s* sala *f*, aula *f* ◇ camera *f* ◇ *(anat)* cavità *f* ● c. **maid** cameriera d'albergo; c. **music** musica da camera

chamois /ˈʃæmwɑː/ *s* camoscio *m*

champion /'tʃæmpjən/ *a/s* campione *m*

championship /'tʃæmpjənʃip/ *s* campionato *m*

chance /tʃɑːns/ *s* caso *m*, combinazione *f*, fortuna *f*, probabilità *f* ◇ occasione *f*, opportunità *f* ◆ *a* casuale, fortuito, occasionale ● *by c.* per caso; *to take a c.* correre un rischio; *to take one's chances* sfruttare un'opportunità, cogliere l'occasione

to chance /tʃɑːns/ *vt* rischiare, arrischiare

chancellery /'tʃɑːnsələrɪ/ *s* cancelleria *f* (*ufficio*)

chandelier /ˌʃændr'lɪə/ *s* lampadario *m*

change /tʃeɪn(d)ʒ/ *s* cambiamento *m*, cambio *m* ◇ spiccioli *m pl*, resto *m*

to change /tʃeɪn(d)ʒ/ *vt/i* cambiare, modificare ◇ sostituire ● *to c. into* trasformarsi in, cambiarsi d'abito; *to c. over* passare a, scambiarsi i ruoli

changeable /'tʃeɪn(d)ʒəbl/ *a* variabile, instabile

changeover /'tʃeɪn(d)ʒˌəʊvə/ *s* cambiamento *m*, trasformazione *f*

channel /tʃænl/ *s* canale *m*, stretto *m* ◇ alveo *m* ◇ condotto *m* ◇ (*TV, radio*) canale *m* ◇ scanalatura *f* ● *English C.* la Manica

chaos /ke(ɪ)ɒs/ *s* caos *m*

chap (1) /tʃæp/ *s* screpolatura *f*

chap (2) /tʃæp/ *s* (*zool*) mascella *f*

chap (3) /tʃæp/ *s* (*fam*) tipo *m*, tizio *m*, individuo *m*

to chap /tʃæp/ *vt/i* screpolare, screpolarsi

chapel /'tʃæp(ə)l/ *s* cappella *f*

chaplain /'tʃæplɪn/ *s* cappellano *m*

chapter /'tʃæptə/ *s* capitolo *m*

to char (1) /tʃɑː/ *vt* carbonizzare

to char (2) /tʃɑː/ *vi* lavorare a ore, a giornata

character /'kærɪktə/ *s* carattere *m* ◇ personaggio *m*

characteristic /ˌkærɪktə'rɪstɪk/ *s* caratteristica *f* ◆ *a* caratteristico

to characterize /'kærɪktəraɪz/ *vt* caratterizzare

charcoal /'tʃɑːkəʊl/ *s* carbonella *f* ◇ carboncino *m*

chard /tʃɑːd/ *s* bietola *f*

charge /tʃɑːdʒ/ *s* carica *f*, incarico *m*, onere *m* ◇ cura *f*, sorveglianza *f* ◇ addebito *m*, spesa *f*, prezzo *m* richiesto ◇ (*dir*) accusa *f* ◇ (*el*) carica *f*

to charge /tʃɑːdʒ/ *vt* addebitare, far pagare ◇ accusare ◇ caricare ◇ incaricare ◆ *vi* lanciarsi, precipitarsi ◇ andare alla carica

charger /'tʃɑːdʒə/ *s* caricabatterie *m* ● *travel c.* caricabatterie da viaggio

charismatic /ˌkærɪz'mætɪk/ *a* carismatico

charitable /'tʃærɪtəbl/ *a* caritatevole ◇ di beneficenza

charity /'tʃærɪtɪ/ *s* carità *f*, elemosina *f* ◇ beneficenza *f*, istituzione *f* benefica

charlady /tʃɑːˌleɪdɪ/ *s* domestica *f* a ore

charlatan /'ʃɑːlətən/ *s* ciarlatano *m*

charm /tʃɑːm/ *s* incantesimo *m* ◇ fascino *m* ● *lucky c.* portafortuna

to charm /tʃɑːm/ *vt* incantare, affascinare

chart /tʃɑːt/ *s* diagramma *m*, grafico *m* ◇ carta *f* nautica ◆ *al pl* hit-parade *f*

charter /'tʃɑːtər/ *s* statuto *m* ◆ *a* noleggio ◇ *c. flight* volo charter

to charter /'tʃɑːtər/ *vt* noleggiare

to chase /tʃeɪs/ *vt* cacciare, inseguire ◆ *vi* affrettarsi

chasm /kæz(ə)m/ *s* baratro *m*, voragine *f*

chastity /'tʃæstɪtɪ/ *s* castità *f*

chat /tʃæt/ *s* chiacchierata *f* ◇ (*inform*) volo charter ◇ *c. line* chat line

to chat /tʃæt/ *vi* chiacchierare ◇ (*inform*) chattare

to chatter /'tʃætər/ *vi* chiacchierare ◇ cinguettare ◇ battere i denti

chatterbox /'tʃætəbɒks/ *s* chiacchierone *m*

chatty /'tʃætɪ/ *a* chiacchierone ◇ familiare, amichevole

cheap /tʃiːp/ *a* economico, conveniente ◇ dozzinale, grossolano ◇ meschino, volgare ◆ *avv* a basso prezzo

cheat /tʃiːt/ *s* imbroglione *m*, truffatore *m* ◇ imbroglio *m*, truffa *f*

check /tʃek/ *s* controllo *m*, verifica *f*, ispezione *f* ◇ ostacolo *m*, arresto *m* ◇ (*USA*) assegno *m* ◇ (*USA*) (al ristorante) conto *m* ◇ scontrino *m* ◇ scacco *m* ◆ *c. card* tessera bancomat, bancomat

to check /tʃek/ *vt* controllare, verificare ◇ frenare, impedire ◇ contrassegnare ◇ depositare, lasciare in custodia ◆ *vi* concordare ◆ *to c. in* (*in albergo, aeroporto*) registrarsi; *to c. out* controllare, saldare il conto dell'albergo; *to c. up* verificare, controllare

checkmate /'tʃek,meɪt/ *s* scacco-matto *m*

cheek /tʃiːk/ *s* guancia *f* ◇ sfacciataggine *f*

cheekbone /'tʃiːkbəʊn/ *s* zigomo *m*

cheeky /'tʃiːkɪ/ *a* impertinente, sfacciato

to cheep /tʃiːp/ *vi* pigolare

cheer /tʃɪər/ *s* grido *m* di incoraggiamento, evviva *m* ◇ allegrezza *f*

to cheer /tʃɪər/ *vt* rallegrare ◆ *vi* applaudire, incoraggiare ● *c. up!* coraggio!

cheerful /'tʃɪəf(ʊ)l/ *a* allegro, contento

cheering /'tʃɪrɪŋ/ *s* applauso *m*

cheese /tʃiːz/ *s* formaggio *m* ● *c. factory* caseificio *m*

cheetah /'tʃiːtə/ *s* ghepardo *m*

chemical /'kemɪk(ə)l/ *a* chimico ◆ *s* prodotto *m* chimico

chemist /'kemɪst/ *s* chimico *m* ◇ farmacista *m/f* ◆ *c.'s shop* farmacia

chemistry /'kemɪstrɪ/ *s* chimica *f*

cheque /tʃek/ *s* assegno *m* ● *blank c.* assegno in bianco; *c. book* libretto degli assegni

to cherish /'tʃerɪʃ/ *vt* aver caro, curare

cherry /'tʃerɪ/ *s* ciliegia *f*

chess /tʃes/ *s* scacchi *m pl* ● *c. board* scacchiera

chest /tʃest/ *s* cassa *f*, cassapanca *f* ◇ scatola *f* ◇ torace *m*, petto *m* ●

c. of drawers cassettone, cassettiera

chestnut /'tʃɛsnʌt/ *s* castagna *f*

to chew /tʃuː/ *vt* masticare

chick /tʃɪk/ *s* pulcino *m*

chicken /'tʃɪkɪn/ *s* pollo *m* ● *c. pox* varicella

chickpea /'tʃɪkpiː/ *s* cece *m*

chicory /'tʃɪkərɪ/ *s* cicoria *f*

chief /tʃiːf/ *s* capo *m*, comandante *m* ♦ *a* principale ● *c. town* capoluogo

child /tʃaɪld/ *s* (*pl* **children**) bambino *m*, figlio *m* ● *c. birth* parto

childhood /'tʃaɪldhʊd/ *s* infanzia *f*

childish /'tʃaɪldɪʃ/ *a* puerile

chill /tʃɪl/ *a/s* freddo *m*

chilli /'tʃɪlɪ/ *s* peperoncino *m*

chilly /'tʃɪlɪ/ *a* freddo ◇ freddoloso

to chime /tʃaɪm/ *vi* scampanare, rintoccare

chimney /'tʃɪmnɪ/ *s* camino *m*, comignolo *m*, ciminiera *f* ● *c.-sweep(er)* spazzacamino

chimpanzee /,tʃɪmpən'ziː/ *s* scimpanzé *m*

chin /tʃɪn/ *s* mento *m*

china /'tʃaɪnə/ *s* porcellana *f* ● *c. clay* caolino

Chinese /tʃaɪ'niːz/ *a/s* cinese *m/f*

chip /tʃɪp/ *s* scheggia *f*, scaglia *f*, pezzetto *m* ● *al pl* patatine *f pl* fritte ♦ *gettone m* ● (*el*) chip *m*

to chip /tʃɪp/ *vt* scalpellare, scheggiare ♦ *vi* scheggiarsi ● *to c. in* interloquire, contribuire

chiropodist /kɪ'rɒpədɪst/ *s* pedicure *m/f*

to chirp /tʃɜːp/ *vi* cinguettare, frinire

to chirrup /'tʃɪrəp/ *vi* cinguettare, frinire

chisel /'tʃɪzl/ *s* cesello *m*, scalpello *m*

chivalry /'ʃɪv(ə)lrɪ/ *s* cavalleria *f*

chive /tʃaɪv/ *s* erba *f* cipollina

chlorine /'klɔːriːn/ *s* cloro *m*

chlorophyl /'klɔːrəfɪl/ *s* clorofilla *f*

chock-a-block /,tʃɒkə'blɒk/ *a* pieno zeppo

chocolate /'tʃɒk(ə)lɪt/ *a* di cioccolato ♦ *s* cioccolato *m*, cioccolata *f*, cioccolatino *m* ● *milk c.* cioccolato al latte; *dark c.* cioccolato fondente

choice /tʃɔɪs/ *a* scelto ♦ *s* scelta *f* ● *at c.* a volontà

choir /'kwaɪə/ *s* coro *m*

choke /tʃəʊk/ *s* soffocamento *m* ◇ ingorgo *m*, intasamento ◇ (*aut*) valvola *f* dell'aria

to choke /tʃəʊk/ *vt* soffocare, strozzare ◇ intasare, ingolfare ♦ *vi* soffocare

choking /'tʃəʊkɪŋ/ *a* soffocante ♦ *s* soffocamento *m*

cholesterol /kə'lestərɒl/ *s* colesterolo *m*

to choose /tʃuːz/ (*pass* **chose**, *pp* **chosen**) *vt/i* scegliere ◇ gradire, preferire

chop (1) /tʃɒp/ *s* costata *f* ◇ taglio *m*

chop (2) /tʃɒp/ *s* mascella *f*

to chop /tʃɒp/ *vt* tagliare, fare a pezzi ◇ tritare ● *to c. off* recidere

choppy /'tʃɒpɪ/ *a* (*di mare*) increspato ◇ disuguale

choral /'kɔːr(ə)l/ *a* corale

chord /kɔːd/ *s* (*mus*) accordo *m*

chorister /'kɒristə/ *s* corista *m/f*

chorus /'kɔːrəs/ s coro m ◇ corpo m di ballo ● *c. girl* ballerina di fila

chowder /'tʃaʊdə'/ s zuppa f (*di pesce*) ● *clam c.* zuppa di vongole

to christen /'krɪsn/ vt battezzare

Christendom /'krɪsndəm/ s cristianità f

Christian /'krɪstjən/ a cristiano ● *C. name* nome (di battesimo)

Christianity /ˌkrɪstɪ'ænɪtɪ/ s cristianesimo m

Christmas /'krɪsməs/ s Natale m ● *C. Eve* vigilia di Natale; *merry C.* buon Natale

chromium /'krəʊmjəm/ s cromo m ● *c. plating* cromatura

chronic /'krɒnɪk/ a cronico

chronicle /'krɒnɪkl/ s cronaca f, cronistoria f

chronometer /krə'nɒmɪtə'/ s cronometro m

chubby /'tʃʌbɪ/ a paffuto

to chuck /tʃʌk/ vt gettare, buttare ● *to c. out* sbattere fuori

chucker-out /ˌtʃʌkə'raʊt/ s buttafuori m/f

to chuckle /'tʃʌkl/ vi ridacchiare, sogghignare

chum /tʃʌm/ s compagno m, amico m

chunk /tʃʌŋk/ s pezzo m (*grosso*)

church /tʃɜːtʃ/ s chiesa f

churchyard /'tʃɜːtʃjɑːd/ s cimitero m (*presso una chiesa*) ◇ sagrato m

churlish /'tʃɜːlɪʃ/ a villano, rozzo

churn /tʃɜːn/ s zangola f ◇ bidone m (*per latte*)

chute /ʃuːt/ s scivolo m ◇ canale m di scarico ◇ cascata f

cicada /sɪ'kɑːdə/ s cicala f

cider /'saɪdə'/ s sidro m

cigar /sɪ'gɑː'/ s sigaro m

cigarette /ˌsɪgə'ret/ s sigaretta f

cinema /'sɪnɪmə/ s cinema m

cinematographic /ˌsɪnɪˌmætə'græfɪk/ a cinematografico

cinnabar /'sɪnəbɑː'/ s cinabro m

cinnamon /'sɪnəmən/ s cannella f

circle /'sɜːkl/ s cerchio m ◇ circolo m, anello m ◇ (*teat*) galleria f ◇ cerchia f

to circle /'sɜːkl/ vt circondare ◇ girare intorno a ◆ vi muoversi in cerchio

circuit /'sɜːkɪt/ s circuito m ◇ giro m

circuitous /sə(ː)'kjuːɪtəs/ a tortuoso, indiretto

circular /'sɜːkjʊlə'/ a circolare ◆ s (lettera) circolare f

to circulate /'sɜːkjʊleɪt/ vi circolare ◇ diffondersi ◆ vt far circolare

circulation /ˌsɜːkjʊ'leɪʃ(ə)n/ s circolazione f ◇ diffusione f

circumference /sə'kʌmf(ə)r(ə)ns/ s circonferenza f

to circumscribe /'sɜːkəmskraɪb/ vt circoscrivere

circumstance /'sɜːkəmstəns/ s circostanza f

to circumvent /ˌsɜːkəm'vent/ vt circuire ◇ eludere

circus /'sɜːkəs/ s circo m

cistern /'sɪstən/ s cisterna f, serbatoio m

citation /saɪ'teɪʃ(ə)n/ s citazione f

to cite /saɪt/ vt citare

citizen /'sɪtɪzn/ s cittadino m

citron /'sɪtr(ə)n/ s cedro m (*frutto*)

city /'sɪtɪ/ s città f • *c. hall* municipio; *c. planning* urbanistica

civic /'sɪvɪk/ *a* civico

civil /'sɪvl/ *a* civile • *c. service* pubblica amministrazione

civility /sɪ'vɪlɪtɪ/ s civiltà f, educazione f

civilization /ˌsɪvɪlaɪ'zeɪʃ(ə)n/ s civiltà f, civilizzazione f

claim /kleɪm/ s richiesta f, rivendicazione f ◇ reclamo m ◇ affermazione f

to claim /kleɪm/ *vt* pretendere, rivendicare ◇ reclamare ◇ sostenere

clam /klæm/ s vongola f ◇ mollusco m (bivalve)

to clamber /'klæmbər/ *vi* arrampicarsi (*con mani e piedi*)

clammy /'klæmɪ/ *a* viscido, appiccicaticcio

clamorous /'klæm(ə)rəs/ *a* clamoroso

clamour /'klæmər/ (*USA* **clamor**) s clamore m ◇ rimostranza f

to clamour /'klæmər/ (*USA* **to clamor**) *vi* strepitare ◇ chiedere a gran voce

clamp /klæmp/ s morsetto m, pinza f

clan /klæn/ s clan m

clandestine /klæn'destɪn/ s clandestino m

to clang /klæŋ/ *vi* produrre un suono metallico

to clap /klæp/ *vt* applaudire ◇ dare un colpo con la mano ◇ (*fam*) mandare ♦ *vi* applaudire • *to c. sb into jail* sbattere qn in prigione; *to c. on* infilarsi

to clarify /'klærɪfaɪ/ *vt* chiarire ◇ (*tecn*) raffinare

clarinet /ˌklærɪ'net/ s clarinetto m

clarity /'klærɪtɪ/ s chiarezza f

to clash /klæʃ/ *vi* cozzare, urtare, stridere ◇ (*fig*) scontrarsi

to clasp /klɑːsp/ *vt* affibbiare, agganciare ◇ stringere, serrare

class /klɑːs/ s classe f, categoria f ◇ corso m, lezione f

to class /klɑːs/ *vt* classificare

classic /'klæsɪk/ *a/s* classico m

classification /ˌklæsɪfɪ'keɪʃ(ə)n/ s classificazione f

to classify /'klæsɪfaɪ/ *vt* classificare

classmate /'klɑːsmeɪt/ s compagno m di classe

classroom /'klɑːsrʊm/ s aula f

clatter /'klætər/ s acciottolio m ◇ scalpitio m

clause /klɔːz/ s clausola f ◇ (*gramm*) proposizione f

clavicle /'klævɪkl/ s clavicola f

claw /klɔː/ s artiglio m ◇ chela f, pinza f ◇ zampa f

clay /kleɪ/ s argilla f, creta f

clean /kliːn/ *a* pulito, puro, limpido ◇ armonioso ◇ accurato, preciso ♦ *avv* completamente

to clean /kliːn/ *vt/i* pulire, pulirsi • *to c. out* ripulire; *to c. up* pulire, raccogliere

clean-cut /ˌkliːn'kʌt/ *a* ben delineato, marcato ◇ (*di persona*) pulito, per bene

cleaner /'kliːnər/ s addetto m alle pulizie ◇ depuratore m ● *c.'s* tintoria

to cleanse /klenz/ *vt* pulire, detergere ◇ (*fig*) purificare

cleansing /'klenzɪŋ/ *a* detergente

clear /klɪə/ *a* chiaro, limpido, nitido ◇ aperto, libero, sgombro ◇ (*di somma*) netto ◇ sicuro

to clear /klɪə/ *vt* chiarire, schiarire ◇ discolpare ◇ liberare, svuotare sgomberare ◇ superare ◇ sdoganare ◆ *vi* diventare chiaro, rasserenarsi ● *to c. off* squagliarsela; *to c. out* andarsene; *to c. up* chiarire, ripulire

clearing /'klɪərɪŋ/ *s* radura *f*

clearness /'klɪənɪs/ *s* limpidezza *f*

clearway /'klɪəweɪ/ *s* strada *f* con divieto di sosta

to cleave (1) /kli:v/ (*pass/pp* **cleaved, cleft**) *vt* fendere, spaccare

to cleave (2) /kli:v/ *vi* aderire

cleaver /'kli:və/ *s* mannaia *f*

clef /klef/ *s* (*mus*) chiave *f*

cleft /kleft/ *pass/pp di* **to cleave** ◆ *s* crepaccio *m*, fessura *f*

to clench /klen(t)ʃ/ *vt* stringere, serrare

clergy /'klɜːdʒɪ/ *s* clero *m*

clergyman /'klɜːdʒɪmən/ *s* ecclesiastico *m*

clerical /'klerɪkl/ *a* clericale ◇ di impiegato, di scrivano

clerk /klɑːk/ *s* impiegato *m* ◇ (*USA*) commesso *m*

clever /'klevə/ *a* bravo, abile, intelligente ◇ eseguito con abilità

clew /klu:/ *s* gomitolo *m* ◇ (*naut*) bugna *f*

click /klɪk/ *s* scatto *m*

to click /klɪk/ *vti* battere, far scattare, schioccare ◇ (*fam*) capire ◇ (*inform*) cliccare

client /'klaɪənt/ *s* cliente *m/f*

cliff /klɪf/ *s* rupe *f*, scogliera *f*

climate /'klaɪmɪt/ *s* clima *m*

climax /'klaɪmæks/ *s* culmine *m*, apice *m*, climax *m*

to climb /klaɪm/ *vti* arrampicarsi, scalare, salire ● *to c. down* scendere

climbing /'klaɪmɪŋ/ *a* rampicante ◆ *s* alpinismo *m* ◇ arrampicata *f* ● *free c.* arrampicata libera, free climbing

to clinch /klɪn(t)ʃ/ *vt* concludere

to cling /klɪŋ/ (*pass/pp* **clung**) *vi* aggrapparsi, attaccarsi

clinging /'klɪŋɪŋ/ *a* attillato, aderente ◇ appiccicoso (*di persone*)

clinic /'klɪnɪk/ *s* clinica *f*

clip /klɪp/ *s* fermaglio *m*, molletta *f* ◇ spilla *f* ◇ (*fig*) ritmo *m* veloce

to clip (1) /klɪp/ *vt* unire, attaccare, graffare

to clip (2) /klɪp/ *vt* tosare ◇ (*una siepe*) potare ◇ tagliare, ritagliare

clipping /'klɪpɪŋ/ *s* taglio *m*, tosatura *f* ◇ (*di giornale*) ritaglio *m*

to cloak /kləʊk/ *vt* avvolgere, nascondere

clock /klɒk/ *s* orologio *m*

to clock /klɒk/ *vt* cronometrare ● *to c. in* (*on*)*/off* (*out*) timbrare il cartellino all'entrata/uscita

clockwise /'klɒkwaɪz/ *avv* in senso orario

clog /klɒg/ *s* zoccolo *m* ◇ impedimento *m*, ostacolo *m*

to clog /klɒg/ *vt* inceppare, impedire ◇ ostruire ◆ *vi* intasarsi, otturarsi

cloister /'klɔɪstə/ *s* chiostro *m*

close (1) /kləʊs/ *a* vicino ◇ intimo

◇ chiuso, serrato, ristretto ◇ nascosto, riservato, appartato ◇ afoso ♦ *avv* vicino ● *c. on* quasi; *c. to* vicino a

close (2) /kləʊz/ *s* conclusione *f*

to close /kləʊz/ *vt* chiudere ◇ concludere ♦ *vi* chiudere, chiudersi ◇ finire ● *to c. about/around* avvolgere; *to c. down* chiudere, cessare l'attività; *to c. up* ostruire, serrare; *closing time* ora di chiusura, orario di chiusura

closet /'klɒzɪt/ *s* stanzino *m*, bugigattolo *m* ◇ armadio *m* ◇ gabinetto *m*

closure /'kləʊʒə'/ *s* chiusura *f*

clot /klɒt/ *s* grumo *m*, coagulo *m* ◇ (*pop*) stupido *m*

cloth /klɒθ/ *s* stoffa *f*, tela *f* ◇ straccio *m* ● *table c.* tovaglia

clothes /kləʊðz/ *s pl* abbigliamento *m*, vestiti *m pl* ◇ biancheria *f* (da letto) ● *c. hanger* gruccia; *c. hook* attaccapanni; *c. peg* molletta per panni

clothing /'kləʊðɪŋ/ *s* abbigliamento *m*, vestiario *m*

cloud /klaʊd/ *s* nube *f*, nuvola *f* ◇ macchia *f* ● *c. burst* nubifragio

cloudy /'klaʊdɪ/ *a* nuvoloso ◇ di cattivo umore ◇ torbido

clove (1) /kləʊv/ *s* (*cuc*) chiodo *m* di garofano

clove (2) /kləʊv/ *s* (*cuc*) (di aglio) spicchio *m*

clover /'kləʊvə'/ *s* trifoglio *m*

to cloy /klɔɪ/ *vt* saziare, stuccare, nauseare

club /klʌb/ *s* mazza *f*, randello *m* ◇ club *m*, circolo *m* ◇ (carta di) fiori *m pl*

clue /kluː/ *s* indizio *m*, indicazione *f* ◇ (*naut*) bugna *f* ● *I haven't a c.* non ho la minima idea

clumsy /'klʌmzɪ/ *a* goffo, maldestro

cluster /'klʌstə'/ *s* grappolo *m*, mazzo *m*, ammasso *m* ◇ sciame *m*

to cluster /'klʌstə'/ *vi* raggrupparsi

clutch /klʌtʃ/ *s* presa *f*, stretta *f* ◇ (*mecc*) frizione *f*

to clutch /klʌtʃ/ *vt* afferrare, stringere ♦ *vi* aggrapparsi

to clutter /'klʌtə'/ *vt* ingombrare, mettere in disordine

coach /kəʊtʃ/ *s* carrozza *f*, pullman *m*, vettura *f* ◇ insegnante *m* privato ◇ (*sport*) allenatore *m*

coal /kəʊl/ *s* carbone *m*

coalition /ˌkəʊ(ʊ)ə'lɪʃən/ *s* coalizione *f*

coalmine /'kəʊlmaɪn/ *s* miniera *f* di carbone

coarse /kɔːs/ *a* grossolano, volgare ◇ (di tessuto e sim) ruvido, grezzo

coast /kəʊst/ *s* costa *f*, litorale *m*

to coast /kəʊst/ *vi* costeggiare ◇ procedere a motore spento ◇ (*fig*) procedere senza difficoltà

coat /kəʊt/ *s* giacca *f*, soprabito *m*, mantello *m* ◇ pelo *m*, pelliccia *f* ◇ rivestimento *m* ◇ (di vernice) mano *f* ● *c. hanger* attaccapanni, gruccia; *c. of arms* stemma

to coat /kəʊt/ *vt* rivestire

coating /'kəʊtɪŋ/ *s* rivestimento *m* ◇ (di vernice) mano *f* ◇ tessuto *m*

to coax /kəʊks/ *vt/i* persuadere, indurre

cob /kɒb/ *s* pannocchia *f*

cobble /'kɒbl/ *s* ciottolo *m*

cocaine /kəʊ'keɪn/ *s* cocaina *f*

cock /kɒk/ *s* gallo *m* ◇ *(di uccelli)* maschio *m*

cockeyed /'kɒkaɪd/ *a* strabico ◇ strampalato

cockroach /'kɒkrəʊtʃ/ *s* scarafaggio *m*

cocoa /'kəʊkəʊ/ *s* cacao *m* (in polvere) ● *hot c.* cioccolata calda

coconut /'kəʊkənʌt/ *s* (noce di) cocco *m*

cocoon /kə'kuːn/ *s* bozzolo *m*

cod /kɒd/ *s* merluzzo *m* ● *dried c.* stoccafisso; *salted c.* baccalà

code /kəʊd/ *s* codice *m* ◇ prefisso *m*

codification /ˌkɒdɪfɪ'keɪʃ(ə)n/ *s* codifica *f*

to coerce /kəʊ'ɜːs/ *vt* costringere

coercion /kəʊ'ɜːʃ(ə)n/ *s* coercizione *f*

coexistent /kəʊ(ʊ)ɪg'zɪstənt/ *a* coesistente

coffee /'kɒfɪ/ *s* caffè *m* ● *black c.* caffè nero; *c. break* pausa per il caffè; *c. cup* tazzina; *instant c.* caffè solubile

coffeepot /'kɒfɪpɒt/ *s* caffettiera *f*

coffer /'kɒfə/ *s* cofano *m*, forziere *m*, scrigno *m* ◇ *(arch)* cassettone *m*

coffin /'kɒfɪn/ *s* bara *f*

cog /kɒg/ *s* *(mecc)* dente *m*, ingranaggio *m*

cogent /'kəʊdʒ(ə)nt/ *a* persuasivo, convincente

to cohabit /kəʊ(ʊ)'hæbɪt/ *vi* convivere

to cohere /kəʊ(ʊ)'hɪə/ *vt* aderire a

coherent /kəʊ(ʊ)'hɪərənt/ *a* coerente

coil /kɔɪl/ *s* spira *f* ◇ *(el)* avvolgimento *m*

to coil /kɔɪl/ *vt* avvolgere, attorcigliare

coin /kɔɪn/ *s* moneta *f*

to coin /kɔɪn/ *vt* coniare

to coincide /ˌkəʊ(ʊ)ɪn'saɪd/ *vi* coincidere, concordare

coincidence /kəʊ(ʊ)'ɪnsɪd(ə)ns/ *s* coincidenza *f*, combinazione *f*

coke /kəʊk/ *s* (carbone) coke *m* ◇ Coca-Cola *f* ◇ cocaina *f*

colander /'kʌləndə/ *s* colino *m*

cold /kəʊld/ *a* freddo ◆ *s* freddo *m* ◇ raffreddore *m*, infreddatura *f* ● *in c. blood* a sangue freddo; *to be c.* aver freddo, far freddo

colic /'kɒlɪk/ *s* colica *f*

to collaborate /kə'læbəreɪt/ *vi* cooperare, collaborare

collapse /kə'læps/ *s* crollo *m* ◇ *(med)* collasso *m*

to collapse /kə'læps/ *vi* crollare, franare, sprofondare ◇ *(med)* avere un collasso

collar /'kɒlə/ *s* colletto *m* ◇ collare *m*

collarbone /'kɒləbəʊn/ *s* clavicola *f*

collateral /kɒ'læt(ə)r(ə)l/ *a* collaterale ◆ *s* garanzia *f* collaterale

colleague /'kɒliːg/ *s* collega *m/f*

collect /kə'lekt/ *a/avv* (USA) a carico del destinatario ● *c. call* telefonata a carico del destinatario

to collect /kə'lekt/ *vt* raccogliere, radunare ◇ riscuotere, incassare ◇ collezionare ◆ *vi* raccogliersi, radunarsi ◇ raccogliere offerte, fare una colletta ● *to c. up* riunire

collection /kəˈlekʃ(ə)n/ *s* collezione *f*, raccolta *f* ◇ colletta *f*

collector /kəˈlektə/ *s* collezionista *m/f* ◇ esattore *m*

college /ˈkɒlɪdʒ/ *s* istituto *m*, scuola *f* secondaria ◇ (USA) università *f* ◇ collegio *m* (edificio)

to collide /kəˈlaɪd/ *vi* urtare, scontrarsi

collision /kəˈlɪʒ(ə)n/ *s* collisione *f*, scontro *m* ◇ conflitto *m*

colloquial /kəˈləʊkwɪəl/ *a* colloquiale

colon (1) /ˈkəʊlən/ *s* (anat) colon *m*

colon (2) /ˈkəʊlən/ *s* due punti *m pl* (segno di punteggiatura)

colonel /ˈkɜːnl/ *s* colonnello *m*

colonial /kəˈləʊnjəl/ *a* coloniale

to colonize /ˈkɒlənaɪz/ *vt* colonizzare

colonnade /ˌkɒləˈneɪd/ *s* colonnato *m*

colony /ˈkɒlənɪ/ *s* colonia *f*

colour /ˈkʌlə/ (USA color) *s* colore *m* ● *c. bar* segregazione razziale; *c. blind* daltonico; *in (full) c.* a colori

to colour /ˈkʌlə/ (USA to color) *vt/i* colorare, colorarsi ◇ (fig) travisare

colourful /ˈkʌlə(ʊ)l/ *a* colorato ◇ colorito, pittoresco

column /ˈkɒləm/ *s* colonna *f* ◇ (di giornale) rubrica *f*

columnist /ˈkɒləmnɪst/ *s* giornalista *m/f* (che cura una rubrica), cronista *m* mondano

comb /kəʊm/ *s* pettine *m*

to comb /kəʊm/ *vt* pettinare ◇ perlustrare

combat /ˈkɒmbæt/ *s* combattimento *m*

combination /ˌkɒmbɪˈneɪʃ(ə)n/ *s* combinazione *f*, associazione *f*

to combine /kəmˈbaɪn/ *vt* combinare, unire ◇ associare ● *vi* combinarsi, unirsi ◇ associarsi

to come /kʌm/ (pass **came**, pp **come**) *vi* venire ◇ arrivare, giungere ◇ provenire ◇ accadere ● *to c. about* accadere; *to c. across* trovare per caso, dare l'impressione; *to c. along* venire (insieme); *to c. away* venir via; *to c. back* ritornare; *to c. by* procacciarsi; *to c. forward* farsi avanti; *to c. from* derivare, provenire, venire da; *to c. in* entrare; *to c. into* entrare, ereditare; *to c. off* staccarsi, andare; *c. on!* muoviti!, dai!; *to c. on to* flirtare con; *to c. out* uscire, risultare; *to c. round* ritornare in sé

comedian /kəˈmiːdjən/ *s* comico *m*, commediante *m/f*

comedy /ˈkɒmɪdɪ/ *s* commedia *f*

comet /ˈkɒmɪt/ *s* cometa *f*

comfort /ˈkʌmfət/ *s* comfort *m*, comodità *f* ◇ conforto *m*, consolazione *f*

comfortable /ˈkʌmf(ə)təbl/ *a* confortevole, accogliente ◇ agiato

comic /ˈkɒmɪk/ *a* comico ◆ *s* (attore) comico *m* ◇ giornale *m* a fumetti, *al pl* fumetti *m pl* ● *comics strip* striscia (di fumetti)

coming /ˈkʌmɪŋ/ *a* prossimo, futuro ◆ *s* arrivo *m* ● *c. and going* viavai; *c.* **soon** prossimamente su questi schermi

comma /ˈkɒmə/ *s* virgola *f*

command /kəˈmɑːnd/ *s* comando *m* ◇ padronanza *f*

to command /kəˈmɑːnd/ *vt* comandare, ordinare ◇ disporre di ◆ *vi* avere il comando

commander /kəˈmɑːndə*r*/ *s* comandante *m* ● *c.* **in chief** comandante in capo

to commemorate /kəˈmeməreɪt/ *vt* commemorare

to commence /kəˈmens/ *vt/i* cominciare

to commend /kəˈmend/ *vt* lodare ◆ raccomandare

to comment /ˈkɒment/ *vt* commentare ◇ criticare

commentary /ˈkɒmənt(ə)rɪ/ *s* commento *m* ◇ *(radio, TV)* cronaca *f*

commerce /ˈkɒmɜːs/ *s* commercio *m* ● *e-c.* commercio elettronico, e-commerce

commercial /kəˈmɜːʃ(ə)l/ *a* commerciale ◆ *s* spot *m* pubblicitario

to commiserate /kəˈmɪzəreɪt/ *vt* commiserare ◆ *vi* dolersi

commission /kəˈmɪʃ(ə)n/ *s* commissione *f* ◇ *(mil)* grado *m* da ufficiale ◆ *out of c.* *(di nave)* in disarmo, fuori servizio

to commit /kəˈmɪt/ *vt* commettere ◇ affidare ◆ *vi* impegnarsi

commitment /kəˈmɪtmənt/ *s* impegno *m* ◇ responsabilità *f*

committee /kəˈmɪtɪ/ *s* comitato *m*, commissione *f*

commodity /kəˈmɒdɪtɪ/ *s* merce *f*, prodotto *m* ◇ *al pl* comodità *f pl*

common /ˈkɒmən/ *a* comune, usuale, corrente ◇ generale, condiviso ◇ ordinario ◆ *s* (ciò che è) comune *m* ◇ terreno *m* demaniale ● *c.* **law** diritto consuetudinario; *c.* **sense** buon senso

commonplace /ˈkɒmənpleɪs/ *a* banale ◆ *s* banalità *f*, luogo *m* comune

commotion /kəˈməʊʃ(ə)n/ *s* confusione *f*, tumulto *m*

communal /ˈkɒmjʊnl/ *a* comunale, della comunità

to commune /kəˈmjuːn/ *vi* comunicare, essere in comunione (spirituale)

to communicate /kəˈmjuːnɪkeɪt/ *vt* comunicare, trasmettere ◆ *vi* essere in comunicazione

communion /kəˈmjuːnjən/ *s* comunione *f*, comunanza *f* ◇ *(relig)* comunione *f*, eucaristia *f*

communism /ˈkɒmjʊnɪz(ə)m/ *s* comunismo *m*

community /kəˈmjuːnɪtɪ/ *s* comunità *f*, collettività *f* ● *c.* **center** centro ricreativo

to commute /kəˈmjuːt/ *vt* commutare ◆ *vi* fare il pendolare

commuter /kəˈmjuː(ː)tə*r*/ *s* pendolare *m/f*

compact /kəmˈpækt/ *a* compatto ● *c.* **car** utilitaria

companion /kəmˈpænjən/ *s* compagno *m*

companionship /kəmˈpænjənʃɪp/ *s* compagnia *f*, amicizia *f*

company /ˈkʌmp(ə)nɪ/ *s* compagnia *f* ◇ società *f*

comparative /kəmˈpærətɪv/ *a* relativo ◇ (*gramm*) comparativo ◇ comparato

to compare /kəm'peə'/ *vt* confrontare, paragonare ◆ *vi* reggere il confronto

comparison /kəm'pærɪsn/ *s* paragone *m* ◇ (*gramm*) comparazione *f*

compartment /kəm'pɑːtmənt/ *s* compartimento *m*, scompartimento *m*

compass /'kʌmpəs/ *s* bussola *f* ◇ *al pl* compasso *m* ◇ ambito, portata *f* ● *c. card* rosa dei venti

compassion /kəm'pæʃ(ə)n/ *s* compassione *f*

compatible /kəm'pætəbl/ *a* compatibile

to compel /kəm'pel/ *vt* costringere, forzare, obbligare

compelling /kəm'pelɪŋ/ *a* che impone rispetto ◇ persuasivo, convincente

compensation /ˌkɒmpen'seɪʃ(ə)n/ *s* compensazione *f*, risarcimento *m*

compere /'kɒmpeə'/ *s* (*radio, TV*) presentatore *m*

to compete /kəm'piːt/ *vi* competere, gareggiare

competence /'kɒmpɪtəns/ *s* competenza *f*

competition /ˌkɒmpɪ'tɪʃ(ə)n/ *s* competizione *f*, gara *f* ◇ concorrenza *f*

competitive /kəm'petɪtɪv/ *a* competitivo ◇ concorrenziale

competitor /kəm'petɪtə'/ *s* concorrente *m/f*

to compile /kəm'paɪl/ *vt* compilare, redigere

complacence /kəm'pleɪsns/ *s* indifferenza *f*

to complain /kəm'pleɪn/ *vi* lagnarsi, lamentarsi ◇ reclamare ◇ (*dir*) citare in giudizio

complaint /kəm'pleɪnt/ *s* lagnanza *f*, lamentela *f* ◇ reclamo *m*, protesta *f* ◇ (*dir*) citazione *f*, denuncia *f* ◇ malattia *f*

complement /'kɒmplɪmənt/ *s* complemento *m*

to complete /kəm'pliːt/ *vt* completare, finire ◇ riempire

completion /kəm'pliːʃ(ə)n/ *s* completamento *m*, compimento *m*

complex /'kɒmpleks/ *a/s* complesso *m*

complexion /kəm'plekʃ(ə)n/ *s* carnagione *f*, colorito *m*

complexity /kəm'pleksɪtɪ/ *s* complessità *f*

compliance /kəm'plaɪəns/ *s* condiscendenza *f*, conformità *f* ◇ sottomissione *f* ● *in c. with* in conformità di

to complicate /'kɒmplɪkeɪt/ *vt/i* complicare, complicarsi

compliment /'kɒmplɪmənt/ *s* complimento *m* ◇ *al pl* ossequi *m pl*, omaggi *m pl* ● *to pay a c.* fare un complimento

to compliment /'kɒmplɪmənt/ *vt* congratularsi con, complimentarsi con

complimentary /ˌkɒmplɪ'ment(ə)rɪ/ *a* complimentoso ◇ gratuito, in omaggio

to comply /kəm'plaɪ/ *vi* acondiscendere, conformarsi a

component /kəm'pəunənt/ *a/s* componente *m/f*

to compose /kəm'pəʊz/ vt comporre, costituire, disporre ◇ (lett) comporre ● **to c. oneself** calmarsi

composite /'kɒmpəzɪt/ a composito

compost /'kɒmpɒst/ s concime m

compound (1) /'kɒmpaʊnd/ a composto ◆ s miscuglio m, composto m ◇ recinto m

compound (2) /'kɒmpaʊnd/ s recinto m

to compound /kəm'paʊnd/ vt comporre, mescolare ◇ (una vertenza) conciliare ◇ aumentare ◆ vi accordarsi, effettuare una transizione

to comprehend /ˌkɒmprɪ'hend/ vt comprendere

comprehensive /ˌkɒmprɪ'hensɪv/ a comprensivo, globale

to compress /kəm'pres/ vt comprimere

to comprise /kəm'praɪz/ vt comprendere

compromise /'kɒmprəmaɪz/ s compromesso m ● **to reach a c.** raggiungere un compromesso

to compromise /'kɒmprəmaɪz/ vt compromettere ◇ transigere ◆ vi venire a un compromesso

compulsive /kəm'pʌlsɪv/ a coercitivo ◇ incontrollabile

compulsory /kəm'pʌls(ə)rɪ/ a obbligatorio ◇ coercitivo ● **c. measures** misure coercitive

to compute /kəm'pjuːt/ vt calcolare

computing /kəm'pjuːtɪŋ/ s informatica f

comrade /'kɒmrɪd/ s compagno m, camerata m

con /kɒn/ s (pop) scontro m ◇ carcerato m ◇ truffa f

concatenation /kɒnˌkætɪ'neɪʃ(ə)n/ s concatenazione f

concave /kɒn'keɪv/ a concavo

to conceal /kən'siːl/ vt nascondere

to concede /kən'siːd/ vt concedere ◇ ammettere, riconoscere

conceit /kən'siːt/ s presunzione f, vanità f

conceivable /kən'siːvəbl/ a concepibile, plausibile

to conceive /kən'siːv/ vt concepire, generare ◇ ideare, immaginare ◆ vi immaginare

to concentrate /'kɒnsentreɪt/ vt/i concentrare, concentrarsi

concept /'kɒnsept/ s concetto m

conception /kən'sepʃ(ə)n/ s concezione f, concetto m ◇ concepimento m

conceptual /kən'septjʊəl/ a concettuale

concern /kən'sɜːn/ s affare m, interesse m ◇ ansietà f, preoccupazione f

to concern /kən'sɜːn/ vt concernere, riguardare ◇ preoccupare

concert /'kɒnsət/ s (mus) concerto m ◇ accordo m

concerted /kən'sɜːtɪd/ a convenuto

concession /kən'seʃ(ə)n/ s concessione f

concessionaire /kənˌseʃə'neəʳ/ s concessionario m

conch /kɒŋk/ s conchiglia f

to conciliate /kən'sɪlɪeɪt/ vt conciliare ◇ accattivarsi

concise /kən'saɪs/ a conciso, sintetico

to conclude /kən'klu:d/ *vt/i* concludere, concludersi

conclusion /kən'klu:ʒ(ə)n/ *s* conclusione *f* ● *in c.* in conclusione

to concoct /kən'kɒkt/ *vt* mescolare, mettere insieme ◇ ordire, architettare

concomitant /kən'kɒmɪtənt/ *a* concomitante

concourse /'kɒŋkɔ:s/ *s* concorso *m*, affluenza *f* ◇ (*USA*) atrio *m*

concrete /'kɒnkri:t/ *a* concreto, reale ◇ di calcestruzzo ● *s* calcestruzzo *m* ● *c. jungle* giungla di asfalto

concreteness /kɒn'kri:tnɪs/ *s* concretezza *f*

to concur /kən'kɜ:r/ *vi* concordare, essere d'accordo ◇ concorrere, contribuire

concussion /kən'kʌʃ(ə)n/ *s* (*med*) commozione *f* cerebrale

to condemn /kən'dem/ *vt* condannare ◇ dichiarare inagibile

to condense /kən'dens/ *vt/i* condensare, condensarsi

condescension /ˌkɒndɪ'senʃ(ə)n/ *s* condiscendenza *f*

condiment /'kɒndɪmənt/ *s* condimento *m*

condition /kən'dɪʃ(ə)n/ *s* condizione *f* ● *on c. that* a condizione che

to condition /kən'dɪʃ(ə)n/ *vt* pattuire, stipulare ◇ condizionare, influenzare

conditioner /kən'dɪʃ(ə)nər/ *s* condizionatore *m* ◇ (*per capelli*) balsamo *m* ◇ (*per tessuti*) ammorbidente *m*

condolence /kən'dəʊləns/ *s* condoglianza *f* ● *to offer sb one's con-dolences* fare le condoglianze a qn

condom /'kɒndəm/ *s* preservativo *m*

condominium /ˌkɒndə'mɪnɪəm/ *s* condominio *m* ◇ (*USA*) appartamento *m*

to condone /kən'dəʊn/ *vt* condonare

conducive /kən'dju:sɪv/ *a* tendente ◇ favorevole

conduct /'kɒndʌkt/ *s* condotta *f* ◇ gestione *f*

to conduct /kən'dʌkt/ *vt* condurre, guidare ◇ (*un'orchestra*) dirigere ● *to c. oneself* comportarsi

conductor /kən'dʌktər/ *s* (*d'orchestra*) direttore *m* ◇ (*su mezzi pubblici*) bigliettaio *m*, controllore *m* ◇ (*fis*) conduttore *m*

conduit /'kɒndɪt/ *s* condotto *m*, tubazione *f* ◇ passaggio *m*

cone /kəʊn/ *s* cono *m*

confectioner /kən'fekʃənər/ *s* pasticciere *m*

confederation /kənˌfedə'reɪʃ(ə)n/ *s* confederazione *f*

to confer /kən'fɜ:r/ *vt* conferire, accordare ● *vi* conferire, consultarsi

conference /'kɒnf(ə)r(ə)ns/ *s* conferenza *f*

to confess /kən'fes/ *vt* confessare

confessional /kən'feʃənl/ *a/s* confessionale *m*

confetti /kən'fetɪ(:)/ *s* coriandoli *m pl*

to confide /kən'faɪd/ *vt* confidare ◇ affidare ● *to c. in* confidare in, confidarsi con

confidence /'kɒnfɪd(ə)ns/ *s* fiducia

f ◇ confidenza *f*, familiarità *f* ◇ sicurezza *f* (di sé) ● **to take sb into one's c.** accordare fiducia a qn; **c. trick** truffa; **no-c. vote** (*pol*) sfiducia

confident /'kɒnfɪdənt/ *a* sicuro di sé ● **c. in** fiducioso in

confidential /ˌkɒnfɪ'denʃ(ə)l/ *a* confidenziale, riservato

configuration /kənˌfɪgjʊ'reɪʃ(ə)n/ *s* configurazione *f*, composizione *f*

to confine /kən'faɪn/ *vt* confinare, relegare, imprigionare ◇ limitare

confinement /kən'faɪnmənt/ *s* reclusione *f*, prigionia *f*

to confirm /kən'fɜːm/ *vt* confermare ◇ (*relig*) cresimare

confirmation /ˌkɒnfə'meɪʃ(ə)n/ *s* conferma *f* ◇ (*relig*) cresima *f*

to confiscate /'kɒnfɪskeɪt/ *vt* confiscare

conflict /'kɒnflɪkt/ *s* conflitto *m*

conflicting /kən'flɪktɪŋ/ *a* contraddittorio, contrastante

to conform /kən'fɔːm/ *vt* conformare, adattare ◆ *vi* conformarsi, adeguarsi, concordare

to confound /kən'faʊnd/ *vt* confondere

to confront /kən'frʌnt/ *vt* affrontare ◇ stare di fronte a ◇ mettere a confronto, paragonare

confrontation /ˌkɒnfrən'teɪʃ(ə)n/ *s* confronto *m*, scontro *m*

to confuse /kən'fjuːz/ *vt* confondere ● **to get confused** confondersi

to confute /kən'fjuːt/ *vt* confutare

to congeal /kən'dʒiːl/ *vt/i* congela-

re, congelarsi ◇ coagulare, coagularsi

congenial /kən'dʒiːnjəl/ *a* congeniale, affine ◇ simpatico

to congest /kən'dʒest/ *vt* congestionare

to conglobate /'kɒnglo(u)beɪt/ *vt* conglobare

conglomerate /kən'glɒmərɪt/ *a/s* conglomerato *m*

to congratulate /kən'grætjʊleɪt/ *vt* congratularsi, felicitarsi, complimentarsi

congratulations /kənˌgrætjʊ'leɪʃ(ə)nz/ *s pl* congratulazioni *f pl*, felicitazioni *f pl*

to congregate /'kɒŋgrɪgeɪt/ *vt/i* riunire, riunirsi

congress /'kɒŋgres/ *s* congresso *m*

congruent /'kɒŋgrʊənt/ *a* proporzionale ◇ congruente

conical /'kɒnɪkl/ *a* conico

conjecture /kən'dʒektʃər/ *s* congettura *f*

to conjugate /'kɒn(d)ʒʊgeɪt/ *vt* coniugare

conjunction /kən'dʒʌŋkʃ(ə)n/ *s* congiunzione *f*

to conjure /'kʌn(d)ʒər/ *vt* fare giochi di prestigio ● **to c. up** evocare, rievocare, far apparire

to conk /kɒŋk/ *vt* (*pop*) dare un colpo in testa a ● **to c. out** inceparsi, guastarsi

to connect /kə'nekt/ *vt* connettere, collegare ◆ *vi* connettersi, collegarsi ◇ (*di mezzi di trasporto*) fare coincidenza

connection /kə'nekʃ(ə)n/ *s* collegamento *m*, connessione *f* ◇ **al pl** conoscenze *f pl* ◇ relazione *f*, rapporto *m* ◇ (*di mezzi di trasporto*) coincidenza *f* ◇ (*el*) contatto *m*

connoisseur /ˌkɒnɪˈsɜː/ *s* conoscitore *m*, intenditore *m*

to conquer /ˈkɒŋkə/ *vt* conquistare ♦ *vi* vincere

conquest /ˈkɒŋkwest/ *s* conquista *f*

conscience /ˈkɒnʃ(ə)ns/ *s* coscienza *f*

conscious /ˈkɒnʃəs/ *a* cosciente, consapevole

conscription /kənˈskrɪpʃ(ə)n/ *s* scrizione *f* ◇ precettazione *f*

to consecrate /ˈkɒnsɪkreɪt/ *vt* consacrare

consecutive /kənˈsekjʊtɪv/ *a* consecutivo

consent /kənˈsent/ *s* consenso *m*

consequence /ˈkɒnsɪkwəns/ *s* conseguenza *f* ◇ importanza *f*

conservation /ˌkɒnsə(ː)ˈveɪʃ(ə)n/ *s* conservazione *f*

conservative /kənˈsɜːv(ə)tɪv/ *a* conservatore ◇ prudente

conservatory /kənˈsɜːvətrɪ/ *s* serra *f* ◇ conservatorio *m*

to conserve /kənˈsɜːv/ *vt* conservare ◇ mettere in conserva

to consider /kənˈsɪdə/ *vt* considerare ◇ tener conto di ● **to c. doing st** pensare di fare qc

considerate /kənˈsɪd(ə)rɪt/ *a* premuroso

consideration /kənˌsɪdəˈreɪʃ(ə)n/ *s* considerazione *f*, riflessione *f* ◇ rispetto *m*, riguardo *m* ◇ rimunerazione *f* ● **to be under c.** essere in esame

to consign /kənˈsaɪn/ *vt* consegnare, spedire ◇ affidare ◇ relegare

to consist /kənˈsɪst/ *vi* consistere, constare

consistency /kənˈsɪst(ə)nsɪ/ *s* coerenza *f* ◇ compattezza *f*

consistent /kənˈsɪstənt/ *a* coerente, conforme ◇ costante

consolation /ˌkɒnsəˈleɪʃ(ə)n/ *s* consolazione *f*

console /ˈkɒnsəʊl/ *s* (*arch*) mensola *f* ◇ console *f*, quadro *m* di comando

to consolidate /kənˈsɒlɪdeɪt/ *vt/i* consolidare, consolidarsi

consonant /ˈkɒnsənənt/ *s* consonante *f*

consort /ˈkɒnsɔːt/ *s* consorte *m/f*

conspicuous /kənˈspɪkjʊəs/ *a* cospicuo

conspiracy /kənˈspɪrəsɪ/ *s* cospirazione *f*

constable /ˈkʌnstəbl/ *s* agente *m* di polizia ◇ (*stor*) conestabile *m*, governatore *m*

constant /ˈkɒnst(ə)nt/ *a* costante, invariabile ♦ *s* (*fis*) costante *f*

constellation /ˌkɒnstəˈleɪʃ(ə)n/ *s* costellazione *f*

constipation /ˌkɒnstɪˈpeɪʃ(ə)n/ *s* costipazione *f*, stitichezza *f*

constituency /kənˈstɪtjʊənsɪ/ *s* collegio *m* elettorale

constituent /kənˈstɪtjʊənt/ *a* costituente ♦ *s* elettore *m*

to constitute /ˈkɒnstɪtjuːt/ *vt* costituire

constitution /ˌkɒnstɪˈtjuːʃ(ə)n/ *s* costituzione *f*

to constrain /kənˈstreɪn/ *vt* costringere

constraint /kənˈstreɪnt/ *s* costrizione *f*

contraceptive

to constrict /kənˈstrɪkt/ *vt* costringere, comprimere

constriction /kənˈstrɪkʃ(ə)n/ *s* costrizione *f*, compressione *f* ◇ contrazione *f* muscolare

to construct /kənˈstrʌkt/ *vt* costruire, edificare

construction /kənˈstrʌkʃ(ə)n/ *s* costruzione *f*

consulate /ˈkɒnsjʊlɪt/ *s* consolato *m*

to consult /kənˈsʌlt/ *vt/i* consultare, consultarsi

consultant /kənˈsʌltənt/ *s* consulente *m* ◇ medico *m* specialista

to consume /kənˈsjuːm/ *vt* consumare

consumer /kənˈsjuːməʳ/ *s* consumatore *m* ◇ utente *m/f* ● **c. goods** beni di consumo

consummation /ˌkɒnsəˈmeɪʃ(ə)n/ *s* compimento *m*, completamento *m*

consumption /kənˈsʌm(p)ʃ(ə)n/ *s* consumo *m*

contact /ˈkɒntækt/ *s* contatto *m*, relazione *f* ◇ conoscenza *f* ● **c. lenses** lenti a contatto

to contact /ˈkɒntækt/ *vt* mettere in contatto, contattare

contagion /kənˈteɪdʒ(ə)n/ *s* contagio *m*

to contain /kənˈteɪn/ *vt* contenere, comprendere ◇ trattenere, reprimere

to contaminate /kənˈtæmɪneɪt/ *vt* contaminare

to contemplate /ˈkɒntəmpleɪt/ *vt* contemplare ◇ prevedere

contemporary /kənˈtemp(ə)rərɪ/ *a*

contemporaneo ◆ *s* coetaneo *m* ◇ contemporaneo *m*

contempt /kənˈtem(p)t/ *s* disprezzo *m* ◇ *(dir)* inosservanza *f*

contemptible /kənˈtem(p)təbl/ *a* spregevole

to contend /kənˈtend/ *vi* contendere, combattere ◆ *vt* asserire

content (1) /ˈkɒntent/ *s* contenuto *m* ● *(table of) contents* indice

content (2) /kənˈtent/ *a* contento, soddisfatto ◆ *s* contentezza *f* ◇ voto *m* favorevole

contention /kənˈtenʃ(ə)n/ *s* contesa *f*, controversia *f* ◇ opinione *f*

contest /ˈkɒntest/ *s* competizione *f*, concorso *m*

to contest /kənˈtest/ *vt* contestare ◇ contendere, disputare ◇ *(dir)* impugnare

contestant /kənˈtestənt/ *s* concorrente *m/f*

context /ˈkɒntekst/ *s* contesto *m*

continent /ˈkɒntɪnənt/ *s* continente *m*

contingency /kənˈtɪn(d)ʒ(ə)nsɪ/ *a* contingenza *f*, eventualità *f*

continual /kənˈtɪnjʊəl/ *a* continuo

continuation /kənˌtɪnjʊˈeɪʃ(ə)n/ *s* continuazione *f*

to continue /kənˈtɪnjuː(ː)/ *vt/i* continuare, proseguire

continuity /ˌkɒntɪˈnjuːɪtɪ/ *s* continuità *f* ◇ *(cin)* sceneggiatura *f*

to contort /kənˈtɔːt/ *vt* contorcere

contour /ˈkɒntʊəʳ/ *s* contorno *m* ● *c. lines* curve di livello

contraband /ˈkɒntrəbænd/ *s* contrabbando *m*

contraceptive /ˌkɒntrəˈseptɪv/ *a/s*

contraccettivo *m* ● *c. gel* gel spermicida

contract /ˈkɒntrækt/ *s* contratto *m*

to contract /kənˈtrækt/ *vt* contrarre, restringere ◆ *vi* contrarsi, restringersi ◇ impegnarsi ● prendere in appalto ● *to c. in/out* associarsi/dissociarsi

contraction /kənˈtrækʃ(ə)n/ *s* contrazione *f*

contractor /kənˈtræktə^r/ *s* contraente *m/f* ◇ imprenditore *m*, appaltatore *m*

to contradict /ˌkɒntrəˈdɪkt/ *vt/i* contraddire

contraposition /ˌkɒntrəpəˈzɪʃ(ə)n/ *s* contrapposizione *f*

contrary /ˈkɒntrəri/ *a/s* contrario, opposto *m* ● *on the c.* al contrario; *c. to* contrariamente a

contrast /ˈkɒntræst/ *s* contrasto *m*

to contrast /kənˈtræst/ *vt* mettere in contrasto ◆ *vi* contrastare

contravention /ˌkɒntrəˈvenʃ(ə)n/ *s* contravvenzione *f*

to contribute /kənˈtrɪbjuːt/ *vi* contribuire ◇ (*con un giornale*) collaborare ◆ *vt* contribuire con ◇ scrivere (*un articolo*)

contrivance /kənˈtraɪv(ə)ns/ *s* espediente *m* ◇ congegno *m*

to contrive /kənˈtraɪv/ *vt* escogitare ◇ fare in modo di ◆ *vi* fare piani

control /kənˈtrəʊl/ *s* controllo *m* ◇ (*dispositivo di*) comando *m* ● *to be in c. of* avere il controllo di; *to get c. over sb* avere a freno qn; *under c.* sotto controllo

to control /kənˈtrəʊl/ *vt* controllare, dirigere ◇ trattenere, dominare

controller /kənˈtrəʊlə^r/ *s* sovrintendente *m* ◇ (*USA*) direttore *m* amministrativo ● *air-traffic c.* controllore di volo

controversy /ˈkɒntrəvɜːsi/ *s* controversia *f*, polemica *f* ◇ (*dir*) vertenza *f*

convalescence /ˌkɒnvəˈlesns/ *s* convalescenza *f*

to convene /kənˈviːn/ *vt* convocare, adunare ◆ *vi* convenire, adunarsi

convenience /kənˈviːnjəns/ *s* convenienza *f*, vantaggio *m* ◇ comodità *f*

convenient /kənˈviːnjənt/ *a* conveniente, comodo ◇ (*di luogo*) vicino

convent /ˈkɒnv(ə)nt/ *s* convento *m*

convention /kənˈvenʃ(ə)n/ *s* convenzione *f*, accordo *m* ◇ convegno *m*

conventional /kənˈvenʃənl/ *a* convenzionale, comune

to converge /kənˈvɜːdʒ/ *vi* convergere, confluire

convergence /kənˈvɜːdʒ(ə)ns/ *s* convergenza *f*

conversant /kənˈvɜːs(ə)nt/ *a* pratico, al corrente

conversation /ˌkɒnvəˈseɪʃ(ə)n/ *s* conversazione *f*, discorso *m*

converse /ˈkɒnvɜːs/ *a* contrario

to converse /kənˈvɜːs/ *vi* conversare

conversely /ˈkɒnvɜːsli/ *avv* invece, al contrario, per converso

to convert /kənˈvɜːt/ *vt* convertire

convertible /kənˈvɜːtəbl/ *a* convertibile ◆ *s* decappottabile *f*

to convey /kənˈveɪ/ *vt* trasmettere ◇ trasportare

conveyance /kənˈveɪ(ɪ)əns/ s trasmissione f

conveyor /kənˈveɪəʳ/ s trasportatore m ● *c.* **belt** nastro trasportatore

convict /ˈkɒnvɪkt/ s condannato m, detenuto m

to convict /kənˈvɪkt/ vt condannare, dichiarare colpevole

conviction /kənˈvɪkʃ(ə)n/ s condanna f, verdetto m di colpevolezza ◊ convinzione f

to convince /kənˈvɪns/ vt convincere

convocation /ˌkɒnvəˈkeɪʃ(ə)n/ s convocazione f

convoluted /ˈkɒnvəljuːtɪd/ a ritorto ◊ involuto, contorto

convoy /ˈkɒnvɔɪ/ s scorta f, convoglio m

to coo /kuː/ vi tubare

cook /kʊk/ s cuoco m

to cook /kʊk/ vt/i cucinare, cuocere

cooker /ˈkʊkəʳ/ s fornello m, cucina f ◊ pentola f

cookery /ˈkʊkərɪ/ s arte f culinaria, gastronomia f

cookie /ˈkʊkɪ/ s (USA) biscotto m

cooking /ˈkʊkɪŋ/ s cottura f ◊ cucina f, arte f culinaria

cool /kuːl/ a fresco ◊ (di persona) tranquillo, freddo, compassato ◊ impudente, sfacciato ◊ eccezionale, fantastico

to cool /kuːl/ vt raffreddare, rinfrescare ◆ calmare ● **to c. down** raffreddarsi, (fig) calmarsi; **c. it!** calma!

coolness /ˈkuːlnɪs/ s fresco m ◊ freddezza f

to coop /kuːp/ vt rinchiudere

to cooperate /ko(u)ˈɒpəreɪt/ vi cooperare, collaborare

cooperative /ko(u)ˈɒp(ə)rətɪv/ s cooperativa f

coordinate /ko(u)ˈɔːdnɪt/ a uguale ◊ coordinato ◆ s coordinata f

coordination /ko(u)ˌɔːdɪˈneɪʃ(ə)n/ s coordinazione f

coowner /ko(u)ˈəʊnəʳ/ s comproprietario m

cop /kɒp/ s (fam) sbirro m, poliziotto m

to cope /kəʊp/ vi tener testa, far fronte

copper /ˈkɒpəʳ/ s rame m

copy /ˈkɒpɪ/ s copia f ◊ testo m, copy m

to copy /ˈkɒpɪ/ vt copiare ◊ imitare ◊ riprodurre ● **to c. down** trascrivere

coral /ˈkɒr(ə)l/ s corallo m ◊ a corallino ● **c. reef** barriera corallina

cord /kɔːd/ s corda f ◊ filo m, cordone m ◊ velluto m a coste

cordial /ˈkɔːdjəl/ a cordiale

core /kɔːʳ/ s nucleo m, centro m ◊ torsolo m

cork /kɔːk/ s sughero m ◊ tappo m ● **c. oak** quercia da sughero

corkscrew /ˈkɔːkskruː/ s cavatappi m

corn (1) /kɔːn/ s cereale m, granaglie f pl ◊ grano m ◊ (USA) mais m

corn (2) /kɔːn/ s callo m

to corn /kɔːn/ vt conservare (sotto sale), salare ● **corned beef** carne in scatola

corner /ˈkɔːnəʳ/ s angolo m, spigolo m ◊ (di merce) accaparramento m ◇ (*sport*) corner m, calcio m d'angolo

to corner /'kɔːnəʳ/ vi curvare, svoltare ◆ vt mettere alle strette ◇ accaparrare, imboscare

cornet /'kɔːnɪt/ s (*mus*) cornetta f ◇ cartoccio m (*a cono*) ◇ cono m gelato

cornflower /'kɔːnflaʊəʳ/ s fiordaliso m

corny /'kɔːnɪ/ a di grano, ricco di grano ◇ trito, banale

coronary /'kɒrənərɪ/ a coronario ◆ s trombosi f coronaria

coronation /,kɒrə'neɪʃ(ə)n/ s incoronazione f

coronet /'kɒrənɪt/ s corona f, diadema m

corporate /'kɔːp(ə)rɪt/ a corporativo ◇ societario, aziendale ◇ collettivo ● c. *name* ragione sociale

corporation /,kɔːpə'reɪʃ(ə)n/ s compagnia f, società f ● *municipal* c. consiglio comunale

corps /kɔːʳ/ s (*mil*) corpo m ◇ (*di persone*) gruppo m

corpse /kɔːps/ s cadavere m

correct /kə'rekt/ a corretto, giusto ◇ adatto, opportuno

to correct /kə'rekt/ vt correggere

correctly /kə'rektlɪ/ avv correttamente, giustamente ◇ opportunamente

to correspond /,kɒrɪs'pɒnd/ vi corrispondere

correspondence /,kɒrɪs'pɒndəns/ s corrispondenza f, carteggio m ◇ accordo m

corridor /'kɒrɪdɔːʳ/ s corridoio m

to corroborate /kə'rɒb(ə)reɪt/ vt corroborare, avvalorare

to corrode /kə'rəʊd/ vt/i corrodere, corrodersi

corrosive /kə'rəʊsɪv/ a corrosivo

corrugated /'kɒrʊgeɪtɪd/ a corrugato, increspato ● c. *cardboard* cartone ondulato

to corrupt /kə'rʌpt/ vt corrompere ◇ alterare

corruption /kə'rʌpʃ(ə)n/ s corruzione f

cosh /kɒʃ/ s manganello m

cosmetic /kɒz'metɪk/ a cosmetico ◇ apparente, superficiale ◆ s cosmetico m

cosmic /'kɒzmɪk/ a cosmico

cosmopolitan /,kɒzmə'pɒlɪt(ə)n/ a cosmopolita

cosmos /'kɒzmɒs/ s cosmo m

to cosset /'kɒsɪt/ vt vezzeggiare, coccolare

cost /kɒst/ s costo m, prezzo m ● *at all costs* a ogni costo; c.-*effective* efficace, conveniente

to cost /kɒst/ (*pass/pp* cost) vi costare ◆ vt valutare i costi

costume /'kɒstjuːm/ s costume m ◇ tailleur m

cosy /'kəʊzɪ/ (*USA* cozy) a accogliente, confortevole

cot /kɒt/ s culla f, lettino m ◇ branda f

cotton /'kɒtn/ s cotone m ● c. *wool* cotone idrofilo

to cotton /'kɒtn/ vi fraternizzare ● *to* c. *on* afferrare, iniziare a capire; *to* c. *to* simpatizzare con

couch /kaʊtʃ/ s divano m ● c. *potato* pantafolaio

couchette /kuː'ʃet/ s cuccetta f

cough /kɒf/ s tosse f ● c.-*drop* pasticca per la tosse

council /'kaʊnsl/ s *(adunanza di persone)* consiglio *m* ◇ *(relig)* concilio *m* ● *c. estate* quartiere popolare

councillor /'kaʊnsɪlər/ s consigliere *m*

counsel /'kaʊns(ə)l/ s consiglio *m*, consultazione *f* ◇ *(dir)* avvocato *m*, consulente *m/f* ● *to take c. together* consultarsi, consigliarsi

to counsel /'kaʊns(ə)l/ *vt* consigliare

counsellor /'kaʊnsələr/ s consigliere *m*, consulente *m/f* ◇ *(USA)* avvocato *m*

count (1) /kaʊnt/ s conto *m*, conteggio *m*

count (2) /kaʊnt/ s conte *m*

to count /kaʊnt/ *vt* contare, calcolare ◇ considerare, annoverare ◆ *vi* contare ◇ avere importanza ● *to c. down* fare il conto alla rovescia; *to c. in* includere; *to c. on* fare assegnamento su, contare su

countenance /'kaʊntɪnəns/ s aria *f*, espressione *f* ◇ approvazione *f*, appoggio *m*

counter (1) /'kaʊntər/ s *(tecn)* contatore *m*, misuratore *m*

counter (2) /'kaʊntər/ s gettone *m* ◇ banco *m*, cassa *f* ● *telephone c.* gettone telefonico

counter (3) /'kaʊntər/ *avv* contrariamente

to counter /'kaʊntər/ *vt/i* opporsi a ◇ respingere, mandare a vuoto ◇ replicare

to counteract /ˌkaʊntər'rækt/ *vt* agire contro ◇ contrastare

counterclockwise /ˌkaʊntə'klɒkwaɪs/ *a* antiorario

counterfeit /'kaʊntəfɪt/ *a* falso, contraffatto ◆ *s* contraffazione *f*, falsificazione *f*

counterfoil /'kaʊntəfɔɪl/ s matrice *f*

to countermand /ˌkaʊntə'mɑːnd/ *vt* annullare, revocare

counterpart /'kaʊntəpɑːt/ s controparte *f* ◇ duplicato *m*, copia *f*

countersign /'kaʊntəsaɪn/ s contrassegno *m*, controfirma *f*

countess /'kaʊntɪs/ s contessa *f*

countless /'kaʊntlɪs/ *a* innumerevole

country /'kʌntrɪ/ s paese *m*, nazione *f*, regione *f* ◇ patria *f* ◇ campagna *f* ◆ *a* di campagna

countryman /'kʌntrɪmən/ *(pl* **countrymen***)* s compatriota *m* ◇ campagnolo *m*, contadino *m*

countryside /'kʌntrɪsaɪd/ s campagna *f*

countrywide /'kʌntrɪwaɪd/ *a* esteso a tutto il territorio nazionale

county /'kaʊntɪ/ s contea *f*

couple /'kʌpl/ s coppia *f*, paio *m*

to couple /'kʌpl/ *vt* *(tecn)* accoppiare, abbinare ◇ unire insieme

coupon /'kuːpɒn/ s buono *m*, scontrino *m*, tagliando *m*, coupon *m*

courage /'kʌrɪdʒ/ s coraggio *m*

courgette /kʊə'ʒet/ s zucchino *m*

courier /'kʊrɪər/ s corriere *m*, messaggero *m* ◇ guida *f* (turistica) ◇ corriere *m* (espresso)

course /kɔːs/ s corso *m*, decorso *m* ◇ direzione *f*, rotta *f* ◇ pietanza *f*, portata *f*, piatto *m* ◇ *(sport)* campo *m*, percorso *m* ● *of c.* naturalmente, senz'altro

court /kɔːt/ s corte f, cortile m ◇ (dir) corte f, tribunale m ◇ castello m, dimora f ◇ (sport) campo m (di gioco) ◇ corteggiamento m

to court /kɔːt/ vt corteggiare

courtesy /ˈkɜːtɪsɪ/ s cortesia f ● by c. of per gentile concessione di

courtyard /ˈkɔːtˌjɑːd/ s cortile m

cousin /ˈkʌzn/ s cugino m

cove /kəʊv/ s baia f, caletta f

covenant /ˈkʌvɪnənt/ s convenzione f, accordo m

cover /ˈkʌvə/ s copertura f, coperchio m, coperta f, fodera f ◇ (di libro, giornale) copertina f ◇ riparo m ◇ (econ) copertura f ◇ coperto m ◇ (tel) cover f ● c. charge prezzo del coperto; c. girl fotomodella; to take c. mettersi al riparo

to cover /ˈkʌvə/ vt coprire ◇ ricoprire, rivestire ◇ comprendere ● to c. up coprire, nascondere

coverage /ˈkʌvərɪdʒ/ s copertura f ◇ (radio, TV) zona f di ricezione ◇ servizio m d'informazione

cow /kaʊ/ s mucca f ● c. house stalla

to cow /kaʊ/ vt intimorire

coward /ˈkaʊəd/ a/s vigliacco m

cowl /kaʊl/ s cappuccio m ◇ tonaca f

cowslip /ˈkaʊslɪp/ s primula f

coy /kɔɪ/ a schivo, riservato

cozy /ˈkəʊzɪ/ a (USA) → **cosy**

crab /kræb/ s granchio m

crack /kræk/ a di prim'ordine, scelto ● s rottura f, crepa f ◇ schianto m, esplosione f ◇ crollo m, tracollo m

to crack /kræk/ vt rompere, incri-

nare ◇ schioccare ◇ (fam) decifrare ◇ (pop) scassinare ● vi rompersi, incrinarsi ◇ schioccare ● to c. down adottare severe misure; to c. on darci dentro; to c. up rompere, andare in mille pezzi, ridere fino alle lacrime

to crackle /ˈkrækl/ vi crepitare, scricchiolare ◇ screpolarsi

cradle /ˈkreɪdl/ s culla f ● c. song ninnananna

craft /krɑːft/ s mestiere m ◇ corporazione f, categoria f ◇ abilità f ◇ imbarcazione f

craftsman /ˈkrɑːftsmən/ (pl craftsmen) s artigiano m

crafty /ˈkrɑːftɪ/ a astuto, furbo

crag /kræg/ s picco m, dirupo m

to cram /kræm/ vt riempire, rimpinzare ● vi rimpinzarsi, ingozzarsi ◇ ammassarsi

cramp /kræmp/ s crampo m

crane /kreɪn/ s (mecc) gru f ● bridge c. carroponte

cranial /ˈkreɪnjəl/ a cranico

cranium /ˈkreɪnjəm/ s cranio m

crank /kræŋk/ s manovella f ◇ (fam) persona f eccentrica ● c. shaft albero a gomiti

crash /kræʃ/ s fragore m, schianto m ◇ scontro m, collisione f ◇ crollo m, caduta f ● c. barrier guardrail; c. helmet casco di protezione; c. landing atterraggio di fortuna; c.-proof a prova d'urto

to crash /kræʃ/ vt rompere, fracassare ● vi schiantarsi, precipitare ◇ (aut) scontrarsi ◇ crollare, precipitare

crate /kreɪt/ s cassa f, cesta f

crater /ˈkreɪtəʳ/ s cratere m

to crave /kreɪv/ vi desiderare fortemente ◆ vt scongiurare, chiedere con insistenza

craving /ˈkreɪvɪŋ/ s desiderio m, brama f

to crawl /krɔːl/ vi strisciare ◇ avanzare carponi ◇ (sport) nuotare a stile libero

crayfish /ˈkreɪfɪʃ/ s gambero m ◇ aragosta f

crayon /ˈkreɪən/ s pastello m

craze /kreɪz/ s mania f

crazy /ˈkreɪzɪ/ a matto ◇ entusiasta, maniaco ◇ (pop) fantastico

creak /kriːk/ s scricchiolio m

cream /kriːm/ s panna f ◇ crema f

creamy /ˈkriːmɪ/ a cremoso

to crease /kriːs/ vt stropicciare, spiegazzare

to create /kriːˈeɪt/ vt creare

creative /kriːˈeɪtɪv/ a creativo

creature /ˈkriːtʃəʳ/ s creatura f

crèche /kreɪʃ/ s asilo m infantile ◇ presepio m

credence /ˈkriːd(ə)ns/ s credenza f ◇ credito m, fiducia f ● to give c. to st prestar fede a qc

credentials /krɪˈdenʃ(ə)lz/ s pl credenziali f pl

credit /ˈkredɪt/ s credito m ◇ merito m ● c. card carta di credito; to give sb c. for st prestar fede a qn per qc

to credit /ˈkredɪt/ vt prestar fede a ◇ attribuire ◇ accreditare ● to c. sb with st attribuire qc a qn

creditor /ˈkredɪtəʳ/ s creditore m

creed /kriːd/ s (relig) credo m

creek /kriːk/ s insenatura f ◇ (USA) torrente m

to creep /kriːp/ (pass/pp **crept**) vi strisciare ◇ avanzare furtivamente ◇ rabbrividire, avere la pelle d'oca ● to c. away allontanarsi furtivamente; to c. in prendere piede; to c. up salire lentamente, insinuarsi

creeper /ˈkriːpəʳ/ s verme m ◇ (bot) rampicante m ◇ (naut) grappino m

to cremate /krɪˈmeɪt/ vt cremare

crescent /ˈkresnt/ a crescente ◇ a mezzaluna ◇ a semicerchio ◆ s luna f crescente, falce m di luna ◇ mezzaluna f

crest /krest/ s cresta f, ciuffo m ◇ (araldica) cimiero m ◇ crinale m

crestfallen /ˈkrestˌfɔːlən/ a abbattuto, mortificato

crevasse /krɪˈvæs/ s crepaccio m

crevice /ˈkrevɪs/ s crepa f, fenditura f

crew /kruː/ s equipaggio m

crew-neck /ˈkruːnek/ a (a) girocollo

crib /krɪb/ s greppia f ◇ presepe m ◇ (USA) culla f

crick /krɪk/ s crampo m

cricket (1) /ˈkrɪkɪt/ s (sport) cricket m

cricket (2) /ˈkrɪkɪt/ s grillo m

crime /kraɪm/ s crimine m, delitto m

criminal /ˈkrɪmɪnl/ a/s criminale m/f

crimson /ˈkrɪmzn/ a/s cremisi m

to cringe /krɪndʒ/ vi acquattarsi, farsi piccolo ◇ umiliarsi, essere servile

crinkle /ˈkrɪŋkl/ s crespa f, grinza f

cripple /'krɪpl/ s zoppo m, mutilato m

crisis /'kraɪsɪs/ (pl **crises**) s crisi f

crisp /krɪsp/ a croccante ◇ fresco, frizzante

crisscross /'krɪskrɒs/ a incrociato

criterion /kraɪ'tɪərɪən/ (pl **criteria**) s criterio m

critic /'krɪtɪk/ s critico m

criticism /'krɪtɪsɪz(ə)m/ s critica f

to criticize /'krɪtɪsaɪz/ vt criticare, fare la critica

to croak /krəʊk/ vi gracchiare, gracidare

crochet /'krəʊʃeɪ/ s uncinetto m

crockery /'krɒkərɪ/ s terraglie f pl, vasellame m

crocodile /'krɒkədaɪl/ s coccodrillo m

crook /krʊk/ s uncino m, gancio m ◇ bastone m (pop) truffatore m

to crook /krʊk/ vt piegare, curvare

crop /krɒp/ s raccolto m, messe f ◇ (di uccello) gozzo m ◇ (di capelli) rapata f

to crop /krɒp/ vt spuntare, tosare ◇ coltivare ● to c. up spuntare, presentarsi

croquette /krɒ(ʊ)'ket/ s crocchetta f

cross /krɒs/ a trasversale, obliquo ◇ seccato, di cattivo umore ◇ opposto, contrario ◆ s croce f ◇ contrarietà f ◇ (biol) incrocio m

to cross /krɒs/ vt attraversare, intersecare ◇ incrociare ◇ ostacolare ◇ sbarrare ◆ vi incrociarsi ◇ compiere una traversata ● to c. off,out cancellare; to c. over attraversare

cross-eyed /'krɒsaɪd/ a strabico

crossing /'krɒsɪŋ/ s attraversamento m, incrocio m ◇ attraversamento m pedonale, passaggio m pedonale ◇ traversata f

cross-reference /,krɒs'ref(ə)rəns/ s rinvio m, rimando m

crossroad /'krɒsrəʊd/ s traversa f ◇ crocevia m, crocicchio m ◆ al pl (fig) bivio m

cross-section /'krɒs,sekʃ(ə)n/ s sezione f trasversale ◇ gruppo m rappresentativo

crosswalk /'krɒswɔːk/ s (USA) attraversamento m pedonale

crosswise /'krɒswaɪz/ avv attraverso

crossword /'krɒswɜːd/ s cruciverba m

crotch /krɒtʃ/ s (anat) inforcatura f ◇ cavallo m (dei pantaloni)

crotchet /'krɒtʃɪt/ s gancio m ◇ mania f ◇ (mus) semiminima f

to crouch /kraʊtʃ/ vi rannicchiarsi

crouton /'kruːtɒn/ s crostino m

crow (1) /krəʊ/ s (zool) corvo m, cornacchia f

crow (2) /krəʊ/ s canto m del gallo

crowd /kraʊd/ s calca f, folla f, moltitudine f

to crowd /kraʊd/ vi affollarsi, accalcarsi ◆ vt affollare

crown /kraʊn/ s corona f ◇ calotta f ◆ c. cap tappo a corona

to crown /kraʊn/ vt incoronare

crucial /'kruːʃjəl/ a cruciale, decisivo

crucifix /'kruːsɪfɪks/ s crocifisso m

crude /kruːd/ a grezzo ◇ rozzo, grossolano ◆ s (petrolio) greggio m

cruelty /'kruːltɪ/ s crudeltà f ● c.-

free non sperimentato su animali

cruise /kruːz/ s crociera *f*

to cruise /kruːz/ *vi* girare, andare in giro

cruiser /ˈkruːzə/ s incrociatore *m*

crumb /krʌm/ s briciola *f* ◇ mollica *f*

to crumb /krʌm/ *vt* sbriciolare ◇ impanare

to crumble /ˈkrʌmbl/ *vt/i* sbriciolare, sbriciolarsi

to crumple /ˈkrʌmpl/ *vt* stropicciare

crunch /krʌntʃ/ s lo sgranocchiare ◇ scricchiolio *m* ◇ *(fam)* momento *m* cruciale

crusade /kruːˈseɪd/ s crociata *f*

crush /krʌʃ/ s calca *f*, folla *f* ◇ *(fam)* cotta *f*

to crush /krʌʃ/ *vt* schiacciare ◇ stroncare, annientare

crust /krʌst/ s crosta *f*

crustacean /krʌsˈteɪʃən/ s crostaceo *m*

crutch /krʌtʃ/ s gruccia *f*, stampella *f* ◇ biforcazione *f*

crux /krʌks/ s punto *m* cruciale

cry /kraɪ/ s grido *m* ◇ *(di animale)* verso *m* ◇ lamento *m*, pianto *m*

to cry /kraɪ/ *vt/i* gridare ◇ piangere ● **to c. for** chiedere a gran voce; **to c. off** tirarsi indietro; **to c. wolf** gridare al lupo

crying /ˈkraɪɪŋ/ s pianto *m* ● **a c. shame** un vero peccato

crystal /ˈkrɪstl/ s cristallo *m* ● **c. clear** limpido, cristallino

to crystallize /ˈkrɪstəlaɪz/ *vt* cristallizzare

cub /kʌb/ s cucciolo *m*

cube /kjuːb/ s cubo *m*

cuckoo /ˈkʊkuː/ s cuculo *m* ● **c. clock** orologio a cucù

cucumber /ˈkjuːkʌmbə/ s cetriolo *m*

to cuddle /ˈkʌdl/ *vt* abbracciare, coccolare ● **to c. up to sb** rannicchiarsi vicino a qn

cudgel /ˈkʌdʒ(ə)l/ s randello *m*

cue (1) /kjuː/ s *(teat, mus)* battuta *f* d'entrata, attacco *m* ◇ imbeccata *f*

cue (2) /kjuː/ s *(biliardo)* stecca *f*

cuff (1) /kʌf/ s polsino *m* ◇ risvolto *m* ◇ **al pl** manette *f pl* ● **c. links** gemelli *(per polsino)*

cuff (2) /kʌf/ s schiaffo *m*, ceffone *m*

to cull /kʌl/ *vt* scegliere, selezionare

to culminate /ˈkʌlmɪneɪt/ *vi* culminare

culprit /ˈkʌlprɪt/ s colpevole *m/f*

cult /kʌlt/ s culto *m* ● **c. movie** cult movie, film culto

to cultivate /ˈkʌltɪveɪt/ *vt* coltivare

cultivated /ˈkʌltɪveɪtɪd/ *a* coltivato ◇ colto, istruito

cultural /ˈkʌltʃ(ə)r(ə)l/ *a* culturale

culture /ˈkʌltʃə/ s cultura *f*, istruzione *f* ◇ civiltà *f* ◇ coltura *f*, coltivazione *f*

cumbersome /ˈkʌmbəsəm/ *a* ingombrante

cunning /ˈkʌnɪŋ/ *a* astuto, furbo ◆ s astuzia *f*, furberia *f*

cup /kʌp/ s tazza *f*, tazzina *f* ◇ coppa *f* ● **paper c.** bicchiere di carta

cupboard /ˈkʌbəd/ s armadio *m*

curate /ˈkjʊərɪt/ s curato *m*, cappellano *m*

curator /kjʊəˈreɪtəʳ/ s (di museo, biblioteca) direttore m, sovrintendente m/f

curb /kɜːb/ s freno m, ostacolo m ◇ (USA) cordone m di marciapiedi

cure /kjʊəʳ/ s cura f, rimedio m

to cure /kjʊəʳ/ vt guarire, curare ◇ (un materiale) trattare ◇ (un alimento) affumicare, salare ◆ vi (di alimento) conservarsi

curfew /ˈkɜːfjuː/ s coprifuoco m

curio /ˈkjʊərɪəʊ/ s curiosità f, oggetto m da collezione

curiosity /ˌkjʊərɪˈɒstɪ/ s curiosità f

curious /ˈkjʊərɪəs/ a curioso

curl /kɜːl/ s riccio m, ricciolo m

to curl /kɜːl/ vt/i arricciare, arricciarsi ● to c. up raggomitolarsi, accartocciarsi

curler /ˈkɜːləʳ/ s bigodino m

curly /ˈkɜːlɪ/ a ricciuto ◇ increspato

currant /ˈkʌr(ə)nt/ s ribes m

currency /ˈkʌr(ə)nsɪ/ s valuta f, moneta f ◇ circolazione f, diffusione f ● single c. moneta unica

current /ˈkʌr(ə)nt/ a corrente, attuale ◆ s corrente f

to curry /ˈkʌrɪ/ vt strigliare ◇ (pelli) conciare ◇ adulare

curse /kɜːs/ s maledizione f ◇ imprecazione f, bestemmia f

cursed /ˈkɜːsɪd/ a maledetto

cursor /ˈkɜːsəʳ/ s cursore m

curt /kɜːt/ a brusco, secco, conciso

to curtail /kɜːˈteɪl/ vt accorciare, abbreviare ◇ ridurre, limitare

curtain /ˈkɜːt(ə)n/ s tenda f ◇ (teat) sipario m

curts(e)y /ˈkɜːtsɪ/ s inchino m, riverenza f

curve /kɜːv/ s curva f

to curve /kɜːv/ vt/i curvare, curvarsi

cushion /ˈkʊʃ(ə)n/ s cuscino m

to cushion /ˈkʊʃ(ə)n/ vt imbottire ◇ smorzare, attutire

custard /ˈkʌstəd/ s crema f pasticciera

custodian /kʌsˈtəʊdjən/ s custode m/f

custody /ˈkʌstədɪ/ s custodia f, sorveglianza f ◇ detenzione f

custom /ˈkʌstəm/ s costume m, abitudine f, usanza f ◇ al pl dogana f ◇ clientela f ● c.-made su ordinazione, su misura; customs officer doganiere

customary /ˈkʌstəm(ə)rɪ/ a consueto, usuale

customer /ˈkʌstəməʳ/ s cliente m/f ● c. service, care servizio clienti

customized /ˈkʌstəmaɪzd/ a su misura

to cut /kʌt/ (pass/pp cut) vt tagliare ◇ incidere ◇ ridurre ◆ vi tagliare, tagliarsi ● to c. back ridurre; to c. down abbattere, ridurre; to c. in interloquire; to c. off troncare, recidere; to c. out ritagliare; to c. up tagliare a pezzetti

cute /kjuːt/ a (fam) carino

cutis /ˈkjuːtɪs/ s cute f

cutlery /ˈkʌtlərɪ/ s posate f pl

cutlet /ˈkʌtlɪt/ s costoletta f

cutoff /ˈkʌtɒf/ s limite m estremo ◇ al pl (USA) pantaloncini m pl di jeans ◇ (mecc) otturatore m ◇ (el) apertura f di circuito

cut-out /ˈkʌtaʊt/ s (di giornale) ritaglio m ◇ (el) interruttore m

cutting /ˈkʌtɪŋ/ a tagliente ◇ sferzante ◆ s taglio m ◇ ritaglio m ◇ (bot) talea f ◇ (cin) montaggio m

cuttlefish /ˈkʌtlfɪʃ/ s seppia f

cycle /ˈsaɪkl/ s ciclo m ◇ bicicletta f

cyclic /ˈsɪklɪk/ a ciclico

cycling /ˈsaɪklɪŋ/ s ciclismo m

cylinder /ˈsɪlɪndər/ s cilindro m ◇ bombola f

cynical /ˈsɪnɪkl/ a cinico

cypress /ˈsaɪprɪs/ s cipresso m

cyst /sɪst/ s cisti f

czar /zɑːr/ s zar m

Czech /tʃek/ a/s ceco m

D

dab /dæb/ s pochino m

to dab /dæb/ vt picchiettare, tamponare ◇ applicare, spalmare

to dabble /ˈdæbl/ vt schizzare, bagnare ◆ vi sguazzare ● to d. in, at occuparsi a tempo perso di

dabbler /ˈdæblər/ s dilettante m/f

dad /dæd/ s (fam) papà m

daddy /ˈdædi/ s (fam) papà m

daffodil /ˈdæfədɪl/ s giunchiglia f

daft /dɑːft/ a (fam) sciocco

dagger /ˈdægər/ s pugnale m

daily /ˈdeɪli/ a giornaliero, quotidiano ◆ s quotidiano m ◆ avv giornalmente, quotidianamente

dainty /ˈdeɪnti/ a delicato, fine ◇ prelibato

dairy /ˈdeəri/ s caseificio m ◇ (negozio) latteria f ◆ d. products latticini

daisy /ˈdeɪzi/ s margherita f

dale /deɪl/ s vallata f

dam /dæm/ s diga f

to dam /dæm/ vt sbarrare, arginare

damage /ˈdæmɪdʒ/ s avaria f, danno m, guasto m ◇ al pl danni m pl, risarcimento m ● claim for damages richiesta di risarcimento

damn /dæm/ inter maledizione!

to damn /dæm/ vt dannare, condannare ◇ maledire, imprecare ◇ rovinare

damp /dæmp/ a umido, bagnato ◆ s umidità f, umido m

to damp /dæmp/ vt inumidire, bagnare ◇ soffocare, estinguere ◇ deprimere

damper /ˈdæmpər/ s freno m ◇ (aut) ammortizzatore m

dance /dɑːns/ s ballo m, danza f ● d. hall sala da ballo

to dance /dɑːns/ vt/i ballare, danzare

dandelion /ˈdændɪlaɪən/ s (bot) tarassaco m, dente m di leone

dandruff /ˈdændrəf/ s forfora f

dandy /ˈdændi/ a elegante, affettato ◇ splendido

Dane /deɪn/ s danese m/f

danger /ˈdeɪndʒər/ s pericolo m

to dangle /ˈdæŋgl/ vi penzolare, dondolare ◆ vt far penzolare, far dondolare ◇ far balenare

Danish /ˈdeɪnɪʃ/ a danese ◆ s (lingua) danese m

dappled /ˈdæpld/ *a* maculato, pezzato

to dare /deəʳ/ *(pass* **dared, durst,** *pp* **dared)** *vi* osare ◆ *vt* sfidare ◇ atterrire

daredevil /ˈdeəˌdevl/ *a* audace, temerario ◆ *s* scavezzacollo *m/f*

daring /ˈdeərɪŋ/ *a* ardito, audace ◆ *s* audacia *f*

dark /dɑːk/ *a* buio, scuro ◇ *(di colore)* cupo ◆ *(fig)* nero, tetro, triste ◆ *s* buio *m*, oscurità *f* ● **to get d.** diventare buio, farsi notte

to darken /ˈdɑːk(ə)n/ *vt* oscurare, offuscare ◆ *vi* oscurarsi, offuscarsi ◇ imbrunire

darkness /ˈdɑːknɪs/ *s* buio *m*, oscurità *f*

darling /ˈdɑːlɪŋ/ *a* caro, diletto ◆ *s* caro *m*, tesoro *f*

to darn /dɑːn/ *vt* rammendare

dart /dɑːt/ *s* freccetta *f* ◇ *(lett)* dardo *m* ◇ guizzo *m*, salto *m* ◇ pince *f*

to dart /dɑːt/ *vt* scagliare ◆ *vi* guizzare

dash /dæʃ/ *s* balzo *m*, scatto *m* ◇ piccola quantità *f*, goccia *f* ◇ trattino *m*, lineetta *f*

to dash /dæʃ/ *vt* gettare, lanciare, sbattere ◇ infrangere ◇ cospargere, spruzzare ◆ *vi* precipitarsi, scagliarsi ● **to d. off** scappare via

dashboard /ˈdæʃbɔːd/ *s* cruscotto *m*

dashing /ˈdæʃɪŋ/ *a* impetuoso, focoso ◇ vivace, vistoso

data /ˈdeɪtə/ *s*/*pl* dati *m pl* ● *d.* **bank** banca dati; *d.* **processing** elaborazione di dati

date (1) /deɪt/ *s* data ◇ scadenza *f* ◇ appuntamento *m*, impegno *m* ●

at long/short d. a lunga/breve scadenza; *to d.* fino a oggi; *up to d.* aggiornato

date (2) /deɪt/ *s (bot)* dattero *m*

to date /deɪt/ *vt* datare, mettere la data ◇ attribuire la data, far risalire a ◇ *(USA, fam)* frequentare ◆ *vi* datare, risalire a

to daub /dɔːb/ *vt* impiastricciare, imbrattare

daughter /ˈdɔːtəʳ/ *s* figlia *f* ● *d.-in-law* nuora

to daunt /dɔːnt/ *vt* intimidire ◇ scoraggiare

to dawdle /ˈdɔːdl/ *vi* gingillarsi

dawn /dɔːn/ *s* alba *f* ◇ *(fig)* principio *m*

to dawn /dɔːn/ *vi* albeggiare ◆ apparire ● *to d. on* venire in mente, rendersi conto di

day /deɪ/ *s* giorno *m*, giornata *f* ◇ tempo *m*, epoca *f* ● *d. by d.* giorno per giorno; *d. time* diurno; *d.-to-d.* quotidiano

daybreak /ˈdeɪbreɪk/ *s* alba *f*

daze /deɪz/ *s* stupore *m*, stordimento *m* ● *to be in a d.* essere sbalordito

to dazzle /ˈdæzl/ *vt* abbagliare

dead /ded/ *a* morto ◇ fuori uso ◇ completo, perfetto ◇ spento, insensibile ● *d. and gone* morto e sepolto; *d. end* vicolo cieco; *d. letter* lettera giacente

to deaden /dedn/ *vt* attutire, smorzare ◇ insonorizzare

deadline /ˈdedlaɪn/ *s* scadenza *f*

deadlock /ˈdedlɒk/ *s* punto *m* morto

deadly /ˈdedlɪ/ *a* micidiale, letale

deaf /def/ *a* sordo ● *d.-and-dumb* sordomuto

deal (1) /diːl/ *s* quantità *f* ● *a great d. of* un bel po' di

deal (2) /diːl/ *s* accordo *m*, affare *m* ◇ trattamento *m* ◇ (*giocando a carte*) mano *f* ● *a raw d.* un trattamento ingiusto

to deal /diːl/ (*pass/pp* **dealt**) *vt* distribuire, fornire ◇ dare le carte ◆ *vi* fare affari ● *to d. in* commerciare in; *to d. with* trattare con, fare affari con, trattare di

dealer /diːlər/ *s* commerciante *m/f*, distributore *m*

dealing /diːlɪŋ/ *s al pl* rapporti *m pl* ◇ commercio *m* ◇ distribuzione *f*

dean /diːn/ *s* (*relig*) decano *m* ◇ (*di facoltà universitaria*) preside *m/f*

dear /dɪər/ *a* caro, amato ◇ caro, costoso

dearly /dɪəlɪ/ *avv* caramente ◇ ardentemente, intensamente ◇ a caro prezzo

death /deθ/ *s* morte *f* ● *d. duty, tax* tassa di successione; *d. rate* indice di mortalità

to debar /dɪbɑːr/ *vt* escludere, impedire, privare di ● *to d. sb from doing st* impedire a qn di fare qc

to debase /dɪbeɪs/ *vt* avvilire, degradare ◇ adulterare ◇ deprezzare

debate /dɪbeɪt/ *s* dibattito *m*, discussione *f*

to debate /dɪbeɪt/ *vt/i* dibattere, discutere ◇ considerare, pensare

debauched /dɪbɔːtʃt/ *a* dissoluto

debit /debɪt/ *s* (*comm*) debito *m*, addebito *m* ● *d. card* bancomat

to debit /debɪt/ *vt* (*comm*) addebitare

debris /debriː/ *s* detriti *m pl*, macerie *f pl*

debt /det/ *s* debito *m* ● *to be in d. to* essere indebitato con; *to get out of d.* sdebitarsi

to debug /dɪbʌg/ *vt* mettere a punto ◇ (*inform*) eliminare errori

debut /deɪbuː/ *s* debutto *m* ● *to make one's d.* debuttare

decade /dekeɪd/ *s* decade *f*, decennio *m*

decadence /dekəd(ə)ns/ *s* decadenza *f*

decaffeinated /diːkæfɪˌneɪtɪd/ *a* decaffeinato ◇ deteinato

decalogue /dekəlɒg/ *s* decalogo *m*

to decant /dɪkænt/ *vt* travasare

decanter /dɪkæntər/ *s* caraffa *f*

to decapitate /dɪkæpɪteɪt/ *vt* decapitare

decay /dɪkeɪ/ *s* decadenza *f*, degrado *m* ◇ disfacimento *m*, putrefazione *f*

to decay /dɪkeɪ/ *vi* andare in rovina, crollare ◇ decadere, deperire ◇ marcire, imputridire

deceased /dɪsiːst/ *s/a* defunto *m*

deceit /dɪsiːt/ *s* inganno *m* ◇ falsità *f*

to deceive /dɪsiːv/ *vt* ingannare, raggirare ◇ deludere

December /dɪsembər/ *s* dicembre *m*

decency /diːsnsɪ/ *s* decenza *f*, pudore *m* ◇ decoro *m*

decennium /dɪsenɪəm/ *s* decennio *m*

decent /'di:s(ə)nt/ *a* decente, dignitoso ◇ discreto, soddisfacente ◇ (*fam*) gentile

deception /dɪ'sepʃ(ə)n/ *s* inganno *m*

to decide /dɪ'saɪd/ *vt* decidere, risolvere ◆ *vi* indurre ◆ *vi* prendere una decisione, decidersi

decided /dɪ'saɪdɪd/ *a* deciso, risoluto ◇ indubbio

decilitre /'desɪ,li:tə/ *s* decilitro *m*

decimal /'desɪm(ə)l/ *a* decimale

to decimate /'desɪmeɪt/ *vt* decimare

to decipher /dɪ'saɪfə/ *vt* decifrare

decision /dɪ'sɪʒ(ə)n/ *s* decisione *f*

decisive /dɪ'saɪsɪv/ *a* decisivo ◇ deciso, risoluto

deck /dek/ *s* (*naut*) ponte *m*, coperta *f* ◇ (*di autobus*) piano *m* ◇ (*fam*) mazzo *m* di carte ◆ *d. house* tuga

to deck /dek/ *vt* adornare ◇ (*fam*) mettere al tappeto

deckchair /'dektʃeə/ *s* sedia *f* a sdraio

to declaim /dɪ'kleɪm/ *vt* declamare

declaration /,deklə'reɪʃ(ə)n/ *s* dichiarazione *f*

to declare /dɪ'kleə/ *vt* dichiarare, proclamare

decline /dɪ'klaɪn/ *s* declino *m*, decadenza *f*

to decline /dɪ'klaɪn/ *vt* declinare, rifiutare, evitare ◆ *vi* declinare, diminuire, deperire

decoction /dɪ'kɒkʃ(ə)n/ *s* decotto *m*

to decode /,di:'kəʊd/ *vt* decifrare, decodificare

to decompose /,di:kəm'pəʊz/ *vt* decomporre, scomporre ◆ *vi* decomporsi

to decongest /,di:kən'dʒest/ *vt* decongestionare

decor /'deɪkɔ:/ *s* arredamento *m* ◇ decorazione *f*

to decorate /'dekəreɪt/ *vt* decorare, arredare ◆ insignire di ◆ *to d. a soldier* decorare un soldato

decoration /,dekə'reɪʃ(ə)n/ *s* decorazione *f*, ornamento *m* ◇ onorificenza *f*

decoy /dɪ'kɔɪ/ *s* esca *f*, richiamo *m*

to decrease /di:'kri:s/ *vt/i* diminuire

decree /dɪ'kri:/ *s* decreto *m*, sentenza *f*

to decree /dɪ'kri:/ *vt* decretare

to dedicate /'dedɪkeɪt/ *vt* dedicare

dedication /,dedɪ'keɪʃ(ə)n/ *s* dedica *f* ◇ dedizione *f*

to deduce /dɪ'dju:s/ *vt* dedurre, desumere

to deduct /dɪ'dʌkt/ *vt* dedurre, detrarre

deed /di:d/ *s* atto *m*, azione *f* ◇ (*dir*) atto *m* (legale)

to deem /di:m/ *vt* credere, ritenere

deep /di:p/ *a* fondo, profondo ◇ largo ◇ (*di suono*) grave, (*di colore*) intenso ◆ *avv* in profondità

to deepen /'di:p(ə)n/ *vt* approfondire ◇ rendere più cupo, rendere più intenso ◆ *vi* approfondirsi ◇ incupirsi, farsi più intenso, farsi più grave

to deep-freeze /,di:p'fri:z/ *vt* surgelare

deep-seated /,di:p'si:tɪd/ *a* inveterato, radicato

deer /dɪə/ *s* cervo *m*, daino *m*, capriolo *m*

to deface /dɪˈfeɪs/ *vt* deturpare, sfregiare

defamation /ˌdefəˈmeɪʃ(ə)n/ *s* diffamazione *f*

default /dɪˈfɔːlt/ *s* difetto *m*, mancanza *f* ◊ inadempienza *f* ◊ (*dir*) contumacia *f* ◊ (*sport*) abbandono *m*

defeat /dɪˈfiːt/ *s* sconfitta *f*, insuccesso *m*

defect /dɪˈfekt/ *s* difetto *m*, imperfezione *f*

to defect /dɪˈfekt/ *vi* disertare

defence /dɪˈfens/ (*USA* **defense**) *s* difesa *f* ● *self d.* autodifesa

to defend /dɪˈfend/ *vt* difendere

defendant /dɪˈfendənt/ *s* imputato *m*

defender /dɪˈfendə/ *s* difensore *m*

defensive /dɪˈfensɪv/ *a* difensivo ◊ diffidente ◆ *s* difensiva *f*

to defer /dɪˈfɜː/ *vt* differire, prorogare

deferential /ˌdefəˈrenʃ(ə)l/ *a* deferente, rispettoso

defiance /dɪˈfaɪəns/ *s* sfida *f* ● *in d. of* a dispetto di

defiant /dɪˈfaɪənt/ *a* provocatorio, insolente

deficiency /dɪˈfɪʃ(ə)nsɪ/ *s* deficienza *f*, difetto *m*, mancanza *f*, carenza *f* ◊ (*comm*) disavanzo *m*

to defile /dɪˈfaɪl/ *vt* contaminare, lordare ◊ profanare

to define /dɪˈfaɪn/ *vt* definire, determinare

definite /ˈdefɪnɪt/ *a* definito, preciso ◊ sicuro, determinato ◊ (*gramm*) determinativo

definitely /ˈdefɪnɪtlɪ/ *avv* senza dubbio

definitive /dɪˈfɪnɪtɪv/ *a* definitivo, decisivo

to deflate /diːˈfleɪt/ *vt* sgonfiare ◊ (*econ*) deflazionare

to deflect /dɪˈflekt/ *vt/i* deviare, deflettere

to deforest /diːˈfɒrɪst/ *vt* disboscare

to deform /dɪˈfɔːm/ *vt* deformare

to defraud /dɪˈfrɔːd/ *vt* defraudare

to defrost /diːˈfrɒst/ *vt* sgelare, scongelare ◊ sbrinare

deft /deft/ *a* abile, destro

defunct /dɪˈfʌŋkt/ *a* defunto ◊ liquidato

to defuse /diːˈfjuːz/ *vt* disinnescare

to defy /dɪˈfaɪ/ *vt* sfidare ◊ resistere a ● *to d. solution* essere insolubile

to degenerate /dɪˈdʒenəreɪt/ *vi* degenerare

to degrade /dɪˈɡreɪd/ *vt* degradare, avvilire

to degrease /diːˈɡriːs/ *vt* sgrassare

degree /dɪˈɡriː/ *s* grado *m* ◊ livello *m*, condizione *f* ◊ laurea *f* ● *by degrees* gradatamente; *to take/ get one's d.* laurearsi

to dehydrate /diːˈhaɪdreɪt/ *vt* disidratare ◆ *vi* disidratarsi

to deign /deɪn/ *vi* degnarsi ◆ *vt* degnarsi di dare, concedere

deity /ˈdiːɪtɪ/ *s* divinità *f*

to deject /dɪˈdʒekt/ *vt* abbattere, deprimere

dejection /dɪˈdʒekʃ(ə)n/ *s* depressione *f*, abbattimento *m* ◊ (*med*) deiezione *f*

delation /dɪˈleɪʃ(ə)n/ *s* delazione *f*

delay /dɪˈleɪ/ *s* ritardo *m*, indugio *m* ◊ dilazione *f*

to delay /dɪ'leɪ/ vt ritardare, rimandare, prorogare ◆ vi tardare, indugiare

delectable /dɪ'lektəbl/ a delizioso

to delegate /'delɪgeɪt/ vt delegare

delegation /,delɪ'geɪʃ(ə)n/ s delega f ◇ delegazione f

to delete /dɪ'li:t/ vt (inform) cancellare ◇ annullare, cancellare

deletion /dɪ'li:ʃ(ə)n/ s cancellazione f, soppressione f

deli /'delɪ/ s negozio m di gastronomia

deliberate /dɪ'lɪbərɪt/ a deliberato, intenzionale ◇ cauto, prudente

to deliberate /dɪ'lɪbəreɪt/ vt deliberare ◆ vi deliberare ◇ riflettere, ponderare

delicacy /'delɪkəsɪ/ s delicatezza f ◇ manicaretto m

delicate /'delɪkɪt/ a delicato

delight /dɪ'laɪt/ s delizia f, diletto m ◇ gioia f ● to take d. in doing st provare piacere nel fare qc

to delight /dɪ'laɪt/ vt deliziare, rallegrare ◆ vi rallegrarsi, compiacersi

delighted /dɪ'laɪtɪd/ a lietissimo, molto felice

to delimit /di:'lɪmɪt/ vt delimitare

delirium /dɪ'lɪrɪəm/ s delirio m

to deliver /dɪ'lɪvər/ vt consegnare, recapitare, distribuire ◇ far partorire ◇ pronunciare ◆ vi fare consegne a domicilio ◇ partorire

delivery /dɪ'lɪv(ə)rɪ/ s consegna f, distribuzione f ◇ parto m ◇ dizione f ● cash on d. pagamento alla consegna; home d. conse-

gna a domicilio; **d. room** sala parto

to delude /dɪ'lu:d/ vt illudere, ingannare

deluge /'delju:dʒ/ s diluvio m

delusion /dɪ'lu:ʒ(ə)n/ s illusione f

to delve /delv/ vt/i fare ricerche, scavare, rivangare

demand /dɪ'mɑ:nd/ s domanda f, richiesta f ◇ esigenza f ◇ rivendicazione f ● in d. molto richiesto; on d. a richiesta

demanding /dɪ'mɑ:ndɪŋ/ a impegnativo, gravoso ◇ (di persona) esigente

to demean /dɪ'mi:n/ vt avvilire ● to d. oneself umiliarsi, avvilirsi

demise /dɪ'maɪz/ s decesso m ◇ (dir) trasferimento m

democracy /dɪ'mɒkrəsɪ/ s democrazia f

demography /dɪ'mɒgrəfɪ/ s demografia f

to demolish /dɪ'mɒlɪʃ/ vt demolire

demon /'di:mən/ s demone m

to demonstrate /'demənstreɪt/ vt dimostrare, spiegare ◇ mostrare ◆ vi manifestare

demonstration /,demən'streɪʃ(ə)n/ s dimostrazione f ◇ manifestazione f

to demoralize /dɪ'mɒrəlaɪz/ vt demoralizzare, scoraggiare

to demote /dɪ(:)'məʊt/ vt retrocedere, degradare

to demount /dɪ(:)'maʊnt/ vt (mecc) smontare

demur /dɪ'mɜ:r/ s esitazione f ◇ (dir) obiezione f

demure /dɪ'mjʊər/ a contegnoso, schivo

den /dɛn/ s tana f (*di animale*) ◇ covo m, rifugio m

denial /dɪ'naɪəl/ s rifiuto m, diniego m ◇ smentita f

to denigrate /'dɛnɪɡreɪt/ vt denigrare

denomination /dɪ,nɒmɪ'neɪʃ(ə)n/ s denominazione f ◇ (*econ*) valore m nominale, (*di banconote*) taglio m ◇ (*relig*) setta f, confessione f

to denote /dɪ'nəʊt/ vt denotare

to denounce /dɪ'naʊns/ vt denunciare

dense /dɛns/ a denso, fitto, spesso ◇ ottuso

density /'dɛns(ɪ)tɪ/ s densità f

dent /dɛnt/ s ammaccatura f ◇ (*tecn*) tacca f

dental /'dɛntl/ a dentale ● d. floss filo interdentale

dentist /'dɛntɪst/ s dentista m/f

denture /'dɛn(t)ʃər/ s dentiera f

to deny /dɪ'naɪ/ vt negare, smentire ◇ rinnegare ◇ rifiutare ● to d. oneself st privarsi di qcsa

deodorant /diː'əʊdərənt/ a/s deodorante m

to depart /dɪ'pɑːt/ vi partire, allontanarsi ◇ venir meno a, derogare

department /dɪ'pɑːtmənt/ s dipartimento m, reparto m ◇ ministero m ● d. store grande magazzino

departure /dɪ'pɑːtʃər/ s partenza f ◇ allontanamento m, deviazione f ● time of d. ora di partenza

to depend /dɪ'pɛnd/ vi dipendere ◇ essere a carico di ◇ fare assegnamento su ● depending on a seconda; to d. on dipendere da; d. on it! non c'è dubbio!

dependable /dɪ'pɛndəbl/ a fidato, affidabile

dependent /dɪ'pɛndənt/ a dipendente ● to be d. on essere a carico di

to depict /dɪ'pɪkt/ vt dipingere, rappresentare

depilation /dɛpɪ'leɪʃ(ə)n/ s depilazione f

to deplete /dɪ'pliːt/ vt esaurire, vuotare

deplorable /dɪ'plɔːrəbl/ a deplorevole

to deploy /dɪ'plɔɪ/ vt (*mil*) schierare, dispiegare

depopulation /diː,pɒpjʊ'leɪʃ(ə)n/ s spopolamento m

to deport /dɪ'pɔːt/ vt deportare, esiliare

deportment /dɪ'pɔːtmənt/ s portamento m ◇ comportamento m, condotta f

to depose /dɪ'pəʊz/ vt deporre, destituire ◇ (*dir*) deporre, testimoniare

deposit /dɪ'pɒzɪt/ s deposito m ◇ acconto m, caparra f, cauzione f ◇ giacimento m, sedimento m

to deposit /dɪ'pɒzɪt/ vt depositare ◇ versare come acconto

depot /'dɛpəʊ/ s deposito m, magazzino m ◇ (USA) rimessa f (di autobus), stazione f ferroviaria

depravity /dɪ'prævɪtɪ/ s depravazione f

deprecation /dɛprɪ'keɪʃən/ s disapprovazione f

depreciation /dɪ,priːʃɪ'eɪʃ(ə)n/ s svalutazione f, deprezzamento m ◇ ammortamento m

to depress /dɪ'prɛs/ vt deprimere,

rattristare ◇ abbassare, premere ◇ (*comm*) indebolire, ridurre

depressant /dɪ'presnt/ *a/s* sedativo *m*

depression /dɪ'preʃ(ə)n/ *s* depressione *f*

to deprive /dɪ'praɪv/ *vt* privare

depth /depθ/ *s* profondità *f* ◇ fondo *m*, fondale *m* ◇ (*di colore*) intensità *f*, (*di suono*) altezza *f* ◇ **al pl** abissi *m pl*

to depurate /'depjureɪt/ *vt* depurare

to deputize /'depjutaɪz/ *vi* fare le veci di ♦ **to deputize**

deputy /'depjuti/ *s* deputato *m*, delegato *m* ◇ sostituto *m*, vice *m* ● **by d.** per procura

to derail /dɪ'reɪl/ *vi* deragliare

to derange /dɪ'reɪn(d)ʒ/ *vt* sconvolgere, turbare, guastare

deranged /dɪ'reɪn(d)ʒd/ *a* squilibrato ● **to become d.** impazzire

derby /'dɑːbɪ/ *s* (*sport*) derby *m* ◇ (*USA*) bombetta *f*

deregulation /diːˌregjʊ'leɪʃ(ə)n/ *s* deregolamentazione *f*, liberalizzazione *f*

to deride /dɪ'raɪd/ *vt* deridere

derisive /dɪ'raɪsɪv/ *a* derisorio

to derive /dɪ'raɪv/ *vt/i* derivare

derogation /derə'geɪʃ(ə)n/ *s* deroga *f* ◇ detrimento *m*, danno *m*

derogatory /dɪ'rɒɡət(ə)rɪ/ *a* sprezzante, spregiativo

derv /dɜːv/ *s* gasolio *m*

desalter /diːˈsɔːltə/ *s* dissalatore *m*

to descend /dɪ'send/ *vt/i* scendere, discendere

descendant /dɪ'sendənt/ *s* discendente *m/f*

descent /dɪ'sent/ *s* discesa *f* ◇ discendenza *f*, lignaggio *m*

to describe /dɪs'kraɪb/ *vt* descrivere

description /dɪs'krɪpʃ(ə)n/ *s* descrizione *f* ◇ (*fam*) genere *m*, sorta *f*

to desecrate /'desɪkreɪt/ *vt* sconsacrare ◇ profanare

desert /'dezət/ *a/s* deserto *m*

to desert /dɪ'zɜːt/ *vt* abbandonare ♦ *vi* (*mil*) disertare

desertion /dɪ'zɜːʃ(ə)n/ *s* diserzione *f*, defezione *f* ◇ (*dir*) abbandono *m*

deserts /dɪ'zɜːts/ *s pl* meriti *m pl* ● **to get one's just d.** avere ciò che si merita

to deserve /dɪ'zɜːv/ *vt* meritare

deserving /dɪ'zɜːvɪŋ/ *a* meritevole

design /dɪ'zaɪn/ *s* disegno *m*, motivo *m* ◇ piano *m*, progetto *m* ◇ design *m*, progettazione *f* ● **to have designs on** avere delle mire su

to design /dɪ'zaɪn/ *vt* progettare, ideare ◇ disegnare, fare il disegno di ◇ progettare, proporsi

to designate /'dezɪɡneɪt/ *vt* designare, nominare

designer /dɪ'zaɪnə/ *s* designer *m/f*, progettista *m/f*

desinence /'desɪnəns/ *s* desinenza *f*

desire /dɪ'zaɪə/ *s* desiderio *m*

to desire /dɪ'zaɪə/ *vt* desiderare, bramare

to desist /dɪ'zɪst/ *vi* desistere

desk /desk/ *s* scrivania *f* ◇ cattedra *f* ◇ banco *m* ◇ cassa *f*

desolate /'desəlɪt/ *a* desolato

desolation /desə'leɪʃ(ə)n/ *s* desolazione *f*

to despair /dɪsˈpeəʳ/ vi disperare, disperarsi

desperate /ˈdesp(ə)rɪt/ a disperato

despicable /ˈdespɪkəbl/ a disprezzabile, spregevole

to despise /dɪsˈpaɪz/ vt disprezzare

despite /dɪsˈpaɪt/ prep malgrado, a dispetto di

to despond /dɪsˈpɒnd/ vi abbattersi, perdersi d'animo

despotic /desˈpɒtɪk/ a dispotico

destination /destɪˈneɪʃ(ə)n/ s destinazione f, meta f

to destine /ˈdestɪn/ vt destinare ♦ vi avere come destinazione

destiny /ˈdestɪnɪ/ s destino m, sorte f

destitute /ˈdestɪtjuːt/ a indigente, bisognoso ◇ destituito, privo

to destroy /dɪsˈtrɔɪ/ vt distruggere

destruction /dɪsˈtrʌkʃ(ə)n/ s distruzione f

to detach /dɪˈtætʃ/ vt staccare, separare ◇ (mil) distaccare

detached /dɪˈtætʃt/ a distaccato, disinteressato ◇ separato, isolato ● d. house casa unifamiliare

detachment /dɪˈtætʃmənt/ s distacco m ◇ (mil) distaccamento m

detail /ˈdiːteɪl/ s dettaglio m, particolare m ● in d. dettagliatamente

to detail /ˈdiːteɪl/ vt esporre dettagliatamente, elencare

to detain /dɪˈteɪn/ vt trattenere, detenere

to detect /dɪˈtekt/ vt scoprire ◇ individuare, percepire, discernere ◇ (fis) rivelare

detection /dɪˈtekʃ(ə)n/ s scoperta f ◇ investigazione f ◇ (fis) rivelazione f

detector /dɪˈtektəʳ/ s scopritore m ◇ (fis) rivelatore m ● **lie d.** macchina della verità

detention /dɪˈtenʃ(ə)n/ s detenzione f

to deter /dɪˈtɜːʳ/ vt dissuadere, trattenere

detergent /dɪˈtɜːdʒ(ə)nt/ a/s detergente m

to deteriorate /dɪˈtɪərɪəreɪt/ vt/i deteriorare, deteriorarsi

to determine /dɪˈtɜːmɪn/ vt determinare, definire ◇ decidere, risolvere ◇ (dir) porre termine

detersive /dɪˈtɜːsɪv/ s detersivo m

to detest /dɪˈtest/ vt detestare

detour /ˈdiːtʊəʳ/ s deviazione f

detoxication /diːˌtɒksɪˈkeɪʃ(ə)n/ s disintossicazione f

to detract /dɪˈtrækt/ vt detrarre ♦ vi diminuire

detraction /dɪˈtrækʃ(ə)n/ s detrazione f ◇ diffamazione f

to devalue /diːˈvæljuː/ vt svalutare

to devastate /ˈdevəsteɪt/ vt devastare, rovinare

devastating /ˈdevəsteɪtɪŋ/ a devastante, rovinoso ◇ sconvolgente

to develop /dɪˈveləp/ vi svilupparsi, evolversi, trasformarsi ♦ vt sviluppare ◇ potenziare, valorizzare ◇ generare ● **developing countries** paesi in via di sviluppo

development /dɪˈveləpmənt/ s sviluppo m ◇ valorizzazione f

to deviate /ˈdiːvɪeɪt/ vi deviare

device /dɪˈvaɪs/ s congegno m, dispositivo m ◇ espediente m, stratagemma m

devil /ˈdevl/ s diavolo m

devilish /'devlɪʃ/ *a* diabolico, infernale

devious /'diːvjəs/ *a* tortuoso ◇ ambiguo, subdolo

to devise /dɪ'vaɪz/ *vt* escogitare ◇ (*dir*) lasciare per testamento

devoid /dɪ'vɔɪd/ *a* destituito, privo

to devote /dɪ'vəut/ *vt* dedicare, consacrare

devotion /dɪ'vəuʃ(ə)n/ *s* devozione *f*, dedizione *f*

to devour /dɪ'vauər/ *vt* divorare

devout /dɪ'vaut/ *a* devoto ◇ fervente, leale

dew /djuː/ *s* rugiada *f*

dexterity /deks'terɪtɪ/ *s* destrezza *f*

diabetes /daɪə'biːtiːz/ *s* diabete *m*

diadem /'daɪədem/ *s* diadema *m*

to diagnose /'daɪəgnəuz/ *vt* diagnosticare

diagnosis /ˌdaɪəg'nəusɪs/ *s* diagnosi *f*

diagram /'daɪəgræm/ *s* diagramma *m*, schema *m*

dial /'daɪ(ə)l/ *s* (*di strumento, orologio*) quadrante *m* ◇ (*di telefono*) disco *m* combinatore

to dial /'daɪ(ə)l/ *vt* comporre (*un numero telefonico*), chiamare al telefono ◇ sintonizzarsi su (*una stazione*)

dialect /'daɪəlekt/ *s* dialetto *m*

dialectic /ˌdaɪə'lektɪk/ *a* dialettico ● *s* dialettica *f*

dialling /'daɪ(ə)lɪŋ/ *s* selezione *f* (telefonica) ● *d. code* (*USA dial code*) prefisso telefonico

dialogue /'daɪəlɒg/ (*USA dialog*) *s* dialogo *m*

diameter /daɪ'æmɪtər/ *s* diametro *m*

diamond /'daɪəmənd/ *s* diamante *m* ◇ rombo *m* ● *al pl* (*carte da gioco*) quadri *m pl*

diaper /'daɪəpər/ *s* (*USA*) pannolino *m*

diary /'daɪərɪ/ *s* diario *m* ◇ agenda *f*

dice /daɪs/ *s pl* dadi *m pl*, gioco *m* dei dadi

to dice /daɪs/ *vt* tagliare a cubetti ● *vi* giocare a dadi ● *to d. away* perdere ai dadi

to dictate /dɪk'teɪt/ *vt* dettare

dictation /dɪk'teɪʃ(ə)n/ *s* dettato *m*

dictator /dɪk'teɪtər/ *s* dittatore *m*

diction /'dɪkʃ(ə)n/ *s* dizione *f*

dictionary /'dɪkʃ(ə)nrɪ/ *s* dizionario *m*, vocabolario *m*

didactic /dɪ'dæktɪk/ *a* didattico

die /daɪ/ *s* dado *m* ◇ stampo *m*

to die /daɪ/ *vi* morire ● *to d. away* smorzarsi; *to d. down* affievolirsi, appassire; *to d. out* estinguersi

diesel /'diːz(ə)l/ *s* diesel *m*

diet /'daɪət/ *s* dieta *f*, alimentazione *f* ● *to be on a d.* essere a dieta

to diet /'daɪət/ *vi* essere a dieta

dietetic /ˌdaɪə'tetɪk/ *a* dietetico

dietician /ˌdaɪə'tɪʃ(ə)n/ *s* dietologo *m*

to differ /'dɪfər/ *vi* differire, essere diverso ◇ dissentire

difference /'dɪfr(ə)ns/ *s* differenza *f* ◇ divergenza *f*, dissapore *m*

different /'dɪfr(ə)nt/ *a* differente, diverso

to differentiate /ˌdɪfə'renʃɪeɪt/ *vt* differenziare ◇ distinguere

difficult /'dɪfɪk(ə)lt/ *a* difficile

difficulty /'dɪfɪk(ə)ltɪ/ *s* difficoltà *f*

diffident /'dɪfɪd(ə)nt/ *a* timido, riservato

diffuse /dɪˈfjuːs/ *a* diffuso ◇ prolisso

to diffuse /dɪˈfjuːz/ *vt* diffondere

diffusion /dɪˈfjuːʒ(ə)n/ *s* (*fis*) diffusione *f* ◇ prolissità *f*

dig /dɪg/ *s* scavo *m*, sterro *m* ◇ (*pop*) spintone *m* ◇ (*fig*) frecciata *f* ◇ **al pl** (*fam*) camera *f* ammobiliata

to dig /dɪg/ (*pass/pp* **dug**) *vt* scavare ◇ (*pop*) dare uno spintone ● *vi* scavare, zappare ◇ (*fam*) sgobbare ● **to d. around** cercare; **to d. in** affondare; **to d. out** scovare, scoprire

digest /ˈdaɪdʒest/ *s* riassunto *m*

to digest /daɪˈdʒest/ *vt* digerire, assimilare ◇ riassumere

digester /daɪˈdʒestər/ *s* digestivo *m*

digestion /daɪˈdʒestʃ(ə)n/ *s* digestione *f*

digestive /daɪˈdʒestɪv/ *a* digestivo ◇ digerente ● *s* digestivo *m*

digger /ˈdɪgər/ *s* scavatrice *f* ◇ zappatore *m*, sterratore *m* ● **gold d.** cercatore d'oro, (*fig*) sfruttatrice di uomini

digit /ˈdɪdʒɪt/ *s* numero *m*, cifra *f* ◇ dito *m*

digital /ˈdɪdʒɪtl/ *a* digitale

dignified /ˈdɪgnɪfaɪd/ *a* dignitoso

dignitary /ˈdɪgnɪt(ə)rɪ/ *s* dignitario *m*

dignity /ˈdɪgnɪtɪ/ *s* dignità *f*, decoro *m*

to digress /daɪˈgres/ *vi* fare una digressione, divagare ● **to d. from** allontanarsi da

dike /daɪk/ o **dyke** *s* argine *m*, diga *f*

dilapidated /dɪˈlæpɪdeɪtɪd/ *a* decrepito, cadente

to dilate /daɪˈleɪt/ *vt/i* dilatare, dilatarsi

diligence /ˈdɪlɪdʒ(ə)ns/ *s* diligenza *f*

diligent /ˈdɪlɪdʒ(ə)nt/ *a* diligente

to dilute /daɪˈljuːt/ *vt* diluire ◇ (*fig*) attenuare

dim /dɪm/ *a* debole, fioco ◇ incerto, indistinto ◇ (*fam*) ottuso ● **to take a d. view of** st disapprovare qc

to dim /dɪm/ *vt* offuscare, oscurare ● *vi* offuscarsi

dimension /dɪˈmenʃ(ə)n/ *s* dimensione *f*

to diminish /dɪˈmɪnɪʃ/ *vt/i* diminuire

diminutive /dɪˈmɪnjʊtɪv/ *a* (*fam*) minuscolo ● *s* diminutivo *m*

din /dɪn/ *s* fracasso *m*

to din /dɪn/ *vt* rintronare, stordire ● *vi* fare chiasso

to dine /daɪn/ *vi* cenare, pranzare ● **to d. in/out** cenare a casa/fuori

diner /ˈdaɪnər/ *s* commensale *m*, (*di ristorante*) cliente *m/f* ◇ (*USA*) tavola *f* calda

dingy /ˈdɪn(d)ʒɪ/ *a* nerastro, grigio ◇ sporco, squallido

dining-car /ˈdaɪnɪŋkɑːr/ *s* carrozza *f* ristorante

dining-room /ˈdaɪnɪŋrʊm/ *s* sala *f* da pranzo

dinner /ˈdɪnər/ *s* cena *f* ◇ pranzo *m* ufficiale ● **d. jacket** smoking; **to have d.** cenare

dinosaur /ˈdaɪnəsɔːr/ *s* dinosauro *m*

dint /dɪnt/ *s* tacca *f*, segno *m* ◇ forza *f* ● **by d.** of a forza di

dip /dɪp/ *s* immersione *f*, tuffo *m* ◇

inclinazione f, avvallamento m ◇ flessione f ◇ (cuc) salsa f

to dip /dɪp/ *vt* immergere, tuffare ◇ abbassare ◆ *vi* immergersi, bagnarsi ◇ abbassarsi ◇ scendere ● *to d. into* attingere a

diploma /dɪˈpləʊmə/ *s* diploma *m*

diplomacy /dɪˈpləʊməsɪ/ *s* diplomazia f

diplomat /ˈdɪpləmæt/ *s* diplomatico *m*

dipper /ˈdɪpər/ *s* mestolo *m*

dire /daɪər/ *a* atroce, terribile ◇ urgente

direct /dɪˈrekt/ *a* diretto, immediato ◇ franco, esplicito ◆ *avv* direttamente

to direct /dɪˈrekt/ *vt* indirizzare, inviare ◇ rivolgere ◇ indicare (*la strada*) ◇ dirigere, ordinare

direction /dɪˈrekʃ(ə)n/ *s* direzione f, senso *m* ◇ istruzione f, indicazione f ◇ regia f, direzione f

directly /dɪˈrektlɪ/ *avv* direttamente ◇ immediatamente

director /dɪˈrektər/ *s* direttore *m*, dirigente *m/f* ◇ amministratore *m* ◇ regista *m/f* ● *board of directors* consiglio di amministrazione

directory /dɪˈrekt(ə)rɪ/ *s* elenco *m* ● *telephone d.* elenco telefonico

dirt /dɜːt/ *s* sporcizia f, immondizia f ◇ terra f ● *d.-cheap* ai due soldi; *d. road* strada sterrata

dirty /ˈdɜːtɪ/ *a* sporco, sudicio ◇ vile, meschino ◇ (*del tempo*) brutto, orribile ◇ grossolano, sconcio

to disable /dɪsˈeɪbl/ *vt* disabilitare

disabled /dɪsˈeɪbld/ *a/s* disabile *m/f*, invalido *m*

disadvantage /ˌdɪsədˈvɑːntɪdʒ/ *s* svantaggio *m*

disaffected /ˌdɪsəˈfektɪd/ *a* disaffezionato, maldisposto, ostile

to disagree /ˌdɪsəˈɡriː/ *vi* dissentire ◇ discordare, non coincidere ◇ non confarsi

disagreeable /ˌdɪsəˈɡrɪəbl/ *a* sgradevole, antipatico

disagreement /ˌdɪsəˈɡriːmənt/ *s* disaccordo *m*, discordia f ◇ discordanza f

to disallow /ˌdɪsəˈlaʊ/ *vt* respingere, rifiutare

to disappear /ˌdɪsəˈpɪər/ *vi* scomparire, svanire

disappearance /ˌdɪsəˈpɪər(ə)ns/ *s* sparizione f, scomparsa f

to disappoint /ˌdɪsəˈpɔɪnt/ *vt* deludere

disappointment /ˌdɪsəˈpɔɪntmənt/ *s* delusione f, disappunto *m*

to disapprove /ˌdɪsəˈpruːv/ *vt* disapprovare ● *to d. of* trovare da ridire su

to disarm /dɪsˈɑːm/ *vt* disarmare

disarray /ˌdɪsəˈreɪ/ *s* disordine *m*, scompiglio *m*

to disassemble /ˌdɪsəˈsembl/ *vt* smontare

disaster /dɪˈzɑːstər/ *s* disastro *m*, sciagura f

to disband /dɪsˈbænd/ *vt* disperdere, sciogliere ◇ congedare

disbandment /dɪsˈbændmənt/ *s* sbandamento *m*, dispersione f ◇ congedo *m*

disbelief /ˌdɪsbɪˈliːf/ *s* incredulità f

to disbelieve /ˌdɪsbɪˈliːv/ *vt/i* non credere

disbursement /dɪsˈbɜːsmənt/ *s* esborso *m*, pagamento *m*

disc /dɪsk/ *s* disco *m*

to discard /dɪsˈkɑːd/ *vt* scartare ◇ abbandonare

to discern /dɪˈsɜːn/ *vt* discernere, distinguere

discerning /dɪˈsɜːnɪŋ/ *a* perspicace, oculato

discharge /dɪsˈtʃɑːdʒ/ *s* scarico *m* ◇ (*el, arma da fuoco*) scarica *f* ◇ congedo *m*, licenziamento *m* ◇ (*dir*) assoluzione *f*, liberazione *f* ◇ (*med*) emissione *f*, suppurazione *f* ◇ (*di debito*) pagamento *m* ◇ adempimento *m*

to discharge /dɪsˈtʃɑːdʒ/ *vt* scaricare ◇ congedare, licenziare ◇ emettere ◇ (*dir*) liberare, assolvere ◇ (*un debito*) saldare ◇ (*un dovere*) compiere

disciple /dɪˈsaɪpl/ *s* discepolo *m*

to discipline /ˈdɪsɪplɪn/ *vt* disciplinare ◇ punire

to disclaim /dɪsˈkleɪm/ *vt* (*dir*) rinunciare ◇ disconoscere, rinnegare ◇ negare

to disclose /dɪsˈkləʊz/ *vt* scoprire, svelare ◇ rivelare

disclosure /dɪsˈkləʊʒər/ *s* rivelazione *f*, scoperta *f*

disco /ˈdɪskəʊ/ *s* discoteca *f*

to discolour /dɪsˈkʌlər/ (*USA* **to discolor**) *vt/i* scolorire, scolorirsi

discomfort /dɪsˈkʌmfət/ *s* disagio *m* ◇ scomodità *f*

to discomfort /dɪsˈkʌmfət/ *vt* mettere a disagio

to disconcert /ˌdɪskənˈsɜːt/ *vt* sconcertare, turbare ◇ sconvolgere, scombinare

to disconnect /ˌdɪskəˈnekt/ *vt* sconnettere, staccare ◇ interrompere un collegamento

disconsolate /dɪsˈkɒns(ə)lɪt/ *a* sconsolato, sconfortato

discontent /ˌdɪskənˈtent/ *s* scontentezza *f*, scontento *m*

to discontinue /ˌdɪskənˈtɪnjuː/ *vt/i* cessare, interrompere, interrompersi

discord /ˈdɪskɔːd/ *s* discordia *f*, contrasto *m* ◇ (*mus*) dissonanza *f*

discotheque /ˈdɪskətek/ *s* discoteca *f*

discount /ˈdɪskaʊnt/ *s* sconto *m*, ribasso *m*, riduzione *f* ● *d.* **store** (supermercato) discount

to discount (1) /ˈdɪskaʊnt/ *vt* scontare

to discount (2) /dɪsˈkaʊnt/ *vt* tenere in poco conto, non dar credito a

to discourage /dɪsˈkʌrɪdʒ/ *vt* scoraggiare ◇ dissuadere

discouragement /dɪsˈkʌrɪdʒmənt/ *s* scoraggiamento *m*, sconforto *m* ◇ disapprovazione *f*

discourteous /dɪsˈkɜːtjəs/ *a* scortese

to discover /dɪsˈkʌvər/ *vt* scoprire

discovery /dɪsˈkʌv(ə)rɪ/ *s* scoperta *f*

to discredit /dɪsˈkredɪt/ *vt* screditare ◇ mettere in dubbio

discreet /dɪsˈkriːt/ *a* discreto, riservato

discrepancy /dɪsˈkrep(ə)nsɪ/ *s* discrepanza *f*, divario *m*

discretion /dɪsˈkreʃ(ə)n/ *s* discrezione *f*, discernimento *m* ◇ riservatezza *f*

to discriminate /dɪsˈkrɪmɪneɪt/ *vt* discriminare, distinguere ◆ *vi* fare discriminazioni

discriminating /dɪsˈkrɪmɪneɪtɪŋ/ *a* acuto, perspicace

discrimination /dɪsˌkrɪmɪˈneɪʃ(ə)n/ *s* discernimento *m* ◇ discriminazione *f*

discus /ˈdɪskəs/ *s* (*sport*) disco *m*

to discuss /dɪsˈkʌs/ *vt* discutere

discussion /dɪsˈkʌʃ(ə)n/ *s* discussione *f*

disdain /dɪsˈdeɪn/ *s* sdegno *m*, disprezzo *m*

disease /dɪˈziːz/ *s* malattia *f*

to disembark /dɪsɪmˈbɑːk/ *vt/i* sbarcare

to disengage /dɪsɪnˈɡeɪdʒ/ *vt* disincastare, liberare ◇ (*mecc*) disinnestare

to disentangle /ˌdɪsɪnˈtæŋɡl/ *vt* sbrogliare, districare

to disfigure /dɪsˈfɪɡə(r)/ *vt* sfigurare, deturpare

disgrace /dɪsˈɡreɪs/ *s* disonore *m*, vergogna *f* ◇ disgrazia *f* sfavore *m*

to disgrace /dɪsˈɡreɪs/ *vt* disonorare ◆ far cadere in disgrazia

disgraceful /dɪsˈɡreɪsf(ʊ)l/ *a* disonorevole, vergognoso

disgruntled /dɪsˈɡrʌntld/ *a* scontento

disguise /dɪsˈɡaɪz/ *s* travestimento *m*

to disguise /dɪsˈɡaɪz/ *vt* mascherare, travestire ◇ dissimulare

disgust /dɪsˈɡʌst/ *s* disgusto *m*, schifo *m*, nausea *f*

to disgust /dɪsˈɡʌst/ *vt* disgustare, nauseare

dish /dɪʃ/ *s* piatto *m* ◇ pietanza *f* ◇ (*radio*) antenna *f* (parabolica) ● *d. aerial/antenna* antenna parabolica

to dishearten /dɪsˈhɑːtn/ *vt* scoraggiare, sconfortare

to dishevel /dɪˈʃev(ə)l/ *vt* scompigliare

dishonest /dɪsˈɒnɪst/ *a* disonesto

to dishonour /dɪsˈɒnə(r)/ (*USA* **to dishonor**) *vt* disonorare ◇ venir meno a ◇ (*comm*) rifiutare di pagare, far andare in protesto

dishtowel /ˈdɪʃtaʊəl/ *s* strofinaccio *m*

dishwasher /ˈdɪʃˌwɒʃə(r)/ *s* lavastoviglie *f*

to disillusion /dɪsɪˈluːʒ(ə)n/ *vt* disilludere, disingannare

to disinfect /ˌdɪsɪnˈfekt/ *vt* disinfettare

to disinfest /ˌdɪsɪnˈfest/ *vt* disinfestare

to disintegrate /dɪsˈɪntɪɡreɪt/ *vt/i* disintegrare, disintegrarsi

disinterested /dɪsˈɪntrɪstɪd/ *a* disinteressato ◇ imparziale

to disjoint /dɪsˈdʒɔɪnt/ *vt* disgiungere, smembrare

disjointed /dɪsˈdʒɔɪntɪd/ *a* disgiunto, smembrato ◇ sconnesso

disk /dɪsk/ *s* disco *m*

dislike /dɪsˈlaɪk/ *s* avversione *f*, antipatia *f*

to dislike /dɪsˈlaɪk/ *vt* non piacere ◇ provare avversione per

dislocation /dɪsləˈkeɪʃ(ə)n/ *s* slogatura *f*, lussazione *f*

to dislodge /dɪsˈlɒdʒ/ *vt* sloggiare ◇ rimuovere

disloyal /dɪsˈlɔɪəl/ *a* sleale

dismal /'dɪzm(ə)l/ *a* lugubre, tetro

to dismantle /dɪs'mæntl/ *vt* smontare, smantellare

dismay /dɪs'meɪ/ *s* sgomento *m*

to dismiss /dɪs'mɪs/ *vt* congedare, licenziare, destituire ◇ abbandonare, scartare ◇ (*dir*) respingere

to dismount /dɪs'maʊnt/ *vi* smontare, scendere

disobedient /dɪsə'biːdjənt/ *a* disobbediente

to disobey /dɪsə'beɪ/ *vi* disubbidire

disorder /dɪs'ɔːdə/ *s* disordine *m*, confusione *f* ◇ tumulto *m* ◇ (*med*) disturbo *m*

disorganization /dɪsˌɔːgənaɪ'zeɪʃ(ə)n/ *s* disorganizzazione *f*

disorientation /dɪsˌɔrɪən'teɪʃ(ə)n/ *s* disorientamento *m*

disparaging /dɪs'pærɪdʒɪŋ/ *a* spregiativo, sprezzante

disparate /'dɪspərət/ *a* disparato

dispassionate /dɪs'pæʃnɪt/ *a* spassionato, imparziale

dispatch /dɪs'pætʃ/ *s* invio *m*, spedizione *f* ◇ messaggio *m*

to dispatch /dɪs'pætʃ/ *vt* spedire, inviare ◇ espletare, sbrigare

to dispel /dɪs'pel/ *vt* disperdere, scacciare

to dispense /dɪs'pens/ *vt* dispensare, distribuire ◇ esentare ◇ amministrare ◇ somministrare ● **to d. with** fare a meno di

dispenser /dɪs'pensə/ *s* distributore *m*

to disperse /dɪs'pɜːs/ *vt/i* disperdere, disperdersi

dispirited /dɪ'spɪrɪtɪd/ *a* scoraggiato, abbattuto

to displace /dɪs'pleɪs/ *vt* spostare ◇ sostituire, rimpiazzare ◇ (*naut*) dislocare

displacement /dɪs'pleɪsmənt/ *s* (*naut*) dislocamento *m* ◇ rimozione *f*, sostituzione *f*

display /dɪ'spleɪ/ *s* mostra *f*, esibizione *f* ◇ manifestazione *f* ◇ schermo *m*, display *m*, video *m*

to display /dɪ'spleɪ/ *vt* esporre, mostrare ◇ manifestare

to displease /dɪs'pliːz/ *vt* scontentare, dispiacere a ● **to be displeased with** essere scontento di

displeasure /dɪs'pleʒə/ *s* dispiacere *m*, malcontento *m*

disposable /dɪs'pəʊzəbl/ *a* monouso, usa e getta ◇ (*fig*) disponibile

disposal /dɪs'pəʊz(ə)l/ *s* disposizione *f* ◇ eliminazione *f*, smaltimento *m* ◇ (*comm*) cessione *f*

to dispose /dɪs'pəʊz/ *vt/i* disporre ● **to d. of** disfarsi di, risolvere un problema

disposed /dɪs'pəʊzd/ *a* disposto, incline ● **to be d. to** essere portato a

disposition /dɪspə'zɪʃ(ə)n/ *s* disposizione *f* ◇ inclinazione *f*, attitudine *f* ◇ prescrizione *f*

disproportionate /ˌdɪsprə'pɔːʃnɪt/ *a* sproporzionato

to disprove /dɪs'pruːv/ *vt* confutare

dispute /dɪs'pjuːt/ *s* disputa *f*, vertenza *f*, controversia *f*

to dispute /dɪs'pjuːt/ *vi* disputare, discutere

to disqualify /dɪs'kwɒlɪfaɪ/ *vt* squalificare, escludere ◇ interdire

disquiet /dɪs'kwaɪət/ *a* inquieto ● *s* inquietudine *f*, ansia *f*

to disregard /ˌdɪsrɪˈɡɑːd/ *vt* trascurare, non badare a

disrepair /ˌdɪsrɪˈpeəʳ/ *s* sfacelo *m*, rovina *f*

disreputable /dɪsˈrepjʊtəbl/ *a* sconveniente, disonorevole

disrepute /ˌdɪsrɪˈpjuːt/ *s* discredito *m*

disrespect /ˌdɪsrɪsˈpekt/ *s* irriverenza *f*

to disrupt /dɪsˈrʌpt/ *vt* disgregare ◇ disturbare

dissatisfaction /dɪ(s)ˌsætɪsˈfækʃ(ə)n/ *s* insoddisfazione *f*, scontentezza *f*

to dissatisfy /dɪ(s)ˈsætɪsfaɪ/ *vt* scontentare

to dissect /dɪˈsekt/ *vt* sezionare, dissezionare ◇ (*fig*) sviscerare

to disseminate /dɪˈsemɪneɪt/ *vt* disseminare

to dissent /dɪˈsent/ *vi* dissentire

disservice /dɪsˈsɜːvɪs/ *s* cattivo servizio *m*, danno *m*

dissident /ˈdɪsɪd(ə)nt/ *a* dissidente

dissimilarity /ˌdɪsɪmɪˈlærɪtɪ/ *s* difformità *f*, diversità *f*

to dissimulate /dɪˈsɪmjʊleɪt/ *vt* dissimulare

to dissipate /ˈdɪsɪpeɪt/ *vt* dissipare, disperdere

to dissociate /dɪˈsəʊʃɪeɪt/ *vt/i* dissociare, dissociarsi

dissolute /ˈdɪsəluːt/ *a* dissoluto

dissolution /ˌdɪsəˈluːʃ(ə)n/ *s* dissoluzione *f*, scioglimento *m*

to dissolve /dɪˈzɒlv/ *vt* dissolvere, sciogliere ◇ annullare ♦ *vi* dissolversi, sciogliersi ◇ disperdersi ◇ svanire

dissonant /ˈdɪsənənt/ *a* dissonante

to dissuade /dɪˈsweɪd/ *vt* dissuadere, distogliere

distance /ˈdɪst(ə)ns/ *s* distanza *f*

distant /ˈdɪst(ə)nt/ *a* distante, lontano ◇ distaccato, freddo

distaste /dɪsˈteɪst/ *s* avversione *f*, disgusto *m*

distension /dɪsˈtenʃ(ə)n/ *s* (*med*) dilatazione *f*, gonfiore *m*

to distil(l) /dɪsˈtɪl/ *vt* distillare

distillate /ˈdɪstɪlɪt/ *s* distillato *m*

distillery /dɪsˈtɪlərɪ/ *s* distilleria *f*

distinct /dɪsˈtɪŋ(k)t/ *a* distinto, definito ◇ separato, diverso

distinction /dɪsˈtɪŋ(k)ʃ(ə)n/ *s* distinzione *f* ◇ caratteristica *f* ◇ onorificenza *f*

distinctive /dɪsˈtɪŋ(k)tɪv/ *a* distintivo

to distinguish /dɪsˈtɪŋɡwɪʃ/ *vt* stinguere, discernere ◇ caratterizzare

distinguished /dɪsˈtɪŋɡwɪʃt/ *a* distinto, raffinato ◇ famoso, illustre

distinguishing /dɪˈstɪŋɡwɪʃɪŋ/ *a* distinto, peculiare

to distort /dɪsˈtɔːt/ *vt* distorcere ◇ travisare

distortion /dɪsˈtɔːʃ(ə)n/ *s* distorsione *f* ◇ deformazione *f*

to distract /dɪsˈtrækt/ *vt* distrarre

distraction /dɪsˈtrækʃ(ə)n/ *s* distrazione *f* ◇ diversivo *m*

to distrain /dɪsˈtreɪn/ *vt* pignorare

distraught /dɪsˈtrɔːt/ *a* sconvolto, turbato

distress /dɪsˈtres/ *s* pena *f*, angoscia *f* ◇ pericolo *m* ● **d. signal** segnale di soccorso, SOS

to distress /dɪs'trɛs/ *vt* affliggere, angustiare

to distribute /dɪs'trɪbjʊ(ː)t/ *vt* distribuire, assegnare ◇ spargere

distribution /ˌdɪstrɪ'bjuː(ʃ)ə(n)/ *s* distribuzione *f*

distributor /dɪs'trɪbjʊtə/ *s* distributore *m* ◇ spinterogeno *m*

district /'dɪstrɪkt/ *s* distretto *m*, circondario *m* ◇ regione *f*, territorio *m*

distrust /dɪs'trʌst/ *s* diffidenza *f*, sospetto *m*

to distrust /dɪs'trʌst/ *vt* diffidare di, non avere fiducia in

to disturb /dɪs'tɜːb/ *vt* disturbare

disturbance /dɪs'tɜːb(ə)ns/ *s* disordine *m*, confusione *f* ◇ disturbo *m* ◇ (*psic*) turba *f*

disuse /dɪs'juːs/ *s* disuso *m*

ditch /dɪtʃ/ *s* fossato *m*, canale *m*

to ditch /dɪtʃ/ *vt* scavare, prosciugare ◇ (*fam*) piantare in asso

dither /'dɪðə/ *vi* tremare ◇ oscillare, vacillare

ditto /'dɪtəʊ/ *s* virgolette *f pl* (*di ripetizione*) ♦ *avv* lo stesso, idem, come sopra ♦ *d.* **marks** virgolette (*di ripetizione*)

diuretic /ˌdaɪjʊə'rɛtɪk/ *a/s* diuretico *m*

divan /dɪ'væn/ *s* divano *m*

dive /daɪv/ *s* tuffo *m* ◇ immersione *f* ◇ (*aer*) picchiata *f* ◇ (*fam*) bettola *f*

to dive /daɪv/ *vi* tuffarsi ◇ immergersi ◇ (*aer*) lanciarsi in picchiata ♦ *to d. in* buttarsi, immergersi

diver /'daɪvə/ *s* tuffatore *m* ◇ palombaro *m*, sommozzatore *m*

to diverge /daɪ'vɜːdʒ/ *vi* divergere

diverse /daɪ'vɜːs/ *a* diverso

diversion /daɪ'vɜːʃ(ə)n/ *s* diversione *f*, deviazione *f* ◇ passatempo *m*

diversity /daɪ'vɜːsɪtɪ/ *s* diversità *f*

to divert /daɪ'vɜːt/ *vt* deviare

to divide /dɪ'vaɪd/ *vt* dividere, separare ◇ ripartire ♦ *vi* dividersi, separarsi ◇ divergere

dividend /'dɪvɪdɛnd/ *s* dividendo *m*

divine /dɪ'vaɪn/ *a* divino

diving /'daɪvɪŋ/ *s* tuffo *m* ◇ immersione *f* ◇ (*aer*) picchiata *f*

divinity /dɪ'vɪnɪtɪ/ *s* divinità *f* ◇ teologia *f*

divisible /dɪ'vɪzəbl/ *a* divisibile

division /dɪ'vɪʒ(ə)n/ *s* divisione *f* ◇ suddivisione *f*, ripartizione *f* ◇ sezione *f*

divorce /dɪ'vɔːs/ *s* divorzio *m*

to divorce /dɪ'vɔːs/ *vt* divorziare

divorcee /ˌdɪˌvɔː'siː/ *s* divorziato *m*

to divulge /daɪ'vʌldʒ/ *vt* divulgare

dizzy /'dɪzɪ/ *a* vertiginoso ◇ che ha le vertigini

do /duː/ *s* ciò che si deve fare ◇ (*USA*) pettinatura *f* ◇ (*fam*) festa *f* ● *to tell the dos and don'ts* dire ciò che si deve e non si deve fare

to do /duː, dʊ, də/ (*pass* **did**, *pp* **done**) *vaus* (*nella forma interr*) (ES: **do you understand?** capisci?) ◇ (*nella forma neg*) (ES: **I don't understand** non capisco) ◇ (*enf*) (ES: **I did see him** l'ho visto davvero) ◇ (*in sostituzione di un altro v*) (ES: **who took my book? I did** chi ha preso il mio libro? io) ♦ *vt* fare, compiere, eseguire, portare a termine ◇ causare, procurare ◇ visitare ◇

ingannare, imbrogliare ◆ *vi* comportarsi, agire ◇ finire, smettere ◇ stare, passarsela ◇ bastare, andar bene ● *to do badly/well by sb* trattare male/bene qn; *how do you do?* piacere di conoscerla; *to do sb in* uccidere qn, stancare qn; *to do with* aver bisogno di, avere a che fare con, andar bene

dock (1) /dɒk/ *s* (*naut*) bacino *m* ◇ *al pl* zona *f* portuale

dock (2) /dɒk/ *s* banco *m* degli imputati

to dock /dɒk/ *vi* entrare in bacino, attraccare

dockyard /'dɒkjɑːd/ *s* arsenale *m*, cantiere *m* navale

doctor /'dɒktər/ *s* dottore *m*, medico *m*

to doctor /'dɒktər/ *vt* curare, medicare ◇ aggiustare ◇ adulterare, falsificare ◇ conferire una laurea a

doctrine /'dɒktrɪn/ *s* dottrina *f*

document /'dɒkjʊmənt/ *s* documento *m*

documentary /ˌdɒkjʊ'ment(ə)rɪ/ *s* documentario *m*

dodge /dɒdʒ/ *s* balzo *m* ◇ espediente *m*, trucco *m*

to dodge /dɒdʒ/ *vt* schivare, scansare ◇ abbindolare

dodgem /'dɒdʒəm/ *s* autoscontro *m*

dog /dɒg/ *s* cane *m* ● *d. days* canicola

dogged /'dɒgɪd/ *a* ostinato, tenace

doings /'duːɪŋz/ *s pl* fatti *m pl* azioni *f pl*

do-it-yourself /'duːɪtjɔː;self/ *s* bricolage *m*, fai-da-te *m*

doldrums /'dɒldrəmz/ *s pl* zona *f* delle calme equatoriali ◇ (*fig*) depressione *f*, noia *f* ● *to be in the d.* essere depresso, essere annoiato

dole /dəʊl/ *s* sussidio *m* di disoccupazione

doleful /'dəʊlf(ʊ)l/ *a* triste

doll /dɒl/ *s* bambola *f*

dollar /'dɒlər/ *s* dollaro *m*

to doll up /dɒl,ʌp/ *vt/i* (*fam*) agghindare, agghindarsi

dolly /'dɒlɪ/ *s* bambola *f* ◇ piattaforma *f*, carrello *m* ● *d. shot* (*cin*) carrellata

dolphin /'dɒlfɪn/ *s* delfino *m*

doltish /'dəʊltɪʃ/ *a* sciocco

domain /də'meɪn/ *s* dominio *m*

dome /dəʊm/ *s* cupola *f*

domestic /də'mestɪk/ *a* domestico, casalingo ◇ nazionale

to domesticate /də'mestɪkeɪt/ *vt* addomesticare

domicile /'dɒmɪsaɪl/ *s* domicilio *m*

dominant /'dɒmɪnənt/ *a* dominante

to dominate /'dɒmɪneɪt/ *vt/i* dominare

domineering /ˌdɒmɪ'nɪərɪŋ/ *a* dispotico

dominion /də'mɪnjən/ *s* dominio *m*, autorità *f* ◇ (*paese*) dominion *m*

to donate /do(ʊ)'neɪt/ *vt* donare, elargire

donation /do(ʊ)'neɪt(ʃ)(ə)n/ *s* donazione *f*, elargizione *f*

done /dʌn/ *pp di* *to do* ◆ *a* fatto, finito ◇ giusto ◇ cotto ◇ sfinito ● *well d.* ben cotto

donjon /'dɒn(dʒ)(ə)n/ *s* torrione *m*

donkey /'dɒŋkɪ/ *s* asino *m*

downfall

donor /'dəʊnəʳ/ s donatore m • **blood d.** donatore di sangue

to doodle /'duːdl/ vi (fam) scarabocchiare

door /dɔːʳ/ s porta f ◇ sportello m • **d.-to-d.** porta a porta

doorbell /'dɔːbel/ s campanello m

doorkeeper /'dɔːˌkiːpəʳ/ s portiere m

doormat /'dɔːmæt/ s zerbino m

dope /dəʊp/ s (fam) droga f ◇ tonto m

to dope /dəʊp/ vt drogare, somministrare stupefacenti

dopy /'dəʊpɪ/ a inebetito (da alcol, stupefacenti)

dormant /'dɔːmənt/ a inattivo ◇ in letargo

dormitory /'dɔːmɪtrɪ/ s dormitorio m ◇ (USA) casa f per studenti

dormouse /'dɔːmaʊs/ (pl dormice) s ghiro m

dosage /'dəʊsɪdʒ/ s dosaggio m, posologia f

dose /dəʊs/ s dose f

to dose /dəʊs/ vt somministrare

dosshouse /'dɒshaʊs/ s dormitorio m pubblico

dot /dɒt/ s punto m

to dot /dɒt/ vt punteggiare ◇ mettere il puntino

dotcom /dɒtkɒm/ s azienda f legata a Internet

to dote /dəʊt/ vi essere rimbambito • **to d. on sb** vezzeggiare qn

double /'dʌbl/ a doppio, duplice • avv doppio, doppiamente ◇ in coppia, in due • s doppio m ◇ controfigura f • **d. bed** letto matrimoniale

to double /'dʌbl/ vt raddoppiare ◇ piegare in due ◇ (naut) doppiare • vi raddoppiare • **to d. up with** dividere la stanza con

double-bass /ˌdʌbl'beɪs/ s contrabbasso m

double-breasted /ˌdʌbl'brestɪd/ a (a) doppio petto

double-cross /ˌdʌbl'krɒs/ s doppio gioco m

double-decker /ˌdʌbl'dekəʳ/ s autobus m a due piani

doublet /'dʌblɪt/ s doppione m

doubling /'dʌblɪŋ/ s raddoppio m

doubt /daʊt/ s dubbio m

to doubt /daʊt/ vt dubitare di • vi dubitare

doubtful /'daʊtf(ʊ)l/ a incerto, dubbio ◇ dubbioso

dough /dəʊ/ s impasto m, pasta f per pane ◇ (fam) quattrini m pl

to douse /daʊs/ vt immergere in acqua ◇ gettare acqua su ◇ (fam) spegnere

dove /dʌv/ s colomba f, colombo m

dowdy /'daʊdɪ/ a antiquato, fuori moda

down (1) /daʊn/ s collina f

down (2) /daʊn/ s piuma f, piumino m

down (3) /daʊn/ avv giù, in basso, di sotto • a diretto verso il basso, inferiore, discendente ◇ abbattuto, depresso • fuori uso

down-and-out /ˌdaʊnənd'aʊt/ a squattrinato

down-at-heel /ˌdaʊnət'hiːl/ a scalcagnato, scalcinato

downcast /'daʊnkɑːst/ a abbattuto, depresso

downfall /'daʊnfɔːl/ s caduta f,

crollo m ◇ (di pioggia) rovescio m ◇ debolezza f

to downgrade /ˌdaʊnˈɡreɪd/ vt degradare, retrocedere

downhill /ˌdaʊnˈhɪl/ a/avv in discesa, in pendio ◆ s (sport) discesa f ◇ declino m ● to go d. andare declinando, peggiorare

to download /ˌdaʊnˈləʊd/ vt (inform) scaricare

downpour /ˈdaʊnpɔː/ s acquazzone m

downright /ˈdaʊnraɪt/ a schietto, sincero ◇ assoluto ◆ avv assolutamente, del tutto

downstairs /ˌdaʊnˈsteəz/ avv giù, disotto, al piano inferiore

downtown /ˈdaʊntaʊn/ s centro m (di città)

downward /ˈdaʊnwəd/ a/avv verso il basso

dowry /ˈdaʊərɪ/ s dote f

doze /dəʊz/ s pisolino m

to doze /dəʊz/ vi sonnecchiare ● to d. off appisolarsi

dozen /ˈdʌzn/ s dozzina f

drab /dræb/ a grigiastro ◇ scialbo, incolore

draft /drɑːft/ (anche **draught**) s abbozzo m, schema m ◇ (comm) tratta f ◇ (mil) leva f ◇ (USA) tiro m, trazione f

to draft /drɑːft/ vt abbozzare, disegnare ◇ (USA) arruolare

draftsman /ˈdrɑːftsmən/ (pl **draftsmen**) s disegnatore m

drag /dræɡ/ s tirata f ◇ barba f, seccatura f ◇ (fis) resistenza f ◇ rete f a strascico ● d. queen travestito; what a d.! che barba!

dragon /ˈdræɡ(ə)n/ s drago m

dragonfly /ˈdræɡ(ə)nflaɪ/ s libellula f

drain /dreɪn/ s tubo m di scarico, fogna f ◇ (fig) salasso m

to drain /dreɪn/ vt far scolare ◇ prosciugare ◇ (fig) dissanguare

drainage /ˈdreɪnɪdʒ/ s scolo m, scarico m, fognatura f ◇ drenaggio m

drama /ˈdrɑːmə/ s dramma m

dramatic /drəˈmætɪk/ a drammatico ◇ sensazionale

to dramatize /ˈdræmətaɪz/ vt drammatizzare ◇ adattare alla rappresentazione

drapery /ˈdreɪpərɪ/ s tessuti m pl, tendaggi m pl ◇ drappeggio m ● d. store negozio di tessuti

drastic /ˈdræstɪk/ a energico

draught /drɑːft/ → **draft** ● d. beer birra alla spina

draughtboard /ˈdrɑːftbɔːd/ s scacchiera f

draughts /drɑːfts/ s pl (gioco della) dama f

draw /drɔː/ s tiro m, strattone m ◇ estrazione f, sorteggio m ◇ pareggio m

to draw /drɔː/ (pass **drew**, pp **drawn**) vt tirare, tendere, trascinare ◇ attirare ◇ estrarre, prelevare, spillare ◇ tracciare, disegnare ◇ (naut) (di imbarcazione) pescare ◆ vi avanzare ◇ (di camino) tirare ◇ disegnare ◇ (sport) pareggiare ● to d. away, back tirarsi indietro; to d. on incitare; to d. up avvicinarsi, accostare, redigere

drawback /ˈdrɔːbæk/ s inconveniente m, svantaggio m

drop

drawer /drɔːr/ s cassetto m

drawing /drɔːɪŋ/ s disegno m

to drawl /drɔːl/ vi strascicare le parole

dread /dred/ s paura f, timore m

to dread /dred/ vt temere

dreadful /dredf(ʊ)l/ a terribile, spaventoso

dream /driːm/ s sogno m

to dream /driːm/ (pass/pp **dreamt**, **dreamed**) vt/i sognare

dreary /drɪərɪ/ a tetro

to dredge /dredʒ/ vt dragare

dress /dres/ s abito m, vestito m (da donna) ◇ abbigliamento m ● **d. hanger** gruccia

to dress /dres/ vt vestire, abbigliare ◇ allestire, preparare, adornare ◇ (cuc) condire, guarnire ◇ medicare ◆ to d. up vestirsi a festa

dresser /dresər/ s credenza f (USA) cassettone m ◇ (teat, cin) costumista m/f

dressing /dresɪŋ/ s abbigliamento m ◇ allestimento m ◇ (cuc) condimento m ◇ medicazione f, bendaggio m ● **salad d.** condimento per insalata

dressy /dresɪ/ a elegante

to dribble /drɪbl/ vi sgocciolare ◇ sbavare ◇ (sport) dribblare

dried /draɪd/ a secco ● **d. milk** latte in polvere

drier /draɪər/ → **dryer**

drift /drɪft/ s moto m, corso m, spostamento m ◇ tendenza f ◇ cumulo m, ammasso m, deposito m ◇ deriva f ◇ turbine m, raffica f ◇ senso m, significato m

to drill /drɪl/ vt trapanare, trivellare ◇ addestrare, esercitare

drink /drɪŋk/ s bevanda f ◇ bevuta f, sorso m

to drink /drɪŋk/ (pass **drank**, pp **drunk**) vt/i bere

drinker /drɪŋkər/ s bevitore m

to drip /drɪp/ vt/i gocciolare

drip-dry /drɪpˈdraɪ/ a da non stirare

drive /draɪv/ s giro m in automobile ◇ strada f d'accesso ◇ spinta f, impulso m ◇ (aut) trazione f ◇ (aut) guida f ◇ (inform) drive m ● **four-wheel d.** quattro ruote motrici, trazione integrale; **left-hand/right-hand d.** guida a sinistra/destra

to drive /draɪv/ (pass **drove**, pp **driven**) vt (un veicolo) guidare ◇ azionare, far funzionare ◇ conficcare ◇ spingere ◆ vi guidare ◇ andare in automobile ◇ avanzare ● to d. away scacciare; to d. back respingere; to d. off partire, portare via (su un'automobile)

driver /draɪvər/ s conducente m, guidatore m ● **d.'s license** (USA) patente di guida

to drizzle /drɪzl/ vi piovigginare

droll /drəʊl/ a buffo

drone /drəʊn/ s fuco m ◇ (fam) fannullone m ◇ ronzio m

to drool /druːl/ vi sbavare

to droop /druːp/ vi afflosciarsi, ripiegarsi

drop /drɒp/ s goccia f ◇ sorso m ◇ caduta f, diminuzione f ◇ dislivello m

to drop /drɒp/ vi cadere ◇ diminuire ◇ abbassarsi ◆ vt far cadere ◇ abbassare ◇ (da un veicolo) far scendere ◇ omettere, sopprimere • **to d. in** far visita; **to d. off** diminuire, addormentarsi; **to d. out** ritirarsi

dropper /'drɒpə'/ s contagocce m

droppings /'drɒpɪŋz/ s pl sterco m

drought /draut/ s siccità f

to drown /draun/ vt affogare, annegare ◇ soffocare, offuscare ◆ vi affogare, annegare

drowsy /'drauzɪ/ a sonnolento

to drudge /drʌdʒ/ vi sgobbare

drug /drʌg/ s farmaco m ◇ droga f • **d. addict** tossicodipendente

drum /drʌm/ s tamburo m, al pl batteria f ◇ bidone m • **ear d.** timpano

drunk /drʌŋk/ pp di **to drink** ◇ a ubriaco • **dead d.** ubriaco fradicio; **to get d.** sbronzarsi

dry /draɪ/ a asciutto, arido, secco

to dry /draɪ/ vt/i asciugare, seccare • **to d. up** prosciugarsi

dryer /'draɪə'/ s essiccatore m ◇ asciugacapelli m

dryness /'draɪnɪs/ s siccità f

dual /'djuːəl/ a doppio, duplice

to dub /dʌb/ vt (cin) doppiare

dubber /'dʌbə'/ s doppiatore m

dubious /'djuːbjəs/ a dubbio ◇ dubbioso, incerto ◇ di dubbia fama

duchess /'dʌtʃɪs/ s duchessa f

duck /dʌk/ s anatra f

to duck /dʌk/ vt tuffare, immergere rapidamente ◆ vi tuffare la testa ◇ piegare la testa

duct /dʌkt/ s condotto m, canale m

dud /dʌd/ s cosa f che non funziona, (fam) bidone m ◇ (di perso-

na) incapace m/f ◆ a falso • **d. cheque** assegno m a vuoto

due /djuː/ a dovuto, da pagarsi ◇ doveroso, adatto, adeguato ◇ previsto ◆ avv in direzione ◆ s il dovuto ◇ al pl tasse f pl, diritti m pl ◇ **in d. course** a tempo debito; **d. to** a causa di; **to be d. to** do dover fare; **to be d. to** essere causato da

duel /dju(ː)əl/ s duello m

duffel /'dʌf(ə)l/ s tessuto m pesante

duke /djuːk/ s duca m

dull /dʌl/ a tardo, ottuso, lento ◇ sordo, soffocato ◇ depresso ◇ monotono ◇ smorto, fosco, scuro

to dull /dʌl/ vt intorpidire ◇ smussare ◇ attenuare, smorzare

duly /'djuːlɪ/ avv debitamente ◇ puntualmente

dumb /dʌm/ a muto ◇ (fam) stupido

to dumbfound /dʌmˈfaund/ vt stupire, stordire

dummy /'dʌmɪ/ a muto ◇ falso, fittizio ◆ s manichino m ◇ prestanome m ◇ tettarella f ◇ (tip) menabò m

dump /dʌmp/ s discarica f ◇ mucchio m, ammasso m ◇ vendita f sottocosto ◇ tonfo m

to dump /dʌmp/ vt scaricare ◇...

dune /djuːn/ s duna f

dung /dʌŋ/ s letame m

dungarees /ˌdʌŋɡəˈriːz/ s pl tuta f da lavoro

dungeon /'dʌndʒən/ s segreta f, prigione f

dupe /djuːp/ s gonzo m, zimbello m

duplex /'djuːpleks/ a duplice, doppio ♦ s (USA) casa f bifamiliare ◇ (USA) appartamento m su due piani

to duplicate /ˈdjuːplɪkeɪt/ vt duplicare

durable /ˈdjʊərəbl/ a durevole

duration /djʊˈreɪʃ(ə)n/ s durata f

duress /djʊˈres/ s costrizione f

during /ˈdjʊərɪŋ/ prep durante

dusk /dʌsk/ s crepuscolo m

dust /dʌst/ s polvere f, pulviscolo m ◇ polline m ◇ spazzatura f

to dust /dʌst/ vt spolverare ◇ cospargere

dustbin /ˈdʌs(t)bɪn/ s pattumiera f

dustman /ˈdʌs(t)mən/ (pl **dustmen**) s netturbino m

dustpan /ˈdʌs(t)pæn/ s paletta f (per la spazzatura)

Dutch /dʌtʃ/ a olandese ● **to go D.** pagare alla romana

Dutchman /ˈdʌtʃmən/ (pl **Dutchmen**) s olandese m

Dutchwoman /ˈdʌtʃˌwʊmən/ (pl **Dutchwomen**) s olandese f

dutiful /ˈdjuːtɪf(ʊ)l/ a rispettoso, deferente

duty /ˈdjuːtɪ/ s dovere m ◇ compito m, incarico m ◇ servizio m ◇ dazio m, imposta f ● **d.-free** esente da dazio; **to be on/off d.** essere in servizio/fuori servizio

duvet /ˈdjuːveɪ/ s piumino m, piumone m ● **d. cover** copripiumino, copripiumone

DVD /ˌdiːviːˈdiː/ s DVD m

dwarf /dwɔːf/ s nano m, gnomo m

to dwell /dwel/ (pass/pp **dwelt**, **dwelled**) vi (lett) dimorare, risiedere

dwelling /ˈdwelɪŋ/ s dimora f

to dwindle /ˈdwɪndl/ vi diminuire, rimpicciolire

dye /daɪ/ s colorante m, tinta f ● **hair d.** tintura per capelli

to dye /daɪ/ vt tingere

dying /ˈdaɪɪŋ/ a morente, moribondo

dyke /daɪk/ → **dike**

dynamic /daɪˈnæmɪk/ a dinamico

dynamite /ˈdaɪnəmaɪt/ s dinamite f

dynamo /ˈdaɪnəməʊ/ s dinamo f

dynasty /ˈdɪnəstɪ/ s dinastia f

E

each /iːtʃ/ a ciascuno, ogni ♦ pr ognuno, ciascuno ● **e. other** l'un l'altro

eager /ˈiːɡə/ a appassionato, entusiasta ◇ desideroso, avido ● **to be e. to do st** essere impaziente di fare qc

eagle /ˈiːɡl/ s aquila f

ear (1) /ɪə/ s orecchio m

ear (2) /ɪə/ s (bot) spiga f, pannocchia f

earache /ˈɪəreɪk/ s mal m d'orecchio

eardrum /ˈɪədrʌm/ s (anat) timpano m

earl /ɜːl/ s conte m

early /ˈɜːlɪ/ a mattiniero, mattutino ◇ primo, della prima parte, iniziale ◇ precoce, prematuro, primaticcio ◇ *(nel tempo)* prossimo ◇ remoto, antico ♦ *avv* remoto, antico, di buon'ora ◇ al principio ● *to be e.* essere in anticipo

to earmark /'ɪəmɑːk/ *vt* marchiare ◇ contrassegnare ◇ destinare

to earn /ɜːn/ *vt* guadagnare ◇ ottenere, meritare ● *to e. one's living* mantenersi

earnest /'ɜːnɪst/ *a* serio, zelante ◇ ardente, pressante ● *in e.* sul serio

earnings /'ɜːnɪŋz/ *s pl* guadagno *m*, stipendio *m*

earphone /'ɪəfəʊn/ *s* auricolare *m*

earring /'ɪərɪŋ/ *s* orecchino *m*

earth /ɜːθ/ *s* terra *f*, globo *m* terrestre ◇ suolo *m*, terreno *m* ◇ covo *m*, tana *f* ◇ *(el)* terra *f*, massa *f*

earthenware /'ɜːθənweə/ *s* terraglia *f*, terracotta *f*

earthly /'ɜːθlɪ/ *a* terrestre ◇ *(fam)* concepibile

earthquake /'ɜːθkweɪk/ *s* terremoto *m*

ease /iːz/ *s* agio *m*, comodo *m*, comodità *f* ◇ sollievo *m* ● *to take one's e.* mettersi a proprio agio

to ease /iːz/ *vt* alleviare, calmare ◇ alleggerire, liberare ◇ attenuare ● *to e. off* rallentare, diminuire

easel /'iːzl/ *s* cavalletto *m*

east /iːst/ *s* est *m* ♦ *a* orientale

Easter /'iːstə/ *s* Pasqua *f* ● *E. Monday* pasquetta

easterly /'iːstəlɪ/ *a* dall'est, orientale ♦ *avv* verso est

eastern /'iːstən/ *a* orientale

easy /'iːzɪ/ *a* facile ◇ comodo,

agiato ◇ tranquillo ◇ disinvolto ♦ *avv* facilmente ● comodamente, con calma ● *to make e.* facilitare

easygoing /'iːzɪˌgəʊɪŋ/ *a* accomodante, compiacente, simpatico

to eat /iːt/ *(pass* **ate**, *pp* **eaten)** *vt* mangiare ◇ corrodere, consumare ♦ *vi* mangiare, consumare i pasti ● *to e. into* corrodere, intaccare; *to e. up* divorare, rodere

eaves /iːvz/ *s pl* gronda *f*, cornicione *m*

to eavesdrop /'iːvzdrɒp/ *vi* origliare ◇ *(comunicazioni)* intercettare

ebb /eb/ *s* riflusso *m* ● *e. tide* bassa marea

to ebb /eb/ *vi (di marea)* rifluire ◇ decadere, scemare

eccentric /ɪk'sentrɪk/ *a* eccentrico

ecclesiastic /ɪˌkliːzɪ'æstɪk/ *a/s* ecclesiastico *m*

echo /'ekəʊ/ *s* eco *m/f* ● *e. sounder* ecoscandaglio

eclectic /ek'lektɪk/ *a* eclettico

eclipse /ɪ'klɪps/ *s* eclissi *f*

ecology /iːˈkɒlədʒɪ/ *s* ecologia *f*

economic /ˌiːkə'nɒmɪk/ *a* economico

economical /ˌiːkə'nɒmɪk(ə)l/ *a* economico, parsimonioso ◇ che fa risparmiare

economics /ˌiːkə'nɒmɪks/ *s pl (v al sing)* economia *f*, scienze *f pl* economiche

to economize /iːˈkɒnəmaɪz/ *vi* economizzare, risparmiare

economy /iːˈkɒnəmɪ/ *s* economia *f*, sistema *m* economico ◇ risparmio *m* ● *e. size* formato risparmio

ecstasy /'ɛkstəsɪ/ *s* estasi *f* ◇ (*droga*) ecstasy *f*

eddy /'edɪ/ *s* gorgo *m*, vortice *m*

edge /edʒ/ *s* bordo *m*, estremità *f*, orlo *m* ◇ spigolo *m* ◇ taglio *m*, filo *m* ● *to be on e.* essere teso, essere nervoso

to edge /edʒ/ *vt* bordare ◇ affilare, arrotare ● *vi* muoversi lentamente ● *to e. away* allontanarsi; *to e. out sb* battere qn, arrivare primo

edgeways /'edʒweɪz/ *avv* di taglio, di traverso

edgy /'edʒɪ/ *a* affilato, tagliente ◇ irritabile

edible /'edɪbl/ *a* commestibile

to edit /'edɪt/ *vt* (*una pubblicazione, una trasmissione*) curare ◇ (*un giornale*) dirigere ◇ correggere, rivedere ● *edited by* a cura di

editing /'edɪtɪŋ/ *s* redazione *f* ◇ (*di giornale e sim*) direzione *f*

edition /ɪ'dɪʃ(ə)n/ *s* edizione *f*

editor /'edɪtə/ *s* curatore *m* ◇ (*di giornale*) direttore *m*, redattore *m* ● *e.-in-chief* caporedattore

to educate /'edjʊ(:)keɪt/ *vt* istruire, educare

education /ˌedjʊ(:)'keɪʃ(ə)n/ *s* educazione *f*, istruzione *f*

eel /i:l/ *s* anguilla *f*

eerie /'ɪərɪ/ *a* fantastico, soprannaturale ◇ che fa rabbrividire

effect /ɪ'fekt/ *s* effetto *m*, conseguenza *f* ◇ impressione *f* ◇ *al pl* effetti *m* pl personali ● *in e.* effettivamente; *of no e.* senza ri-

sultato; *to take e.* entrare in vigore

to effect /ɪ'fekt/ *vt* effettuare, compiere ● causare, determinare

effective /ɪ'fektɪv/ *a* efficace ◇ effettivo, reale ◇ che fa effetto ◇ (*USA*) vigente, operante

efficiency /ɪ'fɪʃ(ə)nsɪ/ *s* efficienza *f*, rendimento *m*

effort /'efət/ *s* sforzo *m*, fatica *f*

effrontery /e'frʌntərɪ/ *s* sfrontatezza *f*

effusion /ɪ'fju:ʒ(ə)n/ *s* effusione *f*

effusive /ɪ'fju:sɪv/ *a* espansivo

egg /eg/ *s* uovo *m* ● *e. plant* melanzana; *fried/hard-boiled/soft-boiled e.* uovo fritto/sodo/alla coque; *scrambled eggs* uova strapazzate

to egg /eg/ *vt* **to e. on** incitare

egoist /'ego(ʊ)ɪst/ *s* egoista *m/f*

Egyptian /ɪ'dʒɪpʃ(ə)n/ *a* egiziano, egizio

eiderdown /'aɪdədaʊn/ *s* piumino *m* (d'oca) ◇ piumino *m*, trapunta *f*

eight /eɪt/ *a/s* otto *m*

eighteen /eɪ'ti:n/ *a/s* diciotto *m*

eighth /eɪtθ/ *a/s* ottavo *m*

eighty /'eɪtɪ/ *a/s* ottanta *m*

either /'aɪðə/ *a/pr* l'uno o l'altro, l'uno e l'altro, entrambi ◇ (*in frasi neg*) né l'uno né l'altro, nessuno dei due ● *avv* (*in frasi neg*) neanche, nemmeno, neppure ◆ *cong* ◇ *e. ... or ...* o ... o ...

to eject /ɪ(:)'dʒekt/ *vt* espellere, gettare fuori, emettere

to eke /i:k/ *vt* **to e. out** integrare, arrotondare

to elaborate /ɪˈlæbəreɪt/ *vt* elaborare ◆ *vi* sviluppare un concetto, fornire particolari

to elapse /ɪˈlæps/ *vi* (*del tempo*) trascorrere

elastic /ɪˈlæstɪk/ *a/s* elastico *m*

elated /ɪˈleɪtɪd/ *a* esultante, euforico

elbow /ˈelbəʊ/ *s* gomito *m*

elder (1) /ˈeldər/ *a* (*comp di* old) (*di età tra due*) maggiore, più vecchio ◆ *s* (*di età tra due*) il maggiore *m*, anziano *m*

elder (2) /ˈeldər/ *s* (*bot*) sambuco *m*

elderly /ˈeldəlɪ/ *a* anziano, attempato

eldest /ˈeldɪst/ *a* (*sup di* old) (*tra fratelli*) il maggiore

to elect /ɪˈlekt/ *vt* eleggere ◇ decidere, scegliere

election /ɪˈlekʃ(ə)n/ *s* elezione *f*

electioneering /ɪˌlekʃəˈnɪərɪŋ/ *s* propaganda *f* elettorale

electric /ɪˈlektrɪk/ *a* elettrico

electrician /ɪlekˈtrɪʃ(ə)n/ *s* elettricista *m*

electricity /ɪlekˈtrɪsɪtɪ/ *s* elettricità *f*

to electrify /ɪˈlektrɪfaɪ/ *vt* elettrificare ◇ (*fig*) elettrizzare

to electrocute /ɪˈlektrəkjuːt/ *vt* fulminare

electronics /ɪlekˈtrɒnɪks/ *s pl* (*v al sing*) elettronica *f*

elegance /ˈelɪgəns/ *s* eleganza *f*

element /ˈelɪmənt/ *s* elemento *m*

elemental /ˌelɪˈment(ə)l/ *a* elementare ◇ fondamentale, essenziale

elementary /ˌelɪˈment(ə)rɪ/ *a* elementare, rudimentale

elephant /ˈelɪfənt/ *s* elefante *m*

to elevate /ˈelɪveɪt/ *vt* elevare, innalzare

elevator /ˈelɪveɪtər/ *s* (USA) ascensore *m* ◇ elevatore *m*, montacarichi *m*

eleven /ɪˈlevn/ *a/s* undici *m*

eleventh /ɪˈlevnθ/ *a/s* undicesimo *m*

elf /elf/ *s* elfo *m*

to elicit /ɪˈlɪsɪt/ *vt* provocare, suscitare ◇ cavar fuori

eligible /ˈelɪdʒəbl/ *a* eleggibile ◇ idoneo, che ha i requisiti per ● *an e. bachelor* uno scapolo d'oro

to eliminate /ɪˈlɪmɪneɪt/ *vt* eliminare

Elizabethan /ɪˌlɪzəˈbiːθ(ə)n/ *a* elisabettiano

elk /elk/ *s* alce *m*

ellipse /ɪˈlɪps/ *s* ellisse *f*

elm /elm/ *s* olmo *m*

to elongate /ˈiːlɒŋgeɪt/ *vt/i* allungare, allungarsi

elopement /ɪˈləʊpmənt/ *s* fuga *f* (*con un amante*)

eloquent /ˈeləkwənt/ *a* eloquente

else /els/ *a.pred/avv* altro ◆ *cong* oppure, altrimenti ● *anything e.?* qualcos'altro?; *everybody e.* tutti gli altri; *everything e.* tutto il resto; *nothing e.* nient'altro; *what e.?* che altro?

elsewhere /ˌelsˈweər/ *avv* altrove

to elucidate /ɪˈluːsɪdeɪt/ *vt* delucidare

to elude /ɪˈluːd/ *vt* eludere, schivare

elusive /ɪˈluːsɪv/ *a* elusivo

emaciated /ɪˈmeɪsɪeɪtɪd/ *a* emaciato

to emanate /ˈɛmɘneɪt/ *vi* emanare, provenire

emancipation /ɪˌmænsɪˈpeɪʃ(ɘ)n/ *s* emancipazione *f*

to embalm /ɪmˈbɑːm/ *vt* imbalsamare

embankment /ɪmˈbæŋkmɘnt/ *s* argine *m*, terrapieno *m*

to embark /ɪmˈbɑːk/ *vt/i* imbarcare, imbarcarsi ● **to e. on** intraprendere, imbarcarsi in

to embarrass /ɪmˈbærɘs/ *vt* imbarazzare

embarrassment /ɪmˈbærɘsmɘnt/ *s* imbarazzo *m*, disagio *m*

embassy /ˈɛmbɘsɪ/ *s* ambasciata *f*

to embed /ɪmˈbed/ *vt* incassare, incastrare

to embellish /ɪmˈbelɪʃ/ *vt* abbellire

ember /ˈɛmbɘr/ *s* tizzone *m* ◇ **al pl** brace *f*

to embezzle /ɪmˈbezl/ *vt* impossessarsi (indebitamente)

to embitter /ɪmˈbɪtɘr/ *vt* amareggiare, inasprire

emblematic(al) /ˌɛmblɘˈmætɪk(l)/ *a* emblematico

to embody /ɪmˈbɒdɪ/ *vt* incarnare ◇ incorporare

embolism /ˈɛmbɘlɪz(ɘ)m/ *s* embolia *f*

to emboss /ɪmˈbɒs/ *vt* lavorare a sbalzo ◇ stampare in rilievo

embrace /ɪmˈbreɪs/ *s* abbraccio *m*, stretta *f* ◇ amplesso *m*

to embrace /ɪmˈbreɪs/ *vt* abbracciare, stringere ◇ dedicarsi a

to embroider /ɪmˈbrɔɪdɘr/ *vt* ricamare

embryo /ˈɛmbrɪɘʊ/ *s* embrione *m*

emerald /ˈɛmɘr(ɘ)ld/ *s* smeraldo *m*

to emerge /ɪˈmɜːdʒ/ *vi* emergere

emergency /ɪˈmɜːdʒ(ɘ)nsɪ/ *s* emergenza *f* ● **e. cord** segnale di allarme; **e. exit** uscita di sicurezza

emersion /ɪ(ː)ˈmɜːʃ(ɘ)n/ *s* emersione *f*

emigrant /ˈɛmɪgrɘnt/ *a/s* emigrante *m/f*

emigration /ˌɛmɪˈgreɪʃ(ɘ)n/ *s* emigrazione *f*

emirate /eˈmɪɘrɪt/ *s* emirato *m*

emission /ɪˈmɪʃ(ɘ)n/ *s* emissione *f*

to emit /ɪˈmɪt/ *vt* emettere

emotion /ɪˈmɘʊʃ(ɘ)n/ *s* emozione *f*

emotional /ɪˈmɘʊʃ(ɘ)nl/ *a* emotivo ◇ emozionante, commovente

emperor /ˈempɘrɘr/ *s* imperatore *m*

emphasis /ˈemfɘsɪs/ *s* (*pl* **emphases**) *s* accentuazione *f*, rilievo *m*, evidenza *f* ◇ enfasi *f*

to emphasize /ˈemfɘsaɪz/ *vt* accentuare, dare rilievo, mettere in evidenza ◇ pronunciare con enfasi, enfatizzare

empire /ˈempaɪɘr/ *s* impero *m*

to employ /ɪmˈplɔɪ/ *vt* impiegare, assumere ◇ adoperare

employee /ˌemplɔɪˈiː/ *s* impiegato *m*, dipendente *m/f*

employer /ɪmˈplɔɪɘr/ *s* datore *m* di lavoro, principale *m/f*

employment /ɪmˈplɔɪmɘnt/ *s* impiego *m*, occupazione *f*

to empower /ɪmˈpaʊɘr/ *vt* autorizzare

empty /ˈem(p)tɪ/ *a* vuoto ◇ vano, vacuo ● **e.-handed** a mani vuote

to emulate /ˈemjʊleɪt/ *vt* emulare

to enable /ɪˈneɪbl/ *vt* permettere, rendere capace di, mettere in grado di

to enact /ɪˈnækt/ vt (dir) decretare, promulgare ◇ (teat) recitare, rappresentare

enamel /ɪˈnæm(ə)l/ s smalto m ◇ pittura f a smalto

to encase /ɪnˈkeɪs/ vt racchiudere ◇ rivestire, ricoprire

to enchain /ɪnˈtʃeɪn/ vt incatenare

to enchant /ɪnˈtʃɑːnt/ vt incantare, affascinare

enchantment /ɪnˈtʃɑː(ː)ntmənt/ s incanto m, incantesimo m

to encircle /ɪnˈsɜːkl/ vt circondare

to enclose /ɪnˈkləʊz/ vt chiudere, circondare, avvolgere ◇ allegare, accludere

enclosure /ɪnˈkləʊʒəʳ/ s recinto m, recinzione f ◇ allegato m

to encode /ɪnˈkəʊd/ vt (inform) codificare

to encompass /ɪnˈkʌmpəs/ vt attorniare, circondare, racchiudere ◇ coprire, includere

encounter /ɪnˈkaʊntəʳ/ s incontro m ◇ scontro m

to encounter /ɪnˈkaʊntəʳ/ vt incontrare ◇ affrontare

to encourage /ɪnˈkʌrɪdʒ/ vt incoraggiare

to encroach /ɪnˈkrəʊtʃ/ vi **to e. (up)on** intaccare, ledere, abusare, usurpare

encrustation /ˌɪnkrʌsˈteɪʃ(ə)n/ s incrostazione f

to encumber /ɪnˈkʌmbəʳ/ vt ingombrare, intralciare, impedire ◇ gravare

encyclopaedia /en͵saɪklo(u)ˈpiːdjə/ s enciclopedia f

end /end/ s fine f, estremità f, limite m ◇ fine f, termine m, conclu-

sione f ◇ (fig) morte f, distruzione f ◇ fine m, scopo m, mira f, finalità f ◇ residuo m, avanzo m ● **at the e.** infine; **in the e.** alla fine

to end /end/ vt/i finire, terminare, concludere ● **to e. up** concludersi, trovarsi; **to e. it all** farla finita

to endanger /ɪnˈdeɪn(d)ʒəʳ/ vt mettere in pericolo

endearing /ɪnˈdɪərɪŋ/ a affettuoso, accattivante

endeavour /ɪnˈdevəʳ/ (USA **endeavor**) s sforzo m, tentativo m

to endeavour /ɪnˈdevəʳ/ (USA **to endeavor**) vt cercare, sforzarsi, tentare di

ending /ˈendɪŋ/ s fine f, finale m ◇ (gramm) desinenza f

endive /ˈendaɪv/ s indivia f

to endorse /ɪnˈdɔːs/ vt (assegno, cambiale) girare ◇ approvare ◇ pubblicizzare

endorsement /ɪnˈdɔ(ː)smənt/ s (di assegno, cambiale) girata f ◇ approvazione f, appoggio m

to endow /ɪnˈdaʊ/ vt dotare, assegnare, fornire

endowment /ɪnˈdaʊmənt/ s dotazione f, sovvenzione f ◇ (fig) dote f

endurance /ɪnˈdjʊər(ə)ns/ s resistenza f, sopportazione f ◇ (mecc) durata f

to endure /ɪnˈdjʊəʳ/ vi sopportare, tollerare, resistere ◇ durare, vivere

enemy /ˈenɪmɪ/ s nemico m

energy /ˈenədʒɪ/ s energia f

to enforce /ɪnˈfɔːs/ vt imporre, far

valere ◇ (*dir*) applicare, mettere in vigore

to engage /ɪnˈgeɪdʒ/ *vt* ingaggiare, assumere ◇ impegnare, impegnarsi ◇ attirare, coinvolgere ◇ (*mecc*) ingranare, innestare ◆ *vi* (*mil*) attaccare ◇ (*mecc*) innestarsi, ingranare ● **to e. in** dedicarsi a

engaged /ɪnˈgeɪdʒd/ *a* impegnato ◇ fidanzato ◇ occupato, riservato

engagement /ɪnˈgeɪdʒmənt/ *s* impegno *m*, appuntamento *m* ◇ fidanzamento *m* ◇ assunzione *f*, reclutamento *m* ● **e. ring** anello di fidanzamento

engaging /ɪnˈgeɪdʒɪŋ/ *a* attraente, stimolante

engine /ˈɛndʒɪn/ *s* motore *m*, macchina *f* ◇ (*ferr*) locomotiva *f* ● **search e.** motore di ricerca

engineer /ˌɛndʒɪˈnɪər/ *s* ingegnere *m* ◇ tecnico *m* ◇ (*ferr*) macchinista *m*

engineering /ˌɛndʒɪˈnɪərɪŋ/ *s* ingegneria *f*

English /ˈɪŋglɪʃ/ *a*/*s* inglese *m* (*lingua*)

Englishman /ˈɪŋglɪʃmən/ (*pl* **Englishmen**) *s* inglese *m*

Englishwoman /ˈɪŋglɪʃˌwʊmən/ (*pl* **Englishwomen**) *s* inglese *f*

to engrave /ɪnˈgreɪv/ *vt* incidere

to enhance /ɪnˈhɑːns/ *vt* aumentare, accrescere, intensificare

to enjoy /ɪnˈdʒɔɪ/ *vt* godere, gustare, provar piacere di ● **e. your meal!** buon appetito!

enjoyable /ɪnˈdʒɔɪəbl/ *a* gradevole, piacevole

enjoyment /ɪnˈdʒɔɪmənt/ *s* gioia *f*, piacere *m*, godimento *m*

to enlarge /ɪnˈlɑːdʒ/ *vt* allargare, ampliare ◇ (*fot*) ingrandire ● **to e. on** dilungarsi su

to enlighten /ɪnˈlaɪtn/ *vt* illuminare ◇ chiarire

to enlist /ɪnˈlɪst/ *vt* (*mil*) arruolare ◇ procurarsi ◆ *vi* (*mil*) arruolarsi ◇ aderire, dare il proprio appoggio a

enmity /ˈɛnmɪtɪ/ *s* inimicizia *f*, ostilità *f*

enormous /ɪˈnɔːməs/ *a* enorme

enough /ɪˈnʌf/ *a* sufficiente, bastante ◆ *avv* abbastanza, sufficientemente ● **that's e.!** basta!; **to be e.** bastare; **to have e.** averne abbastanza

to enounce /ɪ(ː)ˈnaʊns/ *vt* enunciare

to enrage /ɪnˈreɪdʒ/ *vt* irritare, far infuriare

to enrich /ɪnˈrɪtʃ/ *vt* arricchire

to enrol(l) /ɪnˈrəʊl/ *vt* arruolare, ingaggiare, iscrivere ◇ registrare ◆ *vi* arruolarsi, iscriversi

ensign /ˈɛnsaɪn/ *s* insegna *f*, bandiera *f*

to ensue /ɪnˈsjuː/ *vi* conseguire, derivare

to ensure /ɪnˈʃʊər/ *vt* assicurare, garantire

to entail /ɪnˈteɪl/ *vt* comportare, implicare

to entangle /ɪnˈtæŋgl/ *vt* impigliare, intrappolare

enter /ˈɛntər/ *s* (*inform*) invio *m*

to enter /ˈɛntər/ *vt* entrare in, penetrare in ◇ entrare a far parte di ◇ iscrivere, partecipare a ◇ (*comm*) registrare ◆ *vi* entrare ◇ iscriversi ● *to e. into* iniziare, avviare, entrare in, far parte di

enterprise /'entəpraɪz/ *s* impresa *f*, avventura *f* ◇ iniziativa *f* ◇ impresa *f*, azienda *f*

to entertain /ˌentə'teɪn/ *vt* ricevere, ospitare ◇ intrattenere, divertire ◇ avere (in mente), nutrire ◇ prendere in considerazione ◆ *vi* ricevere, dare ricevimenti

entertaining /ˌentə'teɪnɪŋ/ *a* divertente

entertainment /ˌentə'teɪnmənt/ *s* divertimento *m* ◇ spettacolo *m* ◇ ricevimento *m*

to enthral(l) /ɪn'θrɔːl/ *vt* affascinare, incantare

enthusiasm /ɪn'θjuːzɪæz(ə)m/ *s* entusiasmo *m*

enthusiastic /ɪnˌθjuːzɪ'æstɪk/ *a* entusiasta

to entice /ɪn'taɪs/ *vt* sedurre, adescare, allettare

entire /ɪn'taɪə/ *a* intero, completo

entirety /ɪn'taɪətɪ/ *s* interezza *f*, complesso *m*

to entitle /ɪn'taɪtl/ *vt* (*un libro*) intitolare ◇ concedere un titolo, riconoscere un diritto ● *to be entitled to* avere diritto a

entrails /'entreɪlz/ *s pl* interiora *f pl*

entrance /'entr(ə)ns/ *s* entrata *f*, accesso *m*, ingresso *m* ◇ ammissione *f* ● *e. fee* tassa d'iscrizione, biglietto d'ingresso; *free e.* ingresso libero; *no e.* vietato l'ingresso

entrant /'entr(ə)nt/ *s* partecipante *m/f*, concorrente *m/f* ◇ matricola *f*

to entreat /ɪn'triːt/ *vt* implorare, supplicare

entrenched /ɪn'trentʃt/ *a* trincerato

entrepreneur /ˌɒntrəprə'nɜː/ *s* imprenditore *m* ◇ (*teat*) impresario *m*

to entrust /ɪn'trʌst/ *vt* affidare, consegnare

entry /'entrɪ/ *s* entrata *f*, accesso *m*, ingresso *m* ◇ iscrizione *f* ◇ (*di dizionario*) voce *f* ◇ (*comm*) registrazione *f*, annotazione *f* ● *no e.* vietato l'accesso

to enumerate /ɪ'njuːməreɪt/ *vt* enumerare

to envelop /ɪn'veləp/ *vt* avvolgere, avviluppare

envelope /'envɪləʊp/ *s* busta *f* ◇ involucro *m*

envious /'envɪəs/ *a* invidioso

environment /ɪn'vaɪrə(ə)nmənt/ *s* ambiente *m*, condizioni *f pl* ambientali ◇ territorio *m* circostante

to envisage /ɪn'vɪzɪdʒ/ *vt* immaginare

envoy /'envɔɪ/ *s* inviato *m*, delegato *m*

envy /'envɪ/ *s* invidia *f*

to envy /'envɪ/ *vt* invidiare ● *to e. sb st* invidiare qc a qn

ephemeral /ɪ'femər(ə)l/ *a* effimero

epic /'epɪk/ *a* epico ◆ *s* poema *m* epico, epopea *f*

epidemic /ˌepɪ'demɪk/ *a* epidemico ◆ *s* epidemia *f*

epidermic /ˌepɪ'dɜːmɪk/ *a* epidermico

epigraphy /ɪ'pɪgrəfɪ/ *s* epigrafia *f*

epilogue /'epɪlɒg/ *s* epilogo *m*

Epiphany /ɪ'pɪfənɪ/ *s* epifania *f*

episode /ˈepɪsəʊd/ s episodio m

epitaph /ˈepɪtɑːf/ s epitaffio m

epithet /ˈepɪθet/ s epiteto m

epitome /ɪˈpɪtəmɪ/ s epitome f, compendio m ◇ personificazione f, quintessenza f

epoch /ˈiːpɒk/ s epoca f

equable /ˈekwəbl/ a uniforme ◇ equilibrato, sereno

equal /ˈiːkw(ə)l/ a uguale, pari ◇ calmo, fermo

to equal /ˈiːkw(ə)l/ vt uguagliare, equivalere a

equality /ɪ(ː)ˈkwɒlɪtɪ/ s uguaglianza f, parità f

to equalize /ˈiːkwəlaɪz/ vt uguagliare, equiparare ◇ rendere uniforme ♦ vi (sport) pareggiare

equation /ɪˈkweɪʒ(ə)n/ s equazione f

equator /ɪˈkweɪtəʳ/ s equatore m

equestrian /ɪˈkwestrɪən/ a equestre

equilibrium /ˌiːkwɪˈlɪbrɪəm/ s equilibrio m

equine /ˈiːkwaɪn/ a/s equino m

equinox /ˈiːkwɪnɒks/ s equinozio m

to equip /ɪˈkwɪp/ vt equipaggiare, dotare, attrezzare ● *to be equipped with* essere fornito di, avere in dotazione

equipment /ɪˈkwɪpmənt/ s equipaggiamento m, attrezzatura f

equitable /ˈekwɪtəbl/ a equo, giusto

equity /ˈekwɪtɪ/ s equità f ◇ (econ) azione f ordinaria ◇ (econ) capitale m netto

equivocal /ɪˈkwɪvək(ə)l/ a equivoco

to eradicate /ɪˈrædɪkeɪt/ vt sradicare

to erase /ɪˈreɪz/ vt cancellare

eraser /ɪˈreɪzəʳ/ s gomma f (*per cancellare*)

erect /ɪˈrekt/ a eretto

to erect /ɪˈrekt/ vt erigere

to erode /ɪˈrəʊd/ vt erodere, corrodere

erotism /ˈɪrɒtɪz(ə)m/ s erotismo m

to err /ɜːʳ/ vi errare, sbagliare ◇ vagabondare

errand /ˈer(ə)nd/ s commissione f ● *e. boy* fattorino

erratic /ɪˈrætɪk/ a irregolare, incostante ◇ eccentrico ◇ (geol) erratico

error /ˈerəʳ/ s errore m, sbaglio m ◇ colpa f

to erupt /ɪˈrʌpt/ vi eruttare, entrare in eruzione ◇ scoppiare ♦ vt eruttare

eruption /ɪˈrʌpʃ(ə)n/ s eruzione f ◇ scoppio m

to escalate /ˈeskəleɪt/ vt/i intensificare, aumentare

escalation /ˌeskəˈleɪʃ(ə)n/ s escalation f, intensificazione f

escalator /ˈeskəleɪtəʳ/ s scala f mobile

escalope /ˈeskəlɒp/ s scaloppina f

escapade /ˌeskəˈpeɪd/ s scappatella f

escape /ɪsˈkeɪp/ s fuga f, evasione f ◇ scampo m ◇ scarico m, scappamento m ◇ (inform) escape m

to escape /ɪsˈkeɪp/ vi fuggire, sfuggire, evadere ◇ scamparla ◇ fuoriuscire

escarpment /ɪsˈkɑːpmənt/ s scarpata f

escort /ˈeskɔːt/ s scorta f ◇ accompagnatore m, cavaliere m

to escort /ɪsˈkɔːt/ vt scortare, accompagnare

Eskimo /ˈeskɪməʊ/ a/s eschimese m/f

especial /ɪsˈpeʃ(ə)l/ a speciale, particolare

espionage /ˌespɪəˈnɑːʒ/ s spionaggio m

esplanade /ˌespləˈneɪd/ s passeggiata f, spianata f

essay /ˈeseɪ/ s saggio m, prova f, tentativo m ◇ saggio m (libro), composizione f (scolastica)

essence /ˈesns/ s essenza f

essential /ɪˈsenʃ(ə)l/ a essenziale

to establish /ɪsˈtæblɪʃ/ vt stabilire, costituire, fondare, impiantare ◇ insediare, nominare ◇ stabilire, dimostrare ◆ vi installarsi

establishment /ɪsˈtæblɪʃmənt/ s istituzione f, fondazione f ◇ azienda f, impresa f ◇ establishment m, classe f dirigente

estate /ɪsˈteɪt/ s proprietà f, tenuta f ◇ patrimonio m, beni m pl ◇ stato m, condizione f

esteem /ɪsˈtiːm/ s stima f

to estimate /ˈestɪmeɪt/ vt stimare, valutare ◇ preventivare

estimation /ˌestɪˈmeɪʃ(ə)n/ s stima f, valutazione f ◇ opinione f

to estrange /ɪsˈtreɪn(d)ʒ/ vt alienare, allontanare

estuary /ˈestjʊərɪ/ s estuario m

eternity /ɪ(ː)ˈtɜːnɪtɪ/ s eternità f

ethics /ˈeθɪks/ s pl (v al sing) etica f

ethnology /eθˈnɒlədʒɪ/ s etnologia f

etiquette /etɪˈket/ s etichetta f, cerimoniale m

etymology /ˌetɪˈmɒlədʒɪ/ s etimologia f

euphemism /ˈjuːfɪmɪz(ə)m/ s eufemismo m

euphoria /jo(ː)ˈfɔːrɪə/ s euforia f

euro /ˈjʊərəʊ/ s euro m

European /ˌjʊərəˈpiː)ən/ a/s europeo m

euthanasia /ˌjuːθəˈneɪzjə/ s eutanasia f

to evacuate /ɪˈvækjʊeɪt/ vt/i evacuare

to evade /ɪˈveɪd/ vt evitare, eludere

to evaluate /ɪˈvæljʊeɪt/ vt valutare

evangelical /ˌiːvænˈdʒelɪk(ə)l/ a evangelico

to evaporate /ɪˈvæpəreɪt/ vi evaporare

evasion /ɪˈveɪʒ(ə)n/ s evasione f ◇ pretesto m, scappatoia f ◆ tax e. evasione fiscale

evasive /ɪˈveɪsɪv/ a evasivo

eve /iːv/ s vigilia f

even /ˈiːv(ə)n/ a uguale, piano, uniforme ◇ costante, regolare ◇ pari, equo ◇ (mat) pari ◆ avv perfino, addirittura ◇ e. if anche se; e. more ancora di più; e. so ciò nonostante; e. then anche allora; not e. neppure

to even /ˈiːv(ə)n/ vt appianare, livellare ◇ uguagliare ● to e. out distribuire equamente; to e. up pareggiare

evening /ˈiːvnɪŋ/ s sera f, serata f ● last e. ieri sera

event /ɪˈvent/ s caso m, eventualità f ◇ avvenimento m, fatto m ◇ (sport) prova f ● at all events, in any e. in ogni caso; in the e. of in caso di

eventual /ɪˈventjʊəl/ a finale, conclusivo

eventuality /ɪˌventjuˈælɪtɪ/ s eventualità f, evenienza f

eventually /ɪˈventjuəlɪ/ avv infine, col tempo

ever /ˈevər/ avv (in frasi neg e interr) mai ◇ sempre ● as e. come sempre; e. after da allora; e. since sin da (quando), da allora in poi

evergreen /ˈevəɡriːn/ a sempreverde

everlasting /ˌevəˈlɑːstɪŋ/ a perenne, eterno

every /ˈevrɪ/ a ogni, ciascuno ● e. day tutti i giorni; e. one ciascuno, ognuno; e. other day un giorno sì e uno no; e. time ogni volta; in e. way in tutto e per tutto

everybody /ˈevrɪbɒdɪ/ pr ciascuno, ognuno, tutti

everyday /ˈevrɪdeɪ/ a giornaliero, quotidiano, comune

everyone /ˈevrɪwʌn/ pr ciascuno, ognuno, tutti

everything /ˈevrɪθɪŋ/ pr tutto, ogni cosa

everywhere /ˈevrɪweər/ avv dovunque

to evict /ɪ(ː)ˈvɪkt/ vt sfrattare

evidence /ˈevɪd(ə)ns/ s prova f, dimostrazione f ◇ evidenza f ● to be called in e. (dir) essere chiamato a testimoniare

evil /ˈiːvl/ a cattivo, malvagio ◇ spiacevole ● s male m, malvagità f ◇ danno m

evocative /ɪˈvɒkətɪv/ a suggestivo

to evoke /ɪˈvəʊk/ vt evocare ◇ suscitare

evolution /ˌiːvəˈluːʃ(ə)n/ s evoluzione f

to evolve /ɪˈvɒlv/ vt evolvere, sviluppare ◆ vi evolversi, svilupparsi

ewe /juː/ s pecora f femmina

to exacerbate /eksˈæsə(ː)beɪt/ vt esacerbare, inasprire

exact /ɪɡˈzækt/ a esatto

to exact /ɪɡˈzækt/ vt esigere, estorcere ◇ pretendere, richiedere

exacting /ɪɡˈzæktɪŋ/ a esigente ◇ impegnativo

to exaggerate /ɪɡˈzædʒəreɪt/ vt/i esagerare

to exalt /ɪɡˈzɔːlt/ vt innalzare, elevare ◇ esaltare

exam /ɪɡˈzæm/ s esame m

examination /ɪɡˌzæmɪˈneɪʃ(ə)n/ s esame m ◇ ispezione f, verifica f ◇ (med) controllo m, visita f

to examine /ɪɡˈzæmɪn/ vt esaminare, controllare ◇ interrogare ◇ (med) visitare

example /ɪɡˈzɑːmpl/ s esempio m ● for e. ad esempio

to exasperate /ɪɡˈzɑːspə(ə)reɪt/ vt esasperare ◇ peggiorare, aggravare

to excavate /ˈekskəveɪt/ vt scavare

excavation /ˌekskəˈveɪʃ(ə)n/ s scavo m

excavator /ˈekskəveɪtər/ s scavatrice f

to exceed /ɪkˈsiːd/ vt eccedere, oltrepassare, superare ◆ vi eccedere, esagerare

to excel /ɪkˈsel/ vi eccellere, primeggiare ◆ vt essere superiore a

excellent /ˈeksələnt/ a eccellente, ottimo

except /ɪkˈsept/ prep eccetto, escluso, fuorché ● e. for fatta eccezione per, salvo; *e. that* salvo che; *e. when* tranne quando

exception /ɪk'sepʃ(ə)n/ *s* eccezione *f* ◇ obiezione *f*

exceptional /ɪk'sepʃənl/ *a* eccezionale

excerpt /'eksɜːpt/ *s* estratto *m*, passo *m* scelto

excess /ɪk'ses/ *s* eccesso *m*, abuso *m* ◇ eccedenza *f* ◆ *a* eccedente, in eccesso ◆ *e. fare* supplemento, soprattassa

exchange /ɪks'tʃeɪn(d)ʒ/ *s* scambio *m* ◇ (*econ*) cambio *m* ◇ Borsa *f*, mercato *m* ◇ (*tel*) centralino *m* ◆ *in e.* in cambio; *e. rate* tasso di cambio; *Stock E.* Borsa valori

to exchange /ɪks'tʃeɪn(d)ʒ/ *vt* cambiare, scambiare, permutare ◇ (*valuta*) cambiare

excise /ɛk'saɪz/ *s* dazio *m*, imposta *f*

excitable /ɪk'saɪtəbl/ *a* eccitabile

to excite /ɪk'saɪt/ *vt* eccitare, animare ◇ suscitare

exciting /ɪk'saɪtɪŋ/ *a* eccitante, emozionante, stimolante

to exclaim /ɪks'kleɪm/ *vt/i* esclamare

exclamation /ˌɛksklə'meɪʃ(ə)n/ *s* esclamazione *f*, grido *m* ◆ *e. mark, point* punto esclamativo

to exclude /ɪks'kluːd/ *vt* escludere

exclusion /ɪks'kluːʒ(ə)n/ *s* esclusione *f*

exclusive /ɪks'kluːsɪv/ *a* esclusivo ◆ *e. of* a esclusione di, escluso

to excommunicate /ˌɛkskə'mjuːnɪkeɪt/ *vt* scomunicare

to excoriate /ɛks'kɔːrɪeɪt/ *vt* escoriare, scorticare

excruciating /ɪks'kruː(:)ʃɪeɪtɪŋ/ *a* straziante, atroce

to exculpate /'ekskʌlpeɪt/ *vt* discolpare, scagionare

excursion /ɪks'kɜːʃ(ə)n/ *s* escursione *f*, gita *f*

excursionist /ɪks'kɜːʃnɪst/ *s* escursionista *m/f*, gitante *m/f*

excuse /ɪks'kjuːs/ *s* scusa *f*, giustificazione *f* ◇ pretesto *m*

to excuse /ɪks'kjuːz/ *vt* scusare, perdonare ◇ giustificare ◇ dispensare ◆ *e. me!* (mi) scusi!

execution /ˌɛksɪ'kjuːʃ(ə)n/ *s* esecuzione *f* capitale ◇ esecuzione *f*

executioner /ˌɛksɪ'kjuːʃnər/ *s* boia *m*

executive /ɪg'zekjʊtɪv/ *a* esecutivo ◇ direttivo ◆ *s* (potere) esecutivo *m* ◇ dirigente *m/f*, funzionario *m*

exemplary /ɪg'zɛmplərɪ/ *a* esemplare

to exemplify /ɪg'zɛmplɪfaɪ/ *vt* esemplificare

exempt /ɪg'zɛm(p)t/ *a* esente, dispensato

to exempt /ɪg'zɛm(p)t/ *vt* esentare, dispensare

exercise /'ɛksəsaɪz/ *s* esercizio *m*, pratica *f* ◇ moto *m*, esercizio *m* fisico ◇ esercizio *m*, compito *m*, esercitazione *f* ◆ *e. book* quaderno

to exercise /'ɛksəsaɪz/ *vt* esercitare, praticare ◇ allenare ◇ preoccupare ◆ *vi* esercitarsi, allenarsi

to exert /ɪg'zɜːt/ *vt* impiegare, esercitare

exertion /ɪgˈzɜːʃ(ə)n/ s esercizio m, impiego m ◇ sforzo m

exhalation /ˌeks(h)əˈleɪʃ(ə)n/ s esalazione f

to exhale /eksˈheɪl/ vt esalare, emanare ◆ vi espirare

exhaust /ɪgˈzɔːst/ s scarico m, scappamento m ◆ e. pipe tubo di scarico

to exhaust /ɪgˈzɔːst/ vt esaurire, consumare

exhaustion /ɪgˈzɔːstʃ(ə)n/ s esaurimento m ◇ spossatezza f

exhaustive /ɪgˈzɔːstɪv/ a esauriente

to exhibit /ɪgˈzɪbɪt/ vt esibire

exhibition /ˌeksɪˈbɪʃ(ə)n/ s esposizione f, mostra f

exhilaration /ɪgˌzɪləˈreɪʃ(ə)n/ s euforia f

to exhort /ɪgˈzɔːt/ vt esortare

to exhume /eksˈhjuːm/ vt esumare

exiguous /egˈzɪgjʊəs/ a esiguo

exile /ˈeksaɪl/ s esilio m ◇ esule m/f, esiliato m

to exile /ˈeksaɪl/ vt esiliare

to exist /ɪgˈzɪst/ vi esistere

existence /ɪgˈzɪst(ə)ns/ s esistenza f

exit /ˈeksɪt/ s uscita f

exodus /ˈeksədəs/ s esodo m

to exonerate /ɪgˈzɒnəreɪt/ vt esonerare ◇ discolpare

exorbitant /ɪgˈzɔːbɪtənt/ a esorbitante

to exorcize /ˈeksɔːsaɪz/ vt esorcizzare

exotic /egˈzɒtɪk/ a esotico

to expand /ɪksˈpænd/ vt espandere, dilatare ◇ estendere, ingrandire ◆ vi espandersi, dilatarsi ◇ ingrandirsi, ampliarsi

expanse /ɪksˈpæns/ s distesa f, estensione f ◇ espansione f

expansion /ɪksˈpænʃ(ə)n/ s espansione f, dilatazione f ◇ sviluppo m, crescita f

expansive /ɪksˈpænsɪv/ a espansibile, dilatabile ◇ (di persona) espansivo

to expatriate /eksˈpætrɪeɪt/ vi espatriare

to expect /ɪksˈpekt/ vt aspettare, aspettarsi, prevedere ◇ esigere, pretendere ◇ supporre

expectancy /ɪksˈpekt(ə)nsɪ/ s aspettativa f, attesa f

expectant /ɪksˈpekt(ə)nt/ a speranzoso, in attesa ◆ e. mother gestante

expectation /ˌekspekˈteɪʃ(ə)n/ s aspettativa f, attesa f

expedience /ɪksˈpiːdjəns/ s opportunità f, convenienza f ◇ opportunismo m

expedient /ɪksˈpiːdjənt/ a conveniente, opportuno ◆ s espediente m, ripiego m

expedition /ˌekspɪˈdɪʃ(ə)n/ s spedizione f

expeditious /ˌekspɪˈdɪʃəs/ a sbrigativo, veloce

to expel /ɪksˈpel/ vt espellere, scacciare ◇ emettere

to expend /ɪksˈpend/ vt spendere, impiegare ◇ consumare

expendable /ɪksˈpendəbl/ a spendibile ◇ sacrificabile

expenditure /ɪksˈpendɪtʃər/ s dispendio m, consumo m ◇ spesa f

expense /ɪksˈpens/ s spesa f, costo m ◇ al pl spese f pl, indennità f

expensive /ɪksˈpensɪv/ *a* costoso, caro

experience /ɪksˈpɪərɪəns/ *s* esperienza *f*

to experience /ɪksˈpɪərɪəns/ *vt* sperimentare, provare

experiment /ɪksˈperɪmənt/ *s* esperimento *m*, prova *f*

to experiment /ɪksˈperɪment/ *vi* sperimentare, fare esperimenti

expert /ˈekspɜːt/ *a* esperto, competente ◆ *s* esperto *m*, perito *m*

expertise /ˌekspəːˈtiːz/ *s* abilità *f*, competenza *f* ◇ (*arte*) perizia *f*

to expiate /ˈekspɪeɪt/ *vt* espiare

expiration /ˌekspɪˈreɪʃ(ə)n/ *s* espirazione *f* ◇ scadenza *f*

to expire /ɪksˈpaɪər/ *vi* scadere, finire ◇ morire, spirare ◆ *vt* espirare

expiry /ɪksˈpaɪərɪ/ *s* scadenza *f*, termine *m*

to explain /ɪksˈpleɪn/ *vt* spiegare, chiarire

explanation /ˌekspləˈneɪʃ(ə)n/ *s* spiegazione *f*

explanatory /ɪksˈplænət(ə)rɪ/ *a* esplicativo

explicit /ɪksˈplɪsɪt/ *a* esplicito

to explode /ɪksˈpləʊd/ *vt* far esplodere ◇ screditare, smontare ◆ *vi* esplodere, scoppiare

exploit /ˈeksplɔɪt/ *s* impresa *f*, prodezza *f*

to exploit /ɪksˈplɔɪt/ *vt* sfruttare

exploiter /ɪksˈplɔɪtər/ *s* sfruttatore *m*

exploration /ˌeksplɔːˈreɪʃ(ə)n/ *s* esplorazione *f*

to explore /ɪksˈplɔːr/ *vt* esplorare ◇ analizzare, considerare

explorer /ɪksˈplɔːrər/ *s* esploratore *m*

explosion /ɪksˈpləʊʒ(ə)n/ *s* esplosione *f*, scoppio *m*

explosive /ɪksˈpləʊsɪv/ *a/s* esplosivo *m*

exponent /eksˈpəʊnənt/ *s* esponente *m/f*

export /ˈekspɔːt/ *s* esportazione *f* ◇ prodotto *m* d'esportazione

to export /eksˈpɔːt/ *vt* esportare

to expose /ɪksˈpəʊz/ *vt* esporre ◇ svelare, smascherare

exposition /ˌekspəˈzɪʃ(ə)n/ *s* esposizione *f* ◇ spiegazione *f* ◇ mostra *f*

exposure /ɪksˈpəʊʒər/ *s* esposizione *f* ◇ mostra *f* ◇ (*fot*) (tempo di) esposizione *f* ◆ *e. meter* esposimetro

to expound /ɪksˈpaʊnd/ *vt* esporre, spiegare

express /ɪksˈpres/ *a* chiaro, esplicito ◇ espresso, rapido ◆ *s* (*corrispondenza*) espresso *m* ◇ (treno) espresso *m*

to express /ɪksˈpres/ *vt* esprimere ◇ mandare per espresso

expression /ɪksˈpreʃ(ə)n/ *s* espressione *f*

expressive /ɪksˈpresɪv/ *a* espressivo, significativo

expressway /ɪksˈpresweɪ/ *s* (*USA*) autostrada *f*

expropriation /eksˌprəʊprɪˈeɪʃ(ə)n/ *s* esproprio *m*, espropriazione *f*

expulsion /ɪksˈpʌlʃ(ə)n/ *s* espulsione *f*

exquisite /ˈekskwɪzɪt/ *a* squisito

extemporary /ɪksˈtemp(ə)rərɪ/ *a* estemporaneo

to extend /ɪksˈtend/ vt estendere, allargare, ampliare ◇ prorogare, protrarre, prolungare ◇ offrire, porgere ♦ vi estendersi, allungarsi ◇ protrarsi

extension /ɪksˈtenʃ(ə)n/ s estensione f, prolungamento m, ampliamento m ◇ proroga f ◇ (di edificio) ampliamento m ◇ (tel) interno m ◇ (el) prolunga f

extensive /ɪksˈtensɪv/ a esteso, vasto ◇ estensivo

extent /ɪksˈtent/ s estensione f, ampiezza f ◇ limite m, grado m ● to a large e. in larga parte; to the e. of fino al punto di

to extenuate /eksˈtenjʊeɪt/ vt attenuare

exterior /eksˈtɪərɪə/ a esterno, esteriore ♦ s esterno m ◇ esteriorità f

to exterminate /eksˈtɜːmɪneɪt/ vt sterminare, distruggere

external /eksˈtɜːnl/ a esterno, esteriore ◇ estero ◇ superficiale

extinct /ɪksˈtɪŋkt/ a estinto

to extinguish /ɪksˈtɪŋgwɪʃ/ vt estinguere, spegnere

extinguisher /ɪksˈtɪŋgwɪʃə/ s estintore m

to extirpate /ˈekstɜːpeɪt/ vt estirpare

to extort /ɪksˈtɔːt/ vt estorcere

extortionate /ɪksˈtɔːʃnt/ a esorbitante

extra /ˈekstrə/ a aggiuntivo, supplementare ♦ avv extra, in più

extract /ˈekstrækt/ s estratto m, essenza f ◇ (di libro) estratto m, brano m

to extract /ɪksˈtrækt/ vt estrarre

extraction /ɪksˈtrækʃ(ə)n/ s estrazione f

extradition /ˌekstrəˈdɪʃ(ə)n/ s estradizione f

extramarital /ˌekstrəˈmærɪtl/ a extraconiugale

extramural /ˌekstrəˈmjʊər(ə)l/ a fuori dell'università

extraneous /eksˈtreɪnjəs/ a estraneo

extraordinary /ɪksˈtrɔːd(ə)n(ə)rɪ/ a straordinario, eccezionale

extraterrestrial /ˌekstrətɪˈrestrɪəl/ a/s extraterrestre m/f

extravagance /ɪksˈtrævɪgəns/ s stravaganza f ◇ prodigalità f

extreme /ɪksˈtriːm/ a estremo, ultimo ◇ eccezionale ♦ s estremo m, estremità f ● e. sports sport estremi

extremist /ɪksˈtriːmɪst/ s estremista m/f ♦ a estremistico

extremity /ɪksˈtremɪtɪ/ s estremità f

to extricate /ˈekstrɪkeɪt/ vt districare, sbrogliare

extrovert /ˌekstrəʊ(v)ɜːt/ a/s estroverso m

exuberant /ɪɡˈzjuːb(ə)r(ə)nt/ a esuberante

to exult /ɪɡˈzʌlt/ vi esultare

eye /aɪ/ s occhio m ◇ sguardo m ◇ (bot) gemma f ◇ occhiello m, cruna f

eyebrow /ˈaɪbraʊ/ s sopracciglio m

eyelash /ˈaɪlæʃ/ s ciglio m

eyelid /ˈaɪlɪd/ s palpebra f

eyesight /ˈaɪsaɪt/ s vista f

F

fable /ˈfeɪbl/ s favola f ◇ mito m, leggenda f

fabric /ˈfæbrɪk/ s tessuto m, stoffa f ◇ (fig) struttura f

to fabricate /ˈfæbrɪkeɪt/ vt fabbricare, costruire ◇ inventare, falsificare, contraffare

fabulous /ˈfæbjʊləs/ a favoloso

façade /fəˈsɑːd/ s facciata f

face /feɪs/ s faccia f, volto m ◇ facciata f, fronte m ● f. down a faccia in giù; f. to f. faccia a faccia; in the f. of di fronte a, a dispetto di; on the f. of it a prima vista

to face /feɪs/ vt fronteggiare, essere di fronte a, essere volto a ◇ affrontare, tener testa a ◇ ricoprire ● to f. off fare una rimessa

facet /ˈfæsɪt/ s sfaccettatura f

facial /ˈfeɪʃ(ə)l/ a facciale

facile /ˈfæsaɪl/ a facile ◇ svelto, abile ◇ superficiale

facility /fəˈsɪlɪtɪ/ s facilitazione f, agevolazione f ◇ al pl attrezzature f pl, servizi m pl

facing /ˈfeɪsɪŋ/ a prospiciente ◆ s rivestimento m ◇ (di indumenti) risvolto m

fact /fækt/ s fatto m, avvenimento m ◇ realtà f

factious /ˈfækʃəs/ a fazioso

factor /ˈfæktə/ s fattore m, coefficiente m

factory /ˈfækt(ə)rɪ/ s fabbrica f, stabilimento m, manifattura f

factual /ˈfæktjʊəl/ a effettivo, reale

faculty /ˈfæk(ə)ltɪ/ s facoltà f

fad /fæd/ s capriccio m, mania f

to fade /feɪd/ vi avvizzire, appassire ◇ scolorire, sbiadire ◇ svanire ◆ vt far appassire ◇ scolorire ◇ (radio) fare una dissoluzione f

fading /ˈfeɪdɪŋ/ s appassimento m ◇ (cin) dissolvenza f ◇ (fig) tramonto m

faeces /ˈfiːsiːz/ s pl feci f pl

fag (1) /fæg/ s (fam) faticata f, sgobbata f

fag (2) /fæg/ s (pop) sigaretta f, cicca f

faience /faɪˈɑː(n)s/ s ceramica f, porcellana f

fail /feɪl/ s insuccesso m ◇ insufficienza f ● without f. senza eccezioni, certamente

to fail /feɪl/ vi fallire, non riuscire ◇ mancare, venir meno ◇ essere respinto, essere bocciato ◆ vt bocciare, respingere ◇ non superare

failing /ˈfeɪlɪŋ/ a debole, scarso ◆ s debolezza f, difetto m ◇ mancanza f ◆ prep in mancanza di

failure /ˈfeɪljə/ s fallimento m, insuccesso m ◇ mancanza f, difetto m ◇ (mecc) guasto m

faint /feɪnt/ a debole, esile, pallido ◇ languido, fiacco ◇ timido ◇ vago ◆ s svenimento m

to faint /feɪnt/ vi svenire ● to feel f. sentirsi svenire

fair (1) /feə/ a giusto, leale, onesto ◇ discreto, sufficiente ◇ biondo, chiaro ◇ sereno, propizio, favorevole ◇ bello ◆ avv giustamente

◇ correttamente, onestamente ●
f. trade, trading commercio
equo e solidale

fair (2) /feə*/ s fiera *f* ● *trade f.* fiera
campionaria

fairly /ˈfeəlɪ/ avv discretamente,
abbastanza ◇ equamente, onestamente

fairness /ˈfeənɪs/ s bellezza *f* ◇
equità *f*, imparzialità *f* ● *in all f.*
in tutta onestà

fairy /ˈfeərɪ/ a fatato, magico ◆ s
fata *f* ● *f. tale* fiaba

faith /feɪθ/ s fede *f*, fiducia *f* ◇
lealtà *f*

faithful /ˈfeɪθf(ʊ)l/ a fedele, leale ◇
accurato

fake /feɪk/ s impostore *m* ◇ falsificazione *f*, falso *m* ◆ a falso

to fake /feɪk/ vt falsificare, contraffare ◇ fingere

fall /fɔːl/ s caduta *f*, crollo *m* ◇ discesa *f*, pendio *m* ◇ *spec al pl* cascata *f* ◇ ribasso *m*, diminuzione
f ◇ (*USA*) autunno *m* ● *f. off* contrazione, caduta; *the F.* il peccato originale

to fall /fɔːl/ (*pass* fell, *pp* fallen) vi
cadere, precipitare ◇ diminuire
◇ suddividersi ◇ riversarsi, sfociare ● *to f. apart* cadere a pezzi;
to f. asleep addormentarsi; *to
f. back* indietreggiare, ritirarsi; *to
f. down* crollare; *to f. for* prendere una cotta per; *to f. ill* ammalarsi; *to f. in* crollare; *to f. off*
cadere, diminuire; *to f. on* gettarsi su; *to f. out* cadere, litigare;
to f. through fallire

fallacy /ˈfæləsɪ/ s errore *m*, credenza *f* errata

falling /ˈfɔːlɪŋ/ a cadente ● *f. out*
litigio

fallout /ˈfɔːlˌaʊt/ s ricaduta *f* radio-
attiva ◇ (*fig*) conseguenza *f*

fallow /ˈfæləʊ/ a incolto

false /fɔːls/ a falso, falsificato, posticcio ◇ errato, sbagliato ◇ il-
lusorio ◆ avv falsamente, sleal-
mente

to falsify /ˈfɔːlsɪfaɪ/ vt falsificare,
truccare

to falter /ˈfɔːltə*/ vi barcollare, esitare ◇ balbettare

fame /feɪm/ s fama *f*, rinomanza *f*

familiar /fəˈmɪljə*/ a familiare ◇
consueto, comune ● *to be f.
with* conoscere bene

to familiarize /fəˈmɪljəraɪz/ vt rendere familiare ● *to f. oneself* fa-
miliarizzarsi

family /ˈfæmɪlɪ/ s famiglia *f* ◇ gruppo *m* ◆ a familiare ● *f. tree* albero genealogico; *f. name* cognome

famine /ˈfæmɪn/ s carestia *f*

to famish /ˈfæmɪʃ/ vt affamare ◆ vi
morire di fame

famous /ˈfeɪməs/ a famoso

fan (1) /fæn/ s ventaglio *m* ◇ ventilatore *m*, ventola *f*

fan (2) /fæn/ s fan *m/f*, ammiratore
m

to fan /fæn/ vt sventolare, fare
vento ◇ attizzare ◆ vi aprirsi a
ventaglio

fanatic /fəˈnætɪk/ a fanatico ◇ tifo-
so

fanciful /ˈfænsɪf(ʊ)l/ a fantastico,
fantasioso, immaginario

fancy /ˈfænsɪ/ s immaginazione *f*,
fantasia *f* ◇ capriccio *m* ◇ incli-

nazione f ◆ *a* elegante ◇ speciale ◇ stravagante, elaborato ● *f. dress* costume, maschera

to fancy /ˈfænsɪ/ *vt* trovare attraente ◇ immaginare, pensare ◇ gradire, aver voglia di ◆ *vi* fantasticare ● *to f. oneself* avere un'alta opinione di sé; *f. that!* figurati!

fang /fæŋ/ *s* zanna f ◇ (*spec di serpente*) dente m

fantasy /ˈfæntəsɪ/ *s* fantasia f, immaginazione f ◇ fantasticheria f

far /fɑːʳ/ (*comp* **farther, further**, *sup* **farthest, furthest**) *a* lontano ◆ *avv* lontano ◇ assai, di gran lunga ● *as f. as* per quanto riguarda, fino a; *by f.* di gran lunga; *f. from* lontano da; *f. reaching* di vasta portata; *f. seeing* lungimirante; *so f.* finora

faraway /ˈfɑːrəweɪ/ *a* lontano, distante ◇ assente

farce /fɑːs/ *s* farsa f

fare /feəʳ/ *s* (*mezzo di trasporto, taxi*) prezzo m della corsa, tariffa f ◇ passeggero m ◇ cibo m, vitto m

farewell /ˌfeəˈwel/ *s* commiato m, addio m ◆ *inter* addio!

farm /fɑːm/ *s* podere m ◇ fattoria f, cascina f ◇ allevamento m ● *holiday f.* agriturismo

to farm /fɑːm/ *vt* coltivare ◇ allevare ● *to f. out* dare in appalto

farmhouse /ˈfɑːmhaʊs/ *s* fattoria f, cascina f

farming /ˈfɑːmɪŋ/ *s* agricoltura f, coltivazione f ● *organic f.* agricoltura biologica

farther /ˈfɑːðəʳ/ (*comp di* **far**) *a* più lontano, più distante ◇ addizio-

nale ◆ *avv* oltre, più lontano ◇ in più

farthest /ˈfɑːðɪst/ (*sup di* **far**) *a* il più lontano, il più distante ◆ *avv* il più lontano possibile

to fascinate /ˈfæsɪneɪt/ *vt* affascinare

fascination /ˌfæsɪˈneɪʃ(ə)n/ *s* fascino m

Fascism /ˈfæʃɪz(ə)m/ *s* fascismo m

fashion /ˈfæʃ(ə)n/ *s* modo m, maniera f ◇ moda f ● *in f.* alla moda; *out of f.* fuori moda

fashionable /ˈfæʃ(ə)nəbl/ *a* alla moda

fast (1) /fɑːst/ *a* veloce, rapido ◇ fisso, solido ◆ *avv* velocemente, in fretta ◇ saldamente, fermamente

fast (2) /fɑːst/ *s* digiuno m

to fasten /ˈfɑːsn/ *vt* attaccare, fissare ◇ allacciare ◆ *vi* chiudersi, allacciarsi

fastening /ˈfɑːsnɪŋ/ *s* chiusura f

fastidious /fæˈstɪdɪəs/ *a* meticoloso

fat /fæt/ *a* grasso, untuoso ◇ adiposo ◇ pingue, grasso, corpulento ● *s* grasso m

fatal /ˈfeɪtl/ *a* fatidico, fatale ◇ disastroso

fatality /fəˈtælɪtɪ/ *s* fatalità f ◇ morte f violenta

fate /feɪt/ *s* fato m, sorte f

fateful /ˈfeɪtf(ʊ)l/ *a* fatale, fatidico

father /ˈfɑːðəʳ/ *s* padre m ● *f.-in-law* suocero

fatherly /ˈfɑːðəlɪ/ *a* paterno

fathom /ˈfæðəm/ *s* braccio m (*misura*)

fatigue /fəˈtiːg/ *s* fatica f, stanchezza f

to fatten /ˈfætn/ *vt/i* ingrassare

fatty /ˈfætɪ/ *a* grasso, untuoso ◆ *s* (*fam*) grassone *m*, ciccione *m*

fatuous /ˈfætjʊəs/ *a* fatuo

faucet /ˈfɔːsɪt/ *s* (*USA*) rubinetto *m*

fault /fɔːlt/ *s* difetto *m* ◇ colpa *f* ◇ mancanza *f*, errore *m* ◇ (*sport*) fallo *m* ◇ (*geol*) faglia *f* ● *to a f.* fin troppo

faulty /ˈfɔːltɪ/ *a* difettoso ◇ scorretto

favour /ˈfeɪvər/ (*USA* favor) *s* favore *m*, benevolenza *f* ◇ cortesia *f* ● *to be in f. of* essere favorevole a

to favour /ˈfeɪvər/ (*USA* **favor**) *vt* favorire, proteggere

favourable /ˈfeɪv(ə)rəbl/ *a* favorevole, vantaggioso

favourite /ˈfeɪv(ə)rɪt/ *a/s* favorito *m*, preferito *m*

fawn /fɔːn/ *s* daino *m*, cerbiatto *m*

to fax /fæks/ *vt* trasmettere via fax

fear /fɪər/ *s* timore *m*, spavento *m*, paura *f*

to fear /fɪər/ *vt* temere

fearful /ˈfɪəf(ʊ)l/ *a* spaventoso ◇ pauroso ◇ spaventato

feasible /ˈfiːzəbl/ *a* fattibile

feast /fiːst/ *s* festa *f* ◇ banchetto *m*

to feast /fiːst/ *vi* banchettare ● festeggiare

feat /fiːt/ *s* prodezza *f*, impresa *f*

feather /ˈfeðər/ *s* penna *f*, piuma *f*

feature /ˈfiːtʃər/ *s* sembianza *f* ◇ caratteristica *f*, aspetto *m* ◇ (*TV, stampa*) numero *m* principale, servizio *m* speciale ● *f. film* lungometraggio

to feature /ˈfiːtʃər/ *vt* rappresentare ◇ avere come protagonista

February /ˈfebrʊərɪ/ *s* febbraio *m*

to fecundate /ˈfiːkəndeɪt/ *vt* fecondare

federal /ˈfedərəl/ *a* federale

federation /fedəˈreɪʃ(ə)n/ *s* federazione *f*

fee /fiː/ *s* tassa *f* ◇ compenso *m*, onorario *m* ● *school fees* tasse scolastiche

feeble /ˈfiːbl/ *a* debole, fragile

to feed /fiːd/ (*pass/pp* **fed**) *vt* cibare, nutrire, dare da mangiare a ◇ imboccare ◇ (*mecc*) alimentare ● *to f. oneself* nutrirsi

feedback /ˈfiːdbæk/ *s* retroazione *f*, feedback *m*

feeder /ˈfiːdər/ *s* (*el*) alimentatore *m*

feeding /ˈfiːdɪŋ/ *a* nutriente ◇ di alimentazione ◇ *s* nutrizione *f*, alimentazione *f* ● *f. bottle* biberon

feel /fiːl/ *s* tatto *m*, tocco *m* ◇ sensibilità *f* ◇ (*fig*) atmosfera *f*

to feel /fiːl/ (*pass/pp* **felt**) *vt* sentire, toccare, palpare ◇ percepire, provare ◇ ritenere ◆ *vi* sentire, sentirsi ◇ sembrare (al tatto) ◇ (*impers*) sembrare ● *to f. as if* avere l'impressione che; *to f. like* aver voglia di; *to f. up to* st sentirsi in grado di fare qc

feeler /ˈfiːlər/ *s* (*zool*) antenna *f* ◇ sonda *f*

feeling /ˈfiːlɪŋ/ *s* sensazione *f*, impressione *f*

feet /fiːt/ *pl di* foot

to feign /feɪn/ *vt* fingere, dissimulare

to fell /fel/ *vt* abbattere, atterrare

fellow /ˈfeləʊ(ʊ)/ *s* individuo *m*, tipo *m* ◇ compagno *m* ◇ (*di associa-*

zione, accademia) membro *m* ● **f. citizen** concittadino

fellowship /ˈfeləʊ(ʊ)ʃɪp/ *s* compagnia *f*, amicizia *f* ◇ associazione *f* ◇ (*università*) borsa *f* di studio

felt /felt/ *s* feltro *m*

female /ˈfiːmeɪl/ *a* femminile ◆ *s* femmina *f*

feminine /ˈfemɪnɪn/ *a* femminile, femmineo

femur /ˈfiːmə*r*/ *s* femore *m*

fen /fen/ *s* palude *f*

fence /fens/ *s* palizzata *f*, recinto *m*, staccionata *f* ◇ scherma *f* ◇ ricettatore *m* ● **to sit on the f.** essere indeciso

to fence /fens/ *vt* recingere ◆ *vi* tirare di scherma ◇ fare il ricettatore

fencing /ˈfensɪŋ/ *s* scherma *f*

to fend /fend/ *vt/i* difendere, difendersi ● **to f. for oneself** arrangiarsi; **to f. off** schivare

fennel /ˈfenl/ *s* finocchio *m*

to ferment /fə(ː)ˈment/ *vt* far fermentare ◇ fomentare ◆ *vi* fermentare ◇ essere in fermento

fern /fɜːn/ *s* felce *f*

ferocious /fəˈrəʊʃəs/ *a* feroce

ferret /ˈferɪt/ *s* furetto *m*

to ferret /ˈferɪt/ *vt* indagare ● **to f. out** scovare

ferrule /ˈferuːl/ *s* puntale *m*

ferry /ˈferɪ/ *s* traghetto *m*

to ferry /ˈferɪ/ *vt* traghettare

fertile /ˈfɜːtaɪl/ *a* fertile

to fester /ˈfestər/ *vi* suppurare ◇ (*fig*) avvelenarsi

festive /ˈfestɪv/ *a* festivo ◇ festoso, gioioso

festivity /fesˈtɪvɪtɪ/ *s* festività *f* ◇ *al pl* festeggiamenti *m pl*

to festoon /fesˈtuːn/ *vi* ornare di festoni

to fetch /fetʃ/ *vt* portare, andare a prendere ◇ raggiungere (*un certo prezzo*)

fetching /ˈfetʃɪŋ/ *a* (*fam*) attraente

fetishism /ˈfeːtɪʃɪz(ə)m/ *s* feticismo *m*

fetus /ˈfiːtəs/ → **foetus**

feud /fjuːd/ *s* contesa *f*, faida *f* ◇ feudo *m*

fever /ˈfiːvər/ *s* febbre *f*

feverish /ˈfiːv(ə)rɪʃ/ *a* febbricitante ◇ febbrile

few /fjuː/ *a/pr* pochi, alcuni ● *a f.* alcuni, qualche; *not a f.* non pochi

fiancé /frˈɑː(n)seɪ/ *s* fidanzato *m*

fiancée /frˈɑː(n)seɪ/ *s* fidanzata *f*

fib /fɪb/ *s* (*fam*) bugia *f*

fibre /ˈfaɪbər/ (*USA* **fiber**) *s* fibra *f* ● **f.-glass** fibra di vetro

fibula /ˈfɪbjʊlə/ *s* (*anat*) perone *m* ◇ (*archeol*) fibula *f*

fickle /ˈfɪkl/ *a* incostante, mutevole

fiction /ˈfɪkʃ(ə)n/ *s* narrativa *f* ◇ finzione *f*

fictitious /fɪkˈtɪʃəs/ *a* fittizio, immaginario

fiddle /ˈfɪdl/ *s* violino *m* ◇ (*fam*) truffa *f*

to fiddle /ˈfɪdl/ *vi* (*fam*) suonare il violino ◇ gingillarsi ◆ *vt* (*fam*) falsificare, contraffare ● **to f. with** maneggiare

fidelity /frˈdelɪtɪ/ *s* fedeltà *f*

to fidget /ˈfɪdʒɪt/ *vi* agitarsi, dimenarsi ◆ *vt* infastidire

field /fiːld/ *s* campo *m*, terreno *m* ◇ settore *m*

fieldwork /ˈfiːldwɜːk/ *s* ricerca *f* sul campo

fiend /fiːnd/ *s* demonio *m*

fierce /fɪəs/ *a* feroce, violento ◇ intenso

fiery /ˈfaɪərɪ/ *a* ardente, infocato

fifteen /fɪfˈtiːn/ *a/s* quindici *m*

fifteenth /fɪfˈtiːnθ/ *a/s* quindicesimo *m*

fifth /fɪfθ/ *a/s* quinto *m*, la quinta parte *f*

fiftieth /ˈfɪftɪɪθ/ *a/s* cinquantesimo *m*

fifty /ˈfɪftɪ/ *a/s* cinquanta *m* ● *f.-f.* a metà

fig /fɪg/ *s* fico *m*

fight /faɪt/ *s* combattimento *m* ◇ zuffa *f*, rissa *f*

to fight /faɪt/ (*pass/pp* **fought**) *vi* combattere, lottare ◇ fare a pugni, azzuffarsi ◆ *vt* combattere, opporsi a

fighter /ˈfaɪtə/ *s* combattente *m/f* ◇ aereo *m* da caccia

figment /ˈfɪgmənt/ *s* finzione *f*

figurative /ˈfɪgjʊrətɪv/ *a* figurato ◇ figurativo

figure /ˈfɪgə/ *s* figura *f*, immagine *f* ◇ figura *f*, personaggio *m* ◇ cifra *f*, numero *m*

to figure /ˈfɪgə/ *vt* raffigurare ◇ immaginare ◆ *vi* spiccare, figurare ● *to f. out* calcolare, capire

to filch /fɪltʃ/ *vt* rubacchiare

file (1) /faɪl/ *s* archivio *m*, schedario *m* ◇ (*inform*) file *m*

file (2) /faɪl/ *s* lima *f* ● *f. dust* limatura

file (3) /faɪl/ *s* fila *f*

to file (1) /faɪl/ *vt* archiviare, schedare

to file (2) /faɪl/ *vt* limare

to file (3) /faɪl/ *vi* marciare in fila

filibustering /ˈfɪlɪbʌstərɪn/ *s* (*USA*) ostruzionismo *m*

filiform /ˈfɪlɪfɔːm/ *a* filiforme

filigree /ˈfɪlɪgriː/ *s* filigrana *f*

fill /fɪl/ *s* sazietà *f*, sufficienza *f* ◇ (*aut*) pieno *m*

to fill /fɪl/ *vt* riempire, colmare ◇ (*un dovere, una mansione*) adempiere, compiere ◆ *vi* riempirsi ● *to f. in* compilare (un modulo); *to f. up* (*aut*) fare il pieno

fillet /ˈfɪlɪt/ *s* nastro *m* ◇ (*cuc*) filetto *m*

filling /ˈfɪlɪŋ/ *s* riempimento *m* ◇ otturazione *f* ◇ ripieno *m* ◇ compilazione *f* ● *f. station* stazione di servizio

film /fɪlm/ *s* pellicola *f*, membrana *f* ◇ (*fot*) pellicola *f* ◇ (*cin*) film *m*

to film /fɪlm/ *vt* filmare

filter /ˈfɪltə/ *s* filtro *m*

to filter /ˈfɪltə/ *vt/i* filtrare

filth /fɪlθ/ *s* porcheria *f*, sporcizia *f*

fin /fɪn/ *s* pinna *f*

final /ˈfaɪnl/ *a* finale, ultimo ◇ definitivo, conclusivo ◆ *s pl* esami *m pl* finali ◇ (*sport*) finali *f pl*

finalize /ˈfaɪnəlaɪz/ *vt* concludere, ultimare ◇ definire

finance /faɪˈnæns/ *s* finanza *f*

financial /faɪˈnænʃ(ə)l/ *a* finanziario

financier /faɪˈnænsɪə/ *s* finanziere *m* ◇ finanziatore *m*

financing /faɪˈnænsɪŋ/ *s* finanziamento *m*

find /faɪnd/ s scoperta f, trovata f, ritrovamento m

to find /faɪnd/ (*pass/pp* **found**) *vt* trovare, ritrovare, rinvenire ◇ pensare, ritenere ◇ provare ◇ (*dir*) giudicare ◆ *all found* tutto compreso; *to f. out* scoprire, cogliere in fallo

finding /ˈfaɪndɪŋ/ s ritrovamento m, scoperta f ◇ (*dir*) verdetto m, sentenza f ◆ *al pl* conclusioni f pl

fine (1) /faɪn/ a bello, bravo, eccellente ◇ fine, sottile, delicato ◇ raffinato, pregiato ◆ *avv* bene, benissimo ◇ finemente ● *f. arts* belle arti; *to be f.* (*di persona*) star bene, (*di tempo*) far bello

fine (2) /faɪn/ s multa f, contravvenzione f

to fine /faɪn/ *vt* multare

finger /ˈfɪŋɡər/ s dito m ● *little f.* mignolo

to finger /ˈfɪŋɡər/ *vt* palpare, toccare

fingerprint /ˈfɪŋɡəprɪnt/ s impronta f digitale

fingertip /ˈfɪŋɡətɪp/ s punta f delle dito

finicky /ˈfɪnɪkɪ/ a esigente, pignolo

finish /ˈfɪnɪʃ/ s fine f, finale m ◇ finitura f

to finish /ˈfɪnɪʃ/ *vt* finire, rifinire ◇ *vi* cessare, terminare ● *to f. off* compiere, uccidere

finishing /ˈfɪnɪʃɪŋ/ a conclusivo

finite /ˈfaɪnaɪt/ a circoscritto, limitato ◇ (*gramm*) finito

Finlander /ˈfɪnlændər/ s finlandese m/f

Finn /fɪn/ s finlandese m/f

Finnish /ˈfɪnɪʃ/ a finlandese ◆ s (*lingua*) finlandese m

fiord /fjɔːd/ s fiordo m

fir /fɜː/ s abete m

fire /ˈfaɪə/ s fuoco m ◇ incendio m ◇ sparo m, tiro m ● *f. extinguisher* estintore; *f. station* caserma dei pompieri; *on f.* in fiamme

to fire /ˈfaɪə/ *vt* sparare, scagliare ◇ infiammare, dare fuoco a

fireguard /ˈfaɪəɡɑːd/ s parafuoco m

fireman /ˈfaɪəmən/ (*pl* **firemen**) s pompiere m

fireplace /ˈfaɪəpleɪs/ s caminetto m, camino m

fireproof /ˈfaɪəpruːf/ a ignifugo

firewood /ˈfaɪəwʊd/ s legna f da ardere

fireworks /ˈfaɪəwɜːks/ s pl fuochi m pl d'artificio

firm (1) /fɜːm/ a fermo, saldo, solido

firm (2) /fɜːm/ s azienda f, ditta f ● *f. name* ragione sociale

firmament /ˈfɜːməmənt/ s firmamento m

first /fɜːst/ a primo ◆ *avv* per primo, innanzi tutto, prima ◇ per la prima volta ● *at f.* dapprima; *at f. sight* a prima vista; *f. aid* pronto soccorso; *f. class* prima classe, prima qualità; *f. floor* pianterreno; *f.-hand* di prima mano; *f. lady* (USA) consorte del Presidente; *f. name* (USA) nome di battesimo; *f. rate* eccellente

fiscal /ˈfɪsk(ə)l/ a fiscale

fish /fɪʃ/ s pesce m ● *f. farm* vivaio m

to fish /fɪʃ/ *vt/i* pescare

fishbone /ˈfɪʃbəʊn/ s lisca f

fisherman /ˈfɪʃəmən/ s (pl **fishermen**) pescatore m

fishhook /ˈfɪʃhʊk/ s amo m

fishing /ˈfɪʃɪŋ/ s pesca f

fishmonger /ˈfɪʃˌmʌŋɡə/ s pescivendolo m

fissure /ˈfɪʃə/ s fessura f

fist /fɪst/ s pugno m

fit (1) /fɪt/ a adatto, conveniente ◇ in forma, sano ◇ pronto ◆ s adattamento m ◇ misura f, taglia f

fit (2) /fɪt/ s (med) attacco m, accesso m

to fit /fɪt/ vt adattarsi a ◇ adattare, adeguare ◇ preparare, munire (un vestito) provare ◆ vi calzare, andare bene ◇ adattarsi ● to f. in infilare, inserirsi; to f. in with accordarsi; to f. out fornire di; to f. up installare

fitchew /ˈfɪtʃuː/ s puzzola f

fitful /ˈfɪtf(ʊ)l/ a irregolare, incostante

fitment /ˈfɪtmənt/ s arredo m

fitness /ˈfɪtnɪs/ s idoneità f ◇ buona salute f, forma f fisica

fitted /ˈfɪtɪd/ a adatto ◇ attrezzato ◇ aderente ◇ su misura ● f. carpet moquette

fitting /ˈfɪtɪŋ/ a adatto, conveniente ◆ s prova f ◇ misura f ◇ al pl attrezzatura f, equipaggiamento m, accessori m pl

five /faɪv/ a/s cinque m

fix /fɪks/ s (fam) pasticcio m ◇ (pop) buco m, pera f (di droga)

to fix /fɪks/ vt fissare, attaccare ◇ stabilire ◇ sistemare ● to f. up sistemare, aggiustare

fixing /ˈfɪksɪŋ/ s (fot) fissaggio m ◇ (fin) quotazione f ufficiale

fixture /ˈfɪkstʃə/ s apparecchiatura f ◇ installazioni f pl fisse, impianto m

fizz /fɪz/ s sibilo m ◇ effervescenza f ◇ bevanda f gassata

to fizzle /ˈfɪzl/ vi spumeggiare ● to f. out finire in nulla

fizzy /ˈfɪzɪ/ a effervescente, frizzante

to flabbergast /ˈflæbəɡɑːst/ vt sbalordire

flabby /ˈflæbɪ/ a flaccido, molle

flag (1) /flæɡ/ s bandiera f, insegna f

flag (2) /flæɡ/ s pietra f da lastrico

to flag (1) /flæɡ/ vt imbandierare ● to f. down fare segno di fermarsi (a un taxi)

to flag (2) /flæɡ/ vt lastricare

to flag (3) /flæɡ/ vi (fig) stancarsi, perdere entusiasmo

flagon /ˈflæɡən/ s caraffa f ◇ fiasco m, bottiglione m

flair /fleə/ s fiuto m, intuito m

flak /flæk/ s fuoco m contraereo ◇ (fam) opposizione f

flake /fleɪk/ s fiocco m ◇ scaglia f ● snow f. fiocco di neve

to flake /fleɪk/ vi sfaldarsi, squamarsi

flame /fleɪm/ s fiamma f

flamingo /fləˈmɪŋɡəʊ/ s fenicottero m

flammable /ˈflæməbl/ a infiammabile

flank /flæŋk/ s fianco m, fiancata f

to flank /flæŋk/ vt fiancheggiare

flannel /ˈflænl/ s flanella f

flap /flæp/ s falda f, risvolto m ◇ (aer) ipersostentatore m ◇ lembo *m*, linguetta *f* ◇ colpo *m* leggero ●*in a f.* nel panico

to flap /flæp/ *vt* agitare, battere ◆ *vi* sbattere

flare /fleəˈ/ *s* fiammata *f* ◇ svasatura *f*

to flare /fleəˈ/ *vi* sfolgorare ◇ allargarsi ●*to f. up* prendere fuoco, riprendere vigore

flash /flæʃ/ *s* bagliore *m*, lampo *m* ◇ *(fot)* flash *m* ◇ notizia *f* lampo

to flash /flæʃ/ *vi* lampeggiare, scintillare ◆ *vt* proiettare, far balenare ◇ trasmettere

flashy /flæʃɪ/ *a* sgargiante

flask /flɑːsk/ *s* fiasco *m*, fiaschetta *f*

flat /flæt/ *a* piano, pianeggiante ◇ netto ◇ *(di pneumatico)* sgonfio ◇ *(el)* scarico ◆ *s* appartamento *m* ◇ pianura *f* ◇ *(mus)* bemolle *f*

to flatten /flætn/ *vt* appiattire, spianare ◇ abbattere, deprimere ◆ *vi* appiattirsi, spianarsi ◇ abbattersi, deprimersi

to flatter /flætəˈ/ *vt* lusingare

flavour /fleɪvəˈ/ *(USA* **flavor)** *s* aroma *m*, gusto *m*

to flavour /fleɪvəˈ/ *(USA* **to flavor)** *vt* aromatizzare, insaporire, condire

flavouring /fleɪvərɪŋ/ *s* condimento *m*, essenza *f*

flaw /flɔː/ *s* imperfezione *f*, difetto *m*

flax /flæks/ *s* lino *m*

flaxen /flæks(ə)n/ *a* di lino ◇ biondo chiaro

flea /fliː/ *s* pulce *f*

fleck /flek/ *s* macchiolina *f* ◇ granello *m*

to flee /fliː/ *(pass/pp* **fled)** *vi* fuggire, scappare ◆ *vt* scappare da

to fleece /fliːs/ *vt* tosare

fleet /fliːt/ *s* flotta *f*

fleeting /fliːtɪŋ/ *a* fugace

Fleming /flemɪŋ/ *s* fiammingo *m*

Flemish /flemɪʃ/ *a/s* fiammingo *m*

flesh /fleʃ/ *s* carne *f* ◇ polpa *f*

to flex /fleks/ *vt* contrarre, flettere

flexible /fleksəbl/ *a* flessibile

flexuous /fleksjʊəs/ *a* flessuoso

flick /flɪk/ *s* colpo *m* secco ◇ buffetto *m* ◇ scatto *m*

to flick /flɪk/ *vt* colpire leggermente ◇ far schioccare ◆ *vi* muoversi a scatti ●*to f. through* *(un libro)* sfogliare

to flicker /flɪkəˈ/ *vi* tremolare, vacillare

flight /flaɪt/ *s* volo *m* ◇ stormo *m* ◇ traiettoria *f* ◇ fuga *f*

flimsy /flɪmzɪ/ *a* fragile

to flinch /flɪntʃ/ *vi* ritirarsi, tirarsi indietro

to fling /flɪŋ/ *(pass/pp* **flung)** *vt* gettare, scagliare

flint /flɪnt/ *s* selce *f* ◇ *(di accendino)* pietrina *f*

to flip /flɪp/ *vi* *(fam)* perdere le staffe ◆ *vt* *(una moneta)* lanciare ◇ girare, premere *(un interruttore)* ●*to f. through* sfogliare

flip-flops /flɪpflɒps/ *s pl* infradito *m/f*

flippant /flɪpənt/ *a* impertinente

flipper /flɪpəˈ/ *s* pinna *f*

flirt /flɜːt/ *s (di ragazza)* civetta *f*

to flirt /flɜːt/ *vi* civettare, flirtare

to flit /flɪt/ *vi* svolazzare, volteggiare

to float /fləʊt/ *vi* galleggiare ◇ fluttuare

flock (1) /flɒk/ *s* batuffolo *m*

flock (2) /flɒk/ *s* gregge *m* ◆ stormo *m* ◇ stuolo *m*

to flog /flɒg/ *vt* frustare

flood /flʌd/ *s* alluvione *f*, diluvio *m* ◇ piena *f* ◇ marea *f*

to flood /flʌd/ *vt* allagare, inondare ◆ *vi* (*di marea*) salire ◇ straripare ● *to f. in* riversarsi in

floodlight /flʌdlaɪt/ *s* riflettore *m*

floor /flɔːr/ *s* pavimento *m* ◇ piano *m* ◇ fondo *m*

flop /flɒp/ *s* tonfo *m* ◇ (*fam*) fiasco *m*, insuccesso *m*

floppy /flɒpɪ/ *a* floscio ● *f. disk* floppy disk

floral /flɔːr(ə)l/ *a* floreale

florid /flɒrɪd/ *a* florido ◇ (*fig*) fiorito

florist /flɒrɪst/ *s* fioraio *m*

flounce /flaʊns/ *s* balzo *m*, scatto *m* ◇ balza *f*

to flounder /flaʊndər/ *vi* agitarsi, dibattersi, annaspare ◇ (*fig*) essere in difficoltà

flour /flaʊər/ *s* farina *f*

to flourish /flʌrɪʃ/ *vi* fiorire, prosperare

flout /flaʊt/ *s* burla *f*

to flout /flaʊt/ *vt* schernire, disprezzare

flow /fləʊ/ *s* flusso *m*, corrente *f* ◇ portata *f* ● *f. chart* schema di flusso

to flow /fləʊ/ *vi* fluire, scorrere ◇ circolare ◇ ricadere, scendere ● *to f. in* affluire; *to f. out* defluire

flower /flaʊər/ *s* fiore *m*

to flower /flaʊər/ *vi* fiorire

flowing /fləʊɪŋ/ *a* fluido, scorrevole

flu /fluː/ *s* influenza *f*

to fluctuate /flʌktjʊeɪt/ *vi* fluttuare, oscillare

fluency /fluːənsɪ/ *s* scorrevolezza *f*, scioltezza *f*, facilità *f* (di parola)

fluent /fluːənt/ *a* scorrevole, fluente ● *to speak f. English* parlare inglese correntemente

fluff /flʌf/ *s* lanugine *f*, peluria *f*

fluid /fluːɪd/ *a*/*s* fluido *m*

fluke /fluːk/ *s* colpo *m* di fortuna

fluorine /flʊəriːn/ *s* fluoro *m*

flurry /flʌrɪ/ *s* raffica *f* ◇ (*di neve*) tempesta *f*

flush /flʌʃ/ *a* abbondante, ben fornito ◇ a livello ◆ *s* getto *m* ◇ afflusso *m* ◇ rossore *m* ◇ rigoglio *m*, vigore *m*

to flush /flʌʃ/ *vi* scorrere ◇ arrossire ◆ *vt* sciacquare, lavare (con un getto d'acqua) ● *to f. the toilet* tirare lo sciacquone

to fluster /flʌstər/ *vt* agitare, sconvolgere

flute /fluːt/ *s* flauto *m* ◇ (*arch*) scanalatura *f*

flutter /flʌtər/ *s* (*di ali*) battito *m* ◇ agitazione *f* ◇ vibrazione *f*

to flutter /flʌtər/ *vi* battere le ali ◇ fluttuare ◇ palpitare ◇ agitarsi, tremare ◆ *vt* battere

flux /flʌks/ *s* flusso *m* ◇ mutamento *m* continuo

fly (1) /flaɪ/ *s* mosca *f*

fly (2) /flaɪ/ *s* volo *m* ◇ patta *f* (*dei pantaloni*) ● *f. leaf* risguardo (*di un libro*)

to fly /flaɪ/ (*pass* **flew**, *pp* **flown**) *vi*

volare, andare in aereo ◇ fuggire ♦ *vt* (*un aereo*) pilotare ◇ (*in aereo*) trasportare ◇ agitare ◇ fuggire da ● *to f. across* trasvolare; *to f. off* decollare, fuggire

flyover /ˈflaɪˌəʊvəʳ/ *s* cavalcavia *m*

foam /fəʊm/ *s* schiuma *f* ● *f. rubber* gommapiuma; *bath f.* bagnoschiuma

to fob /fɒb/ *vt* imbrogliare ● *to f. st off on sb* rifilare qc a qn

focus /ˈfəʊkəs/ *s* (*fot*) fuoco *m* ◇ focolaio *m*, centro *m*

to focus /ˈfəʊkəs/ *vt* mettere a fuoco ◇ far convergere ● *to f. on* fissare lo sguardo su

fodder /ˈfɒdəʳ/ *s* foraggio *m*, mangime *m*

foe /fəʊ/ *s* nemico *m*

foetus /ˈfiːtəs/ (*USA* fetus) *s* feto *m*

fog /fɒg/ *s* nebbia *f*

foggy /ˈfɒgɪ/ *a* nebbioso

foil (1) /fɔɪl/ *s* lamina *f*, (*di stagnola*) foglio *m*

foil (2) /fɔɪl/ *s* (*sport*) fioretto *m*

to foil (1) /fɔɪl/ *vt* rivestire con lamina metallica

to foil (2) /fɔɪl/ *vt* (*tracce*) confondere ◇ frustrare, far fallire

fold (1) /fəʊld/ *s* piega *f* ◇ incavo *m*

fold (2) /fəʊld/ *s* ovile *m* ◇ gregge *m*

to fold /fəʊld/ *vt* piegare ◇ avvolgere ◇ stringere ♦ *vi* piegarsi, chiudersi ◇ chiudere, fallire

foldaway /ˈfəʊldəweɪ/ *a* a scomparsa

folder /ˈfəʊldəʳ/ *s* cartelletta *f*

folding /ˈfəʊldɪŋ/ *a* pieghevole

foliage /ˈfəʊlɪdʒ/ *s* fogliame *m*

folk /fəʊk/ *s* gente *f*, popolo *m* ◇ persone *f pl* ♦ *a* popolare, folcloristico ● *one's folks* i parenti, i familiari

to follow /ˈfɒləʊ/ *vt* seguire ◇ derivare da ♦ *vi* seguire, venir dopo ◇ derivare, conseguire ● *to f. on* perseverare; *to f. through* portare a termine; *to f. up* fare seguito a

follower /ˈfɒləʊəʳ/ *s* seguace *m/f*, discepolo *m*

following /ˈfɒləʊɪŋ/ *a* seguente, successivo ♦ *s* seguito *m*

folly /ˈfɒlɪ/ *s* follia *f*, sciocchezza *f*

fond /fɒnd/ *a* affezionato, appassionato ● *to be f. of* piacere, voler bene a

to fondle /ˈfɒndl/ *vt* vezzeggiare, accarezzare

font /fɒnt/ *s* fonte *m* battesimale ◇ acquasantiera *f*

food /fuːd/ *s* cibo *m*, nutrimento *m*, vitto *m* ● *sea f.* frutti di mare

foodstuffs /ˈfuːdstʌfs/ *s pl* generi *m pl* alimentari, cibarie *f pl*

fool /fuːl/ *s* sciocco *m*, stupido *m*

to fool /fuːl/ *vt* ingannare ● *to f. around* fare lo sciocco

foolhardy /ˈfuːlˌhɑːdɪ/ *a* avventato

foolish /ˈfuːlɪʃ/ *a* sciocco, balordo

foolproof /ˈfuːlpruːf/ *a* facilissimo, di semplice funzionamento ◇ infallibile

foot /fʊt/ (*pl* **feet**) *s* piede *m* ◇ zampa *f* ◇ (*arch*) zoccolo *m* ● *on f.* a piedi

football /ˈfʊtbɔːl/ *s* calcio *m* ◇ football *m* americano ◇ pallone *m* (*da calcio o da rugby*)

footboard /ˈfʊtbɔːd/ *s* pedana *f*

footbridge /ˈfʊtbrɪdʒ/ *s* passerella *f*

footing /ˈfʊtɪŋ/ *s* posizione *f*, appoggio *m* ● **to lose one's f.** mettere un piede in fallo

footlights /'fʊtlaɪts/ *s pl* luci *f pl* della ribalta

footman /'fʊtmən/ (*pl* **footmen**) *s* valletto *m*

footnote /'fʊtnəʊt/ *s* nota *f* a piè di pagina

footpath /'fʊtpɑːθ/ *s* sentiero *m*

footprint /'fʊtprɪnt/ *s* orma *f*

footstep /'fʊtstep/ *s* passo *m* ◇ orma *f*

footwear /'fʊtweər/ *s* calzature *f pl*

foppish /'fɒpɪʃ/ *a* vanesio

for /fɔːr, fər/ *prep* (*scopo*) per, al fine di (ES: **to dress f. lunch** vestirsi per il pranzo) ◇ (*causa*) per, a causa di (ES: **he was convicted f. driving without licence** fu condannato per aver guidato senza patente) ◇ (*tempo*) per, durante, da (ES: **I drove f. hours** guidai per ore) ◇ (*direzione*) per (ES: **the bus f. Oxford** l'autobus per Oxford) ◇ (*termine*) per (ES: **what can I do f. you?** cosa posso fare per lei?) ◇ (*prezzo*) per (ES: **I got it f. five pounds** l'ho avuto per cinque sterline) ◇ al posto di, per conto di (ES: **he spoke f. us** parlò a nome nostro) ◇ per quanto riguarda, come, in rapporto a (ES: **it's very expensive f. a second-hand car** è molto cara per essere una macchina di seconda mano) ◇ malgrado (ES: **f. all you say** nonostante ciò che dici) ◆ *cong* dal momento che, poiché ● **that's f. you to decide** spetta a te, tocca a te decidere

forage /'fɒrɪdʒ/ *s* foraggio *m*

foray /'fɒreɪ/ *s* incursione *f*

to forbid /fə'bɪd/ (*pass* **forbad(e)**, *pp* **forbidden**) *vt* proibire, vietare

forbidding /fə'bɪdɪŋ/ *a* ostile, minaccioso

force /fɔːs/ *s* forza *f* ● **in f.** in gran numero, in vigore

to force /fɔːs/ *vt* forzare, costringere ● **to f. in** far entrare, conficcare; **to f. on** imporre a; **to f. out** spingere fuori; **to f. up** far salire

forced /fɔːst/ *a* forzato, costretto

forceful /'fɔːsf(ʊ)l/ *a* forte, vigoroso

forceps /'fɔːseps/ *s* forcipe *m*

forcibly /'fɔːsɪblɪ/ *avv* con forza

ford /fɔːd/ *s* guado *m*

fore /fɔːr/ *a* anteriore ◇ (*naut*) di prua

forearm /'fɔːrɑːm/ *s* avambraccio *m*

to forebode /fɔː'bəʊd/ *vt* presagire

forecast /'fɔːkɑːst/ *s* previsione *f*

forefather /'fɔːfɑːðər/ *s* antenato *m*, progenitore *m*

forefinger /'fɔːfɪŋɡər/ *s* (dito) indice *m*

forefront /'fɔːfrʌnt/ *s* parte *f* anteriore ◇ avanguardia *f*

foregone /fɔː'ɡɒn/ *a* previsto, scontato

foreground /'fɔːɡraʊnd/ *s* primo piano *m*

forehead /'fɒrɪd/ *s* fronte *f*

foreign /'fɒrɪn/ *a* straniero, estero ◇ estraneo ● **f. office** ministero degli esteri

foreigner /'fɒrɪnər/ *s* straniero *m*

foreman /'fɔːmən/ (*pl* **foremen**) *s* caposquadra *m*

foremost /'fɔːməʊst/ *a* principale,

eminente ◆ *avv* in prima fila, davanti ◇ anzitutto ● *first and f.* per prima cosa

forename /ˈfɔːneɪm/ *s* nome *m* (di battesimo)

forerunner /ˈfɔːrʌnəʳ/ *s* precursore *m*

to foresee /fɔːˈsiː/ (*pass* **foresaw**, *pp* **foreseen**) *vt* presagire, prevedere

to foreshadow /fɔːˈʃædəʊ/ *vt* prefigurare

foresight /ˈfɔːsaɪt/ *s* preveggenza *f* ◇ previdenza *f*, lungimiranza *f*

forest /ˈfɒrɪst/ *s* foresta *f*

to forestall /fɔːˈstɔːl/ *vt* prevenire

to foretaste /ˈfɔːteɪst/ *vt* pregustare

to foretell /fɔːˈtel/ (*pass/pp* **foretold**) *vt* predire

forever /fəˈrevəʳ/ *avv* sempre, per sempre

to forewarn /fɔːˈwɔːn/ *vt* preavvisare

foreword /ˈfɔːwɜːd/ *s* prefazione *f*

forfeit /ˈfɔːfɪt/ *s* perdita *f* ◇ penale *f*, penalità *f* ◇ (*nel gioco*) penitenza *f*

to forfeit /ˈfɔːfɪt/ *vt/i* perdere ◇ perdere per confisca

to forge /fɔːdʒ/ *vt* falsificare ◇ forgiare ● *to f. ahead* avanzare con decisione, tirare avanti

forgery /ˈfɔːdʒ(ə)rɪ/ *s* falsificazione *f* ◇ falso *m*

to forget /fəˈget/ (*pass* **forgot**, *pp* **forgotten**) *vt/i* dimenticare

forgetful /fəˈgetf(ʊ)l/ *a* immemore, dimentico

forget-me-not /fəˈgetmɪnɒt/ *s* nontiscordardimé *m*

to forgive /fəˈgɪv/ (*pass* **forgave**, *pp* **forgiven**) *vt/i* perdonare

forgiveness /fəˈgɪvnɪs/ *s* perdono *m*

to forgo /fɔːˈgəʊ/ (*pass* **forwent**, *pp* **forgone**) *vt* astenersi da, rinunciare a

fork /fɔːk/ *s* forchetta *f* ◇ forca *f*, forcone *m* ◇ bivio *m*, biforcazione *f*

to fork /fɔːk/ *vi* biforcarsi ● *to f. out* sborsare

forlorn /fəˈlɔːn/ *a* abbandonato, trascurato ◇ misero ◇ vano

form /fɔːm/ *s* forma *f* ◇ modulo *m*, scheda *f* ◇ classe *f* ● *bad f.* maleducazione

to form /fɔːm/ *vt* formare, comporre, costituire ◆ *vi* formarsi, costituirsi ◇ ordinarsi, disporsi

formal /ˈfɔːm(ə)l/ *a* formale ◇ simmetrico, regolare ● *f. dress* abito da cerimonia

format /ˈfɔːmæt/ *s* formato *m*

to format /ˈfɔːmæt/ *vt* (*inform*) formattare

formation /fɔːˈmeɪʃ(ə)n/ *s* formazione *f*

former /ˈfɔːməʳ/ *a* anteriore, precedente ◇ passato, ex ● *the f. ... the latter* quello ... questo, (*di un elenco*) il primo ... l'ultimo

formerly /ˈfɔːməlɪ/ *avv* già, in passato

formulary /ˈfɔːmjʊlərɪ/ *s* formulario *m*

to forsake /fəˈseɪk/ (*pass* **forsook**, *pp* **forsaken**) *vt* abbandonare

fort /fɔːt/ *s* forte *m*

forth /fɔːθ/ *avv* avanti ● *and so f.* e così via

forthcoming /fɔːθˈkʌmɪŋ/ *a* prossimo, venturo ◇ disponibile ◇ aperto, schietto

fortieth /ˈfɔːtiːθ/ *a/s* quarantesimo *m*

to fortify /ˈfɔːtɪfaɪ/ *vt* fortificare

fortnight /ˈfɔːtnaɪt/ *s* due settimane *f pl*

fortnightly /ˈfɔːtˌnaɪtlɪ/ *a* quindicinale

fortress /ˈfɔːtrɪs/ *s* fortezza *f*, roccaforte *f*

fortuitous /fɔːˈtjuːɪtəs/ *a* fortuito

fortunate /ˈfɔːtʃnɪt/ *a* fortunato ◇ fausto

fortune /ˈfɔːtʃ(ə)n/ *s* fortuna *f*, sorte *f* ● *f. teller* indovino

forty /ˈfɔːtɪ/ *a/s* quaranta *m*

forward /ˈfɔːwəd/ *a* in avanti ◇ in anticipo, precoce ◇ sollecito ◇ insolente

to forward /ˈfɔːwəd/ *vt* promuovere, appoggiare ◇ inoltrare, inviare

forward(s) /ˈfɔːwəd(z)/ *avv* avanti, in avanti ● *to go f.* progredire; *to look f. to* attendere con ansia

forwarding /ˈfɔːwədɪŋ/ *s* (*comm*) invio *m*, spedizione *f*

to fossilize /ˈfɒsɪlaɪz/ *vi* fossilizzarsi

foster /ˈfɒstə/ *s* tutela *f* ◇ nutrimento *m* ♦ *a* adottivo

to foster /ˈfɒstə/ *vt* allevare, nutrire ◇ favorire

foul /faʊl/ *a* brutto, cattivo, schifoso ◇ scorretto, disonesto ◇ osceno ♦ *s* (*sport*) fallo *m*

to found (1) /faʊnd/ *vt* fondare, istituire

to found (2) /faʊnd/ *vt* fondere

foundation /faʊnˈdeɪʃ(ə)n/ *s* fondazione *f*

founder /ˈfaʊndə/ *s* fondatore *m*

founding /ˈfaʊndɪŋ/ *a* fondatore ● *f. father* padre fondatore

fountain /ˈfaʊntɪn/ *s* fontana *f* ● *f. pen* stilografica

four /fɔː/ *a/s* quattro *m*

fourteen /ˌfɔːˈtiːn/ *a/s* quattordici *m*

fourteenth /ˌfɔːˈtiːnθ/ *a/s* quattordicesimo *m*

fourth /fɔːθ/ *a/s* quarto *m*

fowl /faʊl/ *s* pollame *m* ◇ volatile *m*

fox /fɒks/ *s* volpe *f*

fraction /ˈfrækʃ(ə)n/ *s* frazione *f*

fracture /ˈfræktʃə/ *s* frattura *f*

fragile /ˈfrædʒaɪl/ *a* fragile

fragment /ˈfrægmənt/ *s* frammento *m*

fragrant /ˈfreɪgrənt/ *a* fragrante, odoroso

frail /freɪl/ *a* fragile, debole

frame /freɪm/ *s* intelaiatura *f*, armatura *f* ◇ cornice *f* ◇ struttura *f* ◇ ossatura *f*, corpo *m* ◇ montatura *f* ● *f. of mind* stato d'animo

to frame /freɪm/ *vt* formare, formulare ◇ incorniciare, inquadrare ◇ calunniare, incastrare

framework /ˈfreɪmwɜːk/ *s* intelaiatura *f* ◇ struttura *f*

franchise /ˈfræn(t)ʃaɪz/ *s* franchigia *f*

frank /fræŋk/ *a* franco, aperto

to frank /fræŋk/ *vt* (*corrispondenza*) affrancare

frantic /ˈfræntɪk/ *a* frenetico

fraternity /frəˈtɜːnɪtɪ/ *s* fraternità *f*, fratellanza *f* ◇ confraternita *f*

fraud /frɔːd/ s frode f ◇ imbroglione m

fraught /frɔːt/ a carico, denso, gravido

fray /freɪ/ s mischia f, baruffa f

to fray /freɪ/ vt logorare, consumare ◆ vi consumarsi, logorarsi, sfilacciarsi

freak /friːk/ s bizzarria f ◇ fenomeno m, mostro m

freckle /frekl/ s lentiggine f

free /friː/ a libero ◇ indipendente ◇ esente, gratuito ◇ abbondante ◇ sciolto ◆ avv gratis, gratuitamente ◇ liberamente ● f. admission entrata libera

to free /friː/ vt liberare ◇ esentare

freedom /friːdəm/ s libertà f

freelance /friːlɑːns/ a indipendente

freephone /friːfəʊn/ s numero m verde

to freeze /friːz/ (pass froze, pp frozen) vt/i congelare

freezer /friːzə/ s congelatore m

freight /freɪt/ s trasporto m ◇ carico m ◇ noleggio m

freighter /freɪtə/ s nave f da carico ◇ aereo m da trasporto ◇ noleggiatore m

French /frentʃ/ a/s francese m (lingua) ● F. bean fagiolino m; F. fries (USA) patate fritte

Frenchman /frentʃmən/ (pl Frenchmen) s francese m

Frenchwoman /frentʃwʊmən/ (pl Frenchwomen) s francese f

frenzied /frenzɪd/ a frenetico

frenzy /frenzɪ/ s frenesia f

frequency /friːkwənsɪ/ s frequenza f

frequent /friːkwənt/ a frequente

to frequent /frɪkwənt/ vt frequentare, praticare

fresh /freʃ/ a fresco, recente, nuovo ◇ sfacciato ● f. water acqua dolce

to freshen /freʃn/ vt/i rinfrescare, rinfrescarsi

freshly /freʃlɪ/ avv di fresco, di recente, appena

freshness /freʃnɪs/ s freschezza f

to fret /fret/ vt consumare ◇ affliggere, agitare ◆ vi consumarsi ◇ affliggersi, irritarsi

friar /fraɪə/ s frate m

friction /frɪkʃ(ə)n/ s frizione f

Friday /fraɪdɪ/ s venerdì m

fridge /frɪdʒ/ s frigorifero m

friend /frend/ s amico m

friendly /frendlɪ/ a amico, amichevole ◆ s (sport) amichevole f

friendship /fren(d)ʃɪp/ s amicizia f

fright /fraɪt/ s paura f, spavento m ● to take f. at sf spaventarsi di qc

to frighten /fraɪtn/ vt impaurire, spaventare, atterrire

frightful /fraɪtf(ʊ)l/ a spaventoso, tremendo

frigid /frɪdʒɪd/ a glaciale ◇ frigido

frill /frɪl/ s gala f, trina f ◇ al pl fronzoli m pl

fringe /frɪndʒ/ s frangia f ◇ margine m

frippery /frɪpərɪ/ s fronzolo m

to frisk /frɪsk/ vt perquisire ◇ saltellare

frisky /frɪskɪ/ a vivace

fritter /frɪtə/ s frittella f

frivolous /frɪvələs/ a frivolo

frizzy /frɪzɪ/ a crespo

fro /frəʊ/ *avv* **to and f.** avanti e indietro

frock /frɒk/ *s* vestito *m* ◇ tonaca *f*

frog /frɒg/ *s* rana *f*

frogman /ˈfrɒgmən/ *s* sommozzatore *m*

to frolic /ˈfrɒlɪk/ *vi* sgambettare ◇ folleggiare

from /frɒm, frəm/ *prep* (*provenienza*) da (ES: **a letter f. my mother** una lettera da mia madre) ◇ (*causa*) per, a causa di (ES: **to speak f. experience** parlare per esperienza) ◇ (*tempo e luogo*) da (ES: **f. May to August** da maggio ad agosto; **how far is it f. Rome to Naples?** quanto c'è da Roma a Napoli?)

front /frʌnt/ *a* anteriore, frontale ♦ *s* fronte *f*, facciata *f*, parte *f* anteriore ◇ (*mil*) fronte *m* ◇ copertura *f* ♦ *f. page* prima pagina; *in f. of* di fronte a; *sea f.* lungomare

frontage /ˈfrʌntɪdʒ/ *s* facciata *f*

frontier /ˈfrʌntjə/ *s* frontiera *f*

frost /frɒst/ *s* gelo *m* ◇ brina *f*

froth /frɒθ/ *s* schiuma *f*, spuma *f*

frothy /ˈfrɒθɪ/ *a* schiumoso, spumoso

to frown /fraʊn/ *vi* aggrottare le ciglia

frozen /ˈfrəʊzn/ *pp di* **to freeze** ♦ *a* gelato, ghiacciato ◇ congelato

frugal /ˈfruːg(ə)l/ *a* frugale

fruit /fruːt/ *s* frutto *m*, frutta *f* ♦ *f. salad* macedonia

fruiterer /ˈfruːtərə/ *s* fruttivendolo *m*

fruitful /ˈfruːtf(ʊ)l/ *a* fecondo, fertile

fruition /fruːˈɪʃ(ə)n/ *s* fruizione *f*, godimento *m* ◇ realizzazione *f*

to frustrate /frʌsˈtreɪt/ *vt* frustrare, deludere

fry /fraɪ/ *s* frittura *f*, fritto *m*

to fry /fraɪ/ *vt* friggere

frying /ˈfraɪɪŋ/ *a* **f. pan** padella (*per friggere*)

fuel /fjʊəl/ *s* combustibile *m* ● *f. tank* serbatoio della benzina

to fuel /fjʊəl/ *vt* (*fig*) alimentare ◇ rifornire di carburante

fugitive /ˈfjuːdʒɪtɪv/ *a/s* fuggiasco *m*, profugo *m*

to fulfil /fʊlˈfɪl/ (*USA* **to fulfill**) *vt* compiere, adempiere ◇ esaudire, appagare

fulfilment /fʊlˈfɪlm(ə)nt/ (*USA* **fulfillment**) *s* adempimento *m*, esecuzione *f* ◇ appagamento *m*

full /fʊl/ *a* pieno, completo ◇ intero ◇ ampio, abbondante ♦ *avv* completamente, interamente ◇ *at f. speed* a tutta velocità; *f. size* a grandezza naturale; *f. stop* punto (*segno ortografico*); *f.-time* a tempo pieno; *f. up* sazio; *in f.* completamente

fulsome /ˈfʊlsəm/ *a* esagerato, eccessivo

to fumble /ˈfʌmbl/ *vi* armeggiare ◇ brancolare

fume /fjuːm/ *s* fumo *m*, esalazione *f*

to fume /fjuːm/ *vi* fumare, esalare vapore ◇ essere furioso

fun /fʌn/ *s* divertimento *m* ● **to have f.** divertirsi; **to make f. of sb** prendersi gioco di qn

function /ˈfʌŋkʃ(ə)n/ *s* funzione *f*

functionary /ˈfʌŋ(k)ʃnəri/ s funzionario m

fund /fʌnd/ s fondo m, cassa f ◇ **al pl** capitali m pl

funeral /ˈfjuːn(ə)r(ə)l/ a funebre, funerario ◆ s funerale m

funereal /fjuˈ(ː)nɪərɪəl/ a funereo

fungus /ˈfʌŋɡəs/ s fungo m

funnel /ˈfʌnl/ s imbuto m ◇ ciminiera f

funny /ˈfʌni/ a buffo, divertente ◇ strano

fur /fɜːr/ s pelo m, pelliccia f ● **faux f**. pelliccia ecologica

furlough /ˈfɜːləʊ/ s (mil) licenza f

furnace /ˈfɜːnɪs/ s fornace f

to furnish /ˈfɜːnɪʃ/ vt ammobiliare ◇ fornire

furnishings /ˈfɜːnɪʃɪŋz/ s pl mobili m pl, arredamento m

furniture /ˈfɜːnɪtʃər/ s arredamento m

furrow /ˈfʌrəʊ/ s solco m

further /ˈfɜːðər/ (comp di far) a ulteriore ◇ più lontano, altro ◆ avv oltre ◇ ulteriormente

furthermore /ˌfɜːðəˈmɔːr/ avv per di più, inoltre

furthest /ˈfɜːðɪst/ (sup di far) a il più lontano, il più remoto ◆ avv più lontano

fury /ˈfjʊəri/ s furia f

fuse /fjuːz/ s fusibile m ◇ miccia f

to fuse /fjuːz/ vt/i fondere, fondersi

fuselage /ˈfjuːzɪlɑːʒ/ s fusoliera f

fusible /ˈfjuːzəbl/ a fusibile

fusion /ˈfjuːz(ə)n/ s fusione f

fuss /fʌs/ s confusione f, trambusto m ◇ smancerie f pl

to fuss /fʌs/ vi agitarsi

fussy /ˈfʌsi/ a agitato ◇ puntiglioso, esigente

futility /fjuˈ(ː)tɪlɪti/ s futilità f

future /ˈfjuːtʃər/ a/s futuro m ● **in, for the f.** in futuro, d'ora innanzi

fuzzy /ˈfʌzi/ a crespo ◇ (fot) sfocato, indistinto

G

gab /ɡæb/ s (fam) chiacchiera f, parlantina f

to gabble /ˈɡæbl/ vt/i borbottare, farfugliare

gadfly /ˈɡædflaɪ/ s (zool) tafano m ◇ seccatore m

gadget /ˈɡædʒɪt/ s aggeggio m, congegno m, dispositivo m

gaff /ɡæf/ s fiocina f, arpione m

gag /ɡæɡ/ s bavaglio m ◇ facezia f, battuta f

to gag /ɡæɡ/ vt imbavagliare ◆ vi avere conati di vomito

gaiety /ˈɡeɪəti/ s allegria f, gaiezza f

gaily /ˈɡeɪli/ avv gaiamente, allegramente

gain /ɡeɪn/ s guadagno m, profitto m ◇ miglioramento m, aumento m

to gain /ɡeɪn/ vt guadagnare, conseguire, ottenere ◆ vi guadagnarci ◇ progredire, aumentare, migliorare ◇ (di orologio) andare avanti ● **to g. on** guadagnare terreno su

gait /geɪt/ *s* andatura *f*

galaxy /'gæləksɪ/ *s* galassia *f*

gale /geɪl/ *s* burrasca *f*, vento *m* forte ◇ *(di risa)* scoppio *m*

gall /gɔːl/ *s* bile *f*, fiele *m*

gallant /'gælənt/ *a* coraggioso, valoroso ◇ galante ◇ sfarzoso

gallery /'gælərɪ/ *s* galleria *f* ◇ loggione *m*

to gallop /'gæləp/ *vi* galoppare

gallows /'gæləʊz/ *s pl* forca *f*, patibolo *m*

galore /gə'lɔːr/ *avv* in abbondanza, a iosa

to galvanize /'gælvənaɪz/ *vt* galvanizzare

to gamble /'gæmbl/ *vi* giocare d'azzardo ● *to g. on* giocare su, puntare su

gambler /'gæmblər/ *s* giocatore *m* d'azzardo

game /geɪm/ *s* gioco *m* ◇ partita *f*, mano *f* ◇ tranello *m*, scherzo *m* ◇ selvaggina *f* ● *a* pronto ● *big g.* selvaggina grossa; *g.-licence* licenza di caccia

gamekeeper /'geɪmˌkiːpər/ *s* guardacaccia *m*

gammon /'gæmən/ *s* prosciutto *m* affumicato ◇ quarto *m* di maiale

gamut /'gæmət/ *s* gamma *f*, serie *f*

gang /gæŋ/ *s* banda *f*, squadra *f*

gangway /'gæŋweɪ/ *s* (*aer*) passerella *f* ◇ corridoio *m*, corsia *f*

gap /gæp/ *s* apertura *f*, varco *m* ◇ divario *m*, lacuna *f*

to gape /geɪp/ *vi* spalancare la bocca, restare a bocca aperta ◇ sbadigliare ◇ aprirsi

garbage /'gɑːbɪdʒ/ *s* immondizia *f*, rifiuti *m pl* ● *g. can* pattumiera

to garble /'gɑːbl/ *vt* alterare, confondere

garden /'gɑːdn/ *s* giardino *m* ◇ orto *m*

gardening /'gɑːdnɪŋ/ *s* giardinaggio *m*

gargle /'gɑːgl/ *s* gargarismo *m*

garish /'geərɪʃ/ *a* sgargiante, vistoso

garland /'gɑːlənd/ *s* ghirlanda *f*

garlic /'gɑːlɪk/ *s* aglio *m*

garment /'gɑːmənt/ *s* indumento *m*

garnish /'gɑːnɪʃ/ *s* guarnizione *f*

to garnish /'gɑːnɪʃ/ *vt* guarnire

garrison /'gærɪsn/ *s* guarnigione *f*

garter /'gɑːtər/ *s* giarrettiera *f* ● *g. belt* reggicalze

gas /gæs/ *s* gas *m* ◇ (*USA*) benzina *f* ● *g. ring* fornello; *g. station* (*USA*) distributore di benzina

to gash /gæʃ/ *vt* sfregiare

gasket /'gæskɪt/ *s* (*mecc*) guarnizione *f*

gasoline /'gæsəliːn/ *s* benzina *f*

to gasp /gɑːsp/ *vi* boccheggiare, ansimare ◇ restare senza fiato ● *to g. out* dire a fatica, dire ansimando

gassy /'gæsɪ/ *a* gassoso

gastronomy /gæs'trɒnəmɪ/ *s* gastronomia *f*

gate /geɪt/ *s* cancello *m*, porta *f* ◇ (*aer*) cancello *m*, gate *m*

to gatecrash /'geɪtkræʃ/ *vi* (*fam*) partecipare senza invito, autoinvitarsi

gateway /'geɪtweɪ/ *s* entrata *f*, ingresso *m* ◇ porta *f*

to gather /'gæðər/ *vt* raccogliere, radunare ◇ desumere, apprendere ◇ increspare ◆ *vi* raccogliersi, radunarsi ◇ aumentare, gonfiarsi

gathering /'gæðərɪŋ/ s raduno m

gauche /gəʊʃ/ a goffo, maldestro

gaudy /'gɔːdɪ/ a sgargiante

gauge /geɪdʒ/ s calibro m, manometro m, misuratore m ◇ (ferr) scartamento m

gaunt /gɔːnt/ a scarno, macilento ◇ desolato, arido

gauze /gɔːz/ s garza f

gay /geɪ/ a allegro, vivace ♦ s omosessuale m/f

to **gaze** /geɪz/ vi guardare fissamente ● to g. at/on fissare

gazelle /gə'zel/ s gazzella f

gazette /gə'zet/ s gazzetta f

gear /gɪə/ s meccanismo m, ingranaggio m ◇ arnesi m pl, equipaggiamento m ◇ (aut) cambio m ● g. box scatola del cambio; in g. con la marcia ingranata

gel /dʒel/ s gelatina f, gel m

gem /dʒem/ s gemma f, pietra f preziosa

gender /'dʒendər/ s (gramm) genere m

general /'dʒen(ə)r(ə)l/ a generale, comune ◇ generico ♦ s generale m ● g. delivery fermo posta; in g. in genere

to **generalize** /'dʒen(ə)rəlaɪz/ vt generalizzare

to **generate** /'dʒenəreɪt/ vt generare

generation /,dʒenə'reɪʃ(ə)n/ s generazione f

generator /'dʒenəreɪtər/ s generatore m

generic /dʒɪ'nerɪk/ a generico

generous /'dʒen(ə)rəs/ a generoso ◇ abbondante

genesis /'dʒenɪsɪs/ s genesi f

genetics /dʒɪ'netɪks/ s pl (v al sing) genetica f

genial /'dʒiːnjəl/ a cordiale, socievole ◇ (di clima) benigno, mite

genie /'dʒiːnɪ/ s genio m

genitalia /,dʒenɪ'teɪljə/ s pl genitali m pl

genius /'dʒiːnjəs/ s genio m

genteel /dʒen'tiːl/ a garbato

gentle /'dʒentl/ a gentile, garbato ◇ delicato, lieve

gentleman /'dʒentlmən/ (pl gentlemen) s signore m, gentiluomo m

genuine /'dʒenjʊɪn/ a genuino, autentico, doc

genus /'dʒiːnəs/ s genere m

geography /dʒɪ'ɒgrəfɪ/ s geografia f

geology /dʒɪ'ɒlədʒɪ/ s geologia f

geometry /dʒɪ'ɒmɪtrɪ/ s geometria f

geranium /dʒɪ'reɪnjəm/ s geranio m

geriatrics /,dʒerɪ'ætrɪks/ s pl (v al sing) geriatria f

germ /dʒɜːm/ s germe m

German /'dʒɜːmən/ a/s tedesco m ● G. measles rosolia f

to **germinate** /'dʒɜːmɪneɪt/ vi germogliare

gestation /dʒes'teɪʃ(ə)n/ s gestazione f

gesture /'dʒestʃər/ s gesto m, atto m ◇ mimica f

to **get** /get/ (pass **got**, pp **got**, USA **gotten**) vt prendere ◇ ottenere, procurarsi ◇ afferrare, capire, cogliere ◇ convincere, persuadere ◇ mettere ◇ portare, mandare, condurre ♦ vi diventare, farsi ◇ andare, arrivare ◇ mettersi ◇ (nella costruzione passi-

glare

va) essere, venire (ES: **my father got dismissed last week** mio padre è stato licenziato la settimana scorsa) ● **to g. about** circolare, diffondersi; *to g. ahead* avere successo; *to g. along* andare d'accordo; *to g. around* aggirare, superare; *to g. away* scappare; *to g. back* riavere; *to g. down* scendere; *to g. off* scendere; *to g. on* salire; *to g. over* superare; *to g. out* uscire; *to g. up* alzarsi, salire; *to have got* avere; *to have got to* dovere

getaway /ˈɡetəweɪ/ *s* fuga *f*

ghastly /ˈɡɑːstlɪ/ *a* orribile, spaventoso ◇ spettrale

gherkin /ˈɡɜːkɪn/ *s* cetriolino *m*

ghost /ɡəʊst/ *s* fantasma *m*, spirito *m* ● *g. writer* chi scrive per conto di altri

giant /ˈdʒaɪənt/ *a/s* gigante *m*

gibberish /ˈɡɪbərɪʃ/ *s* borbottio *m*

giblets /ˈdʒɪblɪts/ *s pl* frattaglie *f pl*

giddiness /ˈɡɪdɪnɪs/ *s* capogiro *m*, vertigini *f pl*

giddy /ˈɡɪdɪ/ *a* stordito ● *to be g.* avere le vertigini

gift /ɡɪft/ *s* dono *m*, regalo *m* ◇ pregio *m*, dote *f*

gigantic /dʒaɪˈɡæntɪk/ *a* gigantesco

to giggle /ˈɡɪɡl/ *vi* sghignazzare, ridere scioccamente

gills /ɡɪlz/ *s pl* (*zool*) branchie *f pl*

gilt /ɡɪlt/ *a* dorato ◆ *s* doratura *f*

gimmick /ˈɡɪmɪk/ *s* (*fam*) trovata *f*, trucco *m* ◇ aggeggio *m*

ginger /ˈdʒɪn(d)ʒə*r*/ *s* zenzero *m*

gingerly /ˈdʒɪn(d)ʒəlɪ/ *avv* cautamente, con circospezione *m*

gipsy /ˈdʒɪpsɪ/ *s* gitano *m*, zingaro *m*

giraffe /dʒɪˈrɑːf/ *s* giraffa *f*

to gird /ɡɜːd/ (*pass/pp* **girded**, **girt**) *vt* cingere

girder /ˈɡɜːdə*r*/ *s* trave *f*

girdle /ˈɡɜːdl/ *s* guaina *f*, busto *m*

girl /ɡɜːl/ *s* ragazza *f*, signorina *f* ◇ figlia *f* ◇ fidanzata *f*

girlfriend /ˈɡɜːlfrend/ *s* ragazza *f*, fidanzata *f*

girlish /ˈɡɜːlɪʃ/ *a* da ragazza

giro /ˈdʒaɪrəʊ/ *s* giroconto *m*, postagiro *m*

girth /ɡɜːθ/ *s* giro *m*, circonferenza *f*

gist /dʒɪst/ *s* essenza *f*

to give /ɡɪv/ (*pass* **gave**, *pp* **given**) *vt* dare, fornire ◇ regalare ◇ eseguire, rappresentare ◇ dare come risultato ◇ causare ◆ *vi* cedere, piegarsi, addolcirsi ◇ dare su, guardare su ● *to g. back* rendere; *to g. in* cedere; *to g. up* consegnare, rinunciare

glacial /ˈɡleɪsjəl/ *a* glaciale

glacier /ˈɡlæsjə*r*/ *s* ghiacciaio *m*

glad /ɡlæd/ *a* felice, lieto ◇ grato

glade /ɡleɪd/ *s* radura *f*

glamorous /ˈɡlæmərəs/ *a* attraente, affascinante

glamour /ˈɡlæmə*r*/ *s* fascino *m*, seduzione *f*, incanto *m*

glance /ɡlɑːns/ *s* occhiata *f*, sguardo *m* ● *at a g.* al primo sguardo

to glance /ɡlɑːns/ *vi* guardare brevemente ◇ rimbalzare, deviare ● *to g. at* gettare uno sguardo su

gland /ɡlænd/ *s* ghiandola *f*

glare /ɡleə*r*/ *s* bagliore *m*, riverbero *m*, luce *f* abbagliante ◇ sguardo *m* furioso

to glare /gleə/ *vi* sfolgorare • *to g. at* guardare di traverso

glaring /'gleərɪŋ/ *a* abbagliante ◇ torvo ◇ evidente, madornale

glass /glɑːs/ *s* vetro *m* ◇ bicchiere *m* ◇ *al pl* occhiali *m pl* • *sunglasses* occhiali da sole

glasshouse /'glɑːshaʊs/ *s* serra *f*

to glaze /gleɪz/ *vt* fornire di vetri ◇ smaltare ◇ (*cuc*) glassare

gleam /gliːm/ *vi* brillare, luccicare

to glean /gliːn/ *vt/i* spigolare, racimolare

glee /gliː/ *s* gioia *f*

glib /glɪb/ *a* loquace ◇ spigliato

glide /glaɪd/ *s* scivolata *f* ◇ planata *f*

to glide /glaɪd/ *vi* scivolare ◇ fluire ◇ planare

glider /'glaɪdə/ *s* aliante *m*

glimmer /'glɪmə/ *s* barlume *m*

glimpse /glɪm(p)s/ *s* occhiata *f* di sfuggita ◇ apparizione *f*

to glint /glɪnt/ *vi* brillare, luccicare

to glitter /'glɪtə/ *vi* brillare, luccicare

to gloat /gləʊt/ *vi* gongolare (malignamente)

globalism /'gləʊbəlɪzəm/ *s* globalizzazione *f*

globe /gləʊb/ *s* globo *m*, sfera *f* ◇ mappamondo *m*

gloom /gluːm/ *s* oscurità *f* ◇ tristezza *f*

glorious /'glɔːrɪəs/ *a* glorioso ◇ magnifico

glory /'glɔːrɪ/ *s* gloria *f* ◇ splendore *m*

gloss (1) /glɒs/ *s* lucentezza *f*, lu-

stro *m* ◇ vernice *f*, smalto *m* • *lip g.* lucidalabbra

gloss (2) /glɒs/ *s* glossa *f*, chiosa *f*

to gloss (1) /glɒs/ *vt* lucidare, lustrare ◇ *to g. over* glissare su, dissimulare

to gloss (2) /glɒs/ *vt* glossare, chiosare

glossary /'glɒsərɪ/ *s* glossario *m*

glossy /'glɒsɪ/ *a* lucente, lucido

glove /glʌv/ *s* guanto *m*

to glow /gləʊ/ *vi* ardere, fiammeggiare

to glower /'glaʊə/ *vi* guardare in cagnesco

glue /gluː/ *s* colla *f*

to glue /gluː/ *vt* incollare

glum /glʌm/ *a* depresso, abbattuto

to glut /glʌt/ *vt* saziare, saturare

gluteus /gluː'tiːəs/ *s* gluteo *m*

glutton /'glʌtn/ *s* ghiottone *m*

gnat /næt/ *s* moscerino *m*, zanzara *f*

to gnaw /nɔː/ *vt/i* rosicchiare

gnome /nəʊm/ *s* gnomo *m*

to go /gəʊ/ (*pass* went, *pp* gone) *vi* andare, andarsene, viaggiare ◇ (*seguito da agg*) diventare (ES: **to go mad** diventare matto, impazzire) ◇ andare, svolgersi ◇ funzionare ◇ (*seguito da participio pres*) andare a (ES: **to go swimming** andare a fare una nuotata) • *let's go!* andiamo!; *to be going to* (*seguito da infinito*) stare per, essere sul punto di; *to go away* andar via; *to go back* ritornare; *to go in* entrare; *to go on* continuare; *to go out* uscire; *to go through* esaminare, subire

to goad /ɡəʊd/ *vt* incitare, spronare

go-ahead /ˈɡəʊ(ʊ)əhed/ *a* intraprendente, audace ◆ *s* via *m*, permesso *m* di agire

goal /ɡəʊl/ *s* meta *f*, scopo *m* ◇ (*sport*) goal *m*, rete *f*

goalkeeper /ˈɡəʊlˌkiː(ː)pər/ *s* (*sport*) portiere *m*

goat /ɡəʊt/ *s* capra *f* ● *the* G. Capricorno

to gobble /ˈɡɒbl/ *vt* ingoiare, trangugiare

go-between /ˈɡəʊbɪˌtwiːn/ *s* intermediario *m*

goblet /ˈɡɒblɪt/ *s* calice *m*

goblin /ˈɡɒblɪn/ *s* gnomo *m*

God /ɡɒd/ *s* Dio *m*

godchild /ˈɡɒdtʃaɪld/ (*pl* **godchildren**) *s* figlioccio *m*

goddaughter /ˈɡɒdˌdɔːtər/ *s* figlioccia *f*

goddess /ˈɡɒdɪs/ *s* dea *f*

godfather /ˈɡɒdˌfɑːðər/ *s* padrino *m*

god-forsaken /ˈɡɒdfəˌseɪkn/ *a* desolato, abbandonato

godhead /ˈɡɒdhed/ *s* divinità *f*

godmother /ˈɡɒdˌmʌðər/ *s* madrina *f*

godson /ˈɡɒdsʌn/ *s* figlioccio *m*

going /ˈɡəʊɪŋ/ *a* corrente, in vigore ◇ efficiente ◇ di moda ◇ disponibile ◆ *s* andata *f* ◇ andatura *f* ◇ (*di strada, terreno*) stato *m*, condizione *f*

gold /ɡəʊld/ *s* oro *m* ◆ *a* aureo

golden /ˈɡəʊld(ə)n/ *a* dorato, d'oro ◇ biondo

goldfish /ˈɡəʊldfɪʃ/ *s* pesce *m* rosso

goldsmith /ˈɡəʊldsmɪθ/ *s* orafo *m*

golf /ɡɒlf/ *s* (*sport*) golf *m*

gone /ɡɒn/ *pp di* **to go** ◆ *a* andato, finito ◇ debole, sfinito

good /ɡʊd/ (*comp* **better**, *sup* **best**) *a* buono, bravo, bello ◇ piacevole, felice ◇ bene *m*, beneficio *m* ◇ *al pl* beni *m pl*, merce *f* ● *as g. as* praticamente, come; *for g.* per sempre; *g. evening* buonasera; *G. Friday* Venerdì santo; *g. looking* prestante, bello; *g. morning* buongiorno; *g. night* buonanotte; *to be g. at* essere bravo in

goodbye /ɡʊ(d)baɪ/ *inter* addio, arrivederci

goodness /ˈɡʊdnɪs/ *s* bontà *f*, cortesia *f* ● *my g.!* mamma mia!, caspiterina!

goodwill /ˌɡʊdˈwɪl/ *s* benevolenza *f*, amicizia *f*

goose /ɡuːs/ (*pl* **geese**) *s* oca *f*

gooseberry /ˈɡʊzb(ə)rɪ/ *s* uva *f* spina

gooseflesh /ˈɡuːsfleʃ/ *s* pelle *f* d'oca

to gore /ɡɔːr/ *vt* incornare

gorge /ɡɔːdʒ/ *s* gola *f*

to gorge /ɡɔːdʒ/ *vt/i* rimpinzare, rimpinzarsi

gorgeous /ˈɡɔːdʒəs/ *a* fastoso, magnifico

gorse /ɡɔːs/ *s* ginestrone *m*

gory /ˈɡɔːrɪ/ *a* insanguinato, sanguinoso

gosh /ɡɒʃ/ *inter* perbacco!

gospel /ˈɡɒsp(ə)l/ *s* vangelo *m*

gossip /ˈɡɒsɪp/ *s* chiacchiera *f*, pettegolezzo *m* ◇ pettegolo *m*

gossipy /ˈɡɒsɪpɪ/ *a* pettegolo

Gothic /ˈɡɒθɪk/ *a* gotico

gourmet /ˈɡʊəmeɪ/ *s* buongustaio *m*

to govern /ˈɡʌv(ə)n/ *vt* governare, dirigere ◇ controllare

government /ˈɡʌvnmənt/ *s* governo *m*, amministrazione *f*

governor /ˈɡʌvənər/ *s* governatore *m*, amministratore *m*

gown /ɡaʊn/ *s* toga *f* ◇ veste *f* lunga

to grab /ɡræb/ *vt* afferrare, agguantare ● **to g. at** tentare di afferrare

grace /ɡreɪs/ *s* grazia *f*

to grace /ɡreɪs/ *vt* abbellire ◇ onorare

graceful /ˈɡreɪsf(ʊ)l/ *a* leggiadro, elegante

gracious /ˈɡreɪʃəs/ *a* grazioso, benevolo ◇ misericordioso

gradation /ɡrəˈdeɪʃ(ə)n/ *s* gradazione *f*

grade /ɡreɪd/ *s* grado *m* ◇ categoria *f*, qualità *f* ◇ (USA) classe *f*, anno *m* (di scuola) ◇ (USA) voto *m* (scolastico) ● **g. school** scuola elementare

to grade /ɡreɪd/ *vt* classificare

gradient /ˈɡreɪdjənt/ *s* pendenza *f*, inclinazione *f* ◇ gradiente *m*

gradual /ˈɡrædjʊəl/ *a* graduale

graduate /ˈɡrædjʊət/ *s* laureato *m* ◇ (USA) diplomato *m* ● **college g.** laureato

to graduate /ˈɡrædjʊeɪt/ *vi* laurearsi ◇ (USA) diplomarsi

graduation /ɡrædjʊˈeɪʃ(ə)n/ *s* laurea *f* ◇ graduazione *f* ◇ scala *f* graduata

graft (1) /ɡrɑːft/ *s* (bot) innesto *m* ◇ (med) trapianto *m*

graft (2) /ɡrɑːft/ *s* corruzione *f*, peculato *m*

to graft (1) /ɡrɑːft/ *vt* (bot) innestare ◇ (med) trapiantare

to graft (2) /ɡrɑːft/ *vt* guadagnare con mezzi illeciti

grain /ɡreɪn/ *s* grano *m*, granello *m* ◇ grana *f*, (del legno) venatura *f*

gram (1) /ɡræm/ *s* grammo *m*

gram (2) /ɡræm/ *s* (bot) cece *m*

grammar /ˈɡræmər/ *s* grammatica *f* ● **g. school** liceo, (USA) scuola elementare

granary /ˈɡrænərɪ/ *s* granaio *m*

grand /ɡrænd/ *a* grandioso, imponente ◇ grande, importante ◇ complessivo ● **g. piano** pianoforte a coda

grandchild /ˈɡræn(d)tʃaɪld/ (pl **grandchildren**) *s* nipote *m/f* (di nonni)

granddaughter /ˈɡræn,dɔːtər/ *s* nipote *f* (di nonni)

grandeur /ˈɡræn(d)ʒər/ *s* grandiosità *f*

grandfather /ˈɡræn(d),fɑːðər/ *s* nonno *m*

grandma /ˈɡrænmɑː/ *s* (fam) nonna *f*

grandmother /ˈɡræn,mʌðər/ *s* nonna *f*

grandpa /ˈɡrænpɑː/ *s* (fam) nonno *m*

grandparent /ˈɡræn(d),peər(ə)nt/ *s* nonno *m*, nonna *f*

grandson /ˈɡræn(d)sʌn/ *s* nipote *m* (di nonni)

granite /ˈɡrænɪt/ *s* granito *m*

granny /ˈɡrænɪ/ *s* (fam) nonna *f*

grant /ɡrɑːnt/ *s* concessione *f*, assegnazione *f* ◇ sussidio *m*, sovvenzione *f* ◇ borsa *f* di studio

to grant /ɡrɑːnt/ *vt* accordare, concedere ◇ accogliere, esaudire ◇

attribuire ● *to take st for granted* dare qc per scontato

granule /ˈgrænjuːl/ s granello m

grape /greɪp/ s acino m ◇ *al pl* uva f

grapefruit /ˈgreɪpfruːt/ s pompelmo m ● *pink g.* pompelmo rosa

graph /græf/ s grafico m, diagramma m

graphic /ˈgræfɪk/ a grafico

graphics /ˈgræfɪks/ s pl (v al sing) grafica f

to grapple /ˈgræpl/ vt afferrare, agganciare ● *to g. with* lottare con, essere alle prese con

grasp /grɑːsp/ s presa f, stretta f ◇ padronanza f, controllo m ◇ comprensione f

to grasp /grɑːsp/ vt afferrare, stringere ◇ comprendere ● *to g. at* cercare di afferrare

grass /grɑːs/ s erba f

grasshopper /ˈgrɑːsˌhɒpər/ s cavalletta f

grassland /ˈgrɑːslænd/ s prateria f

grate /greɪt/ s grata f

to grate /greɪt/ vt grattugiare ◆ vi cigolare, stridere

grateful /ˈgreɪtf(ʊ)l/ a grato

grater /ˈgreɪtər/ s grattugia f

to gratify /ˈgrætɪfaɪ/ vt gratificare, compiacere

grating (1) /ˈgreɪtɪŋ/ s griglia f, grata f

grating (2) /ˈgreɪtɪŋ/ a stridulo ◆ s stridore m

gratuity /grəˈtjuːɪtɪ/ s mancia f, gratifica f

grave (1) /greɪv/ s tomba f

grave (2) /greɪv/ a grave, serio

gravel /ˈgræv(ə)l/ s ghiaia f

gravestone /ˈgreɪvstəʊn/ s pietra f tombale

graveyard /ˈgreɪvˌjɑːd/ s cimitero m

gravity /ˈgrævɪtɪ/ s gravità f, peso m ◇ serietà f, solennità f

gravy /ˈgreɪvɪ/ s sugo m (di carne) ● *g. boat* salsiera

gray /greɪ/ a (USA) → **grey**

graze /greɪz/ s escoriazione f

to graze (1) /greɪz/ vt sfiorare ◇ scalfire, escoriare, graffiare

to graze (2) /greɪz/ vi pascolare

grease /griːs/ s grasso m ◇ brillantina f ● *g.-proof paper* carta oleata

to grease /griːz/ vt ungere, ingrassare, lubrificare

greasy /ˈgriːsɪ/ a untuoso, grasso

great /greɪt/ a grande, grosso ◇ grandioso ◇ insigne, celebre

greatness /ˈgreɪtnɪs/ s grandezza f

greedy /ˈgriːdɪ/ a avido ◇ goloso

Greek /griːk/ a/s greco m

green /griːn/ a verde ◇ giovane, fresco ◇ inesperto ◆ s verde m ◇ prato m ◇ *al pl* verdura f ● *g.* ambientalista m/f, ecologista m/f

greengrocer /ˈgriːnˌgrəʊsər/ s fruttivendolo m

greenhouse /ˈgriːnhaʊs/ s serra f ● *g. effect* effetto serra

greenish /ˈgriːnɪʃ/ a verdastro, verdino

to greet /griːt/ vt salutare

greeting /ˈgriːtɪŋ/ s saluto m ◇ *al pl* auguri m pl

gregarious /grɪˈgeərɪəs/ a gregario ◇ socievole

gremlin /ˈgremlɪn/ s folletto m

grey /greɪ/ a (USA gray) a grigio ● *g.-haired* brizzolato

grid /grɪd/ s grata f, griglia f ◇ reticolo m, rete f

grief /griːf/ s afflizione f, dolore m

grievance /ˈɡriːv(ə)ns/ s lagnanza f, reclamo m

to grieve /griːv/ vt addolorare, affliggere ◆ vi addolorarsi, affliggersi ● to g. at/for sb rattristarsi per qn

grievous /ˈɡriːvəs/ a doloroso, atroce ● g. bodily harm grave danno fisico, aggressione

griffin /ˈɡrɪfɪn/ s grifone m

grill /ɡrɪl/ s griglia f, grata f ◇ grigliata f

to grill /ɡrɪl/ vt cuocere alla griglia, grigliare

grim /ɡrɪm/ a orribile, sinistro ◇ spietato, feroce ◇ risoluto ◇ sgradevole, repellente

grimace /ɡrɪˈmeɪs/ s smorfia f

grime /ɡraɪm/ s sporcizia f

grin /ɡrɪn/ s sogghigno m ◇ sorriso m

grind /ɡraɪnd/ s cigolio m ◇ (fam) sgobbata f

to grind /ɡraɪnd/ (pass/pp ground) vt macinare, frantumare ◇ arrotare, affilare ◇ smerigliare

grinder /ˈɡraɪndəʳ/ s arrotino m ◇ macina f, macinino m ◇ (dente) molare m

grip /ɡrɪp/ s stretta f, presa f ◇ impugnatura f ◇ (USA) borsa f da viaggio ● get a g.! datti una regolata!

to grip /ɡrɪp/ vt stringere, impugnare ◇ avvincere

grisly /ˈɡrɪzlɪ/ a orrendo, macabro

gristle /ˈɡrɪsl/ s cartilagine f

grit /ɡrɪt/ s ghiaia f, pietrisco m ◇ coraggio m

grizzled /ˈɡrɪzld/ a brizzolato

to groan /ɡrəʊn/ vi gemere

grocer /ˈɡrəʊsəʳ/ s droghiere m

grocery /ˈɡrəʊsərɪ/ s drogheria f

groggy /ˈɡrɒɡɪ/ a stordito, intontito

groin /ɡrɔɪn/ s inguine m

groom /ɡruːm/ s stalliere m ◇ sposo m

to groom /ɡruːm/ vt pettinare ◇ strigliare ◇ educare, istruire

groove /ɡruːv/ s scanalatura f, incavo m

to grope /ɡrəʊp/ vi brancolare, andare a tentoni ● to g. for st cercare qc a tentoni

gross /ɡrəʊs/ a grossolano, evidente ◇ volgare, scurrile ◇ complessivo, lordo ◇ grasso

grotto /ˈɡrɒtəʊ/ s grotta f

grotty /ˈɡrɒtɪ/ a orrendo

ground (1) /ɡraʊnd/ pass/pp di **grind** ◆ a macinato ◇ levigato ◇ arrotato

ground (2) /ɡraʊnd/ a terrestre, di terra ◇ del suolo ◇ di base ◆ s terreno m, terra f ◇ campo m ◇ (di mare, lago) fondo m ◇ sfondo m ◇ motivo m, ragione f ◇ (el) massa f, terra f ◇ al pl sedimenti m pl, fondi m pl ● g. floor pianterreno

to ground /ɡraʊnd/ vi fondarsi, basarsi ◇ (naut) incagliarsi

groundless /ˈɡraʊndlɪs/ a infondato

group /ɡruːp/ s gruppo m

to group /ɡruːp/ vt raggruppare, radunare ◆ vi raggrupparsi, radunarsi

grouse /graʊs/ s gallo m cedrone

grove /grəʊv/ s boschetto m

to grovel /ˈɡrɒvl/ vi strisciare per terra ◇ umiliarsi ◆ supplicare

to grow /grəʊ/ (pass **grew**, pp **grown**) vi crescere, aumentare ◇ diventare ◆ vt coltivare ● to g. old invecchiare; to g. rich arricchire; to g. up diventare adulto, crescere

grower /ˈɡrəʊə/ s coltivatore m

to growl /graʊl/ vi ringhiare, grugnire

growth /grəʊθ/ s crescita f, sviluppo m ◇ produzione f ◇ escrescenza f

grub /ɡrʌb/ s larva f ◇ (fam) cibo m

grubby /ˈɡrʌbɪ/ a sporco

grudge /ɡrʌdʒ/ s rancore m

gruelling /ˈɡruəlɪŋ/ a faticoso

gruesome /ˈɡruːsəm/ a orribile

gruff /ɡrʌf/ a rude, aspro ◇ roco

to grumble /ˈɡrʌmbl/ vi lamentarsi, brontolare

grumpy /ˈɡrʌmpɪ/ a scontroso

to grunt /ɡrʌnt/ vi grugnire, borbottare

guarantee /ˌɡær(ə)nˈtiː/ s garanzia f

guaranty /ˈɡær(ə)ntɪ/ s garanzia f

guard /ɡɑːd/ s guardia f, custodia f ◇ guardiano m ◇ capotreno m

to guard /ɡɑːd/ vt sorvegliare, proteggere ◆ vi stare in guardia ● to g. against st guardarsi da qc

guardian /ˈɡɑːdjən/ s guardiano m, custode m ◇ tutore m

guerilla /ɡəˈrɪlə/ s guerriglia f

guess /ɡes/ s congettura f ● to take a g. provare a indovinare

to guess /ɡes/ vt/i indovinare, azzeccare

guest /ɡest/ s ospite m/f, invitato m ◇ (d'albergo) cliente m/f ● g.-house pensione; g.-room stanza degli ospiti

to guffaw /ɡʌˈfɔː/ vi sghignazzare

guidance /ˈɡaɪdəns/ s guida f

guide /ɡaɪd/ s guida f, cicerone m ◇ guida f, manuale m

to guide /ɡaɪd/ vt guidare

guideline /ˈɡaɪdlaɪn/ s direttiva f, orientamento m

guile /ɡaɪl/ s astuzia f, furberia f

guillotine /ɡɪləˈtiːn/ s ghigliottina f

guilt /ɡɪlt/ s colpa f, colpevolezza f

guilty /ˈɡɪltɪ/ a colpevole

guinea-pig /ˈɡɪnɪpɪɡ/ s cavia f, porcellino m d'India

guise /ɡaɪz/ s sembianza f ◇ maschera f

guitar /ɡɪˈtɑː/ s chitarra f

gulf /ɡʌlf/ s golfo m ◇ abisso m

gull /ɡʌl/ s gabbiano m

gullet /ˈɡʌlɪt/ s gola f

gully /ˈɡʌlɪ/ s burrone m, gola f ◇ calanco m ◇ canale m

gulp /ɡʌlp/ s sorso m ◇ boccone m

to gulp /ɡʌlp/ vi deglutire ◆ vt inghiottire, tracannare

gum /ɡʌm/ s gomma f ◇ colla f ◇ caramella f gommosa ◇ gengiva f

gumption /ˈɡʌm(p)ʃ(ə)n/ s coraggio m, intraprendenza f

gun /ɡʌn/ s fucile m, pistola f, arma f da fuoco ◇ cannone m

gunman /ˈɡʌnmən/ (pl **gunmen**) s bandito m ◇ pistolero m

gunpoint /ˈɡʌnpɔɪnt/ s mira f ● at g. sotto tiro

gunshot /ˈɡʌnʃɒt/ s sparo m

to gurgle /ˈɡɜːɡl/ vi gorgogliare

gush /gʌʃ/ s zampillo m

to gush /gʌʃ/ vi sgorgare ◇ entusiasmarsi (esageratamente)

gust /gʌst/ s raffica f

gusto /ˈgʌstəʊ/ s godimento m, piacere m ◇ fervore m

guts /gʌts/ s pl budella f pl ◇ (fig) coraggio m, fegato m

gutter /ˈgʌtə/ s grondaia f ◇ cunetta f ◇ canale m di scolo

guy /gaɪ/ s (fam) individuo m, tipo m

to guzzle /ˈgʌzl/ vi gozzovigliare

gym /dʒɪm/ s palestra f ◇ ginnastica f

gymnasium /dʒɪmˈneɪzjəm/ s palestra f

gyn(a)ecologist /ˌgaɪnɪˈkɒlədʒɪst/ s ginecologo m

to gyrate /dʒaɪˈreɪt/ vi girare, turbinare

H

haberdashery /ˈhæbədæʃərɪ/ s merceria f

habit /ˈhæbɪt/ s abitudine f ◇ temperamento m ◇ (relig) abito m, tonaca f

habitual /həˈbɪtjʊəl/ a abituale ◇ inveterato

hack (1) /hæk/ s spacco m, fenditura f ◇ ferita f ◇ piccone m

hack (2) /hæk/ s scribacchino m ◇ (zool) ronzino m

to hack /hæk/ vt fare a pezzi ◇ tagliare, eliminare ◆ vi fare l'hacker

hackneyed /ˈhæknɪd/ a trito, banale

haemo- → **hemo-**

haggard /ˈhægəd/ a smunto, sparuto

to haggle /ˈhægl/ vi mercanteggiare ◇ cavillare

hail (1) /heɪl/ s grandine f ◇ gragnuola f

hail (2) /heɪl/ inter salve, salute

to hail (1) /heɪl/ vi grandinare ◆ vt scagliare, lanciare

to hail (2) /heɪl/ vt chiamare, salutare, acclamare ◇ fare un cenno (per fermare)

hailstone /ˈheɪlstəʊn/ s chicco m di grandine

hailstorm /ˈheɪlstɔːm/ s grandinata f

hair /heə/ s capelli m pl, chioma f ◇ capello m ◇ (di animale) pelo m, mantello f m ◆ h.-raising orripilante; h.-splitting pedanteria

hairdo /ˈheədu:/ s pettinatura f

hairdresser /ˈheədresə/ s parrucchiere m

hairdryer /ˈheədraɪə/ s asciugacapelli m

hairgrip /ˈheəgrɪp/ s molletta f

hairless /ˈheəlɪs/ a calvo ◇ glabro

hairpin /ˈheəpɪn/ s molletta f ◆ h. bend, turn tornante

hairy /ˈheərɪ/ a peloso, irsuto ◇ (fam) pericoloso, difficoltoso

hake /heɪk/ s nasello m

half (2) /hɑːf/ (pl halves) a mezzo ◆ s metà f, mezzo m ◇ (sport) tempo m ◆ avv mezzo, a metà ◆ h.-and-

h. metà e metà, a metà; *h. an hour* mezz'ora; *h. brother* fratellastro; *not h.* molto, veramente; *h. time* (*sport*) intervallo

half-baked /ˌhɑːfˈbeɪkt/ *a* cotto a metà ◇ (*fig*) mal preparato, sciocco

half-hearted /ˌhɑːfˈhɑːtɪd/ *a* apatico, tiepido

halfway /ˌhɑːfˈweɪ/ *a/avv* a metà strada ◇ con scarso entusiasmo

hall /hɔːl/ *s* sala *f*, salone *m* ◇ vestibolo *m* ◇ palazzo *m*, villa *f* ◇ corridoio *m*

hallmark /ˈhɔːlmɑːk/ *s* marchio *m* di garanzia ◇ (*fig*) caratteristica *f*

hallo /həˈləʊ/ *inter* ciao, salve ◇ (*al telefono*) pronto

hallway /ˈhɔːlweɪ/ *s* (*USA*) corridoio *m*, vestibolo *m*

halo /ˈheɪləʊ/ *s* aureola *f* ◇ alone *m*

halt /hɔːlt/ *s* sosta *f*, fermata *f* ♦ *inter* alt!

to halt /hɔːlt/ *vt* fermare ◇ (*mil*) far fare tappa a ♦ *vi* fermarsi

to halve /hɑːv/ *vt* dimezzare, fare a metà di

ham (1) /hæm/ *s* prosciutto *m*

ham (2) /hæm/ *s* (*fam*) radioamatore *m*

hamlet /ˈhæmlɪt/ *s* borgo *m*

hammer /ˈhæmə[r]/ *s* martello *m* ◇ maglio *m* ◇ martelletto *m* ● *h. drill* martello pneumatico

to hammer /ˈhæmə[r]/ *vt/i* martellare, battere

hammock /ˈhæmək/ *s* amaca *f*

hamper /ˈhæmpə[r]/ *s* cesta *f*, paniere *m*

to hamper /ˈhæmpə[r]/ *vt* impedire, ostacolare

hamster /ˈhæmstə[r]/ *s* criceto *m*

hand /hænd/ *s* mano *f* ◇ manovale *m*, operaio *m* ◇ (*di orologio*) lancetta *f* ◇ grafia *f*, firma *f* ◇ aiuto *m* ◇ (*nel gioco delle carte*) mano *f* ◇ (*di banane*) casco *m* ● *at h.* a portata di mano; *by h.* a mano; *h. luggage* bagaglio a mano; *in h.* a disposizione, sotto controllo

to hand /hænd/ *vt* dare, porgere ● *to h. back* restituire; *to h. out* distribuire; *to h. over* consegnare

handbag /ˈhæn(d)bæg/ *s* borsetta *f*

handball /ˈhæn(d)bɔːl/ *s* pallamano *f*

handbook /ˈhæn(d)bʊk/ *s* manuale *m*

handbrake /ˈhæn(d)breɪk/ *s* freno a mano

handcuffs /ˈhæn(d)kʌfs/ *s pl* manette *f pl*

handful /ˈhæn(d)fʊl/ *s* manciata *f*

handhold /ˈhændhəʊld/ *s* appiglio *m*

handicap /ˈhændɪkæp/ *s* (*med*) handicap *m* ◇ ostacolo *m*, svantaggio *m* ◇ (*sport*) handicap *m*

handicraft /ˈhændɪkrɑːft/ *s* artigianato *m*, lavoro *m* artigianale ◇ abilità *f* manuale

handiwork /ˈhændɪwɜːk/ *s* lavoro *m* manuale ◇ operato *m*

handkerchief /ˈhæŋkətʃɪf/ *s* fazzoletto *m*

handle /ˈhændl/ *s* manico *m*, maniglia *f*, impugnatura *f* ◇ (*fig*) appiglio *m*, pretesto *m*

to handle /ˈhændl/ *vt* maneggiare, manipolare ◇ trattare, occuparsi di ● *h. with care* maneggiare con cura

handlebar /ˈhændlbɑːr/ *s spec pl* manubrio *m* (di bicicletta)

handling /ˈhændlɪŋ/ *s* trattamento *m*

handmade /ˌhæn(d)ˈmeɪd/ *a* fatto a mano

handout /ˈhændaʊt/ *s* sussidio *m*, elemosina *f* ◇ volantino *m* ◇ dichiarazione *f* (per la stampa)

handrail /ˈhændˌreɪl/ *s* corrimano *m*

handshake /ˈhændʃeɪk/ *s* stretta *f* di mano

handsome /ˈhænsəm/ *a* bello, prestante ◇ generoso ◇ considerevole

handwork /ˈhændwɜːk/ → **handiwork**

handwriting /ˈhændˌraɪtɪŋ/ *s* scrittura *f*, grafia *f*

handy /ˈhændɪ/ *a* abile ◇ maneggevole, manovrabile ◇ comodo, utile ◇ vicino, sottomano ● *to come in h.* tornare utile

handyman /ˈhændɪmæn/ (*pl* **handymen**) *s* tuttofare *m*

to hang /hæŋ/ (*pass/pp* **to hung**) *vt* appendere, sospendere ◇ impiccare ◆ *vi* pendere, penzolare ● *to h. about* ciondolare, perdere tempo; *to h. on* aggrapparsi, aspettare; *to h. up* riattaccare (il telefono)

hangar /ˈhæŋər/ *s* hangar *m*

hanger /ˈhæŋər/ *s* gruccia *f* ◇ gancio *m* ● *h.-on* scroccone

hang-glider /ˈhæŋˌɡlaɪdər/ *s* deltaplano *m*

hanging /ˈhæŋɪŋ/ *a* sospeso, pendente ◆ *s* impiccagione *f*

hangover /ˈhæŋˌəʊvər/ *s* postumi *m pl* di sbornia

hang-up /ˈhæŋʌp/ *s* (*fam*) problema *m* ◇ (*inform*) sospensione *f*

hank /hæŋk/ *s* matassa *f*

to hanker /ˈhæŋkər/ *vi* desiderare ardentemente

hanky /ˈhæŋkɪ/ *s* fazzoletto *m* ● *h.-panky* inganno, intrallazzi

haphazard /ˌhæpˈhæzəd/ *a* casuale, fortuito ◆ *avv* a casaccio

to happen /ˈhæpən/ *vi* accadere, succedere ◇ (*costruzione pers*) capitare, accadere (ES: **I happened to loose my way** mi capitò di perdere la strada di casa) ● *as it happens* per puro caso

happening /ˈhæpənɪn/ *s* avvenimento *m*

happy /ˈhæpɪ/ *a* felice, contento

happy-go-lucky /ˌhæpɪɡəʊˈlʌkɪ/ *a* spensierato

to harangue /həˈræŋ/ *vt* arringare

to harass /ˈhærəs/ *vt* molestare

harbour /ˈhɑːbər/ (*USA* **harbor**) *s* porto *m* ● *h. master* capitano del porto

to harbour /ˈhɑːbər/ (*USA* **to harbor**) *vt* accogliere, ospitare

hard /hɑːd/ *a* duro ◇ severo, spietato ◇ difficile, gravoso ◇ accanito ◇ (*di bevanda*) forte, (*di droga*) pesante ◆ *avv* energicamente, con forza ◇ duramente, con difficoltà ● *h. luck* sfortuna; *h. of hearing* duro d'orecchi; *to be h. on sb* trattare qn duramente; *to look h. at sb* guardare attentamente qn

hardcover /ˈhɑːdkʌvər/ *a* rilegato

hardheaded /ˌhɑːdˈhedɪd/ *a* ostinato, determinato

hardly /ˈhɑːdlɪ/ *avv* appena, a malapena ◇ quasi ● *h. ever* quasi mai
hardness /ˈhɑːdnɪs/ *s* durezza *f*
hardship /ˈhɑːdʃɪp/ *s* privazione *f*, stento *m*
hard-up /ˌhɑːdˈʌp/ *a (fam)* al verde ◇ bisognoso di
hardware /ˈhɑːdweə/ *s* ferramenta *f* ◇ attrezzi *m pl* ◇ *(mil)* armamenti *m pl* ◇ *(inform)* hardware *m*
hardwearing /ˈhɑːdweərɪŋ/ *a* resistente
hardy /ˈhɑːdɪ/ *a* robusto, resistente
hare /heə/ *s* lepre *f*
hare-brained /ˈheəbreɪnd/ *a* scervellato
harm /hɑːm/ *s* danno *m*
harmful /ˈhɑːmf(ʊ)l/ *a* nocivo
harmless /ˈhɑːmlɪs/ *a* innocuo, inoffensivo
harmonious /hɑːˈməʊnjəs/ *a* armonioso, melodioso
harmony /ˈhɑːm(ə)nɪ/ *s* armonia *f*, accordo *m*
harness /ˈhɑːnɪs/ *s* finimenti *m pl* ◇ imbracatura *f* ● *to work in h.* lavorare insieme, cooperare
harp /hɑːp/ *s* arpa *f*
harpoon /hɑːˈpuːn/ *s* arpione *m*, fiocina *f*, rampone *m*
harrowing /ˈhærəʊɪŋ/ *a* straziante
harsh /hɑːʃ/ *a* aspro, ruvido ◇ duro, severo ◇ stridente, stridulo ◇ *(di clima)* rigido
hart /hɑːt/ *s* cervo *m* maschio
harvest /ˈhɑːvɪst/ *s* mietitura *f*, raccolto *m* ● *grape h.* vendemmia
to hash /hæʃ/ *vt* tritare, sminuzzare ◇ pasticciare
hassle /ˈhæsl/ *s (fam)* problema *m* ◇ scocciatura *f*

haste /heɪst/ *s* fretta *f*, premura *f*
to hasten /ˈheɪsn/ *vt* affrettare, sollecitare ◆ *vi* affrettarsi, precipitarsi
hasty /ˈheɪstɪ/ *a* frettoloso, affrettato ◇ sconsiderato
hat /hæt/ *s* cappello *m* ● *top h.* cilindro
hatch /hætʃ/ *s* portello *m* ◇ *(naut)* boccaporto *m*
hatchet /ˈhætʃɪt/ *s* accetta *f*
to hate /heɪt/ *vt* odiare, detestare
hatred /ˈheɪtrɪd/ *s* odio *m*
haughty /ˈhɔːtɪ/ *a* arrogante, superbo
haul /hɔːl/ *s* tiro *m* ◇ raccolta *f*, retata *f* ◇ bottino *m*
to haul /hɔːl/ *vt* tirare, trainare ◇ trasportare
haulage /ˈhɔːlɪdʒ/ *s* trasporto *m*
haunch /hɔːn(t)ʃ/ *s* anca *f*, fianco *m* ◇ *(in macelleria)* coscia *f*
to haunt /hɔːnt/ *vt* frequentare, bazzicare ◇ *(di fantasmi)* infestare ◇ perseguitare
to have /hæv, həv, əv/ *(pass/pp had)* *vt (ausiliare)* avere, essere (ES: **have you seen it?** l'hai visto?; **she has already been here** è già stata qui) ◇ avere ◇ possedere, ottenere, ricevere ◇ prendere, mangiare, bere ◇ fare, compiere ◇ dovere (ES: **I h. to stay at home tonight** devo stare a casa questa sera)
haven /ˈheɪvn/ *s* porto *m* ◇ rifugio *m* ● *safe h.* paradiso fiscale
havoc /ˈhævək/ *s* rovina *f*, distruzione *f*
hawk /hɔːk/ *s* falco *m*

hay /heɪ/ s fieno m ● **h. fever** febbre da fieno

hayloft /'heɪˌlɒft/ s fienile m

haywire /'heɪwaɪər/ a confuso ● **to go h.** impazzire

hazard /'hæzəd/ s azzardo m, rischio m, pericolo m ◇ caso m, sorte f

to hazard /'hæzəd/ vt azzardare ◇ rischiare

haze /heɪz/ s foschia f ◇ confusione f mentale

hazel /'heɪzl/ s (bot) nocciolo m ● a (color) nocciola

hazelnut /'heɪzlnʌt/ s nocciola f

hazy /'heɪzɪ/ a nebbioso ◇ confuso, indistinto

he /hiː/ pr.pers egli, lui

head /hed/ s testa f ◇ capo m ◇ cervello m, mente f ◇ al pl (di moneta) testa f ● a principale, centrale ● **h. office** sede centrale

to head /hed/ vt dirigere, capeggiare ◇ intestare, intitolare ◇ affrontare ● **to h. for** essere diretto a; **to h. off** precedere

headache /'hedeɪk/ s cefalea f, mal di testa m

headdress /'heddres/ s copricapo m ◇ acconciatura f

headfirst /'hedfɜːst/ avv a capofitto

heading /'hedɪŋ/ s intestazione f, titolo m

headland /'hedlənd/ s promontorio m

headlight /'hedlaɪt/ s faro m, fanale m

headline /'hedlaɪn/ s titolo m

headlong /'hedlɒŋ/ avv a capofitto ◇ precipitosamente

headmaster /ˌhed'mɑːstər/ s (di scuola) direttore m, preside m

head-on /ˌhed'ɒn/ a frontale

headphones /'hedfəʊnz/ s pl auricolari m pl, cuffie f pl

headquarters /'hedˌkwɔːtəz/ s pl quartier m generale ◇ sede f centrale

headrest /'hedrest/ s poggiatesta m

headscarf /'hedskɑːf/ s foulard m

headset /'hedset/ s auricolari m pl, cuffie f pl

headstrong /'hedstrɒŋ/ a ostinato, testardo

heady /'hedɪ/ s eccitante

to heal /hiːl/ vt curare ● vi guarire, rimarginarsi

health /helθ/ s salute f

healthy /'helθɪ/ a sano ◇ salubre

heap /hiːp/ s cumulo m, mucchio m

to hear /hɪər/ (pass/pp **heard**) vt sentire, udire ◇ venire a sapere ◇ ascoltare ● vi sentire ● **to h. about/of** sentir parlare di

hearing /'hɪərɪŋ/ s udito m ◇ udienza f ● **h. aid** apparecchio acustico

hearsay /'hɪəseɪ/ s diceria f ● **by h.** per sentito dire

heart /hɑːt/ s cuore m ◇ (fig) centro m, nucleo m ◇ al pl (carte da gioco) cuori m pl ● **by h.** a memoria; **h. attack** attacco di cuore; **h. broken** desolato, affranto; **to lose h.** scoraggiarsi; **to take h.** farsi coraggio; **to take st to h.** prendere qc a cuore

heartbreaking /'hɑːtˌbreɪkɪŋ/ a straziante

heartbroken /ˈhɑːtˌbrəʊk(ə)n/ *a* straziato, affranto

heartburn /ˈhɑːtˌbɜːn/ *s* bruciore *m* di stomaco

heartfelt /ˈhɑːtfelt/ *a* sincero

hearth /hɑːθ/ *s* focolare *m*

hearty /ˈhɑːtɪ/ *a* cordiale, caloroso ◇ robusto, vigoroso

heat /hiːt/ *s* caldo *m*, calore *m* ◇ foga *f*, impeto *m* ◇ fornello *m*, fuoco *m*, fiamma *f* ◇ (*sport*) batteria *f*

to heat /hiːt/ *vt* scaldare, riscaldare

heated /ˈhiːtɪd/ *a* riscaldato ◇ (*fig*) appassionato, animato

heath /hiːθ/ *s* brughiera *f* ◇ erica *f*

heathen /ˈhiːð(ə)n/ *a/s* pagano *m*

heather /ˈheðə/ *s* erica *f*

heating /ˈhiːtɪŋ/ *s* riscaldamento *m* ● **central h.** riscaldamento centrale

to heave /hiːv/ (*pass/pp* **heaved**, **hove**) *vt* sollevare, alzare ◇ gettare, lanciare, tirare ◇ emettere ◆ *vi* sollevarsi, alzarsi ◇ ansimare

heaven /ˈhevn/ *s* cielo *m*, paradiso *m*

heavenly /ˈhevnlɪ/ *a* celeste, divino

heavy /ˈhevɪ/ *a* pesante, gravoso ◇ grande, forte, violento ◇ triste, grave ◇ plumbeo ● **h.-set** robusto, ben piantato

Hebraic /hiː(ˈ)breɪɪk/ *a* ebraico

Hebrew /ˈhiːbruː/ *a/s* ebreo *m*

hectare /ˈhektɑː/ *s* ettaro *m*

hectic /ˈhektɪk/ *a* febbrile, agitato

hedge /hedʒ/ *s* siepe *f* ◇ barriera *f*

hedgehog /ˈhedʒhɒg/ *s* (*zool*) riccio *m*

heed /hiːd/ *s* attenzione *f*, cura *f* ● **to give h.** to dare ascolto a

to heed /hiːd/ *vt* fare attenzione a

heedless /ˈhiːdlɪs/ *a* sbadato, disattento

heel /hiːl/ *s* calcagno *m*, tallone *m* ◇ tacco *m*

hefty /ˈheftɪ/ *a* (*fam*) forte, robusto

height /haɪt/ *s* altezza *f* ◇ altitudine *f* ◇ cima *f*, apice *m*

to heighten /ˈhaɪtn/ *vt* accrescere, innalzare ◆ *vi* aumentare, innalzarsi

heir /eə/ *s* erede *m*

heiress /ˈeərɪs/ *s* erede *f*

heirloom /ˈeəluːm/ *s* (*dir*) bene *m* spettante all'erede ◇ cimelio *m* di famiglia

helicopter /ˈhelɪkɒptə/ *s* elicottero *m*

helium /ˈhiːljəm/ *s* elio *m*

hell /hel/ *s* inferno *m*

hellish /ˈhelɪʃ/ *a* infernale

hello /heˈləʊ/ *inter* salve, ciao *m* ◇ (*al telefono*) pronto

helm /helm/ *s* timone *m*

helmet /ˈhelmɪt/ *s* elmetto *m* ◇ casco *m*

help /help/ *s* aiuto *m*, assistenza *f* ◇ rimedio *m* ◇ persona *f* di servizio

to help /help/ *vt* aiutare, assistere, soccorrere ◇ contribuire a, favorire ◇ (*a tavola*) servire, passare ◇ (*preceduto da 'can', 'could'*) fare a meno di, evitare ● **I can't h. laughing** non posso fare a meno di ridere; **it can't be**

helped non c'è niente da fare; *to h. oneself* servirsi (da solo)

helpful /'helpf(ʊ)l/ *a* servizievole ◇ utile, vantaggioso

helping /'helpɪŋ/ *s (di cibo)* porzione *f*

helpless /'helplɪs/ *a* indifeso ◇ debole, impotente

hem /hem/ *s* orlo *m*, bordo *m*

to hem /hem/ *vt* orlare ● *to h. in* circondare

hemisphere /'hemɪsfɪə/ *s* emisfero *m*

hemorrhage /'hemərɪdʒ/ *s* emorragia *f*

hemp /hemp/ *s* canapa *f*

hen /hen/ *s* gallina *f* ◇ *(di volatili)* femmina *f* ● *h. house* pollaio

hence /hens/ *avv* da questo momento, di qui a ◇ quindi, perciò ● *a week h.* fra una settimana

henceforth /ˌhens'fɔːθ/ *avv* d'ora innanzi

henchman /'hen(t)ʃmən/ *(pl* **henchmen**) *s* tirapiedi *m*, scagnozzo *m*

henna /'henə/ *s* henné *m*

hepatitis /ˌhepə'taɪtɪs/ *s* epatite *f*

her /heːr, (h)ə/ *pr.pers (compl)* lei, la, a lei, le ◆ *a.poss (riferito a possessore f)* suo, sua, suoi, sue

heraldry /'her(ə)ldrɪ/ *s* araldica *f*

herb /hɜːb/ *s* erba *f*

herbaceous /hɜː'beɪʃəs/ *a* erbaceo

herd /hɜːd/ *s* mandria *f*, gregge *m* ◇ moltitudine *f*

here /hɪə/ *avv* qua, qui ◇ ecco ● *h.!* *(rispondendo a un appello)* presente!; *h. and now* qui e ora; *h. I am* eccomi

hereafter /ˌhɪər'ɑːftə/ *avv* in avvenire

hereby /ˌhɪə'baɪ/ *avv* con ciò, con la presente, così

heredity /hɪ'redɪtɪ/ *s* eredità *f*

herein /ˌhɪər'ɪn/ *avv (comm)* qui accluso

heresy /'herəsɪ/ *s* eresia *f*

herewith /ˌhɪə'wɪð/ *avv* qui accluso

heritage /'herɪtɪdʒ/ *s* eredità *f* ◇ retaggio *m* ● *World, Mankind Heritage* patrimonio dell'umanità

hermit /'hɜːmɪt/ *s* eremita *m*

hermitage /'hɜːmɪtɪdʒ/ *s* eremo *m*

hernia /'hɜːnjə/ *s* ernia *f*

hero /'hɪərəʊ/ *s* eroe *m*

heroin /'herə(ʊ)ɪn/ *s (chim)* eroina *f*

heroine /'herə(ʊ)ɪn/ *s* eroina *f*

heron /'her(ə)n/ *s* airone *m*

herring /'herɪŋ/ *s* aringa *f*

hers /hɜːz/ *pr.poss (riferito a possessore f)* suo, sua, suoi, sue

herself /hɜː'self/ *pr (rifl)* se stessa, si ◇ *(enf)* ella stessa, lei stessa ● *she is not h. today* oggi non sembra nemmeno lei

hesitant /'hezɪt(ə)nt/ *a* esitante

to hesitate /'hezɪteɪt/ *vi* esitare

heterosexual /ˌhetərə(ʊ)'seksjʊəl/ *a* eterosessuale

to hew /hjuː/ *(pass* **hewed**, *pp* **hewed**, **hewn**) *vt* tagliare, spaccare, fendere ● *to h. out* sbozzare, scavare, scolpire

heyday /'heɪdeɪ/ *s* apice *m*, apogeo *m*

hi /haɪ/ *inter* ciao

to hibernate /'haɪbəneɪt/ *vi* ibernare, andare in letargo

hiccup /'hɪkʌp/ *o* **hiccough** *s* singhiozzo *m*

hidden /'hɪdn/ *pp di* to hide ◆ *a* nascosto, segreto ◇ ignoto

hide (1) /haɪd/ *s* pellame *m*

hide (2) /haɪd/ *s* nascondiglio *m*

to hide /haɪd/ (*pass* **hid**, *pp* **hidden**) *vt* nascondere ◆ *vi* nascondersi ● *to h. st from sb* nascondere qc a qn

hideaway /'haɪdə͜weɪ/ *s* nascondiglio *m*

hideous /'hɪdɪəs/ *a* ripugnante, orribile

hiding /'haɪdɪŋ/ *s* occultamento *m* ● *h.-place* nascondiglio; *to be in h.* tenersi nascosto

hierarchy /'haɪərɑːkɪ/ *s* gerarchia *f*

hieroglyph /'haɪərəɡlɪf/ *s* geroglifico *m*

high /haɪ/ *a* alto, elevato ◇ forte, intenso, acuto ◇ caro, costoso ◇ avanzato, inoltrato ◆ *avv* alto, in alto ◇ fortemente ● *h. class* di prim'ordine; *h. court* corte suprema; *h. school* scuola secondaria; *h. season* alta stagione; *h. street* strada principale

highbrow /'haɪbraʊ/ *s* (*fam*) intellettuale *m/f*, (*spreg*) intellettualoide *m/f*

high-handed /ˌhaɪˈhændɪd/ *a* prepotente

highlight /'haɪlaɪt/ *s* momento *m* culminante ◇ *al pl* colpi *m pl* di sole

to highlight /'haɪlaɪt/ *vt* mettere in luce, evidenziare

highly /'haɪlɪ/ *avv* estremamente, molto, assai ● *to think h. of* avere una buona opinione di

highness /'haɪnɪs/ *s* altezza *f*, elevatezza *f* ● *His, Her Royal H.* Sua Altezza Reale

high-pitched /ˌhaɪˈpɪtʃt/ *a* (*di suono*) acuto ◇ (*di tetto*) spiovente

high-speed /ˌhaɪˈspiːd/ *a* ad alta velocità

high-tech /haɪˈtek/ *s* alta tecnologia *f* ◆ *a* tecnologicamente avanzato

highway /'haɪweɪ/ *s* strada *f* di grande comunicazione ● *h. code* codice della strada

to hijack /'haɪdʒæk/ *vt* dirottare

hike /haɪk/ *s* escursione *f* (*a piedi*) ◇ (*fam*) (*di prezzi*) aumento *m*, impennata *f*

to hike /haɪk/ *vi* fare un'escursione (*a piedi*) ◆ *vt* aumentare

hiker /'haɪkə/ *s* escursionista *m/f*

hilarious /hɪˈleərɪəs/ *a* allegro, divertente

hill /hɪl/ *s* colle *m*, collina *f* ◇ pendio *m*

hillock /'hɪlək/ *s* poggio *m*

hillside /ˌhɪlˈsaɪd/ *s* pendio *m*

hilly /'hɪlɪ/ *a* collinoso

him /hɪm, ɪm/ *pr.pers* (*compl*) lui, lo, gli

himself /hɪm'self/ *pr* (*rifl*) se stesso, si ◇ (*enf*) egli stesso, proprio lui ● (*all*) *by h.* da solo, da sé; *he is not h. today* oggi non è proprio in sé

hind /haɪnd/ *a* posteriore

to hinder /'hɪndə/ *vt* impedire ◇ inceppare, ostacolare

hindrance /'hɪndr(ə)ns/ *s* impaccio *m*, ostacolo *m*, impedimento *m*

hindsight /'haɪndsaɪt/ *s* senno *m* di poi

Hindu /'hɪnduː/ *a/s* indù *m/f*

hinge /hɪn(d)ʒ/ s cardine m, cerniera f

to hinge /hɪn(d)ʒ/ vi girare sui cardini ● **to h. on, upon** dipendere da

hint /hɪnt/ s cenno m, traccia f, allusione f ◇ piccola quantità f ◇ consiglio m, suggerimento m

to hint /hɪnt/ vt accennare, suggerire, insinuare ◆ vi fare insinuazioni, alludere ● **to h. at** st insinuare qc, alludere a qc

hip /hɪp/ s anca f

hippo /ˈhɪpəʊ/ s ippopotamo m

hippocampus /ˌhɪpə(ʊ)ˈkæmpəs/ s ippocampo m

hippodrome /ˈhɪpədrəʊm/ s ippodromo m

hire /ˈhaɪə/ s noleggio m, affitto m ◇ salario m ● **h. purchase** acquisto (o vendita) rateale

to hire /ˈhaɪə/ vt noleggiare, affittare ◇ assumere, dare lavoro a

his /hɪz, ɪz/ a/pr.poss (riferito a possessore m) suo, sua, suoi, sue

hiss /hɪs/ s sibilo m, fischio m

to hiss /hɪs/ vi sibilare, fischiare

historian /hɪˈstɔːrɪ(ə)n/ s storico m

history /ˈhɪst(ə)rɪ/ s storia f

hit /hɪt/ s colpo m, urto m ◇ successo m

to hit /hɪt/ (pass/pp **hit**) vt battere, colpire, picchiare ◇ incontrare, trovare ◇ raggiungere ◆ vi urtare, entrare in collisione ● **to h. it off with sb** andare d'accordo con qn, divertirsi tanto con qn; **to h. on** trovare per caso, scoprire, imbattersi in

hitch /hɪtʃ/ s strattone m, sobbalzo

m, strappo m (anche fig) ◇ intoppo m, difficoltà f

to hitch /hɪtʃ/ vt muovere a strattoni ◇ attaccare ◆ vi muoversi a sbalzi ◇ attaccarsi, impigliarsi ◇ (pop) fare l'autostop ● **to h. up** sollevare, tirare su; **to get hitched** (fam) sposarsi

to hitchhike /ˈhɪtʃhaɪk/ vi fare l'autostop

hitherto /ˌhɪðəˈtuː/ avv finora

hive /haɪv/ s alveare m

to hive /haɪv/ vt entrare nell'alveare ◇ vivere in comunità ● **to h. off** separare, sciamare

hoard /hɔːd/ s gruzzolo m ◇ al pl scorte f pl

to hoard /hɔːd/ vt accumulare, ammassare, accaparrare

hoarding /ˈhɔːdɪŋ/ s staccionata f ◇ tabellone m pubblicitario

hoarfrost /ˈhɔːˌfrɒst/ s brina f

hoarse /hɔːs/ a rauco

hoax /həʊks/ s beffa f, truffa f

hob /hɒb/ s piastra f (di fornello)

to hobble /ˈhɒbl/ vi zoppicare

hobbyhorse /ˈhɒbɪhɔːs/ s cavalluccio m di legno ◇ (fig) chiodo m fisso

hockey /ˈhɒkɪ/ s hockey m ● **ice h.** hockey su ghiaccio

hoe /həʊ/ s zappa f

hog /hɒg/ s maiale m

to hoist /hɔɪst/ vt issare, sollevare

hold (1) /həʊld/ s presa f ◇ ascendente m, influenza f ◇ sostegno m ● **on h.** (al telefono) in linea; **to have a h. over** avere il controllo su; **to get h.** ottenere, contattare

hold (2) /həʊld/ s (naut) stiva f

to hold /həʊld/ (pass/pp **held**) vt tenere, mantenere ◊ contenere ◊ possedere, detenere, occupare ◊ trattenere, fermare ◊ ritenere, pensare ♦ *vi* durare, continuare, persistere ◊ essere valido ● *to h. back* trattenere, tener nascosto; *to h. down* tener giù, trattenere; *to h. off* rimandare, tenere a bada; *to h. on* aspettare, (*al telefono*) rimanere in linea, restare aggrappato a; *to h. out* resistere, offrire; *to h. up* bloccare, rapinare

holdall /'həʊldɔːl/ *s* sacca *f* da viaggio

holder /'həʊldə/ *s* detentore *m*, titolare *m/f* ◊ contenitore *m*

holding /'həʊldɪŋ/ *s* possesso *m* ◊ tenuta *f*, proprietà *f* ◊ patrimonio *m*, dotazione *f* ◊ *al pl* (*econ*) azioni *f pl*, pacchetto *m* azionario ● *h. company* holding, società finanziaria

holdup /'həʊldʌp/ *s* rapina *f* a mano armata ◊ (*nel traffico*) intoppo *m*, ingorgo *m*

hole /həʊl/ *s* buco *m*, foro *m*, apertura *f* ◊ tana *f* ◊ (*golf*) buca *f*

to hole /həʊl/ *vt* bucare, forare

holiday /'hɒlədeɪ/ *s* festività *f*, giorno *m* festivo ◊ vacanza *f* ● *h. resort* luogo di villeggiatura

holiness /'həʊlɪnɪs/ *s* santità *f*

hollow /'hɒləʊ/ *a* cavo, incavato, vuoto ◊ (*di suono*) cupo, sordo ◊ vacuo, vano ♦ *s* cavità *f*, buca *f* ◊ valletta *f*, avvallamento *m*

to hollow /'hɒləʊ/ *vt* incavare, scavare

holly /'hɒlɪ/ *s* agrifoglio *m*

holocaust /'hɒləkɔːst/ *s* olocausto *m*

holster /'həʊlstə/ *s* fondina *f*

holy /'həʊlɪ/ *a* sacro, santo

homage /'hɒmɪdʒ/ *s* omaggio *m* ● *to pay h.* rendere omaggio a

home /həʊm/ *s* casa *f*, dimora *f*, abitazione *f* ◊ patria *f* ◊ asilo *m*, ricovero *m* ◊ (*sport*) meta *f*, traguardo *m*, porta *f* ♦ *a* casalingo, domestico, familiare ◊ nazionale ● *h. address* domicilio; *h. fire* focolare domestico; *h. life* vita familiare

homeland /'həʊmlænd/ *s* patria *f*

homeless /'həʊmlɪs/ *a* senzatetto ● *h. person* senzatetto

homely /'həʊmlɪ/ *a* semplice, modesto ◊ casalingo ◊ bruttino

homemade /ˌhəʊm'meɪd/ *a* fatto in casa

homesick /'həʊmsɪk/ *a* nostalgico ● *to be h.* avere nostalgia (di casa)

homestead /'həʊmsted/ *s* fattoria *f*, tenuta *f*

hometown /'həʊmtaʊn/ *s* luogo *m* di nascita, città *f* di origine

homeward /'həʊmwəd/ *avv* verso casa ♦ *a* di ritorno

homework /'həʊmwɜːk/ *s* compiti *m pl* a casa

homicide /'hɒmɪsaɪd/ *s* omicidio *m* ◊ omicida *m/f*

hom(o)eopathy /ˌhəʊmɪ'ɒpəθɪ/ *s* omeopatia *f*

homogeneity /ˌhɒməʊ(ʊ)dʒe'niːɪt/ *s* omogeneità *f*

homogenized /hɒ(ʊ)'mɒdʒənaɪzd/ *a* omogeneizzato

to homologate /hɒˈmɒləgeɪt/ *vt*
omologare

homonym /ˈhɒmənɪm/ *s* omonimo
m

homosexual /ˌhəʊməʊ(ʊ)ˈseksjʊəl/ *a/s*
omosessuale *m*

honest /ˈɒnɪst/ *a* onesto, sincero,
leale ◇ semplice, genuino

honesty /ˈɒnɪstɪ/ *s* onestà *f*

honey /ˈhʌnɪ/ *s* miele *m* ◇ *(fam)*
dolcezza *f*, tesoro *m* ● **h.-bee**
ape domestica

honeycomb /ˈhʌnɪkəʊm/ *s* favo *m*,
nido *m* d'ape

honeyed /ˈhʌnɪd/ *a* dolce ◇ mellifluo

honeymoon /ˈhʌnɪmuːn/ *s* luna *f* di
miele

honeysuckle /ˈhʌnɪˌsʌkl/ *s* caprifo-
glio *m*

to honk /hɒŋk/ *vi* suonare il clacson

honorary /ˈɒn(ə)rərɪ/ *a* onorario

honour /ˈɒnə/ *(USA* **honor)** *s* onore *m* ◇ *al pl* onorificenze *f*

honourable /ˈɒn(ə)rəbl/ *a* onorevo-
le

hood /hʊd/ *s* cappuccio *m* ◇ cappa
f ◇ capote *f* ◇ *(USA)* cofano *m*

to hoodwink /ˈhʊdwɪŋk/ *vt* ingannare

hoof /huːf/ *s* *(zool)* zoccolo *m*

hook /hʊk/ *s* gancio *m*, uncino *m* ◇
amo *m*

hoop (1) /huːp/ *s* urlo *m*, grido *m*

hoop (2) /huːp/ *s* cerchio *m*, cerchione *m*

hooray /hʊˈreɪ/ *inter* urrà!

hoot /huːt/ *s* *(di civetta)* grido *m* ◇
fischio *m* ◇ colpo *m* di clacson ◇
(fam) spasso *m*

to hoot /huːt/ *vi* gridare, urlare ◇
fischiare ◇ suonare il clacson ●
to h. at sb fischiare qn

hop (1) /hɒp/ *s* salto *m*

hop (2) /hɒp/ *s* *(bot)* luppolo *m*

to hop /hɒp/ *vi* saltare, saltellare

hope /həʊp/ *s* speranza *f*

to hope /həʊp/ *vt/i* sperare ● *I h.
so/not* spero di sì/di no

hopeful /ˈhəʊpf(ʊ)l/ *a* pieno di speranza ◇ promettente

hopeless /ˈhəʊplɪs/ *a* disperato,
senza speranza

horde /hɔːd/ *s* orda *f*

horizon /həˈraɪzn/ *s* orizzonte *m*

horizontal /ˌhɒrɪˈzɒntl/ *a* orizzonta-
le

hormone /ˈhɔːməʊn/ *s* ormone *m*

horn /hɔːn/ *s* corno *m* ◇ clacson *m*

horned /hɔːnd/ *a* cornuto

hornet /ˈhɔːnɪt/ *s* calabrone *m*

horoscope /ˈhɒrəskəʊp/ *s* oroscopo
m

horrible /ˈhɒrəbl/ *a* orribile

horrid /ˈhɒrɪd/ *a* orrido

horror /ˈhɒrə/ *s* orrore *m*

horse /hɔːs/ *s* cavallo *m* ● **h. racing**
ippica

horseback /ˈhɔːsbæk/ *s* dorso *m* di
cavallo ● *on h.* a cavallo; **h. riding** equitazione

horse-fly /ˈhɔːsflaɪ/ *s* tafano *m*

horseman /ˈhɔːsmən/ *s* *(pl* **horse-
men)** *s* cavallerizzo *m*

horsepower /ˈhɔːsˌpaʊə/ *s* cavallo
m (vapore)

horseradish /ˈhɔːsˌrædɪʃ/ *s* rafano
m

horseshoe /ˈhɔːsˌfuː/ *s* ferro *m* di
cavallo

horsewoman /ˈhɔːsˌwumən/ (pl **horsewomen**) s amazzone f

hose /həuz/ s tubo m, manichetta f ◇ **calze** f pl

hosiery /ˈhəuʒərɪ/ s maglieria f, calzetteria f

hospice /ˈhɒspɪs/ s ospizio m

hospitable /ˈhɒspɪt(ə)bl/ a ospitale

hospital /ˈhɒspɪtl/ s ospedale m

to hospitalize /ˈhɒspɪtəlaɪz/ vt ospedalizzare, ricoverare in ospedale

host (1) /həust/ a ospite, che ospita ◆ s ospite m, padrone m di casa ◇ (TV) presentatore m, conduttore m

host (2) /həust/ s schiera f, moltitudine f

to host /həust/ vt ospitare ◇ (TV) presentare

hostage /ˈhɒstɪdʒ/ s ostaggio m

hostel /ˈhɒst(ə)l/ s ostello m

hostess /ˈhəustɪs/ s ospite f, padrona f di casa ◇ hostess f, assistente f

hostile /ˈhɒstaɪl/ a ostile, nemico

hot /hɒt/ a caldo, rovente, bollente ◇ piccante, forte ◇ violento, ardente, focoso ◇ ancora caldo, fresco, recente ◆ **h. air** aria fritta; **h. pepper** peperoncino; **h. topic** questione scottante; **h. tempered** collerico; **to be h.** (di persona) aver caldo, (di cosa) essere caldo, (del tempo) far caldo

hotbed /ˈhɒtbed/ s focolaio m

hotchpotch /ˈhɒtʃpɒtʃ/ s stufato m ◇ guazzabuglio m

hotel /hо(u)ˈtel/ s albergo m ● **h. keeper** albergatore m

hot-headed /ˌhɒtˈhedɪd/ a focoso, impetuoso

hound /haund/ s (zool) segugio m

to hound /haund/ vt cacciare con i cani ◇ (fig) perseguitare

hour /ˈauə/ s ora f ◇ **al pl** orario m ● **an h. ago** un'ora fa; **at 9 on the h.** alle 9 in punto

hourly /ˈauəlɪ/ a orario ◇ continuo ◆ **avv** ogni ora ◇ d'ora in ora, da un momento all'altro ◇ continuamente

house /haus/ s casa f, abitazione f, dimora f ◇ (pol) Camera f ◇ teatro m, pubblico m ◇ casata f, dinastia f ◇ albergo m, pensione f ◇ ditta f ● **full h.** (teat) tutto esaurito

to house /hauz/ vt ospitare, alloggiare

housebreaker /ˈhausˌbreɪkər/ s scassinatore m

housecoat /ˈhausˌkəut/ s vestaglia f

housekeeper /ˈhausˌkiːpər/ s governante f ◇ massaia f

housemaid /ˈhausˌmeɪd/ s domestica f

housewife /ˈhauswaɪf/ (pl **housewives**) s casalinga f

housework /ˈhauswɜːk/ s lavori m pl di casa

housing /ˈhauzɪŋ/ s alloggio m, abitazione f ◇ rifugio m

hovel /ˈhɒv(ə)l/ s baracca f

to hover /ˈhɒvər/ vi librarsi, stare sospeso

how /hau/ avv (in frasi interr ed escl) come, in che modo ◇ quanto ◇ in qualunque modo ● **h. about...?** che ne diresti di...?; **h.'s that?** come mai?; **h. far is it?** quanto dista?; **h. long** quanto tempo; **h. much** quanto; **h.**

many quanti; *h. often* quante volte

however /hauˈevə²/ *avv* comunque, per quanto ◆ *cong* comunque, tuttavia

to howl /haul/ *vi* urlare, ululare

hub /hʌb/ *s* (*di ruota*) mozzo *m* ◇ (*fig*) centro *m*

hubbub /ˈhʌbʌb/ *s* confusione *f*, fracasso *m*

huddle /ˈhʌdl/ *s* calca *f*, folla *f*

to huddle /ˈhʌdl/ *vt* ammucchiare (alla rinfusa) ◆ *vi* accalcarsi, affollarsi

hue (1) /hju:/ *s* tinta *f*

hue (2) /hju:/ *s* grido *m* ● *h. and cry* clamore

huff /hʌf/ *s* stizza *f* ● *to be in a h.* essere stizzito

to hug /hʌg/ *vt* abbracciare, stringere

huge /hju:dʒ/ *a* enorme, immenso

hull /hʌl/ *s* guscio *m* ◇ (*naut*) scafo *m*

hullo /həˈlʌu/ → **hello**

hum /hʌm/ *s* ronzio *m*, mormorio *m*

to hum /hʌm/ *vi* ronzare, mormorare ◇ canticchiare ◆ *vt* canticchiare ◇ borbottare

human /ˈhju:mən/ *a* umano ◆ *s* essere *m* umano

humane /hju(:)ˈmein/ *a* umano, umanitario

humanity /hju(:)ˈmæniti/ *s* umanità *f*

humble /ˈhʌmbl/ *a* umile, modesto

to humble /ˈhʌmbl/ *vt* umiliare, avvilire

humbug /ˈhʌmbʌg/ *s* falsità *f*, fandonia *f*, imbroglio *m*

humdrum /ˈhʌmdrʌm/ *a* monotono, noioso

humerus /ˈhju:mərəs/ *s* omero *m*

humid /ˈhju:mid/ *a* umido

to humidify /hjʊ(:)ˈmidifai/ *vt* umidificare

humidity /hjʊ(:)ˈmiditi/ *s* umidità *f*

to humiliate /hjʊ(:)ˈmilieit/ *vt* umiliare

humility /hjʊ(:)ˈmiliti/ *s* umiltà *f*

humor /ˈhju:mə²/ → **humour**

humorous /ˈhju:m(ə)r(ə)s/ *a* umoristico, divertente ◇ arguto, spiritoso

humour /ˈhju:mə²/ (*USA* **humor**) *s* umore *m*, disposizione *f* d'animo ◇ umorismo *m*, senso *m* dell'umorismo ● *to be out of h.* essere di cattivo umore

hump /hʌmp/ *s* gobba *f* ◇ collinetta *f* ◇ (*pop*) periodo *m* difficile, situazione *f* difficile

humpbacked /ˈhʌmpbækt/ *a* gobbo, curvo ● *h. bridge* ponte a schiena d'asino

hunch /hʌn(t)ʃ/ *s* gobba *f*, gibbosità *f* ◇ (*pop*) sospetto *m*, impressione *f*

hunchbacked /ˈhʌn(t)ʃbækt/ *a* gobbo, gibboso

hundred /ˈhʌndrəd/ *a/s* cento *m* ● *by hundreds* a centinaia

hundredth /ˈhʌndrədθ/ *a/s* centesimo *m*

Hungarian /hʌŋˈgeəriən/ *a/s* ungherese *m/f*

hunger /ˈhʌŋgə²/ *s* fame *f* ● *h. strike* sciopero della fame

to hunger /ˈhʌŋgə²/ *vi* avere fame di, desiderare ardentemente

hungry /ˈhʌŋgrɪ/ a affamato ◇ avido, bramoso ● *to be h.* aver fame

hunk /hʌŋk/ s (*fam*) pezzo m ◇ bel pezzo m d'uomo

hunt /hʌnt/ s caccia f

to hunt /hʌnt/ vt cacciare ◇ perlustrare, battere ◆ vi andare a caccia ◇ cercare ● *to h. out* scovare

hunter /ˈhʌntə[r]/ s cacciatore m

hunting /ˈhʌntɪŋ/ s caccia f

hurdle /ˈhɜːdl/ s graticcio m, barriera f ◇ (*sport*) ostacolo m

to hurl /hɜːl/ vt lanciare, scagliare

hurrah /hʊˈrɑː/ *inter* evviva!

hurricane /ˈhʌrɪkən/ s uragano m

hurried /ˈhʌrɪd/ a frettoloso, affrettato

hurry /ˈhʌrɪ/ s fretta f, premura f ● *to be in a h.* aver fretta

to hurry /ˈhʌrɪ/ vt affrettare, sollecitare ◇ spedire in fretta ◆ vi affrettarsi, sbrigarsi

hurt /hɜːt/ s ferita f ◇ danno m ◇ offesa f

to hurt /hɜːt/ (*pass/pp* **hurt**) vt ferire, far male ◇ offendere ◇ danneggiare ◆ vi far male ● *to h. oneself* ferirsi, farsi male

hurtful /ˈhɜːtf(ʊ)l/ a nocivo, dannoso ◇ offensivo

to hurtle /ˈhɜːtl/ vi sfrecciare, precipitarsi

husband /ˈhʌzbənd/ s marito m

hush /hʌʃ/ s silenzio m, quiete f

to hush /hʌʃ/ vt zittire, calmare ◆ vi far silenzio, tacere ● *to h. up* mettere a tacere, stare zitto

husk /hʌsk/ s buccia f, guscio m

husky /ˈhʌskɪ/ a rauco, fioco ◇ robusto, aitante

to hustle /ˈhʌsl/ vt far fretta, incalzare ◇ spingere, spintonare ◆ vi affrettarsi ◇ spingere

hut /hʌt/ s capanna f, baracca f

hutch /hʌtʃ/ s gabbia f

hyacinth /ˈhaɪəsɪnθ/ s giacinto m

hybrid /ˈhaɪbrɪd/ a/s ibrido m

hydrant /ˈhaɪdr(ə)nt/ s idrante m

hydraulics /haɪˈdrɔːlɪks/ s pl (v al sing) idraulica f

hydrocarbon /ˌhaɪdrə(ʊ)ˈkɑːbən/ s idrocarburo m

hydrofoil /ˈhaɪdrəfɔɪl/ s aliscafo m

hydrogen /ˈhaɪdrədʒ(ə)n/ s idrogeno m

hyena /haɪˈiːnə/ s iena f

hygiene /ˈhaɪdʒiːn/ s igiene f

hymn /hɪm/ s inno m

hype /haɪp/ s lancio m pubblicitario ◇ montatura f giornalistica

hypermarket /ˈhaɪpəˌmɑːkɪt/ s ipermercato m

hyphen /ˈhaɪf(ə)n/ s trattino m

to hyphenate /ˈhaɪfəneɪt/ vt unire (o dividere) parole con il trattino

to hypnotize /ˈhɪpnətaɪz/ vt ipnotizzare

hypocrisy /hɪˈpɒkrəsɪ/ s ipocrisia f

hypocrite /ˈhɪpəkrɪt/ s ipocrita m/f

hypothesis /haɪˈpɒθɪsɪs/ s (pl **hypotheses**) s ipotesi f

hysteria /hɪsˈtɪərɪə/ s isterismo m

I

I /aɪ/ *pr.pers* io

ice /aɪs/ *s* ghiaccio *m* ◇ gelo *m* ● *i. cream* gelato; *i. cube* cubetto di ghiaccio

to ice /aɪs/ *vt* ghiacciare, congelare ◇ *(cuc)* glassare ◆ *vi* ghiacciare ● *to i. over/up* coprirsi di ghiaccio

icebox /'aɪsbɒks/ *s* ghiacciaia *f* ◇ *(USA)* frigorifero *m*

Icelander /'aɪsləndər/ *s* islandese *m/f*

Icelandic /aɪs'lændɪk/ *a* islandese

ice-skating /'aɪs,skeɪtɪŋ/ *s* pattinaggio *m* su ghiaccio

ichthyology /,ɪkθɪ'ɒlədʒɪ/ *s* ittiologia *f*

icicle /'aɪsɪkl/ *s* ghiacciolo *m*

icing /'aɪsɪŋ/ *a* glassato ◆ *s* glassa *f* ● *i. sugar* zucchero a velo

icon /'aɪkɒn/ *s* icona *f*

iconography /,aɪkə'nɒɡrəfɪ/ *s* iconografia *f*

icy /'aɪsɪ/ *a* gelato, gelido

idea /aɪ'dɪə/ *s* idea *f*

ideal /aɪ'dɪəl/ *a/s* ideale *m*

to idealize /aɪ'dɪəlaɪz/ *vt* idealizzare

ideation /,aɪdɪ'eɪʃ(ə)n/ *s* ideazione *f*

identical /aɪ'dentɪk(ə)l/ *a* identico

identification /aɪ,dentɪfɪ'keɪʃ(ə)n/ *s* identificazione *f*, riconoscimento *m* ◇ documento *m* d'identità

to identify /aɪ'dentɪfaɪ/ *vt* identificare

identity /aɪ'dentɪtɪ/ *s* identità *f* ● *i. card* documento d'identità

ideology /,aɪdɪ'ɒlədʒɪ/ *s* ideologia *f*

idiocy /'ɪdɪəsɪ/ *s* idiozia *f*

idiom /'ɪdɪəm/ *s* idioma *m* ◇ espressione *f* idiomatica

idiot /'ɪdɪət/ *s* idiota *m/f*

idle /'aɪdl/ *a* pigro, ozioso, sfaccendato ◇ inutile, vano

to idle /'aɪdl/ *vi* oziare ◇ *(di motore)* girare al minimo ● *to i. away* sprecare

idol /'aɪdl/ *s* idolo *m*

idolatry /aɪ'dɒlətrɪ/ *s* idolatria *f*

to idolize /'aɪdəlaɪz/ *vt* idolatrare

if /ɪf/ *cong* se, posto che, nel caso che, qualora, anche se ● *if ever* se mai; *if I were you* se fossi in te; *if not* altrimenti; *if so* in tal caso

to ignite /ɪɡ'naɪt/ *vt* infiammare, dare fuoco

ignition /ɪɡ'nɪʃ(ə)n/ *s* accensione *f* ● *i. key (aut)* chiave dell'accensione

ignoble /ɪɡ'nəʊbl/ *a* ignobile

ignorance /'ɪɡn(ə)r(ə)ns/ *s* ignoranza *f*

to ignore /ɪɡ'nɔːr/ *vt* ignorare, trascurare

ill /ɪl/ *a (comp* worse, *sup* worst) malato ◇ cattivo, dannoso, nocivo ◇ sfavorevole, avverso ◆ *s* male *m* ◇ malattia *f* ◇ *al pl* avversità *f* ◆ *avv* male, malamente ◇ a mala pena, a stento ● *i. at ease* a disagio; *to speak i. of sb* parlar male di qn

ill-advised /,ɪləd'vaɪzd/ *a* sconsiderato

ill-bred /,ɪl'bred/ *a* maleducato

illegality /ˌɪlɪ(ː)ˈɡælɪtɪ/ s illegalità f

illegible /ɪˈledʒəbl/ a illeggibile

illegitimate /ˌɪlɪˈdʒɪtɪmɪt/ a illegittimo

ill-fated /ˌɪlˈfeɪtɪd/ a sfortunato

illiterate /ɪˈlɪt(ə)rɪt/ a/s analfabeta m/f ◇ ignorante m/f

ill-mannered /ˌɪlˈmænəd/ a maleducato

illness /ˈɪlnɪs/ s malattia f

illogical /ɪˈlɒdʒɪk(ə)l/ a illogico

ill-tempered /ˌɪlˈtempəd/ a irascibile

ill-timed /ˌɪlˈtaɪmd/ a inopportuno

to ill-treat /ˌɪlˈtriːt/ vt maltrattare

to illuminate /ɪˈljuːmɪneɪt/ vt illuminare, rischiarare ◇ miniare

illusion /ɪˈluːʒ(ə)n/ s illusione f

to illustrate /ˈɪləstreɪt/ vt illustrare

image /ˈɪmɪdʒ/ s immagine f

imagery /ˈɪmɪdʒ(ə)rɪ/ s immagini f pl ◇ linguaggio m figurato

imaginary /ɪˈmædʒɪn(ə)rɪ/ a immaginario

imaginative /ɪˈmædʒ(ɪ)nətɪv/ a fantasioso

to imagine /ɪˈmædʒɪn/ vt immaginare ◇ supporre, credere ◆ vi fantasticare

imbalance /ɪmˈbæləns/ s squilibrio m

to imbue /ɪmˈbjuː/ vt impregnare, permeare

to imitate /ˈɪmɪteɪt/ vt imitare

immaculate /ɪˈmækjʊlɪt/ a immacolato ◇ impeccabile

immaterial /ˌɪməˈtɪərɪəl/ a indifferente, irrilevante ◇ immateriale

immature /ˌɪməˈtjʊə/ a immaturo

immeasurable /ɪˈmeʒ(ə)rəbl/ a incommensurabile

immediate /ɪˈmiːdjət/ a immediato

immemorial /ˌɪmɪˈmɔːrɪəl/ a immemorabile

immense /ɪˈmens/ a immenso

to immerse /ɪˈmɜːs/ vt immergere

immigrant /ˈɪmɪɡr(ə)nt/ a/s immigrante m/f

to immigrate /ˈɪmɪɡreɪt/ vi immigrare

to immobilize /ɪˈməʊbɪlaɪz/ vt immobilizzare

immoderate /ɪˈmɒd(ə)rɪt/ a smodato

immodest /ɪˈmɒdɪst/ a immodesto ◇ indecoroso

immoral /ɪˈmɒr(ə)l/ a immorale

immortal /ɪˈmɔːtl/ a/s immortale m/f

to immortalize /ɪˈmɔːtəlaɪz/ vt immortalare

immovable /ɪˈmuːvəbl/ a immobile, immutabile ◇ impassibile ● i. estate beni immobili

immune /ɪˈmjuːn/ a immune ● i. system sistema immunitario

immutable /ɪˈmjuːtəbl/ a immutabile

imp /ɪmp/ s diavoletto m, folletto m

impact /ˈɪmpækt/ s impatto m

to impair /ɪmˈpeə/ vt indebolire ◇ danneggiare

to impale /ɪmˈpeɪl/ vt impalare ◇ immobilizzare (con lo sguardo)

impalpable /ɪmˈpælpəbl/ a impalpabile

to impart /ɪmˈpɑːt/ vt impartire ◇ comunicare, rivelare ◇ distribuire

impartial /ɪmˈpɑːʃ(ə)l/ a imparziale

impassable /ɪmˈpɑːsəbl/ a invalicabile, impraticabile

impassioned /ɪmˈpæʃ(ə)nd/ a appassionato

impassive /ɪmˈpæsɪv/ a impassibile

impatience /ɪmˈpeɪʃ(ə)ns/ s impazienza f ◇ intolleranza f

to impede /ɪmˈpiːd/ vt impedire, ostacolare

impediment /ɪmˈpedɪmənt/ s impedimento m, ostacolo m

impeller /ɪmˈpelə/ s ventola f ◇ (mecc) girante f

impending /ɪmˈpendɪŋ/ a incombente, imminente

impenetrable /ɪmˈpenɪtrəbl/ a impenetrabile

imperative /ɪmˈperətɪv/ a imperativo, imperioso, perentorio ◇ (gramm) imperativo ◆ s imperativo m, obbligo m ◇ (gramm) imperativo m

imperceptible /ˌɪmpəˈseptəbl/ a impercettibile

imperfect /ɪmˈpɜːfɪkt/ a imperfetto, difettoso ◇ (gramm) imperfetto ◆ s (gramm) imperfetto m

imperial /ɪmˈpɪərɪəl/ a imperiale

to impersonate /ɪmˈpɜːsəneɪt/ vt impersonare ◇ spacciarsi per

impertinent /ɪmˈpɜːtɪnənt/ a impertinente

imperturbable /ˌɪmpə(ː)ˈtɜːbəbl/ a imperturbabile

impervious /ɪmˈpɜːvjəs/ a impervio, inaccessibile ◇ insensibile

impetuous /ɪmˈpetjʊəs/ a impetuoso

impetus /ˈɪmpɪtəs/ s impeto m, impulso m

to impinge /ɪmˈpɪn(d)ʒ/ vi urtare contro ◇ contrastare ◇ violare

implacable /ɪmˈplækəbl/ a implacabile

implement /ˈɪmplɪmənt/ s arnese m, utensile m, attrezzo m

to implement /ˈɪmplɪmənt/ vt realizzare, compiere

to implicate /ˈɪmplɪkeɪt/ vt implicare

implication /ˌɪmplɪˈkeɪʃ(ə)n/ s implicazione f, coinvolgimento m ◇ insinuazione f

implicit /ɪmˈplɪsɪt/ a implicito ◇ completo, assoluto

implied /ɪmˈplaɪd/ a implicito

to imply /ɪmˈplaɪ/ vt implicare, sottintendere ◇ comportare

impolite /ˌɪmpəˈlaɪt/ a scortese

import /ˈɪmpɔːt/ s importazione f

to import /ɪmˈpɔːt/ vt importare

importance /ɪmˈpɔːt(ə)ns/ s importanza f

important /ɪmˈpɔːtənt/ a importante

to importune /ɪmˈpɔːtjuːn/ vt importunare

to impose /ɪmˈpəʊz/ vt imporre ● to i. on approfittare di

imposing /ɪmˈpəʊzɪŋ/ a imponente

imposition /ˌɪmpəˈzɪʃ(ə)n/ s imposizione f

impossible /ɪmˈpɒsəbl/ a impossibile

imposture /ɪmˈpɒstʃə/ s impostura f, inganno m

impotent /ˈɪmpətənt/ a impotente

to impound /ɪmˈpaʊnd/ vt confiscare, sequestrare

to impoverish /ɪmˈpɒv(ə)rɪʃ/ vt impoverire ◇ indebolire

impracticable /ɪmˈpræktɪkəbl/ a impraticabile ◇ inattuabile

imprecation /ˌɪmprɪ'keɪʃ(ə)n/ s imprecazione f

impregnable /ɪm'prɛgnəbl/ a inespugnabile ◇ (fig) inoppugnabile

to impregnate /'ɪmprɛgneɪt/ vt impregnare

to impress /ɪm'prɛs/ vt imprimere ◇ impressionare

impression /ɪm'prɛʃ(ə)n/ s impressione f, impronta f ◇ stampa f, tiratura f ◇ (fig) impressione f, effetto m

impressive /ɪm'prɛsɪv/ a impressionante, che colpisce, di grande effetto

imprint /'ɪmprɪnt/ s impronta f, impressione f ◇ sigla f, marchio m

to imprison /ɪm'prɪzn/ vt imprigionare

improper /ɪm'prɒpə/ a improprio ◇ scorretto, sbagliato ◇ sconveniente

to improve /ɪm'pruːv/ vt migliorare, perfezionare ◆ vi perfezionarsi, migliorare

improvement /ɪm'pruːvmənt/ s miglioramento m, perfezionamento m, progresso m

to improvise /'ɪmprəvaɪz/ vt/i improvvisare

imprudence /ɪm'pruːd(ə)ns/ s imprudenza f, leggerezza f

impudence /'ɪmpjʊd(ə)ns/ s impudenza f, sfacciataggine f

impulse /'ɪmpʌls/ s impulso m

impulsive /ɪm'pʌlsɪv/ a impulsivo

impurity /ɪm'pjʊərɪtɪ/ s impurità f

in /ɪn/ prep (stato in luogo, posizione, condizione) in, a, dentro (ES: **in Milan** a Milano; **in light**

of alla luce di) ◇ (tempo) in, entro, durante, fra, di (ES: **in spring** in primavera; **in the evening** di sera) ◇ (limitazione, misura, modo) in, di, su (ES: **Italy is rich in monuments** l'Italia è ricca di monumenti; **one in a million** uno su un milione) ◇ (seguito da un gerundio) nell'atto di, in, idiom (ES: **in driving home** nel tornare a casa, tornando a casa in auto) ◆ avv dentro, in casa

inability /ˌɪnə'bɪlɪtɪ/ s inabilità f, incapacità f

inaccuracy /ɪn'ækjʊrəsɪ/ s imprecisione f, inesattezza f

inactive /ɪn'æktɪv/ a inattivo

inadequate /ɪn'ædɪkwɪt/ a inadeguato

inadmissible /ˌɪnəd'mɪsəbl/ a inammissibile

inadvertence /ˌɪnəd'vɜːt(ə)ns/ s sbadataggine f, disattenzione f

inadvisable /ˌɪnəd'vaɪzəbl/ a sconsigliabile

inane /ɪ'neɪn/ a vacuo, insensato

inanimate /ɪn'ænɪmɪt/ a inanimato

inapt /ɪn'æpt/ a improprio, inadatto ◇ incapace

inarticulate /ˌɪnɑː'tɪkjʊlɪt/ a inarticolato ◇ che si esprime con difficoltà

inasmuch /ˌɪnəz'mʌtʃ/ avv in quanto • **i. as** visto che, in quanto che

inaudible /ɪn'ɔːdəbl/ a impercettibile

inaugural /ɪ'nɔːgjʊr(ə)l/ a inaugurale

to inaugurate /ɪ'nɔːgjʊreɪt/ vt inaugurare

inauspicious /ˌɪnɔːsˈpɪʃəs/ *a* nefasto

inboard /ˈɪnˌbɔːd/ *a/avv* entrobordo

inborn /ˌɪnˈbɔːn/ *a* innato

inbred /ˌɪnˈbred/ *a* innato

incapable /ɪnˈkeɪpəbl/ *a* incapace

to incapacitate /ˌɪnkəˈpæsɪteɪt/ *vt* rendere incapace ◇ (*dir*) dichiarare incapace

to incarnate /ˈɪnkɑːneɪt/ *vt* incarnare

incense /ˈɪnsens/ *s* incenso *m*

to incense /ˈɪnsens/ *vt* incensare ◇ esasperare, provocare

incentive /ɪnˈsentɪv/ *s* incentivo *m*

incessant /ɪnˈsesnt/ *a* incessante

incest /ˈɪnsest/ *s* incesto *m*

inch /ɪn(t)ʃ/ *s* pollice *m* (*misura*)

to inch /ɪn(t)ʃ/ *vt* muovere gradatamente • *to i. forward* avanzare poco alla volta

incident /ˈɪnsɪdənt/ *a* inerente ◇ incidente ♦ *s* incidente *m*, caso *m*

incidental /ˌɪnsɪˈdentl/ *a* incidentale, accessorio ◇ casuale, accidentale

incision /ɪnˈsɪʒ(ə)n/ *s* incisione *f*

incisive /ɪnˈsaɪsɪv/ *a* incisivo

incisor /ɪnˈsaɪzə[r]/ *s* incisivo *m*

to incite /ɪnˈsaɪt/ *vt* incitare

inclination /ˌɪnklɪˈneɪʃ(ə)n/ *s* inclinazione *f*, disposizione *f*

incline /ɪnˈklaɪn/ *s* pendenza *f*

to incline /ɪnˈklaɪn/ *vt* inclinare ♦ *vi* tendere, propendere

to include /ɪnˈkluːd/ *vt* includere, comprendere

inclusive /ɪnˈkluːsɪv/ *a* inclusivo, comprendente ◇ complessivo

income /ˈɪnkʌm/ *s* reddito *m*, entrata *f* • *i. tax* imposta sul reddito

incoming /ˈɪnˌkʌmɪŋ/ *a* entrante, subentrante ◇ in arrivo ◇ (*di marea*) montante

incompetent /ɪnˈkɒmpɪt(ə)nt/ *a* incompetente, incapace

inconceivable /ˌɪnkənˈsiːvəbl/ *a* inconcepibile

inconclusive /ˌɪnkənˈkluːsɪv/ *a* inconcludente

inconsequent /ɪnˈkɒnsɪkwənt/ *a* incongruente, illogico

inconsiderate /ˌɪnkənˈsɪd(ə)rɪt/ *a* sconsiderato, avventato

inconsistency /ˌɪnkənˈsɪst(ə)nsɪ/ *s* incoerenza *f*

inconspicuous /ˌɪnkənˈspɪkjʊəs/ *a* non appariscente

inconstant /ɪnˈkɒnstənt/ *a* incostante

inconvenience /ˌɪnkənˈviːnjəns/ *s* disturbo *m*, disagio *m*

to inconvenience /ˌɪnkənˈviːnjəns/ *vt* disturbare

to incorporate /ɪnˈkɔːpəreɪt/ *vt* incorporare ◇ includere, comprendere ♦ *vi* incorporarsi, fondersi

incorrectness /ˌɪnkəˈrektnɪs/ *s* scorrettezza *f*

incorruptible /ˌɪnkəˈrʌptəbl/ *a* incorruttibile

increase /ˈɪnkriːs/ *s* aumento *m*, incremento *m*

to increase /ɪnˈkriːs/ *vt* accrescere, aumentare ♦ *vi* crescere, ingrandirsi

incredible /ɪnˈkredəbl/ *a* incredibile

increment /ˈɪnkrɪmənt/ *s* incremento *m*

to incriminate /ɪnˈkrɪmɪneɪt/ *vt* incriminare

incubator /ˈɪnkjʊbeɪtəʳ/ *s* incubatrice *f*

to inculcate /ˈɪnkʌlkeɪt/ *vt* inculcare

incumbent /ɪnˈkʌmbənt/ *a* incombente

to incur /ɪnˈkɜːʳ/ *vt* incorrere in ◇ esporsi a (un rischio) ◇ attirarsi

indebted /ɪnˈdetɪd/ *a* indebitato ◇ obbligato

indecent /ɪnˈdiːs(ə)nt/ *a* indecente

indecipherable /ˌɪndɪˈsaɪf(ə)rəbl/ *a* indecifrabile

indecision /ˌɪndɪˈsɪʒ(ə)n/ *s* indecisione *f*

indeed /ɪnˈdiːd/ *avv* realmente, infatti, in verità ◆ *inter* davvero ◇ *no i.!* no davvero!; *yes i.!* certamente!

indefinable /ˌɪndɪˈfaɪnəbl/ *a* indefinibile

indefinite /ɪnˈdefɪnɪt/ *a* indefinito

indelible /ɪnˈdelɪbl/ *a* indelebile

to indemnify /ɪnˈdemnɪfaɪ/ *vt* indennizzare

indemnity /ɪnˈdemnɪti/ *s* indennità *f* ◇ assicurazione *f*

to indent /ɪnˈdent/ *vt* dentellare ◇ frastagliare ◆ ammaccare ◆ *vi* essere frastagliato

independence /ˌɪndɪˈpendəns/ *s* indipendenza *f*

indestructible /ˌɪndɪsˈtrʌktəbl/ *a* distruttibile

indeterminate /ˌɪndɪˈtɜːmɪnɪt/ *a* indeterminato

index /ˈɪndeks/ *s* indice *m* ◇ elenco *m*, catalogo *m* ● *i. finger* (dito)

indice; *i. book* rubrica (telefonica)

Indian /ˈɪndjən/ *a/s* indiano *m*

to indicate /ˈɪndɪkeɪt/ *vt* indicare, mostrare

indication /ˌɪndɪˈkeɪʃ(ə)n/ *s* indicazione *f*

indicator /ˈɪndɪkeɪtəʳ/ *s* indicatore *m* ◇ *(aut)* freccia *f*

indifference /ɪnˈdɪfr(ə)ns/ *s* indifferenza *f*

indifferent /ɪnˈdɪfr(ə)nt/ *a* indifferente ◇ neutrale ◆ mediocre

indigenous /ɪnˈdɪdʒɪnəs/ *a* indigeno

indigestible /ˌɪndɪˈdʒestəbl/ *a* indigesto

indigestion /ˌɪndɪˈdʒestʃ(ə)n/ *s* indigestione *f*

indignant /ɪnˈdɪɡnənt/ *a* indignato

indignity /ɪnˈdɪɡnɪti/ *s* trattamento *m* indegno, oltraggio *m*

indiscreet /ˌɪndɪsˈkriːt/ *a* indiscreto ◇ sconsiderato

indisposition /ˌɪndɪspəˈzɪʃ(ə)n/ *s* indisposizione *f*

indisputable /ˌɪndɪsˈpjuːtəbl/ *a* indiscutibile

indistinct /ˌɪndɪsˈtɪŋkt/ *a* indistinto

individual /ˌɪndɪˈvɪdjʊəl/ *a* individuale ◇ particolare ● *s* individuo *m*

to individualize /ˌɪndɪˈvɪdjʊəlaɪz/ *vt* individuare

Indo-European /ˈɪndo(ʊ)ˌjʊərəˈpiːən/ *a* indoeuropeo

indolent /ˈɪndələnt/ *a* indolente

indoor /ˈɪndɔːʳ/ *a* interno, al coperto ● *i. plant* pianta da appartamento

indoors /ˌɪnˈdɔːz/ *avv* in casa, all'interno, al coperto • *to go i.* entrare in casa

to induce /ɪn'djuːs/ *vt* indurre, persuadere ◇ provocare

inducement /ɪn'djuːsmənt/ *s* incentivo *m*, stimolo *m*

to indulge /ɪn'dʌldʒ/ *vt* indulgere, abbandonarsi, concedersi il lusso ◇ appagare, soddisfare ◆ *vi* concedersi, permettersi

indulgence /ɪn'dʌldʒ(ə)ns/ *s* indulgenza *f*, compiacenza *f* ◇ appagamento *m*

industrial /ɪn'dʌstrɪəl/ *a* industriale • *i. action* agitazione sindacale; *i. estate, park* zona industriale

industrious /ɪn'dʌstrɪəs/ *a* industrioso, operoso

industry /'ɪndəstrɪ/ *s* industria *f* ◇ industriosità *f*, operosità *f*

inebriate /ɪ'niːbrɪɪt/ *a/s* ubriaco *m*

inedible /ɪn'edɪbl/ *a* immangiabile

ineffective /ˌɪnɪ'fektɪv/ *a* inefficace ◇ incapace, inefficiente

inefficient /ˌɪnɪ'fɪʃ(ə)nt/ *a* inefficiente, inefficace

inept /ɪ'nept/ *a* inetto

inequality /ˌɪnɪ(ː)'kwɒlɪtɪ/ *s* ineguaglianza *f* ◇ irregolarità *f*

inescapable /ˌɪnɪs'keɪpəbl/ *a* inevitabile

inevitable /ɪn'evɪtəbl/ *a* inevitabile

inexact /ˌɪnɪg'zækt/ *a* inesatto

inexcusable /ˌɪnɪks'kjuːzəbl/ *a* imperdonabile

inexhaustible /ˌɪnɪg'zɔːstəbl/ *a* inesauribile

inexistent /ˌɪnɪg'zɪstənt/ *a* inesistente

inexperience /ˌɪnɪks'pɪərɪəns/ *s* inesperienza *f*

inexpert /ɪn'ekspɜːt/ *a* inesperto

inexplicable /ˌɪnɪks'plɪkəbl/ *a* inesplicabile

infallible /ɪn'fæləbl/ *a* infallibile

infamous /'ɪnfəməs/ *a* infame

infancy /'ɪnfənsɪ/ *s* infanzia *f*

infant /'ɪnfənt/ *a* infantile ◆ *s* infante *m/f*, neonato *m*

infantry /'ɪnf(ə)ntrɪ/ *s* fanteria *f*

infarct /ɪn'fɑːkt/ *s* infarto *m*

infatuated /ɪn'fætjʊeɪtɪd/ *a* infatuato

to infect /ɪn'fekt/ *vt* infettare, contagiare

infectious /ɪn'fekʃəs/ *a* infettivo, contagioso

to infer /ɪn'fɜː/ *vt* inferire, dedurre ◇ insinuare

inference /'ɪnf(ə)r(ə)ns/ *s* inferenza *f*, deduzione *f*

inferior /ɪn'fɪərɪə/ *a* inferiore, subordinato ◇ scadente ◆ *s* inferiore *m/f*, subalterno *m*

inferiority /ɪnˌfɪərɪ'ɒrɪtɪ/ *s* inferiorità *f*

infernal /ɪn'fɜːnl/ *a* infernale

infertile /ɪn'fɜːtaɪl/ *a* infecondo, sterile

to infest /ɪn'fest/ *vt* infestare

infighting /'ɪnˌfaɪtɪŋ/ *s* lotta *f* corpo a corpo ◇ (*fig*) lotta *f* intestina

to infiltrate /'ɪnfɪltreɪt/ *vt* infiltrarsi in ◇ infiltrare ◆ *vi* infiltrarsi, insinuarsi

infinite /'ɪnfɪnɪt/ *a/s* infinito *m*

infinitive /ɪn'fɪnɪtɪv/ *a/s* (*gramm*) infinito *m*

infinity /ɪn'fɪnɪtɪ/ *s* infinità *f* ◇ (*mat*) infinito *m*

infirmary /ɪn'fɜːmərɪ/ *s* infermeria *f*

infirmity /ɪnˈfɜːmɪtɪ/ s infermità f ◇ debolezza f

to inflame /ɪnˈfleɪm/ vt/i infiammare, infiammarsi

inflammable /ɪnˈflæməbl/ a infiammabile

inflammation /ˌɪnfləˈmeɪʃ(ə)n/ s infiammazione f

to inflate /ɪnˈfleɪt/ vt/i gonfiare, gonfiarsi

inflated /ɪnˈfleɪtɪd/ a gonfio ◇ (fig) ampolloso ◇ (econ) inflazionato

inflation /ɪnˈfleɪʃ(ə)n/ s inflazione f

inflexible /ɪnˈfleksəbl/ a inflessibile

to inflict /ɪnˈflɪkt/ vt infliggere

influence /ˈɪnflʊəns/ s influenza f, influsso m

to influence /ˈɪnflʊəns/ vt influenzare, influire su

influential /ˌɪnflʊˈenʃ(ə)l/ a influente

influx /ˈɪnflʌks/ s afflusso m, affluenza f

to inform /ɪnˈfɔːm/ vt informare, far sapere, avvertire ◆ vi dare informazioni

informal /ɪnˈfɔːml/ a informale, non ufficiale

informant /ɪnˈfɔːmənt/ s informatore m

informatics /ˌɪnfəˈmætɪks/ s pl (v al sing) informatica f

information /ˌɪnfəˈmeɪʃ(ə)n/ s informazioni f pl

to infringe /ɪnˈfrɪndʒ/ vt infrangere, contravvenire a

infringement /ɪnˈfrɪn(d)ʒmənt/ s infrazione f, trasgressione f

to infuriate /ɪnˈfjʊərɪeɪt/ vt far infuriare

to infuse /ɪnˈfjuːz/ vt infondere

infusion /ɪnˈfjuːʒ(ə)n/ s infusione f

ingenious /ɪnˈdʒiːnjəs/ a ingegnoso ◇ (di persona) geniale, ricco di inventiva

ingenuity /ˌɪn(d)ʒɪˈnjuːɪtɪ/ s ingegnosità f

ingenuous /ɪnˈdʒenjʊəs/ a ingenuo, semplice ◇ sincero

to ingest /ɪnˈdʒest/ vt ingerire

ingot /ˈɪŋɡət/ s lingotto m

ingrained /ɪnˈɡreɪnd/ a radicato, inveterato

to ingratiate /ɪnˈɡreɪʃɪeɪt/ vt ingraziare ● to i. oneself with sb ingraziarsi qn

ingratitude /ɪnˈɡrætɪtjuːd/ s ingratitudine f

ingredient /ɪnˈɡriːdjənt/ s ingrediente m

to inhabit /ɪnˈhæbɪt/ vt abitare

inhabitant /ɪnˈhæbɪtənt/ s abitante m/f

to inhale /ɪnˈheɪl/ vt inalare, aspirare

inherent /ɪnˈhɪər(ə)nt/ a inerente, intrinseco

to inherit /ɪnˈherɪt/ vt/i ereditare

inheritance /ɪnˈherɪtəns/ s eredità f

to inhibit /ɪnˈhɪbɪt/ vt inibire, reprimere ◇ impedire

inhibition /ˌɪn(h)ɪˈbɪʃ(ə)n/ s inibizione f ◇ divieto m

inhospitable /ɪnˈhɒspɪtəbl/ a inospitale

inhuman /ɪnˈhjuːmən/ a inumano

inimitable /ɪˈnɪmɪtəbl/ a inimitabile

initial /ɪˈnɪʃ(ə)l/ a iniziale ◆ s iniziale f ◇ al pl sigla f, iniziali f pl

to initial /ɪˈnɪʃ(ə)l/ vt siglare

initiate /ɪˈnɪʃɪɪt/ *a/s* iniziato *m*

to initiate /ɪˈnɪʃɪeɪt/ *vt* avviare, dare inizio ◇ *(una persona)* iniziare

initiative /ɪˈnɪʃɪətɪv/ *s* iniziativa *f*

to inject /ɪnˈdʒekt/ *vt* iniettare

injector /ɪnˈdʒektə/ *s* iniettore *m*

injunction /ɪnˈdʒʌŋ(k)ʃ(ə)n/ *s* ingiunzione *f*

to injure /ɪn(d)ʒə/ *vt* ferire ◆ danneggiare

injury /ɪn(d)ʒərɪ/ *s* ferita *f*, lesione *f* ◇ danno *m*

injustice /ɪnˈdʒʌstɪs/ *s* ingiustizia *f*

ink /ɪŋk/ *s* inchiostro *m* ● *i.-jet printer* stampante a getto d'inchiostro

inkling /ˈɪŋklɪŋ/ *s* sentore *m*, sospetto *m*

inland /ˈɪnlənd/ *s* entroterra *m* ◆ *a* interno ◆ *avv* all'interno, nell'entroterra

inlet /ˈɪnlet/ *s* insenatura *f* ◇ *(mecc)* immissione *f*

inmate /ˈɪnmeɪt/ *s* degente *m/f* ◇ carcerato *m*

inn /ɪn/ *s* locanda *f*, taverna *f*

innate /ɪˈneɪt/ *a* innato

inner /ˈɪnə/ *a* interno, interiore ◇ segreto, intimo ● *i. tube* camera d'aria

innocence /ˈɪnəsəns/ *s* innocenza *f*

innocuous /ɪˈnɒkjuəs/ *a* innocuo

innovator /ˈɪnə(ʊ)veɪtə/ *s* innovatore *m*

innuendo /ˌɪnjʊ(ˈ)ɛndəʊ/ *s* (*pl* **innuendo(e)s**) *s* insinuazione *f*

innumerable /ɪˈnjuːm(ə)rəbl/ *a* innumerevole

inordinate /ɪˈnɔːdɪnɪt/ *a* smodato, eccessivo

in-patient /ˈɪnˌpeɪʃ(ə)nt/ *s* degente *m/f*

input /ˈɪnpʊt/ *s* introduzione *f*, immissione *f*, input *m* ◇ *(mecc)* energia *f* assorbita ◇ *(inform)* input *m*

inquest /ˈɪnkwest/ *s* inchiesta *f*

to inquire /ɪnˈkwaɪə/ *vt* chiedere, domandare ◆ *vi* indagare, investigare ● *to i. about, for* informarsi su; *to i. into* investigare su; *to i. of* informarsi da

inquiry /ɪnˈkwaɪərɪ/ *s* domanda *f* ◇ indagine *f* ● *i. office* ufficio informazioni

inquisition /ˌɪnkwɪˈzɪʃ(ə)n/ *s* investigazione *f*

inquisitive /ɪnˈkwɪzɪtɪv/ *a* curioso, indiscreto

inroad /ˈɪnrəʊd/ *s* (*mil*) incursione *f* ◇ intromissione *f* ● *to make inroads into* st (*fig*) fare passi avanti nella realizzazione di qc

insane /ɪnˈseɪn/ *a* insano, pazzo

insatiable /ɪnˈseɪʃjəbl/ *a* insaziabile

to inscribe /ɪnˈskraɪb/ *vt* incidere, scolpire ◇ (*mat*) iscrivere ◇ dedicare

inscription /ɪnˈskrɪpʃ(ə)n/ *s* iscrizione *f* ◇ dedica *f*

inscrutable /ɪnˈskruːtəbl/ *a* imperscrutabile

insect /ˈɪnsekt/ *s* insetto *m*

insecticide /ɪnˈsektɪsaɪd/ *s* insetticida *f*

insecure /ˌɪnsɪˈkjʊə/ *a* insicuro, malsicuro

insemination /ɪnˌsemɪˈneɪʃ(ə)n/ *s* inseminazione *f*

insensibility /ɪnˌsensəˈbɪlɪtɪ/ *s* insensibilità f ◇ incoscienza f ● *in a state of i.* privo di sensi

insensible /ɪnˈsensəbl/ *a* insensibile ◇ privo di sensi ◇ inconsapevole

insensitive /ɪnˈsensɪtɪv/ *a* insensibile

to insert /ɪnˈsɜːt/ *vt* inserire

insertion /ɪnˈsɜːʃ(ə)n/ *s* inserzione f

inshore /ˌɪnˈʃɔːʳ/ *a* costiero ◆ *avv* verso la costa

inside /ˈɪnsaɪd/ *a* interno, interiore ◆ *s* interno *m*, parte f interna ◆ *avv* dentro, interiormente ◆ *prep* dentro, all'interno di ◇ entro

insidious /ɪnˈsɪdɪəs/ *a* insidioso

insight /ˈɪnsaɪt/ *s* acume *m*, intuito *m*

insincere /ˌɪnsɪnˈsɪəʳ/ *a* insincero

to insinuate /ɪnˈsɪnjʊeɪt/ *vt* insinuare ◇ introdurre ◆ *vi* fare insinuazioni ● *to i. oneself* insinuarsi

to insist /ɪnˈsɪst/ *vi* insistere ◆ *vt* sostenere, asserire

insolation /ˌɪnsəʊ(ʊ)ˈleɪʃ(ə)n/ *s* insolazione f

insole /ˈɪnsəʊl/ *s* soletta f

insolence /ˈɪns(ə)ləns/ *s* insolenza f

insoluble /ɪnˈsɒljʊbl/ *a* insolubile

insomnia /ɪnˈsɒmnɪə/ *s* insonnia f

to inspect /ɪnˈspekt/ *vt* ispezionare, controllare

inspection /ɪnˈspekʃ(ə)n/ *s* ispezione f, controllo *m*

inspiration /ˌɪnspəˈreɪʃ(ə)n/ *s* (*med*) inspirazione f ◇ ispirazione f

to inspire /ɪnˈspaɪəʳ/ *vt* (*med*) inspirare ◇ ispirare, infondere, suscitare

to install /ɪnˈstɔːl/ *vt* insediare ◇ installare

installation /ˌɪnstəˈleɪʃ(ə)n/ *s* insediamento *m*, investitura f ◇ installazione f

instalment /ɪnˈstɔːlmənt/ (*USA* **installment**) *s* rata f ◇ puntata f, parte f, fascicolo *m* ◇ acconto *m* ● *to pay by instalments* pagare a rate

instance /ˈɪnstəns/ *s* esempio *m* ◇ caso *m* ● *for i.* per esempio; *in the first i.* in primo luogo

instant /ˈɪnstənt/ *a* urgente ◇ immediato, istantaneo ◇ corrente ◆ *s* istante *m*

instantaneous /ˌɪnst(ə)nˈteɪnjəs/ *a* istantaneo

instead /ɪnˈsted/ *avv* invece

instep /ˈɪnstep/ *s* collo *m* del piede

instinct /ˈɪnstɪŋkt/ *s* istinto *m*

instinctive /ɪnˈstɪŋktɪv/ *a* istintivo

institute /ˈɪnstɪtjuːt/ *s* istituto *m*

to institute /ˈɪnstɪtjuːt/ *vt* istituire ◇ iniziare ◇ intentare

institution /ˌɪnstɪˈtjuːʃ(ə)n/ *s* istituzione f

to instruct /ɪnˈstrʌkt/ *vt* istruire, insegnare ◇ dare istruzioni, incaricare ◇ informare ● *to i. sb to do st* dare ordini a qn di fare qc

instruction /ɪnˈstrʌkʃ(ə)n/ *s* insegnamento *m* ◇ cultura f

instructive /ɪnˈstrʌktɪv/ *a* istruttivo

instrument /ˈɪnstrəmənt/ *s* strumento *m*, apparecchio *m* ◇ (*mus*) strumento *m*

instrumental /ˌɪnstrəˈment(ə)l/ *a* attivo, utile ◇ strumentale

insubstantial /ˌɪnsəbˈstænʃ(ə)l/ *a* incorporeo ◇ inconsistente

insufficient /ˌɪnsəˈfɪʃ(ə)nt/ a insufficiente, inadeguato

insular /ˈɪnsjʊlə/ a insulare ◇ gretto, di vedute ristrette

to insulate /ˈɪnsjʊleɪt/ vt isolare

insulated /ˈɪnsjʊleɪtɪd/ a isolato

insulating /ˈɪnsjʊleɪtɪŋ/ a isolante ● **i. tape** nastro isolante

insulation /ˌɪnsjʊˈleɪʃ(ə)n/ s isolamento m

insult /ˈɪnsʌlt/ s insulto m, offesa f

to insult /ɪnˈsʌlt/ vt insultare, offendere

insuperable /ɪnˈsjuːp(ə)rəbl/ a insuperabile

insurance /ɪnˈʃʊər(ə)ns/ s assicurazione f

to insure /ɪnˈʃʊə/ vt assicurare

insurrection /ˌɪnsəˈrekʃ(ə)n/ s insurrezione f, sommossa f

intact /ɪnˈtækt/ a intatto

intake /ˈɪnteɪk/ s (d'acqua, ecc) presa f, immissione f ◇ quantità f immessa

integral /ˈɪntɪɡr(ə)l/ a integrale ◇ integrante

to integrate /ˈɪntɪɡreɪt/ vt unire, incorporare ◇ integrare

integrity /ɪnˈteɡrɪtɪ/ s integrità f

intellectual /ˌɪntɪˈlektjʊəl/ a/s intellettuale m/f

intelligence /ɪnˈtelɪdʒ(ə)ns/ s intelligenza f ◇ informazioni f pl, notizie f pl

intelligent /ɪnˈtelɪdʒ(ə)nt/ a intelligente

to intend /ɪnˈtend/ vt intendere, avere intenzione di ◇ significare ◇ destinare ● **to i. to do** st avere intenzione di fare qc

intended /ɪnˈtendɪd/ a intenzionale, premeditato ◇ designato

intense /ɪnˈtens/ a intenso

to intensify /ɪnˈtensɪfaɪ/ vt intensificare

intensity /ɪnˈtensɪtɪ/ s intensità f

intensive /ɪnˈtensɪv/ a intensivo, intenso ● **i. care unit** reparto di terapia intensiva

intent /ɪnˈtent/ a intento ◇ deciso ◆ s intento m, intenzione f, scopo m

intention /ɪnˈtenʃ(ə)n/ s intenzione f, proposito m

to inter /ɪnˈtɜː/ vt sotterrare

to interact /ˌɪntərˈækt/ vi interagire

interaction /ˌɪntərˈækʃ(ə)n/ s interazione f

interactive /ˌɪntərˈæktɪv/ a interattivo

to intercept /ˌɪntəˈsept/ vt intercettare

intercession /ˌɪntəˈseʃ(ə)n/ s intercessione f

interchange /ˈɪntə(ː)tʃeɪn(d)ʒ/ s scambio m ◇ avvicendamento m ◇ svincolo m (autostradale)

intercom /ˈɪntəkɒm/ s interfono m

intercourse /ˈɪntə(ː)kɔːs/ s rapporto m sessuale

interest /ˈɪntrɪst/ s interesse m

to interest /ˈɪntrɪst/ vt interessare

interesting /ˈɪntrɪstɪŋ/ a interessante

interface /ˈɪntəfeɪs/ s interfaccia f ● **user i.** (inform) interfaccia utente

to interfere /ˌɪntəˈfɪə/ vi interferire, intromettersi ● **to i. with** toccare, manomettere

interference /ˌɪntəˈfɪər(ə)ns/ s interferenza f, ingerenza f

interior /ɪnˈtɪərɪər/ a interiore, interno ◆ s interno m ◇ entroterra m ● *i. decoration* arredamento di interni

to interlace /ˌɪntəˈleɪs/ vt/i allacciare, allacciarsi

to interlock /ˌɪntə(ː)ˈlɒk/ vt congiungere, unire, collegare ◆ vi unirsi, congiungersi ◇ essere collegato

interloper /ˈɪntə(ː)ˌləʊpər/ s intruso m

intermediate /ˌɪntə(ː)ˈmiːdjət/ a intermedio

interminable /ɪnˈtɜːmɪnəbl/ a interminabile

intermission /ˌɪntə(ː)ˈmɪʃ(ə)n/ s interruzione f, pausa f

intern /ˈɪntɜːn/ s (medico) interno m

to intern /ɪnˈtɜːn/ vt internare

internal /ɪnˈtɜːnl/ a interno, interiore

international /ˌɪntə(ː)ˈnæʃənl/ a internazionale

internship /ˈɪntɜːnʃɪp/ s stage m, tirocinio m

interphone /ˈɪntəfəʊn/ s citofono m

interplay /ˈɪntə(ː)ˌpleɪ/ s interazione f

to interpolate /ɪnˈtɜːpə(ʊ)leɪt/ vt interpolare

to interpose /ˌɪntə(ː)ˈpəʊz/ vt interporre, frapporre ◆ vi interporsi, intromettersi ◇ interferire

to interpret /ɪnˈtɜːprɪt/ vt interpretare ◆ vi fare da interprete

interpretation /ɪnˌtɜːprɪˈteɪʃ(ə)n/ s interpretazione f

interpreter /ɪnˈtɜːprɪtər/ s interprete m/f

to interrelate /ˌɪntərɪˈleɪt/ vt porre in relazione, collegare

to interrogate /ɪnˈterəgeɪt/ vt interrogare

interrogative /ˌɪntəˈrɒgətɪv/ a interrogativo

to interrupt /ˌɪntəˈrʌpt/ vt interrompere

interruption /ˌɪntəˈrʌpʃ(ə)n/ s interruzione f

intersection /ˌɪntəˈsekʃ(ə)n/ s intersezione f ◇ incrocio m

to intersperse /ˌɪntə(ː)ˈspɜːs/ vt cospargere

interstice /ɪnˈtɜːstɪs/ s interstizio m

to intertwine /ˌɪntə(ː)ˈtwaɪn/ vt intrecciare, attorcigliare ◆ vi intrecciarsi, attorcigliarsi

intertwinement /ˌɪntə(ː)ˈtwaɪnmənt/ s intreccio m

interval /ˈɪntəv(ə)l/ s intervallo m

to intervene /ˌɪntə(ː)ˈviːn/ vi intervenire ◇ accadere ◇ intercorrere, trascorrere

intervention /ˌɪntə(ː)ˈvenʃ(ə)n/ s intervento m

interview /ˈɪntəvjuː/ s intervista f ◇ colloquio m, udienza f

to interview /ˈɪntəvjuː/ vt intervistare ◇ sottoporre a un colloquio

intestine /ɪnˈtestɪn/ s intestino m

intimacy /ˈɪntɪməsɪ/ s intimità f

intimate /ˈɪntɪmɪt/ a intimo, personale ◇ profondo, completo

to intimate /ˈɪntɪmeɪt/ vt accennare, suggerire ◇ (dir) intimare, notificare

into /ˈɪntʊ, ˈɪntə/ prep in, dentro

intolerable /ɪn'tɒl(ə)rəbl/ *a* intollerabile

intolerance /ɪn'tɒlər(ə)ns/ *s* intolleranza *f* ◇ (*med*) intolleranza *f* alimentare

intoxication /ɪn,tɒksɪ'keɪʃ(ə)n/ *s* tossicazione *f* ◇ ebbrezza *f*

intractable /ɪn'træktəbl/ *a* intrattabile

intransigent /ɪn'trænsɪdʒ(ə)nt/ *a/s* intransigente *m/f*

intransitive /ɪn'trænsɪtɪv/ *a/s* intransitivo *m*

intravenous /,ɪntrə'viːnəs/ *a* endovenoso

intricate /'ɪntrɪkɪt/ *a* intricato, complicato

intrigue /ɪn'triːg/ *s* intrigo *m*

to intrigue /ɪn'triːg/ *vt* ottenere con intrighi ◇ affascinare, interessare

intriguing /ɪn'triːgɪŋ/ *a* intrigante ◇ affascinante

to introduce /,ɪntrə'djuːs/ *vt* introdurre ◇ presentare

introduction /,ɪntrə'dʌkʃ(ə)n/ *s* introduzione *f* ◇ presentazione *f*

introspective /,ɪntro(ʊ)'spektɪv/ *a* introspettivo

introvert /'ɪntro(ʊ)vɜːt/ *a* introverso

to intrude /ɪn'truːd/ *vi* intromettersi ◆ *vt* imporre

intruder /ɪn'truːdə/ *s* intruso *m*

intrusion /ɪn'truːʒ(ə)n/ *s* intrusione *f*

intrusive /ɪn'truːsɪv/ *a* importuno

intuition /,ɪntjʊ'ɪʃ(ə)n/ *s* intuizione *f*

intuitive /ɪn'tjuː(ɪ)tɪv/ *a* intuitivo

to inundate /'ɪnʌndeɪt/ *vt* inondare

inurement /ɪ'njʊəmənt/ *s* assuefazione *f*, abitudine *f*

to invade /ɪn'veɪd/ *vt* invadere

invalid /'ɪnvəlɪːd/ *a* invalido, infermo ◇ non valido, nullo ◆ *s* invalido *m*

invalidity /,ɪnvə'lɪdɪtɪ/ *s* invalidità *f*

invaluable /ɪn'væljʊəbl/ *a* inestimabile

invasion /ɪn'veɪʒ(ə)n/ *s* invasione *f*

to invent /ɪn'vent/ *vt* inventare

invention /ɪn'venʃ(ə)n/ *s* invenzione *f*

inventor /ɪn'ventə/ *s* inventore *m*

inventory /'ɪnvəntrɪ/ *s* inventario *m*

inversion /ɪn'vɜːʃ(ə)n/ *s* inversione *f*

to invert /ɪn'vɜːt/ *vt* invertire ◇ capovolgere

to invest /ɪn'vest/ *vt/i* investire

to investigate /ɪn'vestɪgeɪt/ *vt/i* investigare

investigation /ɪn,vestɪ'geɪʃ(ə)n/ *s* indagine *f*, investigazione *f*

investment /ɪn'ves(t)mənt/ *s* investimento *m*

investor /ɪn'vestə/ *s* (*fin*) investitore *m*

invidious /ɪn'vɪdɪəs/ *a* odioso, spiacevole

invigilation /ɪn,vɪdʒɪ'leɪʃ(ə)n/ *s* sorveglianza *f*

to invigorate /ɪn'vɪgəreɪt/ *vt* rinvigorire, rinforzare

invincible /ɪn'vɪnsəbl/ *a* invincibile

invitation /,ɪnvɪ'teɪʃ(ə)n/ *s* invito *m* ● *i. card* biglietto *m* d'invito

to invite /ɪn'vaɪt/ *vt* invitare ◇ sollecitare, stimolare

inviting /ɪn'vaɪtɪŋ/ *a* invitante, attraente

invoice /'ɪnvɔɪs/ *s* fattura *f*

to invoice /'ɪnvɔɪs/ *vt* fatturare

to involve /ɪn'vɒlv/ *vt* coinvolgere ◇ comportare, richiedere ◇ complicare

involved /ɪn'vɒlvd/ *a* coinvolto ◇ complicato

inward /'ɪnwəd/ *a* interno, interiore

inwards /'ɪnwədz/ *avv* verso l'interno ◇ in entrata

iodine /'aɪədiːn/ *s* iodio *m*

ionic /aɪ'ɒnɪk/ *a* ionico

Iranian /ɪ'reɪnɪən/ *a/s* iraniano *m*

Iraqi /ɪ'rɑːkɪ/ *a/s* iracheno *m*

irascible /ɪ'ræsɪbl/ *a* irascibile

irate /aɪ'reɪt/ *a* irato

iris /'aɪərɪs/ *s* (*anat*) iride *m* ◇ (*bot*) iris *m*

Irish /'aɪərɪ∫/ *a/s* irlandese *m* (*lingua*)

Irishman /'aɪərɪ∫mən/ *(pl* **Irishmen**) *s* irlandese *m*

Irishwoman /'aɪərɪ∫,wumən/ *(pl* **Irishwomen**) *s* irlandese *f*

to irk /ɜːk/ *vt* affliggere, infastidire

irksome /'ɜːksəm/ *a* fastidioso, seccante

iron /'aɪən/ *s* ferro *m* ◇ ferro *m* (da stiro) ◆ *a* di ferro ◇ relativo al ferro ● **steam i.** ferro a vapore

to iron /'aɪən/ *vt* stirare ● **to i. out** appianare, risolvere

ironic(al) /aɪ'rɒnɪk((ə)l)/ *a* ironico

ironing /'aɪənɪ∫/ *s* stiratura *f* ◆ *a* da stiro ● *i. board* asse da stiro

ironmongery /'aɪən,mʌŋg(ə)rɪ/ *s* negozio *m* di ferramenta

irony /'aɪərənɪ/ *s* ironia *f*

irrational /ɪ'ræ∫ənl/ *a* irrazionale ◆ *s* numero *m* irrazionale

irregular /ɪ'regjʊlə(r)/ *a* irregolare

irremediable /,ɪrɪ'miːdjəbl/ *a* irrimediabile

irreparable /ɪ'rep(ə)rəbl/ *a* irreparabile

irreplaceable /,ɪrɪ'pleɪsəbl/ *a* insostituibile

irrepressible /,ɪrɪ'presəbl/ *a* irrefrenabile

irrespective /,ɪrɪs'pektɪv/ *a* noncurante

irrespirable /ɪ'respɪrəbl/ *a* irrespirabile

irresponsible /,ɪrɪs'pɒnsəbl/ *a* irresponsabile

to irrigate /'ɪrɪgeɪt/ *vt* irrigare

irrigation /,ɪrɪ'geɪ∫(ə)n/ *s* irrigazione *f*

irritable /'ɪrɪtəbl/ *a* irritabile

to irritate /'ɪrɪteɪt/ *vt* irritare

irritation /,ɪrɪ'teɪ∫(ə)n/ *s* irritazione *f*

Islamic /ɪz'læmɪk/ *a* islamico

island /'aɪlənd/ *s* isola *f*

islander /'aɪləndə(r)/ *s* isolano *m*

isle /aɪl/ *s* isola *f*

islet /'aɪlɪt/ *s* isolotto *m*

isobath /'aɪsəʊ(u)bæθ/ *s* isobata *f*

to isolate /'aɪsəleɪt/ *vt* isolare

isolation /,aɪsə'leɪ∫(ə)n/ *s* isolamento *m*

Israeli /ɪz'reɪlɪ/ *a/s* israeliano *m*

Israelite /'ɪzrɪəlaɪt/ *a/s* israelita *m/f*

issue /'ɪ∫uː/ *s* questione *f*, problema *m* ◇ emissione *f* ◇ pubblicazione *f*, edizione *f* ◇ uscita *f*, sbocco *m*, fuoriuscita *f*

to issue /'ɪ∫uː/ *vt* emettere ◇ pubblicare ◇ rilasciare ◆ *vi* scaturire, venir fuori

it /ɪt/ *pr* (*sogg*) esso, essa, ciò (*spesso sottinteso*) (ES: **at what time does it leave?** a che ora parte?) ◇ *(compl)* lo, la, ciò, gli, le, ne, ci, sé (ES: **I don't like it** non mi piace) *idiom* (ES: **it is snowing** sta nevicando; **it is midday** è mezzogiorno) ◇ *(prolettico) idiom* (ES: **it is obvious that ...** è ovvio che ...)

Italian /ɪˈtæljən/ *a/s* italiano *m*

Italic /ɪˈtælɪk/ *a* italico ◇ corsivo

italics /ɪˈtælɪks/ *s pl* corsivo *m*

itch /ɪtʃ/ *s* prurito *m* ◇ *(fig)* voglia *f*

to itch /ɪtʃ/ *vi* prudere, sentire prurito ● *to i.* to do st *(fig)* aver voglia di fare qc

item /ˈaɪtəm/ *s (comm)* articolo *m*, capo *m* ◇ elemento *m* ◇ notizia *f*

to itemize /ˈaɪtəmaɪz/ *vt* specificare, esporre in dettaglio

iterative /ˈɪtərətɪv/ *a* iterativo

itinerant /ɪˈtɪn(ə)rənt/ *a* ambulante

itinerary /aɪˈtɪn(ə)rərɪ/ *s* itinerario *m*

its /ɪts/ *a.poss (possessore neutro)* suo, sua, suoi, sue

itself /ɪtˈself/ *pr (rifl)* si, sé, se stesso ◇ se stessa ◇ *(enf)* stesso, stessa, in persona

ivory /ˈaɪv(ə)rɪ/ *s* avorio *m*

ivy /ˈaɪvɪ/ *s* edera *f*

J

jab /dʒæb/ *s* stilettata *f*, stoccata *f* ◇ *(fam)* frecciata *f* ◇ *(fam)* iniezione *f*

jack /dʒæk/ *s (fam)* tipo *m*, amico *m* ◇ boccino *m* ◇ *(mecc)* cric *m* ◇ *(carte da gioco)* fante *m* ◇ *(zool)* animale *m* maschio

jackal /ˈdʒækɔːl/ *s* sciacallo *m*

jackass /ˈdʒækæs/ *s* asino *m*

jacket /ˈdʒækɪt/ *s* giacca *f*, giubbotto *m* ◇ rivestimento *m* ◇ copertina *f*, sovraccoperta *f* ● **life j.** giubbotto di salvataggio; **jackets required** è richiesto l'abito scuro

jackknife /ˈdʒæknaɪf/ *s* coltello *m* a serramanico

jade /dʒeɪd/ *s* giada *f*

jaded /ˈdʒeɪdɪd/ *a* disincantato

jag /dʒæg/ *s* sporgenza *f* appuntita, dente *m* di sega

jagged /ˈdʒægɪd/ *a* frastagliato, dentellato

jail /dʒeɪl/ *s* prigione *f*

jailer /ˈdʒeɪlə/ *s* carceriere *m*, secondino *m*

jam (1) /dʒæm/ *s* blocco *m*, inceppamento *m* ◇ *(fam)* pasticcio *m*

jam (2) /dʒæm/ *s* confettura *f*, marmellata *f*

to jam /dʒæm/ *vt* comprimere, schiacciare ◇ bloccare, inceppare, intasare ◇ *(una trasmissione)* disturbare con interferenze ◆ *vi* bloccarsi, incepparsi ◇ *(mus)* improvvisare

Jamaican /dʒə(ə)ˈmeɪkən/ *a/s* giamaicano *m*

jamb /dʒæm/ *s* stipite *m*

to jangle /ˈdʒæŋgl/ *vi* stridere ◆ *vt* far tintinnare

janitor /ˈdʒænɪtə/ *s* custode *m/f*

January /ˈdʒænjuərɪ/ *s* gennaio *m*

Japanese /ˌdʒæpəˈniːz/ *a/s* giapponese *m/f*

jar (1) /dʒɑːr/ s barattolo m, vasetto m

jar (2) /dʒɑːr/ s vibrazione f ◇ colpo m, urto m

to jar /dʒɑːr/ vi scuotere, urtare ◇ scioccare ◇ essere in disaccordo

jargon /dʒɑːgən/ s gergo m

jasmin(e) /dʒæsmɪn/ s gelsomino m

jaunt /dʒɔːnt/ s gita f, passeggiata f

jaunty /dʒɔːntɪ/ a vivace, disinvolto

javelin /dʒævlɪn/ s giavellotto m

jaw /dʒɔː/ s mascella f

jay /dʒeɪ/ s (zool) ghiandaia f ◇ (fam) chiacchierone m

jealous /dʒeləs/ a geloso ◇ invidioso

jealousy /dʒeləsɪ/ s gelosia f ◇ invidia f

to jeer /dʒɪər/ vi prendersi gioco

jelly /dʒelɪ/ s gelatina f

jellyfish /dʒelɪfɪʃ/ s medusa f

jeopardy /dʒepədɪ/ s pericolo m, rischio m, repentaglio m

jerk /dʒɜːk/ s sobbalzo m ◇ strattone m ◇ (fam) antipatico m

to jerk /dʒɜːk/ vt strappare ♦ vi sobbalzare, contorcersi

jerry can /dʒerɪkæn/ s tanica f

jersey /dʒɜːzɪ/ s maglia f ◇ jersey m

jest /dʒest/ s scherzo m ◇ canzonatura f

to jest /dʒest/ vi scherzare ◇ farsi beffe

jester /dʒestər/ s giullare m, buffone m

Jesuit /dʒezjʊɪt/ s gesuita m ♦ a gesuitico

jet /dʒet/ s getto m, zampillo m ◇

jet m, aviogetto m ◇ (mecc) ugello m

jet-black /dʒet'blæk/ a nero lucente

to jettison /dʒetɪsn/ vt gettare a mare ◇ scaricare in volo ◇ disfarsi di

jetty /dʒetɪ/ s molo m

Jew /dʒuː/ s ebreo m

jewel /dʒuːəl/ s gioiello m ◇ gemma f

jeweller /dʒuːələr/ s gioielliere m

jewel(le)ry /dʒuːəlrɪ/ s gioielleria f ◇ gioielli m pl

Jewess /dʒuːɪs/ s ebrea f

Jewish /dʒuːɪʃ/ a ebraico

jibe /dʒɪb/ s beffa f

jiffy /dʒɪfɪ/ s (fam) attimo m ● in a j. in un attimo

jigsaw /dʒɪgsɔː/ s sega f per traforo ● puzzle m

to jilt /dʒɪlt/ vt piantare (un innamorato)

jingle /dʒɪŋgl/ s tintinnio m ◇ cantilena f ◇ canzonetta f pubblicitaria

to jingle /dʒɪŋgl/ vi tintinnare

jinx /dʒɪŋks/ s iettatura f ◇ iettatore m

jitters /dʒɪtəz/ s pl (pop) nervosismo m ● to have the j. avere i nervi a fior di pelle, essere agitato

job /dʒɒb/ s lavoro m, impiego m, occupazione f ◇ mansione f, compito m ◇ (fam) faccenda f ● j. center ufficio di collocamento

jockey /dʒɒkɪ/ s fantino m ● disc j. disc-jockey, Dj

jocular /dʒɒkjʊlər/ a giocoso, gioviale

to jog /dʒɒg/ *vt* spingere, urtare ◇ scuotere, sballottare ◆ *vi* avanzare a scatti ◇ fare jogging

to join /dʒɔɪn/ *vt* unire, collegare ◇ partecipare a ◇ raggiungere ◆ *vi* unirsi, congiungersi, confluire ◇ essere contiguo ● *to j.* in prendere parte a; *to j. up* arruolarsi

joint /dʒɔɪnt/ *a* unito, congiunto ◆ *s* giunzione *f* ◇ (*mecc*) giunto *m* ◇ articolazione *f*, giuntura *f* ◇ (*cuc*) arrosto *m* ◇ (*fam*) canna *f*, spinello *m* ◇ (*pop*) bettola *f* ● *out of j.* sconnesso

to joint /dʒɔɪnt/ *vt* congiungere, unire ◇ (*mecc*) connettere

joist /dʒɔɪst/ *s* trave *f*

joke /dʒəʊk/ *s* scherzo *m* ◇ barzelletta *f* ● *in j.* per scherzo; *no j.* senza scherzi; *to play a j. on sb* fare uno scherzo a qn; *to take a j.* stare allo scherzo

to joke /dʒəʊk/ *vi* scherzare ◆ *vt* canzonare

joker /dʒəʊkə/ *s* jolly *m*

jolly /dʒɒlɪ/ *a* gioviale, allegro ◆ *avv* molto ◇ certamente, proprio

jolt /dʒəʊlt/ *s* sobbalzo *m*

to jolt /dʒəʊlt/ *vt* scuotere, turbare ◆ *vi* sobbalzare

to jostle /dʒɒsl/ *vt* spingere a gomitate ◆ *vi* urtarsi

jot /dʒɒt/ *s* inezia *f* ● *I don't care a j.* non me ne importa nulla

to jot /dʒɒt/ *vt* annotare in fretta

journal /dʒɜːnl/ *s* giornale *m*, rivista *f* ◇ diario *m*

journalism /dʒɜːnəlɪz(ə)m/ *s* giornalismo *m*

journalist /dʒɜːnəlɪst/ *s* giornalista *m/f*

journey /dʒɜːnɪ/ *s* viaggio *m*, tragitto *m* ● *the j. out/home* il viaggio d'andata/di ritorno

jovial /dʒəʊvjəl/ *a* gioviale

joy /dʒɔɪ/ *s* gioia *f*

joyful /dʒɔɪf(ʊ)l/ *a* felice, allegro

jubilee /dʒuːbɪliː/ *s* giubileo *m* ◇ anniversario *m*

judge /dʒʌdʒ/ *s* giudice *m/f*

to judge /dʒʌdʒ/ *vt/i* giudicare

judgment /dʒʌdʒmənt/ *s* giudizio *m*

judiciary /dʒuː(ʹ)dɪʃɪərɪ/ *a* giudiziario ◆ *s* magistratura *f*

jug /dʒʌg/ *s* brocca *f*

juggle /dʒʌgl/ *s* gioco *m* di prestigio

juice /dʒuːs/ *s* succo *m*

juicy /dʒuːsɪ/ *a* succoso ◇ interessante

July /dʒu(ʹ)laɪ/ *s* luglio *m*

jumble /dʒʌmbl/ *s* miscuglio *m*

to jumble /dʒʌmbl/ *vt/i* mescolare, mescolarsi

jump /dʒʌmp/ *s* salto *m*, balzo *m*

to jump /dʒʌmp/ *vi* saltare, balzare ◇ trasalire ◇ (*di prezzo, merce*) rincarare, avere un'impennata ◆ *vt* saltare, scavalcare ◇ far salire ● *to j. at* cogliere al volo; *to j. off* saltare giù

jumper /dʒʌmpə/ *s* maglione *m* ◇ (*USA*) scamiciato *m*

jumpy /dʒʌmpɪ/ *a* nervoso, agitato

junction /dʒʌŋ(k)ʃ(ə)n/ *s* congiunzione *f* ◇ (*ferr, strada*) raccordo *m* ◇ (*el*) giunzione *f*

June /dʒuːn/ *s* giugno *m*

jungle /dʒʌŋgl/ *s* giungla *f*

junior /dʒuːnjə/ *a* inferiore ◇ junior, il giovane, (*tra fratelli*) minore

junk /dʒʌŋk/ s cianfrusaglie f pl ◇ rottame m

junkie /dʒʌŋkɪ/ s (pop) drogato m

juridical /dʒʊərɪdɪk(ə)l/ a giuridico

jurisprudence /ˈdʒʊərɪs,pruːdəns/ s giurisprudenza f

jurist /dʒʊərɪst/ s giurista m/f

juror /dʒʊərər/ s giurato m

jury /dʒʊərɪ/ s giuria f

just /dʒʌst/ a giusto, onesto ◇ legittimo, fondato ◇ adeguato, meritato ◆ avv appena ◇ proprio ◇ soltanto, semplicemente ◇ esattamente, precisamente ◇ a

malapena ● j. about quasi; j. in case caso mai; j. now poco fa, in questo momento; j. so proprio così; j. then proprio allora

justice /dʒʌstɪs/ s giustizia f

to justify /dʒʌstɪfaɪ/ vt giustificare, scusare ◇ motivare

to jut /dʒʌt/ vi sporgere, aggettare

jute /dʒuːt/ s iuta f

juvenile /dʒuːvɪnaɪl/ a giovanile ◇ immaturo ◇ minorile ◆ s giovane m/f ◇ minorenne m/f

to juxtapose /dʒʌkstəpəʊz/ vt giustapporre

K

kaki /ˈkɑ(ː)kɪ/ s cachi m

kangaroo /ˌkæŋɡəˈruː/ s canguro m

karate /kəˈrɑːtɪ/ s karatè m

keel /kiːl/ s (naut) chiglia f ● (on an) even k. in equilibrio

keen /kiːn/ a appassionato ◇ forte, intenso ◇ acuto, sottile, penetrante ◇ aguzzo, affilato, tagliente ● to be k. on st essere appassionato di qc

keep /kiːp/ s mantenimento m, sostentamento m ◇ torrione m, fortezza f ● for keeps per sempre

to keep /kiːp/ (pass/pp kept) vt tenere, conservare ◇ mantenere, sostentare, amministrare ◇ trattenere, impedire ◇ osservare, rispettare, attenersi a ◆ vi mantenersi, restare, conservarsi ◇ continuare, durare, perseverare ● to k. away tenere lontano; to k. from trattenersi da; to k. in stare in casa; to k. off stare lon-

tano, evitare; to k. on tenere, continuare; to k. out tenere fuori, tenere alla larga; to k. up mantenere

keeper /kiːpər/ s guardiano m

keeping /kiːpɪŋ/ s guardia f, sorveglianza f ◇ accordo m ◇ conservazione f ● to be in k. with essere in armonia con

keepsake /kiːpseɪk/ s (oggetto) ricordo m

kennel /kenl/ s cuccia f ◇ canile m, allevamento m

kernel /kɜːnl/ s nocciolo m, gheriglio m ◇ (fis) nucleo m

kettle /ketl/ s bollitore m

key (1) /kiː/ s chiave f ◇ tasto m, pulsante m ◇ tonalità f ◆ a chiave, importante ● k. word parola chiave

key (2) /kiː/ s isoletta f, isolotto m

to key /kiː/ vt (mecc) collegare con una chiavetta ◇ graffiare con una chiave ● *to k. in* (*inform*) digitare; *to k. up* eccitare, stimolare

keyboard /'kiːbɔːd/ *s* tastiera *f*

keyhole /'kiːhəʊl/ *s* buco *m* della serratura

keystone /'kiːstəʊn/ *s* chiave *f* di volta

kick /kɪk/ *s* calcio *m*, pedata *f* ◇ (*fam*) divertimento *m*, gusto *m* ◇ (*fam*) energia *f*, forza *f*

to kick /kɪk/ *vt* dare calci a, spingere a calci ◇ (*fam*) liberarsi di ◆ *vi* tirare calci ◇ recalcitrare ● *to k. off* dare il calcio d'inizio; *to k. sb out* buttare fuori qn a calci

kid /kɪd/ *s* capretto *m* ◇ (*fam*) bambino *m*, ragazzo *m*

to kid /kɪd/ *vt* (*fam*) prendere in giro

to kidnap /'kɪdnæp/ *vt* rapire

kidney /'kɪdnɪ/ *s* rene *m* ◇ rognone *m* ● *k. machine* rene artificiale

to kill /kɪl/ *vt* uccidere, ammazzare ◇ distruggere, rovinare ◇ respingere

killer /'kɪlə/ *s* killer *m*, sicario *m*

killing /'kɪlɪŋ/ *a* mortale ◇ faticoso, massacrante ◇ assassinio *m*, uccisione *f* ● *to make a k.* fare un sacco di soldi

killjoy /'kɪldʒɔɪ/ *s* guastafeste *m/f*

kiln /kɪln/ *s* fornace *f*

kilogram /'kɪləgræm/ *s* chilogrammo *m*

kilometre /'kɪlə͵miːtə/ (*USA* **kilometer**) *s* chilometro *m*

kilt /kɪlt/ *s* kilt *m*

kin /kɪn/ *s* parenti *m pl*, congiunti *m pl*

kind /kaɪnd/ *a* gentile, cortese ◆ *s* genere *m*, razza *f* ◇ tipo *m*, varietà *f*, categoria *f* ● *a k. of* una specie di; *k. of* quasi, piuttosto; *in k.* nello stesso modo, con la stessa moneta; *to pay in k.* pagare in natura

kindergarten /'kɪndə͵gɑːtn/ *s* asilo *m*

kind-hearted /͵kaɪnd'hɑːtɪd/ *a* di animo gentile

to kindle /'kɪndl/ *vt* accendere, infiammare ◇ suscitare ◆ *vi* prender fuoco, infiammarsi

kindly /'kaɪndlɪ/ *a* gentile, benevolo ◇ piacevole, favorevole ◆ *avv* gentilmente, per favore ◇ benevolmente

kindred /'kɪndrɪd/ *a* imparentato ◇ affine ◆ *s* (*v al pl*) parenti *m pl* ◇ parentela *f*

king /kɪŋ/ *s* re *m*

kingdom /'kɪŋdəm/ *s* regno *m*

king-size(d) /'kɪŋsaɪz(d)/ *a* di taglia superiore al normale

kinky /'kɪŋkɪ/ *a* ingarbugliato ◇ ricciuto ◇ bizzarro, strano (*sessualmente*)

kinship /'kɪnʃɪp/ *s* parentela *f* ◇ affinità *f*

kinsman /'kɪnzmən/ (*pl* **kinsmen**) *s* consanguineo *m*

kiosk /'kiːɒsk/ *s* chiosco *m*, edicola *f*

kiss /kɪs/ *s* bacio *m*

to kiss /kɪs/ *vt/i* baciare, baciarsi ● *to k. st goodbye* dire addio a qc

kit /kɪt/ *s* equipaggiamento *m*, corredo *m* ◇ attrezzi *m pl* ● *travel k.* beauty case (*da uomo*)

kitchen /'kɪtʃɪn/ *s* cucina *f* ● *k. garden* orto

kite /kaɪt/ s (zool) nibbio m ◇ aquilone m

kith /kɪθ/ s amici m pl ● **k. and kin** amici e parenti

kitten /ˈkɪtn/ s gattino m

knack /næk/ s abilità f, destrezza f ● **to have a k. for** st avere la capacità di fare qc

knapsack /ˈnæpsæk/ s zaino m

to knead /niːd/ vt impastare

knee /niː/ s ginocchio m

kneecap /ˈniːkæp/ s rotula f

to kneel /niːl/ (pass/pp **knelt**) vi inginocchiarsi

knickers /ˈnɪkəz/ s pl mutandine f pl ◇ knickerbockers m pl

knickknack /ˈnɪknæk/ s gingillo m, soprammobile m

knife /naɪf/ (pl **knives**) s coltello m

to knife /naɪf/ vt accoltellare, pugnalare ◇ tagliare

knight /naɪt/ s cavaliere m ◇ (scacchi) cavallo m

to knit /nɪt/ (pass/pp **knit**, **knitted**) vt lavorare a maglia ◇ (fronte, ciglia) corrugare, aggrottare ◇ saldare, unire ● vi sferruzzare ◇ saldarsi, unirsi

knitting /ˈnɪtɪŋ/ s lavoro m a maglia

knob /nɒb/ s protuberanza f, (di legno) nodo ◇ manopola f, pomello m

to knock /nɒk/ s botta f, colpo m, percossa f, bussata f

to knock /nɒk/ vt picchiare, battere ◇ (fam) criticare ● vi battere, bussare ● **to k. about** girovagare, bazzicare; **to k. down** abbattere; **to k. in** conficcare; **to k. off** buttare giù, smettere di lavorare; **to k. out** mettere k.o.

knockout /ˈnɒkaʊt/ a che mette fuori combattimento ● s knockout m ◇ schianto m

knoll /nəʊl/ s poggio m, collina f

knot /nɒt/ s nodo m ◇ (fig) legame m, vincolo m ◇ (fig) difficoltà f, problema m ◇ capannello m, mucchio m

knotty /ˈnɒtɪ/ a nodoso ◇ intricato

to know /nəʊ/ (pass **knew**, pp **known**) vt conoscere, sapere ◇ riconoscere, distinguere ● **to k. about** essere a conoscenza di

know-all /ˈnəʊɔːl/ s m/f

knowing /ˈnəʊ(ʊ)ɪŋ/ a informato ◇ intelligente, abile ◇ d'intesa

knowledge /ˈnɒlɪdʒ/ s conoscenza f ◇ sapere m, scienza f

knowledgeable /ˈnɒlɪdʒəbl/ a bene informato

known /nəʊn/ pp di **to know** ● a noto, conosciuto

knuckle /ˈnʌkl/ s nocca f

koala /kə(ʊ)ˈɑːlə/ s koala m

L

lab /læb/ s (fam) laboratorio m

label /ˈleɪbl/ s etichetta f, cartellino m

to label /ˈleɪbl/ vt contrassegnare, etichettare ◇ classificare

laboratory /ləˈbɒrət(ə)rɪ/ s laboratorio m

labour /ˈleɪbər/ (USA **labor**) s lavoro m ◇ manodopera f ◇ doglie f pl, travaglio m ● **L. party** partito laburista

to labour /ˈleɪbər/ (USA **to labor**) vi lavorare, faticare ◇ avere le doglie

laboured /ˈleɪbəd/ a affannoso, affaticato ◇ elaborato

labourer /ˈleɪbərər/ s manovale m

labyrinth /ˈlæbərɪnθ/ s labirinto m

lace /leɪs/ s pizzo m ◇ laccio m, stringa f

to lace /leɪs/ vt allacciare ◇ ornare di pizzi ◇ correggere (una bevanda) ◇ avvelenare ● **to l. up one's shoes** allacciarsi le scarpe

laceration /ˌlæsəˈreɪʃ(ə)n/ s lacerazione f

lack /læk/ s mancanza f, insufficienza f

to lack /læk/ vt mancare di ◇ aver bisogno di ● **to be lacking in st** essere privo di qc

lackadaisical /ˌlækəˈdeɪzɪk(ə)l/ a apatico, indolente

lackey /ˈlækɪ/ s lacchè m ◇ leccapiedi m/f

laconic /ləˈkɒnɪk/ a laconico

lacquer /ˈlækər/ s lacca f

lad /læd/ s ragazzo m, giovanotto m

ladder /ˈlædər/ s scala f (a pioli) ◇ (di calze) smagliatura f ● **double l.** scala a libro

to lade /leɪd/ (pp **laden**) vt caricare

ladle /ˈleɪdl/ s mestolo m

lady /ˈleɪdɪ/ s signora f ● **Our L.** la Madonna

ladybird /ˈleɪdɪbɜːd/ s coccinella f

ladylike /ˈleɪdɪlaɪk/ a adatto a una signora, signorile

lag (1) /læg/ s ritardo m, intervallo m

lag (2) /læg/ s doga f ◇ rivestimento m (isolante)

to lag (1) /læg/ vi ritardare, ristagnare

to lag (2) /læg/ vt rivestire (con materiale isolante)

lager /ˈlɑːgər/ s birra f chiara

lagoon /ləˈguːn/ s laguna f

lair /leər/ s covo m, tana f

lake (1) /leɪk/ s lago m

lake (2) /leɪk/ s lacca f

lam /læm/ s fuga f ● **on the l.** in fuga

lamb /læm/ s agnello m ● **l. chop** costata d'agnello

lame /leɪm/ a zoppo, storpio ◇ (fig) zoppicante, difettoso ◇ (fam) ridicolo, misero

lament /ləˈment/ s lamento m

to laminate /ˈlæmɪneɪt/ vt laminare

lamp /læmp/ s lampada f ◇ lampadina f ◇ lampione m

lance /lɑːns/ s lancia f

lancinating /ˈlɑːnsɪneɪtɪŋ/ *a* lancinante

land /lænd/ *s* terra *f* ◇ suolo *m*, terreno *m* ◇ paese *m*, contrada *f* ◇ proprietà *f*

to land /lænd/ *vi* sbarcare, approdare, atterrare ◇ cadere ♦ *vt* far approdare, far atterrare ◇ sbarcare, scaricare ◇ procurarsi (*un colpo*) assestare ● *to l. up* andare a finire (*in un posto*)

landing /ˈlændɪŋ/ *s* approdo *m*, sbarco *m*, atterraggio *m* ● pianerottolo *m* ● *l. craft* mezzo da sbarco; *l. gear* carrello di atterraggio

landlady /ˈlænˌdleɪdɪ/ *s* padrona *f* di casa ◇ affittacamere *f*

landlord /ˈlændlɔːd/ *s* padrone *m* di casa ◇ affittacamere *m*

landmark /ˈlændmɑːk/ *s* punto *m* di riferimento ◇ pietra *f* miliare ♦ *a* storico, epocale

landowner /ˈlændˌəʊnə[r]/ *s* proprietario *m* terriero

landscape /ˈlændskeɪp/ *s* paesaggio *m*, panorama *m*

landslide /ˈlænd)slaɪd/ *s* frana *f* ● *to win by a l.* riportare una vittoria schiacciante

lane /leɪn/ *s* sentiero *m*, viottolo *m*, vicolo *m* ◇ corsia *f* ◇ (*aer*) rotta *f*

language /ˈlæŋgwɪdʒ/ *s* lingua *f*, linguaggio *m*

languor /ˈlæŋgə[r]/ *s* languore *m*

lank /læŋk/ *a* smilzo, magro ◇ (*di capelli*) liscio

lantern /ˈlæntən/ *s* lanterna *f*

lap (1) /læp/ *s* lembo *m*, falda *f* ◇ grembo *m* ◇ (*di circuito*) giro *m* ◇ tappa *f*

lap (2) /læp/ *s* leccata *f* ◇ sciabordio *m*

to lap (1) /læp/ *vt* piegare (attorno), avvolgere ◇ coccolare ◇ (*sport*) doppiare, dare giri di distacco

to lap (2) /læp/ *vt/i* leccare, lappare ◇ sciabordare ● *to l. up* bersi, credere (ingenuamente) a

lapel /ləˈpel/ *s* risvolto *m*

to lapidate /ˈlæpɪdeɪt/ *vt* lapidare

Laplander /ˈlæplændə[r]/ *s* lappone *m/f*

Lappish /ˈlæpɪʃ/ *a/s* lappone *m* (*lingua*)

lapse /læps/ *s* errore *m*, mancanza *f*, scorrettezza *f* ◇ lasso *m*, intervallo *m* ◇ (*dir*) estinzione *f* ● *l. of memory* vuoto di memoria; *l. of time* lasso di tempo

to lapse /læps/ *vi* cadere, scivolare ◇ passare, trascorrere ◇ (*dir*) scadere, decadere

laptop /ˈlæptɒp/ *s* portatile *m*, computer *m* portatile

larch /lɑːtʃ/ *s* larice *m*

lard /lɑːd/ *s* lardo *m*

larder /ˈlɑːdə[r]/ *s* dispensa *f*

large /lɑːdʒ/ *a* grande, grosso ◇ ampio, vasto, largo ◇ abbondante ● *at l.* in generale, nell'insieme, in libertà; *l.-scale* su larga scala

large-hearted /ˈlɑːdʒˈhɑːtɪd/ *a* generoso

largely /ˈlɑːdʒlɪ/ *avv* in gran parte ◇ soprattutto

largeness /ˈlɑːdʒnɪs/ *s* larghezza *f*, ampiezza *f*, grandezza *f*

largess(e) /lɑːˈdʒes/ *s* liberalità *f*, generosità *f*

lark (1) /lɑːk/ *s* allodola *f*

lark (2) /lɑːk/ s scherzo m, beffa f

larval /ˈlɑːv(ə)l/ a larvale

larynx /ˈlærɪŋks/ s laringe f

to lash /læʃ/ vt sferzare, frustare ◇ agitare ◇ colpire violentemente ◇ legare ◇ criticare, sgridare ◆ vi battere violentemente ◆ frangersi (di onde) ● to l. out at assalire, attaccare, criticare

lass /læs/ s ragazza f

last /lɑːst/ (sup di **late**) a ultimo ◇ scorso, più recente ◇ finale, definitivo ◆ avv per ultimo, ultimo ◇ ultimamente ◆ s termine m ● at l. alla fine, finalmente; l. but one penultimo; l. name cognome

to last /lɑːst/ vi durare, resistere

lasting /ˈlɑːstɪŋ/ a duraturo, durevole

lastly /ˈlɑːstlɪ/ avv da ultimo, per finire

latch /lætʃ/ s chiavistello m

late /leɪt/ (comp **later**, **latter**, sup **latest**, **last**) a tardi, in ritardo ◇ tardo, inoltrato ◇ tardivo ◇ precedente, ex ◇ defunto ◆ avv tardi, in ritardo ◇ recentemente ● as l. as fino a, non più tardi del; of l. da poco; to be l. essere in ritardo

latecomer /ˈleɪtˌkʌmə·/ s ritardatario m

lately /ˈleɪtlɪ/ avv recentemente

later /ˈleɪtə·/ (comp di **late**) a posteriore, ulteriore ◆ avv più tardi, dopo ● l. on poi, in seguito

lateral /ˈlæt(ə)l/ a laterale

latest /ˈleɪtɪst/ (sup di **late**) a ultimo, recentissimo ● at the l. al più tardi

lather /ˈlɑːðə·/ s schiuma f

Latin /ˈlætɪn/ a/s latino m

latitude /ˈlætɪtjuːd/ s latitudine f

latter /ˈlætə·/ (comp di **late**) a secondo, ultimo ◆ pr il secondo, l'ultimo (di due)

lattice /ˈlætɪs/ s grata f, traliccio m, reticolo m

laudable /ˈlɔːdəbl/ a lodevole

laugh /lɑːf/ s riso m, risata f ◇ divertimento m

to laugh /lɑːf/ vi ridere ◆ vt deridere ● to l. at ridere di

laughable /ˈlɑːfəbl/ a ridicolo

laughing /ˈlɑːfɪŋ/ a ridente, allegro ◆ s riso m, risata f

launch /lɔːntʃ/ s varo m ◇ lancio m

to launch /lɔːntʃ/ vt varare ◇ lanciare ◆ vi lanciarsi, imbarcarsi (in un'impresa) ● to l. into lanciarsi in, imbarcarsi in (un'impresa)

launching /ˈlɔːntʃɪŋ/ s lancio m ◇ varo m ● l. pad piattaforma di lancio

to launder /ˈlɔːndə·/ vt lavare e stirare

laundry /ˈlɔːndrɪ/ s lavanderia f ◇ bucato m

laurel /ˈlɒr(ə)l/ s alloro m

lavage /ˈlævɪdʒ/ s (med) lavaggio m ● gastric l. lavanda gastrica

lavatory /ˈlævət(ə)rɪ/ s gabinetto m

lavender /ˈlævɪndə·/ s lavanda f

lavish /ˈlævɪʃ/ a generoso ◇ eccessivo ◇ sontuoso, sfarzoso

to lavish /ˈlævɪʃ/ vt prodigare, profondere

law /lɔː/ s legge f ◇ diritto m, giu-

risprudenza f ◇ **giustizia** f ● *l. court* tribunale

lawful /ˈlɔːf(ʊ)l/ *a* lecito, legale

lawless /ˈlɔːlɪs/ *a* senza legge ◇ illegale

lawn /lɔːn/ *s* prato *m* ● *l.-mower* tosaerba

lawsuit /ˈlɔːsjuːt/ *s* causa f, processo *m*

lawyer /ˈlɔːjəʳ/ *s* avvocato *m*

lax /læks/ *a* molle, rilassato ◇ negligente, trascurato

lay (1) /leɪ/ *a* laico, secolare ◇ profano

lay (2) /leɪ/ *s* disposizione f, configurazione f

to lay /leɪ/ *(pass/pp laid)* *vt* posare, collocare ◇ *(uova)* deporre ◇ disporre, preparare, ordire ◇ abbattere ◇ progettare, elaborare ◇ sottoporre ◇ ricoprire, rivestire ◇ scommettere ● *to l. aside, by* mettere da parte; *to l. down* deporre, esporre, stabilire; *to l. off* smettere, licenziare; *to l. on* fornire, organizzare; *to l. out* preparare, distendere, tracciare, spendere; *to l. up* fare scorta di

layabout /ˈleɪəbaʊt/ *s* sfaccendato *m*

lay-by /ˈleɪbaɪ/ *s* piazzuola f *(di sosta)*

layer /ˈle(ɪ)əʳ/ *s* strato *m*

layman /ˈleɪmən/ *(pl laymen)* *s* laico *m* ◇ profano *m*, non competente *m*

layout /ˈleɪaʊt/ *s* disposizione f ◇ tracciato *m*, progetto *m*, bozzetto *m* ◇ impaginazione f, lay-out *m*

to laze /leɪz/ *vi* oziare

lazy /ˈleɪzɪ/ *a* pigro

lead (1) /led/ *s* piombo *m* ◇ *(di matita)* mina f

lead (2) /liːd/ *s* comando *m*, guida f, posizione f di testa ◇ vantaggio *m* ◇ guinzaglio *m* ◇ traccia f, indizio *m* ◇ *(teat)* parte f principale ◇ filo *m* elettrico ● *to be in the l.* essere in testa, essere all'avanguardia

to lead /liːd/ *(pass/pp led)* *vt* condurre, guidare ◇ indurre a ◆ *vi* condurre, portare ◇ essere in testa ● *to l. sb astray* sviare qn, portare qn sulla cattiva strada; *to l. off* cominciare; *to l. on* trascinare; *to l. up to* portare a

leader /ˈliːdəʳ/ *s* leader *m*, capo *m*, direttore *m* ◇ articolo *m* di fondo

leadership /ˈliːdəʃɪp/ *s* guida f, direzione f, comando *m*

leading /ˈliːdɪŋ/ *a* principale, primo *m* ● *l. man/lady* primo attore/prima attrice

leaf /liːf/ *(pl leaves)* *s* foglia f, fogliame *m* ◇ foglio *m* ● *to come into l.* mettere le foglie

leaflet /ˈliːflɪt/ *s* volantino *m*

league /liːg/ *s* lega f, associazione f ◇ *(sport)* federazione f ● *to be in l. with sb* essere in combutta con qn

leak /liːk/ *s* falla f, fessura f ◇ fuoriuscita f, fuga f

to leak /liːk/ *vi* perdere, fare acqua ◇ *(di liquido)* fuoriuscire ◇ trapelare ◆ *vt* *(liquido)* perdere ◇ far trapelare

lean (1) /liːn/ *s* inclinazione f, pendenza f

lean (2) /liːn/ *a* magro ◇ snello, agile ◇ scarno ◇ efficiente

to lean /liːn/ (pass/pp **leaned**, **leant**) vi pendere, inclinarsi ◇ appoggiarsi ◆ **to l. on** dipendere da; **to l. out** sporgersi; **to l. towards** tendere a

leaning /ˈliːnɪŋ/ a pendente ◆ s propensione f

leap /liːp/ s salto m, balzo m ◇ cambiamento m ● **l. year** anno bisestile

to leap /liːp/ (pass/pp **leapt**, **leaped**) vi saltare, balzare, lanciarsi ◆ vt saltare ◇ far saltare ● **to l. up** balzare in piedi, sobbalzare

to learn /lɜːn/ (pass/pp **learned**, **learnt**) vt imparare, studiare ◆ vi imparare, istruirsi ◇ venire a sapere

learned /ˈlɜːnɪd/ a colto, istruito

learner /ˈlɜːnə(r)/ s allievo m, apprendista m/f

learning /ˈlɜːnɪŋ/ s cultura f ◇ apprendimento m

to lease /liːs/ vt affittare

leash /liːʃ/ s guinzaglio m

least /liːst/ (sup di **little**) a il minimo, il più piccolo ◆ avv meno (di tutti), minimamente ● **at l.** almeno; **l. of all** tanto meno; **not in the l.** per nulla; **to say the l.** a dir poco

leather /ˈleðə(r)/ s cuoio m, pelle f

leave /liːv/ s permesso m, autorizzazione f ◇ congedo m

to leave /liːv/ (pass/pp **left**) vt lasciare, abbandonare ◇ partire da, andarsene da ◇ consegnare, affidare ◆ vi partire, andarsene, uscire ● **to l. behind** dimenticare, lasciarsi alle spalle; **to l. off**

smettere; **to l. out** tralasciare; **to be left** rimanere, avanzare

leaving /ˈliːvɪŋ/ s partenza f ◇ avanzi m pl

lecherous /ˈletʃ(ə)rəs/ a lascivo

lecture /ˈlektʃə(r)/ s conferenza f, lezione f ◇ predica f

to lecture /ˈlektʃə(r)/ vt tenere una conferenza a, fare lezione a ◇ fare una predica a ◆ vi tenere una conferenza, fare lezione

ledge /ledʒ/ s sporgenza f, ripiano m ◇ (di montagna) cornice f ● **window l.** davanzale

lee /liː/ a sottovento ◆ s (lato) sottovento m ◇ ridosso m

leech /liːtʃ/ s sanguisuga f

leek /liːk/ s (bot) porro m

to leer /lɪə(r)/ vi dare occhiate maliziose

lees /liːz/ s pl sedimento m, feccia f

leeward /ˈliːwəd/ a/avv sottovento m/f

leeway /ˈliːweɪ/ s scarroccio m, deriva f ◇ (fig) margine f

left /left/ a sinistra ◇ di sinistra ◆ s sinistra f ◆ avv a sinistra

left-handed /ˌleftˈhændɪd/ a mancino

leftovers /ˈleftəʊvəz/ s pl avanzi m pl

leg /leg/ s gamba f ◇ zampa f ◇ coscotto m ◇ (di viaggio) tappa f

legacy /ˈlegəsɪ/ s legato m, eredità f

legal /ˈliːg(ə)l/ a legale

to legalize /ˈliːgəlaɪz/ vt legalizzare

legend /ˈledʒ(ə)nd/ s leggenda f

legion /ˈliːdʒ(ə)n/ s legione f

legislative /ˈledʒɪslətɪv/ a legislativo

legislature /ˈledʒɪslɪtʃər/ s corpo m legislativo

to legitimate /lɪˈdʒɪtɪmeɪt/ vt legittimare

legume /ˈlegju(ː)m/ s legume m

leisure /ˈleʒər/ s tempo m libero ◇ agio m, ozio m

leisurely /ˈleʒəlɪ/ avv con comodo

lemon /ˈlemən/ s limone m

lemonade /ˌleməˈneɪd/ s limonata f

to lend /lend/ (pass/pp **lent**) vt prestare ◆ vi concedere prestiti

length /leŋθ/ s lunghezza f ◇ durata f ◇ pezzo m, tratto m ● **at l.** per esteso, alla fine

to lengthen /ˈleŋθ(ə)n/ vt/i allungare, allungarsi

lengthways /ˈleŋθweɪz/ avv per il lungo

lengthy /ˈleŋθɪ/ a lungo, prolisso

leniency /ˈliːnjənsɪ/ s mitezza f, indulgenza f

lens /lenz/ s lente f ◇ (fot) obiettivo m ● **contact l.** lente a contatto

Lent /lent/ s quaresima f

lentil /ˈlentɪl/ s lenticchia f

leopard /ˈlepəd/ s leopardo m

leprosy /ˈleprəsɪ/ s lebbra f

lesbian /ˈlezbɪən/ a lesbico ◆ s lesbica f

lesion /ˈliːʒ(ə)n/ s lesione f

less /les/ (comp di **little**) a meno, minore ◆ avv meno, di meno ◆ s meno m ◆ prep meno ● **l. and l.** sempre meno; **none the l.** nondimeno

to lessen /ˈlesn/ vt/i diminuire

lesser /ˈlesər/ a minore

lesson /ˈlesn/ s lezione f ● **to teach sb a l.** dare una lezione a qn

lest /lest/ cong per paura che ◇ in modo da non ◇ nel caso che

let /let/ s affitto m

to let /let/ (pass/pp **let**) vt lasciare, permettere, autorizzare ◇ affittare ● **to l.** (nei cartelli) si affitta; **to l. down** abbassare, allungare, scontentare, deludere; **to l. in** lasciar entrare, ammettere; **to l. off** scaricare, lasciar andare, far uscire; **to l. on** far salire, rivelare; **to l. out** emettere, far uscire; **to l. up** rallentare, allentare; **let's go** andiamo; **l. it be** sia pure

lethal /ˈliːθ(ə)l/ a letale

letter /ˈletər/ s lettera f ● **capital/ small l.** lettera maiuscola/minuscola; **l. box** buca delle lettere

lettuce /ˈletɪs/ s lattuga f

let-up /ˈletˌʌp/ s diminuzione f

levee /ˈlevɪ/ s argine m

level /ˈlevl/ s livellato, piano ◇ a livello, pari ◇ equilibrato, regolare ◆ s livello m ◇ superficie f piana ● **l. crossing** passaggio a livello; **to be on the l. with sb** essere onesto con qn

to level /ˈlevl/ vt livellare, pareggiare, uguagliare ● **to l. off** livellarsi

level-headed /ˌlevlˈhedɪd/ a equilibrato

lever /ˈliːvər/ s leva f

levity /ˈlevɪtɪ/ s frivolezza f

levy /ˈlevɪ/ s (mil) leva f ◇ imposta f

to levy /ˈlevɪ/ vt (mil) arruolare ◇ tassare

lewd /luːd/ a osceno

lexicon /ˈleksɪkən/ s lessico m, dizionario m

liability /ˌlaɪəˈbɪlɪtɪ/ s (dir) responsabilità f ◇ svantaggio m, inconveniente m ◇ **al** (fin) passivo m, debiti m pl

liable /'laɪəbl/ a (dir) responsabile ◇ soggetto, passibile

liaison /lɪ(ː)'eɪzɒn/ s legame m, relazione f ◇ collegamento m

liar /'laɪə/ s bugiardo m

to libel /'laɪb(ə)l/ vt diffamare

liberal /'lɪb(ə)r(ə)l/ a generoso, liberale

to liberate /'lɪbəreɪt/ vt liberare

libertine /'lɪbətiːn/ a/s libertino m

liberty /'lɪbətɪ/ s libertà f

library /'laɪbrərɪ/ s biblioteca f

licence /'laɪs(ə)ns/ (USA **license**) s licenza f, autorizzazione f, patente f ● **driving l.** patente di guida

licentious /laɪ'senʃəs/ a licenzioso

licit /'lɪsɪt/ a lecito

to lick /lɪk/ vt leccare

licorice /'lɪkərɪs/ → **liquorice**

lid /lɪd/ s coperchio m, copertura f

lie (1) /laɪ/ s bugia f ◇ falsa credenza f

lie (2) /laɪ/ s posizione f, disposizione f, configurazione f

to lie (1) /laɪ/ (pass/pp **lied**, ppres **lying**) vi mentire, ingannare

to lie (2) /laɪ/ (pass **lay**, pp **lain**, ppres **lying**) vi giacere, star disteso, rimanere ◇ trovarsi, essere situato ◇ consistere ◇ (dir) essere ammissibile ● **to l. about** essere sparso qua e là, oziare; **to l. down** coricarsi, sdraiarsi; **to l. with** giacere con, spettare a

lieu /ljuː/ s luogo m ● **in l. of** in luogo di

lieutenant /lef'tenənt/ s tenente m

life /laɪf/ (pl **lives**) s vita f

lifeguard /'laɪfɡɑːd/ s bagnino m

lifelike /'laɪflaɪk/ a realistico

lifelong /'laɪflɒŋ/ a che dura tutta la vita

lifesize /'laɪfsaɪz/ a a grandezza naturale

lifetime /'laɪftaɪm/ s (durata della) vita f

lift /lɪft/ s ascensore m ◇ (aer) portanza f ◇ (su veicolo) passaggio m

to lift /lɪft/ vt sollevare, alzare ◇ plagiare, copiare ◇ abolire ◇ (pop) rubare ● **to l. off** decollare

light (1) /laɪt/ a chiaro, luminoso ◆ s luce f, bagliore m ◇ lume m, lampada f, faro m ◇ **al pl** semaforo m ◇ (per accendere) fuoco m ● **l. year** anno luce; **parking lights** luci di posizione; **have you got a l.?** ha da accendere?; **l. bulb** lampadina

light (2) /laɪt/ a leggero, lieve ◇ piacevole, divertente ◇ moderato ◇ agile, svelto ◆ avv leggermente, facilmente

to light /laɪt/ (pass/pp **lighted**, **lit**) vt accendere ◇ illuminare

to lighten (1) /'laɪtn/ vt/i illuminare, illuminarsi

to lighten (2) /'laɪtn/ vt alleggerire ◇ mitigare

lighter /'laɪtə/ s accendino m

light-headed /laɪt'hedɪd/ a stordito ◇ sventato

light-hearted /laɪt'hɑːtɪd/ a allegro

lighthouse /'laɪthaʊs/ s faro m

lighting /'laɪtɪŋ/ s illuminazione f

lightness (1) /'laɪtnɪs/ s luminosità f ◇ illuminazione f

lightness (2) /ˈlaɪtnɪs/ s leggerezza f ◇ agilità f

lightning /ˈlaɪtnɪŋ/ s lampo m, fulmine m ● l. conductor (USA l. rod) parafulmine

like /laɪk/ a simile, somigliante, uguale, stesso ◆ s (l')uguale m ◆ prep come, alla maniera di, tipico di ◆ avv come dire, per così dire ◆ cong come, come se ● as l. as not probabilmente; to be l. assomigliare; l. so così; it's not l. him non è da lui

to like /laɪk/ vt (costruzione pers) piacere, gradire, amare, aver voglia di ◇ volere ● as you l. come vuoi; to l. best preferire

likelihood /ˈlaɪklɪhʊd/ s probabilità f, verosimiglianza f

likely /ˈlaɪklɪ/ a probabile, verosimile ◆ avv probabilmente, verosimilmente

likewise /ˈlaɪkwaɪz/ avv similmente, allo stesso modo ● to do l. fare altrettanto

liking /ˈlaɪkɪŋ/ s simpatia f, predilezione f, gradimento m

lily /ˈlɪlɪ/ s giglio m ● l. of the valley mughetto

limb /lɪm/ s membro m, arto m

limber /ˈlɪmbə/ a agile, flessibile

lime (1) /laɪm/ s (bot) tiglio m

lime (2) /laɪm/ s (bot) lime m, limetta f

lime (3) /laɪm/ s calce f

limestone /ˈlaɪmstəʊn/ s calcare m

limit /ˈlɪmɪt/ s limite m

to limit /ˈlɪmɪt/ vt limitare

limp /lɪmp/ a floscio, flaccido ◇ fiacco

to limp /lɪmp/ vi zoppicare

limpid /ˈlɪmpɪd/ a limpido

line /laɪn/ s linea f ◇ riga f, fila f ◇ fune f ◇ lenza f ◇ (linea di) confine m ◇ ruga f, solco m ◇ verso m ● in l. with d'accordo con, allineato con

to line (1) /laɪn/ vt delineare, segnare ◇ fiancheggiare ● to l. up allinearsi, mettersi in fila

to line (2) /laɪn/ vt foderare, rivestire

linear /ˈlɪnɪə/ a lineare

linen /ˈlɪnɪn/ s lino m, tela f di lino ◇ biancheria f ● table l. biancheria da tavola

linesman /ˈlaɪnzmən/ (pl linesmen) s segnalinee m

line-up /ˈlaɪnʌp/ s allineamento m, schieramento m ◇ (sport) formazione f di gioco

to linger /ˈlɪŋgə/ vi attardarsi ◇ permanere

linguistics /lɪŋˈgwɪstɪks/ s pl (v al sing) linguistica f

lining /ˈlaɪnɪŋ/ s fodera f, rivestimento m ● brake linings pastiglie dei freni

link /lɪŋk/ s (di catena) anello m ◇ collegamento m, legame m ◇ (inform) link m

to link /lɪŋk/ vt collegare, unire, congiungere

lint /lɪnt/ s garza f

lintel /ˈlɪntl/ s architrave m

lion /ˈlaɪən/ s leone m

lioness /ˈlaɪənɪs/ s leonessa f

lip /lɪp/ s labbro m ◇ orlo m ● to pay, to give l. service sostenere solo a parole

lipstick /ˈlɪpstɪk/ s rossetto m

to liquefy /ˈlɪkwɪfaɪ/ *vt/i* liquefare, liquefarsi

liqueur /lɪˈkjuər/ *s* liquore *m*

liquid /ˈlɪkwɪd/ *a/s* liquido *m*

to liquidate /ˈlɪkwɪdeɪt/ *vt* liquidare

liquidation /ˌlɪkwɪˈdeɪʃ(ə)n/ *s* liquidazione *f*

liquor /ˈlɪkər/ *s* liquore *m*

liquorice /ˈlɪkərɪs/ (*USA* **licorice**) *s* liquirizia *f*

to lisp /lɪsp/ *vi* parlare con pronuncia blesa

list /lɪst/ *s* lista *f*, elenco *m*, catalogo *m* ◇ listino *m*

to list /lɪst/ *vt* elencare, catalogare ◇ mettere in listino

to listen /ˈlɪsn/ *vi* ascoltare • **to l. in** ascoltare un programma, origliare; *to l. to sb/st* ascoltare qn/qc

listener /ˈlɪsnər/ *s* ascoltatore *m*

listless /ˈlɪstlɪs/ *a* disattento, sbadato

liter /ˈliːtər/ → **litre**

literal /ˈlɪt(ə)r(ə)l/ *a* letterale

literary /ˈlɪt(ə)rərɪ/ *a* letterario

literate /ˈlɪtərɪt/ *a* che sa leggere e scrivere ◇ colto, istruito

literature /ˈlɪt(ə)rɪtʃər/ *s* letteratura *f*

lithe /laɪð/ *a* agile

lithium /ˈlɪθɪəm/ *s* litio *m* • **l. battery** batteria al litio

litigation /ˌlɪtɪˈɡeɪʃ(ə)n/ *s* (*dir*) causa *f*, vertenza *f*

litre /ˈliːtər/ (*USA* **liter**) *s* litro *m*

litter /ˈlɪtər/ *s* rifiuti *m pl* ◇ confusione *f* ◇ nidiata *f* ◇ lettiera *f* (*per gatti*) • **l. bin** cestino per i rifiuti

little /ˈlɪtl/ (*comp* **less**, **lesser**, *sup* least*) *a* piccolo ◇ corto, breve ◇ poco ◆ *pr/s* poco *m* ◆ *avv* poco ◇ (*con art indeterm*) piuttosto, alquanto • *a l.* un po' (di); *as l. as possible* il meno possibile; *l. by l.* poco a poco

liturgic(al) /lɪˈtɜːdʒɪk((ə)l)/ *a* liturgico

liturgy /ˈlɪtədʒɪ/ *s* liturgia *f*

live /laɪv/ *a* vivo ◇ (*el*) sotto tensione ◇ (*di arma*) carico, (*di proiettile*) inesploso ◇ dal vivo, in diretta

to live /lɪv/ *vi* vivere ◇ abitare, stare ◆ *vt* vivere • *to l. down* far dimenticare; *to l. on* st vivere di qc; *to l. up to* essere all'altezza di

livelihood /ˈlaɪvlɪhʊd/ *s* mezzi *m pl* di sussistenza

liveliness /ˈlaɪvlɪnɪs/ *s* vivacità *f*

lively /ˈlaɪvlɪ/ *a* vivace, animato

to liven /ˈlaɪvn/ *vt/i* animare, animarsi

liver /ˈlɪvər/ *s* fegato *m*

livery (1) /ˈlɪvərɪ/ *s* livrea *f*

livery (2) /ˈlɪvərɪ/ *a* malato di fegato ◇ irritabile

livestock /ˈlaɪvstɒk/ *s* bestiame *m*

livid /ˈlɪvɪd/ *a* livido, paonazzo

living /ˈlɪvɪŋ/ *a* vivente, vivo ◇ profondo, forte ◇ di vita ◆ *s* mezzi *m pl* di sussistenza, vita *f*

living-room /ˈlɪvɪŋrʊm/ *s* soggiorno *m*

lizard /ˈlɪzəd/ *s* lucertola *f*

load /ləʊd/ *s* carico *m*, peso *m* • *a l. of* un sacco di; *get a l. of this* senti un po', guarda un po'

to load /ləʊd/ *vt* caricare ◇ appesantire, opprimere, gravare

loaf /ləʊf/ (pl **loaves**) s pagnotta f

to loaf /ləʊf/ vi bighellonare

loan /ləʊn/ s prestito m

to loan /ləʊn/ vt prestare

loath /ləʊθ/ a restio, riluttante

to loathe /ləʊð/ vt detestare, odiare

lobby /ˈlɒbɪ/ s atrio m, ridotto m, vestibolo m ◊ lobby f, gruppo m di pressione

lobster /ˈlɒbstəʳ/ s aragosta f

local /ˈləʊk(ə)l/ a locale

to localize /ˈləʊkəlaɪz/ vt localizzare

to locate /lo(ʊ)ˈkeɪt/ vt individuare, localizzare ◊ situare

location /lo(ʊ)ˈkeɪʃ(ə)n/ s ubicazione f ◊ localizzazione f ◊ (cin) (set) esterno m

lock (1) /lɒk/ s serratura f ◊ chiusa f ◊ (mecc) blocco m

lock (2) /lɒk/ s ciocca f, ricciolo m

to lock /lɒk/ vt chiudere (a chiave), serrare ◊ mettere sotto chiave ◊ bloccare ● to l. in rinchiudere; to l. out chiudere fuori; to l. up imprigionare

locker /ˈlɒkəʳ/ s armadietto m

locket /ˈlɒkɪt/ s medaglione m

locomotive /ˌləʊkəˈməʊtɪv/ s locomotiva f

locust /ˈləʊkəst/ s locusta f

lodge /lɒdʒ/ s casetta f ◊ portineria f ◊ padiglione m di caccia ◊ loggia f (massonica) ◊ tana f

to lodge /lɒdʒ/ vt alloggiare, ospitare ◊ assestare, piantare ◊ (dir) presentare

lodger /ˈlɒdʒəʳ/ s pensionante m/f

lodging /ˈlɒdʒɪŋ/ s alloggio m ◊ al pl appartamento m in affitto, camera f in affitto ● board and l. vitto e alloggio

loft /lɒft/ s soffitta f, attico m ◊ (sport) loft m

lofty /ˈlɒftɪ/ a alto, elevato ◊ altero

log /lɒg/ s tronco m, ceppo m ◊ (naut) solcometro m ◊ (naut) giornale m di bordo, log m

loggerhead /ˈlɒgəhed/ a zuccone, testa di legno ● to be at loggerheads with sb essere ai ferri corti con qn

logic /ˈlɒdʒɪk/ s logica f

logotype /ˈlɒgəʊtaɪp/ s logo m

lollipop /ˈlɒlɪpɒp/ s lecca-lecca m

Londoner /ˈlʌndənəʳ/ s londinese m/f

lone /ləʊn/ a solitario

loneliness /ˈləʊnlɪnəs/ s solitudine f

lonely /ˈləʊnlɪ/ a solo, solitario ◊ isolato, poco frequentato

long /lɒŋ/ a lungo ● avv a lungo, (per) molto (tempo) ● as l. as per tutto il tempo che, finché, se; al l. last finalmente; l. ago molto tempo fa; no longer non più; l. since da tempo

to long /lɒŋ/ vi desiderare, avere molta voglia di

long-distance /ˌlɒŋˈdɪst(ə)ns/ a che copre una lunga distanza ● l. call telefonata interurbana

long-haired /ˌlɒŋˈheəd/ a dai capelli lunghi

longing /ˈlɒŋɪŋ/ s voglia f

longitude /ˈlɒn(d)ʒɪtjuːd/ s longitudine f

long-life /ˈlɒŋlaɪf/ a di lunga durata

long-lived /ˈlɒŋlɪvd/ a durevole

long-range /ˌlɒŋˈreɪn(d)ʒ/ a a lungo raggio

long-sighted /ˌlɒŋˈsaɪtɪd/ a presbite

long-standing /ˌlɒŋˈstændɪŋ/ a di vecchia data

long-suffering /ˌlɒŋˈsʌf(ə)rɪŋ/ a paziente, tollerante

longways /ˈlɒŋweɪz/ avv per il lungo

long-winded /ˌlɒŋˈwɪndɪd/ a prolisso

loo /luː/ s (fam) gabinetto m

look /lʊk/ s sguardo m, occhiata f ◇ aspetto m ◇ look m, stile m

to look /lʊk/ vt guardare ◆ vi guardare, dare un'occhiata a ◇ parere, sembrare ◇ (di edificio) dare su, essere esposto a ● to l. after curare, curarsi di; to l. (a)round guardarsi intorno, dare un'occhiata; to l. at guardare, osservare; to l. back guardare indietro, ricordare; to l. down on guardare dall'alto in basso; to l. for cercare; to l. forward to non vedere l'ora di, pregustare; to l. in on sb fare una visitina a qn; to l. like assomigliare; to l. into considerare; to l. out stare in guardia, scovare; to l. up alzare lo sguardo, cercare; to l. up to guardare con rispetto

lookout /ˈlʊkaʊt/ s guardia f, vigilanza f ◇ posto m di osservazione

loom /luːm/ s telaio m

loony /ˈluːnɪ/ a/s (fam) pazzo m

loop /luːp/ s cappio m ◇ anello m, occhiello m ◇ ansa f ◇ (inform) ciclo m

loophole /ˈluːphəʊl/ s feritoia f ◇ (fig) scappatoia f

loose /luːs/ a sciolto, slegato ◇ (di

vestito) largo, ampio ◇ sciolto, non confezionato ◇ vago ◆ s libertà f, libero sfogo m ● l. cash/change spiccioli; l. end questione insoluta; to be at a l. end non saper che fare

to loose /luːs/ vt sciogliere, slacciare ◇ liberare

to loosen /ˈluːsn/ vt sciogliere, slacciare, allentare ◇ mitigare ● to l. up rilassarsi

loot /luːt/ s refurtiva f, bottino m

to loot /luːt/ vt saccheggiare

to lop (1) /lɒp/ vt tagliare, potare

to lop (2) /lɒp/ vi pendere, penzolare

lop-sided /ˈlɒpˈsaɪdɪd/ a sbilenco, asimmetrico

lord /lɔːd/ s signore m, capo m, padrone m ◇ lord m ● The L. il Signore

lore /lɔː/ s tradizioni f pl

lorry /ˈlɒrɪ/ s camion m ● l. driver camionista

to lose /luːz/ (pass/pp lost) vt perdere, smarrire ◇ sprecare, sciupare ◇ far perdere, sciupare ◇ (di orologio) rimanere indietro ◆ vi perdere ◇ essere sconfitto ◇ (di orologio) ritardare ● to l. oneself perdersi, smarrirsi

loser /ˈluːzə/ s perdente m/f

loss /lɒs/ s perdita f ◇ danno m, svantaggio m ● to be at a l. essere in perdita, essere perplesso

lost /lɒst/ pass/pp di to lose ◆ a smarrito, perduto ● l. and found (office) (ufficio) oggetti smarriti

lot /lɒt/ s gran quantità f, mucchio m ◇ lotto m, appezzamento m ◇ (comm) lotto m, partita f ◇ sorte f

● *a l. of, lots of* un mucchio di; *the l.* tutto, tutti

lotion /ˈləʊʃ(ə)n/ *s* lozione *f*

lottery /ˈlɒtərɪ/ *s* lotteria *f*

loud /laʊd/ *a* forte, alto ◇ sgargiante, vistoso ◆ *avv* forte, ad alta voce

loud-hailer /ˌlaʊdˈheɪlər/ *s* megafono *m*

loud-speaker /ˌlaʊdˈspiːkər/ *s* altoparlante *m*

lounge /laʊn(d)ʒ/ *s* salone *m*, salotto *m* ◇ sala *f* (d'albergo) ◇ *(aer)* sala *f* d'aspetto

to lounge /laʊn(d)ʒ/ *vi* bighellonare ◇ poltrire

lounger /ˈlaʊn(d)ʒər/ *s* fannullone *m* ◇ poltrona *f*

louse /laʊs/ *s* *(pl* **lice**) pidocchio *m*

lout /laʊt/ *s* villano *m*

lovable /ˈlʌvəbl/ *a* amabile, carino

love /lʌv/ *s* amore *m* ● *l. affair* relazione (amorosa); *to fall in l. with sb* innamorarsi di qn; *to make l.* fare l'amore

to love /lʌv/ *vt* amare, voler bene ◇ provar piacere in (ES: **I l. travelling** mi piace viaggiare)

lovely /ˈlʌvlɪ/ *a* bello, piacevole, attraente

lover /ˈlʌvər/ *s* innamorato *m*, amante *m/f* ◇ appassionato *m*

loving /ˈlʌvɪŋ/ *a* affettuoso, affezionato ◇ d'amore, amoroso

low /ləʊ/ *a* basso ◇ profondo ◇ umile ◇ abietto, volgare ◇ scarso, povero di ◆ *avv* in basso, giù ◇ a voce bassa ● *l. beam headlights* anabbaglianti; *l.-fat* a basso contenuto di grassi; *l. season* bassa stagione

to lower /ˈlo(ʊ)ər/ *vt* abbassare ◇ calare, far scendere ◇ umiliare

lowly /ˈləʊlɪ/ *a* umile, modesto ◆ *avv* umilmente, modestamente

loyal /ˈlɔɪ(ə)l/ *a* leale

lozenge /ˈlɒzɪn(d)ʒ/ *s* losanga *f* ◇ pasticca *f*, pastiglia *f*

lubricant /ˈluːbrɪkənt/ *s* lubrificante *m*

lucid /ˈluːsɪd/ *a* lucido

luck /lʌk/ *s* sorte *f*, destino *m* ◇ fortuna *f* ● *bad l.* sfortuna; *good l.!* buona fortuna!

lucky /ˈlʌkɪ/ *a* fortunato

ludicrous /ˈluːdɪkrəs/ *a* ridicolo

to lug /lʌɡ/ *vt* tirare, trascinare

luggage /ˈlʌɡɪdʒ/ *s* bagaglio *m* ● *left l. office* deposito bagagli

lukewarm /ˈluːkwɔːm/ *a* tiepido

lull /lʌl/ *s* momento *m* di quiete, stasi *f*

to lull /lʌl/ *vt* cullare ◇ calmare

lullaby /ˈlʌləbaɪ/ *s* ninnananna *f*

lumber /ˈlʌmbər/ *s* (*USA*) legname *m* ◇ cianfrusaglie *f pl* ● *l. room* ripostiglio

lumberjack /ˈlʌmbədʒæk/ *s* tagliaenza *m* ◇ (*USA*) commerciante *m/f* in legname

luminous /ˈluːmɪnəs/ *a* luminoso

lump /lʌmp/ *s* grumo *m*, zolletta *f* ◇ gonfiore *m*, protuberanza *f*

to lump /lʌmp/ *vt* ammucchiare, mettere insieme ◆ *vi* raggrumarsi

lunacy /ˈluːnəsɪ/ *s* demenza *f*

lunar /ˈluːnər/ *a* lunare

lunatic /ˈluːnətɪk/ *a/s* pazzo *m*

lunch /lʌn(t)ʃ/ *s* pranzo *m* ● *l. time* ora di pranzo; *to have l.* pranzare

to lunch /lʌn(t)ʃ/ *vi* pranzare

lung /lʌŋ/ s polmone m

to lunge /lʌndʒ/ vi balzare in avanti

lurch /lɜːtʃ/ s **to leave sb in the l.** piantare in asso qn

to lurch /lɜːtʃ/ vi (naut) rollare, beccheggiare ◊ barcollare ◊ sobbalzare

lure /ljʊə/ s esca f, richiamo m

to lure /ljʊə/ vt adescare, allettare

lurid /ˈljʊərɪd/ a fosco, livido ◊ impressionante, sensazionale

to lurk /lɜːk/ vi appostarsi, stare in agguato

luscious /ˈlʌʃəs/ a delizioso, succulento

lush /lʌʃ/ a lussureggiante

lust /lʌst/ s lussuria f ◊ brama f, avidità f

to lust /lʌst/ vi **to l. after, for** bramare, desiderare

lusty /ˈlʌstɪ/ a vigoroso

lute /luːt/ s liuto m

luxuriant /lʌɡˈzjʊərɪənt/ a lussureggiante, rigoglioso

luxurious /lʌɡˈzjʊərɪəs/ a lussuoso

luxury /ˈlʌkʃ(ə)rɪ/ s lusso m

lycée /ˈliːseɪ/ s liceo m

lying (1) /ˈlaɪɪŋ/ a bugiardo

lying (2) /ˈlaɪɪŋ/ a giacente, che giace

lymph /lɪmf/ s linfa f

lynching /ˈlɪn(t)ʃɪŋ/ s linciaggio m

lyric /ˈlɪrɪk/ a lirico ♦ s lirica f ◊ al pl (di canzone) testo m

M

ma /mɑː/ s (fam) mamma f

macabre /məˈkɑːbr/ a macabro

to macerate /ˈmæsəreɪt/ vt macerare

machine /məˈʃiːn/ s macchina f

to machine /məˈʃiːn/ vt fare (a macchina) ◊ stampare

machinegun /məˈʃiːnɡʌn/ s mitragliatrice f

machinery /məˈʃiːnərɪ/ s macchinario m ◊ meccanismo m ◊ (fig) macchina f, organizzazione f

mackerel /ˈmækr(ə)l/ s sgombro m ● **m. sky** cielo a pecorelle

mackintosh /ˈmækɪntɒʃ/ s impermeabile m

mad /mæd/ a folle, matto ◊ furioso, arrabbiato ◊ maniaco, entu-

siasta ● **to be m. about** andar matto per

to mad /mæd/ vi ammattire

madam /ˈmædəm/ s signora f (al vocativo senza nome proprio)

to madden /ˈmædn/ vt far impazzire ♦ vi impazzire

made /meɪd/ pass/pp di **to make** ♦ a fatto, fabbricato ◊ adatto ● **m.-up** truccato, inventato

madhouse /ˈmædhaʊs/ s manicomio m

madness /ˈmædnɪs/ s follia f, pazzia f

magazine /ˌmæɡəˈziːn/ s periodico m, rivista f ◊ (di arma) caricatore m ◊ (mil) magazzino m

maggot /ˈmæɡət/ s verme m, larva f

maggoty /ˈmæɡətɪ/ a bacato

magic /'mædʒɪk/ s magia f ◆ a magico

magician /mə'dʒɪʃ(ə)n/ s mago m

magistrate /'mædʒɪstrɪt/ s magistrato m, giudice m

magnanimous /mæg'nænɪməs/ a magnanimo

magnet /'mægnɪt/ s magnete m

magnetism /'mægnɪtɪz(ə)m/ s magnetismo m

magnificence /mæg'nɪfɪsns/ s grandiosità f, sfarzo m

to magnify /'mægnɪfaɪ/ vt ingrandire ● **magnifying glass** lente d'ingrandimento

magnitude /'mægnɪtjuːd/ s importanza f ◇ (astr) magnitudine f

magpie /'mægpaɪ/ s gazza f

maid /meɪd/ s cameriera f, donna f di servizio

maiden /'meɪdn/ s (lett) fanciulla f ◇ vergine f ◆ a virginale ◇ nubile ◇ primo, inaugurale, da esordiente ● **m. name** cognome da ragazza

maidenhood /'meɪdnhʊd/ s (di ragazza) fanciullezza f, verginità f

mail /meɪl/ s posta f ● by air m. per posta aerea; **m. order** ordinazione per corrispondenza

to mail /meɪl/ vt mandare per posta ◇ imbucare

mailbox /'meɪlbɒks/ s (USA) cassetta f delle lettere

mailman /'meɪlmæn/ (pl **mailmen**) s postino m

to maim /meɪm/ vt mutilare, menomare

main /meɪn/ a principale ◆ s conduttura f principale ◇ al pl (el) rete f d'alimentazione ● in the m. nel complesso; **m. street** (USA) strada principale

mainframe /'meɪnfreɪm/ s (inform) mainframe m

mainland /'meɪnlənd/ a continentale ◆ s terraferma f, continente m

mainly /'meɪnlɪ/ avv principalmente ◇ nel complesso

mainsail /'meɪnseɪl/ s (naut) randa f

mainstream /'meɪn,striːm/ a tradizionale ◆ s corrente f principale

to maintain /meɪn'teɪn/ vt mantenere, conservare ◇ sostentare ◇ curare la manutenzione di, mantenere in efficienza ◇ affermare

maintenance /'meɪntɪnəns/ s mantenimento m ◇ sostentamento m ◇ (dir) alimenti m pl ◇ manutenzione f

maize /meɪz/ s granturco m, mais m

majestic /mə'dʒestɪk/ a maestoso

majesty /'mædʒɪstɪ/ s maestà f ● His/Her M. Sua Maestà

major /'meɪdʒə/ a maggiore, principale ◆ s maggiorenne m/f ◇ (mil) maggiore m

majority /mə'dʒɒrɪtɪ/ s maggioranza f

make /meɪk/ s fattura f, forma f ◇ marca f

to make /meɪk/ (pass/pp **made**) vt fare, creare, costruire, comporre, preparare ◇ far diventare ◇ compiere, commettere ◇ calcolare, assommare a, guadagnare ◇ diventare ● to m. away, off with scappare, darsela a gambe, svignarsela; to m. for dirigersi; to m. of capire; to m. out compilare, decifrare, cavarsela; to m.

st do far bastare qc; *to m. up* riconciliarsi, truccare, truccarsi, inventare, fare, confezionare

makeshift /ˈmeɪkʃɪft/ *a* improvvisato, di fortuna ◆ *s* ripiego *m*

make-up /ˈmeɪkʌp/ *s* trucco *m* ◇ composizione *f*, formazione *f* ◇ disposizione *f*, temperamento *m* ● *m. remover* struccante

making /ˈmeɪkɪŋ/ *s* fattura *f*, confezione *f* ◇ sviluppo *m*, formazione *f* ◇ *al pl* occorrente *m*, qualità *f pl* necessarie ● *in the m.* in via di formazione

maladjusted /ˌmæləˈdʒʌstɪd/ *a* disadattato

malaise /mæˈleɪz/ *s* malessere *m*

male /meɪl/ *a* maschile, maschio ◆ *s* maschio *m* ● *m. chauvinist* maschilista; *m. nurse* infermiere

malediction /ˌmælɪˈdɪkʃ(ə)n/ *s* maledizione *f*

malevolent /məˈlevələnt/ *a* malevolo

malfunction /mælˈfʌŋkʃ(ə)n/ *s* malfunzionamento *m*

malice /ˈmælɪs/ *s* malizia *f* ◇ malevolenza *f*, astio *m* ◇ *(dir)* dolo *m*

malicious /məˈlɪʃəs/ *a* maligno, malizioso ◇ *(dir)* doloso

malign /məˈlaɪn/ *a* maligno

to malign /məˈlaɪn/ *vt* malignare su, diffamare

malignant /məˈlɪgnənt/ *a* maligno

mall /mɔːl/ *s* viale *m* ◇ centro *m* commerciale, area *f* commerciale ● *pedestrian m.* viale pedonale

malleable /ˈmælɪəbl/ *a* malleabile

malleolus /məˈliːə(ʊ)ləs/ *s* malleolo *m*

mallet /ˈmælɪt/ *s* maglio *m*, mazza *f*

mallow /ˈmæləʊ/ *s* malva *f*

malt /mɔːlt/ *s* malto *m*

to maltreat /mælˈtriːt/ *vt* maltrattare

mammal /ˈmæm(ə)l/ *s* mammifero *m*

man /mæn/ *(pl* **men***) s* uomo *m* ◇ domestico *m* ◇ soldato *m* ◇ giocatore *m* ◇ marito *m*, amante *m* ◇ *(gioco della dama)* pedina *f* ● *m.-made* artificiale

to manage /ˈmænɪdʒ/ *vt* amministrare, gestire ◇ saper trattare ◇ maneggiare, manovrare ◆ *vi* riuscire, cavarsela

manageable /ˈmænɪdʒəbl/ *a* maneggevole ◇ trattabile ◇ agevole

management /ˈmænɪdʒmənt/ *s* amministrazione *f*, direzione *f*, gestione *f* ◇ *(v al pl)* i dirigenti *m pl*, la direzione *f*

manager /ˈmænɪdʒə/ *s* direttore *m*, gestore *m*, dirigente *m/f* ◇ impresario *m*, manager *m* ● *general m.* direttore generale

managerial /ˌmænəˈdʒɪərɪəl/ *a* direttivo, manageriale

managing /ˈmænɪdʒɪŋ/ *a* dirigente, direttivo ● *m. director* amministratore delegato

mandarin /ˈmændərɪn/ *s* mandarino *m*

mandatory /ˈmændət(ə)rɪ/ *a* obbligatorio ◆ *s* mandatario *m*

mandible /ˈmændɪbl/ *s* mandibola *f*

mane /meɪn/ *s* criniera *f*

manège /mæˈneɪʒ/ *s* maneggio *m*

maneuver /məˈnuːvəʳ/ → **manoeuvre**

manful /ˈmænf(ʊ)l/ *a* valoroso

to mangle /ˈmæŋgl/ *vt* straziare, mutilare

to manhandle /ˈmæn,hændl/ *vt* manovrare ◊ *(fam)* maltrattare

manhole /ˈmænhəʊl/ *s* botola *f* • *m. cover* tombino

manhood /ˈmænhʊd/ *s* virilità *f*

mania /ˈmeɪnjə/ *s* mania *f*

maniac /ˈmeɪnɪæk/ *a/s* maniaco *m*

manifest /ˈmænɪfest/ *a* manifesto, palese

to manifest /ˈmænɪfest/ *vt* manifestare, mostrare ◆ *vi* manifestarsi, apparire

manifestation /ˌmænɪfesˈteɪʃ(ə)n/ *s* manifestazione *f*

manifold /ˈmænɪfəʊld/ *a* molteplice, vario

to manipulate /məˈnɪpjʊleɪt/ *vt* manipolare

mankind /mænˈkaɪnd/ *s* genere *m* umano

manliness /ˈmænlɪnɪs/ *s* virilità *f*

manly /ˈmænlɪ/ *a* maschio, virile

manner /ˈmænəʳ/ *s* modo *m*, maniera *f* ◊ contegno *m* ◊ *al pl* usanze *f pl* ◊ specie *f*, tipo *m*, sorta *f* • *good/bad manners* belle/cattive maniere

manoeuvre /məˈnuːvəʳ/ *s* *(USA* **maneuver***)* *s* manovra *f*

manor /ˈmænəʳ/ *s* proprietà *f* terriera, feudo *m* • *m.-house* maniero, residenza di campagna

manpower /ˈmæn,paʊəʳ/ *s* manodopera *f*

mansion /ˈmænʃ(ə)n/ *s* palazzo *m*, dimora *f* • *m.-house* castello, residenza di campagna

mantelpiece /ˈmæntl,piːs/ *s* mensola *f* del caminetto

mantle /ˈmæntl/ *s* mantello *m*, manto *m*

manual /ˈmænjʊəl/ *a/s* manuale *m* • *m. dexterity* abilità manuale

manufacture /ˌmænjʊˈfæktʃəʳ/ *s* manifattura *f*, lavorazione *f*, fabbricazione *f*

to manufacture /ˌmænjʊˈfæktʃəʳ/ *vt* fabbricare, confezionare, produrre

manufacturing /ˌmænjʊˈfæktʃərɪŋ/ *a* manifatturiero ◊ industriale ◆ *s* fabbricazione *f*, produzione *f* • *m. date* data di fabbricazione

manure /məˈnjʊəʳ/ *s* concime *m*, letame *m*

manuscript /ˈmænjʊskrɪpt/ *s* manoscritto *m*

many /ˈmenɪ/ *(comp* **more**, *sup* **most***)* *a* molti, numerosi, un gran numero di ◆ *pr* molti ◆ *s* molti *m pl*, molte persone *f pl* • *a great m.* moltissimi; *as m.* altrettanti

map /mæp/ *s* carta *f* geografica, mappa *f*

to map /mæp/ *vt* rilevare una carta, fare una mappa • *to m. out* progettare

maple /ˈmeɪpl/ *s* acero *m*

to mar /mɑːʳ/ *vt* danneggiare, rovinare

marathon /ˈmærəθ(ə)n/ *s* maratona *f*

to maraud /məˈrɔːd/ *vt* rubare, saccheggiare

marble /ˈmɑːbl/ *s* marmo *m* ◊ bilia *f*

March /mɑːtʃ/ s marzo m

march /mɑːtʃ/ s marcia f

to march /mɑːtʃ/ vi marciare

mare /meə/ s cavalla f, giumenta f

margarine /ˌmɑːdʒəˈriːn/ s margarina f

margin /ˈmɑːdʒɪn/ s margine m

to marginalize /ˈmɑːdʒɪnəlaɪz/ vt emarginare

marigold /ˈmærɪɡəʊld/ s calendola f

marina /məˈriːnə/ s porticciolo m turistico, marina f

marine /məˈriːn/ a marino, marittimo ◇ **naval** ♦ s marina f ◇ (mil) **marine** f

mariner /ˈmærɪnə/ s marinaio m

marital /ˈmærɪtl/ a maritale, coniugale

maritime /ˈmærɪtaɪm/ a marittimo

marjoram /ˈmɑːdʒərəm/ s maggiorana f

mark /mɑːk/ s segno m, impronta f ◇ marca f, marchio m ◇ voto m ◇ segno m di interpunzione ◇ macchia f, voglia f ◇ bersaglio m

to mark /mɑːk/ vt segnare, marcare ◇ contraddistinguere ◇ dare un voto a ♦ **to m. down** (prezzo) ribassare; **to m. out** tracciare, delimitare

marker /ˈmɑːkə/ s segnapunti m ◇ segnalibro m ◇ segnale m

market /ˈmɑːkɪt/ s mercato m

marksman /ˈmɑːksmən/ s (pl **marksmen**) s tiratore m scelto

marmalade /ˈmɑːməleɪd/ s marmellata f di agrumi

marmot /ˈmɑːmət/ s marmotta f

maroon /məˈruːn/ a/s marrone m rossiccio

marquee /mɑːˈkiː/ s tendone m

marquis /ˈmɑːkwɪs/ s marchese m

marriage /ˈmærɪdʒ/ s matrimonio m

married /ˈmærɪd/ a sposato ◇ coniugale ♦ **to get m.** sposarsi

marrow /ˈmærəʊ/ s (anat) midollo m ◇ (bot) zucca f ♦ **m. squash** zucchina

marrowbone /ˈmærə(ʊ)bəʊn/ s ossobuco m

to marry /ˈmærɪ/ vt sposare, sposarsi ♦ **to m. again** risposarsi

marsh /mɑːʃ/ s acquitrino m, palude f

marshal /ˈmɑːʃ(ə)l/ s maresciallo m ◇ cerimoniere m ◇ (USA) sceriffo m

marshy /ˈmɑːʃɪ/ a paludoso

martial /ˈmɑːʃ(ə)l/ a marziale ♦ **m. court** corte marziale

martyr /ˈmɑːtə/ s martire m/f

marvel /ˈmɑːv(ə)l/ s meraviglia f

to marvel /ˈmɑːv(ə)l/ vi meravigliarsi, stupirsi

Marxism /ˈmɑːksɪz(ə)m/ s marxismo m

marzipan /ˌmɑːzɪˈpæn/ s marzapane m

masculine /ˈmɑːskjʊlɪn/ a maschile, mascolino

mash /mæʃ/ s poltiglia f, pastone m ◇ purè m

to mash /mæʃ/ vt schiacciare ◇ macerare ♦ **mashed potatoes** purè di patate

masher /ˈmæʃə/ s passaverdure m

mask /mɑːsk/ s maschera f

to mask /mɑːsk/ vt mascherare ◇ nascondere

masochism /ˈmæsəkɪz(ə)m/ s masochismo m

maths

mason /'meɪsn/ s muratore m ◇ massone m

masonry /'meɪs(ə)nrɪ/ s muratura m ◇ massoneria f

masquerade /ˌmæskə'reɪd/ s finzione f ◇ festa f in maschera, ballo m in maschera

mass (1) /mæs/ s massa f, quantità f ◆ folla f, moltitudine f ◇ ammasso m ◇ (fis) massa f ◆ a di massa ● m. media mezzi di comunicazione di massa, mass media

mass (2) /mæs/ s (relig) messa f ● to attend m. andare a messa; m. book messale

to mass /mæs/ vt/i ammassare, ammassarsi

massacre /'mæsəkə/ s massacro m

massage /'mæsɑːʒ/ s massaggio m

to massage /'mæsɑːʒ/ vt massaggiare

masseur /mæ'sɜː/ s massaggiatore m

massif /'mæsiːf/ s (geogr) massiccio m

massive /'mæsɪv/ a massiccio, imponente ◇ (fig) massivo, potente

mast /mɑːst/ s (naut) albero m

master /'mɑːstə/ s padrone m, datore m di lavoro ◇ maestro m ◇ insegnante m, professore m ◇ capo m, direttore m ◇ originale m (da riprodurre) ◆ a padrone ◇ principale ◇ generale ● m.'s (degree) master (titolo accademico)

to master /'mɑːstə/ vt perfezionare, conoscere a fondo ◇ dominare, vincere ◇ (inform) masterizzare

masterly /'mɑːstəlɪ/ a magistrale

mastermind /'mɑːstəmaɪnd/ s cervello m, mente f direttiva

masterpiece /'mɑːstəpiːs/ s capolavoro m

mastery /'mɑːst(ə)rɪ/ s dominio m, padronanza f ◇ perizia f, abilità f

mastic /'mæstɪk/ s mastice m

to masticate /'mæstɪkeɪt/ vt masticare

mat (1) /mæt/ s stuoia f, zerbino m ◇ sottopiatto m ◇ groviglio m

mat (2) /mæt/ a opaco

match (1) /mætʃ/ s incontro m, partita f ◇ compagno m, (l')uguale f ◇ matrimonio m, partito m ◇ coppia f

match (2) /mætʃ/ s fiammifero m

to match /mætʃ/ vt pareggiare, uguagliare ◇ armonizzare, accompagnare ◇ confrontare ◇ accoppiare, unire in matrimonio ◆ vi armonizzare, accordarsi, essere compatibile ◇ competere, confrontarsi ◇ combaciare

matching /'mætʃɪŋ/ a intonato ◇ equivalente

mate /meɪt/ s compagno m, amico m ◇ coniuge m/f ◇ aiutante m/f ◇ (naut) ufficiale m in seconda

to mate /meɪt/ vt/i accoppiare, accoppiarsi

material /mə'tɪərɪəl/ a materiale ◆ s materiale m, sostanza f ◇ stoffa f ◇ al pl occorrente m, accessori m pl

maternal /mə'tɜːnl/ a materno

maternity /mə'tɜːnɪtɪ/ s maternità f ● m. leave congedo per maternità

maths /mæθs/ (USA **math**) s pl (v al sing) (fam) matematica f

matriarchy /ˈmeɪtrɪɑ(:)kɪ/ *s* matriarcato *m*

to matriculate /məˈtrɪkjʊleɪt/ *vi* iscriversi all'università

matriculation /məˌtrɪkjʊˈleɪʃ(ə)n/ *s* immatricolazione *f*, iscrizione *f* (all'università)

matrimonial /ˌmætrɪˈməʊnjəl/ *a* matrimoniale

matrimony /ˈmætrɪm(ə)nɪ/ *s* matrimonio *m*

matrix /ˈmeɪtrɪks/ *s* matrice *f*

matron /ˈmeɪtr(ə)n/ *s* matrona *f* ◇ capo infermiera *f*

matted /ˈmætɪd/ *a* ingarbugliato

matter /ˈmætə/ *s* affare *m*, argomento *m*, faccenda *f* ◇ importanza *f* ◇ materia *f*, sostanza *f*, contenuto *m* • *as a m*. di fatto in verità; *no m*. non importa; *what is the m.?* cosa c'è?

to matter /ˈmætə/ *vi* interessare ◇ avere importanza

matter-of-fact /ˌmæt(ə)rəvˈfækt/ *a* prosaico, realistico

mattock /ˈmætək/ *s* zappa *f*

mattress /ˈmætrɪs/ *s* materasso *m*

maturation /ˌmætjʊəˈreɪʃ(ə)n/ *s* maturazione *f*

mature /məˈtjʊə/ *a* maturo

to mature /məˈtjʊə/ *vt* far maturare, far stagionare ◇ completare ◆ *vi* maturare ◇ completarsi ◇ *(fin)* maturare, scadere

maturity /məˈtjʊərɪtɪ/ *s* maturità *f*

to maul /mɔːl/ *vt* sbranare

mauve /məʊv/ *a/s* (color) malva *m*

maxim /ˈmæksɪm/ *s* massima *f*

maximum /ˈmæksɪməm/ *a/s* massimo *m* • *to a, to the m.* al massimo

may /meɪ/ *(congiuntivo pass e con-*

dizionale **might**) *v (permesso)* potere, essere permesso, essere lecito (ES: **m. I speak?** posso parlare?) ◇ *(possibilità, probabilità)* potere, essere possibile, essere probabile (ES: **it m. be true** può essere vero; **it might be very important** potrebbe essere molto importante) ◇ *(augurio, speranza, richiesta, rimprovero, ecc)* potere (ES: **m. you live in peace!** che tu possa vivere in pace!)

May /meɪ/ *s* maggio *m* • *M. Day* il primo maggio

maybe /ˈmeɪbiː/ *avv* forse, probabilmente, può darsi che

mayhem /ˈmeɪhem/ *s* confusione *f*

mayonnaise /ˌmeɪəˈneɪz/ *s* maionese *f*

mayor /meə/ *s* sindaco *m*

maze /meɪz/ *s* dedalo *m*, labirinto *m* • *to be in a m.* essere confuso

me /miː, mɪ/ *pr.pers (compl)* me, mi • *it's me* sono io

meadow /ˈmedəʊ/ *s* prato *m*

meagre /ˈmiːgə/ *(USA* **meager**) *a* magro, smunto

meal (1) /miːl/ *s (cuc)* farina *f*

meal (2) /miːl/ *s* pasto *m* • *m. ticket* buono pasto

mean (1) /miːn/ *a* gretto, meschino, avaro ◇ sgarbato ◇ miserabile, mediocre, spregevole

mean (2) /miːn/ *a* medio, intermedio ◆ *s* mezzo *m*, media *f* ◇ mezzo *m*, strumento *m*, maniera *f* ◇ *al pl* mezzi *m pl* economici, risorse *f pl* • *by all means* con ogni mezzo; *by means of* per mezzo di

to mean /miːn/ *(pass/pp* **meant**) *vt*

significare, intendere ◇ comportare, implicare ◇ proporsi di, avere intenzione di ◇ destinare, assegnare ◆ *vi* voler dire, pensare ◇ avere intenzione

meander /mɪˈændə^r/ *s* meandro *m*

meaning /ˈmiːnɪŋ/ *s* significato *m*, senso *m* ◇ pensiero *m* ◇ proposito *m*

meaningful /ˈmiːnɪŋfʊl/ *a* significativo

meantime /ˈmiːnˌtaɪm/ *avv* intanto, nel frattempo ● *in the m.* nel frattempo

meanwhile /ˌmiːnˈwaɪl/ *avv* intanto, nel frattempo

measles /ˈmiːzlz/ *s pl* (*v al sing*) morbillo *m*

measure /ˈmeʒə^r/ *s* misura *f*, dimensione *f* ◇ provvedimento *m*

to measure /ˈmeʒə^r/ *vt/i* misurare ● *to m. out* dosare

measurement /ˈmeʒəmənt/ *s* misurazione *f* ◇ misura *f*, dimensione *f*

meat /miːt/ *s* carne *f*

mechanic /mɪˈkænɪk/ *s* meccanico *m*

mechanics /mɪˈkænɪks/ *s pl* (*v al sing*) meccanica *f*

mechanism /ˈmekənɪz(ə)m/ *s* meccanismo *m*

medal /ˈmedl/ *s* medaglia *f*

medallion /mɪˈdæljən/ *s* medaglione *m*

to meddle /ˈmedl/ *vi* immischiarsi, interferire

media /ˈmiːdjə/ *s pl* mezzi *m pl* di comunicazione di massa, media *m pl*

median /ˈmiːdjən/ *a* medio, mediano ● *m. strip* (*USA*) spartitraffico

to mediate /ˈmiːdɪeɪt/ *vt/i* mediare

mediator /ˈmiːdɪeɪtə^r/ *s* mediatore *m*

medical /ˈmedɪk(ə)l/ *a* medico, sanitario ◆ *s* visita *f* medica

medicament /meˈdɪkəmənt/ *s* medicinale *m*, farmaco *m*

to medicate /ˈmedɪkeɪt/ *vt* medicare

medicinal /meˈdɪsɪnl/ *a* medicinale

medicine /ˈmedɪs(ɪ)n/ *s* medicina *f* ● *to take one's m.* inghiottire la pillola

medieval /ˌmedɪˈiːv(ə)l/ *a* medievale

mediocre /ˌmiːdɪˈəʊkə^r/ *a* mediocre

mediocrity /ˌmiːdɪˈɒkrɪtɪ/ *s* mediocrità *f*

to meditate /ˈmedɪteɪt/ *vt/i* meditare

meditation /ˌmedɪˈteɪʃ(ə)n/ *s* meditazione *f*

Mediterranean /ˌmedɪtəˈreɪnjən/ *a* mediterraneo

medium /ˈmiːdjəm/ *a* medio ◆ *s* mezzo *m*, strumento *m* ◇ ambiente *m*, elemento *m* ◇ via *f* di mezzo

medlar /ˈmedlə^r/ *s* nespola *f*

medley /ˈmedlɪ/ *s* mescolanza *f*, misto *m*

medusa /mɪˈdjuːzə/ *s* medusa *f*

meek /miːk/ *a* docile, mite, mansueto

to meet /miːt/ (*pass/pp met*) *vt* incontrare, andare incontro, incrociare ◇ conoscere, fare la conoscenza di ◇ soddisfare, corrispondere, far fronte ◆ *vi* incontrarsi, riunirsi ◇ conoscersi, far conoscenza ● **to m. sb halfway** trovare un compromesso con qn; **to m. with** incontrare; **nice to m. you** piacere di conoscerti

meeting /ˈmiːtɪŋ/ s riunione f, convegno m, meeting m ◇ incontro m

megaphone /ˈmegəfəʊn/ s megafono m

melancholy /ˈmelənkəli/ s malinconia f ● a malinconico

mellow /ˈmeləʊ/ a maturo, succoso ◇ fertile, ricco ◇ comprensivo, pacato ◇ pastoso, (di luce, suono, ecc) caldo

melody /ˈmelədi/ s melodia f

melon /ˈmelən/ s melone m

to melt /melt/ vt/i fondere, liquefare, sciogliere

melting /ˈmeltɪŋ/ a fondente ◇ struggente ♦ s fusione f ● **m. pot** crogiolo

member /ˈmembə/ s membro m, socio m ◇ elemento m

membership /ˈmembəʃɪp/ s l'insieme m dei soci ◇ condizione f di socio

membrane /ˈmembreɪn/ s membrana f

memo /ˈmeməʊ/ → **memorandum**

memorable /ˈmemərəbl/ a memorabile

memorandum /ˌmeməˈrændəm/ s promemoria m, appunto m, comunicazione f di servizio

memorial /mɪˈmɔːrɪəl/ a commemorativo ♦ s monumento m commemorativo ◇ **al** pl memoriale m ● **m. tablet** lapide

memory /ˈmemərɪ/ s memoria f

men /men/ pl di **man**

menace /ˈmenəs/ s minaccia f

to menace /ˈmenəs/ vt minacciare

to mend /mend/ vt aggiustare, rammendare, rattoppare ♦ vi correggersi, aggiustarsi

mendable /ˈmendəbl/ a aggiustabile, riparabile

mending /ˈmendɪŋ/ s riparazione f, rammendo m

menial /ˈmiːnjəl/ a servile, umile

meniscus /mɪˈnɪskəs/ s menisco m

menopause /ˈmenə(ʊ)pɔːz/ s menopausa f

menses /ˈmensiːz/ s pl mestruazioni f pl

mental /ˈmentl/ a mentale ● **m. hospital** ospedale psichiatrico

mentality /menˈtælɪti/ s mente f, mentalità f

menthol /ˈmenθɒl/ s mentolo m

mention /ˈmenʃ(ə)n/ s menzione f, citazione f

to mention /ˈmenʃ(ə)n/ vt nominare, menzionare, citare ● **don't m. it!** non c'è di che!

menu /ˈmenjuː/ s menu m

mercantile /ˈmɜːk(ə)ntaɪl/ a mercantile

mercenary /ˈmɜːsɪn(ə)rɪ/ a/s mercenario m

merchandise /ˈmɜːtʃ(ə)ndaɪz/ s merce f

merchant /ˈmɜːtʃ(ə)nt/ s mercante m, commerciante m/f ♦ a mercantile

merciful /ˈmɜːsɪf(ʊ)l/ a misericordioso, clemente, pietoso

merciless /ˈmɜːsɪlɪs/ a spietato, crudele

mercury /ˈmɜːkjʊrɪ/ s mercurio m

mercy /ˈmɜːsɪ/ s misericordia f, pietà f

mere /mɪər/ a mero, puro, semplice

merely /ˈmɪəlɪ/ avv semplicemente, soltanto, appena

to merge /mɜːdʒ/ vt fondere, incorporare ◆ vi fondersi, incorporarsi, essere assorbito

merger /ˈmɜːdʒər/ s fusione f

meridian /məˈrɪdɪən/ s meridiano m

meringue /məˈræŋ/ s meringa f

merit /ˈmerɪt/ s merito m, pregio m

to merit /ˈmerɪt/ vt meritare

mermaid /ˈmɜːmeɪd/ s sirena f

merry /ˈmerɪ/ a allegro, gioioso ● *m.*-go-round giostra; *m. Christmas!* buon Natale!

mesh /meʃ/ s (di rete) maglia f ◇ (mecc) presa f

mess /mes/ s confusione f, scompiglio m ◇ pasticcio m ◇ (mil) mensa f, rancio m ● *to make a m.* *of* st rovinare qc; *to get oneself in a m.* mettersi nei guai

to mess /mes/ vi mangiare in mensa ◇ (fam) perdere tempo ● *to m. about* far baccano; *to m. around* bighellonare; *to m. up* mettere in disordine, mandare a monte

message /ˈmesɪdʒ/ s messaggio m

messenger /ˈmesɪndʒər/ s messaggero m

messy /ˈmesɪ/ a disordinato, caotico

metal /ˈmetl/ s metallo m

metamorphosis /ˌmetəˈmɔːfəsɪs/ s metamorfosi f

metaphor /ˈmetəfər/ s metafora f

meteor /ˈmiːtɪər/ s meteora f

meteorology /ˌmiːtɪəˈrɒlədʒɪ/ s meteorologia f

meter /ˈmiːtər/ s misuratore m, contatore m ◇ (fam) tassametro m ◇ (USA) → **metre**

methane /ˈmeθeɪn/ s metano m

method /ˈmeθəd/ s metodo m

meths /meθs/ s (abbr di **methylated spirits**) alcol m denaturato

meticulous /mɪˈtɪkjʊləs/ a meticoloso

metre /ˈmiːtər/ (USA **meter**) s metro m ● *cubic m.* metro cubo; *square m.* metro quadrato

metric(al) /ˈmetrɪk(əl)/ a metrico

metropolitan /ˌmetrəˈpɒlɪt(ə)n/ a metropolitano ◆ s abitante m/f di una metropoli ◇ (relig) metropolita m

mettle /ˈmetl/ s coraggio m ◇ carattere m, temperamento m

to mew /mjuː/ vi miagolare

Mexican /ˈmeksɪkən/ a/s messicano m

mezzanine /ˈmezəniːn/ s mezzanino m, ammezzato m

to miaow /miːˈaʊ/ vi miagolare

microbe /ˈmaɪkrəʊb/ s microbo m

microfibre /ˈmaɪkrəʊˌfɪbər/ s microfibra f

microphone /ˈmaɪkrəfəʊn/ s microfono m

microscope /ˈmaɪkrəskəʊp/ s microscopio m

microwave /ˈmaɪkrə(ʊ)weɪv/ s croonda f ● *m. oven* forno a microonde

mid /mɪd/ a medio, di mezzo ● *in m. winter* nel cuore dell'inverno

midday /ˈmɪddeɪ/ s mezzogiorno m

middle /ˈmɪdl/ a medio, di mezzo

◆ s mezzo m, centro m ● m. age mezza età; M. Ages medioevo; m. class borghesia, ceto medio; m. name secondo nome; m. school scuola media inferiore

middling /ˈmɪdlɪŋ/ a medio ◇ mediocre

midge /mɪdʒ/ s moscerino m

midget /ˈmɪdʒɪt/ a minuscolo ◆ s nano m

midnight /ˈmɪdnaɪt/ s mezzanotte f

midriff /ˈmɪdrɪf/ s (anat) diaframma m

midst /mɪdst/ s (lett) mezzo m, centro m

midsummer /ˌmɪdˈsʌmər/ s mezza estate f

midway /ˌmɪdˈweɪ/ a/avv a metà strada

midwife /ˈmɪdwaɪf/ (pl midwives) s levatrice f, ostetrica f

might /maɪt/ s potenza f, forza f

mighty /ˈmaɪti/ a poderoso, forte ◆ avv estremamente

migraine /ˈmiːɡreɪn/ s emicrania f

to migrate /maɪˈɡreɪt/ vi migrare, emigrare

migratory /ˈmaɪɡrət(ə)ri/ a migratorio, migratore

mike /maɪk/ s (fam) microfono m

mild /maɪld/ a mite, dolce ◇ leggero

mildew /ˈmɪldjuː/ s muffa f

mile /maɪl/ s miglio m

mileometer /maɪˈlɒmɪtər/ s contamiglia m

milestone /ˈmaɪlˌstəʊn/ s pietra f miliare

militant /ˈmɪlɪtənt/ a/s militante m/f

military /ˈmɪlɪt(ə)ri/ s militare m

to militate /ˈmɪlɪteɪt/ vi militare ● to m. against st opporsi a qc

milk /mɪlk/ s latte m

mill /mɪl/ s mulino m ◇ fabbrica f, opificio m ◇ macinino m ◇ (mecc) fresa f

to mill /mɪl/ vt macinare, frantumare ◇ (mecc) fresare

millenary /mɪˈlenəri/ a millenario ◆ s millennio m

millennium /mɪˈlenɪəm/ s millennio m

millesimal /mɪˈlesɪm(ə)l/ a/s millesimo m

millet /ˈmɪlɪt/ s (bot) miglio m

milliard /ˈmɪljɑːd/ s miliardo m

millimetre /ˈmɪlɪˌmiːtər/ s millimetro m

million /ˈmɪljən/ s milione m

millionaire /ˌmɪljəˈneər/ a/s milionario m

millstone /ˈmɪlˌstəʊn/ s macina f

mime /maɪm/ s mimo m

mimetic /mɪˈmetɪk/ a mimetico

to mimic /ˈmɪmɪk/ vt mimare ◇ imitare, simulare

minaret /ˌmɪnəˈret/ s minareto m

mince /mɪns/ s carne f tritata

to mince /mɪns/ vt tritare, sminuzzare ◆ vi parlare con affettazione ◇ camminare a passettini

mincer /ˈmɪnsər/ s tritacarne m

mind /maɪnd/ s mente f, intelligenza f ◇ pensiero m ◇ opinione f, parere m ◇ spirito m, animo m ◇ memoria f ● to have in m. avere in mente; to lose one's m. perdere la testa; to make up one's m. decidersi; to my m. secondo me

to mind /maɪnd/ vt badare a, occuparsi di ◇ fare attenzione a ◇

dispiacere, rincrescere ● *if you don't m.* se non le spiace; *m. the step!* attenzione al gradino!

minder /'maɪndə/ *s (fam)* guardia *f* del corpo ● *child-m.* bambinaia

mindful /'maɪn(d)f(ʊ)l/ *a* attento, memore

mindless /'maɪndlɪs/ *a* noioso, tedioso ◇ irragionevole ◇ noncurante

mine (1) /maɪn/ *pr.poss* il mio, la mia, i miei, le mie

mine (2) /maɪn/ *s* miniera *f* ◇ mina *f*

to mine /maɪn/ *vt* estrarre, scavare ◇ minare

minefield /'maɪn.fiːld/ *s* campo *m* minato

miner /'maɪnə/ *s* minatore *m*

mineral /'mɪn(ə)r(ə)l/ *a/s* minerale *m*

to mingle /'mɪŋgl/ *vt/i* mescolare, mescolarsi

miniature /'mɪnɪtʃə/ *s* miniatura *f* ● *a* in miniatura, in scala ridotta

to minimize /'mɪnɪmaɪz/ *vt* minimizzare

minimum /'mɪnɪməm/ *a/s* minimo *m*

miniskirt /'mɪnɪˌskɜːt/ *s* minigonna *f*

minister /'mɪnɪstə/ *s* ministro *m*

to minister /'mɪnɪstə/ *vi* portare aiuto, provvedere ◇ officiare

ministerial /ˌmɪnɪs'tɪərɪəl/ *a* ministeriale

ministry /'mɪnɪstrɪ/ *s* ministero *m*

minivan /'mɪnɪvæn/ *s (aut)* monovolume *f*

mink /mɪŋk/ *s* visone *m*

minor /'maɪnə/ *a* minore, meno importante ● *s* minorenne *m/f*

minority /maɪ'nɒrɪtɪ/ *s* minoranza *f* ◇ (*dir*) minorità *f*

minstrel /'mɪnstr(ə)l/ *s* menestrello *m*

mint (1) /mɪnt/ *s (bot)* menta *f*

mint (2) /mɪnt/ *s* zecca *f*

to mint /mɪnt/ *vt* coniare

minus /'maɪnəs/ *a* meno ◇ negativo ● *s* meno *m* ● *prep* meno

minute /'mɪnɪt/ *a* minuto, minuscolo ◇ minuzioso ● *s* minuto *m* ◇ minuta *f*, appunto *m* ◇ *al pl* verbale *m*

to minute /'mɪnɪt/ *vt* verbalizzare ◇ cronometrare

miracle /'mɪrəkl/ *s* miracolo *m*

mirage /'mɪrɑːʒ/ *s* miraggio *m*

mire /maɪə/ *s* melma *f*

mirror /'mɪrə/ *s* specchio *m*

to mirror /'mɪrə/ *vt* rispecchiare

mirth /mɜːθ/ *s* allegria *f*, gioia *f*

miry /'maɪərɪ/ *a* melmoso

misadventure /ˌmɪsəd'ventʃə/ *s* disavventura *f*, incidente *m*

misanthrope /'mɪz(ə)nθrəʊp/ *s* misantropo *m*

to misapply /ˌmɪsə'plaɪ/ *vt* usare erroneamente

misapprehension /ˌmɪsæprɪ'henʃ(ə)n/ *s* malinteso *m*, equivoco *m*

to misappropriate /ˌmɪsə'prəʊprɪeɪt/ *vt* appropriarsi indebitamente di

misbecoming /ˌmɪsbɪ'kʌmɪŋ/ *a* inadatto, sconveniente

to misbehave /ˌmɪsbɪ'heɪv/ *vi* comportarsi male

misbeliever /ˌmɪsbɪ'liːvə/ *s* miscredente *m/f*

miscarriage /ˌmɪskærɪdʒ/ *s* aborto *m* ◇ fallimento *m* ◇ (*di corrispondenza*) disguido *m*, smarrimento *m*

to miscarry /mɪsˈkærɪ/ *vi* abortire ◇ fallire ◇ (*di corrispondenza*) smarrirsi

miscellany /mɪˈselənɪ/ *s* miscellanea *f*

mischance /mɪsˈtʃɑːns/ *s* disgrazia *f*, sfortuna *f*

mischief /ˈmɪstʃɪf/ *s* danno *m* ◇ malizia *f* ◇ birichinata *f*

misconception /ˌmɪskənˈsepʃ(ə)n/ *s* idea *f* sbagliata

misconduct /mɪsˈkɒndʌkt/ *s* cattiva condotta *f* ◇ cattiva amministrazione *f*

misdeed /ˌmɪsˈdiːd/ *s* misfatto *m*

miser /ˈmaɪzə*r*/ *s* tirchio *m*

miserable /ˈmɪz(ə)rəb(ə)bl/ *a* infelice, avvilito ◇ deprimente, spiacevole ◇ miserabile, misero ● *to feel m.* sentirsi depresso

misery /ˈmɪzərɪ/ *s* sofferenza *f*, infelicità *f* ◇ miseria *f*

to misfire /ˌmɪsˈfaɪə*r*/ *s* (*di arma*) far cilecca ◇ (*aut*) perdere colpi ◇ (*fam*) fallire

misfit /ˈmɪsfɪt/ *s* disadattato *m*

misfortune /mɪsˈfɔːtʃən/ *s* sfortuna *f*, disgrazia *f*

misgiving /mɪsˈɡɪvɪŋ/ *s* timore *m*, apprensione *f*

misguided /ˌmɪsˈɡaɪdɪd/ *a* malaccorto ◇ fuorviato, sviato

to mishandle /ˌmɪsˈhænd/ *vt* maltrattare

mishap /ˈmɪshæp/ *s* contrattempo *m*, disavventura *f*

to misinterpret /ˌmɪsɪnˈtɜːprɪt/ *vt* interpretare male, travisare

to misjudge /ˌmɪsˈdʒʌdʒ/ *vt* giudicare male

to mislay /mɪsˈleɪ/ (*pass/pp mislaid*) *vt* smarrire (momentaneamente)

to mislead /mɪsˈliːd/ (*pass/pp misled*) *vt* fuorviare, trarre in inganno ◇ traviare

misleading /mɪsˈliːdɪŋ/ *a* ingannevole

to mismanage /ˌmɪsˈmænɪdʒ/ *vt* amministrare male

misnomer /ˌmɪsˈnəʊmə*r*/ *s* nome *m* sbagliato ◇ definizione *f* non appropriata

to misplace /ˌmɪsˈpleɪs/ *vt* collocare fuori posto

misprint /ˈmɪsˌprɪnt/ *s* errore *m* di stampa, refuso *m*

miss /mɪs/ *s* signorina *f* (*davanti al nome*)

to miss /mɪs/ *vt* fallire, sbagliare, non colpire ◇ lasciarsi sfuggire, mancare a, far tardi a ◇ tralasciare ◇ sentire la mancanza, notare l'assenza ◆ *vi* fallire, sbagliare il colpo ◇ mancare ● *to m. the train* perdere il treno

missal /ˈmɪs(ə)l/ *s* messale *m*

misshapen /ˌmɪsˈʃeɪp(ə)n/ *a* deforme, sformato

missile /ˈmɪsaɪl/ *s* missile *m*

missing /ˈmɪsɪŋ/ *a* smarrito, mancante ◇ disperso, scomparso ● *m. link* anello mancante

mission /ˈmɪʃ(ə)n/ *s* missione *f*

missionary /ˈmɪʃənərɪ/ *s* missionario *m*

to misspend /ˌmɪsˈspend/ (*pass/pp misspent*) *vt* dissipare, sprecare

mist /mɪst/ *s* foschia *f* ◇ appannamento *m*

to mist /mɪst/ *vt/i* annebbiare, annebbiarsi

mistake /mɪsˈteɪk/ s errore m, sbaglio m ● to make a m. sbagliare

to mistake /mɪsˈteɪk/ (pass **mistook**, pp **mistaken**) vt fraintendere, equivocare ◇ sbagliare ◇ confondere

mistaken /mɪsˈteɪk(ə)n/ pp di to **mistake** ◆ a in errore ◇ erroneo ● to be m. sbagliarsi

mister /ˈmɪstəʳ/ s signore (davanti a nome proprio abbr in **Mr**)

mistletoe /ˈmɪsltəʊ/ s vischio m

mistress /ˈmɪstrɪs, mɪsɪz/ s padrona f, signora f ◇ insegnante f ◇ mantenuta f

mistrust /ˌmɪsˈtrʌst/ s sfiducia f, diffidenza f

to mistrust /ˌmɪsˈtrʌst/ vt diffidare di

misty /ˈmɪstɪ/ a nebbioso

to misunderstand /ˌmɪsʌndəˈstænd/ (pass/pp **misunderstood**) vt equivocare, fraintendere ◇ non capire

misunderstanding /ˌmɪsʌndəˈstændɪŋ/ s equivoco m, malinteso m ◇ disaccordo m, incomprensione f

to misuse /ˌmɪsˈjuːz/ vt fare cattivo uso di

mite (1) /maɪt/ s obolo m ◇ oggetto m minuscolo ◇ bimbo m

mite (2) /maɪt/ s (zool) acaro m

to mitigate /ˈmɪtɪgeɪt/ vt mitigare

mitt(en) /mɪt(n)/ s muffola f, manopola f (guanto) ◇ al pl (sport) guanti m pl

mix /mɪks/ s mescolanza f

to mix /mɪks/ vt/i mescolare, mescolarsi ● to m. up mescolare, confondere, implicare

mixed /mɪkst/ a misto ● m. up, in,

with implicato, confuso; to get m. up confondersi

mixer /ˈmɪksəʳ/ s frullatore m, mescelatore m ◇ (fam) persona f socievole ◇ bibita f analcolica (per diluirne una alcolica) ◇ (el) mixer m ● cement m. betoniera

mixture /ˈmɪkstʃəʳ/ s mescolanza f, miscela f

mix-up /ˈmɪksʌp/ s (fam) confusione f, errore m

moan /məʊn/ s gemito m, lamento m

moat /məʊt/ s fossato m

mob /mɒb/ s folla f, calca f ◇ massa f, popolo m

mobile /ˈməʊbaɪl/ a mobile ◇ instabile ◇ (telefono) cellulare m, telefonino m ● m. phone telefono cellulare, telefonino m

mobility /mo(ʊ)ˈbɪlɪtɪ/ s mobilità f

moccassin /ˈmɒkəsɪn/ s mocassino m

mock /mɒk/ a finto ◇ scherzoso

to mock /mɒk/ vt deridere, burlarsi di ◇ imitare

mockery /ˈmɒkərɪ/ s scherno m, derisione f ◇ beffa f

modality /mo(ʊ)ˈdælɪtɪ/ s modalità f

mode /məʊd/ s modo m ◇ (inform) modalità f ● temporary m. (inform) modalità provvisoria

model /ˈmɒdl/ a modello, esemplare ◇ in scala ridotta ◆ s modello m ◇ modella f, modello m

to model /ˈmɒdl/ vt modellare, plasmare ◆ vi fare la modella/il modello

moderate /ˈmɒd(ə)rɪt/ a moderato, modico, discreto

to moderate /ˈmɒdəreɪt/ *vt/i* moderare, moderarsi

moderation /ˌmɒdəˈreɪʃ(ə)n/ *s* moderazione *f*

modern /ˈmɒdən/ *a* moderno

to modernize /ˈmɒdənaɪz/ *vt* modernizzare

modesty /ˈmɒdəstɪ/ *s* modestia *f*

modicum /ˈmɒdɪkəm/ *s* piccola quantità *f*, briciola *f*

modification /ˌmɒdɪfɪˈkeɪʃ(ə)n/ *s* modifica *f*, modificazione *f*

to modify /ˈmɒdɪfaɪ/ *vt* modificare

modular /ˈmɒdjʊlə/ *a* componibile, modulare

module /ˈmɒdjʊl/ *s* modulo *m*

Mohammedan /mo(ʊ)ˈhæmɪdən/ *a/s* maomettano *m*

moist /mɔɪst/ *a* umido

to moisten /ˈmɔɪsn/ *vt/i* inumidire, inumidirsi

moisture /ˈmɔɪstʃə/ *s* umidità *f*

to moisturize /ˈmɔɪstʃəraɪz/ *vt* inumidire, (*la pelle*) idratare

molar /ˈməʊlə/ *a/s* molare *m*

mold /məʊld/ (*USA*) → **mould**

mole (1) /məʊl/ *s* neo *m*

mole (2) /məʊl/ *s* (*fig*) talpa *f*

mole (3) /məʊl/ *s* (*naut*) molo *m*

molecule /ˈmɒlɪkjuːl/ *s* molecola *f*

to molest /mo(ʊ)ˈlest/ *vt* molestare

to mollycoddle /ˈmɒlɪˌkɒdl/ *vt* coccolare, viziare

molten /ˈməʊlt(ə)n/ *a* fuso

mom /mɒm/ *s* (*fam*) mamma *f*

moment /ˈməʊmənt/ *s* momento *m* ◇ importanza *f* ● *at the m.* momentaneamente

momentary /ˈməʊmənt(ə)rɪ/ *a* momentaneo

momentous /mo(ʊ)ˈmentəs/ *a* molto importante

monarchy /ˈmɒnəkɪ/ *s* monarchia *f*

monastery /ˈmɒnəst(ə)rɪ/ *s* monastero *m*

monastic /məˈnæstɪk/ *a* monastico

Monday /ˈmʌndɪ/ *s* lunedì *m*

monetary /ˈmʌnɪt(ə)rɪ/ *a* monetario

money /ˈmʌnɪ/ *s* denaro *m*, soldi *m pl* ◇ (*fin*) moneta *f*, valuta *f* ● *m. order* vaglia

to monitor /ˈmɒnɪtə/ *vt* controllare, monitorare

monk /mʌŋk/ *s* monaco *m*

monkey /ˈmʌŋkɪ/ *s* scimmia *f* ● *m. business* imbrogli, scherzi

monograph /ˈmɒnəgrɑːf/ *s* monografia *f*

monologue /ˈmɒnəlɒg/ *s* monologo *m*

monopoly /məˈnɒpəlɪ/ *s* monopolio *m*

monotheism /ˈmɒno(ʊ)θiːˌɪz(ə)m/ *s* monoteismo *m*

monotone /ˈmɒnətəʊn/ *a* monotono ◆ *s* monotonia *f*, tono *m* uniforme

monotony /məˈnɒt(ə)nɪ/ *s* monotonia *f*

monsoon /mɒnˈsuːn/ *s* monsone *m*

monster /ˈmɒnstə/ *s* mostro *m* ◆ *a* colossale

monstrous /ˈmɒnstrəs/ *a* mostruoso

month /mʌnθ/ *s* mese *m*

monthly /ˈmʌnθlɪ/ *a/s* mensile *m* ◆ *avv* mensilmente

monument /ˈmɒnjʊmənt/ *s* monumento *m* (*anche funebre*)

monumental /ˌmɒnjʊˈmentl/ *a* monumentale

motherhood

to moo /muː/ vi muggire

mood /muːd/ s umore m, stato m d'animo

moody /ˈmuːdɪ/ a di malumore ◇ lunatico

moon /muːn/ s luna f

moonlight /ˈmuːnlaɪ/ s chiaro m di luna

moor /mʊər/ s brughiera f

to moor /mʊər/ vt/i ormeggiare, ormeggiarsi

mop /mɒp/ s spazzolone m (per pavimenti) ◇ (fam) zazzera f

to mope /məʊp/ vi essere depresso, essere imbronciato ● to m. about st rimuginare su qc

moped /ˈməʊped/ s motorino m

moral /ˈmɒr(ə)l/ a morale ◇ onesto, virtuoso ◆ s morale f ◆ al pl moralità f

morale /mɒˈrɑːl/ s morale m, stato m d'animo

morality /məˈrælɪt/ s moralità f

to moralize /ˈmɒrəlaɪz/ vt moralizzare

morass /məˈræs/ s acquitrino m, palude f

morbid /ˈmɔːbɪd/ a morboso

more /mɔː/ (comp di much, many) a più, più di, più, in maggior quantità di ◆ avv maggiormente, più, di più ◇ ancora ◆ (forma il comp di agg e avv) più (ES: m. beautiful più bello) ◆ pr/s più m, una quantità f maggiore ● m. or less pressappoco; once m. ancora una volta; no m. non più, mai più

moreover /mɔːˈrəʊvə/ avv inoltre, peraltro

morgue /mɔːg/ s obitorio m

morning /ˈmɔːnɪŋ/ s mattino m ●

Moroccan /məˈrɒkən/ a/s marocchino m

morose /məˈrəʊs/ a imbronciato, cupo

morphology /mɔːˈfɒlədʒɪ/ s morfologia f

morsel /ˈmɔːs(ə)l/ s boccone m

mortal /ˈmɔːtl/ a/s mortale m

mortality /mɔːˈtælɪt/ s mortalità f

mortar /ˈmɔːtə/ s mortaio m

mortgage /ˈmɔːgɪdʒ/ s ipoteca f ● m. loan prestito ipotecario

to mortify /ˈmɔːtɪfaɪ/ vt mortificare

mortuary /ˈmɔːtjʊərɪ/ s obitorio m, camera f mortuaria

mosaic /məˈzeɪɪk/ s mosaico m

Moslem /ˈmɒzlem/ a/s musulmano m

mosque /mɒsk/ s moschea f

mosquito /məsˈkiːtəʊ/ s zanzara f ● m. net zanzariera

moss /mɒs/ s muschio m

most /məʊst/ (sup di much, many) a il più, la più, i più, le più, la maggior parte di ◆ avv (forma il sup di agg e avv) (ES: the m. beautiful woman la donna più bella) ◇ estremamente ◇ di più, maggiormente ◆ pr/s il massimo m, la maggior parte f ● at (the) m. tutt'al più, al massimo

mostly /ˈməʊstlɪ/ avv soprattutto

moth /mɒθ/ s tarma f ◇ farfalla f notturna

mother /ˈmʌðə/ s madre f, mamma f ◆ a materno, madre ● m.-in-law suocera; m.-of-pearl madreperla; m. to-be futura mamma; m. tongue madrelingua

motherhood /ˈmʌðəhʊd/ s maternità f

motherland /'mʌðələnd/ s madre-patria f

motherly /'mʌðəli/ a materno

motif /mo(u)'ti:f/ s motivo m, tema m

motion /'məʊʃ(ə)n/ s movimento m, moto m ◆ gesto m, atto m ◇ mozione f ● m. picture pellicola cinematografica, film

to motion /'məʊʃ(ə)n/ vt fare cenno a

to motivate /'məʊtɪveɪt/ vt motivare

motive /'məʊtɪv/ s motivo m, movente m

motocross /'məʊtəˌkrɒs/ s motocross m

motor /'məʊtər/ s motore m ◆ a a motore, motoristico, automobilistico ◇ motorio ● m. home camper; m. power forza motrice

motorbike /'məʊtəˌbaɪk/ s motocicletta f

motorcycle /'məʊtəˌsaɪkl/ s motocicletta f

motorway /'məʊtəweɪ/ s autostrada f, superstrada f ● toll m. autostrada a pedaggio

to mottle /'mɒtl/ vt screziare, chiazzare

mould (1) /məʊld/ (USA **mold**) s stampo m, forma f

mould (2) /məʊld/ s (bot) muffa f

to mould /məʊld/ (USA **to mold**) vt forgiare, modellare

mouldy /'məʊldi/ a ammuffito

mound /maʊnd/ s tumulo m ◇ cumulo m

mount /maʊnt/ s monte m (davanti al nome)

to mount /maʊnt/ vt salire su,

ascendere a ◇ montare, incastonare ◇ mettere in scena ◇ (zootecnia) montare ◆ vi montare, salire ◇ montare a cavallo ● to m. up aumentare

mountain /'maʊntɪn/ s montagna f ◆ a montuoso ◇ montano, di montagna ● m. climber alpinista; m. pass valico

mountaineer /ˌmaʊntɪ'nɪər/ s alpinista m/f

mountainous /'maʊntɪnəs/ a montagnoso

mountainside /'maʊntɪnˌsaɪd/ s versante m (di montagna)

mountebank /'maʊntɪbæŋk/ s ciarlatano m

mounting /'maʊntɪŋ/ a crescente ◆ s montatura f, montaggio m ◇ allestimento m ◇ salita f, ascensione f

to mourn /mɔːn/ vt lamentare, piangere ◆ vi portare il lutto

mournful /'mɔːnf(ʊ)l/ a funebre, luttuoso

mourning /'mɔːnɪŋ/ s lutto m

mouse /maʊs/ s (pl **mice**) topo m ◇ (pl **mouses**) (inform) mouse m

moustache /məs'tɑːʃ/ s baffi m pl

mouth /maʊθ/ s (anat) bocca f ◇ imboccatura f, apertura f ◇ foce f

mouthful /'maʊθfʊl/ s boccone m

mouthorgan /'maʊθˌɔːgən/ s armonica f a bocca

mouthpiece /'maʊθpiːs/ s bocchino m, imboccatura f ◇ portavoce m/f ◇ boccaglio m

mouthwash /'maʊθwɒʃ/ s collutorio m

movable /'muːvəbl/ a mobile

move /muːv/ s movimento m ◇ mossa f ◇ trasloco m

to move /muːv/ vt muovere, spostare ◇ commuovere ◇ proporre, chiedere ◆ vi muoversi, spostarsi ◇ traslocare ◇ (al gioco) fare una mossa ● to m. about, around spostarsi, muoversi in continuazione; to m. along spostarsi in avanti; to m. away traslocare; to m. in andare ad abitare; to m. out sgombrare; to m. over spostarsi; to m. up fare carriera, aumentare

movement /ˈmuːvmənt/ s movimento m, gesto m

movie /ˈmuːvɪ/ s film m ◇ al pl cinema m ● m. star stella del cinema

moving /ˈmuːvɪŋ/ a commovente ◇ mobile, in movimento ◆ s trasloco m

to mow /məʊ/ (pass mowed, pp mown) vt falciare, mietere

mower /ˈməʊəˈ/ s falciatrice f

much /mʌtʃ/ (comp more, sup most, pl many) a molto ◆ avv molto, assai ◇ più o meno ◆ prÈs molto m, gran parte f ● as m. as tanto quanto; not so m. ... as non tanto ... quanto; so m. (così) tanto

muck /mʌk/ s letame m ◇ (fam) porcheria f

to muck /mʌk/ vt concimare ◇ insozzare ● to m. about, around fare il cretino, perdere tempo; to m. up guastare, rovinare

mud /mʌd/ s fango m, melma f ● m.(-bath) treatment fangoterapia

to mud /mʌd/ vt infangare

muddle /ˈmʌdl/ s confusione f, scompiglio m

muddler /ˈmʌdləˈ/ a/s confusionario m

muddy /ˈmʌdɪ/ a limaccioso, torbido, fangoso

mudguard /ˈmʌdɡɑːd/ s parafango m

to muffle /ˈmʌfl/ vt avvolgere, imbacuccare ◇ attutire, smorzare

muffler /ˈmʌfləˈ/ s sciarpa f ◇ (USA) marmitta f, silenziatore m

mug /mʌɡ/ s boccale m, tazzone m ◇ (pop) muso m, ceffo m ◇ (fam) babbeo m

to mug /mʌɡ/ vt aggredire, rapinare ◇ (fam) sgobbare

mugging /ˈmʌɡɪŋ/ s aggressione f, rapina f

muggy /ˈmʌɡɪ/ a afoso, opprimente, umido

mulberry /ˈmʌlb(ə)rɪ/ s gelso m ◇ mora f (di gelso)

mule /mjuːl/ s mulo m ● m. track mulattiera

to mull /mʌl/ vt non riuscire in ● to m. over st rimuginare qc

mullet /ˈmʌlɪt/ s triglia f ◇ muggine m

multiform /ˈmʌltɪfɔːm/ a multiforme

multimedia /ˌmʌltɪˈmiːdɪə/ a multimediale ◆ s multimedia m

multiple /ˈmʌltɪpl/ a multiplo, molteplice ◆ s multiplo m

multiplex /ˈmʌltɪpleks/ s cinema m multisala

multiplication /ˌmʌltɪplɪˈkeɪʃ(ə)n/ s moltiplicazione f

to **multiply** /'mʌltɪplaɪ/ *vt/i* moltiplicare, moltiplicarsi

multistorey /'mʌltɪstɔːrɪ/ *a* a più piani ◆ *s* autosilo *m*

multitude /'mʌltɪtjuːd/ *s* moltitudine *f*

mum (1) /mʌm/ *a* (*fam*) zitto ● *to keep m.* tacere; *m.'s the word!* zitto e mosca!

mum (2) /mʌm/ *s* (*fam*) mamma *f*

to **mumble** /'mʌmbl/ *vt/i* borbottare

mummy (1) /'mʌmɪ/ *s* mummia *f*

mummy (2) /'mʌmɪ/ *s* (*fam*) mamma *f*

mumps /mʌmps/ *s* parotite *f*, orecchioni *m pl*

to **munch** /mʌn(t)ʃ/ *vt* sgranocchiare

mundane /mʌndeɪn/ *a* mondano ◇ banale

municipality /mjuː(:),nɪsɪ'pælɪtɪ/ *s* municipio *m*

munitions /mjuː(:)'nɪʃ(ə)ns/ *s pl* munizioni *f pl*

mural /'mjʊər(ə)l/ *a* murale *m*, pittura *f* murale

murder /'mɜːdər/ *s* assassinio *m*

to **murder** /'mɜːdər/ *vt* assassinare

murderer /'mɜːdərər/ *s* assassino *m*, omicida *m/f*

murky /'mɜːkɪ/ *a* oscuro, tenebroso

murmur /'mɜːmər/ *s* mormorio *m*, sussurro *m* ◇ (*med*) soffio *m*

to **murmur** /'mɜːmər/ *vt/i* mormorare

muscle /'mʌsl/ *s* muscolo *m* ◇ (*fig*) forza *f*

to **muscle** /'mʌsl/ *vi* penetrare a forza, farsi largo ● *to m. in* intromettersi

muscular /'mʌskjʊlər/ *a* muscolare ◇ muscoloso

muse /mjuːz/ *s* meditazione *f* ◇ musa *f*

to **muse** /mjuːz/ *vt/i* meditare, rimuginare

museum /mjuː(:)'zɪəm/ *s* museo *m*

mushroom /'mʌʃruːm/ *s* fungo *m*

music /'mjuːzɪk/ *s* musica *f*

musical /'mjuːzɪk(ə)l/ *a* musicale ◇ appassionato di musica ◆ *s* musical *m*, commedia *f* musicale

musician /mjuː(:)'zɪf(ə)n/ *s* musicista *m/f* ● *street m.* suonatore ambulante

musk /mʌsk/ *s* (*in profumeria*) muschio *m*

Muslim /'mʊslɪm/ *a/s* musulmano *m*

muslin /'mʌzlɪn/ *s* mussola *f*

mussel /'mʌsl/ *s* cozza *f*, mitilo *m*

Mussulman /'mʌslmən/ *a/s* musulmano *m*

must (1) /mʌst, məst/ *v* (*dovere, obbligo*) dovere (ES: **you m. pay taxes** devi pagare le tasse) ◇ (*probabilità, supposizione*) dovere (ES: **he m. be crazy** deve essere pazzo) ◆ *s* ciò di cui non si può fare a meno, dovere *m*, must *m*

must (2) /mʌst/ *s* mosto *m*

mustard /'mʌstəd/ *s* senape *f*

muster /'mʌstər/ *s* (*mil*) adunata *f* ◇ riunione *f*

to **muster** /'mʌstər/ *vt* (*mil*) radunare, chiamare a raccolta ◆ *vi* radunarsi

musty /'mʌstɪ/ *a* ammuffito, stantio

mute /mjuːt/ *a/s* muto *m*

muted /ˈmjuːtɪd/ *a* (*di suono*) smorzato

mutilation /ˌmjuːtɪˈleɪʃ(ə)n/ *s* mutilazione *f*

mutinous /ˈmjuːtɪnəs/ *a* ammutinato, ribelle, sovversivo

mutiny /ˈmjuːtɪnɪ/ *s* ammutinamento *m*, rivolta *f*

to mutiny /ˈmjuːtɪnɪ/ *vi* ammutinarsi, ribellarsi

mutism /ˈmjuːtɪz(ə)m/ *s* mutismo *m*

to mutter /ˈmʌtə[r]/ *vt/i* borbottare

mutton /ˈmʌtn/ *s* carne *f* di montone

mutual /ˈmjuːtʃʊəl/ *a* mutuo, reciproco

muzzle /ˈmʌzl/ *s* muso *m* ◇ museruola *f* ◇ (*di arma da fuoco*) bocca *f*

to muzzle /ˈmʌzl/ *vt* mettere la museruola a ◇ (*fig*) imbavagliare

my /maɪ/ *a.poss* mio, mia, miei,

mie ◆ *inter* perbacco, accipicchia

myopic /maɪˈɒpɪk/ *a* miope

myself /maɪˈself/ *pr* (*rifl*) mi, me, me stesso, me stessa ◇ (*enf*) io stesso, proprio io

mysterious /mɪsˈtɪərɪəs/ *a* misterioso

mystery /ˈmɪst(ə)rɪ/ *s* mistero *m*

mystical /ˈmɪstɪk(ə)l/ *a* mistico

to mystify /ˈmɪstɪfaɪ/ *vt* mistificare ◇ confondere ◇ rendere misterioso

mystique /mɪsˈtiːk/ *s* mistica *f* ◇ fascino *m*

myth /mɪθ/ *s* mito *m*

to mythicize /ˈmɪθɪsaɪz/ *vt* mitizzare

mythology /mɪˈθɒlədʒɪ/ *s* mitologia *f*

N

nabob /ˈneɪbɒb/ *s* nababbo *m*

nacelle /nəˈsel/ *s* carlinga *f*

to nag /næg/ *vt/i* brontolare, infastidire

nagging /ˈnægɪŋ/ *a* insistente, fastidioso

nail /neɪl/ *s* unghia *f*, (*di animale*) artiglio *m* ◇ chiodo *m*

to nail /neɪl/ *vt* inchiodare ◇ (*fam*) acchiappare

naïve /nɑːˈiːv/ *a* ingenuo, naïf

naked /ˈneɪkɪd/ *a* nudo

name /neɪm/ *s* nome *m* ◆ **full n.** nome e cognome; **n. day** onoma-

stico; **what's your n. ?** come ti chiami?

to name /neɪm/ *vt* chiamare, dare un nome a ◇ designare, nominare ◇ fissare

namely /ˈneɪmlɪ/ *avv* ossia, cioè

namesake /ˈneɪmˌseɪk/ *s* omonimo *m*

nanny /ˈnænɪ/ *s* (*fam*) tata *f*, bambinaia *f*

nap (1) /næp/ *s* pisolino *m*, siesta *f* ◆ **to take a n.** schiacciare un pisolino

nap (2) /næp/ *s* peluria *f*

to nap /næp/ *vi* sonnecchiare

nape /neɪp/ s nuca f

napkin /ˈnæpkɪn/ s tovagliolo m ◇ pannolino m ◆ assorbente m igienico

nappy /ˈnæpɪ/ s pannolino m ● *n. rash* eritema da pannolino

narcissus /nɑːˈsɪsəs/ (pl **narcissi**) s narciso m

to narrate /ˈnæreɪt/ vt narrare

narrative /ˈnærətɪv/ a narrativo ◆ s narrazione f

narrator /ˈnæreɪtə/ s narratore m

narrow /ˈnærəʊ/ a stretto, ristretto, limitato ◆ s stretto m

to narrow /ˈnærəʊ/ vt restringere ◇ limitare ◆ vi stringersi

nasal /ˈneɪz(ə)l/ a nasale

nasty /ˈnɑːstɪ/ a cattivo, sgradevole ◇ brutto, pericoloso ◇ osceno, schifoso ● *n. smell* puzza

natality /neɪˈtælɪtɪ/ s natalità f

nation /ˈneɪʃ(ə)n/ s nazione f

national /ˈnæʃənl/ a nazionale ◆ s cittadino m

to nationalize /ˈnæʃ(ə)nəlaɪz/ vt nazionalizzare

nationwide /ˈneɪʃ(ə)n̩waɪd/ a diffuso in tutta la nazione, di carattere nazionale ◆ avv per tutta la nazione

native /ˈneɪtɪv/ a nativo, natale ◇ innato, naturale ◇ indigeno, originario, locale ◆ s nativo m, indigeno m

nativity /nəˈtɪvɪtɪ/ s natività f

natural /ˈnætʃr(ə)l/ a naturale, secondo natura ◇ normale, ovvio ◇ genuino, schietto, spontaneo ◇ innato, connaturato

to naturalize /ˈnætʃrəlaɪz/ vt naturalizzare ◇ acclimatare

naturally /ˈnætʃrəlɪ/ avv naturalmente

nature /ˈneɪtʃə/ s natura f ◇ carattere m, indole f

naught /nɔːt/ s nulla m

naughtiness /ˈnɔːtɪnɪs/ s cattiveria f

naughty /ˈnɔːtɪ/ a (di bambino) cattivo, disubbidiente ◇ indecente

nausea /ˈnɔːsjə/ s nausea f

to nauseate /ˈnɔːsɪeɪt/ vt nauseare

nautical /ˈnɔːtɪk((ə)l)/ a nautico ● *n. mile* miglio marino

naval /ˈneɪv(ə)l/ a navale, marittimo

navel /ˈneɪv(ə)l/ s ombelico m

navigable /ˈnævɪgəbl/ a navigabile

to navigate /ˈnævɪgeɪt/ vi navigare ◆ vt percorrere navigando, traversare

navigation /ˌnævɪˈgeɪʃ(ə)n/ s navigazione f

navigator /ˈnævɪgeɪtə/ s navigatore m, ufficiale m di rotta ◇ (inform) navigatore m, browser m ◇ (aut) navigatore m

navy /ˈneɪvɪ/ s marina f militare

Nazi /ˈnɑːtsɪ/ a/s nazista m/f

Nazism /ˈnɑːtsɪz(ə)m/ s nazismo m

near /nɪə/ a vicino, prossimo ◇ affine, stretto ◇ avaro, tirchio ● *a sinistra* ◇ quasi ◆ avv vicino, presso ◇ quasi ◆ prep vicino a, presso a ● *n. friend* amico intimo; *n. miss* mancato per poco; *n. sighted* miope

to near /nɪə/ vt/i avvicinare, avvicinarsi

nearby /ˈnɪəbaɪ/ a vicino ◆ avv accanto, nelle vicinanze

nearly /'nɪəlɪ/ *avv* quasi, per poco

nearside /'nɪə‚saɪd/ *a* di sinistra

nearsighted /'nɪəsaɪtɪd/ *a* miope

neat /niːt/ *a* ordinato, pulito, lindo ◇ ben fatto ◇ splendido

nebulous /'nebjʊləs/ *a* nebuloso, vago, indistinto

necessary /'nesɪs(ə)rɪ/ *a* necessario, inevitabile

necessity /nɪ'sesɪtɪ/ *s* necessità *f* ● *of n.* necessariamente

neck /nek/ *s* (*anat*) collo *m* ◇ colletto *m* ◇ istmo *m*

necklace /'neklɪs/ *s* collana *f*

necklet /'neklɪt/ *s* colletto *m*

neckline /'neklaɪn/ *s* scollatura *f*

necktie /'nektaɪ/ *s* (*USA*) cravatta *f*

nectar /'nektə'/ *s* nettare *m*

nectarine /'nektəriːn/ *s* pescanoce *f*

need /niːd/ *s* necessità *f*, bisogno *m*, esigenza *f* ◇ indigenza *f*

to need /niːd/ *vt* (*costruzione pers*) aver bisogno, occorrere (ES: **I don't n. your help** non ho bisogno del tuo aiuto) ◇ essere obbligato, dovere, occorrere (ES: **I n. not go there** non occorre che ci vada)

needle /'niːdl/ *s* ago *m*

to needle /'niːdl/ *vt* cucire ◇ forare (con un ago) ◇ punzecchiare

needlework /'niːdlwɜːk/ *s* cucito *m*, ricamo *m*

needy /'niːdɪ/ *a* bisognoso, povero

negation /nɪ'geɪʃ(ə)n/ *s* negazione *f*

negative /'negətɪv/ *a* negativo ● *s* negazione *f* ◇ qualità *f* negativa ◇ (*fot*) negativo *m* ● *avv* no

to neglect /nɪ'glekt/ *vt* trascuratezza *f*, negligenza *f*

to neglect /nɪ'glekt/ *vt* trascurare

negligence /'neglɪdʒ(ə)ns/ *s* negligenza *f*

negligible /'neglɪdʒəbl/ *a* trascurabile, insignificante

negotiable /nɪ'gəʊʃɪəbl/ *a* negoziabile ◇ (*di assegno*) trasferibile ◇ transitabile

to negotiate /nɪ'gəʊʃɪeɪt/ *vt* negoziare, trattare ◇ (*banca*) trasferire ◇ superare ◆ *vi* negoziare

negotiation /nɪ‚gəʊʃɪ'eɪʃ(ə)n/ *s* negoziato *m*, trattativa *f*

neigh /neɪ/ *s* nitrito *m*

to neigh /neɪ/ *vi* nitrire

neighbour /'neɪbə'/ (*USA* **neighbor**) *s* vicino *m*

to neighbour /'neɪbə'/ (*USA* **to neighbor**) *vt/i* confinare con

neighbourhood /'neɪbəhʊd/ (*USA* **neighborhood**) *s* quartiere *m* ◇ vicinato *m* ◇ dintorni *m pl*, vicinanze *f pl*

neighbourly /'neɪbəlɪ/ (*USA* **neighborly**) *a* cortese, cordiale

neither /'naɪðə'/ *a/pr* né l'uno né l'altro, nessuno dei due ◆ *avv* né ◆ *cong* neppure, nemmeno ● *n. ... nor ...* né ... né ...

neon /'niːən/ *s* neon *m*

nephew /'nevjʊ(ː)/ *s* nipote *m* (*di zii*)

nervation /nɜː(ː)'veɪʃ(ə)n/ *s* (*bot*) nervatura *f*

nerve /nɜːv/ *s* nervo *m* ◇ nerbo *m*, forza *f* ◇ coraggio *m*, sangue *m* freddo ◇ (*fam*) impudenza *f*, faccia *f* tosta ● *to get on sb's nerves* dare sui nervi a qn

nerve-racking /'nɜːv‚rækɪŋ/ *a* esasperante

nervous /ˈnɜːvəs/ *a* agitato, inquieto

nest /nest/ *s* nido *m* ◊ covo *m*, tana *f* ● *n. egg* gruzzolo

to nest /nest/ *vi* nidificare ◊ annidarsi, inserirsi l'uno nell'altro

to nestle /ˈnesl/ *vi* accoccolarsi

net (1) /net/ *a* netto

net (2) /net/ *s* rete *f*

netting /ˈnetɪŋ/ *s* reticolato *m*

nettle /ˈnetl/ *s* ortica *f*

network /ˈnetwɜːk/ *s* rete *f* ◊ (*TV*) network *m* ◊ (*inform*) rete *f*

to network /ˈnetwɜːk/ *vt* (*inform*) mettere in rete, collegare in rete

neuralgia /njʊəˈrældʒə/ *s* nevralgia *f*

neurotic /njʊəˈrɒtɪk/ *a/s* nevrotico *m*

neuter /ˈnjuːtə/ *a* neutro

to neuter /ˈnjuːtə/ *vt* castrare

neutral /ˈnjuːtr(ə)l/ *a* neutrale ◊ neutro ◊ (*aut*) in folle

to neutralize /ˈnjuːtrəlaɪz/ *vt* neutralizzare

never /ˈnevə/ *avv* mai ● *n. again* mai più; *n. ending* incessante, infinito; *n. mind* non importa, pazienza; *you n. know* non si sa mai

nevertheless /ˌnevəð(ə)ˈles/ *cong* tuttavia

new /njuː/ *a* nuovo, novello, recente ◆ *avv* appena, di recente ● *n. year's day* capodanno

newborn /ˈnjuːbɔːn/ *a* appena nato, neonato

newcomer /ˈnjuːkʌmə/ *s* nuovo venuto *m*

newfangled /ˈnjuːˌfæŋgld/ *a* (*spreg*) modernissimo

newly /ˈnjuːlɪ/ *avv* di recente ● *n.-weds* sposi novelli

news /njuːz/ *s pl* (*v al sing*) notizie *f pl*, news *f pl* ◊ notiziario *m*, telegiornale *m*, radiogiornale *m* ● *crime n.* cronaca nera; *n. agency* agenzia di stampa; *society n.* cronaca mondana

newsagent /ˈnjuːzˌeɪdʒ(ə)nt/ *s* giornalaio *m*

newsletter /ˈnjuːzletə/ *s* notiziario *m* ◊ (*inform*) newsletter *f*

newspaper /ˈnjuːsˌpeɪpə/ *s* giornale *m*

newsreader /ˈnjuːzˌriːdə/ *s* (*TV, radio*) commentatore *m*

newsstand /ˈnjuːzstænd/ *s* edicola *f*

next /nekst/ *a* prossimo, vicino, contiguo ◊ prossimo, venturo, futuro, seguente ◆ *avv* dopo, in seguito ● *n.-door* della porta accanto, vicino; *n. to* vicino a, presso

nice /naɪs/ *a* piacevole, bello, simpatico, grazioso ◊ buono

nicely /ˈnaɪslɪ/ *avv* esattamente, bene ◊ piacevolmente

niche /nɪtʃ/ *s* nicchia *f* ● *to find one's n.* trovare il proprio posto (nella vita)

nick /nɪk/ *s* tacca *f*, intaglio *m* ◊ (*pop*) prigione *f* ● *in the n. of time* al momento opportuno

to nick /nɪk/ *vt* intagliare, intaccare ◊ (*pop*) afferrare, cogliere ◊ (*pop*) arrestare ◊ (*pop*) rubare

nickname /ˈnɪkneɪm/ *s* soprannome *m*

nicotine /ˈnɪkətiːn/ *s* nicotina *f*

niece /niːs/ *s* nipote *f* (*di zii*)

nigger /ˈnɪgə/ *s* (*spreg*) negro *m*

to niggle /ˈnɪgl/ vi fare il pignolo, cavillare ◊ molestare

niggling /ˈnɪglɪŋ/ a pignolo, minuzioso ◊ molesto ◊ insignificante

nigh /naɪ/ avv vicino, accanto ♦ prep vicino a

night /naɪt/ s notte f, sera f, serata f ● n. and day giorno e notte; last n. ieri sera; n. porter portiere di notte; n. school scuola serale

nightfall /ˈnaɪtfɔːl/ s crepuscolo m

nightie /ˈnaɪtɪ/ s camicia f da notte

nightingale /ˈnaɪtɪŋgeɪl/ s usignolo m

nightly /ˈnaɪtlɪ/ a notturno, di notte, serale, di ogni sera ♦ avv di notte, ogni notte, ogni sera

nightmare /ˈnaɪtmeər/ s incubo m

nil /nɪl/ s niente m ◊ (sport) zero m ● n. all zero a zero

nimble /ˈnɪmbl/ a agile, lesto

nine /naɪn/ a/s nove m

nineteen /ˌnaɪnˈtiːn/ a/s diciannove m

nineteenth /ˌnaɪnˈtiːnθ/ a/s diciannovesimo m

ninetieth /ˈnaɪntɪɪθ/ a/s novantesimo m

ninety /ˈnaɪntɪ/ a/s novanta m

ninth /naɪnθ/ a nono ♦ s nono m ◊ (mus) nona f

nip /nɪp/ s pizzicotto m, morso m ◊ stretta f ◊ bicchierino m, goccio m

to nip /nɪp/ vt pizzicare, mordere ◊ rovinare, distruggere ♦ vi dare pizzicotti, dare morsi ◊ (di freddo) essere pungente, mordere ◊ (fam) muoversi velocemente ● to n. off filarsela

nipper /ˈnɪpər/ s (fam) ragazzo m ◊ al pl pinze f pl, tenaglie f pl ◊ al pl chela f

nipple /ˈnɪpl/ s capezzolo m

nitrogen /ˈnaɪtrədʒən/ s azoto m

no /nəʊ/ a nessuno, nessuna ♦ s (pl noes) no m, rifiuto m, negazione f ♦ avv no, non

noble /ˈnəʊbl/ a nobile

nobody /ˈnəʊbədɪ/ pr nessuno ♦ s nullità f ● n. else nessun altro

to nod /nɒd/ vi annuire, accennare col capo ◊ ciondolare il capo, sonnecchiare ● to n. off addormentarsi

noise /nɔɪz/ s rumore m, chiasso m, schiamazzo m

to noise /nɔɪz/ vt divulgare

noisy /ˈnɔɪzɪ/ a rumoroso, chiassoso

nomad /ˈnəʊmæd/ a/s nomade m/f

nominal /ˈnɒmɪnl/ a nominale

nomination /ˌnɒmɪˈneɪʃ(ə)n/ s incarico m, nomina f, designazione f

nominee /ˌnɒmɪˈniː/ s persona f incaricata, candidato m

non-addicting /ˌnɒnəˈdɪktɪŋ/ a che non causa assuefazione

non-alcoholic /ˌnɒn,ælkəˈhɒlɪk/ a analcolico

nonchalance /ˈnɒnʃ(ə)ləns/ s noncuranza f

nonconformism /ˌnɒnkənˈfɔːmɪz(ə)m/ s anticonformismo m

nondescript /ˈnɒndɪˌskrɪpt/ a non classificabile

non-drinker /ˌnɒnˈdrɪŋkər/ s astemio m

none /nʌn/ pr nessuno, nessuna, niente ♦ avv non, per niente, niente affatto

nonentity /nɒnˈentɪtɪ/ s inesistenza f ◊ nullità f

nonetheless /ˌnʌnðəˈles/ avv ciò nonostante

non-EU /ˌnɒniːˈjuː/ a extracomunitario

nonplus /ˌnɒnˈplʌs/ s imbarazzo m, perplessità f

to nonplus /ˌnɒnˈplʌs/ vt imbarazzare, sconcertare

nonsense /ˈnɒns(ə)ns/ s nonsenso m, controsenso m, sciocchezza f

non-smoker /ˌnɒnˈsməʊkər/ s non fumatore m

non-stop /ˌnɒnˈstɒp/ a ininterrotto ♦ avv di continuo

non-violence /ˌnɒnˈvaɪələns/ s non-violenza f

nook /nʊk/ s cantuccio m, angolino m

noon /nuːn/ s mezzogiorno m

noose /nuːs/ s cappio m, laccio m

to noose /nuːs/ vt accalappiare

nor /nɔː, nɑʳ/ cong né, neanche ● neither ... n. né ... né

Nordic /ˈnɔːdɪk/ a/s nordico m

norm /nɔːm/ s norma f

normal /ˈnɔːm(ə)l/ a normale

normality /nɔːˈmælɪtɪ/ s normalità f

north /nɔːθ/ a del nord, settentrionale ♦ s nord m, settentrione m ♦ avv a nord, verso nord ● the N. Star la stella polare

northerly /ˈnɔːðəlɪ/ a settentrionale, del nord, dal nord ♦ avv verso nord, dal nord

northern /ˈnɔːð(ə)n/ a settentrionale, nordico

Norwegian /nɔːˈwiːdʒ(ə)n/ a/s norvegese m/f

nose /nəʊz/ s naso m ◊ (fig) odora-

to m, fiuto m ◊ parte f anteriore, muso m

to nose /nəʊz/ vt/i fiutare, annusare ◊ farsi largo, avanzare con cautela ● to n. about, around ficcare il naso; to n. out scovare

nosey /ˈnəʊzɪ/ a nasuto ◊ (fam) ficcanaso

nostalgic /nɒsˈtældʒɪk/ a nostalgico

nostril /ˈnɒstrɪl/ s narice f

not /nɒt/ avv non, no ● I hope n. spero di no; n. at all niente affatto, (in risposta a 'grazie') prego!

notable /ˈnəʊtəbl/ a notevole, importante ♦ s notabile m

notary /ˈnəʊtərɪ/ s notaio m

notation /nə(ʊ)ˈteɪʃ(ə)n/ s notazione f

note /nəʊt/ s nota f, annotazione f, commento m ◊ (mus) nota f ◊ comunicazione f scritta, biglietto m ◊ tono m, ombra f ◊ (fin) titolo m ◊ (comm) bolla f ◊ banconota f

to note /nəʊt/ vt notare, osservare, constatare ◊ prender nota, registrare

notebook /ˈnəʊtbʊk/ s taccuino m ● n. computer computer portatile

noted /ˈnəʊtɪd/ a degno di nota ◊ noto, illustre

nothing /ˈnʌθɪŋ/ pr niente, nulla ♦ s niente m, cosa f da nulla ◊ (mat) zero m

notice /ˈnəʊtɪs/ s avviso m, annuncio m, cartello m ◊ preavviso m, disdetta f ◊ attenzione f, cura f ● n. board tabellone

to notice /ˈnəʊtɪs/ vt notare, osservare ◊ fare attenzione a, occuparsi di

noticeable /ˈnəʊtɪsəbl/ *a* notevole ◇ evidente

to notify /ˈnəʊtɪfaɪ/ *vt* notificare

notion /ˈnəʊʃ(ə)n/ *s* nozione *f*, idea *f*, concetto *m*

notorious /nəʊˈtɔːrɪəs/ *a* famigerato

notwithstanding /ˌnɒtwɪθˈstændɪŋ/ *prep* nonostante ♦ *avv* tuttavia

nought /nɔːt/ *s* zero *m*, nulla *m*

noun /naʊn/ *s* nome *m*, sostantivo *m*

to nourish /ˈnʌrɪʃ/ *vt* nutrire

nourishment /ˈnʌrɪʃmənt/ *s* nutrimento *m*, alimento *m*

novel (1) /ˈnɒv(ə)l/ *s* romanzo *m*

novel (2) /ˈnɒv(ə)l/ *a* nuovo

novelist /ˈnɒvəlɪst/ *s* romanziere *m*

novelty /ˈnɒv(ə)ltɪ/ *s* novità *f*

November /nəʊˈvembər/ *s* novembre *m*

novice /ˈnɒvɪs/ *s* apprendista *m/f* ◇ novizio *m*

now /naʊ/ *avv* adesso, ora ◇ subito, immediatamente ♦ *cong* ora che ● *by n.* ormai; *from n. on* d'ora in poi

nowadays /ˈnaʊədeɪz/ *avv* oggigiorno, al giorno d'oggi

nowhere /ˈnəʊweər/ *avv* da nessuna parte

noxious /ˈnɒkʃəs/ *a* nocivo

nozzle /ˈnɒzl/ *s* becco *m*, beccuccio *m*, ugello *m*

nth /enθ/ *a* (*fam*) ennesimo ● *to the n. degree* in massimo grado

nuance /ˈnjuːɑːns/ *s* sfumatura *f*

nuclear /ˈnjuːklɪər/ *a* nucleare

nucleus /ˈnjuːklɪəs/ (*pl* **nuclei**) *s* nucleo *m*

nude /njuːd/ *a/s* nudo *m*

nudge /nʌdʒ/ *s* gomitata *f*

nudist /ˈnjuːdɪst/ *s* nudista *m/f*

nuisance /ˈnjuːsns/ *s* noia *f*, seccatura *f*, fastidio *m*

null /nʌl/ *a* nullo

numb /nʌm/ *a* intorpidito, intirizzito

number /ˈnʌmbər/ *s* numero *m*

to number /ˈnʌmbər/ *vt* numerare, contare ◇ annoverare ◇ ammontare a

numbering /ˈnʌmb(ə)rɪŋ/ *s.* numerazione *f.*

numberplate /ˈnʌmbəˌpleɪt/ *s* (*aut*) targa *f*

numeral /ˈnjuːm(ə)r(ə)l/ *a* numerale ♦ *s* numero *m*, cifra *f*

numeric(al) /njuˈ(ː)merɪk(ə)l/ *a* numerico

numerous /ˈnjuːm(ə)rəs/ *a* numeroso

nun /nʌn/ *s* suora *f* ● *cloistered n.* suora di clausura

nuptial /ˈnʌpʃ(ə)l/ *a* nuziale

nurse /nɜːs/ *s* balia *f*, bambinaia *f* ◇ infermiera *f*, infermiere *m*

to nurse /nɜːs/ *vt* curare, assistere ◇ allattare ◇ allevare ● *nursing home* casa di cura

nursery /ˈnɜːsrɪ/ *s* stanza *f* dei bambini ◇ asilo *m* ◇ vivaio *m* ● *n. school* scuola materna

nut /nʌt/ *s* noce *f*, nocciola *f* ◇ (*fam*) testa *f* ◇ (*fam*) matto *m* ◇ (*mecc*) dado *m* ● *to go nuts* impazzire

nutcracker /ˈnʌtˌkrækər/ *s* schiaccianoci *m*

nutmeg /ˈnʌtmeg/ *s* noce *f* moscata

nutritionist /njuˈtrɪʃ(ə)nɪst/ *s.* dietologo *m.*

nutritious /nju:(ː)'trɪʃəs/ *a* nutriente
nutshell /'nʌt.ʃəl/ *s* guscio *m* di noce ● *in a n.* in poche parole

O

oak /əʊk/ *s* quercia *f*
oar /ɔːr/ *s* remo *m*
oasis /ə(ʊ)'eɪsɪs/ (*pl* **oases**) *s* oasi *f*
oat /əʊt/ *s* avena *f*
oath /əʊθ/ *s* giuramento *m* ◇ imprecazione *f*, bestemmia *f*
obedience /ə'biːdjəns/ *s* ubbidienza *f*
obesity /o(ʊ)'biːsɪtɪ/ *s* obesità *f*
to obey /ə'beɪ/ *vt/i* ubbidire
obituary /ə'bɪtjʊərɪ/ *s* necrologio *m*, necrologia *f*
object /'ɒbdʒɪkt/ *s* oggetto *m*, cosa *f* ◇ argomento *m* ◇ scopo *m*, fine *m* ◇ (*gramm*) oggetto *m*
to object /əb'dʒekt/ *vt* obiettare ◆ *vi* fare obiezioni, opporsi, disapprovare ● *to o. to do st* rifiutarsi di fare qc
objection /əb'dʒekʃ(ə)n/ *s* obiezione *f*
objectionable /əb'dʒekʃnəbl/ *a* riprovevole ◇ sgradevole
objective /ɒb'dʒektɪv/ *a* obiettivo, oggettivo ◆ *s* obiettivo *m* ◇ caso *m* oggettivo
obligation /ˌɒblɪ'geɪʃ(ə)n/ *s* obbligo *m*, dovere *m*, impegno *m*
obligatory /ɒ'blɪgət(ə)rɪ/ *a* obbligatorio
to oblige /ə'blaɪdʒ/ *vt* obbligare ◇ fare un favore a ● *to be obliged to do st* dover fare qc
oblique /ə'bliːk/ *a* obliquo, inclina-
to ◇ asimmetrico ◇ (*gramm*) obliquo, indiretto
to obliterate /ə'blɪtəreɪt/ *vt* distruggere, cancellare ◇ obliterare (*biglietti*)
oblivion /ə'blɪvɪən/ *s* oblio *m*
oblivious /ə'blɪvɪəs/ *a* ignaro, inconsapevole
oblong /'ɒblɒŋ/ *a* oblungo
obnoxious /əb'nɒkʃəs/ *a* odioso, sgradevole, ripugnante
obscene /ɒb'siːn/ *a* osceno
obscure /əb'skjʊər/ *a* oscuro, buio ◇ sconosciuto
to obscure /əb'skjʊər/ *vt* oscurare ◇ nascondere
obscurity /əb'skjʊərɪtɪ/ *s* oscurità *f*
observance /əb'zɜːv(ə)ns/ *s* osservanza *f*
observant /əb'zɜːv(ə)nt/ *a* osservatore, perspicace
observatory /əb'zɜːvətrɪ/ *s* osservatorio *m*
to observe /əb'zɜːv/ *vt* osservare, rispettare ◇ onorare ◇ notare ◇ studiare attentamente ◆ *vi* osservare, commentare, fare osservazioni
to obsess /əb'ses/ *vt* ossessionare
obsession /əb'seʃ(ə)n/ *s* ossessione *f*, fissazione *f*
obsolete /'ɒbsəliːt/ *a* obsoleto
obstacle /'ɒbstəkl/ *s* ostacolo *m*

nylon /'naɪlɒn/ *s* nailon *m*, nylon *m* ◇ *al pl* collant *m*, calze *f pl*
nymph /nɪmf/ *s* ninfa *f*

obstetrician /ˌɒbste'trɪʃ(ə)n/ s ostetrico m

obstinacy /'ɒbstɪnəsɪ/ s ostinazione f

to obstruct /əb'strʌkt/ vt ostruire, otturare ◇ impedire, ritardare

to obtain /əb'teɪn/ vt ottenere, raggiungere, conseguire ◆ vi essere in vigore, persistere

obturator /'ɒbtjuəˌreɪtə/ s otturatore m

obtuse /əb'tjuːs/ a ottuso

to obviate /'ɒbvɪeɪt/ vt ovviare a, risolvere

obvious /'ɒbvɪəs/ a ovvio, evidente

occasion /ə'keɪʒ(ə)n/ s occasione f, opportunità f ◇ motivo m, ragione f ◇ avvenimento m ● on o. occasionalmente

occidental /ˌɒksɪ'dentl/ a/s occidentale m/f

to occlude /ə'kluːd/ vt occludere, ostruire

to occult /ɒ'kʌlt/ vt/i occultare, occultarsi

occupation /ˌɒkjʊ'peɪʃ(ə)n/ s occupazione f ◇ professione f

occupational /ˌɒkjuː'peɪʃ(ə)nl/ a professionale, occupazionale

to occupy /'ɒkjʊpaɪ/ vt occupare ● to o. oneself with occuparsi di

to occur /ə'kɜː/ vi accadere, succedere, capitare ◇ venire in mente

occurrence /ə'kʌr(ə)ns/ s evento m, avvenimento m ◇ il verificarsi ● a thing of frequent o. una cosa che capita spesso

ocean /'əʊʃ(ə)n/ s oceano m

oceangoing /'əʊʃ(ə)nˌɡəʊɪŋ/ a d'alto mare

oceanic /ˌəʊʃɪ'ænɪk/ a oceanico

ochre /'əʊkə/ s ocra f ◇ (colore) ocra m

octagonal /ɒk'tæɡənl/ a ottagonale

octave /'ɒktɪv/ s ottava f

October /ɒk'təʊbə/ s ottobre m

octopus /'ɒktəpəs/ s polpo m

ocular /'ɒkjʊlə/ a oculare

oculist /'ɒkjʊlɪst/ s oculista m/f

odd /ɒd/ a dispari ◇ scompagnato ◇ occasionale, casuale ◇ strano, bizzarro ● o. jobs lavori occasionali; o.-job man tuttofare

oddity /'ɒdɪtɪ/ s stranezza f, bizzarria f

oddments /'ɒdmənts/ s pl fondi m pl di magazzino, rimasugli m pl

odds /ɒdz/ s pl disparità f, differenza f ◇ disaccordo m ◇ vantaggio m ◇ probabilità f ◇ (di concessa) quotazione f ● o. and ends cianfrusaglie; to be at o. with essere in disaccordo con

odometer /ɒ(ʊ)'dɒmɪtə/ s (USA) contachilometri m

odontologist /ˌɒdɒn'tɒlədʒɪst/ s odontoiatra m/f

odour /'əʊdə/ (USA odor) s ◇ odore m ◇ profumo m ◇ tanfo m

oecumenical /ˌiːkjuː'menɪk(ə)l/ a ecumenico

oenology /iː'nɒlədʒɪ/ s enologia f

of /ɒv, əv/ prep (specificazione, denominazione, materia, qualità, causa, ecc) di (ES: the piece of wood il pezzo di legno; to die of a broken heart morire di crepacuore; a cup of tea una tazza di tè) ◇ da parte di (ES: it was very kind of you to write a letter è stato gentile da parte tua scrivere una lettera)

off /ɔf/ *avv* via, lontano, distante ◇ *(di apparecchio)* non in funzione, spento ◆ *prep* da, via da ◇ in meno di ◆ *a* libero ◇ laterale, secondario ◇ non funzionante, spento, disinserito ◇ *(di cibo)* guasto

offal /'ɒf(ə)l/ *s* frattaglie *f pl* ◇ rifiuti *m pl*

offence /ə'fens/ *(USA* **offense***) s* offesa *f* ◇ reato *m* ◆ *to take o.* offendersi

to offend /ə'fend/ *vt* offendere ◆ *vi* commettere reati

offender /ə'fendə/ *s* colpevole *m/f* ◇ delinquente *m/f*

offensive /ə'fensɪv/ *a* offensivo ◇ ripugnante ◆ *s* (*mil*) offensiva *f*

offer /'ɒfə/ *s* offerta *f*

to offer /'ɒfə/ *vt/i* offrire, offrirsi

offhand /ɔf'hænd/ *a* improvvisato, estemporaneo ◇ sbrigativo ◆ *avv* lì per lì, su due piedi ◇ senza cerimonie

office /'ɒfɪs/ *s* ufficio *m* ◇ ministero *m* ◇ funzione *f*, carica *f* ◇ servizio *m* ◆ *o. boy* fattorino; *o. hours* orario d'ufficio; *o.-worker* impiegato

officer /'ɒfɪsə/ *s* (*mil*) ufficiale *m* ◇ funzionario *m* ◇ agente *m/f* di polizia

officious /ə'fɪʃəs/ *a* invadente, importuno ◇ ufficioso

offset /'ɔːfset/ *s* germoglio *m* ◇ rampollo *m* ◇ deviazione *f* ◇ (*inform*) offset *m*

to offset /'ɔːfset/ *(pass/pp* **offset***) vt* controbilanciare ◆ deviare ◆ *vi* germogliare

offshore /'ɔːfʃɔːr/ *a* offshore, di mare aperto ◇ (*econ*) all'estero

offside /'ɔːfsaɪd/ *s* fuori gioco *m* ◇ parte *f* destra ◆ *avv/a* di fuori gioco, in fuori gioco ◇ sulla parte destra

offspring /'ɔːfsprɪŋ/ *s* discendenza *f*, prole *f* ◇ frutto *m*

offstage /'ɔːf'steɪdʒ/ *a/avv* fuori scena, dietro le quinte

off-the-rack /ˌɒfðəˈræk/ *a* (*fam*) di serie

off-the-record /ˌɒfðəˈrekɔːd/ *a* ufficioso, da non verbalizzare

off-the-wall /ˌɒfðəˈwɔːl/ *a* non convenzionale

often /'ɔːfn/ *avv* frequentemente, spesso ◆ *as o. as not* il più delle volte

to ogle /'əʊgl/ *vt/i* adocchiare

oil /ɔɪl/ *s* olio *m* ◇ petrolio *m*, nafta *f* ◆ *in o.* sott'olio

to oil /ɔɪl/ *vt* lubrificare, oliare

oilfield /'ɔɪl.fiːld/ *s* giacimento *m* petrolifero

oily /'ɔɪli/ *a* oleoso, unto

ointment /'ɔɪntmənt/ *s* unguento *m*, pomata *f*

OK, okay /əʊ'keɪ/ *a/avv/inter* bene, tutto bene

old /əʊld/ *a* vecchio, antico ◆ *how o. are you?* quanti anni hai?; *o. age* vecchiaia; *o. fashioned* antiquato, fuori moda

oleander /ˌəʊlɪˈændər/ *s* oleandro *m*

olfaction /ɒlˈfækʃən/ *s* olfatto *m*

olive /'ɒlɪv/ *s* oliva *f*

Olympic / o(u)'lɪmpɪk/ *a* olimpico ◆ *O. games* olimpiadi

omen /'əʊmən/ s presagio m

ominous /'ɒmɪnəs/ a di malauguario

omission /o(ʊ)'mɪʃ(ə)n/ s omissione f

to omit /o(ʊ)'mɪt/ vt omettere

omnivorous /ɒm'nɪv(ə)rəs/ a onnivoro

on /ɒn/ prep (posizione, luogo) sopra, su, a (ES: **a teapot on the table** una teiera sul tavolo; **to get on the bus** salire sull'autobus) ◇ (argomento) su, circa, di (ES: **a book on the President's life** un libro sulla vita del Presidente) ◇ (tempo) di, in, a (ES: **on Saturdays** di sabato) ◇ (modo, mezzo, funzione, ecc) con, in, da, di (ES: **on strike** in sciopero; **on principle** per principio) ◆ avv su, sopra, addosso ◇ avanti, in avanti, in poi ◇ in corso, in atto, (di apparecchio) in funzione

once /wʌns/ avv una volta, un tempo ◆ cong una volta che ◆ **at o.** subito; **all at o.** improvvisamente; **for o.** per una volta; **o. or twice** una o due volte; **O. upon a time there was ...** C'era una volta ...

one /wʌn/ a/s uno m ◆ a (indef) uno, un certo (ES: **o. Mr Jones** un certo Mr Jones) ◇ solo, unico, stesso (ES: **that's the o. and only way to do it** questo è l'unico modo per farlo) ◆ pr (indef) uno, una, l'uno, l'una, qualcuno (ES: **o. by o.** uno a uno; **any o. of us** uno qualunque di noi) ◇ (dimostr) questo, quello (ES: **I don't like modern cars, I prefer old ones** non mi piacciono le

auto moderne, preferisco quelle antiche) ◆ **no o.** nessuno; **o. another** l'un l'altro; **o.'s** (il) proprio

one-man /wʌn'mæn/ a individuale ◆ **o. show** mostra personale

one-off /wʌn'ɒf/ s esemplare m unico ◆ a che succede una volta sola ◇ unico nel suo genere

onerous /'ɒnərəs/ a oneroso

oneself /wʌn'self/ pr sé, se stesso ◆ **by o.** da solo

one-sided /wʌn'saɪdɪd/ a unilaterale ◇ impari

one-to-one /wʌntə'wʌn/ a biunivoco ◇ tra due persone

one-way /wʌn'weɪ/ a a senso unico ◇ di sola andata

ongoing /'ɒn,gəʊ(ʊ)ɪŋ/ a in corso, continuo

onion /'ʌnjən/ s cipolla f

only /'əʊnlɪ/ a solo, unico ◆ cong solo (che), ma ◆ avv solo, soltanto, unicamente ◆ **not o. ... but also** non solo ... ma anche; **o. if** solamente se; **o. just** a malapena; **o. too** fin troppo

onset /'ɒnset/ s inizio m, assalto m ◇ (med) primi sintomi m pl

onshore /'ɒnʃɔːʳ/ a di terra, verso terra ◆ avv a terra, verso terra ◆ **o. wind** vento di mare

onslaught /'ɒnslɔːt/ s assalto m

onto /'ɒntʊ/ (anche on to) prep su, sopra

onus /'əʊnəs/ s onere m

onward(s) /'ɒnwəd(z)/ avv avanti, in avanti, oltre

onyx /'ɒnɪks/ s onice f

to ooze /uːz/ vi colare, filtrare, stillare

opalescent /ˌəʊpəˈlɛs(ə)nt/ *a* opalescente

opaque /o(u)ˈpeɪk/ *a* opaco

open /ˈəʊp(ə)n/ *a* aperto ◇ dischiuso, sbocciato ◇ (aperto al) pubblico, disponibile, vacante ◇ aperto, insoluto ◇ manifesto, evidente ● *o. day* giorno di apertura

to open /ˈəʊp(ə)n/ *vt* aprire ◇ inaugurare ◆ *vi* aprire, aprirsi ◇ sbocciare ◇ cominciare ● *to o. onto, into* aprirsi su; *to o. out* aprire, allargarsi; *to o. up* aprire (la porta), aprirsi

open-air /ˌəʊp(ə)nˈeə/ *a* all'aperto

opener /ˈəʊp(ə)nə/ *s* (*nei composti*) che apre ● *bottle-o.* apribottiglie; *tin-o.* apriscatole

opening /ˈəʊp(ə)nɪŋ/ *a* d'inizio, d'apertura ◆ *s* apertura *f*, inaugurazione *f* ◇ esordio *m* ◇ varco *m* ◇ opportunità *f* ● *job o.* posto vacante

openly /ˈəʊp(ə)nlɪ/ *avv* apertamente, francamente

open-minded /ˌəʊpnˈmaɪndɪd/ *a* di larghe vedute

to operate /ˈɒpəreɪt/ *vi* operare, agire, avere effetto ◇ funzionare ◇ (*med*) operare ◆ *vt* produrre, provocare ◇ far funzionare ◇ (*med*) operare ◇ gestire

operating /ˈɒpəreɪtɪŋ/ *a* operativo ◇ operante, attivo ◇ di gestione ● *o. theatre* sala operatoria

operation /ˌɒpəˈreɪʃ(ə)n/ *s* intervento *m*, operazione *f* ◇ azione *f*, effetto *m* ◇ funzionamento *m*, funzione *f* ● *to come into o.* entrare in vigore

opinion /əˈpɪnjən/ *s* opinione *f*, parere *m* ◇ stima *f* ● *in his/in my o.* secondo lui/secondo me

opinionated /əˈpɪnjəneɪtɪd/ *a* supponente, presuntuoso

opium /ˈəʊpjəm/ *s* oppio *m*

opponent /əˈpəʊnənt/ *s* avversario *m*

opportune /ˈɒpətjuːn/ *a* opportuno, tempestivo

opportunist /ˌɒpəˈtjuː)nɪst/ *s* opportunista *m/f*

opportunity /ˌɒpəˈtjuːnɪtɪ/ *s* opportunità *f*, occasione *f*

to oppose /əˈpəʊz/ *vt* opporsi a, contrastare, osteggiare ◇ opporre, contrapporre ● opporsi

opposite /ˈɒpəzɪt/ *a* opposto, contrario ◇ di fronte ◆ *s* opposto *m*, contrario *m* ◆ *avv* davanti, di fronte ◆ *prep* di fronte a

opposition /ˌɒpəˈzɪʃ(ə)n/ *s* opposizione *f*

to oppress /əˈprɛs/ *vt* opprimere

oppressive /əˈprɛsɪv/ *a* oppressivo ◇ opprimente

oppressor /əˈprɛsə/ *s* oppressore *m*

to opt /ɒpt/ *vi* optare ● *to o. out* dissociarsi, distaccarsi

optic /ˈɒptɪk/ *a* ottico

optician /ɒpˈtɪʃ(ə)n/ *s* ottico *m*

optics /ˈɒptɪks/ *s pl* (*v al sing*) ottica *f*

optimal /ˈɒptɪməl/ *a* ottimale

optimism /ˈɒptɪmɪz(ə)m/ *s* ottimismo *m*

to optimize /ˈɒptɪmaɪz/ *vt* ottimizzare ◆ *vi* essere ottimista

optimum /ˈɒptɪmən/ *s* optimum *m* ◆ *a* ottimale

option /ˈɒpʃ(ə)n/ s scelta f, opzione f

optional /ˈɒpʃənl/ a opzionale, facoltativo

opulence /ˈɒpjʊləns/ s opulenza f

or /ɔːr, əˈ/ cong o, oppure ◆ *either... or...* o ... o ...; *or else* altrimenti

oracle /ˈɒrəkl/ s oracolo m

oral /ˈɔːr(ə)l/ a orale

orange /ˈɒrɪn(d)ʒ/ s arancia f ◆ a arancione, arancio

orangeade /ˌɒrɪn(d)ʒˈeɪd/ s aranciata f

orator /ˈɒrətər/ s oratore m

oratory /ˈɒrət(ə)rɪ/ s oratorio m ◇ oratoria f

orbit /ˈɔːbɪt/ s orbita f

to orbit /ˈɔːbɪt/ vi orbitare ◆ vt orbitare intorno a

orchard /ˈɔːtʃəd/ s frutteto m

orchid /ˈɔːkɪd/ s orchidea f

to ordain /ɔːˈdeɪn/ vt (*relig*) ordinare ◇ decretare

order /ˈɔːdər/ s ordine m ◇ successione f ◇ ordinamento m ◇ (*comm*) commessa f ◆ *out of o.* fuori servizio

to order /ˈɔːdər/ vt ordinare, disporre ◇ (*comm*) commissionare ◆ *to o. away* mandare via; *to o. out* espellere

orderly /ˈɔːdəlɪ/ a ordinato, metodico ◇ disciplinato ◆ s (*mil*) attendente m ◇ inserviente m/f

ordinal /ˈɔːdɪnl/ a ordinale

ordinance /ˈɔːdɪnəns/ s ordinanza f

ordinary /ˈɔːdnrɪ/ a ordinario, comune ◇ mediocre, dozzinale

ordination /ˌɔːdɪˈneɪʃ(ə)n/ s (*relig*) ordinazione f

ore /ɔːr/ s minerale m ◆ *o. district* distretto minerario

organ /ˈɔːɡən/ s organo m

organic /ɔːˈɡænɪk/ a organico

organism /ˈɔːɡənɪz(ə)m/ s organismo m

organization /ˌɔːɡənaɪˈzeɪʃ(ə)n/ s organizzazione f, organismo m

to organize /ˈɔːɡənaɪz/ vt/i organizzare, organizzarsi

organizer /ˈɔːɡənaɪzər/ s agenda f elettronica

orgasm /ˈɔːɡæz(ə)m/ s orgasmo m

orgy /ˈɔːdʒɪ/ s orgia f

orient /ˈɔːrɪənt/ vt orientare

Oriental /ˌɔːrɪˈentl/ a/s orientale m/f

to orientate /ˈɔːrɪənteɪt/ vt orientare

orientation /ˌɔːrɪənˈteɪʃ(ə)n/ s orientamento m

origin /ˈɒrɪdʒɪn/ s origine f, principio m ◇ nascita f

original /əˈrɪdʒənl/ a originale, originario ◆ s originale m

to originate /əˈrɪdʒɪneɪt/ vt dare origine ◆ vi aver origine, nascere, provenire

to ornament /ˈɔːnəment/ vt abbellire, adornare, ornare

ornamental /ˌɔːnəˈmentl/ a ornamentale

ornate /ɔːˈneɪt/ a riccamente ornato

orphan /ˈɔːf(ə)n/ a/s orfano m

orphanage /ˈɔːfənɪdʒ/ s orfanotrofio m

orthodox /ˈɔːθədɒks/ a ortodosso

orthography /ɔ(ː)ˈθɒɡrəfɪ/ s ortografia f

orthop(a)edy /ˌɔːθəˈpiːdɪ/ s ortopedia f

to oscillate /ˈɒsɪleɪt/ vi oscillare

osseous /ˈɒsɪəs/ a osseo

ostensible /ɒsˈtensəbl/ a apparente, simulato

ostensibly /ɒsˈtensəblɪ/ avv apparentemente

ostensory /ɒsˈtensərɪ/ s ostensorio m

ostentation /ˌɒstenˈteɪʃ(ə)n/ s ostentazione f, esibizione f

ostrich /ˈɒstrɪtʃ/ s struzzo m

other /ˈʌðər/ a altro, diverso ◆ pr (l')altro, (l')altra ◆ avv altrimenti, diversamente ◆ any o. qualche altro; every o. ogni altro; none o. than proprio, non altri che; o. people altri; o.'s, o. people's altrui; o. than tranne

otherwise /ˈʌðəwaɪz/ a diverso ◆ avv diversamente, altrimenti ◆ cong altrimenti, in caso contrario

otter /ˈɒtər/ s lontra f

ought /ɔːt/ v (consiglio, dovere, rimprovero, probabilità) dovere (ES: **You o. to do it** dovresti farlo; **he o. to have phoned me** avrebbe dovuto telefonarmi)

ounce /aʊns/ s oncia f

our /ˈaʊər/ a.poss nostro, nostra, nostri, nostre

ours /ˈaʊəz/ pr.poss il nostro, la nostra, i nostri, le nostre

ourselves /ˌaʊəˈselvz/ pr noi stessi

to oust /aʊst/ vt cacciare, espellere

out /aʊt/ avv fuori, all'aperto, in fuori ◇ spento, disattivato ◇ finito, compiuto ◇ passato di moda ◆ prep o. of fuori, fuori da,

da ◇ a causa di, per ◇ senza ◇ su (ES: **in one case o. of ten** in un caso su dieci) ● all o. a tutta velocità; o. here qui fuori; o. there laggiù

out-and-out /ˈaʊtəndaʊt/ a completo, vero e proprio

outboard /ˈaʊtbɔːd/ a/avv fuoribordo

outbreak /ˈaʊtbreɪk/ s scoppio m, esplosione f ◇ eruzione f ◇ epidemia f ◇ sommossa f

outburst /ˈaʊtbɜːst/ s esplosione f, scoppio m

outcast /ˈaʊtkɑːst/ s emarginato m, reietto m

outcome /ˈaʊtkʌm/ s esito m, risultato m

outcry /ˈaʊtkraɪ/ s protesta f, scalpore m ◇ grido m

outdated /aʊtˈdeɪtɪd/ a antiquato, sorpassato

to outdo /aʊtˈduː/ (pass **outdid**, pp **outdone**) vt sorpassare, far meglio di

outdoors /aʊtˈdɔːz/ avv all'aperto, all'aria aperta ◆ s l'aperto m, l'esterno m

outer /ˈaʊtər/ a esteriore, esterno ● o. space spazio cosmico

outfit /ˈaʊtfɪt/ s equipaggiamento m, attrezzatura f ◇ tenuta f ◇ completo m, insieme m

outgoing /ˈaʊtgəʊɪŋ/ a uscente, dimissionario ◇ socievole, estroverso ◆ s uscita f ● al pl spese f pl

to outgrow /aʊtˈgrəʊ/ (pass **outgrew**, pp **outgrown**) vt superare in statura ◇ perdere, disfarsi di ● **to o. one's clothes** non entrare più nei propri vestiti

outing /'aʊtɪŋ/ s gita f, escursione f

outlandish /aʊt'lændɪʃ/ a straniero, esotico ◇ strano, bizzarro

outlaw /'aʊtlɔ:/ s fuorilegge m/f, criminale m/f ◆ a illegale

to outlaw /'aʊtlɔ:/ vt bandire, proscrivere

outlay /'aʊtleɪ/ s spesa f

outlet /'aʊtlet/ s sbocco m, sfogo m ◇ punto m vendita, spaccio m ◇ presa f elettrica

outline /'aʊtlaɪn/ s contorno m, profilo m ◇ abbozzo m, schema m

to outlive /aʊt'lɪv/ vt sopravvivere a

outlook /'aʊtlʊk/ s vista f, veduta f ◇ prospettiva f ◇ (fig) modo m di vedere

outlying /'aʊt,laɪɪŋ/ a esterno ◇ remoto

to outmatch /aʊt'mætʃ/ vt sorpassare

to outnumber /aʊt'nʌmbə/ vt superare in numero

out-of-date /,aʊtəv'deɪt/ a fuori moda ◇ scaduto

out-of-the-way /,aʊtəvð(ə)'weɪ/ a fuori mano ◇ fuori del comune

outpost /'aʊtpəʊst/ s avamposto m

output /'aʊtpʊt/ s produzione f, rendimento m ◇ (inform) output m

outrage /'aʊtreɪdʒ/ s oltraggio m, offesa f ◇ indignazione f

outrageous /aʊt'reɪdʒəs/ a oltraggioso, atroce ◇ eccessivo, esorbitante

outright /'aʊtraɪt/ a aperto, schietto, diretto ◇ completo, integrale ◇ immediato ◆ avv apertamente,

francamente ◇ completamente ◇ immediatamente, sul colpo

outside /'aʊtsaɪd/ a esterno, esteriore ◇ estremo, massimo ◆ s esterno m, parte f esterna ◇ apparenza f, aspetto m esteriore ◆ avv fuori, all'aperto ◇ all'esterno ◆ prep fuori di, all'esterno di ◇ al di fuori, al di là ◇ all'infuori di, eccetto

outsize /aʊt,saɪz/ a molto grande ◇ (di abito) di taglia forte ◆ s taglia f forte

outskirts /'aʊtskɜːts/ s pl periferia f, sobborghi m pl

outspoken /aʊt'spəʊk(ə)n/ a esplicito, schietto

outstanding /aʊt'stændɪŋ/ a sporgente ◇ notevole, rilevante ◇ eccezionale ◇ in arretrato, in sospeso, inevaso

outward /'aʊtwəd/ a esterno ◇ esteriore ◇ d'andata ◆ s aspetto m esteriore ◆ avv al di fuori, esternamente

to outweigh /aʊt'weɪ/ vt superare (in peso o valore)

to outwit /aʊt'wɪt/ vt superare in astuzia

oval /'əʊv(ə)l/ a ovale

ovary /'əʊvərɪ/ s ovaia f ◇ (bot) ovario m

oven /'ʌvn/ s forno m

over /'əʊvə/ a terminato, finito ◆ avv al di sopra, di sopra ◇ completamente, da cima a fondo ◇ di più, troppo, in eccesso ◆ prep sopra, su, al di sopra di ◇ nei confronti di, riguardo a ◇ durante, per ◇ più di, oltre, al di là di ●

o. again più volte, di nuovo, ripetutamente

over- *prefisso* usato per formare superlativi (ES: **overtired** stanchissimo)

overall /ˈəʊvərɔːl/ *a* complessivo ◆ *avv* complessivamente ◆ *s* camice *m* ◇ *al pl* tuta *f* (da lavoro)

to overawe /ˌəʊvərˈɔː/ *vt* intimidire

to overbalance /ˌəʊvəˈbæləns/ *vt* superare in peso ◇ prevalere su ◇ sbilanciare ◆ *vi* sbilanciarsi

overbearing /ˌəʊvəˈbeərɪŋ/ *a* arrogante, imperioso

overboard /ˈəʊvəbɔːd/ *avv* fuori bordo

to overburden /ˌəʊvəˈbɜːdn/ *vt* sovraccaricare

overcast /ˈəʊvəkɑːst/ *a* nuvoloso, coperto

overcharge /ˌəʊvəˈtʃɑːdʒ/ *s* sovraccarico *m* ◇ *al pl* sovrapprezzo *m*

overcoat /ˈəʊvəkəʊt/ *s* soprabito *m*

to overcome /ˌəʊvəˈkʌm/ (*pass* **overcame**, *pp* **overcome**) *vt* superare, sopraffare

overcooked /ˌəʊvəˈkʊkt/ *a* troppo cotto

overcrowded /ˌəʊvəˈkraʊdɪd/ *a* sovraffollato

to overdo /ˌəʊvəˈduː/ (*pass* **overdid**, *pp* **overdone**) *vt* eccedere in, esagerare ◇ affaticare ◇ far cuocere troppo ◆ *vi* esagerare

overdose /ˈəʊvədəʊs/ *s* dose *f* eccessiva, overdose *f*

overdue /ˌəʊvəˈdjuː/ *a* (*comm*) scaduto ◇ in ritardo ◇ atteso, in attesa

to overestimate /ˌəʊvərˈestɪmeɪt/ *vt* sopravvalutare

overflow /ˈəʊvəfləʊ/ *s* straripamento *m*, inondazione *f* ◇ eccedenza *f* ◇ (*inform*) overflow *m*

overflowing /ˌəʊvəˈfləʊɪŋ/ *a* straripante, traboccante ◇ sovrabbondante ◆ *s* straripamento *m*, inondazione *f*

overhang /ˈəʊvəhæŋ/ *s* sporgenza *f* ◇ strapiombo *m*

overhaul /ˈəʊvəhɔːl/ *s* revisione *f*

to overhaul /ˌəʊvəˈhɔːl/ *vt* revisionare, verificare ◇ esaminare, rivedere ◇ sorpassare, superare

overhead /ˈəʊvəhed/ *avv* in alto, di sopra ◆ *a* alto, sopraelevato, aereo ◇ globale, generale ◆ *s al pl* spese *f* (*pl*) generali

to overhear /ˌəʊvəˈhɪər/ (*pass/pp* **overheard**) *vt* udire per caso

overjoyed /ˌəʊvəˈdʒɔɪd/ *a* felicissimo

overland /ˌəʊvəˈlænd/ *a/avv* via terra

to overlap /ˌəʊvəˈlæp/ *vi* sovrapporsi, coincidere

to overlay /ˌəʊvəˈleɪ/ (*pass/pp* **overlaid**) *vt* coprire, ricoprire ◇ opprimere

overleaf /ˌəʊvəˈliːf/ *avv* sul retro, a tergo

to overload /ˌəʊvəˈləʊd/ *vt* sovraccaricare

to overlook /ˌəʊvəˈlʊk/ *vt* guardare dall'alto, dominare ◇ trascurare, non rilevare, lasciarsi sfuggire ◇ tollerare ◇ sorvegliare

overnight /ˌəʊvəˈnaɪt/ *a* che si svolge di notte ◇ per una notte ◇ immediato ◆ *avv* di notte, per la notte ◇ improvvisamente

overpass /ˈəʊvəˌpɑːs/ s cavalcavia m

to overpower /ˌəʊvəˈpaʊə[r]/ vt sopraffare, opprimere

overpowering /ˌəʊvəˈpaʊərɪŋ/ a opprimente ◇ irresistibile

to overrate /ˌəʊvəˈreɪt/ vt sopravvalutare

to override /ˌəʊvəˈraɪd/ (pass **overrode**, pp **overridden**) vt passare sopra, non tener conto di ◇ annullare

to overrule /ˌəʊvəˈruːl/ vt annullare, revocare ◇ dominare

to overrun /ˌəʊvəˈrʌn/ (pass **overran**, pp **overrun**) vt invadere, devastare, infestare ◇ sommergere ◇ oltrepassare, superare ◆ vi traboccare, straripare ◇ protrarsi

overseas /ˌəʊvəˈsiː(z)/ a estero, d'oltremare ◆ avv all'estero, oltremare

to overshadow /ˌəʊvəˈʃædəʊ/ vt ombreggiare, fare ombra su ◇ (fig) oscurare, eclissare

to overshoot /ˌəʊvəˈʃuːt/ (pass/pp **overshot**) vt mancare il bersaglio ◇ andare oltre ● to o. the mark passare la misura, passare il segno

oversight /ˈəʊvəsaɪt/ s disattenzione f, svista f ◇ sorveglianza f

to oversleep /ˌəʊvəˈsliːp/ vi dormire troppo

to overstate /ˌəʊvəˈsteɪt/ vt esagerare

to overstep /ˌəʊvəˈstep/ vt oltrepassare

overt /ˈəʊvɜːt/ a chiaro, evidente

to overtake /ˌəʊvəˈteɪk/ (pass over-took, pp **overtaken**) vt raggiungere, sorpassare ◇ sorprendere

overtaking /ˌəʊvəˈteɪkɪŋ/ s sorpasso m ● no o. divieto di sorpasso

to overthrow /ˌəʊvəˈθrəʊ/ (pass **overthrew**, pp **overthrown**) vt rovesciare, abbattere

overtime /ˈəʊvətaɪm/ s (lavoro) straordinario m ◇ (sport) tempo m supplementare

to overturn /ˌəʊvəˈtɜːn/ vt capovolgere, rovesciare ◆ vi ribaltarsi, capottarsi

overweight /ˈəʊvəweɪt/ a in sovrappeso

to overwhelm /ˌəʊvəˈwelm/ vt distruggere, sopraffare ◇ seppellire, sommergere

overwrought /ˌəʊvəˈrɔːt/ a nervoso, agitato ◇ (di stile) ricercato

ovine /ˈəʊvaɪn/ a ovino

to owe /əʊ/ vt dovere, essere debitore di ◆ vi essere indebitato ● to o. sb st dovere qc a qn

owing /ˈəʊ(ʊ)ɪŋ/ a dovuto ● o. to a causa di

owl /aʊl/ s gufo m

own /əʊn/ a proprio ◆ s il proprio

to own /əʊn/ vt possedere, avere ◇ ammettere, riconoscere ● to o. up confessare

owner /ˈəʊnə[r]/ s proprietario m, padrone m

ox /ɒks/ s (pl **oxen**) s bue m

oxide /ˈɒksaɪd/ s ossido m

oxygen /ˈɒksɪdʒ(ə)n/ s ossigeno m

oyster /ˈɔɪstə[r]/ s ostrica f

ozone /ˈəʊzəʊn/ s ozono m ● o. hole buco dell'ozono

P

pa /pɑː/ s (fam) papà m

pace /peɪs/ s passo m ◇ andatura f, ritmo m ◇ ambio m

pacific /pəˈsɪfɪk/ a pacifico

pacifism /ˈpæsɪfɪz(ə)m/ s pacifismo m

to pacify /ˈpæsɪfaɪ/ vt pacificare

pack /pæk/ s pacco m, pacchetto m, imballaggio m ◇ carico m, soma f ◇ zaino m ◇ muta f, branco m ◇ (di carte da gioco) mazzo m ◇ ammasso m • **fanny/waist p.** marsupio; **p. ice** banchisa

to pack /pæk/ vt imballare, impacchettare ◇ pigiare, pressare, stipare • vi fare i bagagli ◇ stiparsi, accalcarsi • **to p. in** smettere; **to p. off** mandar via; **to p. up** fare le valigie, smettere di lavorare, (di motore) spegnersi

package /ˈpækɪdʒ/ s pacco m, confezione f ◇ (di proposte) pacchetto m • **p. tour** viaggio organizzato

packet /ˈpækɪt/ s pacchetto m

packing /ˈpækɪŋ/ s imballaggio m

pact /pækt/ s patto m

pad /pæd/ s cuscinetto m, imbottitura f ◇ tampone m ◇ blocco m di carta ◇ (aut) pastiglia f ◇ piattaforma f, (di missile) rampa f ◇ (sport) parastinchi m • **mouse p.** tappetino per il mouse

to pad /pæd/ vt imbottire ◇ (fig) gonfiare

padding /ˈpædɪŋ/ s imbottitura f

paddle /ˈpædl/ s pagaia f ◇ racchetta f da ping pong ◇ spatola f

◇ (naut) (di elica, ruota) pala f ◇ paletta f ◇ (zool) pinna f • **p. steamer** battello a ruota

to paddle /ˈpædl/ vi sguazzare • **paddling pool** piscina per bambini

paddock /ˈpædək/ s (per cavalli) recinto m ◇ prato m recintato

padlock /ˈpædlɒk/ s lucchetto m

p(a)ediatrics /ˌpiːdrˈætrɪks/ s pl (v al sing) pediatria f

p(a)edophilia /ˌpiːdəʊˈfɪlɪə/ s pedofilia f

paganism /ˈpeɪɡənɪz(ə)m/ s paganesimo m

page (1) /peɪdʒ/ s pagina f

page (2) /peɪdʒ/ s fattorino m ◇ paggio m

pageant /ˈpædʒ(ə)nt/ s parata f storica ◇ pompa f, sfarzo m

pail /peɪl/ s secchio m

pain /peɪn/ s dolore m, male m ◇ pena f, castigo m ◇ **al pl** fatica f, pena f • **p.-killer** antidolorifico

pained /peɪnd/ a addolorato, afflitto

painful /ˈpeɪnf(ʊ)l/ a doloroso, penoso

paint /peɪnt/ s pittura f, vernice f, tinta f • **wet p.** vernice fresca

to paint /peɪnt/ vt/i dipingere, pitturare, verniciare

paintbrush /ˈpeɪntbrʌʃ/ s pennello m

painter /ˈpeɪntər/ s pittore m ◇ decoratore m, imbianchino m

painting /ˈpeɪntɪŋ/ s pittura f, verniciatura *f* ◇ dipinto *m*, quadro *m* ◇ pittura *f* (*arte*)

pair /peəʳ/ *s* paio *m* ◇ coppia *f* ● *in pairs* a coppie

Pakistani /ˌpɑːkɪsˈtɑːnɪ/ *a/s* pachistano *m*

pal /pæl/ *s* (*fam*) amico *m*, compagno *m*

palace /ˈpælɪs/ *s* palazzo *m* ◇ reggia *f*

palatable /ˈpælətəbl/ *a* appetitoso, gustoso, gradevole

palate /ˈpælɪt/ *s* palato *m*

palatial /pəˈleɪʃ(ə)l/ *a* sontuoso, lussuoso

palaver /pəˈlɑːvəʳ/ *s* lunga discussione *f* ◇ chiacchiere *f pl*

pale (1) /peɪl/ *a* pallido, fioco, debole ● *p. ale* birra chiara

pale (2) /peɪl/ *s* palo *m*, picchetto *m* ◇ (*fig*) limite *m* ◇ (*stor*) territorio *m* ● *beyond the p.* oltre il limite

to pale /peɪl/ *vi* impallidire ● *to p. in comparison to* impallidire al confronto di

Palestinian /ˌpælɪsˈtɪnɪən/ *a/s* palestinese *m/f*

palette /ˈpælɪt/ *s* tavolozza *f*

paling /ˈpeɪlɪŋ/ *s* palizzata *f*

pall /pɔːl/ *s* drappo *m* funebre ◇ (*fig*) cappa *f*

pallet (1) /ˈpælɪt/ *s* giaciglio *m*

pallet (2) /ˈpælɪt/ *s* paletta *f*, spatola *f* ◇ pallet *m*

palliative /ˈpælɪətɪv/ *a/s* palliativo *m*

pallid /ˈpælɪd/ *a* pallido, smunto

pallor /ˈpæləʳ/ *s* pallore *m*

palm (1) /pɑːm/ *s* (*bot*) palma *f* ● *date p.* palma da datteri

palm (2) /pɑːm/ *s* palmo *m*

to palm /pɑːm/ *vt* maneggiare ◇ nascondere (in mano) ● *to p. st off on sb* affibbiare qc a qn

palmiped /ˈpælmɪped/ *a/s* palmipede *m*

palmist /ˈpɑːmɪst/ *s* chiromante *m/f*

palmtop /ˈpɑːmtɒp/ *s* palmare *m*, computer *m* palmare

palpable /ˈpælpəbl/ *a* palpabile, tangibile

to palpate /ˈpælpeɪt/ *vt* palpare

paltry /ˈpɔːltrɪ/ *a* meschino, ridicolo

to pamper /ˈpæmpəʳ/ *vt* viziare, vezzeggiare

pamphlet /ˈpæmflɪt/ *s* opuscolo *m*

pan /pæn/ *s* padella *f*, pentola *f*

to pan /pæn/ *vt/i* (*TV*) fare una panoramica ◇ setacciare (*oro*) ◇ stroncare, criticare

pancreas /ˈpæŋkrɪəs/ *s* pancreas *m*

to pander /ˈpændəʳ/ *vi* fare il mezzano ● *to p. to* favorire, assecondare

pane /peɪn/ *s* (lastra di) vetro *m* ◇ pannello *m*

panel /ˈpænl/ *s* pannello *m*, quadro *m*, riquadro *m* ◇ lista *f*, elenco *m* ◇ gruppo *m* di esperti, commissione *f*, giuria *f* ● *p. doctor* medico della mutua; *solar p.* pannello solare

pang /pæŋ/ *s* dolore *m* acuto, fitta *f* ● *hunger pangs* morsi della fame

panic /ˈpænɪk/ *a* panico, dettato dal panico ◆ *s* panico *m*, terrore *m* ◇ (*fam*) fretta *f* ◇ (*fam*) spasso *m* ● *p.-stricken* in preda al panico

to panic /ˈpænɪk/ (*pass/pp* **panicked**) *vt* gettare il panico tra ◇

(*fam*) divertire (*il pubblico*) ◆ *vi* essere in preda al panico

panicle /'pænɪkl/ *s* pannocchia *f*

panning /'pænɪŋ/ *s* (*cin*) panoramica *f*

panorama /ˌpænəˈrɑːmə/ *s* paesaggio *m*

pansy /'pænzɪ/ *s* viola *f* del pensiero

panther /'pænθə/ *s* pantera *f*

panties /'pæntɪz/ *s pl* mutandine *f pl* (*da bambino o da donna*)

pantihose /'pæntɪhəʊz/ *s* (*USA*) collant *m*

pantry /'pæntrɪ/ *s* dispensa *f*

pants /pænts/ *s pl* mutande *f pl* ◆ (*USA*) pantaloni *m pl* ● *to scare the p. off* spaventare a morte

pap /pæp/ *s* pappa *f*

papa /pə'pɑː/ *s* (*fam*) papà *m*

papacy /'peɪpəsɪ/ *s* papato *m*

papal /'peɪp(ə)l/ *a* papale, pontificio

paper /'peɪpə/ *s* carta *f* ◇ documento *m* ◇ prova *f* scritta, composizione *f* ◇ saggio *m*, relazione *f* ◇ giornale *m* ● *heap of p.* scartoffia; *morning p.* giornale del mattino; *sheet of p.* foglio di carta

paperback /'peɪpəbæk/ *s* paperback *m*, libro *m* in brossura, edizione *f* economica

paperweight /'peɪpəweɪt/ *s* fermacarte *m*

paperwork /'peɪpəwɜːk/ *s* lavoro *m* d'ufficio

papier maché /ˌpæpjeɪˈmɑːʃeɪ/ *s* cartapesta *f*

paprika /'pæprɪkə/ *s* paprica *f*, pepe *m* rosso

par /pɑː/ *s* parità *f*, pari *f* ● *on a p. with* alla pari con; *up to p.* all'altezza

parable /'pærəbl/ *s* parabola *f* (*racconto*)

parabola /pə'ræbələ/ *s* (*geom*) parabola *f*

parachute /'pærəʃuːt/ *s* paracadute *m*

parade /pə'reɪd/ *s* parata *f*, mostra *f* ◇ sfilata *f*, rivista *f*

to parade /pə'reɪd/ *vt* passare in rivista ◇ ostentare, sfoggiare

paradise /'pærədaɪs/ *s* paradiso *m*

paradox /'pærədɒks/ *s* paradosso *m*

paraglider /'pærəˌglaɪdə/ *s* parapendio *m*

paragon /'pærəgən/ *s* esemplare *m*, modello *m*

paragraph /'pærəgrɑːf/ *s* paragrafo *m* ◇ capoverso *m* ◇ trafiletto *m*

parallel /'pærəlel/ *a* parallelo ◆ *s* (*geom*) parallela *f* ◇ (*geogr*) parallelo *m* ● *to have no p.* non avere uguali

parallelism /'pærəlelɪz(ə)m/ *s* parallelismo *m*

to paralyse /'pærəlaɪz/ (*USA* **paralyze**) *vt* paralizzare

parameter /pə'ræmɪtə/ *s* parametro *m*

paramount /'pærəmaʊnt/ *a* supremo, primario

parapet /'pærəpɪt/ *s* parapetto *m*

paraphrase /'pærəfreɪz/ *s* parafrasi *f*

parasite /'pærəsaɪt/ *s* parassita *m*

parasol /'pærəsɒl/ *s* parasole *m*

paratrooper /'pærəˌtruːpə/ *s* (*mil*) paracadutista *m*

partition

parcel /ˈpɑːsl/ s pacco m, pacchetto m ◊ (comm) partita f ◊ lotto m
to parcel /ˈpɑːsl/ vt impacchettare ◊ spartire
to parch /pɑːtʃ/ vt essiccare ◊ inaridire
parching /ˈpɑːtʃɪŋ/ a bruciante
parchment /ˈpɑːtʃmənt/ s pergamena f
pardon /ˈpɑːdn/ s perdono m, scusa f ◊ (dir) grazia f • p.? (per invitare a ripetere) prego?; I beg your p.! mi scusi!
to pardon /ˈpɑːdn/ vt perdonare, scusare ◊ (dir) graziare
parent /ˈpeər(ə)nt/ s genitore m
parish /ˈpærɪʃ/ s parrocchia f ◊ distretto m rurale • p. priest parroco
Parisian /pəˈrɪzjən/ a/s parigino m
parity /ˈpærɪtɪ/ s parità f
park /pɑːk/ s parco m
to park /pɑːk/ vt/i parcheggiare
parking /ˈpɑːkɪŋ/ s parcheggio m, posteggio m • no p. divieto di sosta; p. meter parchimetro; p. place posto macchina
parlance /ˈpɑːləns/ s parlata f, linguaggio m
parliament /ˈpɑːləmənt/ s parlamento m
parlour /ˈpɑːlə/ (USA **parlor**) s salotto m ◊ parlatorio m ◊ soggiorno m • beauty p. parrucchiere
parochial /pəˈrəʊkjəl/ a parrocchiale ◊ (spreg) provinciale
parochialism /pəˈrəʊkjəlɪz(ə)m/ s (spreg) provincialismo m
parody /ˈpærədɪ/ s parodia f
parole /pəˈrəʊl/ s parola f d'onore ◊ parola f d'ordine

parricide /ˈpærɪsaɪd/ s parricidio m ◊ parricida m/f
parrot /ˈpærət/ s pappagallo m
to parry /ˈpærɪ/ vt parare, schivare
parsley /ˈpɑːslɪ/ s prezzemolo m
parson /ˈpɑːsn/ s (anglican) parroco m, (protestante) pastore m
part /pɑːt/ a parziale ♦ avv parzialmente ♦ s parte f ◊ (mecc) pezzo m ◊ dispensa f, fascicolo m ◊ (USA) scriminatura f • on my p. da parte mia; spare parts pezzi di ricambio; for the most p. per la maggior parte, in genere
to part /pɑːt/ vt dividere, separare ♦ vi dividersi, divergere ◊ separarsi • to p. with st rinunciare a qc
to partake /pɑːˈteɪk/ (pass **partook**, pp **partaken**) vi prender parte
partial /ˈpɑːʃ(ə)l/ a parziale
to participate /pɑːˈtɪsɪpeɪt/ vi partecipare
participle /ˈpɑːtɪsɪpl/ s participio m
particle /ˈpɑːtɪkl/ s particella f
particular /pəˈtɪkjʊlə/ a particolare, speciale ◊ preciso, accurato ◊ esigente, meticoloso ♦ s particolare m ◊ ragguaglio m, informazione f
particularity /pəˌtɪkjʊˈlærɪtɪ/ s particolarità f
parting /ˈpɑːtɪŋ/ s distacco m, partenza f, separazione f ◊ scriminatura f • p. visit visita di congedo
partisan /ˌpɑːtɪˈzæn/ a/s partigiano m
partition /pɑːˈtɪʃ(ə)n/ s partizione f, divisione f ◊ tramezzo m

partly /ˈpɑːtlɪ/ *avv* parzialmente

partnership /ˈpɑːtnəʃɪp/ *s* società *f*, associazione *f*

party /ˈpɑːtɪ/ *s* partito *m*, fazione *f* ◇ gruppo *m*, squadra *f*, comitiva *f* ◇ festa *f*, ricevimento *m* ◇ (*dir*) parte *f* (in causa) ● *p. dress* abito da sera; *p. pooper* guastafeste

pass (1) /pɑːs/ *s* passo *m*, valico *m*

pass (2) /pɑːs/ *s* passaggio *m* ◇ lasciapassare *m*, permesso *m* ◇ biglietto *m* gratuito ◇ tessera *f*, abbonamento *m* ● *to make a p. at sb* tentare un approccio con qn

to pass /pɑːs/ *vt* passare, oltrepassare, superare ◇ dare, porgere ◇ promuovere ◇ trascorrere ♦ *vi* passare, andare oltre ◇ finire ◇ trascorrere ◇ accadere ◇ essere promosso ◇ rinunciare ● *to p. away* morire; *to p. by* passare vicino, trascurare; *to p. on* st rinunciare a qc; *to p. over* trascurare, lasciarsi sfuggire

passage /ˈpæsɪdʒ/ *s* passaggio *m*, varco *m* ◇ corridoio *m* ◇ tragitto *m*, traversata *f* ◇ brano *m*

passenger /ˈpæsɪn(d)ʒər/ *s* passeggero *m*, viaggiatore *m*

passer-by /ˌpɑːsəˈbaɪ/ (*pl* **passers-by**) *s* passante *m/f*

passing /ˈpɑːsɪŋ/ *a* transitorio, passeggero, di passaggio ◇ casuale, incidentale ♦ *s* passaggio *m* ◇ trapasso *m*, morte *f* ● *in p.* incidentalmente

passion /ˈpæʃ(ə)n/ *s* passione *f*

passionate /ˈpæʃənɪt/ *a* appassionato

passive /ˈpæsɪv/ *a* passivo

Passover /ˈpɑːsˌəʊvər/ *s* Pasqua *f* ebraica

passport /ˈpɑːspɔːt/ *s* passaporto *m*

password /ˈpɑːsˌwɜːd/ *s* parola *f* d'ordine ◇ (*inform*) password *f*, codice *m* d'accesso

past /pɑːst/ *a* passato, trascorso ◇ (*gramm*) passato ♦ *s* passato *m* ♦ *avv* presso, accanto, oltre ♦ *prep* dopo, oltre ● *to go p.* passare

pasta /ˈpæstə/ *s* pasta *f*, pastasciutta *f*

paste /peɪst/ *s* pasta *f* ◇ colla *f* ● *tooth p.* dentifricio

pastel /ˈpæstel/ *s* pastello *m*

to pasteurize /ˈpæstəraɪz/ *vt* pastorizzare

pastille /ˈpæstiːl/ *s* pastiglia *f*

pastime /ˈpɑːstaɪm/ *s* passatempo *m*

pastor /ˈpɑːstər/ *s* (*relig*) pastore *m*

pastry /ˈpeɪstrɪ/ *s* pasta *f* (*per dolci*) ◇ pasticcino *m* ● *p. shop* pasticceria

pasture /ˈpɑːstʃər/ *s* pascolo *m*

pasty (1) /ˈpeɪstɪ/ *a* pastoso

pasty (2) /ˈpæstɪ/ *s* (*cuc*) pasticcio *m*, timballo *m*

pat /pæt/ *s* colpetto *m*, pacca *f* ◇ pezzetto *m* ♦ *a* (troppo) semplice, scontato

to pat /pæt/ *vt* dare un buffetto, accarezzare ♦ *vi* tamburellare

patch /pætʃ/ *s* toppa *f* ◇ macchia *f* ◇ benda *f* ◇ (*fig*) periodo *m*, fase *f*

to patch /pætʃ/ *vt* rattoppare, aggiustare ● *to p. up* appianare

patchy /ˈpætʃɪ/ *a* rappezzato ◇ chiazzato, a macchie ◇ irregolare

patent /ˈpeɪt(ə)nt/ *a* manifesto, palese ◇ patentato, brevettato ◇ *(fam)* ingegnoso ◆ *s* brevetto *m*

to patent /ˈpeɪt(ə)nt/ *vt* brevettare

paternal /pəˈtɜːnl/ *a* paterno

path /pɑːθ/ *s* sentiero *m* ◇ via *f*, strada *f* ◇ traiettoria *f* ◇ *(inform)* percorso *m*, path *m*

pathetic /pəˈθetɪk/ *a* patetico

pathology /pəˈθɒlədʒɪ/ *s* patologia *f*

pathway /ˈpɑːθˌweɪ/ *s* sentiero *m*

patience /ˈpeɪʃ(ə)ns/ *s* pazienza *f* ◇ *(con le carte)* solitario *m*

patient /ˈpeɪʃ(ə)nt/ *a/s* paziente *m/f*

patriarch /ˈpeɪtrɪɑːk/ *s* patriarca *m*

patrimony /ˈpætrɪmənɪ/ *s* patrimonio *m*

patriot /ˈpætrɪət/ *s* patriota *m/f*

patriotism /ˈpætrɪɒtɪz(ə)m/ *s* patriottismo *m*

patrol /pəˈtrəʊl/ *s* pattuglia *f*, ronda *f* ◇ perlustrazione *f*, pattugliamento *m* ● *p. boat* vedetta della guardia costiera; *p. car* auto del la polizia; *to be on p.* essere di pattuglia

patron /ˈpeɪtr(ə)n/ *s* patrono *m*, protettore *m*, mecenate *m* ◇ cliente *m/f* (abituale)

patronage /ˈpætrənɪdʒ/ *s* patrocinio *m*, mecenatismo *m*, protezione *f* ◇ clientela *f*

to patronize /ˈpætrənaɪz/ *vt* patrocinare ◇ trattare con condiscendenza ◇ essere cliente abituale di

patter /ˈpætə/ *s* picchiettio *m* ◇ chiacchiera *f*, parlantina *f*

pattern /ˈpætən/ *s* modello *m*, campione *m* ◇ motivo *m*, disegno *m*

paunch /pɔːn(t)ʃ/ *s* pancione *m*

pauper /ˈpɔːpə/ *s* povero *m*

pause /pɔːz/ *s* pausa *f*, sosta *f*, tregua *f*

to pave /peɪv/ *vt* *(una strada)* pavimentare, lastricare ◇ *(fig)* aprire la strada

pavement /ˈpeɪvmənt/ *s* selciato *m* ◇ marciapiede *m*

pavilion /pəˈvɪljən/ *s* padiglione *m*

paving /ˈpeɪvɪŋ/ *s* pavimentazione *f*, selciato *m*

paw /pɔː/ *s* zampa *f*

pawn (1) /pɔːn/ *s* pegno *m*, garanzia *f*

pawn (2) /pɔːn/ *s* pedina *f*, *(scacchi)* pedone *m*

to pawn /pɔːn/ *vt* impegnare, dare in pegno

pay /peɪ/ *s* paga *f*, compenso *m* ● *p. packet* (*USA p. envelope*) busta paga; *in the p. of* al soldo di

to pay /peɪ/ *(pass/pp paid)* *vt* pagare, compensare ◇ rendere, fruttare ◇ fare, rendere ◆ *vi* pagare ◇ essere vantaggioso, convenire ● *to p. attention* prestare attenzione; *to p. back* ripagare; *to p. in* versare; *to p. off* saldare, liquidare, corrompere, comprare; *to p. out* sborsare, rimborsare; *to p. up* saldare

payable /ˈpeɪəbl/ *a* pagabile

payee /peɪˈiː/ *s* beneficiario *m*

payment /ˈpeɪmənt/ *s* pagamento *m*

pea /piː/ *s* pisello *m*

peace /piːs/ *s* pace *f* ● *at p.* in pace

peaceful /ˈpiːsf(ʊ)l/ *a* pacifico, tranquillo

peach /piːtʃ/ *s* pesca *f* (*frutto*)

peacock /ˈpiːkɒk/ *s* pavone *m*

peak /piːk/ *s* vetta *f*, picco *m* ◇

punta *f* ◇ visiera *f* ◇ massimo *m* ◆ *a* di punta, massimo ●*p. hours* ore di punta; *p. time* (TV) fascia oraria di massimo ascolto

peal /piːl/ *s* scampanio *m* ◇ scoppio *m*, scroscio *m*

peanut /ˈpiːnʌt/ *s* arachide *f*

pear /peəʳ/ *s* pera *f*

pearl /pɜːl/ *s* perla *f*

pearly /ˈpɜːlɪ/ *a* perlaceo ● *p. whites* denti

peasant /ˈpez(ə)nt/ *s* contadino *m*

peat /piːt/ *s* torba *f*

pebble /ˈpebl/ *s* ciottolo *m*

to peck /pek/ *vt/i* beccare

peculiar /prˈkjuːlɪəʳ/ *a* peculiare ◇ strano, insolito

peculiarity /pɪˌkjuːlɪˈærɪtɪ/ *s* peculiarità *f* ◇ stranezza *f*

pedagogy /ˈpedəɡɒɡɪ/ *s* pedagogia *f*

pedal /ˈpedl/ *s* pedale *m*

to pedal /ˈpedl/ *vi* pedalare

pedant /ˈped(ə)nt/ *s* pedante *m/f*, pignolo *m*

to peddle /ˈpedl/ *vi* fare il venditore ambulante ◆ *vt* (*di ambulante*) vendere al minuto ◇ (*droga*) spacciare ◇ (*idee*) diffondere, spargere

pedestal /ˈpedɪstl/ *s* piedistallo *m*

pedestrian /prˈdestrɪən/ *a* che va a piedi ◇ pedestre ● *s* pedone *m* ● *p. crossing* passaggio pedonale

pedigree /ˈpedɪɡriː/ *s* albero *m* genealogico ◇ lignaggio *m* ◇ pedigree *m*

pee /piː/ *s* (*fam*) pipì *f*

to peek /piːk/ *vi* sbirciare

peel /piːl/ *s* buccia *f*, scorza *f*

to peel /piːl/ *vt* pelare, sbucciare ◆

vi spellarsi, sbucciarsi, squamarsi

to peep (1) /piːp/ *vi* sbirciare, occhieggiare ◇ fare capolino, spuntare ● *to p. at st* guardare furtivamente qc

to peep (2) /piːp/ *vi* pigolare, squittire

peephole /ˈpiːphəʊl/ *s* spioncino *m*

peer /pɪəʳ/ *s* pari *m*, persona *f* di pari rango ◇ (*membro della Camera dei Lord*) Pari *m*

to peer /pɪəʳ/ *vi* far capolino, spuntare ◇ scrutare

peerless /ˈpɪəlɪs/ *a* impareggiabile

peevish /ˈpiːvɪʃ/ *a* irritabile, permaloso

peg /peɡ/ *s* piolo *m*, picchetto *m* ◇ attaccapanni *m* ◇ (*per bucato*) molletta *f*

pejorative /prˈdʒɒrətɪv/ *a* peggiorativo

pelican /ˈpelɪkən/ *s* pellicano *m* ●*p. crossing* attraversamento pedonale con semaforo a controllo manuale

pellet /ˈpelɪt/ *s* pallina *f* ◇ pallottola *f*

pelt /pelt/ *s* colpo *m* (*di proiettile, sasso e sim*) ● *at full p.* a tutta velocità

to pelt /pelt/ *vt* colpire (*con proiettili, sassi e sim*) ◆ *vi* scrosciare, piovere a dirotto

pelvis /ˈpelvɪs/ *s* pelvi *f*, bacino *m*

pen (1) /pen/ *s* penna *f* ● *p. name* pseudonimo

pen (2) /pen/ *s* recinto *m* (*per animali*)

penal /ˈpiːnl/ *a* penale

to penalize /'pi:nəlaɪz/ *vt* penalizzare

penalty /'pen(ə)ltɪ/ *s* penalità *f*, ammenda *f*, punizione *f* ◆ *p. kick* calcio di rigore

penance /'penəns/ *s* penitenza *f*

pence /pens/ *pl di* penny

pencil /'pensl/ *s* matita *f* ◆ *p. sharpener* temperamatite

pendant /'pendənt/ *s* pendente *m*, ciondolo *m*

pending /'pendɪŋ/ *a* pendente, in sospeso ◇ imminente ◆ *prep* durante ◇ fino a, in attesa di

pendular /'pendjʊlə/ *a* pendolare

pendulum /'pendjʊləm/ *s* pendolo *m*

to penetrate /'penɪtreɪt/ *vt* penetrare ◇ pervadere, permeare ◇ comprendere, capire ◆ *vi* penetrare, introdursi ◇ capire

penguin /'peŋgwɪn/ *s* pinguino *m*

peninsula /pɪ'nɪnsjʊlə/ *s* penisola *f*

penis /'pi:nɪs/ *s* pene *m*

penitence /'penɪt(ə)ns/ *s* pentimento *m*

penitent /'penɪt(ə)nt/ *a/s* penitente *m/f*

penitentiary /ˌpenɪ'tenʃərɪ/ *s* (USA) penitenziario *m*

penknife /'pennaɪf/ *s* temperino *m*

pennant /'penənt/ *s* gagliardetto *m* ◇ bandierina *f*

penny /'penɪ/ *s* (*pl* **pennies** o **pence**) un centesimo *m* di sterlina ◇ (USA) centesimo *m*

pensile /'pensaɪl/ *a* pensile

pension /'penʃ(ə)n/ *s* pensione *f*

pensioner /'penʃənə/ *s* pensionato *m*

pensive /'pensɪv/ *a* pensieroso

pentagon /'pentəgən/ *s* pentagono *m*

Pentecost /'pentɪkɒst/ *s* pentecoste *f*

penthouse /'penthaʊs/ *s* attico *m*

pent-up /'pent,ʌp/ *a* rinchiuso ◇ represso

penultimate /pɪ'nʌltɪmɪt/ *a* penultimo

penury /'penjʊrɪ/ *s* penuria *f*, miseria *f*

peony /'pɪənɪ/ *s* peonia *f*

people /'pi:pl/ *s* popolo *m*, gente *f* ◇ (*pl collettivo*) persone *f pl*, folla *f* ◆ *a lot of p.* un mucchio di gente; *p. say...* si dice...

to people /'pi:pl/ *vt* popolare

to pep /pep/ *vt* (*fam*) **to p. up** stimolare, vivacizzare

pepper /'pepə/ *s* pepe *m* ◇ peperone *m*, pì *m* ◆ *p. mill* macinapepe; *red p.* peperoncino

to pepper /'pepə/ *vt* pepare ◇ cospargere di ◇ mitragliare, tempestare

peppermint /'pepəmɪnt/ *s* menta *f* piperita ◇ caramella *f* di menta

peppery /'pepərɪ/ *a* pepato

per /pə(r)/ *prep* per, per mezzo di, attraverso ◇ per, ogni, a ◆ *p. capita* pro capite; *p. cent* per cento; *p. hour* all'ora

to perceive /pə'si:v/ *vt* percepire ◇ accorgersi

percent /pə'sent/ *a/s* percentuale *f*

percentage /pə'sentɪdʒ/ *s* percentuale *f*

perception /pə'sepʃ(ə)n/ *s* percezione *f*

perch (1) /pɜːtʃ/ *s* pertica *f* ◇ trespolo *m*

perch (2) /pɜːtʃ/ *s* pesce *m* persico

to perch /pɜːtʃ/ *vi* appollaiarsi

to percolate /'pɜːkəleɪt/ *vt/i* filtrare

percolator /'pɜːkəleɪtə'/ *s* filtro *m* ◇ macchinetta *f* per il caffè

percussion /pɜː'kʌʃ(ə)n/ *s* percussione *f*

peregrination /ˌperɪɡrɪ'neɪʃ(ə)n/ *s* peregrinazione *f*

perfect /'pɜːfɪkt/ *a* perfetto ◆ *s* (*gramm*) perfetto *m*

perfection /pə'fekʃ(ə)n/ *s* perfezione *f* ◇ perfezionamento *m*

perfidious /pɜː'fɪdɪəs/ *a* perfido

to perforate /'pɜːfəreɪt/ *vt* perforare

to perform /pə'fɔːm/ *vt* eseguire, compiere ◇ (*teat*) recitare, rappresentare ◆ *vi* funzionare, comportarsi ◇ (*teat*) esibirsi, interpretare una parte

performance /pə'fɔːməns/ *s* esecuzione *f*, rappresentazione *f*, spettacolo *m* ◇ prestazione *f*, rendimento *m*

perfume /'pɜːfjuːm/ *s* profumo *m* ● *p. shop* profumeria

to perfume /pə'fjuːm/ *vt* profumare

perfunctory /pə'fʌŋ(k)tərɪ/ *a* superficiale, trascurato

perhaps /pə'hæps/ *avv* forse, probabilmente

peril /'perɪl/ *s* pericolo *m*

perimeter /pə'rɪmɪtə'/ *s* perimetro *m*

period /'pɪərɪəd/ *s* periodo *m*, epoca *f* ◇ (*gramm*) frase *f*, periodo *m* ◇ (*segno ortografico*) punto *m* ◇ mestruazioni *f pl* ◆ *a* d'epoca, caratteristico di un periodo, in stile

peripheral /pə'rɪfərəl/ *a* periferico ◇ marginale ◆ *s* (*inform*) (*unità*) periferica *f*

to perish /'perɪʃ/ *vi* perire, morire ◇ deperire, deteriorarsi

perishable /'perɪʃəbl/ *a* deperibile, deteriorabile

perjury /'pɜːdʒ(ə)rɪ/ *s* spergiuro *m*

to perk /pɜːk/ *vi* to *p. up* rianimarsi, riprendersi

perky /'pɜːkɪ/ *a* vivace, allegro ◇ baldanzoso

permanent /'pɜːmənənt/ *a* permanente, stabile ● *p. wave* permanente

permeable /'pɜːmjəbl/ *a* permeabile

to permeate /'pɜːmɪeɪt/ *vt* permeare ◆ *vi* diffondersi, penetrare

permissible /pə'mɪsəbl/ *a* ammissibile

permission /pə'mɪʃ(ə)n/ *s* permesso *m*

permissive /pə'mɪsɪv/ *a* permissivo, tollerante ◇ lecito

permit /'pɜːmɪt/ *s* permesso *m*, autorizzazione *f*

to permit /pə'mɪt/ *vt* permettere, concedere

perpetual /pə'petjʊəl/ *a* perpetuo

to perplex /pə'pleks/ *vt* rendere perplesso ◇ complicare

perplexity /pə'pleksɪtɪ/ *s* perplessità *f* ◇ complicazione *f*

to persecute /'pɜːsɪkjuːt/ *vt* perseguitare, molestare

to persevere /ˌpɜːsɪ'vɪə'/ *vi* perseverare ● *to p. in doing st* insistere nel fare qc

to persist /pə'sɪst/ *vi* persistere, continuare ◇ ostinarsi

person /ˈpɜːsn/ s persona f ● in p. personalmente

personage /ˈpɜːsnɪdʒ/ s personaggio m

personal /ˈpɜːsnl/ a personale ● p. assistant segretario particolare; p. best record personale, migliore prestazione

personality /ˌpɜːsəˈnælɪtɪ/ s personalità f ◇ personaggio m

to personalize /ˈpɜːsɪs(ə)nəlaɪz/ vt personalizzare

to personify /pɜːˈsɒnɪfaɪ/ vt personificare

personnel /ˌpɜːsəˈnel/ s personale m

perspective /pəˈspektɪv/ a prospettico ● s prospettiva f

perspicacity /ˌpɜːspɪˈkæsɪtɪ/ s perspicacia f, sagacia f

perspiration /ˌpɜːspəˈreɪʃ(ə)n/ s sudore m, sudorazione f

to perspire /pəˈspaɪə/ vi sudare

to persuade /pəˈsweɪd/ vt persuadere

persuasion /pəˈsweɪʒ(ə)n/ s persuasione f, convincimento m

pert /pɜːt/ a impertinente ● a p. nose un bel nasino

to pertain /pɜːˈteɪn/ vi essere di pertinenza, spettare

pertinent /ˈpɜːtɪnənt/ a pertinente, relativo

to perturb /pəˈtɜːb/ vt infastidire, irritare

perturbation /ˌpɜːtɜːˈbeɪʃ(ə)n/ s perturbazione f ◇ turbamento m

to peruse /pəˈruːz/ vt leggere attentamente ◇ esaminare

to pervade /pəˈveɪd/ vt pervadere

pervasive /pɜːˈveɪsɪv/ a penetrante

perverse /pəˈvɜːs/ a perverso, iniquo

perversion /pəˈvɜːʃ(ə)n/ s perversione f

to pervert /pəˈvɜːt/ vt pervertire, corrompere

pessimist /ˈpesɪmɪst/ s pessimista m/f

pest /pest/ s insetto m nocivo ◇ pianta f infestante ◇ persona f fastidiosa

to pester /ˈpestə/ vt seccare, importunare

pet /pet/ s animale m domestico ◇ beniamino m ● p. name vezzeggiativo

to pet /pet/ vt coccolare, vezzeggiare ◇ (fam) pomiciare con ● vi (fam) pomiciare

petal /ˈpetl/ s petalo m

petard /peˈtɑːd/ s petardo m

petition /pɪˈtɪʃən/ s petizione f, supplica f ◇ (dir) ricorso m

to petrify /ˈpetrɪfaɪ/ vi pietrificarsi ◇ impietrirsi

petrol /ˈpetr(ə)l/ s benzina f ● p. tank serbatoio della benzina

petroleum /pɪˈtrəʊljəm/ s petrolio m ● crude p. petrolio grezzo

petticoat /ˈpetɪkəʊt/ s sottoveste f

petty /ˈpetɪ/ a piccolo, insignificante ◇ meschino ◇ subalterno, subordinato ● p. officer sottufficiale di marina

petulant /ˈpetjʊlənt/ a petulante, irritabile

pew /pjuː/ s (di chiesa) panca f

pewter /ˈpjuːtə/ s peltro m

phalanx /ˈfælæŋks/ s (mil) falange f

phallus /ˈfæləs/ s fallo m

phantom /ˈfæntəm/ s fantasma m

pharaonic /feəˈrɒnɪk/ *a* faraonico

pharmaceutic(al) /ˌfɑːməˈsjuː-tɪk((ə)l)/ *a* farmaceutico ◆ *s* farmaco *m*

pharmacy /ˈfɑːməsɪ/ *s* farmacia *f*

pharynx /ˈfærɪŋks/ *s* faringe *f*

phase /feɪz/ *s* fase *f* ● *p. displacement* (*el*) sfasamento; *out of p.* fuori fase, sfasato

pheasant /ˈfeznt/ *s* fagiano *m*

phenomenon /fɪˈnɒmɪnən/ (*pl* **phenomena**) *s* fenomeno *m*

philanthropy /fɪˈlænθrəpɪ/ *s* filantropia *f*

philately /fɪˈlætəlɪ/ *s* filatelia *f*

philharmonic /ˌfɪlɑːˈmɒnɪk/ *a/s* filarmonica *f*

Philippine /ˈfɪlɪpiːn/ *a* filippino

philology /fɪˈlɒlədʒɪ/ *s* filologia *f*

philosopher /fɪˈlɒsəfər/ *s* filosofo *m*

philosophy /fɪˈlɒsəfɪ/ *s* filosofia *f*

phlegm /flem/ *s* (*med*) muco *m* ◇ flemma *f*, sangue *m* freddo

phlegmatic /fleɡˈmætɪk/ *a* flemmatico

phobia /ˈfəʊbjə/ *s* fobia *f*

phone /fəʊn/ *s* telefono *m* ● *p. book* elenco telefonico; *p. booth, box* cabina telefonica; *to be on the p.* essere al telefono

to phone /fəʊn/ *vt/i* telefonare ● *to p. back* richiamare; *to p. in* comunicare per telefono; *to p. sb up* telefonare a qn

phonetics /fəˈnetɪks/ *s pl* (*v al sing*) fonetica *f*

phoney /ˈfəʊnɪ/ *a* (*fam*) falso, fasullo ◆ *s* cosa *f* falsa ◇ impostore *m*

phosphorus /ˈfɒsfərəs/ *s* fosforo *m*

photo /ˈfəʊtəʊ/ *s* fotografia *f*

photocell /ˈfəʊtəsel/ *s* fotocellula *f*

photocopier /ˈfəʊtə(ʊ)ˌkɒpɪər/ *s* fotocopiatrice *f*

photocopy /ˈfəʊtə(ʊ)ˌkɒpɪ/ *s* fotocopia *f*

photogenic /ˌfəʊtə(ʊ)ˈdʒenɪk/ *a* fotogenico

photograph /ˈfəʊtəɡrɑːf/ *s* fotografia *f*

to photograph /ˈfəʊtəɡrɑːf/ *vt* fotografare

photographer /f(ə)ˈtɒɡrəfər/ *s* fotografo *m*

photography /fəˈtɒɡrəfɪ/ *s* fotografia *f*

phrasal /ˈfreɪz(ə)l/ *a* di locuzione, di frase ● *p. verb* verbo fraseologico

phrase /freɪz/ *s* locuzione *f*, espressione *f*, frase *f* fatta ◇ (*mus*) frase *f*

to phrase /freɪz/ *vt* esprimere, dire, formulare

physical /ˈfɪzɪk(ə)l/ *a* fisico

physician /fɪˈzɪʃ(ə)n/ *s* medico *m*

physics /ˈfɪzɪks/ *s pl* (*v al sing*) fisica *f*

physiology /ˌfɪzɪˈɒlədʒɪ/ *s* fisiologia *f*

physiotherapy /ˌfɪzɪə(ʊ)ˈθerəpɪ/ *s* fisioterapia *f*

physique /fɪˈziːk/ *s* fisico *m*, corporatura *f*

pianist /ˈpɪənɪst/ *s* pianista *m/f*

piano /ˈpjænəʊ/ *s* pianoforte *m*

pick (1) /pɪk/ *s* piccone *m* ◇ strumento *m* appuntito ◇ (*mus*) plettro *m*

pick (2) /pɪk/ *s* scelta *f* ◇ parte *f* migliore

to pick /pɪk/ *vt* cogliere, raccogliere ◇ togliere ◇ scegliere ◇ pulire, ripulire ◇ rubare, borseggiare ◆ *vi* picconare ◇ mangiucchiare, piluccare ◆ *to p. at* sbocconcellare; *to p. on* prendersela con; *to p. out* scegliere, riconoscere; *to p. up* raccogliere, dare un passaggio, passare a prendere, imparare, acquistare, riprendersi

picket /ˈpɪkɪt/ *s* piolo *m*, picchetto *m* ◇ *(di scioperanti)* picchetto *m*

to picket /ˈpɪkɪt/ *vt/i* picchettare

pickle /ˈpɪkl/ *s* salamoia *f* ◇ sottaceti *m pl* ● *to be in a p.* essere nei guai

to pickle /ˈpɪkl/ *vt* mettere sotto aceto, conservare in salamoia

pickpocket /ˈpɪkˌpɒkɪt/ *s* borseggiatore *m*

picnic /ˈpɪknɪk/ *s* picnic *m*

picture /ˈpɪktʃə/ *s* quadro *m*, immagine *f*, illustrazione *f*, disegno *m* ◇ fotogramma *m*, fotografia *f* ◇ ritratto *m* ◇ descrizione *f* ◇ situazione *f*, quadro *m* ◇ film *m*, cinema *m*

to picture /ˈpɪktʃə/ *vt* dipingere, ritrarre, raffigurare ◇ immaginare ● *to p. oneself* immaginarsi

picturesque /ˌpɪktʃəˈresk/ *a* pittoresco

pie /paɪ/ *s* torta *f* ◇ tortino *m*, pasticcio *m*

piece /piːs/ *s* pezzo *m* ◇ moneta *f* ● *a p. of* un pezzo di, una parte di, *(seguito da s non numerabile)* un, una; *a p. of news* una notizia; *a p. of advice* un consiglio; *in one p.* intero

to piece /piːs/ *vt* unire, connettere ◇ rappezzare ● *to p. together* mettere insieme

piecemeal /ˈpiːsmiːl/ *a* frammentario ◆ *avv* pezzo per pezzo, un po' alla volta

piecework /ˈpiːswɜːk/ *s* lavoro *m* a cottimo

pier /pɪə/ *s* banchina *f*, molo *m* ◇ *(di ponte)* pilone *m*

to pierce /pɪəs/ *vt* forare, perforare ◇ trafiggere ● *to p. through st* penetrare attraverso qc

piercing /ˈpɪəsɪŋ/ *a* penetrante, acuto

pig /pɪɡ/ *s* maiale *m*, porco *m* ◇ *(met)* pane *m*, lingotto *m* ● *Guinea p.* porcellino d'India

pigeon /ˈpɪdʒɪn/ *s* piccione *m* ● *carrier p.* piccione viaggiatore

pigeonhole /ˈpɪdʒɪnhəʊl/ *s* casella *f*

to pigeonhole /ˈpɪdʒɪnhəʊl/ *vt* classificare

piggy /ˈpɪɡɪ/ *s* porcellino *m*, maialino *m* ● *p. bank* salvadanaio *(a forma di porcellino)*

piglet /ˈpɪɡlɪt/ *s* porcellino *m*, maialino *m*

pigment /ˈpɪɡmənt/ *s* pigmento *m*

pigpen /ˈpɪɡpen/ *s* *(USA)* porcile *m*

pigsty /ˈpɪɡstaɪ/ *s* porcile *m*

pigtail /ˈpɪɡteɪl/ *s* codino *m* di maiale ◇ treccia *f*

pike /paɪk/ *s* luccio *m*

pilchard /ˈpɪltʃəd/ *s* sardina *f*

pile (1) /paɪl/ *s* pila *f*, catasta *f*, mucchio *m* ◇ *(fig)* grande quantità *f* ◇ *(fis)* pila *f*

pile (2) /paɪl/ *s* palo *m*, palafitta *f*, pilone *m*

pile (3) /paɪl/ *s* *(di tessuto)* pelo *m*

to pile /paɪl/ *vt* ammucchiare, accatastare ♦ *vi* ammucchiarsi, affollarsi ● *to p. on* esagerare, aumentare; *to p. up* accumularsi, (*di veicoli*) tamponarsi

piles /paɪlz/ *s pl* emorroidi *f pl*

pileup /'paɪlʌp/ *s* (*fam*) tamponamento *m* a catena

to pilfer /'pɪlfər/ *vt/i* rubacchiare

pilgrim /'pɪlgrɪm/ *s* pellegrino *f*

pill /pɪl/ *s* pillola *f*

pillage /'pɪlɪdʒ/ *s* saccheggio *m*

to pillage /'pɪlɪdʒ/ *vt/i* saccheggiare

pillar /'pɪlər/ *s* pilastro *m*, colonna *f* ● *p. box* buca delle lettere

pillion /'pɪljən/ *s* sellino *m* posteriore

pillow /'pɪləʊ/ *s* guanciale *m*, cuscino *m* ● *p. case* federa

pilot /'paɪlət/ *s* pilota *m* ♦ *a* pilota, sperimentale, di prova ● *p. light* fiammella pilota, spia

to pilot /'paɪlət/ *vt* pilotare

pimp /pɪmp/ *s* protettore *m*, magnaccia *m*

pimple /'pɪmpl/ *s* pustola *f*, foruncolo *m*

pin /pɪn/ *s* spillo *m* ♢ spilla *f* ♢ perno *m*, spinotto *m*

to pin /pɪn/ *vt* puntare con spilli, fissare ● *to p. down* stringere; *to p. up* appendere con spilli

pinafore /'pɪnəfɔːr/ *s* grembiule *m*, scamiciato *m*

pinball /'pɪnbɔːl/ *s* flipper *m*

pincers /'pɪnsəz/ *s pl* pinze *f pl*, tenaglie *f pl*

pinch /pɪntʃ/ *s* pizzico *m*, pizzicot-

to pin ♢ (*di sale, tabacco*) presa *f*, pizzico *m* ♢ stretta *f*, morsa *f*, angustia *f* ♢ momento *m* critico

to pinch /pɪntʃ/ *vt* pizzicare ♢ stringere ♢ tormentare ♢ lesinare ♢ (*pop*) rubare

pine /paɪn/ *s* pino *m*

to pine /paɪn/ *vi* struggersi, tormentarsi ♢ anelare ● *to p. after* *st* desiderare ardentemente qc; *to p. away* consumarsi dal dolore

pineapple /'paɪnæpl/ *s* ananas *m*

ping /pɪŋ/ *s* tintinnio *m*, suono *m* metallico

pink /pɪŋk/ *a* rosa ♦ *s* (color) rosa *m* ♢ garofano *m*

to pinpoint /'pɪnpɔɪnt/ *vt* localizzare, indicare con esattezza

pint /paɪnt/ *s* pinta *f*

pioneer /ˌpaɪə'nɪər/ *s* pioniere *m*

pious /'paɪəs/ *a* pio, devoto ♢ ipocrita, bigotto

pip /pɪp/ *s* (*di frutto*) seme *m*

pipe /paɪp/ *s* tubo *m*, condotto *m*, conduttura *f* ♢ (*dell'organo*) canna *f* ♢ piffero *m*, *al pl* cornamusa *f* ♢ pipa *f* ● *p. dream* sogno irrealizzabile

to pipe /paɪp/ *vi* suonare il piffero (o la cornamusa) ♢ fischiare ♢ parlare (o cantare) con voce acuta ♦ *vt* convogliare con tubazioni ♢ suonare (con il piffero, la cornamusa) ♢ dire con voce acuta ● *to p. down* tacere, calmarsi; *to p. up* intromettersi nel discorso, saltare su (a dire)

pipeline /'paɪplaɪn/ *s* conduttura *f* ● *oil p.* oleodotto

piping /'paɪpɪŋ/ *s* tubazioni *f pl* ♦ *a*

plain

acuto, penetrante ● *p. hot* bollente

pique /piːk/ *s* ripicca *f*, puntiglio *m*

pirate /ˈpaɪərɪt/ *a/s* pirata *m*

to piss /pɪs/ *vi* (*volg*) pisciare

pissed /pɪst/ *a* (*volg*) sbronzo ◊ incazzato

pistachio /pɪsˈtɑːʃɪəʊ/ *s* pistacchio *m*

pistol /ˈpɪstl/ *s* pistola *f*

piston /ˈpɪstən/ *s* pistone *m*

pit (1) /pɪt/ *s* buca *f*, fossa *f* ◊ cava *f*, miniera *f* ◊ platea *f*

pit (2) /pɪt/ *s* nocciolo *m*, seme *m*

to pit /pɪt/ *vt* infossare ◊ butterare ◊ contrapporre ◊ *to p. against* aizzare contro, opporre

pitch (1) /pɪtʃ/ *s* lancio *m* ◊ (*di suono*) altezza *f*, tono *m* ◊ grado *m*, livello *m* ◊ (*arch*) altezza *f* (*di arco*) ◊ (*di vite*) passo *m* ◊ (*di carattere tipografico*) passo *m*, pitch *m* ◊ (*naut*) beccheggio *m* ◊ campo *m* da gioco ● *sales p.* imbonimento

pitch (2) /pɪtʃ/ *s* pece *f*

to pitch /pɪtʃ/ *vt* piantare, rizzare ◊ lanciare ◊ intonare, impostare ◊ pavimentare ♦ *vi* accamparsi ◊ cadere, stramazzare ◊ (*naut*) beccheggiare ● *to p. in* darci dentro, aiutare; *high pitched* acuto

pitcher (1) /ˈpɪtʃər/ *s* brocca *f*

pitcher (2) /ˈpɪtʃər/ *s* (*baseball*) lanciatore *m*

pitchfork /ˈpɪtʃfɔːk/ *s* forcone *m*

piteous /ˈpɪtɪəs/ *a* pietoso, miserevole

pitfall /ˈpɪtfɔːl/ *s* trappola *f*

pith /pɪθ/ *s* midollo *m* ◊ (*bot*) albedo *f* ◊ (*fig*) essenza *f*

pitiful /ˈpɪtɪf(ʊ)l/ *a* pietoso

pity /ˈpɪtɪ/ *s* pietà *f*, compassione *f* ◊ peccato *m* ● *what a p.!* che peccato!

to pity /ˈpɪtɪ/ *vt* compatire

pivot /ˈpɪvət/ *s* cardine *m*, perno *m*

to pivot /ˈpɪvət/ *vi* ruotare ● *to p. on* dipendere da

pixie /ˈpɪksɪ/ *s* fata *f*, folletto *m*

placard /ˈplækɑːd/ *s* manifesto *m*, cartellone *m*

to placate /pləˈkeɪt/ *vt* placare

place /pleɪs/ *s* località *f*, luogo *m*, posto *m* ◊ impiego *m*, posizione *f* ◊ (*a sedere, a tavola*) posto *m* ◊ (*fam*) casa *f*, casa *f* di campagna ● *in p. of* invece di; *in the first p.* in primo luogo; *out of p.* fuori posto, inopportuno

to place /pleɪs/ *vt* collocare, disporre, mettere ◊ riconoscere, individuare ◊ assegnare, sistemare ● *to be placed* piazzarsi; *to p. oneself* mettersi, porsi

placid /ˈplæsɪd/ *a* placido

to plagiarize /ˈpleɪdʒəraɪz/ *vt* plagiare

plague /pleɪg/ *s* peste *f* ◊ (*fig*) piaga *f*, flagello *m*

to plague /pleɪg/ *vt* affliggere, tormentare

plain /pleɪn/ *a* chiaro, evidente ◊ semplice, liscio, non lavorato ◊ bruttino ◊ comune, ordinario ◊ sincero, schietto ♦ *s* pianura *f* ♦ *avv* chiaramente, francamente ◊ semplicemente ● *p. chocolate* cioccolato fondente, amaro; *p.-*

clothes in borghese; *p. and simple* puro e semplice

plaintiff /ˈpleɪntɪf/ s (dir) attore m

plaintive /ˈpleɪntɪv/ a lamentoso

plait /plæt/ s treccia f

plan /plæn/ s piano m, progetto m ◇ pianta f

to plan /plæn/ vt impostare, progettare, pianificare ◆ fare il piano di ◆ vi fare progetti

plane (1) /pleɪn/ a piano ◆ s piano m ◇ livello m ◇ aereo m

plane (2) /pleɪn/ s (bot) platano m

plane (3) /pleɪn/ s pialla f

to plane /pleɪn/ vi planare

planet /ˈplænɪt/ s pianeta m

planisphere /ˈplænɪsfɪə/ s planisfero m

plank /plæŋk/ s asse f, tavola f

planning /ˈplænɪŋ/ s progettazione f, pianificazione f ● p. permission licenza edilizia

plant /plɑːnt/ s pianta f ◇ impianto m, stabilimento m

to plant /plɑːnt/ vt piantare ◇ fissare, conficcare ◇ collocare, mettere

plantation /plænˈteɪʃən/ s piantagione f

plaque /plɑːk/ s placca f

plaster /ˈplɑːstə/ s cerotto m ◇ stucco m, intonaco m ● p. cast (med) gesso

to plaster /ˈplɑːstə/ vt intonacare, ingessare ◇ spalmare abbondantemente ◇ tappezzare

plastered /ˈplɑːstəd/ a ricoperto ◇ ubriaco ◇ incollato

plastic /ˈplæstɪk/ a plastico, malleabile ◆ s plastica f ● p. surgery chirurgia plastica

to plasticize /ˈplæstɪsaɪz/ vt plastificare

plate /pleɪt/ s piatto m ◇ argenteria f, vasellame m ◇ lamiera f, lastra f, lamina f, piastra f ◇ (aut) targa f ◇ (tip) lastra f ◇ (illustrazione) tavola f ◇ (premio per il vincitore) coppa f ◇ dentiera f

plateau /ˈplætəʊ/ s altopiano m

platform /ˈplætfɔːm/ s piattaforma f ◇ palco m, impalcatura f ◇ (ferr) marciapiede m ● p. roof pensilina

platinum /ˈplætɪnəm/ s platino m

platitude /ˈplætɪtjuːd/ s banalità f

platoon /pləˈtuːn/ s plotone m

platter /ˈplætə/ s piatto m da portata

plausible /ˈplɔːzəbl/ a plausibile

play /pleɪ/ s gioco m ◇ (sport) giocata f, azione f ◇ (teat) commedia f, dramma m ◇ spettacolo m teatrale ● p. on words gioco di parole

to play /pleɪ/ vt/i giocare ◇ suonare ◇ recitare, interpretare ◇ agire, comportarsi ● to p. around scherzare; to p. down minimizzare; to p. off disputare la bella; to p. up mettere in evidenza, tormentare; to p. with giocherellare con, considerare, scherzare con

playbill /ˈpleɪbɪl/ s locandina f

player /ˈpleɪə/ s giocatore m ◇ suonatore m ◇ (inform) lettore m

playful /ˈpleɪf(ʊ)l/ a giocoso

playground /ˈpleɪɡraʊnd/ s parco m giochi ◇ (in una scuola) cortile m

playmate /ˈpleɪmeɪt/ s compagno m di gioco

plummet

play-off /ˈpleɪɔːf/ s (sport) spareggio m

playpen /ˈpleɪpen/ s box m (per bambini)

playtime /ˈpleɪtaɪm/ s ricreazione f

playwright /ˈpleɪraɪt/ s commediografo m, drammaturgo m

plea /pliː/ s richiesta f, petizione f, appello m ◇ (dir) dichiarazione f

to plead /pliːd/ vt chiedere, supplicare ◇ patrocinare ◇ (dir) dichiararsi ◇ addurre a giustificazione

pleasant /ˈpleznt/ a piacevole, gradevole, ameno

please /pliːz/ inter/avv per favore, prego

to please /pliːz/ vt piacere a, essere gradito a ◇ volere, aver voglia di ◆ vi piacere, volere ◇ accontentare, soddisfare ● p. yourself fa' come vuoi

pleased /pliːzd/ a contento, compiaciuto ● p. to meet you! piacere di conoscerti!

pleasure /ˈpleʒə/ s piacere m, godimento m, divertimento m ● to take p. compiacersi, divertirsi; my p. il piacere è mio

pleat /pliːt/ s piega f

to pledge /pledʒ/ vt impegnare ◇ promettere ● to p. oneself to do st impegnarsi a fare qc

plenty /ˈplentɪ/ a.pred abbondante, sufficiente ◆ s abbondanza f ◆ avv abbondantemente, molto

pliable /ˈplaɪəbl/ a pieghevole, flessibile

pliers /ˈplaɪəz/ s pl pinze f pl

to plod /plɒd/ vi arrancare ◇ sgobbare

plonk /plɒŋk/ s tonfo m, rumore m sordo

plot /plɒt/ s appezzamento m di terreno ◇ intreccio m, trama f (di libro) ◇ macchinazione f, complotto m

to plot /plɒt/ vt rilevare, fare la pianta di ◇ disegnare, tracciare ◇ complottare, tramare

plough /plaʊ/ (USA plow) s aratro m

to plough /plaʊ/ (USA to plow) vt arare, solcare ◆ vi arare ◇ farsi strada ● p. into sbattere contro, andare addosso; to p. through avanzare attraverso

ploy /plɔɪ/ s stratagemma m

pluck /plʌk/ s strappo m ◇ al pl frattaglie f pl ◇ (fig) coraggio m, fegato m

to pluck /plʌk/ vt strappare, cogliere ◇ tirare ◇ (strumento musicale) pizzicare ◇ spennare

plug /plʌg/ s tappo m ◇ (el) spina f ◇ (mecc) candela f ◇ (fam) annuncio m pubblicitario

to plug /plʌg/ vt tappare, tamponare ◇ pubblicizzare ◇ (pop) colpire ● to p. in attaccare (la spina); to p. away sgobbare

plum /plʌm/ s prugna f, susina f ◇ (fig) cosa f eccellente

plumb /plʌm/ s (filo a) piombo m, piombino m ◆ a a piombo ◇ completo, assoluto ◆ avv a piombo, verticalmente ◇ esattamente

plumber /ˈplʌmə/ s idraulico m

plume /pluːm/ s penna f, piuma f

plummet /ˈplʌmɪt/ s filo m a piombo ◇ scandaglio *m* ◇ (*fig*) caduta *f* brusca

plump (1) /plʌmp/ *a* paffuto, grassottello

plump (2) /plʌmp/ *a* diretto, netto ◇ a piombo ◆ *avv* di peso ◇ verticalmente ◇ chiaramente

to plump (1) /plʌmp/ *vt/i* gonfiare, gonfiarsi

to plump (2) /plʌmp/ *vi* piombare, cadere ● *to p. for* scegliere, preferire, votare per

to plunder /ˈplʌndə*r*/ *vt/i* saccheggiare

plunge /plʌn(d)ʒ/ *s* tuffo *m*, immersione *f* ◇ (*fam*) speculazione *f* avventata ◇ (*econ*) caduta *f*, crollo *m* ● *to take the p.* fare il grande passo, decidere di sposarsi

to plunge /plʌn(d)ʒ/ *vt* tuffare, immergere ● *vi* tuffarsi, immergersi ◇ precipitarsi ◇ scommettere, rischiare

plunger /ˈplʌn(d)ʒə*r*/ *s* stantuffo *m* tuffante ◇ sturalavandini *m*

plural /ˈpluər(ə)l/ *a/s* plurale *m*

plus /plʌs/ *a* addizionale, in più ◇ positivo ◆ *s* (*mat*) più *m* ◇ quantità *f* in più, extra *m* ◇ fattore *m* positivo, vantaggio *m* ◆ *prep* più ● *p. sizes* taglie forti

plush /plʌʃ/ *a* lussuoso, elegante ◆ *s* felpa *f*

pluvial /ˈpluːvjəl/ *a* pluviale

ply /plaɪ/ *s* piega *f* ◇ capo *m*, filo *m*, trefolo *m* ◇ (*di legno, cartone*) strato *m*

to ply /plaɪ/ *vt* maneggiare, adoperare ◇ attendere a, esercitare ◇ (*con offerte, domande*) importunare ◇ rimpinzare ◆ *vi* lavorare

assiduamente ◇ (*naut*) fare servizio di linea

pneumatic /njuːˈmætɪk/ *a/s* pneumatico *m*

pneumonia /njuː(ː)ˈməʊnjə/ *s* polmonite *f*

to poach (1) /pəʊtʃ/ *vt* cuocere al vapore ● *poached eggs* uova affogate

to poach (2) /pəʊtʃ/ *vt/i* cacciare (o pescare) di frodo

pocket /ˈpɒkɪt/ *a* tascabile ◆ *s* tasca *f* ◇ cavità *f*, sacca *f* ● *p. money* mancetta, paghetta

to pocket /ˈpɒkɪt/ *vt* intascare ◇ appropriarsi di ◇ (*sport*) mandare in buca

pocketbook /ˈpɒkɪtbʊk/ *s* taccuino *m*, agendina *f* ◇ (*USA*) portafoglio *m* ◇ (*USA*) borsetta *f*

pocketknife /ˈpɒkɪtnaɪf/ *s* temperino *m*, coltellino *m*

pod /pɒd/ *s* baccello *m*, guscio *m*

podgy /ˈpɒdʒɪ/ *a* tozzo, grassoccio

podiatrist /pəˈdaɪətrɪst/ *s* podologo *m*

podium /ˈpəʊdɪəm/ *s* podio *m*

poem /ˈpəʊ(ɪ)m/ *s* poesia *f*, poema *m*

poet /ˈpəʊ(ɪ)t/ *s* poeta *m*

poetry /ˈpəʊ(ɪ)trɪ/ *s* poesia *f*

poignant /ˈpɔɪnjənt/ *a* straziante ◇ mordace

point /pɔɪnt/ *s* punto *m* ◇ motivo *m*, scopo *m*, senso *m* ◇ punta *f*, estremità *f* ◇ (*geogr*) punta *f*, promontorio *m* ◇ *al pl* (*ferr*) scambio *m* ● *at all points* sotto ogni aspetto; *p. of view* punto di vista

to point /pɔɪnt/ *vt/i* indicare ◇ appuntire, fare la punta a ◇ puntare

● *to p. to, at* indicare; *to p. out* far notare, segnalare; *to p. up* mettere in evidenza

point-blank /ˌpɔɪntˈblæŋk/ *a* netto, secco ◇ a bruciapelo ◆ *avv* nettamente, chiaro e tondo ◇ a bruciapelo

pointer /ˈpɔɪntə⁽r⁾/ *s* indice *m*, lancetta *f* ◇ bacchetta *f* ◇ (*inform*) cursore *m*, puntatore *m* ◇ (*zool*) pointer *m* ◇ (*fam*) suggerimento *m*, indicazione *f*

pointless /ˈpɔɪntˌlɪs/ *a* spuntato, smussato ◇ inutile, vano

poise /pɔɪz/ *s* equilibrio *m*, stabilità *f* ◇ portamento *m*

poison /ˈpɔɪzn/ *s* veleno *m*

poisoning /ˈpɔɪznɪŋ/ *s* avvelenamento *m*

poke /pəʊk/ *s* colpo *m* di punta ◇ (*fam*) prigione *f* ● *slow p.* posapiano

to poke /pəʊk/ *vt* colpire, urtare, spingere ◇ infilare, conficcare ◇ sporgere ◇ attizzare (il fuoco) ◆ *vi* dare un colpo, pungolare ◇ sporgere ◇ curiosare, immischiarsi, intromettersi ● *to p. about* frugare, curiosare

poker /ˈpəʊkə⁽r⁾/ *s* attizzatoio *m*

poky /ˈpəʊkɪ/ *a* lento, pigro ◇ angusto, misero

polar /ˈpəʊlə⁽r⁾/ *a* polare

to polarize /ˈpəʊləraɪz/ *vt* polarizzare

pole (1) /pəʊl/ *s* asta *f*, palo *m*

pole (2) /pəʊl/ *s* polo *m*

Pole /pəʊl/ *s* polacco *m*

polecat /ˈpəʊlkæt/ *s* puzzola *f*

polemic /pəˈlemɪk/ *a* polemico ◆ *s* polemica *f*

police /pəˈliːs/ *s* polizia *f* ● *p. dog* cane poliziotto; *p. station* stazione di polizia

policeman /pəˈliːsmən/ *s* (*pl* **policemen**) *s* poliziotto *m*

policewoman /pəˈliːsˌwʊmən/ *s* (*pl* **policewomen**) *s* donna *f* poliziotto

policy (1) /ˈpɒlɪsɪ/ *s* politica *f*, linea *f* di condotta

policy (2) /ˈpɒlɪsɪ/ *s* polizza *f* (di assicurazione)

Polish /ˈpəʊlɪʃ/ *a/s* polacco *m* (lingua)

polish /ˈpɒlɪʃ/ *s* lucentezza *f* ◇ lucidatura *f* ◇ lucido *m*, cera *f*, smalto *m*

to polish /ˈpɒlɪʃ/ *vt* lucidare, levigare ◇ raffinare, ingentilire ● *to p. off* sbrigare, finire, divorare

polite /pəˈlaɪt/ *a* cortese, garbato ◇ raffinato, elegante

politics /ˈpɒlɪtɪks/ *s pl* (*v al sing*) politica *f* ● *home p.* politica interna; *foreign p.* politica estera

poll /pəʊl/ *s* votazione *f*, elezione *f* ◇ scrutinio *m*, voti *m pl* ◇ seggio *m* elettorale ◇ sondaggio *m*

to poll /pəʊl/ *vt* ottenere (voti) ◇ scrutinare ◇ sondare (l'opinione)

pollen /ˈpɒlɪn/ *s* polline *m*

polling /ˈpəʊlɪŋ/ *a* votante, elettorale ◆ *s* votazione *f* ● *p. booth* cabina elettorale; *p. day* giorno delle elezioni; *p. station* seggio elettorale

pollution /pəˈluːʃ(ə)n/ *s* inquinamento *m* ● *noise p.* inquinamento acustico

polyclinic /ˌpɒlɪˈklɪnɪk/ s policlinico *m*

polygamy /pɒˈlɪgəmɪ/ s poligamia *f*

polyglot /ˈpɒlɪglɒt/ a/s poliglotta *m/f*

polygon /ˈpɒlɪgən/ s poligono *m*

polyp /ˈpɒlɪp/ s polipo *m*

polyphonic /ˌpɒlɪˈfɒnɪk/ a polifonico

polytechnic /ˌpɒlɪˈtɛknɪk/ a/s politecnico *m*

polytheism /ˈpɒlɪθiːˌɪz(ə)m/ s politeismo *m*

pomegranate /ˈpɒmɪˌgrænɪt/ s melagrana *f*

pomp /pɒmp/ s pompa *f*, sfarzo *m*

pompom /ˈpɒmpɒm/ s pompon *m*

pompous /ˈpɒmpəs/ a pomposo

pond /pɒnd/ s stagno *m*, laghetto *m*

to ponder /ˈpɒndə/ vt ponderare, considerare ◆ vi meditare, riflettere

pontiff /ˈpɒntɪf/ s pontefice *m*

pontificate /pɒnˈtɪfɪkɪt/ s pontificato *m*

pony /ˈpəʊnɪ/ s pony *m* ● **p. tail** (pettinatura a) coda di cavallo; **p. trekking** trekking a cavallo

poodle /ˈpuːdl/ s (cane) barbone *m*, barboncino *m*

pool (1) /puːl/ s stagno *m*, laghetto *m* ◇ pozza *f*

pool (2) /puːl/ s (nei giochi di carte) piatto *m* ◇ biliardo *m* ◇ consorzio *m*, pool *m* ◇ **al pl** totocalcio *m*

to pool /puːl/ vt mettere in comune, consorziare, riunire

poor /pʊə/ a povero, misero ◇ scarso, insufficiente ◇ scadente ● **p. figure** figuraccia

poorly /ˈpʊəlɪ/ avv malamente, scarsamente ◆ a indisposto, malaticcio

pop (1) /pɒp/ s schiocco *m*, botto *m* ◇ (fam) bevanda *f* gassata

pop (2) /pɒp/ s (fam) papà *m*

to pop /pɒp/ vt far scoppiare, far schioccare ◇ far fuoco con ◇ (granturco) soffiare ◇ ficcare, infilare (in fretta) ◇ dare in pegno, impegnare ◆ vi schioccare ◇ scoppiare ● **to p. in** fare una capatina in; **to p. off** saltare via, andarsene in fretta; **to p. out** fare un salto fuori, fare capolino; **to p. up** balzar fuori, saltar su

pope /pəʊp/ s papa *m*

poplar /ˈpɒplə/ s pioppo *m*

poppy /ˈpɒpɪ/ s papavero *m*

popular /ˈpɒpjʊlə/ a popolare

to popularize /ˈpɒpjʊləraɪz/ vt rendere popolare ◇ divulgare

to populate /ˈpɒpjʊleɪt/ vt popolare

population /ˌpɒpjʊˈleɪʃ(ə)n/ s popolazione *f*

populous /ˈpɒpjʊləs/ a popoloso

porcelain /ˈpɔːslɪn/ s porcellana *f*

porch /pɔːtʃ/ s portico *m* ◇ (USA) veranda *f*

porcupine /ˈpɔːkjʊpaɪn/ s porcospino *m*

pore /pɔː/ s poro *m*

to pore /pɔː/ vi **to p. over** esaminare attentamente, riflettere su

pork /pɔːk/ s (carne di) maiale *m* ● **p. chop** braciola di maiale

pornography /pɔːˈnɒgrəfɪ/ s pornografia *f*

port /pɔːt/ s porto *m* ● **p. of call** scalo

portable /ˈpɔːtəbl/ a portatile

portal /ˈpɔːtl/ s portale m

portent /ˈpɔːtent/ s presagio m (negativo) ◇ portento m

portentous /pɔːˈtentəs/ a funesto ◇ prodigioso

porter (1) /ˈpɔːtəʳ/ s portiere m, portinaio m

porter (2) /ˈpɔːtəʳ/ s facchino m, portabagagli m

portfolio /pɔːtˈfəʊliəʊ/ s cartella f ◇ portfolio m ◇ (fin) portafoglio m (di attività)

porthole /ˈpɔːthəʊl/ s oblò m

portico /ˈpɔːtɪkəʊ/ s loggiato m, portico m

portion /ˈpɔːʃ(ə)n/ s porzione f, quota f

portly /ˈpɔːtli/ a corpulento

portrait /ˈpɔːtrɪt/ s ritratto m

to portray /pɔːˈtreɪ/ vt ritrarre, fare il ritratto di ◇ descrivere

Portuguese /ˌpɔːtjʊˈgiːz/ a/s portoghese m/f

pose /pəʊz/ s posa f

to pose /pəʊz/ vi posare, mettersi in posa ◇ atteggiarsi a, spacciarsi per ◆ vt mettere in posa ◇ (un quesito) porre, sollevare

posh /pɒʃ/ a (fam) elegante

position /pəˈzɪʃ(ə)n/ s posizione f

to position /pəˈzɪʃ(ə)n/ vt collocare, sistemare

positive /ˈpɒzɪtɪv/ a positivo ◇ preciso, assoluto, esplicito ◇ certo, sicuro, convinto ● HIV-p. sieropositivo

to possess /pəˈzes/ vt possedere, avere

possession /pəˈzeʃ(ə)n/ s possesso m ◇ al pl proprietà f pl, beni m pl

possessive /pəˈzesɪv/ a possessivo

possibility /ˌpɒsəˈbɪlɪti/ s possibilità f

possible /ˈpɒsəbl/ a possibile

possibly /ˈpɒsɪbli/ avv forse ◇ in alcun modo

post (1) /pəʊst/ s posta f ● p. office ufficio postale

post (2) /pəʊst/ s palo m, pilastro m ◇ (sport) traguardo m

post (3) /pəʊst/ s posto m, postazione f

to post (1) /pəʊst/ vt imbucare, impostare ● to p. up informare, mettere al corrente

to post (2) /pəʊst/ vt affiggere ◇ annunciare

postage /ˈpəʊstɪdʒ/ s affrancatura f

postal /ˈpəʊst(ə)l/ a postale ● p. order vaglia postale

postcard /ˈpəʊs(t)kɑːd/ s cartolina f

to postdate /ˌpəʊst'deɪt/ vt postdatare

posterior /pɒsˈtɪərɪəʳ/ a posteriore

posterity /pɒsˈterɪti/ s posterità f

posthumous /ˈpɒstjʊməs/ a postumo

postman /ˈpəʊs(t)mən/ (pl postmen) s postino m

postmark /ˈpəʊs(t)mɑːk/ s timbro m postale

to postpone /ˌpəʊs(t)'pəʊn/ vt posporre, posticipare

postponement /pəʊs(t)'pəʊnmənt/ s rinvio m

postscript /ˈpəʊsˌskrɪpt/ s poscritto m

postulate /ˈpɒstjʊlɪt/ s postulato m

posture /ˈpɒstʃəʳ/ s posizione f, atteggiamento m

to posture /ˈpɒstʃəʳ/ vi atteggiarsi, ingannare

post-war /ˌpəʊst'wɔːr/ *a* postbellico

posy /'pəʊzi/ *s* mazzolino *m* di fiori

pot /pɒt/ *s* vaso *m*, barattolo *m* ◇ pentola *f* ● teiera *f*, caffettiera *f* ◇ (*fam*) premio *m* ◇ (*pop*) marijuana *f* ● *to go to p.* (*fam*) andare in rovina

potable /'pəʊtəbl/ *a* potabile

potato /pə'teɪtəʊ/ (*pl* **potatoes**) *s* patata *f*

potency /'pəʊt(ə)nsi/ *s* efficacia *f*

potent /'pəʊt(ə)nt/ *a* potente

to potentiate /pə'tenʃɪeɪt/ *vt* potenziare

pot-herbs /'pɒthɜːbz/ *s pl* erbe *f pl* aromatiche

pothole /'pɒthəʊl/ *s* buca *f* ◇ caverna *f*

potluck /ˌpɒt'lʌk/ *s* pasto *m* alla buona ◇ sorte *f*

potroast /'pɒtrəʊst/ *s* brasato *m*

potted /'pɒtɪd/ *a* (*di pianta*) in vaso ◇ (*di cibo*) conservato, inscatolato ◇ (*fig*) condensato, abbreviato, riassunto

potter /'pɒtər/ *s* vasaio *m*

to potter /'pɒtər/ *vi* lavoricchiare

pottery /'pɒtərɪ/ *s* ceramica *f*, ceramiche *f pl* ● arte *f* della ceramica ◇ fabbrica *f* di ceramiche

potty /'pɒtɪ/ *a* insignificante ◇ pazzo, bizzarro

pouch /paʊtʃ/ *s* borsa *f*, sacchetto *m* ◇ (*zool*) marsupio *m*

poultry /'pəʊltrɪ/ *s* pollame *m* ● *p. farming* pollicoltura

to pounce /paʊns/ *vi* balzare addosso, avventarsi

pound /paʊnd/ *s* libbra *f* ◇ sterlina *f*

to pound /paʊnd/ *vt* triturare, frantumare ◇ colpire, battere

to pour /pɔːr/ *vt* versare ◆ *vi* riversarsi ◇ piovere a dirotto ● *to p. in* affluire; *to p. down* piovere a dirotto; *to p. out* riversarsi fuori

pout /paʊt/ *s* broncio *m*

poverty /'pɒvətɪ/ *s* miseria *f*, povertà *f* ● *p.-stricken* molto povero

powder /'paʊdər/ *s* polvere *f* ◇ cipria *f* ● *bath p.* borotalco

to powder /'paʊdər/ *vt* spolverizzare ◇ ridurre in polvere ● incipriare ◆ *vi* polverizzarsi ◇ incipriarsi ● *powdered milk* latte in polvere

power /'paʊər/ *s* potere *m*, autorità *f*, potenza *f* facoltà *f* ◇ (*el*) energia *f*, forza *f*, corrente *f* ◇ (*fam*) quantità *f*, mucchio *m* ◇ (*mat*) potenza *f* ● *p. cut* interruzione di corrente; *p. point* presa di corrente; *p. station* centrale elettrica

powerful /'paʊəf(ʊ)l/ *a* poderoso, potente

powerless /'paʊəlɪs/ *a* impotente

practical /'præktɪk(ə)l/ *a* pratico

practically /'præktɪkəlɪ/ *avv* praticamente ◇ quasi

practice /'præktɪs/ *s* pratica *f* ◇ abitudine *f*, prassi *f* ◇ esercizio *m* della professione ◇ (*sport*) allenamento *m* ◇ clientela *f* ● *out of p.* fuori esercizio; *to get p.* impratichirsi

to practise /'præktɪs/ (*USA* **to practice**) *vt* esercitarsi in, allenarsi in ◇ professare, praticare ◆ *vi* esercitarsi, fare esercizi

practitioner /præk'tɪʃnər/ *s* professionista *m/f* (*spec medico*) ● *general p.* medico generico

prairie /'preərɪ/ s prateria f

to praise /preɪz/ vt elogiare, lodare

praiseworthy /'preɪz,wɜːðɪ/ a lodevole, encomiabile

to prance /prɑːns/ vi (di cavallo) impennarsi ◊ camminare impettito

prank /præŋk/ s birichinata f, burla f

prawn /prɔːn/ s gamberetto m

praxis /'præksɪs/ s prassi f

to pray /preɪ/ vt/i pregare

prayer /preə'/ s preghiera f ◊ possibilità f

to preach /priːtʃ/ vt/i predicare

preacher /'priːtʃə'/ s predicatore m

preamble /priː'æmbl/ s preambolo m

precarious /prɪ'keərɪəs/ a precario

precaution /prɪ'kɔːʃ(ə)n/ s precauzione f

to precede /prɪ(ː)'siːd/ vt/i precedere

precedence /'presɪd(ə)ns/ s precedenza f, priorità f

precedent /pre'siːd(ə)nt/ a/s precedente m

preceding /prɪ(ː)'siːdɪŋ/ a precedente

precept /'priːsept/ s precetto m

precinct /'priːsɪŋ(k)t/ s recinto m ◊ area f delimitata ◊ distretto m ◊ **al pl** vicinanze f pl • **pedestrian p.** zona pedonale

precious /'preʃəs/ a prezioso ◊ delizioso, carino • **p. little** pochissimo

to precipitate /prɪ'sɪpɪteɪt/ vt/i precipitare

precipitation /prɪ,sɪpɪ'teɪʃ(ə)n/ s precipitazione f

precipitous /prɪ'sɪpɪtəs/ a precipitoso

precise /prɪ'saɪs/ a preciso

precision /prɪ'sɪʒ(ə)n/ s precisione f

to preclude /prɪ'kluːd/ vt precludere

precocious /prɪ'kəʊʃəs/ a precoce

precursor /priː'kɜːsə'/ s precursore m

predatory /'predət(ə)rɪ/ a predatore

predecessor /'priːdɪsesə'/ s predecessore m

to predestinate /priː'destɪneɪt/ vt predestinare

to predetermine /,priːdɪ'tɜːmɪn/ vt predeterminare

predicament /prɪ'dɪkəmənt/ s (brutto) frangente m, situazione f (difficile)

to predict /prɪ'dɪkt/ vt predire

prediction /prɪ'dɪkʃ(ə)n/ s predizione f, profezia f

to predispose /,priːdɪs'pəʊz/ vt predisporre

predominance /prɪ'dɒmɪnəns/ s predominanza f, prevalenza f

to predominate /prɪ'dɒmɪneɪt/ vi predominare, prevalere

pre-eminent /prɪ'emɪnənt/ a preminente

pre-empt /prɪ(ː)'em(p)t/ vt acquistare con diritto di prelazione ◊ pregiudicare, mandare a vuoto ◊ impadronirsi di

pre-existent /,priːɪg'zɪst(ə)nt/ a preesistente

preface /'prefɪs/ s prefazione f

prefecture /'priːfektjʊə'/ s prefettura f

to prefer /prɪˈfɜːr/ vt preferire ◇ (dir) presentare, avanzare

preference /ˈprɛf(ə)r(ə)ns/ s preferenza f

preferential /ˌprɛfəˈrenʃ(ə)l/ a preferenziale

to prefigure /priːˈfɪɡər/ vt prefigurare

prefix /ˈpriːfɪks/ s prefisso m

to prefix /priːˈfɪks/ vt premettere ◇ prefissare, mettere un prefisso a

pregnancy /ˈprɛɡnənsɪ/ s gestazione f, gravidanza f ◇ pregnanza f (di significato)

pregnant /ˈprɛɡnənt/ a incinta ◇ pregnante, significativo ● p. pause pausa carica di significato

prehistory /priːˈ(h)ɪst(ə)rɪ/ s preistoria f

prejudice /ˈprɛdʒʊdɪs/ s pregiudizio m ◇ danno m

prejudiced /ˈprɛdʒʊdɪst/ a prevenuto ● p. in favour of (troppo) ben disposto nei confronti di

prelate /ˈprɛlɪt/ s prelato m

preliminary /prɪˈlɪm(ɪ)nərɪ/ a/s preliminare m

premarital /priːˈmærɪt(ə)l/ a prematrimoniale

premature /ˌprɛməˈtjʊər/ a prematuro

premeditation /prɪ(ː)ˌmɛdɪˈteɪʃ(ə)n/ s premeditazione f

premier /ˈprɛmjər/ a primo, principale ● s premier m, primo ministro m

premise /ˈprɛmɪs/ s premessa f ◇ al pl edificio m, fabbricato m ● on the premises all'interno

to premise /prɪˈmaɪz/ vt/i premettere

premium /ˈpriːmjəm/ s premio m ◆ a eccellente, ottimo

premonition /ˌpriːməˈnɪʃ(ə)n/ s premonizione f

preoccupation /priːˌɒkjʊˈpeɪʃ(ə)n/ s preoccupazione f ◇ coinvolgimento m

preoccupied /priːˈɒkjʊpaɪd/ a preoccupato ◇ assorto

prepaid /ˌpriːˈpeɪd/ a pagato in anticipo, prepagato

preparation /ˌprɛpəˈreɪʃ(ə)n/ s preparazione f ◇ (med) preparato m ◆ al pl preparativi m pl

preparatory /prɪˈpærət(ə)rɪ/ a preparatorio

to prepare /prɪˈpeər/ vt/i preparare, prepararsi

preponderant /prɪˈpɒnd(ə)r(ə)nt/ a preponderante

preposition /ˌprɛpəˈzɪʃ(ə)n/ s preposizione f

preposterous /prɪˈpɒst(ə)rəs/ a assurdo ◇ ridicolo

prerequisite /priːˈrekwɪzɪt/ a necessario ◆ s requisito m indispensabile

prerogative /prɪˈrɒɡətɪv/ s prerogativa f

presage /ˈprɛsɪdʒ/ s presagio m

presbytery /ˈprɛzbɪt(ə)rɪ/ s presbiterio m

to prescind /prɪˈsɪnd/ vi prescindere

to prescribe /prɪsˈkraɪb/ vt prescrivere

prescription /prɪsˈkrɪpʃ(ə)n/ s prescrizione f ◇ (med) ricetta f ◇ medicina f ◇ (fig) proposta f, rimedio m

presence /ˈprɛzns/ s presenza f

present (1) /'preznt/ *a* presente ◇ attuale, corrente ◆ *s* presente *m* ● *at p.* momentaneamente; *to be p.* presenziare, assistere

present (2) /'preznt/ *s* presente *m*, dono *m*

to present /prɪ'zent/ *vt* presentare ◇ regalare ● *to p. sb with st* regalare qc a qn

presentation /ˌprezen'teɪʃ(ə)n/ *s* presentazione *f* ◇ rappresentazione *f*

present-day /ˌprez(ə)nt'deɪ/ *a* attuale

presenter /prɪ'zentə/ *s* presentatore *m*

presentiment /prɪ'zentɪmənt/ *s* presentimento *m*

presently /'prezntlɪ/ *avv* tra poco, a momenti ◇ attualmente

preservation /ˌprezə(r)'veɪʃ(ə)n/ *s* preservazione *f*, conservazione *f*

preservative /prɪ'zɜːvətɪv/ *s* conservante *m*

preserve /prɪ'zɜːv/ *s* marmellata *f*, conserva *f* ◇ (*di caccia, pesca*) riserva *f*

to preserve /prɪ'zɜːv/ *vt* preservare, proteggere ● mantenere, conservare ● mettere in conserva

to preside /prɪ'zaɪd/ *vi* presiedere

presidency /'prezɪd(ə)nsɪ/ *s* presidenza *f*

president /'prezɪd(ə)nt/ *s* presidente *m*

press /pres/ *s* stampa *f* ◇ pressione *f*, stretta *f* ◇ pressa *f*, torchio *m* ● *p. conference* conferenza stampa

to press /pres/ *vt* comprimere,

premere, spremere ◇ stringere, abbracciare ◇ stirare ◇ incalzare, insistere su ◆ *vi* incalzare ◇ affollarsi, premere ● *to p. on* insistere, fare pressione (su)

pressing /'presɪŋ/ *a* urgente, incalzante

pressure /'preʃə/ *s* pressione *f* ● *p. cooker* pentola a pressione; *p. gauge* manometro

to pressurize /'preʃəraɪz/ *vt* fare pressione su ◇ pressurizzare

prestige /pres'tiːʒ/ *a* prestigioso ◆ *s* prestigio *m*

to presume /prɪ'zjuːm/ *vt* presumere

presumption /prɪ'zʌm(p)ʃ(ə)n/ *s* presunzione *f*

to presuppose /ˌpriːsə'pəʊz/ *vt* presupporre

presupposition /ˌpriːsʌpə'zɪʃ(ə)n/ *s* presupposizione *f*, presupposto *m*

pretence /prɪ'tens/ (*USA* **pretense**) *s* finzione *f*, simulazione *f* ◇ pretesa *f* ◇ pretesto *m* ● *to make a p. of* far finta di

to pretend /prɪ'tend/ *vt* fingere, simulare ◇ pretendere ◆ *vi* fingere ◇ aspirare a

pretension /prɪ'tenʃ(ə)n/ *s* pretesa *f* ◇ presunzione *f*

pretext /'priːtekst/ *s* pretesto *m*, scusa *f*

pretty /'prɪtɪ/ *a* carino, grazioso, gradevole ◇ (*ironico*) bello ◇ considerevole ◆ *avv* piuttosto, abbastanza

to prevail /prɪ'veɪl/ *vi* prevalere, avere la meglio su ◇ predominare, essere diffuso ● *to p. on,* *upon sb to do st* convincere qn a fare qc

prevalence /ˈprevələns/ s prevalenza f

to prevaricate /prɪˈværɪkeɪt/ vi tergiversare ◊ equivocare

to prevent /prɪˈvent/ vt impedire, ostacolare (ES: **to p. sb from doing st** impedire a qn di fare qc) ◊ evitare ● *to p. oneself* trattenersi

prevention /prɪˈvenʃ(ə)n/ s prevenzione f

preventive /prɪˈventɪv/ a preventivo, profilattico ◆ s misura f preventiva

preview /ˈpriːvjuː/ s anteprima f

previous /ˈpriːvjəs/ a precedente, anteriore ◊ (fam) precipitoso, prematuro ● *p. to* prima di

prevision /prɪ(ː)ˈvɪʒ(ə)n/ s previsione f

pre-war /ˈpriːˈwɔːr/ a prebellico

prey /preɪ/ s preda f

to prey /preɪ/ vi (di animale) predare, cacciare ◊ depredare, saccheggiare ◊ tormentare

price /praɪs/ s prezzo m ● *p. list* listino prezzi; *list p.* prezzo di listino; *at any p.* a tutti i costi

to price /praɪs/ vt fissare il prezzo di ◊ stimare, valutare

priceless /ˈpraɪslɪs/ a inestimabile, d'incalcolabile valore

prick /prɪk/ s punta f, aculeo m ◊ puntura f

to prick /prɪk/ vt pungere, punzecchiare ◊ tormentare ◊ bucherellare ◊ (le orecchie) rizzare, aguzzare ◆ vi formicolare, pizzicare

prickle /ˈprɪkl/ s spina f, pungiglione m ◊ pungolo m ◊ formicolio m

prickly /ˈprɪklɪ/ a spinoso, pungente ◊ (fig) permaloso ● *p. pear* fico d'India

pride /praɪd/ s orgoglio m, superbia f ◊ colmo m, pienezza f

priest /priːst/ s prete m, sacerdote m

priesthood /ˈpriːsthʊd/ s sacerdozio m

prig /prɪg/ s presuntuoso m ◊ ladro m

primal /ˈpraɪm(ə)l/ a primario, principale ◊ originale, primitivo

primary /ˈpraɪmərɪ/ a primo, primario, originario ◊ principale, fondamentale ◊ elementare, di base ◆ s fondamento m, elemento m principale ◊ elezioni f pl primarie ◊ scuola f elementare

prime /praɪm/ a primario, primo ◊ di prima qualità ◊ s principio m ◊ rigoglio m, fiore m ◊ (minuto) primo m

to prime /praɪm/ vt innescare, caricare ◊ mettere al corrente

primeval /praɪˈmiːv(ə)l/ a primordiale, primitivo

primitive /ˈprɪmɪtɪv/ a primitivo

primrose /ˈprɪmrəʊz/ s primula f

prince /prɪns/ s principe m ● *P. Charming* il principe azzurro

princess /prɪnˈses/ s principessa f

principal /ˈprɪnsəp(ə)l/ a principale ◆ s capo m, direttore m ◊ preside m/f ◊ (econ) capitale m

principle /ˈprɪnsɪpl/ s principio m, regola f, norma f ● *in p.* in linea di principio; *on p.* per principio

print /print/ s impronta f, segno m ◇ stampa f ◇ tessuto m stampato ● **out of p.** (di libro) esaurito

to print /print/ vt stampare ◇ imprimere

printer /'printər/ s tipografo m ◇ stampante f ● **laser p.** stampante laser

printing /'printiŋ/ s stampa f ◇ tiratura f ◇ pubblicazione f

prior /'praiər/ a precedente, anteriore ◇ prioritario ◆ s priore m

priority /prai'ɒriti/ s priorità f ● **p. mail** posta prioritaria

prison /'prizn/ s prigione f

prisoner /'priznər/ s prigioniero m

pristine /'pristain/ a originario ◇ puro, incontaminato

privacy /'praivəsi/ s intimità f, vita f privata, privacy f ◇ riserbo m

private /'praivit/ a privato ◇ personale, riservato ◇ isolato, solitario ◆ s soldato m semplice ● **in p.** privatamente; **p. eye** investigatore privato; **p. parts** parti intime; **p. property** proprietà privata

privilege /'privilidʒ/ s privilegio m

privy /'privi/ a privato, segreto ● **to be p. to st** essere a conoscenza di qc

prize /praiz/ s premio m ◆ a premiato, da premio ◇ dato come premio ◇ a premi ◇ (fam) perfetto, classico ● **p. giving** premiazione

to prize (1) /praiz/ vt stimare, valutare

to prize (2) /praiz/ vt far leva su, forzare ● **to p. out** estorcere

pro (1) /prəʊ/ a/s (fam) professionista m/f

pro (2) /prəʊ/ s pro m, vantaggio m ● **the pros and cons** i pro e i contro

probability /prɒbə'biliti/ s probabilità f ● **in all p.** con tutta probabilità

probable /'prɒb(ə)bl/ a probabile

probation /prə'beiʃ(ə)n/ s prova f, esame m ◇ tirocinio m ◇ (dir) sospensione f condizionale della pena

probe /prəʊb/ s sonda f ◇ (fig) indagine f

to probe /prəʊb/ vt sondare, indagare

problem /'prɒbləm/ s problema m

procedure /prə'siːdʒər/ s procedura f, procedimento m

to proceed /prə'siːd/ vi procedere, proseguire ◇ agire ◇ provenire

proceeding /prə'siːdiŋ/ s procedimento m ◇ **al pl** riunione f ◇ **al pl** (di convegno) atti m pl

proceeds /'prəʊsiːdz/ s pl ricavo m, profitto m

process /'prəʊses/ s andamento m, procedimento m ◇ processo m, sviluppo m ◇ elaborazione f

to process /'prəʊses/ vt trattare, sottoporre a un processo ◇ (dir) procedere contro ◇ (inform) elaborare

processing /'prəʊsesiŋ/ s trattamento m, lavorazione f ◇ (inform) elaborazione f

procession /prə'seʃ(ə)n/ s processione f, corteo m

to proclaim /prə'kleim/ vt proclamare

to procreate /'prəʊkrieit/ vt procreare, generare

to procure /prəˈkjʊəʳ/ vt procurare, procacciare

to prod /prɒd/ vt/i pungolare, incitare

prodigal /ˈprɒdɪgəl/ a prodigo ♦ s scialacquatore m

prodigality /ˌprɒdɪˈgælɪtɪ/ s prodigalità f, generosità f

prodigious /prəˈdɪdʒəs/ a prodigioso

produce /ˈprɒdjuːs/ s prodotto m, risultato m ◇ produzione f agricola

to produce /prəˈdjuːs/ vt produrre, fabbricare, generare ◇ esibire, presentare

producer /prəˈdjuːsəʳ/ s produttore m

product /ˈprɒdʌkt/ s prodotto m

production /prəˈdʌkʃ(ə)n/ s produzione f

productivity /ˌprɒdʌkˈtɪvɪtɪ/ s produttività f, rendimento m

profane /prəˈfeɪn/ a profano ◇ empio

to profess /prəˈfes/ vt professare, dichiarare ◇ pretendere di, fingere di ◇ esercitare ♦ vi esercitare una professione

profession /prəˈfeʃ(ə)n/ s professione f

professional /prəˈfeʃənl/ a professionale ♦ s professionista m/f

professor /prəˈfesəʳ/ s professore m (universitario)

proficiency /prəˈfɪʃ(ə)nsɪ/ s abilità m, competenza f, conoscenza f

profile /ˈprəʊfaɪl/ s profilo m

profit /ˈprɒfɪt/ s profitto m, beneficio m, guadagno m

to profit /ˈprɒfɪt/ vt giovare a ♦ vi beneficiare, approfittare

profitability /ˌprɒfɪtəˈbɪlɪtɪ/ s redditività f

profitable /ˈprɒfɪtəbl/ a proficuo, redditizio

profound /prəˈfaʊnd/ a profondo ◇ intenso ◇ assoluto

profuse /prəˈfjuːs/ a profuso, abbondante ◇ prodigo

prognosis /prɒgˈnəʊsɪs/ s prognosi f

prognostic /prɒgˈnɒstɪk/ s pronostico m

program /ˈprəʊgræm/ s (USA) programma m

to program /ˈprəʊgræm/ vt (USA) programmare

programme /ˈprəʊgræm/ s programma m

programmer /ˈprəʊgræməʳ/ s programmatore m

programming /ˈprəʊgræmɪŋ/ s programmazione f

progress /ˈprəʊgres/ s avanzamento m ◇ andamento m, corso m ◇ progresso m, sviluppo m ● **works in p.** lavori in corso

to progress /prəˈgres/ vi progredire, avanzare

progression /prəˈgreʃ(ə)n/ s progressione f

progressive /prəˈgresɪv/ a progressivo ◇ progressista

to prohibit /prəˈhɪbɪt/ vt proibire

prohibition /ˌprəʊ(u)ɪˈbɪʃ(ə)n/ s proibizione f ◇ proibizionismo m

project /ˈprɒdʒekt/ s progetto m, piano m

to project /prəˈdʒekt/ vt proiettare ◇ progettare ♦ vi sporgere, aggettare

projectile /prə'dʒektaɪl/ s proiettile m ◆ a propulsivo ◇ proiettabile

projection /prə'dʒekʃ(ə)n/ s proiezione f ◇ aggetto m, sporgenza f

projector /prə'dʒektər/ s proiettore m

to proliferate /pro(ʊ)'lɪfəreɪt/ vi proliferare

prolific /prə'lɪfɪk/ a prolifico, fecondo

prolix /'prəʊlɪks/ a prolisso

prologue /'prəʊlɒg/ s prologo m

to prolong /prə'lɒŋ/ vt prolungare

promenade /prɒmɪ'nɑːd/ s lungomare m, passeggiata f

prominence /'prɒmɪnəns/ s prominenza f, sporgenza f ◇ importanza f

prominent /'prɒmɪnənt/ a prominente, sporgente ◇ importante

promiscuous /prə'mɪskjʊəs/ a promiscuo, confuso ◇ casuale

promise /'prɒmɪs/ s promessa f

to promise /'prɒmɪs/ vt/i promettere ◆ to p. oneself st ripromettersi qc

promising /'prɒmɪsɪŋ/ a promettente

to promote /prə'məʊt/ vt promuovere

promoter /prə'məʊtər/ s promotore m

promotion /prə'məʊʃ(ə)n/ s promozione f

prompt /prɒm(p)t/ a pronto, sollecito ◇ (di pagamento) in contanti, a pronti ◆ s suggerimento m ◇ termine m di pagamento ◇ (inform) prompt m ◆ avv in punto

to prompt /prɒm(p)t/ vt suggerire, consigliare ◇ incitare

prompter /'prɒm(p)tər/ s suggeritore m

prone /prəʊn/ a prono ◇ disposto, incline

prong /prɒŋ/ s forca f ◇ rebbio m

pronoun /'prəʊnaʊn/ s pronome m

to pronounce /prə'naʊns/ vt pronunciare ◇ dichiarare ◆ vi pronunciarsi, dichiararsi

pronunciation /prə,nʌnsɪ'eɪʃ(ə)n/ s pronuncia f

proof /pruːf/ s prova f, dimostrazione f ◇ (tip) bozza f ◇ (fot) provino m ◆ a (nei composti) a prova di, resistente a

prop (1) /prɒp/ s puntello m, sostegno m

prop (2) /prɒp/ s (teat) materile m di scena, attrezzeria f

to prop /prɒp/ vt appoggiare, puntellare ◇ sostenere

to propagate /'prɒpəgeɪt/ vt/i propagare, propagarsi

to propel /prə'pel/ vt muovere in avanti, spingere

propeller /prə'pelər/ s elica f

proper /'prɒpər/ a proprio, particolare ◇ appropriato, corretto ◇ decoroso, rispettabile ◆ propriamente detto, vero e proprio

properly /'prɒpəlɪ/ avv bene, opportunamente ◇ convenientemente ◇ propriamente

property /'prɒpətɪ/ s proprietà f ◇ beni m, patrimonio m

prophecy /'prɒfɪsɪ/ s profezia f

prophet /'prɒfɪt/ s profeta m

prophylactic /,prɒfɪ'læktɪk/ s preservativo m ◆ a profilattico

to propitiate /prə'pɪʃɪeɪt/ vt propiziare

propitious /prəˈpɪʃəs/ *a* propizio

proportion /prəˈpɔːʃ(ə)n/ *s* proporzione *f*

proposal /prəˈpəʊz(ə)l/ *s* proposta *f*

to propose /prəˈpəʊz/ *vt/i* proporre, presentare ◆ fare una proposta di matrimonio

proposition /ˌprɒpəˈzɪʃ(ə)n/ *s* affermazione *f* ◇ proposizione *f* ◇ proposta *f*

to proposition /ˌprɒpəˈzɪʃ(ə)n/ *vt* proporre a, fare una proposta a

proprietor /prəˈpraɪətər/ *s* proprietario *m*, titolare *m/f*

propriety /prəˈpraɪətɪ/ *s* convenienza *f*, proprietà *f*, correttezza *f* ◇ decoro *m*, decenza *f* ◇ *al pl* convenienze *fpl* sociali

propulsion /prəˈpʌlʃ(ə)n/ *s* propulsione *f*

prose /prəʊz/ *s* prosa *f*

to prosecute /ˈprɒsɪkjuːt/ *vt* proseguire, portare avanti ◇ (*dir*) perseguire

prosecution /ˌprɒsɪˈkjuːʃ(ə)n/ *s* prosecuzione *f* ◇ (*dir*) accusa *f*, processo *m*

prospect /ˈprɒspekt/ *s* prospettiva *f*

prospective /prəˈspektɪv/ *a* futuro, concernente il futuro ◇ probabile, potenziale

prospectus /prəˈspektəs/ *s* prospetto *m*, programma *m*

to prosper /ˈprɒspər/ *vi* prosperare

prostitute /ˈprɒstɪtjuːt/ *s* prostituta *f*

prostrate /ˈprɒstreɪt/ *a* prostrato, abbattuto

protagonist /prəˈ(ʊ)tægənɪst/ *s* protagonista *m/f*

to protect /prəˈtekt/ *vt* proteggere

protection /prəˈtekʃ(ə)n/ *s* protezione *f*, difesa *f*, riparo *m*

protective /prəˈtektɪv/ *a* protettivo

protein /ˈprəʊtiːn/ *s* proteina *f*

protest /ˈprəʊtest/ *s* protesta *f*, manifestazione *f* ◇ protesto *m*

to protest /prəˈtest/ *vt* dichiarare, dimostrare ◇ mandare in protesto ◆ *vi* protestare, reclamare ◇ fare una dichiarazione

Protestant /ˈprɒtɪst(ə)nt/ *a/s* protestante *m/f*

protester /prəˈtestər/ *s* dimostrante *m/f*

protocol /ˈprəʊtəkɒl/ *s* protocollo *m*

prototype /ˈprəʊtətaɪp/ *s* prototipo *m*

to protract /prəˈtrækt/ *vt* protrarre

to protrude /prəˈtruːd/ *vt/i* sporgere

protuberance /prəˈtjuːb(ə)r(ə)ns/ *s* protuberanza *f*

protuberant /prəˈtjuːb(ə)r(ə)nt/ *a* sporgente

proud /praʊd/ *a* orgoglioso, fiero ◇ superbo

to prove /pruːv/ *vt* provare, dimostrare ◇ mettere alla prova ◇ verificare ◆ *vi* risultare, rivelarsi

provenance /ˈprɒvɪnəns/ *s* provenienza *f*, origine *f*

proverb /ˈprɒvɜːb/ *s* proverbio *m*

to provide /prəˈvaɪd/ *vt* provvedere, fornire, procurare ◆ *vi* provvedere ◇ premunirsi ● *to p. oneself with st* fornirsi di qc

provided /prəˈvaɪdd/ (*spesso* **p. that**) *cong* purché, sempre che, a condizione che

providence /ˈprɒvɪd(ə)ns/ *s* previdenza *f*, prudenza *f* ◇ provvidenza *f*

provident /ˈprɒvɪd(ə)nt/ *a* previdente

provider /prəˈvaɪdər/ *s* (*tel*) gestore *m* ◇ fornitore *m* (di un servizio) ◇ (*inform*) provider *m*

providing /prəˈvaɪdɪŋ/ *cong* purché

province /ˈprɒvɪns/ *s* provincia *f*

provincial /prəˈvɪnʃ(ə)l/ *a* provinciale

provision /prəˈvɪʒ(ə)n/ *s* provvedimento *m*, preparativo *m* ◇ fornitura *f* ◇ *al pl* provviste *f pl*, viveri *m pl* ◇ riserva *f* ◇ (*dir*) clausola *f*

provisional /prəˈvɪʒənl/ *a* provvisorio

proviso /prəˈvaɪzəʊ/ *s* (*dir*) condizione *f*

provocation /ˌprɒvəˈkeɪʃ(ə)n/ *s* provocazione *f*

provocative /prəˈvɒkətɪv/ *a* provocante, stimolante

to provoke /prəˈvəʊk/ *vt* provocare ◇ irritare

prow /praʊ/ *s* prua *f*

prowess /ˈpraʊɪs/ *s* prodezza *f*, abilità *f*

to prowl /praʊl/ *vi* muoversi furtivamente

prowler /ˈpraʊlər/ *s* predatore *m*, ladruncolo *m*, malintenzionato *m*

proximity /prɒkˈsɪmɪtɪ/ *s* prossimità *f*, vicinanza *f*

proxy /ˈprɒksɪ/ *s* procuratore *m* ◇ procura *f* ● *by p.* per procura

prudence /ˈpruːd(ə)ns/ *s* prudenza *f*

prudent /ˈpruːd(ə)nt/ *a* prudente

prudish /ˈpruːdɪʃ/ *a* moralista, puritano

prune /pruːn/ *s* prugna *f* secca

to prune /pruːn/ *vt* potare

to pry /praɪ/ *vi* spiare, curiosare

psalm /sɑːm/ *s* salmo *m*

psyche /ˈsaɪkɪ/ *s* psiche *f*

psychiatrist /saɪˈkaɪətrɪst/ *s* psichiatra *m/f*

psychic(al) /ˈsaɪkɪk((ə)l)/ *a* psichico ◇ medianico

psychoanalysis /ˌsaɪkə(ʊ)əˈnæləsɪs/ *s* psicoanalisi *f*

psychologist /saɪˈkɒlədʒɪst/ *s* psicologo *m*

psychology /saɪˈkɒlədʒɪ/ *s* psicologia *f*

psychopath /ˈsaɪkə(ʊ)pæθ/ *s* psicopatico *m*

psychosis /saɪˈkəʊsɪs/ *s* psicosi *f*

puberty /ˈpjuːbətɪ/ *s* pubertà *f*

pubic /ˈpjuːbɪk/ *a* pubico

public /ˈpʌblɪk/ *a/s* pubblico *m* ● *p. house* pub; *p. relations* relazioni pubbliche

publican /ˈpʌblɪkən/ *s* gestore *m* (*di pub*)

publication /ˌpʌblɪˈkeɪʃ(ə)n/ *s* pubblicazione *f*

publicity /pʌbˈlɪsɪtɪ/ *s* pubblicità *f*

to publicize /ˈpʌblɪsaɪz/ *vt* pubblicizzare

to publish /ˈpʌblɪʃ/ *vt* pubblicare

publisher /ˈpʌblɪʃər/ *s* editore *m*

publishing /ˈpʌblɪʃɪŋ/ *s* editoria *f* ● *p. house* casa editrice

to pucker /ˈpʌkər/ *vt* corrugare, increspare ● *to p. up* protendere le labbra (per dare un bacio)

pudding /ˈpʊdɪŋ/ *s* budino *m*

puddle /ˈpʌdl/ *s* pozzanghera *f*

puff /pʌf/ *s* soffio *m*, sbuffo *m* ● *p. pastry* pasta sfoglia

to puff /pʌf/ *vi* soffiare, sbuffare ◇ ansimare ● *to p. out* gonfiare, spegnere con un soffio; *to p. up* gonfiarsi; *puffed up* gonfio, tronfio, pieno di sé

puffy /'pʌfɪ/ *a* ansante ◇ gonfio ◇ paffuto

pull /pʊl/ *s* strappo *m*, tiro *m* ◇ boccata *f*, sorso *m* ◇ maniglia *f*, tirante *m* ◇ *(fig)* influenza *f*, ascendente *m*

to pull /pʊl/ *vt* tirare, tendere ◇ trascinare, trainare ◇ estrarre, tirar fuori, cavare ◇ attirare ● *vi* tirare ◇ lasciarsi tirare, trascinarsi ● *to p. apart* fare a pezzi; *to p. back* ritirarsi; *to p. down* abbassare; *to p. in* accostarsi, entrare in; *to p. off* togliere, togliersi, portare a segno; *to p. st off* farcela; *to p. on* indossare; *to p. out* uscire, partire, staccare, ritirarsi, rinunciare; *to p. over* accostare; *to p. through* farcela, riaversi; *to p. up* fermarsi, sradicare, strappare

pulmonary /'pʌlmənərɪ/ *a* polmonare

pulp /pʌlp/ *s* polpa *f*

pulpit /'pʊlpɪt/ *s* pulpito *m*

to pulsate /pʌl'seɪt/ *vi* pulsare

pulsation /pʌl'seɪʃ(ə)n/ *s* pulsazione *f*

pulse (1) /pʌls/ *s* *(med)* polso *m*, battito *m* ◇ impulso *m*

pulse (2) /pʌls/ *s* *(cuc)* legume *m*

to pulverize /'pʌlvəraɪz/ *vt/i* polverizzare, polverizzarsi

pump /pʌmp/ *s* pompa *f* ◇ distributore *m* di benzina

to pump /pʌmp/ *vt* pompare ● *to p. up* gonfiare

pumpkin /'pʌm(p)kɪn/ *s* zucca *f*

pun /pʌn/ *s* gioco *m* di parole

punch (1) /pʌn(t)ʃ/ *s* pugno *m*

punch (2) /pʌn(t)ʃ/ *s* punzone *m* ◇ perforatrice *f*

punch (3) /pʌn(t)ʃ/ *s* ponce *m*, punch *m*

to punch (1) /pʌn(t)ʃ/ *vt* dare un pugno a

to punch (2) /pʌn(t)ʃ/ *vt* punzonare, perforare

punch-up /'pʌn(t)ʃʌʊp/ *s* zuffa *f*

punctual /'pʌŋ(k)tjʊəl/ *a* puntuale

punctuality /ˌpʌŋ(k)tjʊ'ælɪtɪ/ *s* puntualità *f*

to punctuate /'pʌŋ(k)tjʊeɪt/ *vt* punteggiare ◇ mettere la punteggiatura

punctuation /ˌpʌŋ(k)tjʊ'eɪʃ(ə)n/ *s* punteggiatura *f*

puncture /'pʌŋktʃər/ *s* *(di pneumatico)* foratura *f* ◇ puntura *f* ● *to get a p.* forare

pungent /'pʌndʒ(ə)nt/ *a* pungente

to punish /'pʌnɪʃ/ *vt* punire, infliggere una punizione

punishment /'pʌnɪʃmənt/ *s* punizione *f*, castigo *m*

punter /'pʌntər/ *s* scommettitore *m* ◇ *(pop)* cliente *m/f*

puny /'pjuːnɪ/ *a* gracile, sparuto

pup /pʌp/ *s* cucciolo *m*

pupil (1) /'pjuːpl/ *s* allievo *m*, scolaro *m*

pupil (2) /'pjuːpl/ *s* pupilla *f*

puppet /'pʌpɪt/ *s* burattino *m*, fantoccio *m*

puppy /'pʌpɪ/ *s* cucciolo *m*

purchase /'pɜːtʃəs/ *s* acquisto *m*, compera *f* ◇ *(spec di immobili)* valore *m* ◇ paranco *m*

to purchase /'pɜːtʃəs/ *vt* acquistare, comprare ◇ acquisire ◇ sollevare (con paranco)

purchasing /ˈpɜːtʃəsɪŋ/ s acquisto m

pure /pjʊəʳ/ a puro

purée /ˈpjʊəreɪ/ s purè m

purgative /ˈpɜːɡətɪv/ a/s purgante m

purgatory /ˈpɜːɡət(ə)rɪ/ s purgatorio m

to purge /pɜːdʒ/ vt purgare, purificare ◇ epurare

purging /ˈpɜːdʒɪŋ/ s purga f, purificazione f

to purify /ˈpjʊərɪfaɪ/ vt purificare

purism /ˈpjʊərɪz(ə)m/ s purismo m

Puritanism /ˈpjʊərɪt(ə)nɪz(ə)m/ s puritanesimo m

purity /ˈpjʊərɪtɪ/ s purezza f

to purloin /pɜːˈlɔɪn/ vt trafugare, rubare

purple /ˈpɜːpl/ a purpureo, violaceo ♦ s (colore) porpora m, viola m

to purport /pɜːˈpɔːt/ vt dare a intendere

purpose /ˈpɜːpəs/ s scopo m, fine m, intenzione f ◇ effetto m, risultato m ◇ proposito m, fermezza f ● on p. di proposito, apposta; to no p. invano

purposeful /ˈpɜːpəsf(ʊ)l/ a risoluto, determinato ◇ intenzionale

to purr /pɜːʳ/ vi fare le fusa ◇ ronzare

purse /pɜːs/ s borsellino m ◇ borsa f

pursuance /pəˈsjuːəns/ s proseguimento m

to pursue /pəˈsjuː/ vt inseguire ◇

perseguire, aspirare a ◇ proseguire, procedere

pursuit /pəˈsjuːt/ s inseguimento m, ricerca f ◇ attività f ◇ passatempo m ● hot p. tallonamento

push /pʊʃ/ s spinta f ◇ pressione f ◇ sforzo m ◇ energia f ● p.-button pulsante

to push /pʊʃ/ vt spingere, premere ◇ fare pressione su, incitare ◇ propagandare ◇ (pop) spacciare (droga) ● to p. aside scostare; to p. back respingere; to p. forward spingere innanzi, avanzare; to p. in spingere, premere; to p. off andar via; to p. out buttar fuori; to p. up far salire

pushchair /ˈpʊʃtʃeəʳ/ s passeggino m

pusher /ˈpʊʃəʳ/ s spacciatore m

pussycat /ˈpʊsɪkæt/ s micio m

to put /pʊt/ (pass/pp put) vt mettere, porre, collocare ◇ apporre, applicare ◇ esporre, presentare, esprimere ◇ sottoporre ◇ valutare, calcolare ◇ piantare, conficcare ◇ scommettere, puntare, investire ♦ vi (naut) dirigersi, far rotta per ● to p. away mettere via, mettere da parte; to p. back riporre, posticipare, ritardare; to p. by risparmiare; to p. down posare, sopprimere, umiliare, annotare, attribuire; to p. forward proporre, suggerire, anticipare; to p. in inserire, intromettersi, presentare domanda; to p. off rinviare, impedire, dissuadere; to p. on indossare, accendere, metter su, mettere in scena; to p. out metter fuori, trasmettere, pubblicare, produrre, spegnere, offendere, disturbare; *to p. through* portare a compimento, far approvare, mettere in comunicazione; *to p. up* alzare, aumentare, affiggere, costruire, ospitare, conservare; *to p. up with* sopportare

to putrefy /ˈpjuːtrɪfaɪ/ *vi* imputridire

putty /ˈpʌtɪ/ *s* stucco *m*, mastice *m*

to putty /ˈpʌtɪ/ *vt* stuccare

puzzle /ˈpʌzl/ *s* rompicapo *m*, enigma *m* ◊ confusione *f* ● *crossword p.* parole incrociate

to puzzle /ˈpʌzl/ *vt* confondere ◆ *vi* essere perplesso ● *to p. out* decifrare

pyjamas /pəˈdʒɑːməz/ *s pl* pigiama *m*

pylon /ˈpaɪlən/ *s* pilone *m*

pyramid /ˈpɪrəmɪd/ *s* piramide *f*

pyromaniac /ˌpaɪrəʊˈmeɪnjæk/ *s* piromane *m/f*

pyrotechnic(al) /ˌpaɪrəʊˈteknɪk((ə)l/ *a* pirotecnico

python /ˈpaɪθ(ə)n/ *s* pitone *m*

Q

quack /kwæk/ *s* ciarlatano *m*

to quack /kwæk/ *vi* starnazzare

quadrangular /kwɒˈdræŋgjʊlər/ *a* quadrangolare

quadrant /ˈkwɒdrənt/ *s* quadrante *m*

quadrature /ˈkwɒdrətʃər/ *s* quadratura *f*

quadrennial /kwɒˈdrenjəl/ *a* quadriennale

quadrilateral /ˌkwɒdrɪˈlæt(ə)r(ə)l/ *a/s* quadrilatero *m*

quadruped /ˈkwɒdruped/ *a/s* quadrupede *m*

quadruple /ˈkwɒdrʊpl/ *a/s* quadruplo *m*

to quadruple /ˈkwɒdrʊpl/ *vt/i* quadruplicare, quadruplicarsi

quagmire /ˈkwæɡmaɪər/ *s* pantano *m*

quail /kweɪl/ *s* quaglia *f*

to quail /kweɪl/ *vi* sgomentarsi, avvilirsi

quaint /kweɪnt/ *a* pittoresco ◊ bizzarro, curioso

quake /kweɪk/ *s* scossa *f*, tremito *m* ◊ *(fam)* terremoto *m*

Quaker /ˈkweɪkər/ *s* quacchero *m*

qualifiable /ˈkwɒlɪfaɪəbl/ *a* qualificabile

qualification /ˌkwɒlɪfɪˈkeɪʃ(ə)n/ *s* qualificazione *f* ◊ requisito *m*, qualifica *f*, titolo *m* ◊ restrizione *f*

to qualify /ˈkwɒlɪfaɪ/ *vt* qualificare, definire ◊ abilitare, autorizzare ◊ modificare, limitare ◆ *vi* qualificarsi, abilitarsi

qualitative /ˈkwɒlɪtətɪv/ *a* qualitativo

quality /ˈkwɒlɪtɪ/ *s* qualità *f*

qualm /kwɔːm/ *s* rimorso *m* ◊ nausea *f*

quandary /ˈkwɒndərɪ/ *s* difficoltà *f*, imbarazzo *m*

to quantify /'kwɒntɪfaɪ/ *vt* quantificare

quantity /'kwɒntɪtɪ/ *s* quantità *f*, quantitativo *m* ● *in q.* in abbondanza

quarantine /'kwɒr(ə)ntiːn/ *s* quarantena *f*

to quarrel /'kwɒr(ə)l/ *vi* bisticciare, litigare

quarrelsome /'kwɒr(ə)lsəm/ *a* litigioso, rissoso

quarry (1) /'kwɒrɪ/ *s* cava *f* ◇ (*fig*) miniera *f*, fonte *f*

quarry (2) /'kwɒrɪ/ *s* preda *f*

quarter /'kwɔːtə/ *s* quarto *m* ◇ trimestre *m* ◇ (*USA*) quarto *m* di dollaro ◇ quartiere *m*, rione *m* ◇ alloggio *m*

to quarter /'kwɔːtə/ *vt* dividere in quarti ◇ squartare ◇ alloggiare

quarterly /'kwɔːtəlɪ/ *a* trimestrale ◆ *s* pubblicazione *f* trimestrale ◆ *avv* trimestralmente

quartet /kwɔː'tet/ *s* quartetto *m* ● **string q.** quartetto d'archi

quartz /kwɔːts/ *s* quarzo *m*

to quash /kwɒʃ/ *vt* (*dir*) annullare ◇ sottomettere

quaver /'kweɪvə/ *s* trillo *m* ◇ tremolio *m* ◇ (*mus*) croma *f*

quay /kiː/ *s* banchina *f*, molo *m*

queasy /'kwiːzɪ/ *a* nauseato, nauseabondo ◇ inquieto, agitato

queen /kwiːn/ *s* regina *f*

queer /kwɪə/ *a* strano, bizzarro ◇ dubbio ◇ indisposto ◇ (*fam*) omosessuale

to quell /kwel/ *vt* reprimere, domare ◇ calmare

to quench /kwen(t)ʃ/ *vt* estinguere,

spegnere ● *q. one's thirst* dissetarsi

querulous /'kwerʊləs/ *a* querulo, lamentoso

query /'kwɪərɪ/ *s* domanda *f*, quesito *m* ◇ (*inform*) interrogazione *f*, ricerca *f*

to query /'kwɪərɪ/ *vt* interrogare, indagare su ◇ mettere in dubbio ◆ *vi* fare domande ◇ (*inform*) interrogare, ricercare

quest /kwest/ *s* ricerca *f* ● *in q. of* in cerca di

question /'kwestʃ(ə)n/ *s* domanda *f* ◇ questione *f*, problema *m* ● *q. mark* punto interrogativo

to question /'kwestʃ(ə)n/ *vt* interrogare ◇ dubitare di

questionable /'kwestʃənəbl/ *a* dubbio, incerto ◇ discutibile

questionnaire /ˌkwestɪə'neə/ *s* questionario *m*

queue /kjuː/ *s* coda *f* ◇ fila *f* ● *to q. up* mettersi in coda

to queue /kjuː/ *vi* fare la coda, fare la fila ● *to q. up* mettersi in coda

quick /kwɪk/ *a* svelto, veloce ◇ pronto, acuto ◇ suscettibile ◆ *avv* rapidamente ◆ *s* carne *f* viva ◇ (*fig*) vivo *m* ● *to sting sb to the q.* toccare qn sul vivo

to quicken /'kwɪk(ə)n/ *vt/i* affrettare, affrettarsi

quickly /'kwɪklɪ/ *avv* in fretta, prontamente

quicksand /'kwɪksænd/ *s* sabbie *f pl* mobili

quicksilver /'kwɪkˌsɪlvə/ *s* mercurio *m*, argento *m* vivo

quick-witted /'kwɪkˌwɪtɪd/ *a* perspicace

quid /kwɪd/ *s* (*fam*) sterlina *f*

quiet /kwaɪət/ *a* quieto, tranquillo ◇ modesto, semplice ◇ segreto ♦ s quiete *f*, tranquillità *f* ● *on the q.* di nascosto

to quieten /kwaɪətn/ *vt/i* calmare, calmarsi

quilt /kwɪlt/ *s* trapunta *f*, piumino *m*

quinquennal /kwɪŋˈkwenɪəl/ *a* quinquennale

quintal /kwɪntl/ *s* quintale *m*

quintuple /kwɪntjupl/ *a/s* quintuplo *m*

to quintuple /kwɪntjupl/ *vt/i* quintuplicare, quintuplicarsi

quip /kwɪp/ *s* frizzo *m*, battuta *f*

quirk /kwɜːk/ *s* coincidenza *f* ◇ stranezza *f*, ghiribizzo *m*

to quit /kwɪt/ (*pass/pp* **quitted** o **quit**) *vt* abbandonare ◇ smettere, cessare, lasciare ◇ lasciare andare, mollare ♦ *vi* andarsene ◇ dimettersi ◇ arrendersi

quite /kwaɪt/ *avv* proprio, del tutto,

completamente ◇ abbastanza, piuttosto ◇ esattamente ● *q. a bit, q. a lot* (*di quantità*) abbastanza; *q. a while* (*di tempo*) abbastanza; *q. right* giustissimo; *q. (so)* esatto, proprio così

quits /kwɪts/ *avv* pari, alla pari ● *to call it q.* smetterla, farla finita

quittance /kwɪt(ə)ns/ *s* quietanza *f*, ricevuta *f*

to quiver /kwɪvər/ *vi* fremere, tremare

quotation /kwo(u)ˈteɪʃ(ə)n/ *s* citazione *f* ◇ (*Borsa*) quotazione *f* ◇ preventivo *m* ● *q. marks* virgolette

quote /kwəʊt/ *s* citazione *f* ◇ *al pl* virgolette *f pl* ◇ preventivo *m*

to quote /kwəʊt/ *vt* citare, riportare ◇ mettere fra virgolette ◇ (*Borsa*) quotare

quotient /kwəʊʃ(ə)nt/ *s* quoziente *m*

R

rabbi /ræbaɪ/ *s* rabbino *m*

rabbit /ræbɪt/ *s* coniglio *m*

rabid /ræbɪd/ *a* (*di animale*) rabbioso ◇ furioso

rabies /reɪbiːz/ *s* (*med*) rabbia *f*, idrofobia *f*

raccoon /rəˈkuːn/ → **racoon**

race (1) /reɪs/ *s* gara *f*, corsa *f*, competizione *f* ◇ (*di astro*) corso *m* ◇ (*geogr*) corrente *f*

race (2) /reɪs/ *s* razza *f* ◇ categoria *f*

to race /reɪs/ *vi* gareggiare, corre-

re ◇ andare a tutta velocità ◇ (*di motore*) imballarsi ♦ *vt* gareggiare con ◇ far correre ◇ far girare a vuoto

racecourse /reɪskɔːs/ *s* ippodromo *m*

racer /reɪsər/ *s* corridore *m* ◇ cavallo *m* da corsa ◇ automobile *f* da competizione ◇ bicicletta *f* da corsa

racetrack /reɪstræk/ *s* (*sport*) pista *f* ◇ (*USA*) ippodromo *m*

rachitis /ræˈkaɪtɪs/ *s* rachitismo *m*

racial /ˈreɪʃəl/ *a* razziale

racing /ˈreɪsɪŋ/ *a* da corsa ◆ *s* corsa *f*

racism /ˈreɪsɪz(ə)m/ *s* razzismo *m*

racist /ˈreɪsɪst/ *a/s* razzista *m/f*

rack (1) /ræk/ *s* rastrelliera *f* ◊ cremagliera *f* ● *luggage r.* portabagagli; *plate r.* scolapiatti; *r. rail* rotaia a cremagliera

rack (2) /ræk/ *s* (*cuc*) costoletta *f*

rack (3) /ræk/ *s* rovina *f*

to rack /ræk/ *vt* torturare ◊ sforzare ● *to r. one's brains* scervellarsi

racket (1) /ˈrækɪt/ *s* baccano *m*, fracasso *m* ◊ racket *m* ◊ (*fam*) attività *f*, occupazione *f*

racket (2) /ˈrækɪt/ *s* racchetta *f*

rackety /ˈrækɪtɪ/ *a* chiassoso, rumoroso

racoon /rəˈkuːn/ *s* procione *m*

racy /ˈreɪsɪ/ *a* vivace, frizzante ◊ salace, pungente

radar /ˈreɪdə/ *s* radar *m*

radial /ˈreɪdjəl/ *a* radiale

to radiate /ˈreɪdɪeɪt/ *vi* diffondersi, irradiarsi ◆ *vt* emanare, irradiare

radiation /ˌreɪdɪˈeɪʃ(ə)n/ *s* radiazione *f*

radiator /ˈreɪdɪeɪtə/ *s* radiatore *m*

radicalism /ˈrædɪkəlɪz(ə)m/ *s* radicalismo *m*

radio /ˈreɪdɪəʊ/ *a* radiofonico, (*nei composti*) radio ◆ *s* radio *f* ● *r. amateur* radioamatore

radioactivity /ˌreɪdɪəʊ(u)ækˈtɪvɪtɪ/ *s* radioattività *f*

radiography /ˌreɪdɪˈɒɡrəfɪ/ *s* radiografia *f*

radiology /ˌreɪdɪˈɒlədʒɪ/ *s* radiologia *f*

radish /ˈrædɪʃ/ *s* ravanello *m* ◊ rafano *m*

radium /ˈreɪdjəm/ *s* (*chim*) radio *m*

radius /ˈreɪdjəs/ (*pl* **radii**) *s* raggio *m* ◊ (*anat*) radio *m*

raffle /ˈræfl/ *s* riffa *f*, lotteria *f*

raft /rɑːft/ *s* zattera *f* ● *r. bridge* ponte galleggiante

rag /ræɡ/ *s* straccio *m*, brandello *m* ◊ frammento *m* ◊ *al pl* abiti *m pl* vecchi ◊ (*fam*) giornalaccio *m* ● *r. doll* bambola di stoffa

rage /reɪdʒ/ *s* furia *f*, rabbia *f* ◊ passione *f*, mania *f* ● *to be* (*all*) *the r.* furoreggiare

to rage /reɪdʒ/ *vi* infuriarsi ◊ imperversare, infierire

ragged /ˈræɡɪd/ *a* lacero, cencioso ◊ frastagliato ◊ irsuto, ispido ◊ imperfetto, rozzo ◊ aspro, stridente

raging /ˈreɪdʒɪŋ/ *a* infuriato ◊ violento, furioso ◆ *s* furia *f*, furore *m*

raid /reɪd/ *s* incursione *f*, irruzione *f*

rail /reɪl/ *s* sbarra *f* ◊ ferrovia *f* ◊ corrimano *m*, parapetto *m*, ringhiera *f*, (*naut*) battagliola *f* ◊ rotaia *f* ● *by r.* su rotaia, per ferrovia

railroad /ˈreɪlrəʊd/ *s* (*USA*) ferrovia *f*

railway /ˈreɪlweɪ/ *s* ferrovia *f* ● *r. station* stazione ferroviaria

rain /reɪn/ *s* pioggia *f* ● *in the r.* sotto la pioggia; *r. pipe* grondaia *f*

to rain /reɪn/ *vimp* piovere ● *to r. down* riversarsi

rainbow /ˈreɪnbəʊ/ *s* arcobaleno *m*

raincoat /ˈreɪnkəʊt/ *s* impermeabile *m*

rainproof /'reɪnpruːf/ *a* impermeabile

rainstorm /'reɪnstɔːm/ *s* temporale *m*

rainy /'reɪnɪ/ *a* piovoso

raise /reɪz/ *s* aumento *m*

to raise /reɪz/ *vt* alzare, elevare, innalzare ◇ sollevare, proporre, provocare ◇ erigere ◇ allevare ◇ coltivare ◇ (*denaro*) procurarsi, raccogliere ◇ aumentare, far salire

raisin /'reɪzɪn/ *s* uva *f* passa

raising /'reɪzɪŋ/ *s* sollevamento *m*, aumento *m* ◇ allevamento *m* ◇ educazione *f* ◇ sopralzo *m*

to rake /reɪk/ *vt* rastrellare ◇ raschiare, grattare ◇ frugare, setacciare ● *to r. in* fare soldi a palate

raked /reɪkt/ *a* in pendenza

rally /'rælɪ/ *s* comizio *m*, riunione *f*, adunata *f* ◇ ripresa *f*, recupero *m* ◇ (*sport*) rally *m* ◇ (*nel tennis e sim*) scambio *m* di colpi

to rally /'rælɪ/ *vt* raccogliere, chiamare a raccolta, riunire ◇ rianimare ♦ *vi* raccogliersi, radunarsi ◇ rianimarsi, riaversi ● *to r. round* venire in aiuto di, stringersi intorno a

to ram /ræm/ *vt* speronare ◇ conficcare

to ramble /'ræmbl/ *vi* gironzolare ◇ divagare

rambler /'ræmblə/ *s* escursionista *m/f* ◇ rosa *f* rampicante

rambling /'ræmblɪŋ/ *a* errante, girovago ◇ incoerente, sconnesso ◇ (*bot*) rampicante ◇ (*di edificio*) irregolare

ramp /ræmp/ *s* rampa *f*

to rampage /ræm'peɪdʒ/ *vi* scatenarsi

rampant /'ræmpənt/ *a* dilagante

rampart /'ræmpɑːt/ *s* bastione *m*

ramshackle /'ræmˌʃækl/ *a* decrepito, sgangherato

rancid /'rænsɪd/ *a* rancido

rancour /'ræŋkə/ (*USA* **rancor**) *s* rancore *m*

random /'rændəm/ *a* casuale ◇ irregolare ● *at r.* a caso

range /reɪndʒ/ *s* (*di monti*) catena *f*, fila *f* ◇ portata *f*, gittata *f* ◇ raggio *m* d'azione ◇ gamma *f*, serie *f* ◇ escursione *f*, gradazione *f*, variazione *f*, intervallo *m* ◇ (*mus*) estensione *f* ◇ (*di terreno*) distesa *f* ◇ piano *m* cottura ◇ poligono *m* di tiro

to range /reɪndʒ/ *vt* disporre, allineare, schierare ◇ classificare ◇ percorrere, vagare per ♦ *vi* oscillare, variare ◇ estendersi ◇ avere una portata di ◇ girovagare

ranger /'reɪndʒə/ *s* guardia *f* forestale ◇ poliziotto *m* a cavallo

rank (1) /ræŋk/ *s* fila *f*, schiera *f* ◇ rango *m*, grado *m* ◇ posteggio *m* di taxi

rank (2) /ræŋk/ *a* rigoglioso, lussureggiante ◇ rozzo ◇ puzzolente, rancido ◇ vero e proprio, bell'e buono

to rank /ræŋk/ *vt* classificare ◇ considerare, giudicare ● *to r. with* allinearsi, essere alla pari

to ransack /'rænsæk/ *vt* frugare ◇ saccheggiare, svaligiare

ransom /'rænsəm/ *s* riscatto *m* ● *to*

hold sb for r. tenere in ostaggio qn per ottenere il riscatto

to rant /rænt/ *vi* sbraitare

rap /ræp/ *s* colpo *m*, colpetto *m* ◇ rimprovero *m* ◇ *(mus)* rap *m*

to rap /ræp/ *vt/i* picchiare, bussare ◇ criticare, rimproverare ◇ *(mus)* rappare

rapacious /rəˈpeɪʃəs/ *a* rapace

rape /reɪp/ *s (bot)* ravizzone *m* ◇ colza *f*

to rape /reɪp/ *vt* stuprare, violentare

rapid /ˈræpɪd/ *a* rapido ♦ *s al pl* rapide *f pl*

rapist /ˈreɪpɪst/ *s* stupratore *m*

rapture /ˈræptʃəʳ/ *s* rapimento *m*, estasi *f*

rare (1) /reəʳ/ *a* raro, singolare ◇ rarefatto

rare (2) /reəʳ/ *a* poco cotto, al sangue

rarely /ˈreəlɪ/ *avv* raramente ◇ ottimamente

rarity /ˈreərɪtɪ/ *s* rarità *f*

rascal /ˈrɑːsk(ə)l/ *s* mascalzone *m*

rash /ræʃ/ *a* imprudente, precipitoso

rasp /rɑːsp/ *s* raspa *f*

raspberry /ˈrɑːzb(ə)rɪ/ *s* lampone *m*

rasping /ˈrɑːspɪŋ/ *a* stridente

rat /ræt/ *s* ratto *m*, topo *m*

ratable /ˈreɪtəbl/ *a* imponibile

rate /reɪt/ *s* ammontare *m*, indice *m*, percentuale *f* ◇ velocità *f*, ritmo *m*, passo *m* ◇ tariffa *f*, prezzo *m* ◇ *(fin)* saggio *m*, tasso *m* ◇ tassa *f*, contributo *m* ♦ *at this r.* di questo passo; *at any r.* ad ogni modo

to rate /reɪt/ *vt* valutare, stimare ◇

giudicare, considerare ◇ annoverare ◇ tassare

rather /ˈrɑːðəʳ/ *avv* abbastanza, piuttosto ◇ di preferenza, piuttosto che ◇ *(fam)* certamente, eccome ♦ *or r.* ovvero, o meglio; *I would r.* preferirei

to ratify /ˈrætɪfaɪ/ *vt* ratificare

rating /ˈreɪtɪŋ/ *s* valutazione *f*, qualifica *f* ◇ categoria *f*, *(naut)* rating *m* ◇ *(fin)* rating *m*

ratio /ˈreɪʃɪəʊ/ *s* proporzione *f*, rapporto *m*

ration /ˈræʃ(ə)n/ *s* razione *f*

rational /ˈræʃənl/ *a* razionale

to rationalize /ˈræʃnəlaɪz/ *vt* razionalizzare

rattle /ˈrætl/ *s* sonaglio *m* ◇ rumore *m* secco

to rattle /ˈrætl/ *vi* sbatacchiare, tintinnare, picchiettare, fare un rumore secco ◇ turbare, preoccupare ♦ *to r. around in* occupare uno spazio troppo grande; *to r. off* ripetere a memoria, meccanicamente

rattlesnake /ˈrætlsneɪk/ *s* serpente *m* a sonagli

raucous /ˈrɔːkəs/ *a* rauco, cupo

ravage /ˈrævɪdʒ/ *s* rovina *f* ◇ *al pl* danni *m pl*

to ravage /ˈrævɪdʒ/ *vt* devastare

to rave /reɪv/ *vi* delirare ◇ andare in estasi ◇ *(di mare)* infuriare

raven /ˈreɪvn/ *s* corvo *m*

ravenous /ˈrævɪnəs/ *a* famelico, ingordo

ravine /rəˈviːn/ *s* burrone *m*

raving /ˈreɪvɪŋ/ *a* delirante, furioso ◇ eccezionale ♦ *s* delirio *m*

raw /rɔː/ *a* crudo ◇ greggio ◇ ine-

sperto ◇ aperto, vivo ◇ (*di clima*) freddo ● **r. deal** trattamento ingiusto; **r. materials** materie prime; **in the r.** allo stato naturale

ray /reɪ/ s raggio m

to raze /reɪz/ vt radere al suolo, abbattere

razor /ˈreɪzə/ s rasoio m ● **r. blade** lametta

re /ri:/ prep in relazione a

reach /ri:tʃ/ s distanza f, portata f ◇ possibilità f, campo m d'azione ◇ tratto m di fiume, braccio m di mare (navigabile)

to reach /ri:tʃ/ vt giungere a, raggiungere ◇ allungare, porgere ◇ stendere ◆ toccare ◆ vi estendersi, allungarsi ◇ stendere il braccio, allungare la mano

to react /rɪ(:)ˈækt/ vi reagire

reaction /rɪ(:)ˈækʃ(ə)n/ s reazione f

reactivity /ˌriːækˈtɪvɪtɪ/ s reattività f

reactor /riːˈæktə/ s reattore m

to read /ri:d/ (*pass/pp* read) vt leggere ◇ (*di strumento*) segnare, indicare ◇ interpretare, capire ● *to r. out* leggere a voce alta; *to r. through* leggere da cima a fondo

reader /ˈriːdə/ s lettore m ◇ libro m di lettura

reading /ˈriːdɪŋ/ s lettura f ◇ indicazione f ◇ interpretazione f

to readjust /ˌriːəˈdʒʌst/ vt riaggiustare

ready /ˈredɪ/ a pronto, preparato ◇ disposto ◇ svelto ● *to get r.* prepararsi; *to make r.* preparare

to reaffirm /ˌriːəˈfɜːm/ vt riaffermare

reagent /riːˈeɪdʒənt/ s reagente m

real /rɪəl/ a reale, effettivo ◇ (*dir*) immobile, immobiliare ● **r. estate** beni immobili

realism /ˈrɪəlɪz(ə)m/ s realismo m

reality /riːˈælɪtɪ/ s realtà f

realization /ˌrɪəlaɪˈzeɪʃ(ə)n/ s comprensione f, percezione f ◇ realizzazione f ◇ (*econ*) realizzo m

to realize /ˈrɪəlaɪz/ vt capire, accorgersi ◇ realizzare, effettuare

really /ˈrɪəlɪ/ avv davvero, effettivamente, veramente, proprio

ream /ri:m/ s risma f (di carta)

to reap /ri:p/ vt mietere ◇ raccogliere

to reappear /ˌriːəˈpɪə/ vi riapparire

reappointment /ˌriːəˈpɔɪntmənt/ s reintegrazione f ◇ rielezione f

rear /rɪə/ a posteriore ◆ s parte f posteriore, retro m ◇ retroguardia f ◇ (*fam*) sedere m

to rear /rɪə/ vt alzare, sollevare ◇ crescere, allevare, coltivare ◆ vi innalzarsi ● *to r. up* impennarsi

to rearrange /ˌriːəˈreɪn(d)ʒ/ vt riordinare

reason /ˈriːz(ə)n/ s ragione f, motivo m ◇ ragione f, intelletto m, raziocinio m

to reason /ˈriːzn/ vi ragionare ◆ vt valutare, calcolare ◇ convincere

to reassure /ˌriːəˈʃʊə/ vt rassicurare

to rebate /rɪˈbeɪt/ vt rimborsare ◇ ridurre, ribassare

to rebel /rɪˈbel/ vi ribellarsi

rebellion /rɪˈbeljən/ s ribellione f

to reboot /riːˈbuːt/ vt (*inform*) riavviare

to rebound /rɪˈbaʊnd/ vi rimbalzare ◇ ripercuotersi

to rebuff /rɪ'bʌf/ s (secco) rifiuto m

to rebuild /ˌri:'bɪld/ vt ricostruire

to rebuke /rɪ'bju:k/ vt rimproverare, sgridare

to rebut /rɪ'bʌt/ vt rifiutare, confutare

to recall /rɪ'kɔ:l/ vt richiamare ◇ rievocare, richiamare alla mente ◇ ricordarsi ◇ (dir) revocare

to recant /rɪ'kænt/ vt ritrattare ◇ abiurare

to recapitulate /ˌri:kə'pɪtjuleɪt/ vt/i ricapitolare

to recede /rɪ'si:d/ vi ritirarsi, allontanarsi ◇ calare, svanire

receipt /rɪ'si:t/ s ricevimento m ◇ ricevuta f, quietanza f ◇ scontrino m ◇ al pl entrate f pl

to receive /rɪ'si:v/ vt ricevere, accogliere

receiver /rɪ'si:vəʳ/ s destinatario m ◇ (del telefono) ricevitore m ◇ apparecchio m ricevente ◇ ricettatore m ◇ (dir) curatore m fallimentare

recent /'ri:snt/ a recente

reception /rɪ'sepʃ(ə)n/ s ricevimento m ◇ ricezione f ◇ accoglienza f ◇ accettazione f, reception f

recess /rɪ'ses/ s intervallo m, vacanza f ◇ rientranza f, nicchia f ◇ recesso m

recession /rɪ'seʃ(ə)n/ s (econ) recessione f ◇ ritiro m, arretramento m

to recharge /ˌri:'tʃɑ:dʒ/ vt ricaricare

recipe /'resɪpɪ/ s (cuc) ricetta f

recipient /rɪ'sɪpɪənt/ s ricevente m/f, destinatario m

reciprocal /rɪ'sɪprək(ə)l/ a reciproco

to recite /rɪ'saɪt/ vt recitare, declamare ◇ enumerare

reckless /'reklɪs/ a spericolato

to reckon /'rek(ə)n/ vt calcolare, computare ◇ considerare, stimare ◇ (fam) credere, supporre ● to r. on fare conto su; to r. with/ without fare i conti con/senza

reckoning /'rekənɪŋ/ s conto m, calcolo m ◇ (fig) resa f dei conti

to reclaim /rɪ'kleɪm/ vt reclamare, rivendicare ◇ redimere, riabilitare ◇ bonificare ◇ ricuperare

reclamation /ˌreklə'meɪʃ(ə)n/ s rivendicazione f ◇ ricupero m, ritiro m ◇ bonifica f

to recline /rɪ'klaɪn/ vt reclinare ♦ vi appoggiarsi, adagiarsi

recognition /ˌrekəg'nɪʃ(ə)n/ s riconoscimento m

to recognize /'rekəgnaɪz/ vt riconoscere, distinguere ◇ ammettere ◇ approvare, accogliere

to recoil /rɪ'kɔɪl/ vi indietreggiare, retrocedere ◇ rinculare

to recollect (1) /ˌri:kə'lekt/ vt raccogliere, radunare, rimettere insieme

to recollect (2) /ˌrekə'lekt/ vt/i ricordare, ricordarsi

to recommence /ˌri:kə'mens/ vt/i ricominciare

to recommend /ˌrekə'mend/ vt raccomandare, consigliare

to recompense /'rekəmpens/ vt ricompensare

to reconcile /'rekənsaɪl/ vt riconciliare, conciliare ● to r. oneself rassegnarsi

to recondition /ˌriːkənˈdɪʃ(ə)n/ *vt* ripristinare, revisionare

reconnaissance /rɪˈkɒnɪs(ə)ns/ *s* perlustrazione *f*, ricognizione *f*

to reconsider /ˌriːkənˈsɪdə(r)/ *vt* riconsiderare, riesaminare

to reconstruct /ˌriːkənˈstrʌkt/ *vt* ricostruire

record /ˈrekɔːd/ *s* documento *m*, registrazione *f*, nota *f*, verbale *m*, testimonianza *f* ◊ *al pl* atto *m* pubblico ◊ archivio *m* (*inform*) record *m* ◊ (*sport*) record *m*, primato *m* ◊ disco *m* (*di vinile*) ● *r. library* discoteca; *r. player* giradischi; *criminal r.* fedina penale

to record /rɪˈkɔːd/ *vt* registrare, prender nota di, verbalizzare ◊ documentare, testimoniare ◊ incidere, registrare

recorder /rɪˈkɔːdə(r)/ *s* registratore *m*

recording /rɪˈkɔːdɪŋ/ *s* registrazione *f*, incisione *f*

to recount (1) /rɪˈkaʊnt/ *vt* raccontare dettagliatamente

to recount (2) /ˌriːˈkaʊnt/ *vt* contare di nuovo

to recoup /rɪˈkuːp/ *vt* rimborsare, risarcire ◊ ricuperare

recourse /rɪˈkɔːs/ *s* ricorso *m* ● *to have r. to* fare ricorso a

to recover /rɪˈkʌvə(r)/ *vt* riacquistare, ricuperare, ritrovare ◆ *vi* ristabilirsi, riprendersi, guarire

recovery /rɪˈkʌvərɪ/ *s* ricupero *m*, guarigione *f*

recreation /ˌrekrɪˈeɪʃən/ *s* ricreazione *f*, divertimento *m*

recrimination /rɪˌkrɪmɪˈneɪʃ(ə)n/ *s* recriminazione *f*

recruit /rɪˈkruːt/ *s* (*mil*) recluta *f* ◊ principiante *m/f*, novellino *m*

to recruit /rɪˈkruːt/ *vt* (*mil*) reclutare ◊ procurarsi l'appoggio (o l'aiuto) di

rectangle /ˈrektæŋgl/ *s* rettangolo *m*

to rectify /ˈrektɪfaɪ/ *vt* rettificare

rectilinear /ˌrektɪˈlɪnɪə/ *a* rettilineo

rector /ˈrektə/ *s* rettore *m*

rectory /ˈrekt(ə)rɪ/ *s* canonica *f*, presbiterio *m*

to recuperate /rɪˈkjuːp(ə)reɪt/ *vt* ricuperare, riguadagnare ◆ *vi* ristabilirsi, riprendersi ◊ rifarsi

to recur /rɪˈkɜː/ *vi* ritornare, ricorrere ◊ ritornare in mente

recurrence /rɪˈkʌr(ə)ns/ *s* ricorso *m*, riapparizione *f*, ricorrenza *f*

to recuse /rɪˈkjuːz/ *vt* ricusare

to recycle /riːˈsaɪkl/ *vt* riciclare

red /red/ *a/s* rosso *m* ● *to be in the r.* essere in rosso

redcurrant /ˌredˈkʌrənt/ *s* ribes *m* rosso

to redden /ˈredn/ *vi* arrossire ◆ *vt* arrossare ◊ far arrossire

reddish /ˈredɪʃ/ *a* rossiccio

to redeem /rɪˈdiːm/ *vt* riscattare ◊ redimere, salvare ◊ compensare

redemption /rɪˈdem(p)ʃ(ə)n/ *s* redenzione *f* ◊ (*fin*) riscatto *m*, rimborso *m*

red-handed /ˌredˈhændɪd/ *a* con le mani nel sacco, in flagrante

red-hot /ˈredˈhɒt/ *a* rovente ◊ appassionato

to rediscover /ˌriːdɪsˈkʌvə(r)/ *vt* riscoprire, ritrovare

to redo /riːˈduː/ (*pass* redid, *pp* redone) *vt* rifare

refuel

redolent /ˈredəʊlənt/ *a* fragrante ◊ suggestivo

to redouble /riˈdʌbl/ *vt/i* raddoppiare

redress /riˈdres/ *s* riparazione *f*, risarcimento *m*

redskin /ˈredskin/ *s* pellerossa *m/f*

to reduce /riˈdjuːs/ *vt* ridurre

reduction /riˈdʌkʃ(ə)n/ *s* riduzione *f*

redundancy /riˈdʌndənsi/ *s* sovrabbondanza *f*, eccedenza *f* ◊ licenziamento *m* (*per esubero di personale*) ◊ ridondanza *f*

redwood /ˈredwʊd/ *s* sequoia *f*

reed /riːd/ *s* canna *f* ◊ (*mus*) ancia *f*
● **r.-pipe** zampogna

reef /riːf/ *s* scogliera *f*, banco *m* ●
barrier r. barriera corallina

reefer /ˈriːfə/ *s* (*fam*) frigo *m* ◊ canna *f*, spinello *m*

to reek /riːk/ *vi* puzzare

to reel (1) /riːl/ *vt* avvolgere, arrotolare ● *to r. in* tirare su (*col mulinello*); *to r. off* dipanare

to reel (2) /riːl/ *vi* barcollare, vacillare ◊ avere il capogiro ◊ girare, turbinare

to re-elect /ˌriːiˈlekt/ *vt* rieleggere

to re-enter /riːˈentə/ *vi* rientrare

refectory /riˈfekt(ə)ri/ *s* refettorio *m*

to refer /riˈfəː/ *vt* indirizzare, rinviare ◊ inoltrare ◆ *vi* riferirsi, riguardare, fare riferimento ◊ ricorrere

referee /ˌrefəˈriː/ *s* arbitro *m* ◊ garante *m*, referenza *f*

reference /ˈref(ə)r(ə)ns/ *s* riferimento *m*, rapporto *m*, relazione *f* ◊ allusione *f*, accenno *m* ◊ consultazione *f* ◊ referenza *f*, raccomandazione *f*

refill /ˈriːfil/ *s* ricambio *m*, ricarica *f* ◊ (*a tavola*) secondo giro *m*

to refill /riːˈfil/ *vt* riempire di nuovo, ricaricare

to refine /riˈfain/ *vt* raffinare

refinement /riˈfainmənt/ *s* raffinazione *f* ◊ raffinatezza *f*

refinery /riˈfainəri/ *s* raffineria *f*

to reflect /riˈflekt/ *vt* riflettere, rispecchiare ◆ *vi* riflettersi ◊ riflettere, meditare

reflection /riˈflekʃ(ə)n/ *s* riflessione *f*, riflesso *m* ◊ ripercussione *f* ◊ meditazione *f*, considerazione *f* ◊ critica *f*

reflex /ˈriːfleks/ *a/s* riflesso *m* ● *r. camera* macchina fotografica reflex

reflexive /riˈfleksiv/ *a* riflessivo

to reform /riˈfɔːm/ *vt* riformare

reformatory /riˈfɔːmət(ə)ri/ *s* riformatorio *m*

refrain /riˈfrein/ *s* ritornello *m*

to refrain /riˈfrein/ *vi* trattenersi, astenersi

to refresh /riˈfreʃ/ *vt* rinfrescare, ristorare, rianimare ◊ ricaricare, rifornire ◆ *vi* rinfrescarsi, ristorarsi, rianimarsi

refreshment /riˈfreʃmənt/ *s* ristoro *m* ◊ rinfresco *m*, spuntino *m*

to refrigerate /riˈfridʒəreit/ *vt* refrigerare

refrigerator /riˈfridʒəreitə/ *s* refrigerante *m* ◊ frigorifero *m*

to refuel /riːˈfjuəl/ *vt* rifornire (*di carburante*) ◆ *vi* fare rifornimento

refuge /ˈrefjuːdʒ/ s rifugio m • **to take r.** rifugiarsi

refugee /ˌrefjuˈdʒiː/ s rifugiato m, profugo m

refund /ˈriːfʌnd/ s rimborso m

to refund /riːˈfʌnd/ vt rimborsare

to refurbish /ˌriːˈfɜːbɪʃ/ vt rinnovare

refusal /rɪˈfjuːz(ə)l/ s rifiuto m ◇ (dir) diritto m di opzione

refuse /ˈrefjuːs/ a di scarto • s rifiuti m pl, immondizia f

to refuse /rɪˈfjuːz/ vt/i rifiutare, rifiutarsi

to refute /rɪˈfjuːt/ vt confutare

to regain /rɪˈɡeɪn/ vt riguadagnare

regal /ˈriːɡ(ə)l/ a regale, regio

regard /rɪˈɡɑːd/ s riguardo m, considerazione f ◇ stima f, ammirazione f ◇ **al pl** (nelle formule di cortesia) saluti m pl • **in r. to**, **with r. to** circa, riguardo a, in merito a

to regard /rɪˈɡɑːd/ vt considerare, giudicare ◇ stimare ◇ riguardare, concernere • **as regards**, **regarding** per quanto riguarda

regardless /rɪˈɡɑːdlɪs/ a incurante • **r. of** a dispetto di

to regenerate /rɪˈdʒenəreɪt/ vt/i rigenerare, rigenerarsi

regent /ˈriːdʒ(ə)nt/ s reggente m/f

regime /reɪˈʒiːm/ s regime m

regiment /ˈredʒɪmənt/ s reggimento m

region /ˈriːdʒ(ə)n/ s regione f

register /ˈredʒɪstə/ s registro m ◇ lista f elettorale

to register /ˈredʒɪstə/ vt registrare, iscrivere, immatricolare ◇ (corrispondenza) raccomandare ◇

(di strumento) segnare • vi iscriversi, registrarsi

registration /ˌredʒɪsˈtreɪʃ(ə)n/ s registrazione f, iscrizione f • **r. number** numero di targa

registry /ˈredʒɪstrɪ/ s registrazione f ◇ archivio m, ufficio m di registrazione ◇ **r. office** anagrafe

regnant /ˈreɡnənt/ a regnante

regress /ˈriːɡres/ s regresso m

to regret /rɪˈɡret/ vt rammaricarsi di ◇ rimpiangere

regretfully /rɪˈɡretf(ʊ)lɪ/ avv con rincrescimento, purtroppo

regrettable /rɪˈɡretəbl/ a spiacevole, deplorevole

regular /ˈreɡjʊlə/ a regolare • s soldato m regolare ◇ cliente m/f abituale

to regulate /ˈreɡjʊleɪt/ vt regolare

regulation /ˌreɡjʊˈleɪʃ(ə)n/ s regolazione f ◇ ordinamento m, regolamento m

rehabilitation /ˌriːəˌbɪlɪˈteɪʃ(ə)n/ s riabilitazione f

to rehearse /rɪˈhɜːs/ vt (teat) provare, fare le prove di

reign /reɪn/ s regno m

to reign /reɪn/ vi regnare

to reimburse /ˌriːɪmˈbɜːs/ vt rimborsare

reincarnation /ˌriːɪnkɑːˈneɪʃ(ə)n/ s reincarnazione f

reindeer /ˈreɪndɪə/ s renna f

to reinforce /ˌriːɪnˈfɔːs/ vt rinforzare

reinforcement /ˌriːɪnˈfɔːsmənt/ s rinforzo m, rafforzamento m ◇ **al pl** (mil) rinforzi m pl

to reinstate /ˌriːɪnˈsteɪt/ vt ristabilire, reintegrare

to reiterate /riːˈɪtəreɪt/ vt reiterare

to reject /rɪˈdʒekt/ vt rifiutare, respingere ◇ scartare ◇ (med) rigettare

to rejoice /rɪˈdʒɔɪs/ vi rallegrarsi

to rejoin /riːˈdʒɔɪn/ vt/i ricongiungere, ricongiungersi

to rejuvenate /rɪˈdʒuːvɪneɪt/ vt/i ringiovanire

to relapse /rɪˈlæps/ vi ricadere ◇ (med) avere una ricaduta

to relate /rɪˈleɪt/ vt riferire, raccontare ◇ collegare, mettere in relazione ◆ vi riferirsi a, concernere ◇ simpatizzare, stabilire un rapporto

related /rɪˈleɪtɪd/ a imparentato ◇ connesso

relation /rɪˈleɪʃ(ə)n/ s racconto m, relazione f ◇ rapporto m ◇ parente m/f

relationship /rɪˈleɪʃ(ə)nʃɪp/ s relazione f, rapporto m ◇ parentela f

relative /ˈrelətɪv/ a relativo ◆ s parente m/f

relativity /ˌreləˈtɪvɪtɪ/ s relatività f

to relax /rɪˈlæks/ vt rilassare, distendere ◇ allentare, mitigare ◆ vi rilassarsi, riposarsi ◇ attenuarsi

relay /ˈriːleɪ/ s (corsa a) staffetta f ◇ squadra f di turno ◇ (el) relè m

to relay /rɪˈleɪ/ vt fornire ◇ trasmettere ◇ riferire

release /rɪˈliːs/ s rilascio m, scarcerazione f ◇ quietanza f, remissione f ◇ (di film, disco) distribuzione f ◇ (inform) versione f ◇ (mecc) rilascio m, scatto m ◇ emissione f

to release /rɪˈliːs/ vt liberare, scarcerare ◇ distribuire, diffondere ◇ sganciare, sbloccare ◇ emettere ◇ scaricare ● to r. on bail rilasciare su cauzione

to relegate /ˈrelɪgeɪt/ vt relegare

to relent /rɪˈlent/ vi placarsi, addolcirsi

relentless /rɪˈlentlɪs/ a implacabile, inesorabile

relevant /ˈrelɪvənt/ a relativo, pertinente, specifico

reliable /rɪˈlaɪəbl/ a affidabile, fidato

reliance /rɪˈlaɪəns/ s fiducia f

reliant /rɪˈlaɪənt/ a fiducioso

relic /ˈrelɪk/ s reliquia f ◇ cimelio m ◆ al pl resti m pl mortali

relief (1) /rɪˈliːf/ s sollievo m ◇ aiuto m, soccorso m ◇ cambio m, sostituto m

relief (2) /rɪˈliːf/ s (arte) rilievo m

to relieve /rɪˈliːv/ vt alleviare ◇ soccorrere ◇ alleggerire ◇ dare il cambio, sostituire

reliever /rɪˈliːvə/ s soccorritore m ● pain r. farmaco antidolorifico

religion /rɪˈlɪdʒ(ə)n/ s religione f

to relinquish /rɪˈlɪŋkwɪʃ/ vt abbandonare, rinunciare a

relish /ˈrelɪʃ/ s gusto m, attrattiva f ◇ condimento m, salsa f

to relish /ˈrelɪʃ/ vt gustare, assaporare

to reload /riːˈləʊd/ vt ricaricare

to relocate /ˌriːləʊˈkeɪt/ vt/i trasferire, trasferirsi

reluctance /rɪˈlʌktəns/ s riluttanza f

to rely /rɪˈlaɪ/ vi fare affidamento, fidarsi ◇ dipendere

to remain /rɪˈmeɪn/ vi rimanere

remainder /rɪˈmeɪndəʳ/ s resto m, residuo m ◇ persone f pl rimanenti ◇ rimanenza f ◇ (mat) resto m

remains /rɪˈmeɪnz/ s pl rovine f pl, resti m pl

to remake /riːˈmeɪk/ (pass/pp remade) vt rifare

remark /rɪˈmɑːk/ s osservazione f, commento m, nota f

to remark /rɪˈmɑːk/ s osservare, rimarcare

remarkable /rɪˈmɑːkəbl/ a notevole

to remarry /riːˈmæri/ vt/i risposare, risposarsi

remedial /rɪˈmiːdjəl/ a riparatore ◇ (med) correttivo ◇ (scuola) di recupero

remedy /ˈremɪdi/ s rimedio m

to remember /rɪˈmembəʳ/ vt/i ricordare, ricordarsi

remembrance /rɪˈmembr(ə)ns/ s ricordo m, memoria f

to remind /rɪˈmaɪnd/ vt ricordare a, far ricordare

reminder /rɪˈmaɪndəʳ/ s promemoria m ◇ ricordo m, memoria f

reminiscence /ˌremɪˈnɪsns/ s reminiscenza f

reminiscent /ˌremɪˈnɪsnt/ a evocativo, che richiama alla mente ◇ che si abbandona ai ricordi

remiss /rɪˈmɪs/ a negligente

remission /rɪˈmɪʃ(ə)n/ s remissione f ◇ diminuzione f (di una pena)

to remit /rɪˈmɪt/ vt rimettere, condonare ◇ allentare, placare ◇ diminuire, ridurre ◇ (denaro) rimettere, inviare ◇ sospendere, differire, annullare

remnant /ˈremnənt/ s avanzo m, resto m ◇ scampolo m

to remonstrate /ˈremənstreɪt/ vi protestare, fare delle rimostranze

remorse /rɪˈmɔːs/ s rimorso m

remorseless /rɪˈmɔːslɪs/ a spietato, senza pietà ◇ inesorabile

remote /rɪˈməʊt/ a remoto, lontano ◇ estraneo, distaccato ◇ comandato a distanza ● r. control telecomando

removal /rɪˈmuːvəl/ s rimozione f, allontanamento m ◇ soppressione f, destituzione f ◇ asportazione f ◇ trasferimento m, trasloco m

to remove /rɪˈmuːv/ vt rimuovere, togliere, spostare ◇ destituire ◇ sopprimere, eliminare ◇ trasferire

to remunerate /rɪˈmjuːnəreɪt/ vt munerare

to rend /rend/ (pass/pp rent) vt spaccare, strappare, fendere

to render /ˈrendəʳ/ vt rendere

rendering /ˈrend(ə)rɪŋ/ s traduzione f ◇ interpretazione f, esecuzione f

renegade /ˈrenɪɡeɪd/ s rinnegato m

to renew /rɪˈnjuː/ vt rinnovare ◇ ripristinare

renewal /rɪˈnjuːəl/ s rinnovo m ◇ ripresa f

to renounce /rɪˈnaʊns/ vt rinunciare a ◇ rinnegare

to renovate /ˈrenəveɪt/ vt rinnovare, ristrutturare

renown /rɪˈnaʊn/ s rinomanza f, fama f

rent (1) /rent/ s affitto m, nolo m

rent (2) /rent/ *pass/pp di* **to rend** ♦ *a* strappato ♦ *s* strappo *m*

to rent /rent/ *vt* affittare

rentable /'rentəbl/ *a* affittabile

rental /'rentl/ *s* canone *m* (di affitto), (prezzo del) noleggio *m*

renunciation /rɪˌnʌnsɪ'eɪʃ(ə)n/ *s* rinuncia *f*

to repaint /riː'peɪnt/ *vt* ridipingere, riverniciare

repair /rɪ'peə'/ *s* riparazione *f* ◊ condizione *f*, stato *m* ♦ *in good/bad r.* in buono/cattivo stato

to repair /rɪ'peə'/ *vt* riparare, aggiustare

to repatriate /riː'pætrɪeɪt/ *vi* rimpatriare

to repay /rɪ'peɪ/ (*pass/pp* **repaid**) *vt* ripagare, restituire, risarcire

repayable /riː'peɪ(ɪ)əbl/ *a* rimborsabile

repayment /rɪ'peɪmənt/ *s* rimborso *m* ◊ ricompensa *f*

repeal /rɪ'piːl/ *s* abrogazione *f*, revoca *f*

to repeal /rɪ'piːl/ *vt* abrogare, revocare

repeat /rɪ'piːt/ *s* ripetizione *f* ◊ replica *f*

to repeat /rɪ'piːt/ *vt* ripetere

to repel /rɪ'pel/ *vt* respingere ◊ ripugnare

repellent /rɪ'pelənt/ *a* repellente, ripugnante ♦ *s* sostanza *f* repellente

to repent /rɪ'pent/ *vt/i* pentirsi

repentance /rɪ'pentəns/ *s* pentimento *m*

repertory /'repət(ə)rɪ/ *s* repertorio *m*

repetition /ˌrepɪ'tɪʃ(ə)n/ *s* ripetizione *f*

to replace /rɪ'pleɪs/ *vt* rimpiazzare, sostituire ◊ riporre

replacement /rɪ'pleɪsmənt/ *s* sostituzione *f*, rimpiazzo *m* ◊ sostituto *m* ◊ (pezzo di) ricambio *m*

replay /'riːpleɪ/ *s* (*sport*) partita *f* ripetuta ◊ (*TV*) replay *m*

to replenish /rɪ'plenɪʃ/ *vt* riempire, rifornire

reply /rɪ'plaɪ/ *s* risposta *f* ◊ (*dir*) replica *f*

to reply /rɪ'plaɪ/ *vt* rispondere, replicare

to repopulate /ˌriː'pɒpjʊleɪt/ *vt* ripopolare

report /rɪ'pɔːt/ *s* rapporto *m*, relazione *f*, resoconto *m* ◊ cronaca *f* ◊ pagella *f* ◊ verbale *m* ◊ rimbombo *m*, detonazione *f*

to report /rɪ'pɔːt/ *vt* riportare, riferire ♦ *vi* fare rapporto ◊ fare il cronista

reportedly /rɪ'pɔːtɪdlɪ/ *avv* a quel che si dice

reporter /rɪ'pɔːtə'/ *s* cronista *m/f*

reprehensible /ˌreprɪ'hensəbl/ *a* riprovevole

to represent /ˌreprɪ'zent/ *vt* rappresentare

representation /ˌreprɪzen'teɪʃ(ə)n/ *s* rappresentazione *f* ◊ rappresentanza *f* ◊ rimostranza *f*, protesta *f*

representative /ˌreprɪ'zentətɪv/ *a* rappresentativo ♦ *s* esempio *m* tipico ◊ rappresentante *m/f*

to repress /rɪ'pres/ *vt* reprimere

reprieve /rɪ'priːv/ *s* dilazione *f* ◊ sospensione *f* (di condanna a morte)

to reprimand /'reprɪmɑːnd/ vt rimproverare

to reprint /riː'prɪnt/ vt ristampare

reprisal /rɪ'praɪz(ə)l/ s rappresaglia f

reproach /rɪ'prəʊtʃ/ s rimprovero m ◊ disonore m, discredito m ● **to be beyond r.** essere irreprensibile

to reproach /rɪ'prəʊtʃ/ vt rimproverare, rinfacciare

to reproduce /ˌriːprə'djuːs/ vt/i riprodurre, riprodursi

reproduction /ˌriːprə'dʌkʃ(ə)n/ s riproduzione f, generazione f ◊ copia f

to reprove /rɪ'pruːv/ vt rimproverare, biasimare

reptile /'reptaɪl/ s rettile m

republic /rɪ'pʌblɪk/ s repubblica f

republican /rɪ'pʌblɪkən/ a/s repubblicano m

to repudiate /rɪ'pjuːdɪeɪt/ vt respingere, negare ◊ rifiutare ◊ ripudiare

repulse /rɪ'pʌls/ s ripulsa f, rifiuto m ◊ sconfitta f, scacco m

to repulse /rɪ'pʌls/ vt respingere ◊ disgustare

reputable /'repjʊtəbl/ a rispettabile

reputation /ˌrepjʊ'teɪʃ(ə)n/ s reputazione f, fama f

repute /rɪ'pjuːt/ s reputazione f

to repute /rɪ'pjuːt/ vt reputare, considerare

request /rɪ'kwest/ s domanda f, richiesta f ● **r. stop** fermata a richiesta; **on r.** su richiesta

to request /rɪ'kwest/ vt richiedere

to require /rɪ'kwaɪə/ vt richiedere, esigere ◊ aver bisogno di

required /rɪ'kwaɪəd/ a richiesto, obbligatorio, occorrente

requirement /rɪ'kwaɪəmənt/ s richiesta f, esigenza f, necessità f, bisogno m ◊ requisito m

requisite /'rekwɪzɪt/ a richiesto ◆ s requisito m

requisition /ˌrekwɪ'zɪʃ(ə)n/ s (mil) requisizione f ◊ istanza f

resale /'riːseɪl/ s rivendita f

to rescind /rɪ'sɪnd/ vt rescindere

rescue /'reskjuː/ s salvataggio m, soccorso m

to rescue /'reskjuː/ vt salvare ◊ liberare

rescuer /'reskjʊə/ s soccorritore m

research /rɪ'sɜːtʃ/ s ricerca f, indagine f

researcher /rɪ'sɜːtʃə/ s ricercatore m

resemblance /rɪ'zembləns/ s somiglianza f

to resemble /rɪ'zembl/ vt somigliare a

resentful /rɪ'zentf(ʊ)l/ a risentito, offeso

resentment /rɪ'zentmənt/ s risentimento m

reservation /ˌrezə'veɪʃ(ə)n/ s riserva f, restrizione f ◊ prenotazione f ◊ scorta f, provvista f ◊ riserva f, area f protetta

reserve /rɪ'zɜːv/ s riserva f ◊ riserbo m

to reserve /rɪ'zɜːv/ vt conservare, riservare ◊ prenotare ◊ riservarsi

reservoir /'rezəvwɑː/ s cisterna f, serbatoio m ◊ giacimento m petrolifero ◊ (fig) riserva f

to reset /riː'set/ (pass/pp **reset**) vt

rimettere a posto, risistemare ◇ regolare ◇ (*inform*) eseguire un reset, resettare

to reshuffle /riːˈʃʌfl/ *vt* rimescolare le carte ◇ (*pol*) rimaneggiare, rimpastare

to reside /rɪˈzaɪd/ *vi* risiedere

residence /ˈrezɪd(ə)ns/ *s* residenza *f*, soggiorno *m* ◇ dimora *f* ● *r. permit* permesso di soggiorno

resident /ˈrezɪd(ə)nt/ *a* residente, locale ◇ interno ◇ *s* residente *m/f*

residue /ˈrezɪdjuː/ *s* residuo *m*

to resign /rɪˈzaɪn/ *vt* dimettersi da, abbandonare ◇ consegnare, affidare ◆ *vi* dimettersi ● *to r. oneself* rassegnarsi

resignation /ˌrezɪɡˈneɪʃ(ə)n/ *s* dimissioni *f pl* ◇ rassegnazione *f*

resilience /rɪˈzɪlɪəns/ *s* elasticità *f* ◇ capacità *f* di ricupero

resin /ˈrezɪn/ *s* resina *f*

to resist /rɪˈzɪst/ *vi* resistere a, opporsi a

resistance /rɪˈzɪst(ə)ns/ *s* resistenza *f*

resolution /ˌrezəˈluːʃ(ə)n/ *s* risolutezza *f* ◇ risoluzione *f* ◇ soluzione *f*

to resolve /rɪˈzɒlv/ *vt* risolvere ◇ decidere ● *to r. into* trasformarsi, diventare

resonance /ˈrezənəns/ *s* risonanza *f*

resonant /ˈrezənənt/ *a* risonante, sonoro

resort /rɪˈzɔːt/ *s* luogo *m* di soggiorno, stazione *f* di villeggiatura, (*USA*) villaggio *m* turistico ◇ ricorso *m* ◇ risorsa *f*

to resort /rɪˈzɔːt/ *vi* ricorrere

to resound /rɪˈzaʊnd/ *vi* risonare, echeggiare

resource /rɪˈsɔːs/ *s* risorsa *f*

respect /rɪˈspekt/ *s* rispetto *m* ● *in r. of* riguardo a; *with r. to* in riferimento a

to respect /rɪˈspekt/ *vt* rispettare

respectable /rɪˈspektəbl/ *a* rispettabile

respective /rɪˈspektɪv/ *a* rispettivo

respiration /ˌrespəˈreɪʃ(ə)n/ *s* respirazione *f*

respite /ˈrespaɪt/ *s* pausa *f*, tregua *f*, respiro *m*

to respond /rɪˈspɒnd/ *vi* rispondere

response /rɪˈspɒns/ *s* risposta *f*, risponso *m*

responsible /rɪˈspɒnsəbl/ *a* responsabile ◇ di responsabilità

rest /rest/ *s* riposo *m* ◇ sosta *f*, pausa *f* ◇ sostegno *m*, appoggio *m* ◇ (*mus*) pausa *f* ● *r. home* casa di riposo

rest (2) /rest/ *s* resto *m*

to rest (1) /rest/ *vt* far riposare ◇ appoggiare ◆ *vi* riposarsi ◇ appoggiarsi

to rest (2) /rest/ *vi* restare, rimanere, stare ● *to r. with* spettare a

to restart /riːˈstɑːt/ *vt* ricominciare ◇ rimettere in moto ◇ (*inform*) riavviare ◆ *vi* ricominciare ◇ ripartire

restaurant /ˈrest(ə)rɒnt/ *s* ristorante *m*

restful /ˈrestf(ʊ)l/ *a* riposante

restitution /ˌrestɪˈtjuːʃ(ə)n/ *s* restituzione *f*

restless /ˈrestlɪs/ *a* irrequieto ◇ incessante

to restock /riːˈstɒk/ *vt* rifornire

restoration /ˌrestəˈreɪʃ(ə)n/ *s* restituzione f ◇ restauro m (stor) restaurazione f

to restore /rɪ'stɔːr/ vt restituire ◇ restaurare, ripristinare ◇ reintegrare ◇ risanare

to restrain /rɪ'streɪn/ vt contenere, reprimere, trattenere ◇ imprigionare

restraint /rɪ'streɪnt/ s limitazione f, restrizione f ◇ riserbo m, controllo ◇ detenzione f

to restrict /rɪ'strɪkt/ vt restringere, limitare

restriction /rɪ'strɪkʃ(ə)n/ s restrizione f, limitazione f

rest room /'restrʊm/ s (USA) toilette f

to restructure /ˌriː'strʌktʃər/ vt ristrutturare

result /rɪ'zʌlt/ s risultato m

to result /rɪ'zʌlt/ vi risultare, derivare ◇ risolversi

to resume /rɪ'zjuːm/ vt riprendere, ricominciare

résumé /'rezjuːmeɪ/ s riassunto m ◇ (USA) curriculum m

resurgence /rɪ'sɜːdʒ(ə)ns/ s rinascita f

resurrection /ˌrezə'rekʃ(ə)n/ s resurrezione f

resuscitation /rɪˌsʌsɪ'teɪʃ(ə)n/ s (med) rianimazione f

retail /'riːteɪl/ s (vendita al) dettaglio m ◆ a al dettaglio

to retain /rɪ'teɪn/ vt trattenere, ritenere ◇ conservare

retaliation /rɪˌtælɪ'eɪʃ(ə)n/ s rappresaglia f

to retard /rɪ'tɑːd/ vt/i ritardare

retardation /ˌriːtɑː'deɪʃ(ə)n/ s ritardo m

to retch /riːtʃ/ vi avere conati di vomito

reticence /'retɪs(ə)ns/ s reticenza f

to retire /rɪ'taɪər/ vi ritirarsi ◇ andare in pensione

retirement /rɪ'taɪəmənt/ s pensionamento m ◇ isolamento m

to retort /rɪ'tɔːt/ vt ritorcere ◇ ribattere

to retrace /rɪ'treɪs/ vt rintracciare ◇ ripercorrere ● **to r. one's steps** ritornare sui propri passi

to retract /rɪ'trækt/ vt ritirare, tirare indietro ◇ ritrattare

to retrain /riː'treɪn/ vt riqualificare

retreat /rɪ'triːt/ s ritirata f

to retreat /rɪ'triːt/ vi ritirarsi ◇ battere in ritirata

retribution /ˌretrɪ'bjuːʃ(ə)n/ s castigo m ◇ ricompensa f

retrieval /rɪ'triːv(ə)l/ s recupero m, ripristino m ◇ riparazione f

to retrieve /rɪ'triːv/ vt ricuperare ◇ riparare, rimediare a ◇ salvare ◇ (di cane da caccia) riportare ◇ (inform) recuperare

retrospective /ˌretrə(ʊ)'spektɪv/ a retrospettivo ◇ retroattivo ◆ s retrospettiva f

return /rɪ'tɜːn/ s ritorno m ◇ resa f, restituzione f ◇ profitto m ◇ rapporto m, rendiconto f ◇ (di elezione) risultato m ◇ (sport) rimando m, risposta f ● **by r.** (of mail) a giro di posta; **in r. for** in cambio di; **r. match** rivincita f

to return /rɪ'tɜːn/ vi ritornare ◇ replicare, ribattere ◆ vt restituire, ridare ◇ rimettere ◇ ricambiare, contraccambiare ◇ rendere, produrre ⋄ eleggere ⋄ (*sport*) rinviare

reunion /riːˈjuːnjən/ *s* riunione *f*

to reunite /ˌriːjuˈnaɪt/ *vt* riunire

rev /rev/ *abbr di* **revolution** (*fam*) giro *m* (*di motore*) ● **r. counter** contagiri

to revalue /riːˈvæljuː/ *vt* rivalutare

to revamp /riːˈvæmp/ *vt* rimodernare

to reveal /rɪˈviːl/ *vt* rivelare

to revel /ˈrevl/ *vi* divertirsi ● **to r. in** godere di

revelation /ˌrevɪˈleɪʃ(ə)n/ *s* rivelazione *f*

revenge /rɪˈvendʒ/ *s* vendetta *f* ⋄ rivincita *f* ● **to give sb his r.** dare la rivincita a qn

to revenge /rɪˈvendʒ/ *vt/i* vendicare, vendicarsi

revenue /ˈrevɪnjuː/ *s* reddito *m* ⋄ fisco *m*

to reverberate /rɪˈvɜːbəreɪt/ *vt/i* riverberare, riverberarsi ⋄ riecheggiare

reverence /ˈrev(ə)r(ə)ns/ *s* riverenza *f*

reversal /rɪˈvɜːs(ə)l/ *s* inversione *f*, rovesciamento *m*

reverse /rɪˈvɜːs/ *a* a rovescio, inverso ● *s* rovescio *m*, inverso *m* ⋄ (*di fortuna*) rovescio *m* ⋄ (*aut*) retromarcia *f* ● **r. charge call** telefonata a carico del destinatario

to reverse /rɪˈvɜːs/ *vt* rovesciare, invertire ⋄ far andare in senso contrario ⋄ (*dir*) revocare ● *vi* funzionare in senso contrario ⋄ (*aut*) fare retromarcia

reversibility /rɪˌvɜːsəˈbɪlɪtɪ/ *s* reversibilità *f*

to revert /rɪˈvɜːt/ *vi* ritornare

review /rɪˈvjuː/ *s* rivista *f*, parata *f* ⋄ revisione *f*, esame *m*, analisi *f* ⋄ rivista *f*, periodico *m* ⋄ recensione *f*

to review /rɪˈvjuː/ *vt* passare in rassegna ⋄ rivedere, riesaminare ⋄ recensire

revisal /rɪˈvaɪz(ə)l/ *s* revisione *f*

to revise /rɪˈvaɪz/ *vt* rivedere, correggere ⋄ modificare ⋄ (*la lezione*) ripassare

reviser /rɪˈvaɪzə/ *s* revisore *m*

revision /rɪˈvɪʒ(ə)n/ *s* revisione *f*

to revisit /riːˈvɪzɪt/ *vt* rivisitare

revival /rɪˈvaɪv(ə)l/ *s* revival *m*, ripresa *f* ⋄ rinascita *f*

to revive /rɪˈvaɪv/ *vt* rianimare, ravvivare ⋄ far rivivere ⋄ rimettere in uso ● *vi* rianimarsi, riprendersi ⋄ rivivere, tornare in vita

revocation /ˌrevəˈkeɪʃ(ə)n/ *s* revoca *f*

to revoke /rɪˈvəʊk/ *vt* revocare

revolt /rɪˈvəʊlt/ *s* rivolta *f*, sommossa *f*

to revolt /rɪˈvəʊlt/ *vi* rivoltarsi, ribellarsi ⋄ provare disgusto ● *vt* disgustare

revolution /ˌrevəˈluːʃ(ə)n/ *s* rivoluzione *f* ⋄ giro *m*, rotazione *f*

to revolve /rɪˈvɒlv/ *vi* ruotare

revue /rɪˈvjuː/ *s* (*teat*) rivista *f*

reward /rɪˈwɔːd/ *s* ricompensa *f*, premio *m* ⋄ taglia *f*

to reward /rɪˈwɔːd/ *vt* ricompensare, premiare

rewarding /rɪˈwɔːdɪŋ/ *a* gratificante

to rewind /riːˈwaɪnd/ (*pass/pp* re-

wound) vt (*una cassetta*) riavvolgere

to rewrite /riːˈraɪt/ vt riscrivere

rhetoric /ˈretərɪk/ s retorica f

rheumatism /ˈruːmətɪz(ə)m/ s reumatismo m

rhinoceros /raɪˈnɒs(ə)rəs/ s rinoceronte m

rhododendron /ˌrəʊdəˈdendr(ə)n/ s rododendro m

rhombus /ˈrɒmbəs/ s rombo m

rhubarb /ˈruːbɑːb/ s rabarbaro m

rhyme /raɪm/ s rima f

rhythm /ˈrɪð(ə)m/ s ritmo m

rib /rɪb/ s costola f ◊ costoletta f ◊ nervatura f ◆ *r. cage* cassa toracica

to rib /rɪb/ vt rinforzare con nervature ◊ (*a maglia*) lavorare a coste ◊ (*fam*) prendere in giro

ribbon /ˈrɪbən/ s nastro m ◆ *in ribbons* a brandelli

rice /raɪs/ s riso m ◆ *r. field* risaia f

rich /rɪtʃ/ a ricco m

riches /ˈrɪtʃɪz/ s pl ricchezze f pl

richness /ˈrɪtʃnɪs/ s ricchezza f

rickety /ˈrɪkɪtɪ/ a rachitico ◊ traballante

rickshaw /ˈrɪkʃɔː/ s risciò m

to rid /rɪd/ (*pass* **rid**, **ridded**, *pp* **rid**) vt liberare, sbarazzare ◆ *to get r. of* sbarazzarsi di qc

riddle (1) /ˈrɪdl/ s indovinello m, rompicapo m, enigma m

riddle (2) /ˈrɪdl/ s setaccio m

to riddle (1) /ˈrɪdl/ vi risolvere (*un enigma*) ◆ vi parlare per enigmi ◊ proporre indovinelli

to riddle (2) /ˈrɪdl/ vt setacciare, vagliare ◊ crivellare

ride /raɪd/ s cavalcata f ◊ (*su un*

veicolo) giro m, corsa f ◊ tragitto m ◊ (*per cavalli*) pista f, sentiero m

to ride /raɪd/ (*pass* **rode**, *pp* **ridden**) vi andare a cavallo, cavalcare ◊ (*in bicicletta, moto, ecc*) andare, (*su un veicolo*) viaggiare ◊ (*di fantino*) pesare ◊ (*naut*) galleggiare, fluttuare ◆ vt cavalcare, montare ◊ percorrere ◊ opprimere ◆ *to r. a bike* andare in bicicletta; *to r. at anchor* stare alla fonda

rider /ˈraɪdə/ s cavaliere m, fantino m ◊ ciclista m/f, motociclista m/f, (*su un veicolo*) viaggiatore m

ridge /rɪdʒ/ s cresta f, cima f, colmo m ◊ (*geogr*) catena f, dorsale f

ridicule /ˈrɪdɪkjuːl/ s ridicolo m, derisione f

riding /ˈraɪdɪŋ/ s equitazione f

rife /raɪf/ a.pred comune, diffuso ◊ ricco, abbondante ◆ *to be r. with* abbondare di

rifle /ˈraɪfl/ s fucile m, carabina f ◊ *al pl* fucilieri m pl ◆ *r. range* poligono di tiro

to rifle /ˈraɪfl/ vt saccheggiare, depredare, svaligiare ◆ vi frugare

rift /rɪft/ s crepaccio m, fenditura f ◊ (*fig*) rottura f, dissenso m ◆ *r. valley* fossa tettonica

rig /rɪg/ s (*naut*) attrezzatura f ◊ tenuta f, abbigliamento m ◊ impianto m, installazione f ◊ piattaforma f di trivellazione ◊ camion m

to rig (1) /rɪg/ vt (*naut*) attrezzare ◊ allestire, sistemare ◊ vestire ◆ *to be rigged out* as vestirsi da; *to r. up* montare

to rig (2) /rɪg/ *vt* truccare, manipolare

right /raɪt/ *a* giusto, retto, onesto ◇ esatto, corretto ◇ adatto, appropriato, conveniente ◇ (*geom*) retto ◇ destro ◇ sano, che sta bene ◇ (*pol*) di destra ◆ *s* (il) giusto *m*, (il) bene *m* ◇ diritto *m*, facoltà *f* ◇ destra *f*, lato *m* destro, mano *f* destra ◇ (*di tessuto*) diritto *m* ◆ *avv* bene, giustamente, esattamente ◇ direttamente, dritto ◇ a destra ◇ subito, immediatamente ◇ del tutto, completamente ● *on,* to the r. a destra; r. *of way* (tra veicoli) (diritto di) precedenza; r. on senza interruzione; *to be r.* avere ragione

right-about /raɪtəbaʊt/ *s* dietrofront *m*

rightful /raɪtf(ʊ)l/ *a* legittimo ◇ giusto, equo

right-hand /raɪthænd/ *a* destro ◇ fatto con la destra ◇ da usare con la destra ● *r.-h. man* (*fig*) braccio destro

rigid /rɪdʒɪd/ *a* rigido

rigorous /rɪg(ə)rəs/ *a* rigido, rigoroso

rigour /rɪgər/ *s* rigore *m*

rim /rɪm/ *s* bordo *m*, ciglio *m* ◇ (*aut*) cerchione *m* ◇ (*di occhiali*) montatura *f*

rime /raɪm/ *s* brina *f*

rind /raɪnd/ *s* buccia *f*, scorza *f* ◇ cotenna *f*

ring (1) /rɪŋ/ *s* anello *m*, cerchio *m* ◇ recinto *m*, pista *f* ◇ quadrato *m*, ring *m* ◇ associazione *f* (illegale), banda *f* ● *r. finger* anulare; r. *road* circonvallazione

ring (2) /rɪŋ/ *s* squillo *m*, scampanellata *f* ◇ (*fam*) telefonata *f*

to ring (1) /rɪŋ/ *vt* accerchiare, circondare, cingere

to ring (2) /rɪŋ/ (*pass* rang, *pp* rung) *vt* suonare ◇ telefonare ◆ *vi* suonare, squillare ◇ risuonare ◇ telefonare ● *to r. around* fare un giro di telefonate; *to r. back* richiamare; *to r. in, up* telefonare; *to r. off* metter giù (il telefono)

ringing /rɪŋɪŋ/ *a* sonoro ◇ (*fig*) altisonante ◆ *s* suono *m*, scampanellio *m* ◇ (*tel*) suoneria *f* (di cellulare)

ringlet /rɪŋlɪt/ *s* ricciolo *m*

to rinse /rɪns/ *vt* sciacquare

riot /raɪət/ *s* tumulto *m*, sommossa *f* ◇ fracasso *m*, frastuono *m* ◇ orgia *f*, sfrenatezza *f* ◇ profusione *f*

riotous /raɪətəs/ *a* sedizioso, tumultuante ◇ dissoluto

to rip /rɪp/ *vt* strappare

ripe /raɪp/ *a* maturo ◇ stagionato ◇ (*fig*) pronto

to ripen /raɪp(ə)n/ *vt/i* maturare ◇ stagionare

ripple /rɪpl/ *s* increspatura *f*, ondulazione *f* ◇ mormorio *m*

rise /raɪz/ *s* altura *f*, rialzo *m* ◇ salita *f*, ascesa *f* ◇ aumento *m*, crescita *f*, rialzo *m* ◇ progresso *m*, avanzamento *m*, promozione *f* ◇ innalzamento *m* di livello, ascesa *f* ◇ origine *f* ● *to give r. to* dare origine a

to rise /raɪz/ (*pass* rose, *pp* risen) *vi* alzarsi, sorgere, levarsi, spuntare ◇ crescere, aumentare ◇ er-

gersi ◇ insorgere, sollevarsi, ribellarsi ◇ provenire, aver origine

rising /'raɪzɪŋ/ *a* sorgente, nascente
◇ crescente ◇ ascendente ◇ promettente ◆ *s* rivolta *f*, sommossa
f ◇ salita *f*, ascesa *f* ◇ crescita *f*
◇ miglioramento *m*

risk /rɪsk/ *s* rischio *m* ● *at one's
own r.* a proprio rischio e pericolo

to risk /rɪsk/ *vt/i* rischiare

risqué /'rɪskeɪ/ *a* osé

rissole /'rɪsəʊl/ *s* polpetta *f*

rite /raɪt/ *s* rito *m*

to rival /'raɪv(ə)l/ *vt* rivaleggiare
con

rivalry /'raɪv(ə)lrɪ/ *s* rivalità *f*, concorrenza *f*

river /'rɪvə/ *s* fiume *m*

rivet /'rɪvɪt/ *s* rivetto *m*

to rivet /'rɪvɪt/ *vt* inchiodare, rivet-
tare ◇ (*fig*) fissare ◇ affascinare

road /rəʊd/ *s* strada *f*, via *f* ◇ cammino *m*, percorso *m* ◇ (*naut*) rada
f ● *r. hog* pirata della strada, autista sconsiderato; *r. map* carta
stradale; *r. sign* segnale stradale

roadway /'rəʊdweɪ/ *s* carreggiata *f*

to roam /rəʊm/ *vi* vagare

roar /rɔː/ *s* ruggito *m* ◇ mugghio
m, rombo *m*, urlo *m* ◇ scoppio *m*,
scroscio *m*

to roar /rɔː/ *vi* ruggire ◇ rumo-
reggiare, mugghiare, urlare

roast /rəʊst/ *s* arrosto *m*

to roast /rəʊst/ *vt* arrostire ◇ tostare

to rob /rɒb/ *vt* derubare, rapinare

robbery /'rɒbərɪ/ *s* rapina *f*

robe /rəʊb/ *s* toga *f* ◇ accappatoio
m

robot /'rəʊbɒt/ *s* robot *m*

robotics /rəʊˈbɒtɪks/ *s pl* (*v al sing*)
robotica *f*

robust /rəˈbʌst/ *a* robusto, forte

rock /rɒk/ *s* roccia *f* ◇ macigno *m*,
masso *m* ◇ scoglio *m*, scogliera *f*
◇ rocca *f*, rupe *f* ● *on the rocks*
con ghiaccio, in difficoltà; *r.-
bottom* fondo, punto più basso;
r. climber rocciatore

to rock /rɒk/ *vt* dondolare ◇ scuotere ◆ *vi* dondolarsi, oscillare

rocket /'rɒkɪt/ *s* razzo *m*

rocking /'rɒkɪŋ/ *a* a dondolo ◇
oscillante

rocky (1) /'rɒkɪ/ *a* roccioso, sasso-
so ◇ duro come la roccia ◇ sal-
do, irremovibile

rocky (2) /'rɒkɪ/ *a* malfermo, traballante, incerto ◇ difficile, turbolento

rod /rɒd/ *s* verga *f*, bacchetta *f* ◇
asta *f*, barra *f* ● *hot r.* macchina
truccata

roe (1) /rəʊ/ *s* (*zool*) capriolo *m*

roe (2) /rəʊ/ *s* uova *f pl* di pesce

rogue /rəʊg/ *s* furfante *m*, imbroglione *m*

role /rəʊl/ *s* ruolo *m*

roll /rəʊl/ *s* rotolo *m*, rullo *m*, rulli-
no *m* ◇ panino *m* ◇ ruolo *m*, registro *m* ◇ (*aer*) rollio *m* ◇ ondeg-
giamento *m* ◇ (*di tamburo*) rullo
m ● *r. call* appello

to roll /rəʊl/ *vi* rotolare, rotolarsi ◇
ruotare ◇ arrotolarsi, avvolgersi
◇ ondeggiare ◇ (*di tamburo*)
rullare ◇ (*aer*) rollare ◆ *vt* far
rotolare ◇ far ruotare, roteare *f*

avvolgere, arrotolare, *(fam)* *(una sigaretta)* rollare ◆ spianare *(con rullo e sim)* ● **to r. down** srotolare; **to r. in** arrivare in gran quantità; **to r. over** rivoltare, rivoltarsi; **to r. up** arrotolare, arrivare

roller /ˈrəʊlə[r]/ s rullo m, rotella f, cilindro m ◊ rullo m compressore ◊ bigodino f ● **r. coaster** montagne russe; **r. skates** pattini a rotelle

rolling /ˈrəʊlɪŋ/ a rotolante ◊ rotante, girevole ◊ oscillante ◊ ondulato ◊ rimbombante ◆ s rotolamento m

Roman /ˈrəʊmən/ a/s romano m ● **R. numeral** numero romano

romance /rəˈmæns/ s *(lett)* romanzo m cavalleresco, racconto m fantastico ◊ avventura f romanzesca ◊ avventura f sentimentale, idillio m ◊ *(mus)* romanza f

romantic /rəˈmæntɪk/ a romantico ◊ romanzesco

romp /rɒmp/ s gioco m chiassoso

rood /ruːd/ s croce f, crocifisso m

roof /ruːf/ s tetto m, soffitto m ◊ volta f ◊ *(anat)* palato m ● **r. rack** portapacchi

rook (1) /rʊk/ s corvo m ◊ *(fam)* truffatore m

rook (2) /rʊk/ s *(scacchi)* torre f

room /ruːm/ s camera f, stanza f, locale m ◊ ambiente m, spazio m ◊ *(fig)* possibilità f ◊ alloggio m

roomy /ˈruːmɪ/ a spazioso

to roost /ruːst/ vi appollaiarsi

rooster /ˈruːstə[r]/ s *(USA)* gallo m

root /ruːt/ s radice f

to root (1) /ruːt/ vi attecchire, radicarsi ● **to r. out, up** sradicare

to root (2) /ruːt/ vi grufolare ◊ frugare ● **to r. for** fare il tifo per

rope /rəʊp/ s corda f, fune f, cima f ● **r. ladder** scala f di corda; **on the ropes** alle corde

rose /rəʊz/ a/s rosa f

rosemary /ˈrəʊzm(ə)rɪ/ s rosmarino m

rosette /rəʊˈzet/ s rosetta f, coccarda f

roster /ˈrɒstə[r]/ s elenco m, lista f ◊ ruolino m

rostrum /ˈrɒstrəm/ s rostro m

rosy /ˈrəʊzɪ/ a roseo

rot /rɒt/ s putrefazione f, marciume m ◊ rovina f ◊ *(fam)* sciocchezze f pl

to rotate /rəʊ(ʊ)ˈteɪt/ vt/i ruotare

rotation /rəʊ(ʊ)ˈteɪʃ(ə)n/ s rotazione f

rotor /ˈrəʊtə[r]/ s girante f, rotore m

rotten /ˈrɒtn/ a marcio, putrido ◊ corrotto ◊ sgradevole ● **to feel r.** sentirsi male

rotula /ˈrɒtjʊlə/ s rotula f

rotundity /rəʊ(ʊ)ˈtʌndɪtɪ/ s rotondità f

rouge /ruːʒ/ s rossetto m

rough /rʌf/ a ruvido, irregolare, scabro ◊ tempestoso, burrascoso, agitato ◊ grezzo, greggio ◊ rozzo, grossolano, sgarbato ◊ approssimativo ◊ disagevole, scomodo, difficile ◊ aspro ◆ s terreno m accidentato ◊ teppista m/f ◆ avv rudemente ◊ semplicemente ● **r. and ready** alla buona; **r. copy** brutta copia; **r. luck** sfortuna; **r. road** strada accidentata; **to have a r. time** passarsela male

Roumanian /ruːˈmeɪnjən/ *a/s* romeno *m*

round /raʊnd/ *a* rotondo, circolare, rotondeggiante ◇ completo, intero ◇ *(di suono, voce)* pieno, sonoro ♦ *avv* intorno, in giro ♦ *prep* intorno a, nelle vicinanze di, circa ♦ *s* cerchio *m*, tondo *m*, sfera *f* ◇ giro *m* ◇ ciclo *m*, turno *m*, round *m* ◇ colpo *m*, scarica *f*, proiettile *m* ♦ **r.-the-clock** ventiquattr'ore su ventiquattro; *r.* **trip** viaggio di andata e ritorno

to round /raʊnd/ *vt* arrotondare ◇ girare ◇ accerchiare ♦ *vi* arrotondarsi ◇ girare, girarsi, voltarsi ● *to r.* **down** arrotondare (per difetto); *to r.* **up** riunire, arrotondare (per eccesso)

roundabout /ˈraʊndəbaʊt/ *a* indiretto ♦ *s* rotatoria *f*, isola *f* rotazionale ◇ giostra *f*

roundish /ˈraʊndɪʃ/ *a* tondeggiante

roundly /ˈraʊndlɪ/ *avv* completamente ◇ francamente, esplicitamente

roundup /ˈraʊndʌp/ *s* riunione *f*, raccolta *f* ◇ retata *f* ◇ *(TV, radio)* sommario *m*

to rouse /raʊz/ *vt* svegliare ◇ *(selvaggina)* stanare ◇ suscitare, provocare

rout /raʊt/ *s* rotta *f*, disfatta *f*

route /ruːt/ *s* itinerario *m*, percorso *m*, rotta *f*

row (1) /rəʊ/ *s* fila *f*, riga *f* ♦ *r.* **houses** villette a schiera

row (2) /raʊ/ *s* *(fam)* tafferuglio *m*, zuffa *f* ◇ baccano *m*

row (3) /rəʊ/ *s* remata *f*, vogata *f*

to row (1) /rəʊ/ *vi* remare, vogare ♦ *vt* trasportare in barca a remi

rowboat /ˈrəʊbəʊt/ *s* barca *f* a remi

to row (2) /raʊ/ *vi* *(fam)* sgridare ♦ *vi* litigare, azzuffarsi

rowdy /ˈraʊdɪ/ *a* rumoroso, chiassoso ◇ litigioso, turbolento

rowing /ˈrəʊɪŋ/ *s* canottaggio *m*

royal /ˈrɔɪəl/ *a* reale

royalty /ˈrɔɪəltɪ/ *s* regalità *f*, dignità *f* regale ◇ la famiglia *f* reale ◇ *al pl* diritti *m pl* d'autore

rub /rʌb/ *s* sfregamento *m*, massaggio *m* ◇ *(del terreno)* asperità *f* ◇ difficoltà *f*

to rub /rʌb/ *vt* fregare, strofinare ◇ lucidare ● *to r.* **in** far penetrare sfregando; *to r.* **off, out** cancellare, togliere sfregando

rubber /ˈrʌbə/ *s* gomma *f* ♦ *r.* **band** elastico; *r.* **dinghy, boat** gommone, canotto

rubbish /ˈrʌbɪʃ/ *s* immondizia *f*, spazzatura *f* ◇ macerie *f pl* ◇ sciocchezze *f pl* ♦ *r.* **bin** pattumiera

rubble /ˈrʌbl/ *s* macerie *f pl* ◇ pietrisco *m* ◇ detrito *m*

ruby /ˈruːbɪ/ *s* *(min)* rubino *m* ◇ *(colore)* rosso *m* vivo

rucksack /ˈrʌksæk/ *s* zaino *m*

rudder /ˈrʌdə/ *s* timone *m*

rude /ruːd/ *a* maleducato, villano ◇ primitivo, grezzo ◇ volgare, osceno

rudiment /ˈruːdɪmənt/ *s* rudimento *m*

rueful /ˈruːf(ʊ)l/ *a* dolente, rammaricato

ruffian /ˈrʌfjən/ *s* furfante *m*

to ruffle /ˈrʌfl/ *vt* increspare ◇ ar

ruffare, scompigliare ◇ agitare, turbare ♦ *vi* incresparsi ◇ arruffarsi ◇ agitarsi, turbarsi

rug /rʌg/ *s* coperta *f* ◇ tappeto *m*, tappetino *m* ◇ (*fam*) parrucchino *m*

rugged /'rʌgɪd/ *a* ruvido, aspro, irregolare ◇ rozzo, rude ◇ ispido, irsuto ◇ duro, rigido

ruin /ruɪn/ *s* rovina *f*

to ruin /ruɪn/ *vt* rovinare

ruinous /'ruːɪnəs/ *a* rovinoso ◇ in rovina

rule /ruːl/ *s* regola *f*, regolamento *m*, norma *f* ◇ governo *m*, dominazione *f* ◇ riga *f* (da disegno)

to rule /ruːl/ *vt* governare, dominare ◇ guidare, regolare ◇ (*dir*) dichiarare ♦ *vi* governare ◇ predominare ● *to r. out* escludere

ruler /'ruːlə(r)/ *s* governante *m*, sovrano *m* ◇ riga *f* (da disegno)

ruling /'ruːlɪŋ/ *a* dirigente, che governa ◇ dominante ♦ *s* (*dir*) decisione *f*

rumble /'rʌmbl/ *s* rimbombo *m*, rombo *m*, borbottio *m*

to rummage /'rʌmɪdʒ/ *vt/i* frugare, perquisire

rumour /'ruːmə(r)/ (*USA* **rumor**) *s* diceria *f*, voce *f*

run /rʌn/ *s* corsa *f* ◇ tragitto *m*, percorso *m* ◇ breve viaggio *m*, giro *m* ◇ corso *m*, andamento *m*, direzione *f* ◇ serie *f*, sequenza *f* ◇ classe *f*, categoria *f* ◇ adito *m*, libero accesso ◇ (*per animali*) recinto *m* ◇ (*sci*) pista *f* ◇ (*di libro*) tiratura *f* ● *at a r.* di corsa; *in the long r.* a lungo andare; *in*

the short r. a breve scadenza; *on the r.* in fuga

to run /rʌn/ (*pass* **ran**, *pp* **run**) *vi* correre ◇ fuggire ◇ (*di veicoli*) passare, partire, fare servizio ◇ andare, scorrere, estendersi ◇ diventare ◇ funzionare ◇ essere in vigore, avere validità ◇ presentarsi candidato ◇ colare ♦ *vt* correre, far correre ◇ dirigere, amministrare, gestire ◇ far funzionare ◇ seguire ◇ passare, far scorrere ● *to r. about* correre qua e là; *to r. across* imbattersi in, trovare; *to r. along* andar via; *to r. away* fuggire; *to r. down* scaricare, (*di batteria*) scaricarsi, (*con un'auto*) investire, indebolire; *to r. in* rodare, indebolire; *to r. into* imbattersi, sbattere contro; *to r. off* scappare, duplicare; *to r. out* esaurirsi, scadere; *to r. over* traboccare, investire; *to r. through* dare una scorsa, sperperare; *to r. to* rivolgersi a, arrivare a; *to r. up* issare, accumulare

runaway /'rʌnəweɪ/ *s* fuggiasco *m*

rung /rʌŋ/ *s* piolo *m*

runner /'rʌnə(r)/ *s* corridore *m* ◇ fattorino *m* ◇ contrabbandiere *m* ◇ (*di slitta*) pattino *m* ◇ viticcio *m*

running /'rʌnɪŋ/ *a* in corsa, da corsa ◇ corrente ◇ continuo, consecutivo ◇ funzionante ♦ *s* corsa *f* ◇ marcia *f*, funzionamento *m*, gestione *f*, direzione *f* ● *r.-in* rodaggio

runny /'rʌnɪ/ *a* liquefatto ◇ che cola

run-of-the-mill /ˌrʌnəvðə'mɪl/ *a* ordinario, comune

run-up /'rʌnʌp/ s rincorsa f
rupture /'rʌptʃər/ s rottura f ◊ (med) ernia f
rush /rʌʃ/ s assalto m, corsa f precipitosa ◊ furia f, fretta f ◊ afflusso m
to rush /rʌʃ/ vi precipitarsi ◊ affrettarsi ♦ vt spingere, far fretta ◊ spedire velocemente ◊ affrettare, accelerare ◊ prendere d'assalto
Russian /'rʌʃ(ə)n/ a/s russo m

rust /rʌst/ s ruggine f
to rust /rʌst/ vt/i arrugginire, arrugginirsi
rustic /'rʌstik/ a rustico
to rustle /'rʌsl/ vi frusciare, stormire
rusty (1) /'rʌsti/ a arrugginito
rusty (2) /'rʌsti/ a arrabbiato
rut /rʌt/ s solco m, carreggiata f ● to get into a r. farsi prendere dal tran tran
ruthless /'ruːθlis/ a spietato

S

sable /'seibl/ s zibellino m
sabotage /'sæbətɑːʒ/ s sabotaggio m
saccharin(e) /'sækərin/ s saccarina f ♦ a sdolcinato
sachet /'sæʃei/ s sacchetto m, bustina f
sack /sæk/ s sacco m ● to get the s. (fam) essere licenziato; to hit the s. andare a dormire
to sack /sæk/ vt insaccare ◊ (fam) licenziare ● to s. out dormire
to sack (2) /sæk/ vt saccheggiare
sacrament /'sækrəmənt/ s sacramento m
sacred /'seikrid/ a sacro
sacrifice /'sækrifais/ s sacrificio m
sacrilege /'sækrilidʒ/ s sacrilegio m
sad /sæd/ a triste, addolorato ◊ (di colore) spento ◊ (fam) pietoso, misero, meschino
saddle /'sædl/ s sella f
sadism /'seidiz(ə)m/ s sadismo m
sadness /'sædnis/ s tristezza f

safe /seif/ a sicuro, al sicuro, protetto ◊ salvo, illeso ◊ cauto, prudente ♦ s cassaforte f ● s. and sound sano e salvo; s.-deposit box cassetta di sicurezza
to safeguard /'seifgɑːd/ vt salvaguardare
safe-keeping /,seifki:piŋ/ s custodia f
safety /'seifti/ s salvezza f, sicurezza f ◊ (mecc) sicura f ● s. belt cintura di sicurezza; s. pin spilla di sicurezza
saffron /'sæfr(ə)n/ s zafferano m
to sag /sæg/ vi incurvarsi, abbassarsi ◊ diminuire, attenuarsi
sage (1) /seidʒ/ s (bot) salvia f
sage (2) /seidʒ/ a/s saggio m, savio m
sail /seil/ s vela f, velatura f ● s. maker velaio
to sail /seil/ vi navigare (a vela) ◊ salpare ◊ volare, sorvolare ♦ vt (una barca a vela) condurre ◊

percorrere navigando ● *to* s. *into* sb inveire contro qn

sailing /'seɪlɪŋ/ s navigazione *f* ◇ (*sport*) vela *f* ● s. *boat* barca a vela

sailor /'seɪləʳ/ s marinaio *m*, navigante *m*

saint /seɪnt/ *a*/*s* santo *m*

sake /seɪk/ s interesse *m*, beneficio *m*, vantaggio *m* ● *for the* s. *of* per l'amor di

salad /'sæləd/ s insalata *f*

salami /sə'lɑːmɪ/ s salame *m*

salary /'sælərɪ/ s stipendio *m*

sale /seɪl/ s vendita *f* ◇ liquidazione *f*, svendita *f*, saldo *m* ● *for/on* s. in vendita; *sales* saldi

salesman /'seɪlzmən/ (*pl* **salesmen**) s commesso *m*, venditore *m*

saleswoman /'seɪlz,wumən/ (*pl* **saleswomen**) s commessa *f*, venditrice *f*

saline /'seɪlaɪn/ *a* salino

sallow /'sæləu/ *a* giallastro

salmon /'sæmən/ s salmone *m*

salon /'sælɒn/ s sala *f* (da ricevimenti) ◇ negozio *m*, salone *m* ◇ (*letterario*) salotto *m* ● *beauty* s. salone di bellezza

saloon /sə'luːn/ s salone *m*, sala *f* ◇ (*USA*) saloon *m* ◇ (*aut*) berlina *f*

salt /sɔːlt/ s sale *m* ◆ *a* conservato sotto sale ● s. *lake* lago salato; s. *pit* salina

saltcellar /'sɔːlt,seləʳ/ s saliera *f*

saltless /'sɔːltlɪs/ *a* insipido

salubrious /sə'luːbrɪəs/ *a* salubre, sano

salutary /'sæljut(ə)rɪ/ *a* salutare

salutation /ˌsælju(ː)'teɪʃ(ə)n/ s saluto *m*

salute /sə'luːt/ s saluto *m*

to salute /sə'luːt/ *vt* salutare ◇ rendere gli onori

salvage /'sælvɪdʒ/ s salvataggio *m*, ricupero *m* ◇ *merci f pl* ricuperate

salvation /sæl'veɪʃ(ə)n/ s salvezza *f*

same /seɪm/ *a* stesso, medesimo ◆ *pr* lo stesso, la stessa cosa ◆ *avv* allo stesso modo ● *all the* s. lo stesso, ugualmente; *much the* s. quasi lo stesso; s. *here* anche da parte mia; s. *to you* altrettanto

sample /'sɑːmpl/ s campione *m*, modello *m*, esemplare *m*

to sample /'sɑːmpl/ *vt* assaggiare ◇ campionare

to sanctify /'sæŋ(k)tɪfaɪ/ *vt* santificare, consacrare

sanction /'sæŋ(k)ʃ(ə)n/ *vt* autorizzare ◇ ratificare, sancire ◇ sanzionare

sanctity /'sæŋ(k)tɪtɪ/ s santità *f*

sanctuary /'sæŋ(k)tjʊərɪ/ s santuario *m* ◇ rifugio *m* ◇ riserva *f* naturale

sand /sænd/ s sabbia *f* ◇ *a/pl* spiaggia *f* ◇ s. *bath* sabbiatura; s. *glass* clessidra

to sand /sænd/ *vt* coprire di sabbia ◇ insabbiare ◇ sabbiare, smerigliare

sandal /'sændl/ s sandalo *m*

sandwich /'sænwɪdʒ/ s sandwich *m*, tramezzino *m*

to sandwich /'sænwɪdʒ/ *vt* incuneare, mettere in mezzo

sandy /'sændɪ/ *a* sabbioso ◇ di colore sabbia ◇ (*di capelli*) biondo rossiccio

sane /seɪn/ *a* sano di mente ◇ sensato

sanitary /ˈsænɪt(ə)rɪ/ *a* sanitario ◇ igienico ♦ *s. towel, napkin* assorbente igienico

sanity /ˈsænɪtɪ/ *s* salute *f* mentale ◇ buon senso *m*

sap /sæp/ *s* linfa *f*

to sap /sæp/ *vi* scavare trincee ♦ *vt* scavare, scalzare ◇ fiaccare, indebolire

sarcasm /ˈsɑːkæz(ə)m/ *s* sarcasmo *m*

sarcastic /sɑːˈkæstɪk/ *a* sarcastico

sarcophagus /sɑːˈkɒfəgəs/ *s* sarcofago *m*

sardine /sɑːˈdiːn/ *s* sardina *f*

sash (1) /sæʃ/ *s* fascia *f*, scialle *m*

sash (2) /sæʃ/ *s* (*di finestra*) telaio *m* scorrevole ♦ *s. window* finestra a ghigliottina

satchel /ˈsætʃ(ə)l/ *s* cartella *f*

satellite /ˈsætəlaɪt/ *s* satellite *m*

to satiate /ˈseɪʃɪeɪt/ *vt* saziare

satin /ˈsætɪn/ *s* raso *m*

satire /ˈsætaɪə/ *s* satira *f*

satisfaction /sætɪsˈfækʃ(ə)n/ *s* soddisfazione *f*

to satisfy /ˈsætɪsfaɪ/ *vt* soddisfare, appagare ◇ convincere, persuadere ◇ (*comm*) pagare

to saturate /ˈsætʃəreɪt/ *vt* saturare ◇ impregnare

Saturday /ˈsætədɪ/ *s* sabato *m*

sauce /sɔːs/ *s* salsa *f*, sugo *m* ◇ (*fam*) impertinenza *f*, faccia *f* tosta ♦ *s.-boat* salsiera

saucepan /ˈsɔːspən/ *s* casseruola *f*, tegame *m*

to saunter /ˈsɔːntə/ *vi* gironzolare

sausage /ˈsɒsɪdʒ/ *s* salsiccia *f*

savage /ˈsævɪdʒ/ *a* selvaggio, primitivo ◇ feroce, crudele ◇ non coltivato ♦ *s* selvaggio *m* ◇ bestia *f*, individuo *m* brutale

savanna(h) /səˈvænə/ *s* savana *f*

save /seɪv/ *prep* eccetto, salvo, tranne ♦ *s* (*sport*) parata *f*

to save /seɪv/ *vt* salvare, preservare ◇ conservare, mettere da parte, risparmiare ◇ (*inform*) salvare ♦ *vi* risparmiare ◇ (*sport*) parare

saving /ˈseɪvɪŋ/ *a* che salva ◇ che fa risparmiare ◇ protettivo ♦ *s* salvezza *f* ◇ economia *f*, *al pl* risparmi *m pl* ◇ savings *m pl* ♦ *prep/cong* eccetto, tranne ♦ *savings bank* cassa di risparmio

saviour /ˈseɪvjə/ (*USA* **savior**) *s* salvatore *m*

savour /ˈseɪvə/ (*USA* **savor**) *s* sapore *m*

to savour /ˈseɪvə/ (*USA* **to savor**) *vt* gustare, assaporare ♦ *to s. of* sapere di

savoury /ˈseɪv(ə)rɪ/ *a* saporito, appetitoso ◇ salato ◇ edificante

savoy /səˈvɔɪ/ *s* verza *f*

saw /sɔː/ *s* sega *f*

to saw /sɔː/ (*pass* **sawed**, *pp* **sawn**, **sawed**) *vt* segare

sawdust /ˈsɔːdʌst/ *s* segatura *f*

sax /sæks/ *s* sassofono *m*, sax *m*

Saxon /ˈsæksən/ *a/s* sassone *m/f*

saxophone /ˈsæksəfəʊn/ *s* sassofono *m*

say /seɪ/ *s* detto *m*, parola *f*, voce *f* ♦ *inter* ascolta! ♦ *to have a s. in the matter* aver voce in capitolo; *to have one's s.* dire la propria

to say /seɪ/ (*pass/pp* **said**) *vt/i* dire

saying /ˈseɪɪŋ/ s detto m, proverbio m

scabrous /ˈskeɪbrəs/ a scabroso

scaffold /ˈskæf(ə)ld/ s impalcatura f, ponteggio m ◇ patibolo m

to scald /skɔːld/ vt scottare, ustionare

scalding /ˈskɔːldɪŋ/ a bollente ◆ s scottatura f, ustione f

scale (1) /skeɪl/ s piatto m di bilancia ◇ al pl bilancia f

scale (2) /skeɪl/ s scaglia f, squama f ◇ incrostazione f

scale (3) /skeɪl/ s scala f, gradazione f ◇ (mus) scala f

to scale (1) /skeɪl/ vt pesare, soppesare

to scale (2) /skeɪl/ vt squamare ◇ scrostare ● to s. off scrostarsi

to scale (3) /skeɪl/ vt scalare, arrampicarsi su ◇ graduare ◆ vi arrampicarsi ● to s. down/up aumentare/diminuire progressivamente

scallion /ˈskæljən/ s scalogno m

scallop /ˈskɒləp/ s (zool) pettine m ◇ conchiglia f di pettine ◇ smerlo m

scalpel /ˈskælp(ə)l/ s scalpello m, bisturi m

to scan /skæn/ vt esaminare, scrutare ◇ analizzare ◇ scandire ◇ (inform) scannerare

scandal /ˈskændl/ s scandalo m ◇ maldicenza f ● to talk s. about sb sparlare di qn

to scandalize /ˈskændəlaɪz/ vt scandalizzare

scandalmonger /ˈskændl͵mʌŋgər/ s maldicente m/f

scandalous /ˈskændələs/ a scandaloso

Scandinavian /͵skændɪˈneɪvjən/ a/s scandinavo m

scanty /ˈskæntɪ/ a scarso, insufficiente

scapegoat /ˈskeɪpgəʊt/ s capro m espiatorio

scapula /ˈskæpjʊlə/ s scapola f

scar /skɑːr/ s cicatrice f, sfregio m

scarce /skeəs/ a scarso, raro, introvabile ● to make oneself s. squagliarsela

scarcely /ˈskeəslɪ/ avv appena, a malapena

scarcity /ˈskeəsɪtɪ/ s scarsezza f ◇ rarità f

scare /skeər/ s terrore m, spavento m ◇ allarme m

to scare /skeər/ vt spaventare, atterrire

scarecrow /ˈskeəkrəʊ/ s spaventapasseri m

scarf /skɑːf/ s sciarpa f ◇ foulard m

scarlet /ˈskɑːlɪt/ a scarlatto ● s. fever scarlattina

scarred /skɑːd/ a sfregiato

scary /ˈskærɪ/ a pauroso, terrificante

scathing /ˈskeɪðɪŋ/ a aspro, pungente

to scatter /ˈskætər/ vt spargere, cospargere ◇ disperdere ◆ vi spargersi, sparpagliarsi ◇ disperdersi

scatterbrain /ˈskætəbreɪn/ s sbadato m

to scavenge /ˈskævɪn(d)ʒ/ vt pulire dai rifiuti ◇ frugare tra i rifiuti ◇ scovare

scenario /sɪˈnɑːrɪəʊ/ *s* scenario *m* ◇ (*cin*) sceneggiatura *f*

scene /siːn/ *s* scena *f* ● *s. painter* scenografo

scenery /ˈsiːnərɪ/ *s* (*teat*) scena *f*, scenario *m* ◇ veduta *f*, ambiente *m*

scenic /ˈsiːnɪk/ *a* scenico ◇ panoramico, pittoresco

scenography /sɪˈnɒɡrəfɪ/ *s* scenografia *f*

scent /sent/ *s* odore *m*, profumo *m* ◇ (*miscela*) profumo *m* ◇ pista *f*, scia *f*

to scent /sent/ *vt* fiutare ◇ (*fig*) subodorare ◇ profumare

scepticism /ˈskeptɪsɪz(ə)m/ *s* scetticismo *m*

sceptre /ˈseptə/ *s* scettro *m*

schedule /ˈʃedjuːl/ *s* tabella *f*, elenco *m* ◇ programma *m*, piano *m*, orario *m*

to schedule /ˈʃedjuːl/ *vt* elencare, includere in una lista ◇ programmare

scheduled /ˈʃedjuːld/ *a* programmato ● *s. flight* volo di linea

scheme /skiːm/ *s* schema *m*, progetto *m* ◇ disposizione *f*, sistema *m* ◇ intrigo *m*

to scheme /skiːm/ *vt/i* pianificare ◇ complottare

scheming /ˈskiːmɪŋ/ *a* intrigante

schism /ˈsɪz(ə)m/ *s* scisma *f*

schizophrenia /ˌskɪtsəʊ(ʊ)ˈfriːnɪə/ *s* schizofrenia *f*

scholar /ˈskɒlə/ *s* studioso *m*, erudito *m* ◇ borsista *m/f*

scholarship /ˈskɒləʃɪp/ *s* dottrina *f* ◇ borsa *f* di studio

scholastic /skəˈlæstɪk/ *a* scolastico ◇ accademico

school /skuːl/ *s* scuola *f* ● *s. age* età scolare; *s.-days* giorni di scuola; *s.-friend* compagno di scuola

schoolboy /ˈskuːlbɔɪ/ *s* scolaro *m*

schoolgirl /ˈskuːlɡɜːl/ *s* scolara *f*

schoolroom /ˈskuːlrʊm/ *s* aula *f*

science /ˈsaɪəns/ *s* scienza *f* ● *s. fiction* fantascienza

scientist /ˈsaɪəntɪst/ *s* scienziato *m*

scissors /ˈsɪzəz/ *s pl* forbici *f pl*

to scoff (1) /skɒf/ *vi* farsi beffe

to scoff (2) /skɒf/ *vt* (*fam*) ingozzarsi

to scold /skəʊld/ *vt* rimproverare, sgridare

scolding /ˈskəʊldɪŋ/ *s* rimprovero *m*

scoop /skuːp/ *s* cucchiaio *m*, mestolo *m*, paletta *f* ◇ cucchiaiata *f*, mestolata *f*, palettata *f* ◇ scoop *m*

scope /skəʊp/ *s* possibilità *f*, opportunità *f* ◇ portata *f* ◇ ambito *m*

to scorch /skɔːtʃ/ *vt* bruciacchiare, scottare ◇ inaridire, seccare

score /skɔː/ *s* linea *f*, segno *m*, tratto *m* ◇ punto *m*, punteggio *m*, votazione *f* ◇ (*mus*) spartito *m*, partitura *f* ◇ (*cin*) colonna *f* sonora ◇ (*fam*) realtà *f* dei fatti, situazione *f* ◇ ventina *f* ◇ *al pl* grande quantità *f* ◇ (*fam*) bottino *m* ◇ acquisto *m* di droga, roba *f* ● *on the s. of* a causa di; *scores of* un mucchio di

to score /skɔː/ *vt* segnare, marcare ◇ (*sport*) segnare, fare (un punto) ◇ ottenere, riportare ◇ (*mus*) orchestrare ● *to s. out* cancellare

to scorn /skɔːn/ *vt* disprezzare

scornful /ˈskɔːnf(ʊ)l/ *a* sprezzante

Scorpio /ˈskɔːpɪəʊ/ *s* (*astr*) Scorpione *m*

scorpion /ˈskɔːpjən/ *s* scorpione *m*

Scot /skɒt/ *s* scozzese *m/f*

Scotch /skɒtʃ/ *a* scozzese ♦ *s* the S. gli scozzesi *m pl* ◊ scotch *m*, whisky *m* scozzese

to scotch (1) /skɒtʃ/ *vt* colpire ◊ mettere a tacere, rendere innocuo

to scotch (2) /skɒtʃ/ *vt* bloccare (con una zeppa) ◊ impedire, ostacolare

Scots /skɒts/ *a* scozzese ♦ *s* (*lingua*) scozzese *m*

Scotsman /ˈskɒtsmən/ (*pl* **Scotsmen**) *s* scozzese *m*

Scottish /ˈskɒtɪʃ/ *a* (*di cose*) scozzese

scoundrel /ˈskaʊndr(ə)l/ *s* mascalzone *m*

to scour (1) /ˈskaʊə/ *vt* pulire strofinando ◊ sgombrare

to scour (2) /ˈskaʊə/ *vt* percorrere ◊ perlustrare

to scourge /skɜːdʒ/ *vt* frustare ◊ affliggere

scout /skaʊt/ *s* esploratore *m* ◊ scout *m/f* ◊ aereo *m* da ricognizione, (nave) vedetta *f* ◊ talent scout *m/f*

scouting /ˈskaʊtɪŋ/ *s* esplorazione *f* ◊ scoutismo *m*

to scowl /skaʊl/ *vi* accigliarsi

to scrabble /ˈskræbl/ *vi* raspare, grattare ◊ frugare, rovistare

scraggy /ˈskrægɪ/ *a* scheletrico

scramble /ˈskræmbl/ *s* arrampicata *f* ◊ gara *f* ◊ mischia *f*

to scramble /ˈskræmbl/ *vi* arrampicarsi ◊ affrettarsi ◊ accapigliarsi ♦ *vt* mescolare ◊ (*cuc*) strapazzare ◊ (*radio*) codificare, criptare

scrambled /ˈskræmbld/ *a* s. eggs uova strapazzate

scrap /skræp/ *s* pezzo *m*, frammento *m* ◊ avanzo *m*, scarto *m*, (*di giornale*) ritaglio *m* ◊ rottame *m* ● s. metal ferraglia

to scrap /skræp/ *vt* smantellare, demolire ◊ scartare

scrape /skreɪp/ *s* graffio *m*, scorticatura *f* ◊ raschiatura *f* ◊ stridore *m* ◊ (*fam*) guaio *m*, impiccio *m*

to scrape /skreɪp/ *vt* raschiare, grattare ◊ scorticare ◊ raggranellare ● *to s. along* tirare avanti; *to s. by* cavarsela; *to s. through* farcela a malapena; *to s. together* raggranellare

scraping /ˈskreɪpɪŋ/ *s* raschiatura *f*, scrostatura *f*

scrappy /ˈskræpɪ/ *a* frammentario, sconnesso ◊ (*fam*) litigioso

scratch /skrætʃ/ *a* raffazzonato, raccogliticcio ♦ *s* graffio *m* ◊ sgorbio *m* ◊ grattata *f* ◊ linea *f* di partenza ● *from s.* dal nulla, da zero

to scratch /skrætʃ/ *vt* graffiare ◊ grattare

to scrawl /skrɔːl/ *vt/i* scarabocchiare

scrawny /ˈskrɔːnɪ/ *a* magro, ossuto

to scream /skriːm/ *vt/i* gridare

to screech /skriːtʃ/ *vi* gridare ◊ stridere

screen /skriːn/ *s* cortina *f*, riparo

m, paravento *m* ◇ schermo *m*, video *m* ◇ vaglio *m*

to screen /skri:n/ *vt* riparare, proteggere ◇ schermare ◇ setacciare, selezionare ◇ *(cin)* proiettare

screening /'skri:nɪŋ/ *s* schermatura *f* ◇ proiezione *f* ◇ selezione *f* ◇ *(med)* controllo *m* (*a scopo diagnostico*)

screenplay /'skri:n,pleɪ/ *s* sceneggiatura *f*

screenwriter /'skri:n,raɪtə'/ *s* sceneggiatore *m*

screw /skru:/ *s* (*mecc*) vite *f* ◇ giro *m* (di vite) ◇ elica *f* ● *s. thread* filettatura

to screw /skru:/ *vt* avvitare ◇ torcere, accartocciare ● *to s. up* accartocciare, rovinare

screwdriver /'skru:,draɪvə'/ *s* cacciavite *m*

to scribble /'skrɪbl/ *vt/i* scarabocchiare

script /skrɪpt/ *s* testo *m* ◇ manoscritto *m* ◇ *(cin)* copione *m* ◇ esame *m* scritto ● *s. writer* sceneggiatore

scripture /'skrɪptʃə'/ *s* (la Sacra) Scrittura *f*

scroll /skrəʊl/ *s* (di carta) rotolo *m* ◇ *(arch)* voluta *f*

to scrounge /skraʊn(d)ʒ/ *vt* scroccare

scrub /skrʌb/ *s* boscaglia *f* ◇ *(fam)* buono *m* a nulla

to scrub /skrʌb/ *vt* pulire sfregando ◇ annullare

scruff /skrʌf/ *s* collottola *f*

scruple /'skru:pl/ *s* scrupolo *m*

scrupulous /'skru:pjʊləs/ *a* scrupoloso

scrutiny /'skru:tɪnɪ/ *s* esame *m* minuzioso

scuba /'skju:bə/ *s* autorespiratore *m*

to scuff /skʌf/ *vt* (*i piedi*) strascicare ◇ (*le scarpe*) consumare

scuffle /'skʌfl/ *s* mischia *f*, tafferuglio *m*

sculptor /'skʌlptə'/ *s* scultore *m*

sculpture /'skʌlptʃə'/ *s* scultura *f*

scum /skʌm/ *s* schiuma *f* superficiale ◇ *(fig)* feccia *f*

to scuttle /'skʌtl/ *vi* correr via

scythe /saɪð/ *s* falce *f*

sea /si:/ *s* mare *m* ● *s. level* livello del mare; *s. mile* miglio marino; *s. quake* maremoto

seaboard /'si:bɔːd/ *s* costa *f*, litorale *m*

seafood /'si:fu:d/ *s* frutti *m pl* di mare

seafront /'si:frʌnt/ *s* lungomare *m*

seahorse /'si:hɔ:s/ *s* ippocampo *m*

seal (1) /si:l/ *s* (*zool*) foca *f*

seal (2) /si:l/ *s* sigillo *m*

to seal /si:l/ *vt* sigillare ● *to s. off* isolare (*una zona*)

seam /si:m/ *s* cucitura *f*, giuntura *f* ◇ *(min)* filone *m*, strato *m*

seaman /'si:mən/ (*pl* **seamen**) *s* marinaio *m*

search /sɜ:tʃ/ *s* ricerca *f* ◇ perquisizione *f* ● *s. warrant* mandato di perquisizione

to search /sɜ:tʃ/ *vt* perquisire, perlustrare ◇ frugare, rovistare ◆ *vi* andare in cerca di ● *to s. about, through* frugare; *to s. out* scovare

searching /'sɜ:tʃɪŋ/ *a* penetrante, scrutatore ◇ approfondito, minuzioso ♦ *s* esame *m*, indagine *f* ◇ perlustrazione *f*

seashore /ˈsiːʃɔːr/ *s* spiaggia *f*, lido *m*

seasickness /ˈsiːsɪknɪs/ *s* mal *m* di mare

seaside /ˈsiːsaɪd/ *s* spiaggia *f*, lido *m* ● **s. resort** stazione balneare

season /ˈsiːzn/ *s* stagione *f* ◇ epoca *f*, tempo *m* ● *out of s.* fuori stagione; *off s.* fuori stagione

to **season** /ˈsiːzn/ *vt* condire, insaporire ◇ stagionare, far maturare

seasonal /ˈsiːzənl/ *a* stagionale

seat /siːt/ *s* sedile *m*, sedia *f*, posto *m* (a sedere) ◇ seggio *m* ◇ didietro *m*, fondo *m* ◇ sede *f* ● *s. belt* cintura di sicurezza

to **seat** /siːt/ *vt* far sedere ◇ insediare, collocare ◇ (*posti a sedere*) disporre di

seawards /ˈsiːwədz/ *avv* verso il mare

seaweed /ˈsiːwiːd/ *s* alga *f* marina

secession /sɪˈseʃ(ə)n/ *s* secessione *f*

to **seclude** /sɪˈkluːd/ *vt* isolare, appartare

seclusion /sɪˈkluːʒ(ə)n/ *s* isolamento *m* ◇ clausura *f*

second /ˈsek(ə)nd/ *a* secondo ◇ secondario, inferiore ◇ nuovo, altro ◇ *s* secondo *m* ◇ (minuto) secondo *m* ♦ *avv* secondariamente ● *s.-class* di seconda classe, di qualità scadente; *s.-hand* usato, di seconda mano; *s.-rate* scadente; *s. thoughts* ripensamento

to **second** /ˈsek(ə)nd/ *vt* assecondare, favorire

secondary /ˈsek(ə)ndrɪ/ *a* secondario

seconder /ˈsek(ə)ndər/ *s* sostenitore *m*

secondly /ˈsek(ə)ndlɪ/ *avv* in secondo luogo

secrecy /ˈsiːkrɪsɪ/ *s* segretezza *f*

secret /ˈsiːkrɪt/ *a/s* segreto *m* ● *to keep a s.* mantenere un segreto

secretary /ˈsekrətrɪ/ *s* segretario *m*, segretaria *f*

to **secrete** /sɪˈkriːt/ *vt* secernere

secretion /sɪˈkriːʃ(ə)n/ *s* secrezione *f*

secretive /sɪˈkriːtɪv/ *a* riservato, segreto

sect /sekt/ *s* setta *f*

sectarian /sekˈteəriən/ *s* settario *m*

section /ˈsekʃ(ə)n/ *s* sezione *f*, porzione *f*, parte *f* ◇ paragrafo *m* ◇ (*geom*) sezione *f*

sector /ˈsektər/ *s* settore *m*

secular /ˈsekjʊlər/ *a* secolare, laico

secure /sɪˈkjʊər/ *a* sicuro, certo ◇ (*dir*) garantito ◇ saldo, ben fissato

to **secure** /sɪˈkjʊər/ *vt* assicurare, difendere ◇ (*dir*) garantire ◇ assicurare, fissare ◇ assicurarsi, ottenere, procurarsi

security /sɪˈkjʊərɪtɪ/ *s* sicurezza *f*, certezza *f* ◇ protezione *f*, difesa *f* ◇ garanzia *f*, cauzione *f*

sedate /sɪˈdeɪt/ *a* calmo, posato

sedative /ˈsedətɪv/ *a/s* sedativo *m*

sediment /ˈsedɪmənt/ *s* sedimento *m*

to **seduce** /sɪˈdjuːs/ *vt* sedurre, corrompere

seduction /sɪˈdʌkʃ(ə)n/ s seduzione f

seductive /sɪˈdʌktɪv/ a seducente

to see /siː/ (pass saw, pp seen) vt vedere ◇ capire, rendersi conto di ◇ esaminare, osservare ◇ visitare ◇ accompagnare ♦ vi vedere, vederci ◇ capire, accorgersi ◇ pensare ◇ fare in modo • s. you (later) ci vediamo (più tardi); to s. about occuparsi di; to s. off salutare (alla partenza); to s. out accompagnare alla porta; to s. to occuparsi di

seed /siːd/ s seme m, semenza f

to seek /siːk/ (pass/pp sought) vt cercare ◇ chiedere ◇ tentare di • to s. out scovare

to seem /siːm/ vi sembrare, parere

seemingly /ˈsiːmɪŋlɪ/ avv apparentemente

to seep /siːp/ vi gocciolare, filtrare

seer /ˈsiːə/ s veggente m/f

seesaw /ˈsiːsɔː/ a ondeggiante ♦ s altalena f

to seethe /siːð/ vi ribollire ◇ fremere di rabbia

see-through /ˈsiːθruː/ a (di indumento) trasparente

segment /ˈsegmənt/ s segmento m

to segregate /ˈsegrɪgeɪt/ vt segregare

to seize /siːz/ vt afferrare, impadronirsi di ◇ (dir) confiscare • to s. on appigliarsi a; to s. up gripparsi, bloccarsi

seizure /ˈsiːʒə/ s presa f, conquista f, cattura f ◇ (dir) confisca f ◇ (med) attacco m ◇ (mecc) grippaggio m

seldom /ˈseldəm/ avv raramente

select /sɪˈlekt/ a scelto, selezionato

to select /sɪˈlekt/ vt scegliere, selezionare

self /self/ (pl selves) s l'io m, l'individuo m • one's better s. la parte migliore di sé

self- /self/ prefisso da sé, automatico, auto- • s.-confidence fiducia in sé; s.-consistent coerente; s.-control autocontrollo; s.-made che si è fatto da sé; s.-respect amor proprio; s.-sufficient autosufficiente

to sell /sel/ (pass/pp sold) vt vendere • to s. off svendere; to be sold out essere esaurito

seller /ˈselə/ s venditore m

selling /ˈselɪŋ/ s vendita f • s. off svendita

semblance /ˈsembləns/ s apparenza f ◇ somiglianza f

semen /ˈsiːmən/ s sperma m

semester /sɪˈmestə/ s semestre m

semicircle /ˈsemɪˌsɜːkəl/ s semicerchio m

semicolon /ˌsemɪˈkəʊlən/ s punto e virgola m

semi-detached /ˌsemɪdɪˈtætʃt/ a bifamiliare • s. house villetta bifamiliare

semifinal /ˌsemɪˈfaɪnl/ s semifinale f

seminar /ˈsemɪnɑː/ s seminario m (di studio)

seminary /ˈsemɪnərɪ/ s (relig) seminario m

senate /ˈsenɪt/ s senato m

to send /send/ (pass/pp sent) vt mandare, inviare, spedire • to s.

away scacciare; *to s. away for* ordinare per posta; *to s. back* restituire; *to s. for* mandare a chiamare; *to s. off* spedire; *to s. out* distribuire, far circolare; *to s. up* far salire, prendere in giro

sender /'sendər/ *s* mittente *m/f*

senile /'si:naɪl/ *a* senile

senior /'si:nɪər/ *a* più vecchio, più anziano ◇ *(abbr* **sen., sr.)** senior *(di parentela)*

sensation /sen'seɪʃ(ə)n/ *s* sensazione *f*

sense /sens/ *s* senso *m* ◇ sensazione *f* ◇ significato *m* ◇ opinione *f* comune, buonsenso *m*

sensibility /ˌsensɪ'bɪlɪtɪ/ *s* sensibilità *f*

sensible /'sensəbl/ *a* sensato, ragionevole ◇ sensibile, percepibile

sensitive /'sensɪtɪv/ *a* sensibile ◇ permaloso, suscettibile

sensor /'sensər/ *s* sensore *m*

sensual /'sensjʊəl/ *a* sensuale

sensuality /ˌsensjʊ'ælɪtɪ/ *s* sensualità *f*

sentence /'sentəns/ *s* sentenza *f*, condanna *f* ◇ *(gramm)* frase *f*

to sentence /'sentəns/ *vt* pronunciare una sentenza, condannare

sentiment /'sentɪmənt/ *s* sentimento *m* ◇ opinione *f*

separate /'seprɪt/ *a* separato, staccato ◇ distinto ♦ *s al pl (di abiti)* coordinati *m pl*

to separate /'sepəreɪt/ *vt/i* separare, separarsi

September /səp'tembər/ *s* settembre *m*

septum /'septəm/ *s* setto *m*

sepulchre /'sep(ə)lkər/ *s* sepolcro *m*

sepulture /'sep(ə)ltʃər/ *s* sepoltura *f*

sequel /'si:kw(ə)l/ *s* seguito *m* ◇ effetto *m*

sequence /'si:kwəns/ *s* sequenza *f*, successione *f*, serie *f*

to sequestrate /sɪ'kwestreɪt/ *vt* sequestrare

serene /sɪ'ri:n/ *a* sereno

serenity /sɪ'renɪtɪ/ *s* serenità *f*

sergeant /'sɑ:dʒ(ə)nt/ *s* sergente *m* ◇ *(di polizia)* brigadiere *m*

serial /'sɪərɪəl/ *a* seriale, in serie ◇ a puntate, a fascicoli ♦ *s* sceneggiato *m*, serial *m* ◇ romanzo *m* a puntate

series /'sɪərɪːz/ *s* serie *f* ● *in s.* in serie

serious /'sɪərɪəs/ *a* serio ◇ grave

sermon /'sɜːmən/ *s* sermone *m*

serpent /'sɜːp(ə)nt/ *s* serpente *m*

serpentine /'sɜːp(ə)ntaɪn/ *a* serpentino, serpeggiante ♦ *s* serpentina *f*

serrate /'serɪt/ *a* dentellato, seghettato

serrated /se'reɪtɪd/ → **serrate**

serum /'sɪərəm/ *s* siero *m*

servant /'sɜːv(ə)nt/ *s* domestico *m*, cameriere *m* ◇ *(fig)* servitore *m* ◇ impiegato *m* ● *civil s.* dipendente pubblico

to serve /sɜːv/ *vt* servire, offrire ◇ essere al servizio di ◇ essere utile a ◇ espiare, scontare ♦ *vi* prestare servizio ◇ servire, essere utile ◇ *(sport)* servire ● *to s. up* distribuire, servire

service /'sɜːvɪs/ *s* servizio *m*, prestazione *f* ◇ favore *m* ◇ *al pl* servizi *m pl* ◇ assistenza *f*, manutenzione f ◇ (di posate) servizio m ◇ (mil) arma f, corpo m, forze f pl armate ● **s. charge** (al ristorante) servizio; **s. station** stazione di servizio

to service /'sɜːvɪs/ vt revisionare ◇ fornire

serviceable /'sɜːvɪsəbl/ a utile, pratico ◇ resistente

serviette /ˌsɜːvɪ'et/ s tovagliolo m

servo-brake /'sɜːvəˌbreɪk/ s servofreno m

sesame /'sesəmɪ/ s sesamo m

session /'seʃ(ə)n/ s sessione f, seduta f ◇ anno m accademico

set /set/ a fisso, saldo, stabilito ◇ posto, collocato ◇ studiato, preparato ◇ pronto ● s complesso m, insieme m, assortimento m ◇ collezione f, serie f ◇ (di posate, biancheria, ecc) set m ◇ (di persone) gruppo m ◇ (radio, TV) apparecchio m ◇ (sport) set m ◇ posizione f ◇ messa f in piega ◇ (teat) set m, scene f pl ◇ tendenza f, direzione f ◇ (bot) pianticella f ◇ (mat) insieme m

to set /set/ (pass/pp set) vt mettere, porre, disporre, collocare ◇ piantare, conficcare ◇ regolare, registrare, mettere a punto, preparare ◇ assegnare ◇ fissare, stabilire ◇ indurire, rendere solido ◇ incastonare, montare ◇ (inform) impostare ● vi tramontare ◇ indurirsi, solidificarsi ◇ volgersi, muoversi ◇ **to s. about** accingersi a; **to s. against** mettere contro; **to s. aside** mettere da parte, lasciare da parte; **to s. back** bloccare, ritardare, mette-

re indietro; **to s. in** cominciare; **to s. off** far scoppiare, far risaltare, partire; **to s. out** partire, disporre, esporre; **to s. up** installare, impostare, settare, costituire, causare, fornire

setting /'setɪŋ/ s collocazione f, installazione f, sistemazione f ◇ incastonatura f ◇ regolazione f, messa f a punto ◇ messa f in scena, ambientazione f ◇ tramonto m ◇ coperto m (a tavola)

to settle /'setl/ vt decidere, fissare, stabilire, risolvere, definire ◇ pagare, saldare ◇ sistemare, aggiustare ◇ calmare ♦ vi sistemarsi, accomodarsi ◇ stabilirsi, insediarsi ◇ calmarsi, ricomporsi ◇ depositarsi, decantare, sedimentare ◇ abbassarsi, assestarsi ● **to s. down** adagiarsi, calmarsi, stabilirsi, stabilizzarsi; **to s. in** sistemarsi; **to s. up** saldare (il conto)

settlement /'setlmənt/ s sistemazione f, accordo m, soluzione f ◇ saldo m, liquidazione f ◇ insediamento m, colonizzazione f, colonia f

settler /'setlə/ s colonizzatore m ◇ (fam) argomento m decisivo

set-up /'setˌʌp/ s organizzazione f, sistemazione f ◇ situazione f ◇ (inform) set-up m

seven /'sevn/ a/s sette m

seventeen /ˌsevn'tiːn/ a/s diciassette m

seventeenth /ˌsevn'tiːnθ/ a/s diciassettesimo m

seventh /'sevnθ/ a/s settimo m

seventhieth /'sevntiiθ/ *a/s* settantesimo *m*

seventy /'sevnti/ *a/s* settanta *m*

several /'sevr(ə)l/ *a/pr* parecchi, diversi, alcuni

severe /sɪ'vɪəʳ/ *a* severo, rigoroso ◇ rigido, duro ◇ acuto, violento ◇ difficile, arduo

severity /sɪ'verɪtɪ/ *s* severità *f*, rigore *m* ◇ gravità *f* ◇ difficoltà *f*

to sew /səʊ/ (*pass* **sewed**, *pp* **sewn**) *vt* cucire ◆ **to s. up** rammendare

sewer /'sjuːəʳ/ *s* fogna *f*

sex /seks/ *s* sesso *m* ◆ *a* sessuale ● **to have s. with** avere rapporti sessuali con

sexology /sek'bɒlədʒɪ/ *s* sessuologia *f*

sexual /'seksjʊəl/ *a* sessuale ● **s. harassment** molestie sessuali

sexy /'seksɪ/ *a* (*fam*) sexy

shabby /'ʃæbɪ/ *a* malmesso, trasandato ◇ meschino

shade /ʃeɪd/ *s* ombra *f* ◇ sfumatura *f*

to shade /ʃeɪd/ *vt* ombreggiare ◇ sfumare

shadow /'ʃædəʊ/ *s* ombra *f* ◇ spettro *m* ◇ segno *m*, traccia *f* ● pedinatore *m*

to shadow /'ʃædəʊ/ *vt* ombreggiare ◇ oscurare ● pedinare

shady /'ʃeɪdɪ/ *a* ombroso, ombreggiato ◇ equivoco, losco

shaft /ʃɑːft/ *s* asta *f*, palo *m*, stanga *f* ◇ freccia *f*, strale *m* ◇ fusto *m*, gambo *m* ◇ (*mecc*) albero *m* ◇ (*miniera*) pozzo *m*

shaggy /'ʃægɪ/ *a* irsuto, ispido, peloso

shake /ʃeɪk/ *s* scossa *f*, scossone *m*

◇ tremito *m* ◇ frappé *m*, frullato *m*

to shake /ʃeɪk/ (*pass* **shook**, *pp* **shaken**) *vt* agitare, scuotere ◇ impressionare ● (*fam*) liberarsi di ◆ *vi* scuotersi, agitarsi ● barcollare, traballare ● **to s. down** ambientarsi, adattarsi, estorcere, frugare; **to s. hands with sb** stringere la mano a qn; **to s. off** scuotersi di dosso, liberarsi di; **to s. up** scuotere

shaking /'ʃeɪkɪŋ/ *a* che scuote, che agita ◇ tremante, traballante ◆ *s* scossone *m* ◇ tremore *m*

shaky /'ʃeɪkɪ/ *a* malfermo, traballante

shall /ʃæl, ʃəl/ (*pass* **should**) *v* (*ausiliare per la formazione del futuro*) (ES: **we s. be in London tomorrow** saremo a Londra domani) ◇ (*in frasi interr*) dovere (ES: **s. I close the door?** devo chiudere la porta?)

shallow /'ʃæləʊ/ *a* basso, poco profondo ◇ (*fig*) superficiale

sham /ʃæm/ *a* falso, simulato ◆ *s* finzione *f*, imitazione *f* ◇ impostore *m*

shame /ʃeɪm/ *s* vergogna *f* ◇ peccato *m*

to shame /ʃeɪm/ *vt* far vergognare ◇ disonorare

shameful /'ʃeɪmf(ʊ)l/ *a* vergognoso

shameless /'ʃeɪmlɪs/ *a* svergognato

shampoo /ʃæm'puː/ *s* shampoo *m*

shamrock /'ʃæmrɒk/ *s* trifoglio *m*

shank /ʃæŋk/ *s* stinco *m*

shape /ʃeɪp/ *s* forma *f*, foggia *f*, sagoma *f*, modello *m* ◇ condi-

zione f, forma f fisica ● *to be in s.*
essere in forma

to shape /ʃeɪp/ vt formare, modellare, plasmare ◇ adattare ♦ vi
prendere forma, concretarsi ● *to
s. up* procedere, darsi da fare

shaped /ʃeɪpt/ a (nei composti) a
forma di ● *leaf-s.* a forma di foglia

shapely /ˈʃeɪplɪ/ a armonioso, ben
proporzionato

share /ʃeə/ s parte f, porzione f,
quota f ◇ (fin) azione f

to share /ʃeə/ vt dividere, distribuire ◇ condividere, avere in comune ♦ vi partecipare ● *to s. out*
distribuire

shareholder /ˈʃeəˌhəʊldə/ s azioni-
sta m/f

shark /ʃɑːk/ s squalo m

sharp /ʃɑːp/ a affilato, acuminato,
tagliente ◇ (fig) acuto, sveglio,
pungente ◇ netto, chiaro, marcato ◇ secco, brusco, improvviso ◇ scaltro, disonesto, privo di
scrupoli ◇ energico, forte ◇
(mus) diesis ♦ avv esattamente,
in punto ◇ bruscamente

to sharpen /ˈʃɑːp(ə)n/ vt affilare,
aguzzare, appuntire

sharp-eyed /ˈʃɑːpˌaɪd/ a dalla vista
acuta ◇ perspicace

to shatter /ˈʃætə/ vt frantumare,
infrangere ◇ rovinare ♦ vi frantumarsi, andare in pezzi

shave /ʃeɪv/ s rasatura f

to shave /ʃeɪv/ vt radere, rasare,
sbarbare ◇ tagliare, affettare ◇
rasentare ◇ ridurre leggermente
♦ vi radersi

shaver /ˈʃeɪvə/ s rasoio m (elettrico) ◇ barbiere m

shawl /ʃɔːl/ s scialle m

she /ʃiː/ pr.pers ella, lei ♦ s femmina f

to shear /ʃɪə/ (pass sheared, pp
shorn, sheared) vt tosare ◇ tagliare, recidere

shears /ʃɪəz/ s pl cesoie f pl

shed /ʃed/ s capannone m

to shed /ʃed/ (pass/pp **shed**) vt
spargere, versare ◇ perdere, lasciar cadere ◇ diffondere, emanare

sheen /ʃiːn/ s lucentezza f

sheep /ʃiːp/ s pecora f

sheepfold /ˈʃiːpfəʊld/ s ovile m

sheepish /ˈʃiːpɪʃ/ a imbarazzato,
vergognoso ◇ mite, timido

sheer /ʃɪə/ a vero e proprio, non
mitigato ◇ (di liquidi) puro, non
diluito ◇ perpendicolare, a picco ◇ sottile, diafano ♦ avv completamente, del tutto ◇ a picco

sheet /ʃiːt/ s lenzuolo m ◇ foglio
m, lamina f ◇ lamiera f, lastra f ◇
(naut) scotta f

sheik(h) /ʃeɪk/ s sceicco m

shelf /ʃelf/ s mensola f, scaffale m

shell /ʃel/ s guscio m, conchiglia f
◇ carcassa f, ossatura f, struttura
f ◇ apparenza f ◇ schema m,
schizzo m ◇ proiettile m, granata
f

to shell /ʃel/ vt sgusciare, sgranare ◇ bombardare

shellfish /ˈʃelfɪʃ/ s mollusco m,
crostaceo m

shelter /ˈʃeltə/ s riparo m, rifugio
m

to shelter /ˈʃeltər/ *vt* riparare, proteggere ◆ *vi* ripararsi, rifugiarsi

to shelve /ʃelv/ *vt* accantonare, rimandare

shepherd /ˈʃepəd/ *s* pastore *m*

sheriff /ˈʃerɪf/ *s* sceriffo *m*

shield /ʃiːld/ *s* scudo *m* ◇ riparo *m*, protezione *f*

to shield /ʃiːld/ *vt* proteggere, riparare ◇ schermare

shift /ʃɪft/ *s* cambiamento *m*, spostamento *m*, avvicinamento *m*, salto *m* ◇ turno *m* ◇ (*inform*) spostamento *m*, scorrimento *m* ● **s. work** lavoro a turni; **to make s.** ingegnarsi

to shift /ʃɪft/ *vt* spostare, trasferire, cambiare ◇ rimuovere ◆ *vi* spostarsi, trasferirsi, muoversi ◇ ingegnarsi ◇ (*aut*) cambiare marcia

shiftless /ˈʃɪftlɪs/ *a* incapace, inefficiente

shifty /ˈʃɪftɪ/ *a* sfuggente, ambiguo

shilling /ˈʃɪlɪŋ/ *s* scellino *m*

to shimmer /ˈʃɪmər/ *vi* brillare, luccicare

shin /ʃɪn/ *s* stinco *m* ● **s.-bone** tibia

to shine /ʃaɪn/ (*pass/pp* **shone**) *vi* brillare, risplendere ◆ *vt* far luce su ◇ (*pass/pp* **shined**) lucidare, lustrare

shining /ˈʃaɪnɪŋ/ *a* fulgido, lucente, luminoso

shiny /ˈʃaɪnɪ/ *a* brillante, lucente

ship /ʃɪp/ *s* nave *f* ● **s.'s chandler** fornitore navale

to ship /ʃɪp/ *vt* imbarcare ◇ trasportare, spedire ◆ *vi* imbarcarsi

shipmaster /ˈʃɪpˌmɑːstər/ *s* capitano *m*

shipment /ˈʃɪpmənt/ *s* carico *m* ◇ imbarco *m*, spedizione *f*

shipshape /ˈʃɪpʃeɪp/ *a* ordinato ◆ *avv* in perfetto ordine

shipwreck /ˈʃɪpˌrek/ *s* naufragio *m* ◇ relitto *m*

shipyard /ˈʃɪpjɑːd/ *s* cantiere *m* navale

shire /ʃaɪər/ *s* contea *f* (inglese)

to shirk /ʃɜːk/ *vt* evitare, sottrarsi a

shirt /ʃɜːt/ *s* camicia *f*, camicetta *f* ● **keep your s. on!** calmati!; **to lose one's s.** rimetterci la camicia

shit /ʃɪt/ *s* (*volg*) merda *f*

to shiver /ˈʃɪvər/ *vi* rabbrividire

shoal (1) /ʃəʊl/ *s* bassofondo *m*, secca *f*

shoal (2) /ʃəʊl/ *s* (*di pesci*) banco *m* ◇ (*fig*) moltitudine *f*

shock /ʃɒk/ *s* colpo *m*, collisione *f* ◇ scossa *f* ◇ (*med*) collasso *m*, shock *m* ● **s. absorber** ammortizzatore

to shock /ʃɒk/ *vt* colpire, scuotere ◇ scandalizzare ◆ *vi* scontrarsi ◇ provocare scandalo

shocking /ˈʃɒkɪŋ/ *a* vistoso ◇ scioccante, scandaloso

shoe /ʃuː/ *s* scarpa *f* ◇ ferro *m* di cavallo ● **s. lace** stringa

shoehorn /ˈʃuːhɔːn/ *s* calzascarpe *m*

shoot /ʃuːt/ *s* germoglio *m* ● battuta *f* di caccia

to shoot /ʃuːt/ (*pass/pp* **shot**) *vt* sparare a ◇ lanciare, gettare ◇ filmare, riprendere ◆ *vi* sparare, tirare ◇ andare a caccia ◇ (*cin*) girare ◇ passare velocemente, sfrecciare ◇ germogliare ● **to s. at** mirare a; **to s. down** abbattere; **to s. up** balzare fuori, salire alle stelle

shop /ʃɒp/ s bottega f, negozio m ◇ officina f, laboratorio m ● s. **assistant, clerk** commesso; s. **lifter** taccheggiatore; s. **window** vetrina

shopkeeper /ˈʃɒpˌkiːpəʳ/ s negoziante m/f

shopper /ˈʃɒpəʳ/ s acquirente m/f

shopping /ˈʃɒpɪŋ/ s compere f pl, acquisti m pl, shopping m ◇ spesa f ● s. **mall, center** centro commerciale, area commerciale

shore (1) /ʃɔːʳ/ s (geogr) riva f, sponda f, spiaggia f, lido m ● on s. a terra

shore (2) /ʃɔːʳ/ s puntello m

short /ʃɔːt/ a corto, breve ◇ basso, piccolo ◇ scarso, insufficiente ◇ brusco, rude ◇ friabile ● s (sillaba) breve f ◇ (cin) cortometraggio m ◇ al pl pantaloni m pl corti, shorts m pl ● avv bruscamente, improvvisamente ◇ brevemente ● in s. in breve; s. **cut** scorciatoia; s. **lived** momentaneo, caduco; s. **of** all'infuori di; s. **sighted** miope; s. **story** racconto; s. **tempered** irascibile; **to fall s.** non raggiungere qc, essere inadeguato a qc; **to run s. of** essere a corto di

shortage /ˈʃɔːtɪdʒ/ s mancanza f, scarsità f

short-circuit /ˈʃɔːtˈsɜːkɪt/ s cortocircuito m

shortcoming /ˈʃɔːtˌkʌmɪŋ/ s mancanza f, deficienza f ◇ difetto m

to shorten /ˈʃɔːtn/ vt accorciare, ridurre

shortfall /ˈʃɔːtfɔːl/ s diminuzione f ◇ (econ) deficit m

shortly /ˈʃɔːtlɪ/ avv presto, in breve tempo ◇ bruscamente

shot /ʃɒt/ s sparo m, colpo m ◇ (sport) tiro m ◇ tiratore m (scelto) ◇ pallottola f, proiettile m ◇ (atletica) peso m ◇ (fam) prova f, tentativo m ◇ (fam) foto f ◇ iniezione f ◇ (fam) sorso m, goccio m ● s. **put** lancio del peso

should /ʃʊd, ʃəd/ (pass di shall) v (ausiliare per la formazione del condizionale) (ES: **I s. eat it if I were not on a diet** lo mangerei se non fossi a dieta) ◇ (indica suggerimento o probabilità) dovere (ES: **you s. pay your debts** dovresti pagare i tuoi debiti; **if the weather s. get worse** se il tempo dovesse peggiorare) ◇ (ausiliare per la formazione del congiuntivo) (ES: **it's wonderful that you s. come** è stupendo che tu venga)

shoulder /ˈʃəʊldəʳ/ s spalla f ◇ (di strada) bordo m ● hard s. corsia d'emergenza; s. **bag** borsa a tracolla

to shoulder /ˈʃəʊldəʳ/ vt portare sulle spalle ◇ addossarsi

to shout /ʃaʊt/ vt/i gridare, urlare ● **to s. sb down** far tacere qn gridando

shove /ʃʌv/ s spinta f

to shove /ʃʌv/ vt spingere ◇ (fam) ficcare, mettere ◇ respingere ◆

vi farsi largo a spinte ◇ spostarsi ● *to s. off* scostarsi da terra, andarsene

shovel /ˈʃʌvl/ *s* pala *f*, badile *m* ◇ paletta *f*

to shovel /ˈʃʌvl/ *vt* spalare

show /ʃəʊ/ *s* mostra *f*, esposizione *f* ◇ dimostrazione *f*, manifestazione *f* ◇ apparenza *f*, parvenza *f* ◇ spettacolo *m* ◇ *(fam)* affare *m*, faccenda *f*

to show /ʃəʊ/ *(pass* **showed**, *pp* **shown**) *vt* mostrare, esporre, esibire ◇ indicare, rappresentare ◇ provare, rivelare ◇ accompagnare ◇ *(spettacoli, film)* presentare, dare ◆ *vi* apparire, vedersi ● *to s. in* introdurre; *to s. off* mettere in risalto, ostentare; *to s. oneself* mostrarsi; *to s. out* accompagnare all'uscita; *to s. up* mettere in luce, farsi vivo, presentarsi, farsi vedere

shower /ˈʃaʊə/ *s* acquazzone *m*, scroscio *m* ◇ *(fig)* pioggia *f*, scarica *f*, nugolo *m* ◇ doccia *f* ● *to take a s.* fare la doccia; *s. cream* docciaschiuma; *s. stall* box doccia

to shower /ˈʃaʊə/ *vt* far cadere, versare ◇ inondare di ◆ *vi* diluviare ◇ fare la doccia

showpiece /ˈʃəʊpiːs/ *s* pezzo *m* forte ◇ oggetto *m* da esposizione

showy /ˈʃəʊ(ʊ)ɪ/ *a* appariscente, vistoso

shred /ʃred/ *s* brandello *m*, frammento *m*

shrewd /ʃruːd/ *a* accorto, sagace

shriek /ʃriːk/ *s* grido *m*, strillo *m* ◇ fischio *m*

to shriek /ʃriːk/ *vi* gridare, strillare

shrill /ʃrɪl/ *a* stridulo, acuto

shrimp /ʃrɪmp/ *s* gamberetto *m*

shrine /ʃraɪn/ *s* reliquiario *m* ◇ santuario *m*

to shrink /ʃrɪŋk/ *(pass* **shrank**, *pp* **shrunk**) *vi* restringersi, ritirarsi ◇ indietreggiare, tirarsi indietro ◇ rifuggire ◆ *vt* far restringere, accorciare

shrinkage /ˈʃrɪŋkɪdʒ/ *s* contrazione *f*, restringimento *m*

to shrivel /ˈʃrɪvl/ *vi* raggrinzirsi

shroud /ʃraʊd/ *s* sudario *m* ◇ *(fig)* velo *m* ◇ *(naut)* sartia *f*

Shrove Tuesday /ˌʃrəʊvˈtjuːzdɪ/ *s* martedì *m* grasso

shrub /ʃrʌb/ *s* arbusto *m*

shrubbery /ˈʃrʌbərɪ/ *s* boschetto *m* ◇ arbusti *m pl*

to shrug /ʃrʌɡ/ *vi* scrollare le spalle ● *to s. off* passare sopra a

shuck /ʃʌk/ *s* guscio *m*, baccello *m* ◇ conchiglia *f*

to shudder /ˈʃʌdə/ *vi* rabbrividire

to shuffle /ˈʃʌfl/ *vt* rimescolare ◇ trascinare, strascicare ● *to s. off* sottrarsi a

to shun /ʃʌn/ *vt* evitare, schivare

to shunt /ʃʌnt/ *vt* deviare ◇ smistare ◇ accantonare

shut /ʃʌt/ *a* chiuso

to shut /ʃʌt/ *(pass/pp* **shut**) *vt/i* chiudere, chiudersi ● *to s. down* chiudere i battenti, *(inform)* spegnere; *to s. off* chiudere, bloccare; *to s. out* escludere; *to s.* serrare, rinchiudere, mettere a tacere; *s. up!* chiudi il becco!

shutter /ˈʃʌtə/ *s* persiana *f*, saracinesca *f* ◇ *(fot)* otturatore *m*

shuttle /'ʃʌtl/ s servizio m pendolare ◇ navetta f

shy /ʃaɪ/ a timido, pauroso ◇ diffidente

sick /sɪk/ a malato, indisposto ◇ che ha la nausea ◇ (fig) nauseante, perverso ◆ *to be s.* stare per vomitare; *to fall/get s.* ammalarsi; *to feel s.* avere la nausea, essere nauseato

to sicken /'sɪkn/ vt nauseare, disgustare ◇ far ammalare ◆ vi ammalarsi ◇ essere nauseato, essere disgustato ◇ annoiarsi

sickening /'sɪknɪŋ/ a nauseabondo

sickle /'sɪkl/ s falce f

sickly /'sɪklɪ/ a malaticcio ◇ pallido ◇ malsano, nauseabondo

sickness /'sɪknɪs/ s malattia f ◇ nausea f, vomito m

side /saɪd/ s lato m, fianco m, fiancata f ◇ sponda f, margine m ◇ parte f, lato m ◇ partito m, fazione f, squadra f ◆ a *laterale* ◇ secondario ◆ *from s. to s.* da una parte all'altra; *on the other s.* d'altra parte; *s. by s.* fianco a fianco; *s. effect* effetto collaterale; *s. glance* occhiata in tralice

to side /saɪd/ vi parteggiare

sideboard /'saɪdbɔːd/ s credenza f

sideboards /'saɪdbɔːdz/ s pl basette f pl

sideline /'saɪdlaɪn/ s attività f secondaria ◇ (sport) linea f laterale

sidelong /'saɪdlɒŋ/ a obliquo ◆ avv obliquamente

to sidestep /'saɪdstep/ vt scansare

sidewalk /'saɪdwɔːk/ s (USA) marciapiede m

sideways /'saɪdweɪz/ avv lateralmente, obliquamente

siege /siːdʒ/ s assedio m

sieve /sɪv/ s setaccio m

to sieve /sɪv/ vt setacciare

to sift /sɪft/ vt setacciare ◇ vagliare

sigh /saɪ/ s sospiro m

to sigh /saɪ/ vi sospirare

sight /saɪt/ s vista f ◇ visione f, veduta f ◇ mira f ◇ giudizio m, opinione f ◇ *al pl* cose f pl da vedere, curiosità f pl

to sight /saɪt/ vt avvistare ◇ (naut) traguardare ◇ prendere la mira con, traguardare

sightseeing /'saɪtsiːɪŋ/ s giro m turistico

sign /saɪn/ s segno m, cenno m, gesto m ◇ indizio m, traccia f ◇ insegna f, segnale m ◇ (astr) segno m ◆ *s. language* linguaggio dei sordomuti

to sign /saɪn/ vt firmare, sottoscrivere ◇ arruolare, ingaggiare ◆ *to s. away, over* cedere (una proprietà firmando un atto); *to s. on* arruolarsi, sottoscrivere un impegno; *to s. up* arruolarsi, iscriversi

signal /'sɪgnl/ s segnale m ◆ *warning s.* segnale d'allarme

signature /'sɪgnətʃər/ s firma f ◆ *s. tune* sigla musicale

signboard /'saɪnbɔːd/ s cartello m, insegna f

significance /sɪg'nɪfɪkəns/ s significato m ◇ importanza f

significant /sɪg'nɪfɪkənt/ a significativo, espressivo ◇ importante

to signify /'sɪgnɪfaɪ/ vt significare,

voler dire ◇ manifestare ◆ *vi* essere significativo, avere importanza

silence /'saɪləns/ *s* silenzio *m*

silencer /'saɪlənsə'/ *s* silenziatore *m*

silent /'saɪlənt/ *a* silenzioso ◇ muto

silk /sɪlk/ *s* seta *f*

sill /sɪl/ *s* soglia *f* ◇ davanzale *m*

silly /'sɪlɪ/ *a/s* sciocco *m*

silver /'sɪlvə'/ *s* argento *m* ◇ argenteria *f* ◆ *a* d'argento

to silver-plate /'sɪlvəˌpleɪt/ *vt* placcare d'argento

similar /'sɪmɪlə'/ *a* simile

simile /'sɪmɪlɪ/ *s* similitudine *f*

to simmer /'sɪmə'/ *vt* far bollire lentamente ● *to s. down* calmarsi

simple /'sɪmpl/ *a* semplice

simplicity /sɪm'plɪsɪtɪ/ *s* semplicità *f*

to simplify /'sɪmplɪfaɪ/ *vt* semplificare

simply /'sɪmplɪ/ *avv* semplicemente

to simulate /'sɪmjʊleɪt/ *vt* simulare

simultaneous /ˌsɪm(ə)l'teɪnjəs/ *a* simultaneo

sin /sɪn/ *s* peccato *m*, colpa *f*

to sin /sɪn/ *vi* peccare

since /sɪns/ *avv* da allora ◆ *prep* da ◆ *cong* da quando ◇ poiché, giacché

sincerely /sɪn'sɪəlɪ/ *avv* sinceramente ● *yours s.* (nelle lettere) cordialmente vostro

sincerity /sɪn'serɪtɪ/ *s* sincerità *f*

sinew /'sɪnjuː/ *s* tendine *m*

sinful /'sɪnf(ʊ)l/ *a* peccaminoso

to sing /sɪŋ/ (*pass* **sang**, *pp* **sung**) *vt/i* cantare

to singe /sɪn(d)ʒ/ *vt/i* bruciacchiare, bruciacchiarsi

singer /'sɪŋə'/ *s* cantante *m/f*

singing /'sɪŋɪŋ/ *s* canto *m*

single /'sɪŋgl/ *a* singolo, semplice, individuale ◇ celibe, nubile ◇ sincero, leale ◆ *s* singolo *m* ◇ single *m/f* ◇ (camera) singola *f* ◇ biglietto *m* di sola andata ● *s. file* fila indiana; *s. dose* monodose

to single /'sɪŋgl/ *vt* scegliere ● *to s. out* selezionare

singly /'sɪŋglɪ/ *avv* singolarmente ◇ senza aiuto

singular /'sɪŋgjʊlə'/ *a/s* singolare *m*

sinister /'sɪnɪstə'/ *a* sinistro, funesto ◇ infame

sink /sɪŋk/ *s* lavandino *m*

to sink /sɪŋk/ (*pass* **sank**, *pp* **sunk**) *vi* affondare ◇ sprofondare ◇ abbassarsi, calare ◇ cadere ◇ penetrare, filtrare ◇ incavarsi, infossarsi ◆ *vt* affondare ◇ scavare, perforare ◇ (*denaro*) investire ● *to s. in* penetrare, essere recepito

sinner /'sɪnə'/ *s* peccatore *m*

sip /sɪp/ *s* sorso *m*

to sip /sɪp/ *vt/i* sorseggiare

sir /sɜː'/ *s* signore *m* (*al vocativo*) ◇ sir *m*

siren /'saɪərɪn/ *s* sirena *f*

sister /'sɪstə'/ *s* sorella *f* ◇ suora *f* ◇ (infermiera) caposala *f* ● *s.-in-law* cognata *f*

to sit /sɪt/ (*pass/pp* **sat**) *vi* sedere, stare seduto ◇ essere in seduta ◇ posare ◇ (*di uccelli*) covare ◇

(*di abiti*) cadere • *to s. down* mettersi a sedere, accomodarsi; *to s. for* sostenere (un esame); *to s. in on* partecipare a; *to s. up* tirarsi su a sedere, stare alzato

site /saɪt/ s sito m, luogo m ◇ (*inform*) sito m (Internet)

sitting /ˈsɪtɪŋ/ s seduta f, sessione f, udienza f ◇ turno m • *s. room* salotto

situated /ˈsɪtjoeɪtɪd/ a situato, posto

situation /ˌsɪtjʊˈeɪʃ(ə)n/ s situazione f, posizione f ◇ impiego m

six /sɪks/ a/s sei m

sixteen /ˌsɪksˈtiːn/ a/s sedici m

sixteenth /ˌsɪksˈtiːnθ/ a/s sedicesimo m

sixth /sɪksθ/ a/s sesto m

sixtieth /ˈsɪkstɪɪθ/ a/s sessantesimo m

sixty /ˈsɪkstɪ/ a/s sessanta m

sizable /ˈsaɪzəbl/ a considerevole

size (1) /saɪz/ s dimensione f, grandezza f ◇ misura f, taglia f, formato m

size (2) /saɪz/ s colla f, appretto m

skate /skeɪt/ s pattino m

to skate /skeɪt/ vi pattinare

skateboard /ˈskeɪtbɔːd/ s skateboard m

skating /ˈskeɪtɪŋ/ s pattinaggio m • *figure s.* pattinaggio artistico; *roller s.* pattinaggio a rotelle

skeletal /ˈskelɪtəl/ a ridotto all'osso (all'essenziale)

skeleton /ˈskelɪtn/ s scheletro m ◇ ossatura f ◇ schema m, abbozzo m

sketch /sketʃ/ s schizzo m, abbozzo m ◇ scenetta f, sketch m

skewer /ˈskjuə/ s spiedo m

ski /skiː/ s sci m • *s. boot* scarpone da sci; *s. jump* salto dal trampolino (con gli sci); *s. lift* ski-lift, sciovia; *s. slope* pista da sci; *s. stick, pole* racchetta da sci

to ski /skiː/ vi sciare

to skid /skɪd/ vi scivolare, slittare

skier /ˈskiːə/ s sciatore m

skilful /ˈskɪlf(ʊ)l/ a abile, destro

skill /skɪl/ s destrezza f, maestria f

skilled /skɪld/ a esperto, qualificato

to skim /skɪm/ vt schiumare, scremare ◇ sfiorare ◇ scorrere, sfogliare

to skimp /skɪmp/ vt fare economia ♦ vi lesinare ◇ fare economia

skimpy /ˈskɪmpɪ/ a scarso, misero

skin /skɪn/ s pelle f ◇ buccia f, scorza f

to skin /skɪn/ vt spellare, sbucciare

to skin-dive /ˈskɪndaɪv/ vi immergersi in apnea (o con autorespiratore senza muta)

skinhead /ˈskɪnhed/ s naziskin m/f, skinhead m/f

skinny /ˈskɪnɪ/ a macilento

skin-tight /skɪnˈtaɪt/ a aderente

to skip /skɪp/ vt/i saltare

skipper /ˈskɪpə/ s (naut) skipper m/f, comandante m ◇ (sport) capitano m

skirt /skɜːt/ s gonna f ◇ lembo m, margine m • *wraparound s.* gonna pareo

to skirt /skɜːt/ vt costeggiare, fiancheggiare ◇ (fig) evitare

skittish /ˈskɪtɪʃ/ a vivace, volubile ◇ (di cavallo) ombroso ◇ pieno di paure

skittle /skɪtl/ s birillo m

to skulk /skʌlk/ vi muoversi furtivamente ◇ nascondersi

skull /skʌl/ s cranio m, teschio m

skunk /skʌŋk/ s moffetta f

sky /skaɪ/ s cielo m ● s. diving paracadutismo (sportivo)

skylark /skaɪlɑːk/ s allodola f

skylight /skaɪlaɪt/ s lucernario m

skyscraper /skaɪˌskreɪpə/ s grattacielo m

slab /slæb/ s lastra f, piastra f ◇ fetta f

slack /slæk/ a lento, allentato ◇ pigro, indolente ◇ fiacco ◆ s rilassamento m ◇ periodo m morto ◇ al pl pantaloni m pl ◇ (mecc) gioco m

to slacken /slæk(ə)n/ vt allentare, mollare ◇ diminuire ◆ vi rilassarsi, rallentare il ritmo ◇ ridursi

slag /slæg/ s scoria f

slam /slæm/ s colpo m violento ◇ sbatacchiamento m ● s. dunk (sport) schiacciata

to slam /slæm/ vt sbattere, chiudere violentemente ◇ scaraventare ◇ (fam) criticare ◆ vi (di porta) sbattere ● to s. dunk (sport) fare una schiacciata

to slander /slɑːndə/ s calunniare, diffamare

slant /slɑːnt/ s inclinazione f, pendenza f, pendio m ◇ angolazione f

to slant /slɑːnt/ vi pendere, inclinarsi ◇ propendere ◆ vt deviare ◇ presentare in maniera tendenziosa

slap /slæp/ s ceffone m, sberla f ◆

avv improvvisamente ◇ in pieno ● s.-bang di colpo

to slap /slæp/ vt schiaffeggiare ◇ sbattere

slapdash /slæpdæʃ/ a precipitoso, affrettato ◆ avv frettolosamente

slash /slæʃ/ s taglio m, squarcio m ◇ frustata f ◇ (segno grafico) barra f, slash m

to slash /slæʃ/ vt tagliare, squarciare ◇ frustare ◇ ridurre drasticamente ◇ criticare, stroncare

slate /sleɪt/ s ardesia f ◇ tegola f d'ardesia

to slate /sleɪt/ vt (fam) criticare, stroncare ◇ rimproverare

slaughter /slɔːtə/ s massacro m, strage f ● s. house mattatoio

slave /sleɪv/ a/s schiavo m

slavery /sleɪvərɪ/ s schiavitù f

Slavic /slɑːvɪk/ a/s slavo m

sledge /sledʒ/ s slitta f

sleek /sliːk/ a liscio, lucido ◇ mellifluo ◇ di lusso, elegante

sleep /sliːp/ s sonno m ◇ dormita f ● sound s. sonno profondo; to go to s. addormentarsi

to sleep /sliːp/ (pass/pp slept) vi dormire ● to s. in dormire fino a tardi

sleeping /sliːpɪŋ/ a addormentato ● s. bag sacco a pelo; s. car vagone letto; s. draught, pill sonnifero

sleepless /sliːplɪs/ a insonne

sleepwalker /sliːpˌwɔːkə/ s sonnambulo m

sleepy /sliːpɪ/ a assonnato ● s. head dormiglione

sleet /sliːt/ s nevischio m

sleeve /sliːv/ s manica f ◇ coperti-na f, custodia f

sleigh /sleɪ/ s slitta f

sleight /slaɪt/ s abilità f ● s. of hand gioco di prestigio

slender /ˈslendər/ a esile, snello ◇ scarso, tenue

slice /slaɪs/ s fetta f, trancio m ● by the s. al trancio

slick /slɪk/ a liscio, sdrucciolevole ◇ astuto ◇ untuoso, viscido (di pneumatici) slick ◆ s oil s. chiazza f di petrolio

slide /slaɪd/ s scivolata f, scivolone m ◇ scivolo m ◇ (mecc) guida f, cursore m ◇ (per microscopio) vetrino m ◇ diapositiva f ● s. fas-tener chiusura lampo

to slide /slaɪd/ (pass/pp slid) vi sci-volare

slight /slaɪt/ a esile, smilzo, minu-to ◇ leggero, lieve ◇ insignifi-cante ◆ s affronto m, mancanza f di riguardo ◇ trascuratezza f

to slight /slaɪt/ vt disprezzare ◇ trascurare

slim /slɪm/ a magro, snello

to slim /slɪm/ vi dimagrire (se-guendo una dieta) ● to s. down dimagrire

slime /slaɪm/ s limo m, melma f

slimy /ˈslaɪmɪ/ a fangoso ◇ viscido

sling /slɪŋ/ s fionda f ◇ imbracatu-ra f ◆ baby's. marsupio

to sling /slɪŋ/ (pass/pp slung) vt lanciare, scagliare ◇ sospende-re, imbracare ◇ portare a tracol-la

slip /slɪp/ s scivolone m ◇ errore m, svista f ◇ tagliando m, scontrino m ◇ striscia f ◇ sottoveste f ● s.-

road rampa di accesso (a un'au-tostrada); pillow s. federa

to slip /slɪp/ vi scivolare ◇ sgu-sciare, sgattaiolare ◇ decadere, peggiorare ◆ vt far scivolare, in-filare ◇ sciogliere, liberare ◇ sottrarsi a ● to let s. lasciarsi scappare; to s. away svignarsela; to s. up sbagliare

slipper /ˈslɪpər/ s pantofola f, cia-batta f

slippery /ˈslɪp(ə)rɪ/ a scivoloso, sdrucciolevole, viscido

slit /slɪt/ s fenditura f, fessura f, spacco m

to slither /ˈslɪðər/ vi scivolare

sliver /ˈslɪvər/ s scheggia f, fram-mento m

to slog /slɒg/ vi colpire con violen-za ◇ sgobbare ◇ procedere a fa-tica

to slop /slɒp/ vt versare, rovescia-re ◇ schizzare ◆ vi traboccare ◇ sguazzare

slope /sləʊp/ s pendio m, scarpata f ◇ inclinazione f, pendenza f

sloppy /ˈslɒpɪ/ a fangoso, umido ◇ trascurato, sciatto

slot /slɒt/ s fessura f, apertura f ◇ scanalatura f

to slot /slɒt/ vt (in una fessura) introdurre, inserire ◇ scanalare

sloth /sləʊθ/ s pigrizia f

to slouch /slaʊtʃ/ vi trascinarsi, ciondolare ● to s. about gironzo-lare

slow /sləʊ/ a lento ◇ tardo, ottuso ◇ monotono, noioso ◇ indietro, in ritardo ◆ avv lentamente, pia-no ● in s. motion al rallentatore

to slow /sləʊ/ vt/i rallentare

slowness /ˈsləʊnɪs/ s lentezza f

sludge /slʌdʒ/ s fango m

slug (1) /slʌg/ s (zool) lumaca f

slug (2) /slʌg/ s pallottola f, proiettile m ◇ gettone m

to slug /slʌg/ vt colpire con forza

sluggish /ˈslʌgɪʃ/ a indolente, pigro

slum /slʌm/ s catapecchia f ◇ al pl bassifondi m pl

slumber /ˈslʌmbə/ s sonno m

slump /slʌmp/ s crollo m, caduta f ◇ (econ) recessione f

slur /slɜː/ s affronto m, accusa f ◇ pronuncia f indistinta ◇ (mus) legatura f

to slurp /slɜːp/ vt/i tranguggiare

sly /slaɪ/ a furbo, scaltro

smack /smæk/ s aroma m, gusto m

smack (2) /smæk/ s schiaffo m ◇ (di bacio, frusta) schiocco m ◇ bacio m con lo schiocco

to smack (1) /smæk/ vi sapere di

to smack (2) /smæk/ vt schioccare ◇ schiaffeggiare

small /smɔːl/ a piccolo ● s. change spiccioli m; s. hours ore piccole; s. talk chiacchiere f

smart /smɑːt/ a elegante, alla moda ◇ intelligente, sveglio ◇ forte, acuto, aspro ● the s. set il bel mondo

to smart /smɑːt/ vi bruciare, far male

to smarten up /ˈsmɑːtn ʌp/ vt abbellire ◇ ravvivare ◆ vi farsi bello

smash /smæʃ/ s scontro m, collisione f ◇ tracollo m, rovina f ◇

(fam) grande successo m ◇ (tennis) smash m

to smash /smæʃ/ vt fracassare, schiantare ◇ sconfiggere, stroncare ◇ (tennis) schiacciare, smashare ◆ vi frantumarsi, schiantarsi

smashing /ˈsmæʃɪŋ/ a (fam) formidabile

smash-up /ˈsmæʃʌp/ s scontro m, incidente m stradale ◇ rovina f

smattering /ˈsmæt(ə)rɪŋ/ s infarinatura f, conoscenza f superficiale

smell /smel/ s odorato m ◇ odore m

to smell /smel/ (pass/pp smelt) vt annusare, fiutare ◆ vi odorare ◇ aver profumo ◇ puzzare

smile /smaɪl/ s sorriso m

to smile /smaɪl/ vi sorridere

smirk /smɜːk/ s sorriso m furbo, sorriso m compiaciuto

smith /smɪθ/ s fabbro m

smock /smɒk/ s grembiule m

smog /smɒg/ s smog m

smoke /sməʊk/ s fumo m

to smoke /sməʊk/ vt fumare ◇ affumicare ◆ vi fumare

smoker /ˈsməʊkə/ s fumatore m ◇ scompartimento m per fumatori

smoking /ˈsməʊkɪŋ/ s fumo m ● no s. vietato fumare

smooth /smuːð/ a liscio, levigato ◇ omogeneo, ben amalgamato ◇ amabile ◇ affabile ◇ facile

to smooth /smuːð/ vt lisciare, levigare ◇ appianare

to smother /ˈsmʌðə/ vt soffocare, reprimere

to smoulder /ˈsməʊldə/ (USA to smolder) vi covare sotto la cenere

to smudge /smʌdʒ/ vt macchiare, imbrattare

smug /smʌg/ a compiaciuto

to smuggle /ˈsmʌgl/ vt contrabbandare

smut /smʌt/ s fuliggine f ◇ (fam) oscenità f

snag /snæg/ s filo m tirato ◇ impedimento m, ostacolo m

snail /sneɪl/ s lumaca f, chiocciola f

snake /sneɪk/ s serpente m

snap /snæp/ s scatto m, schiocco m, schianto m ◇ fermaglio m ◇ (fot) istantanea f ◆ a improvviso ◇ a scatto

to snap /snæp/ vt spezzare ◇ schioccare, far scattare ◇ addentare ◇ fare una foto a ◆ vi spezzarsi ◇ scattare, schioccare ◇ parlare in modo brusco ● to s. at addentare, parlare con asprezza; to s. up prendere al volo

snappy /ˈsnæpɪ/ a brusco, aspro ◇ brillante ◇ alla moda ● make it s.! sbrigati!

snapshot /ˈsnæpʃɒt/ s (fot) istantanea f

snare /sneər/ s tranello m, trappola f

to snarl /snɑːl/ vi ringhiare

snatch /snætʃ/ s strappo m, strattone m ◇ (pop) scippo m ◇ frammento m

to snatch /snætʃ/ vt afferrare, strappare ◇ scippare, rubare

to sneer /snɪər/ vi sogghignare

to sneeze /sniːz/ vi starnutire

to sniff /snɪf/ vt/i annusare, fiutare ◇ tirare su con il naso

to snigger /ˈsnɪgər/ vi ridacchiare

snip /snɪp/ s forbiciata f ◇ ritaglio m, pezzetto m ◇ scampolo m ◇ (fam) affare m, occasione f

to snip /snɪp/ vt tagliare (con forbici)

sniper /ˈsnaɪpər/ s franco tiratore m

snivelling /ˈsnɪvlɪŋ/ a piagnucoloso

snobbery /ˈsnɒbərɪ/ s snobismo m

snobbish /ˈsnɒbɪʃ/ a snobistico, snob

to snoop /snuːp/ vi curiosare

snooty /ˈsnuːtɪ/ a borioso

to snooze /snuːz/ vi sonnecchiare

to snore /snɔːr/ vi russare

snorkel /ˈsnɔːk(ə)l/ s boccaglio m

to snort /snɔːt/ vi sbuffare

snout /snaʊt/ s muso m, grugno m

snow /snəʊ/ s neve f

to snow /snəʊ/ vi nevicare

snowdrop /ˈsnəʊdrɒp/ s bucaneve m

snowfall /ˈsnəʊfɔːl/ s nevicata f

snowflake /ˈsnəʊfleɪk/ s fiocco m di neve

snowman /ˈsnəʊmæn/ (pl snowmen) s pupazzo m di neve

snowplough /ˈsnəʊplaʊ/ (USA snowplow) s spazzaneve m

snowshoe /ˈsnəʊʃuː/ s racchetta f da neve

snowslide /ˈsnəʊslaɪd/ s slavina f

snowy /ˈsnəʊ(ʊ)ɪ/ a nevoso ◇ candido

snub (1) /snʌb/ s affronto m

snub (2) /snʌb/ a camuso

to snub /snʌb/ vt rimproverare, umiliare ◇ snobbare

snuff /snʌf/ s tabacco m da fiuto

snug /snʌg/ a comodo, accogliente ◇ (di abito) aderente

to snuggle /ˈsnʌgl/ *vi* rannicchiarsi

so /səʊ/ *avv* così, tanto, talmente ◇ allora, così ◆ *cong* perciò, così ● *or so* all'incirca; *so as* così da; *so many* (così) tanti; *so long* a presto!; *so what?* e allora?

to soak /səʊk/ *vt* immergere, mettere a bagno ◇ (*fam*) fare pagare troppo ◆ *vi* inzupparsi ◇ penetrare ● *to s. up* assorbire

soap /səʊp/ *s* sapone *m*

to soap /səʊp/ *vt* insaponare

to soar /sɔːr/ *vi* alzarsi in volo ◇ (*aer*) veleggiare ◇ elevarsi, svettare ◇ aumentare vertiginosamente, salire alle stelle

sob /sɒb/ *s* singhiozzo *m*

to sob /sɒb/ *vi* singhiozzare, piangere

sober /ˈsəʊbər/ *a* sobrio, non ubriaco ◇ moderato, equilibrato

to sober /ˈsəʊbər/ *vt* calmare, moderare ◆ *vi* calmarsi, rinsavire ● *to s. up* far passare la sbornia, smaltire la sbornia

so-called /ˈsəʊˈkɔːld/ *a* cosiddetto

soccer /ˈsɒkər/ *s* (*sport*) calcio *m*

sociable /ˈsəʊʃəbl/ *a* socievole

social /ˈsəʊʃəl/ *a* sociale ◇ socievole ● *s. security* previdenza sociale; *s. worker* assistente sociale

socialism /ˈsəʊʃəlɪz(ə)m/ *s* socialismo *m*

to socialize /ˈsəʊʃəlaɪz/ *vt/i* socializzare

society /səˈsaɪətɪ/ *s* società *f*

sociology /ˌsəʊsɪˈɒlədʒɪ/ *s* sociologia *f*

sock /sɒk/ *s* calza *f* (*da uomo*), calzino *m*

socket /ˈsɒkɪt/ *s* cavità *f*, incavo *m* ◇ presa *f* di corrente ◇ (*el*) zoccolo *m* ● *eye s.* orbita

sod /sɒd/ *s* zolla *f*

sodium /ˈsəʊdjəm/ *s* sodio *m*

sofa /ˈsəʊfə/ *s* sofà *m*

soft /sɒft/ *a* molle, morbido, tenero ◇ leggero, delicato ◇ sommesso, tenue ◇ gentile, amabile ◇ (*fam*) facile ◇ leggero, non alcolico ● *s. drink* bevanda analcolica

to soften /ˈsɒfn/ *vt* ammorbidire ◇ abbassare, mitigare, attenuare ◆ *vi* ammorbidirsi ◇ addolcirsi, intenerirsi ◇ placarsi ● *to s. up* indebolire

softness /ˈsɒftnɪs/ *s* mollezza *f*, morbidezza *f* ◇ mitezza *f*, dolcezza *f*

soggy /ˈsɒgɪ/ *a* fradicio, inzuppato

soil (1) /sɔɪl/ *s* suolo *m*, terreno *m*

soil (2) /sɔɪl/ *s* sporco *m*, sudiciume *m* ◇ concime *m*

to soil /sɔɪl/ *vt* imbrattare, sporcare

solace /ˈsɒləs/ *s* conforto *m*, consolazione *f*

solar /ˈsəʊlər/ *a* solare

to solder /ˈsɒldər/ *vt* saldare

soldier /ˈsəʊldʒər/ *s* soldato *m*

soldierly /ˈsəʊldʒəlɪ/ *a* militaresco

sole (1) /səʊl/ *a* unico, singolo

sole (2) /səʊl/ *s* suola *f* ◇ (*del piede*) pianta *f* ◇ base *f*, fondo *m*

sole (3) /səʊl/ *s* (*zool*) sogliola *f*

to sole /səʊl/ *vt* risuolare

solely /ˈsəʊllɪ/ *avv* solamente, unicamente

solemn /ˈsɒləm/ *a* solenne

to solicit /səˈlɪsɪt/ *vt* sollecitare ◇ adescare ◇ istigare

solicitor /səˈlɪsɪtə/ *s* procuratore *m* legale

solicitous /səˈlɪsɪtəs/ *a* premuroso

solid /ˈsɒlɪd/ *a* solido ◇ compatto, uniforme ◇ pieno, massiccio ◆ *s* solido *m*, sostanza *f* solida

solidarity /ˌsɒlɪˈdærɪti/ *s* solidarietà *f*

solidity /səˈlɪdɪti/ *s* solidità *f*

soliloquy /səˈlɪləkwi/ *s* monologo *m*

solitary /ˈsɒlɪt(ə)ri/ *a* solitario ◇ *s. confinement* cella d'isolamento

solitude /ˈsɒlɪtjuːd/ *s* solitudine *f*

solo /ˈsəʊləʊ/ *s* (*mus*) assolo *m*

soloist /ˈsəʊləʊɪst/ *s* solista *m/f*

solstice /ˈsɒlstɪs/ *s* solstizio *m*

solution /səˈluːʃ(ə)n/ *s* soluzione *f*

to solve /sɒlv/ *vt* risolvere

solvent /ˈsɒlv(ə)nt/ *a* (*comm*) solvibile ◇ (*chim*) solvente ◆ *s* solvente *m*

sombre /ˈsɒmbə/ (*USA* **somber**) *a* scuro ◇ cupo, malinconico

some /sʌm, səm/ *a* (con valore partitivo) del, dello, dei, della, delle, un po' di (ES: **would you like s. tea?** gradisci del tè?) ◇ alcuni, alcune, qualche (ES: **s. years ago** alcuni anni fa) ◇ un, una, un certo, una certa, qualche (ES: **s. time or other** una volta o l'altra) ◆ *pr* alcuni, alcune, qualcuno, qualcuna, un po', ne (ES: **would you like s. biscuits?** vuoi dei biscotti? ne ho già presi) ◆ *avv* circa ◇ (*fam*) un po', piuttosto

somebody /ˈsʌmbədi/ *pr* qualcuno

someday /ˈsʌmdeɪ/ *avv* un giorno o l'altro

somehow /ˈsʌmhaʊ/ *avv* in qualche modo, in un modo o nell'altro

someone /ˈsʌmwʌn/ *pr* qualcuno

someplace /ˈsʌmpleɪs/ *avv* (*USA*) da qualche parte

somersault /ˈsʌməsɔːlt/ *s* capriola *f* ◇ salto *m* mortale

something /ˈsʌmθɪŋ/ *pr* qualcosa

sometime /ˈsʌmtaɪm/ *a* di un tempo, precedente, ex, già ◆ *avv* un giorno o l'altro

sometimes /ˈsʌmtaɪmz/ *avv* qualche volta, talvolta

somewhat /ˈsʌmwɒt/ *avv* piuttosto, un po'

somewhere /ˈsʌmweə/ *avv* da qualche parte ◇ *s. else* da qualche altra parte

son /sʌn/ *s* figlio *m* ● *s.-in-law* genero *m*

song /sɒŋ/ *s* canto *m*, canzone *f*

sonnet /ˈsɒnɪt/ *s* sonetto *m*

sonny /ˈsʌni/ *s* (*fam*) ragazzo *m* mio, figlio *m* mio

sonority /səˈnɒrɪti/ *s* sonorità *f*

sonorous /səˈnɔːrəs/ *a* sonoro

soon /suːn/ *avv* presto, fra breve, fra poco ◇ piuttosto ● *as s.* **as** (*possible*) non appena (possibile); *sooner or later* prima o poi

soot /sʊt/ *s* fuliggine *f*

to soothe /suːð/ *vt* consolare, calmare

sophisticated /səˈfɪstɪkeɪtɪd/ *a* sofisticato, raffinato ◇ adulterato

soppy /ˈsɒpi/ *a* (*fam*) fradicio ◇ sentimentale

sorcerer /ˈsɔːs(ə)rə/ *s* stregone *m*, mago *m*

sorceress /ˈsɔːs(ə)rɪs/ s strega f, maga f

sorcery /ˈsɔːs(ə)rɪ/ s stregoneria f

sore /sɔː/ a dolorante, che fa male ◇ addolorato ◇ (fam) irritato ◆ s piaga f, infiammazione f ● to have a s. throat avere mal di gola

sorely /ˈsɔːlɪ/ avv grandemente, molto

sorrow /ˈsɒrəʊ/ s dolore m, pena f

sorrowful /ˈsɒrəf(ʊ)l/ a addolorato, afflitto ◇ doloroso

sorry /ˈsɒrɪ/ a spiacente, dolente ◇ pentito, rammaricato ◇ meschino, miserabile ◆ inter scusi, scusate, scusa ◇ prego?, come? ● to be s. dispiacersi

sort /sɔːt/ s genere m, qualità f, tipo m ◇ ordinamento m ● a s. of una specie di

to sort /sɔːt/ vt classificare, selezionare, smistare ◇ (inform) ordinare

sorting /ˈsɔːtɪŋ/ s classificazione f ◇ smistamento m ◇ (inform) ordinamento m

so-so /ˈsəʊsəʊ/ a/avv così così

soul /səʊl/ s anima f

sound (1) /saʊnd/ a sano, in buono stato ◇ solido, valido, efficace ◇ attendibile ◇ completo, totale, profondo ◆ avv profondamente ● completamente

sound (2) /saʊnd/ s suono m ◇ rumore m ◇ tono m ◇ audio m ● s. effects effetti sonori

sound (3) /saʊnd/ s scandaglio m, sonda f

sound (4) /saʊnd/ s (geogr) braccio m di mare, stretto m

to sound (1) /saʊnd/ vi suonare, risuonare ◇ sembrare ◆ vt suonare, far risuonare ◇ far risapere, proclamare ◇ auscultare ● to s. like assomigliare a

to sound (2) /saʊnd/ vt (naut) scandagliare, sondare ● to s. out tastare il terreno su

sounding /ˈsaʊndɪŋ/ s scandaglio m ◇ al pl bassi fondali m pl ◇ (fig) sondaggio m

soundness /ˈsaʊndnɪs/ s vigore m, buona condizione f ◇ solidità f

soundproof /ˈsaʊndpruːf/ a insonorizzato

soundtrack /ˈsaʊndtræk/ s colonna f sonora

soup /suːp/ s minestra f, zuppa f ● to be in the s. trovarsi nei pasticci

sour /saʊə/ a acidulo, aspro ◇ bisbetico, inacidito ● s. orange arancia amara

to sour /saʊə/ vt/i inacidire, inacidirsi

source /sɔːs/ s sorgente f, fonte f

soutane /suːˈtɑːn/ s tonaca f

south /saʊθ/ s sud m, meridione m ◆ a del sud, meridionale ◆ avv a sud, da sud

southeast /ˌsaʊθˈiːst/ s sud-est m ◆ a di sud-est, sud-orientale

southerly /ˈsʌðəlɪ/ a meridionale ◇ proveniente da sud ◆ avv verso sud, da sud

southern /ˈsʌðən/ a meridionale

southwards /ˈsaʊθwədz/ avv verso sud

southwest /ˌsaʊθˈwest/ s sud-ovest m ◆ a di sud-ovest, sud-occidentale

sovereign /'sɒvrɪn/ s sovrano m ◇ (*moneta*) sovrana f

to sow /səʊ/ (*pass* **sowed**, *pp* **sowed**, **sown**) *vt* seminare

soy(a) /sɔɪ(ə)/ s soia f • *s.* **sauce** salsa di soia

spa /spɑː/ s terme f pl

space /speɪs/ s spazio m ♦ a spaziale

to space /speɪs/ *vt* spaziare, distanziare

space-bar /'speɪsbɑːr/ s barra f spaziatrice

spaceman /'speɪsmən/ (*pl* **spacemen**) s astronauta m

spaceship /'speɪsʃɪp/ s astronave f

spacious /'speɪʃəs/ a spazioso

spade /speɪd/ s vanga f ◇ (*carte da gioco*) picche m

span /spæn/ s spanna f, palmo m ◇ intervallo m, durata f ◇ larghezza f, apertura f ◇ (*aer*) apertura f alare ◇ (*arch*) campata f

Spanish /'spænɪʃ/ a spagnolo ♦ s (*lingua*) spagnolo m

to spank /spæŋk/ *vt* sculacciare

spare /speər/ a di scorta, di ricambio ◇ disponibile, libero, in più ◇ scarno, sparuto ◇ frugale, misero ♦ s (*pezzo di*) ricambio m • *s.* **time** tempo libero; *s.* **wheel**, **tyre** ruota di scorta

to spare /speər/ *vt* risparmiare, fare a meno di ◇ dare, dedicare ◇ evitare, risparmiarsi

spark /spɑːk/ s scintilla f • *s.* **plug** candela (d'accensione)

sparking /'spɑːkɪŋ/ a *s.* **plug** candela (d'accensione)

to sparkle /'spɑːkl/ *vi* scintillare ◇ spumeggiare

sparkling /'spɑːklɪŋ/ a scintillante ◇ spumante, effervescente • *s.* **water** acqua spumante; *s.* **wine** spumante

sparrow /'spærəʊ/ s passero m

sparse /spɑːs/ a sparso, rado

spasm /'spæz(ə)m/ s spasmo m, accesso m

spastic /'spæstɪk/ a/s spastico m

to spatter /'spætər/ *vt* schizzare

to speak /spiːk/ (*pass* **spoke**, *pp* **spoken**) *vi* parlare ♦ *vt* dire, esprimere ◇ (*una lingua*) parlare • *to s.* **about** parlare di; *to s.* **up** parlare a voce alta, parlare chiaro

speaker /'spiːkər/ s oratore m ◇ speaker m, annunciatore m ◇ altoparlante m

speakerphone /'spiːkəfəʊn/ s (*tel*) vivavoce m

spear /spɪər/ s lancia f ◇ fiocina f

spearhead /'spɪəhed/ s punta f di lancia ◇ avanguardia f

special /'speʃ(ə)l/ a speciale, particolare

speciality /ˌspeʃɪˈælɪtɪ/ s specialità f

to specialize /'speʃəlaɪz/ *vt/i* specializzare, specializzarsi

species /'spiːʃiːz/ s specie f

specific /spɪ'sɪfɪk/ a specifico, peculiare ♦ s rimedio m specifico ◇ dettaglio m

to specify /'spesɪfaɪ/ *vt* specificare

specimen /'spesɪmɪn/ s esemplare m, campione m ◇ (*editoria*) specimen m

speck /spek/ s macchiolina f ◇ granello m

specs /speks/ s pl (*fam*) occhiali m pl

spectacle /'spektəkl/ s spettacolo m ◇ *al pl* occhiali *m pl*

spectacular /spek'tækjʊlə/ a spettacolare

spectator /spek'teɪtə/ s spettatore m

spectre /'spektə/ (*USA* **specter**) s spettro m

specular /'spekjʊlə/ a speculare

to speculate /'spekjʊleɪt/ *vi* meditare, fare congetture ◇ speculare

speech /spiːtʃ/ s linguaggio m, parola f ◇ lingua f, parlata f ◇ discorso m

speechless /'spiːtʃlɪs/ a ammutolito, muto, senza parole ◇ attonito

speed /spiːd/ s velocità f, rapidità f ◇ (*aut*) marcia f ◆ s. *limit* limite di velocità; s. *trap* autovelox

to speed /spiːd/ (*pass/pp* **sped**, **speeded**) *vi* andare a tutta velocità ◇ affrettarsi ◆ *to s. up* accelerare

speedway /'spiːdweɪ/ s (*USA*) autostrada f ◇ (*per corse motociclistiche*) pista f

speedy /'spiːdɪ/ a veloce, rapido

spel(a)eology /ˌspiːlɪ'ɒlədʒɪ/ s speleologia f

spell (1) /spel/ s incantesimo m

spell (2) /spel/ s turno m di lavoro ◇ periodo m, intervallo m

to spell /spel/ (*pass/pp* **spelt** o **spelled**) *vi* scrivere, fare lo spelling ◇ (*fam*) significare

spellbound /'spelbaʊnd/ a incantato

spelling /'spelɪŋ/ s spelling m, compitazione f ◇ ortografia f ◆ s. *book* sillabario m

to spend /spend/ (*pass/pp* **spent**) *vt* spendere ◇ dedicare ◇ trascorrere, passare ◇ *vi* spendere (denaro) ◇ esaurirsi

sperm /spɜːm/ s sperma m

to spew /spjuː/ *vt/i* vomitare, eruttare, sgorgare

sphere /sfɪə/ s sfera f

sphinx /sfɪŋks/ s sfinge f

spice /spaɪs/ s spezie *f pl*, droga f ◇ aroma m, gusto m

spick-and-span /'spɪkən'spæn/ a lindo, splendente

spicy /'spaɪsɪ/ a aromatico, piccante

spider /'spaɪdə/ s ragno m

spike /spaɪk/ s punta f, chiodo m

to spill /spɪl/ (*pass/pp* **spilt**, **spilled**) *vt* versare, rovesciare ◇ far cadere ◆ *vi* versarsi, rovesciarsi ◆ *to s. over* traboccare

spin /spɪn/ s rotazione f ◇ (*aer*) avvitamento m ◇ (*fam*) giretto m

to spin /spɪn/ (*pass/pp* **spun**) *vt* filare ◇ far girare ◆ *vi* girare, ruotare ● *to s. out* prolungare

spinach /'spɪnɪdʒ/ s spinacio m

spinal /'spaɪnl/ a spinale ● s. *cord* midollo spinale

spindle /'spɪndl/ s fuso m ◇ (*mecc*) mandrino m

spine /spaɪn/ s spina f ◇ spina f dorsale ◇ (*di libro*) dorso m

spinning /'spɪnɪŋ/ a girevole ◆ s filatura f ◇ (*sport*) spinning m ◆ s. *top* trottola f

spinster /'spɪnstə/ s zitella f

spiral /'spaɪər(ə)l/ a spirale f ◆ s. *staircase* scala a chiocciola

spire /spaɪə/ s guglia f

spirit /'spɪrɪt/ s spirito m ◇ *al pl* liquori *m pl*

spirited /'spɪrɪtɪd/ *a* vivace, vigoroso

spiritual /'spɪrɪtjʊəl/ *a* spirituale ◆ *s* spiritual *m*

spit (1) /spɪt/ *s* (*cuc*) spiedo *m*

spit (2) /spɪt/ *s* sputo *m*, saliva *f*

to spit /spɪt/ (*pass*/*pp* **spat**) *vi* sputare ◇ spruzzare ◇ scoppiettare ◆ *vt* sputare ◇ spruzzare

spite /spaɪt/ *s* dispetto *m*, ripicca *f* ● *in s. of* nonostante; *out of s.* per dispetto

to spite /spaɪt/ *vt* fare un dispetto a, contrariare

spittle /'spɪtl/ *s* sputo *m*, saliva *f*

splash /splæʃ/ *s* schizzo *m*, spruzzo *m* ◇ tonfo *m* ◇ macchia *f* ◇ colpo *m*, sensazione *f*

to splash /splæʃ/ *vt* schizzare, spruzzare ◇ scialacquare ◇ (*fam*) dare grande risalto (*a una notizia*) ◆ *vi* schizzare ◇ sguazzare

spleen /spliːn/ *s* milza *f* ◇ malumore *m* ◇ malinconia *f*

splendid /'splendɪd/ *a* splendido

splendour /'splendə*r*/ *s* splendore *m*

splinter /'splɪntə*r*/ *s* scheggia *f*

split /splɪt/ *s* fessura *f*, crepa *f* ◇ rottura *f*, scissione *f*, divisione *f*

to split /splɪt/ (*pass*/*pp* **split**) *vt* fendere, spaccare ◇ dividere, scindere ◇ strappare, lacerare ◆ *vi* fendersi, spaccarsi ◇ dividersi, separarsi ◇ strapparsi, lacerarsi ● *to s. up* dividersi, suddividere

splitting /'splɪtɪŋ/ *s* spaccatura *f* ◇ suddivisione *f*

to spoil /spɔɪl/ (*pass*/*pp* **spoilt, spoiled**) *vt* guastare, rovinare ◇

viziare ◆ *vi* guastarsi, andare a male

spoke /spəʊk/ *s* (*di ruota*) raggio *m* ◇ (*di scala*) piolo *m*

spokesman /'spəʊksmən/ (*pl* **spokesmen**) *s* portavoce *m*

spokeswoman /'spəʊks,wʊmən/ (*pl* **spokeswomen**) *s* portavoce *f*

sponge /spʌn(d)ʒ/ *s* spugna *f* ● *s. cake* pan di Spagna; *s. cloth* tessuto di spugna

to sponge /spʌn(d)ʒ/ *vt* pulire con una spugna, passare una spugna su ◇ (*fam*) scroccare

sponsor /'spɒnsə*r*/ *s* (*dir*) garante *m/f* ◇ sponsor *m*

to sponsor /'spɒnsə*r*/ *vt* sponsorizzare

spontaneity /,spɒntə'niːtɪ/ *s* spontaneità *f*

spook /spuːk/ *s* (*fam*) spettro *m*

spooky /'spuːkɪ/ *a* (*fam*) sinistro, pauroso

spool /spuːl/ *s* bobina *f*

spoon /spuːn/ *s* cucchiaio *m*

sport /spɔːt/ *s* sport *m* ◇ *al pl* gare *f pl* sportive ◇ persona *f* sportiva

sports /spɔːts/ *a* sportivo, dello sport ◇ (*di abbigliamento*) sportivo, casual

sportswear /'spɔːtsweə*r*/ *s* abbigliamento *m* sportivo

spot /spɒt/ *s* posto *m*, punto *m* ◇ chiazza *f*, macchia *f*, pallino *m* ◇ brufolo *m* ◇ piccola quantità *f*, goccio *m* ◇ spot *m*, annuncio *m* pubblicitario ● *on the s.* subito

to spot /spɒt/ *vt* macchiare, punteggiare ◇ individuare, riconoscere

spotlight /'spɒt,laɪt/ s proiettore m, riflettore m ◇ (fig) ribalta f

spouse /spauz/ s sposa f, sposo m, consorte m/f

spout /spaut/ s beccuccio m ◇ tubo m di scarico ◇ getto m, zampillo m

sprain /spreɪn/ s distorsione f, slogatura f

to sprawl /sprɔːl/ vi adagiarsi, distendersi ◇ estendersi irregolarmente

spray (1) /spreɪ/ s (bot) ramoscello m

spray (2) /spreɪ/ s spruzzo m ◇ spray m

to spray /spreɪ/ (pass/pp **spread**) vt stendere, spiegare ◇ spargere, diffondere, propagare ◇ distribuire, dividere ◆ spalmare ◆ vi tendersi, estendersi ◇ spargersi, diffondersi, propagarsi ● to s. out sparpagliarsi

spread /spred/ s diffusione f, propagazione f ◇ apertura f, ampiezza f ◇ (fam) banchetto m ◇ (cuc) pasta f (da spalmare)

to spread /spred/ (pass/pp **spread**) vt stendere, spiegare ◇ spargere, diffondere, propagare ◇ distribuire, dividere ◆ spalmare ◆ vi tendersi, estendersi ◇ spargersi, diffondersi, propagarsi ● to s. out sparpagliarsi

spreadsheet /'spred,ʃiːt/ s (inform) foglio m elettronico

sprightly /'spraɪtlɪ/ a allegro, vivace

spring /sprɪŋ/ s salto m, balzo m ◇ sorgente f, fonte f ◇ origine f, motivo m ◇ primavera f ◇ molla f ● hot springs sorgente termale; s. water acqua di sorgente

to spring /sprɪŋ/ (pass **sprang**, pp **sprung**) vi saltare, balzare ◇ derivare, provenire ◇ sgorgare, zampillare ◆ vt saltare ◇ far

scattare, azionare ● to s. up saltar su, spuntare

to sprinkle /'sprɪŋkl/ vt spruzzare

to sprint /sprɪnt/ vi scattare

sprite /spraɪt/ s folletto m

sprout /spraut/ s germoglio m ● **Brussels sprouts** cavolini di Bruxelles

to sprout /spraut/ vi germogliare, spuntare

spry /spraɪ/ a attivo, energico

spur /spɜː/ s sperone m ◇ pungolo m, incentivo m

to spur /spɜː/ vt spronare, incitare

to spurn /spɜːn/ vt rifiutare, respingere

spurt /spɜːt/ s getto m, zampillo m ◇ scatto m

to spurt /spɜːt/ vi sprizzare, zampillare ◇ scattare

spy /spaɪ/ s spia f

to spy /spaɪ/ vi fare la spia ◆ vt notare

spying /'spaɪɪŋ/ s spionaggio m

squabble /'skwɒbl/ s diverbio m, litigio m

to squabble /'skwɒbl/ vi litigare

squad /skwɒd/ s squadra f

squadron /'skwɒdr(ə)n/ s (mil) squadrone m, squadriglia f

squalid /'skwɒlɪd/ a squallido

squall (1) /skwɔːl/ s grido m

squall (2) /skwɔːl/ s (meteor) bufera f

squalor /'skwɒlə/ s squallore m

to squander /'skwɒndə/ vt dilapidare, dissipare

square /skweə/ a quadrato, (mat) al quadrato ◇ tarchiato, tozzo ◇ sistemato, in ordine ◇ giusto, onesto ◇ (sport) pari ◆ (fam) abbondante, sostanzioso ◇ *(fam)* antiquato, tradizionalista ◆ *s* quadrato *m* ◇ piazza *f* ◇ squadra *f* (da disegno) ◇ casella *f*, riquadro *m* ◆ *avv* ad angolo retto, a squadra ◇ esattamente ◆ *s. root* radice quadrata

to square /skweə[r]/ *vt* quadrare, squadrare ◇ regolare, pareggiare ◇ elevare al quadrato

to squash /skwɒʃ/ *vt* schiacciare, spremere

to squat /skwɒt/ *vi* accovacciarsi ◇ occupare abusivamente

to squeak /skwiːk/ *vi* squittire, stridere

to squeal /skwiːl/ *vi* strillare

squeamish /ˈskwiːmɪʃ/ *a* schifiltoso

to squeeze /skwiːz/ *vt* spremere, comprimere ◇ stringere ◇ infilare ◆ estorcere

to squelch /skwelt(ʃ)/ *vt* schiacciare ◇ soffocare ◆ *vi* sguazzare, fare cic ciac

squid /skwɪd/ *s* calamaro *m*

squint /skwɪnt/ *a* strabico ◆ *s* strabismo *m*

to squirm /skwɜːm/ *vi* contorcersi ◇ essere imbarazzato

squirrel /ˈskwɪr(ə)l/ *s* scoiattolo *m*

squirt /skwɜːt/ *s* schizzo *m*, zampillo *m*

stab /stæb/ *s* pugnalata *f*, coltellata *f* ◇ fitta *f* ◇ tentativo *m*

stability /stəˈbɪlɪtɪ/ *s* stabilità *f*

stable /ˈsteɪbl/ *a* stabile ◆ *s* scuderia *f*, stalla *f*

stack /stæk/ *s* catasta *f* ◇ mucchio *m*, grande quantità *f*

to stack /stæk/ *vt* accatastare, ammucchiare, ammassare

stadium /ˈsteɪdjəm/ *s* stadio *m*

staff /stɑːf/ *s* personale *m*, staff *m*

to staff /stɑːf/ *vt* fornire di personale

stag /stæg/ *s* cervo *m* ● *s. night, party* festa di addio al celibato

stage /steɪdʒ/ *s* palcoscenico *m* ◇ scena *f*, teatro *m* ◇ stadio *m*, fase *f*, periodo *m* ◇ tappa *f* ◇ impalcatura *f*

to stagger /ˈstægə[r]/ *vi* barcollare ◆ *vt* far barcollare ◇ impressionare, sconcertare ◇ scaglionare

stagnant /ˈstægnənt/ *a* stagnante

to stagnate /ˈstægneɪt/ *vi* ristagnare

stagy /ˈsteɪdʒɪ/ *a* teatrale, esagerato

staid /steɪd/ *a* serio, contegnoso

stain /steɪn/ *s* macchia *f* ◇ colorante *m* ● *s. remover* smacchiatore

to stain /steɪn/ *vt* macchiare, sporcare ◇ colorare

stainless /ˈsteɪnlɪs/ *a* immacolato ◇ che non stinge ◇ inossidabile ● *s. steel* acciaio inox

stair /steə[r]/ *s* gradino *m*, scalino *m* ◇ *al pl* scala *f*

staircase /ˈsteəkeɪs/ *s* scala *f*

stake /steɪk/ *s* palo *m*, piolo *m* ◇ puntata *f*, scommessa *f* ◇ *(fig)* interesse *m* ◇ *al pl* premio *m*

stale /steɪl/ *a* stantio, vecchio, raffermo ◇ caduto in prescrizione

stalk /stɔːk/ *s* gambo *m*, stelo *m*

stall /stɔːl/ *s* stalla *f*, box *m* ◇ chiosco *m*, edicola *f* ◇ bancarella *f* *(teat)* *al pl* platea *f*

stalwart /ˈstɔːlwət/ *a* forte, robusto ◇ coraggioso

startle

stamina /'stæminə/ s vigore m, capacità f di resistenza

to stammer /'stæmə*/ vi balbettare

stamp /stæmp/ s bollo m, francobollo m ◇ marchio m, timbro m ◇ (fig) impronta f

to stamp /stæmp/ vt timbrare, marchiare, marcare ◇ affrancare ◇ caratterizzare ◇ frantumare ◆ vi pestare i piedi

stand /stænd/ s resistenza f risoluta ◇ atteggiamento m, posizione f ◇ palco m, podio m, tribuna f ◇ pl banco m, bancarella f ◇ (di taxi) posteggio m ◇ (fiere) stand m

to stand /stænd/ (pass/pp **stood**) vi stare in piedi ◇ stare, trovarsi ◇ resistere, durare ◇ ristagnare, depositarsi ◆ vt mettere (in piedi), collocare ◇ supportare, resistere a ◇ sostenere ◇ sostenere le spese di ● to s. by stare vicino, tenersi pronto; to s. down ritirarsi; to s. for stare per, significare; to s. in for sb fare da controfigura a qn; to s. out distinguersi; to s. up alzarsi in piedi; to s. up for st battersi per qc; to s. up to sb tener testa a qn

standard /'stændəd/ a standard, comune, regolare ◇ di base, fondamentale ◆ s stendardo m ◇ standard m, modello m, norma f ◇ livello m, tenore m ◇ base f, sostegno m

stand-by /'stæn(d)bai/ s scorta f, riserva f

stand-in /'stænd,in/ s sostituto m, controfigura f

standing /'stændiŋ/ a eretto, in piedi ◇ fisso, stabile, permanente ◇ fermo, inattivo ◆ s posizione f, condizione f ◇ durata f ● s. price prezzo fisso; s. room posti in piedi

standpoint /'stændpɔint/ s punto m di vista

standstill /'stændstil/ s arresto m, stasi f, punto m morto

staple (1) /'steipl/ s (mecc) forcella f ◇ graffetta f

staple (2) /'steipl/ a di base, di prima necessità ◆ s prodotto m principale, alimento m principale

star /stɑː*/ s stella f, astro m ◇ (fig) stella f, celebrità f

starch /stɑːtʃ/ s amido m

to stare /steə*/ vt fissare, guardare fisso

starfish /'stɑːfiʃ/ s stella f di mare

stark /stɑːk/ a desolato ◇ assoluto, completo

starry /'stɑːri/ a stellato

start /stɑːt/ s inizio m, avvio m, partenza f ◇ balzo m, sobbalzo m ◇ vantaggio m ◇ (mecc) avviamento m ◇ (inform) avvio m

to start /stɑːt/ vi balzare, sobbalzare ◇ partire, avviarsi ◇ cominciare, mettersi a ◆ vt cominciare, avviare ◇ mettere in moto ● to s. doing st cominciare a fare qc

starter /'stɑːtə*/ s iniziatore m ◇ (sport) partente m/f ◇ (sport) starter m ◇ antipasto m ◇ motorino m d'avviamento, starter m

starting /'stɑːtiŋ/ s inizio m ◇ avviamento m

to startle /'stɑːtl/ vt far trasalire, spaventare

starvation /stɑːˈveɪʃ(ə)n/ s inedia f, fame f

to starve /stɑːv/ vi morire di fame ♦ vt far morire di fame

state /steɪt/ s stato m, condizione f, situazione f ◇ stato m, nazione f ♦ a statale ◇ di gala

to state /steɪt/ vt dichiarare, affermare ◇ stabilire

stately /ˈsteɪtlɪ/ a grandioso

statement /ˈsteɪtmənt/ s dichiarazione f ◇ rapporto m ♦ **s. of account** estratto conto

statesman /ˈsteɪtsmən/ (pl **statesmen**) s statista m

static /ˈstætɪk/ a statico ♦ s scarica f statica ◇ **al pl** (v al sing) statica f

station /ˈsteɪʃ(ə)n/ s stazione f ♦ **s. master** capostazione

stationary /ˈsteɪʃ(ə)rɪ/ a stazionario, fermo

stationer /ˈsteɪʃnər/ s cartolaio m

stationery /ˈsteɪʃn(ə)rɪ/ s cartoleria f

statistics /stəˈtɪstɪks/ s pl (v al sing) statistica f

statue /ˈstætjuː/ s statua f

status /ˈsteɪtəs/ s condizione f sociale, posizione f ◇ stato m giuridico

statute /ˈstætjuːt/ s legge f, statuto m

staunch /stɔːn(t)ʃ/ a fedele, devoto ◇ solido, resistente

stave /steɪv/ s doga f ◇ pentagramma m ◇ strofa f

to stave /steɪv/ (pass/pp **stove**, **staved**) vt costruire con doghe ◇ sfondare ♦ vi sfondarsi ● **to s. off** sfuggire a

stay /steɪ/ s soggiorno m, permanenza f

to stay /steɪ/ vi stare, rimanere, trattenersi, soggiornare ♦ vt sopportare ◇ differire ● **to s. in** stare in casa; **to s. on** trattenersi; **to s. up** stare alzato

stead /sted/ s posto m, vece f ◇ vantaggio m ● **in my s.** in mia vece; **to stand sb in good s.** tornare utile a qn

steadfast /ˈstedfəst/ a costante, risoluto

steady /ˈstedɪ/ a fermo, fisso, stabile ◇ costante, regolare ◇ serio, posato ● **to go s.** (fam) fare coppia fissa

to steady /ˈstedɪ/ vt consolidare, rinforzare ♦ vi consolidarsi, rafforzarsi

steak /steɪk/ s bistecca f ◇ fetta f

to steal /stiːl/ (pass **stole**, pp **stolen**) vt rubare ♦ vi rubare ● muoversi furtivamente

stealth /stelθ/ s **by s.** di nascosto

steam /stiːm/ s vapore m ● **s.-engine** macchina a vapore

to steam /stiːm/ vt esporre al vapore, vaporizzare ◇ cuocere a vapore ♦ vi emettere vapore, fumare ◇ funzionare a vapore

steel /stiːl/ s acciaio m

steep /stiːp/ a ripido, scosceso ◇ (fam) esorbitante, eccessivo

to steep /stiːp/ vt bagnare, immergere, tuffare ◇ impregnare

steeple /ˈstiːpl/ s campanile m ◇ guglia f

to steer /stɪər/ vt guidare, governare, pilotare ◇ dirigere, indirizzare ◆ *vi* timonare ◇ governare, manovrare ◇ dirigersi

steering /ˈstɪərɪŋ/ *s* sterzo *m* • *s. wheel* volante, ruota del timone

to stem (1) /stem/ *vt* arginare, frenare

to stem (2) /stem/ *vi* derivare, scaturire

stench /stentʃ/ *s* puzzo *m*

stencil /ˈstensl/ *s* stampino *m*, matrice *f*

step /step/ *s* passo *m*, andatura *f* ◇ orma *f*, impronta *f* ◇ (*fig*) provvedimento *m*, misura *f*, mossa *f* ◇ gradino *m*, scalino *m* ◇ (*mus*) grado *m*

to step /step/ *vi* fare un passo, andare, venire ◇ misurare a passi ◇ mettere i piedi su • *to s. down* discendere; *to s. off* scendere da; *to s. up* farsi avanti, aumentare

stepbrother /ˈstep.brʌðər/ *s* fratellastro *m*

stepdaughter /ˈstep.dɔːtər/ *s* figliastra *f*

stepfather /ˈstep.fɑːðər/ *s* patrigno *m*

stepmother /ˈstep.mʌðər/ *s* matrigna *f*

stepsister /ˈstep.sɪstər/ *s* sorellastra *f*

stepson /ˈstep.sʌn/ *s* figliastro *m*

sterile /ˈsteraɪl/ *a* sterile

to sterilize /ˈsterɪlaɪz/ *vt* sterilizzare

sterling /ˈstɜːlɪŋ/ *a* genuino • *s* sterlina *f*

stern (1) /stɜːn/ *a* severo, rigido

stern (2) /stɜːn/ *s* (*naut*) poppa *f*

stew /stjuː/ *s* stufato *m*

to stew /stjuː/ *vt/i* stufare

steward /ˈstjuəd/ *s* assistente *m* di volo, steward *m* ◇ (*naut*) dispensiere *m*

stick /stɪk/ *s* bastone *m*, bastoncino *m*, bacchetta *f* ◇ barra *f*, stecca *f* ◇ gambo *m*

to stick /stɪk/ (*pass/pp* stuck) *vt* conficcare, infilare ◇ attaccare, incollare ◇ (*fam*) sopportare ◆ *vi* conficcarsi ◇ attaccarsi, appiccicarsi ◇ incepparsi, bloccarsi • *to s. out* sporgere; *to s. to* restare fedele a; *to s. up* attaccare, rapinare; *to s. up for* sostenere, difendere

sticker /ˈstɪkər/ *s* cartellino *m* adesivo, sticker *m*

stiff /stɪf/ *a* duro, rigido ◇ indolenzito ◇ freddo, austero ◇ difficile, faticoso ◇ (*di prezzo*) alto ◇ (*di bevanda*) forte ◆ *avv* completamente

to stiffen /ˈstɪfn/ *vt* irrigidire, indurire ◆ *vi* indurirsi, irrigidirsi ◇ diventare più difficile

to stifle /ˈstaɪfl/ *vt/i* soffocare

stile /staɪl/ *s* scaletta *f*

still (1) /stɪl/ *a* tranquillo, calmo ◇ immobile, fermo • *s. life* natura morta

still (2) /stɪl/ *avv* ancora, tuttora ◇ (*davanti a comp*) anche, ancora ◇ pure, tuttavia

stillness /ˈstɪlnɪs/ *s* tranquillità *f*

to stimulate /ˈstɪmjʊleɪt/ *vt* incentivare, stimolare

sting /stɪŋ/ *s* pungiglione *m*, aculeo *m* ◇ puntura *f* ◇ morso *m*

to sting /stɪŋ/ (*pass/pp* stung) *vt* pungere ◇ offendere, tormentare ◇ incitare

stingy /'stɪndʒɪ/ *a* avaro, taccagno

to stink /stɪŋk/ (*pass* **stank, stunk**, *pp* **stunk**) *vi* puzzare

stint /stɪnt/ *s* compito *m*, lavoro *m* ◇ limite *m*

to stipulate /'stɪpjʊleɪt/ *vt* stipulare, pattuire, convenire

stir /stɜːr/ *s* rimescolata *f* ◇ confusione *f*, trambusto *m*

to stir /stɜːr/ *vt* agitare, mescolare ◇ eccitare, incitare ◆ *vi* agitarsi ◇ alzarsi, essere attivo

stitch /stɪtʃ/ *s* punto *m* ◆ maglia *f* ◇ fitta *f*

to stitch /stɪtʃ/ *vt/i* cucire

stoat /stəʊt/ *s* ermellino *m*

stock /stɒk/ *s* assortimento *m*, riserva *f*, scorta *f*, stock *m* ◇ (*fin*) azione *f*, titolo *m* ◇ ceppo *m*, tronco *m* ◇ base *f*, sostegno *m* ◇ bestiame *m* ◇ razza *f*, schiatta *f* ◇ materia *f* prima ◇ brodo *m* ◆ *a* comune, usuale ● *out of s.* esaurito; *s. cube* dado da brodo; *s. market* mercato azionario; *to take s.* fare l'inventario, valutare attentamente

to stock /stɒk/ *vt* fornire, approvvigionare ◇ tenere in magazzino ◆ *vi* fare scorta (di merci) ◇ germogliare ● *to s. up* fare provviste

stockbroker /'stɒk,brəʊkər/ *s* agente *m/f* di cambio

stocking /'stɒkɪŋ/ *s* calza *f*

stockist /'stɒkɪst/ *s* grossista *m/f*, fornitore *m*

stocky /'stɒkɪ/ *a* tarchiato

stodgy /'stɒdʒɪ/ *a* pesante, indigesto ◇ noioso ◇ gretto, provinciale

stole /stəʊl/ *s* stola *f*

stolid /'stɒlɪd/ *a* imperturbabile, flemmatico

stomach /'stʌmək/ *s* stomaco *m*, pancia *f* ● *s.-ache* mal di stomaco

stone /stəʊn/ *s* pietra *f*, masso *m*, sasso *m*, ciottolo *m* ◇ nocciolo *m* ◇ (*med*) calcolo *m* ◆ *avv* completamente ● *S. Age* età della pietra; *s.-cold* gelido

to stone /stəʊn/ *vt* lapidare ◇ pavimentare ◇ snocciolare

stool /stuːl/ *s* sgabello *m*

stoop /stuːp/ *s* curvatura *f*, inclinazione *f*

to stoop /stuːp/ *vi* chinarsi, piegarsi ◇ accondiscendere

stop /stɒp/ *s* arresto *m*, fermata *f*, sosta *f* ◇ segno *m* di punteggiatura, punto *m* ◇ dispositivo *m* di arresto ● *s. press* notizie dell'ultima ora

to stop /stɒp/ *vt* arrestare, fermare ◇ interrompere, bloccare ◇ tamponare ◆ *vi* fermarsi, smettere, cessare ◇ fare una fermata, fermarsi ● *to s. off* fare una sosta; *to s. up* intasare, ostruire

stoppage /'stɒpɪdʒ/ *s* interruzione *f*, sosta *f* ◇ ostruzione *f*, intasamento *m* ● *traffic, circulation s.* blocco della circolazione

stopper /'stɒpər/ *s* tappo *m*, turacciolo *m*

storage /'stɔːrɪdʒ/ *s* immagazzinamento *m* ◇ magazzino *m* ◇ (*di batteria*) carica *f* ◇ (*inform*) memoria *f*

store /stɔːr/ *s* scorta *f*, provvista *f* ◇ deposito *m*, magazzino *m* ◇ negozio *m* ● *al pl* depositi *m pl* di magazzino ● *in s.* in vista, in serbo; *s. room* dispensa, ripostiglio

to store /stɔː/ *vt* immagazzinare, accumulare ◇ fornire, provvedere ◇ (*inform*) memorizzare

storey /'stɔːrɪ/ (*USA* **story**) *s* (*di casa*) piano *m*

stork /stɔːk/ *s* cicogna *f*

storm /stɔːm/ *s* tempesta *f*, burrasca *f*, uragano *m* ◇ assalto *m*

to storm /stɔːm/ *vi* infuriare, scatenarsi ◇ precipitarsi ♦ *vt* assalire

stormy /'stɔːmɪ/ *a* tempestoso

story /'stɔːrɪ/ *s* storia *f*, racconto *m*, narrazione *f* ● *s. teller* narratore

stout /staʊt/ *a* forte, robusto ◇ corpulento ◇ coraggioso ♦ *s* birra *f* scura

stove /stəʊv/ *s* stufa *f* ◇ fornello *m*

to straddle /'strædl/ *vi* stare a cavalcioni ◇ esitare, essere titubante

to straggle /'strægl/ *vi* disperdersi, sbandarsi ◇ girovagare

straggly /'stræglɪ/ *a* sparpagliato

straight /streɪt/ *a* diritto, ritto, eretto ◇ giusto, onesto ◇ franco, leale ◇ in ordine, a posto ◇ puro, liscio ♦ *avv* diritto, in linea retta ◇ direttamente ♦ *avv* francamente ◇ onestamente ● *s. off, away* subito, senza esitazioni; *s. on, ahead* sempre dritto

to straightaway /'streɪtəweɪ/ *avv* immediatamente

to straighten /streɪtn/ *vt/i* raddrizzare, raddrizzarsi ● *to s. out* mettere a posto

straightforward /streɪt'fɔːwəd/ *a*

diritto ◇ retto, onesto ◇ semplice, chiaro

strain /streɪn/ *s* sforzo *m*, tensione *f* ◇ preoccupazione *f* ◇ (*med*) strappo *m* muscolare, distorsione *f* ◇ (*tecn*) sollecitazione *f*

to strain /streɪn/ *vt* tendere, sforzare ◇ affaticare ◇ distorcere ◇ abusare di ◇ filtrare, colare

strait /streɪt/ *s* (*geogr*) stretto *m* ◇ *al pl* ristrettezze *f pl*, difficoltà *f pl*

strand /strænd/ *s* filo *m*, trefolo *m* ◇ (*di capelli*) ciocca *f*

to strand /strænd/ *vi* arenarsi, incagliarsi

strange /streɪn(d)ʒ/ *a* strano, bizzarro ◇ estraneo, sconosciuto ◇ inspiegabile

stranger /'streɪn(d)ʒə/ *s* sconosciuto *m*

to strangle /'stræŋgl/ *vt* strangolare, strozzare

strap /stræp/ *s* cinghia *f*, cinturino *m* ◇ spallina *f*, bretella *f*

strategics /strə'tiːdʒɪks/ *s pl* (*v al sing*) strategia *f*

strategy /'strætɪdʒɪ/ *s* strategia *f*

to stratify /'strætɪfaɪ/ *vt/i* stratificare, stratificarsi

straw /strɔː/ *s* paglia *f* ◇ cannuccia *f*

strawberry /'strɔːb(ə)rɪ/ *s* fragola *f*

stray /streɪ/ *a* smarrito, randagio ◇ isolato, sparso ◇ vagante ♦ *s* randagio *m*

to stray /streɪ/ *vi* vagare, vagabondare ◇ deviare, divagare ◇ essere infedele a

streak /striːk/ *s* striscia *f*, riga *f* ◇ vena *f*, filone *m* ◇ traccia *f*, tocco *m* ◇ (*di capelli*) mèche *f*

to streak /stri:k/ *vt* venare, screziare ◆ *vi* andare come un lampo ◇ (*fam*) fare lo streaking

stream /stri:m/ *s* corso *m* d'acqua, ruscello *m*, torrente *m* ◇ corrente *f* ◇ (*fig*) fiumana *f*, flusso *m*, fiotto *m*

streamer /stri:mə/ *s* stella *f* filante ◇ aurora *f* boreale ◇ (*naut*) fiamma *f* ◇ titolone *m* (*su giornale*)

street /stri:t/ *s* strada *f*, via *f* ◆ **s. lamp** lampione

strength /streŋθ/ *s* forza *f*, energia *f*, potenza *f*

to strengthen /streŋθ(ə)n/ *vt* fortificare, potenziare, rinforzare

strenuous /strenjuəs/ *a* strenuo, energico, attivo ◇ faticoso, arduo

stress /stres/ *s* spinta *f*, pressione *f* ◇ tensione *f*, stress *m* ◇ (*mecc*) sforzo *m*, sollecitazione *f* ◇ accento *m*

to stress /stres/ *vt* forzare ◇ accentuare ◇ accentare

stretch /stretʃ/ *s* stiramento *m*, allungamento *m*, tensione *f* ◇ distesa *f*, estensione *f*

to stretch /stretʃ/ *vt* tendere, distendere, tirare, allungare ◇ forzare ◆ *vi* stendersi, distendersi, allungarsi ◇ fare stretching ◆ **to s. out** tendere, allungare

stretcher /stretʃə/ *s* barella *f*

to strew /stru:/ (*pass* **strewed** **strewn**, **strewed**) *vt* spargere, cospargere

stricken /strɪk(ə)n/ *a* colpito

strict /strɪkt/ *a* severo, rigoroso, stretto, preciso

to stride /straɪd/ (*pass* **strode**, *pp*

stridden) *vi* camminare a gran passi

strife /straɪf/ *s* conflitto *m*

strike /straɪk/ *s* sciopero *m* ◇ (*mil*) attacco *m* ◇ (*di giacimento*) scoperta *f* ◇ colpo *m* di fortuna

to strike /straɪk/ (*pass* **struck**, *pp* **struck**, **stricken**) *vt* battere, colpire ◇ impressionare, trovare, scoprire ◇ coniare ◆ *vi* battere, urtare ◇ battere le ore ◇ penetrare, infiltrarsi ◇ attecchire ◇ scioperare ◆ **to s. at** cercare di colpire; **to s. down** abbattere; **to s. off** mozzare, cancellare, radiare; **to s. out** fallire; **to s. up** attaccare (a suonare)

striking /straɪkɪŋ/ *a* impressionante

string /strɪŋ/ *s* stringa *f*, legaccio *m* ◇ corda *f*, spago *m* ◇ (*mus*) corda *f* ◇ serie *f*, sfilza *f*, catena *f* ◆ **s. bean** fagiolino

to string /strɪŋ/ (*pass/pp* **strung**) *vt* legare con corde ◇ incordare ◇ infilare ◆ **to s. out** disporre in fila; **to s. up** appendere

stringent /strɪn(d)ʒənt/ *a* rigoroso ◇ impellente

strip /strɪp/ *s* striscia *f* ◆ **s. cartoon** fumetto

to strip /strɪp/ *vt* strappare, togliere ◇ denudare, spogliare ◇ smontare, smantellare ◆ *vi* spogliarsi, svestirsi ◇ (*mecc*) spanarsi

stripe /straɪp/ *s* striscia *f* ◇ (*mil*) gallone *m*

striptease /strɪp.ti:z/ *s* spogliarello *m*

to strive /straɪv/ (*pass* **strove**, *pp* **striven**) *vi* sforzarsi, lottare

stroke /strəʊk/ *s* colpo *m*, percossa *f* ◇ (*nuoto*) bracciata *f*, (*canottaggio*) vogata *f*, (*golf*) colpo *m*, tiro *m* ◇ tocco *m*, tratto *m* ◇ (*med*) colpo *m* apoplettico

to stroke /strəʊk/ *vt* lisciare, accarezzare

to stroll /strəʊl/ *vi* passeggiare

stroller /ˈstrəʊləʳ/ *s* passeggino *m*

strong /strɒŋ/ *a* forte, robusto ◇ energico, vigoroso ◇ efficace ◇ considerevole ● *s.* **room** camera blindata

strongbox /ˈstrɒŋbɒks/ *s* cassaforte *f*

strophe /ˈstrəʊfi/ *s* strofa *f*

structure /ˈstrʌktʃəʳ/ *s* struttura *f*

struggle /ˈstrʌɡl/ *s* lotta *f*

to struggle /ˈstrʌɡl/ *vi* lottare, sforzarsi

to strut /strʌt/ *vi* incedere impettito, pavoneggiarsi

stub /stʌb/ *s* troncone *m*, ceppo *m* ◇ matrice *f*, talloncino *m*

to stub /stʌb/ *vt* estirpare, sradicare ◇ urtare ● *to s.* **out** (*sigaretta*) spegnere

stubble /ˈstʌbl/ *s* stoppia *f* ◇ barba *f* corta e ispida ◇ capelli *m pl* a spazzola

stubborn /ˈstʌbən/ *a* ostinato, testardo

stuck /stʌk/ *pass/pp* di **to stick** ● *a* bloccato ◇ incollato ◇ (*fam*) nei guai ● *s.-up* presuntuoso

stud /stʌd/ *s* bottoncino *m* ◇ borchia *f* ◇ perno *m*

student /ˈstjuːd(ə)nt/ *s* studente *m* ◇ studioso *m*

studio /ˈstjuːdɪəʊ/ (*pl* **studios**) *s* (*d'artista*) studio *m* ◇ (*TV*) teatro *m* di posa, studio *m* ◇ monolocale *m*

study /ˈstʌdɪ/ *s* studio *m*

to study /ˈstʌdɪ/ *vt* studiare ◇ esaminare ◆ *vi* studiare

stuff /stʌf/ *s* materiale *m*, sostanza *f* ◇ cosa *f*, roba *f*

to stuff /stʌf/ *vt* riempire, imbottire ◇ (*cuc*) farcire ◇ impagliare, imbalsamare ◇ rimpinzare

stuffing /ˈstʌfɪŋ/ *s* imbottitura *f* ◇ (*cuc*) ripieno *m* ● *s.* **box** premistoppa

stuffy /ˈstʌfɪ/ *a* soffocante, senz'aria ◇ ottuso

to stumble /ˈstʌmbl/ *vi* inciampare ◇ impappinarsi ◇ fare un passo falso

stump /stʌmp/ *s* ceppo *m* ◇ moncone *m* ◇ matrice *f*

to stun /stʌn/ *vt* stordire ◇ sbalordire

stunning /ˈstʌnɪŋ/ *a* assordante ◇ (*fam*) stupendo, splendido

stunt /stʌnt/ *s* acrobazia *f* ◇ bravata *f*, esibizione *f* ◇ trovata *f* pubblicitaria ● *s.* **man** cascatore, stuntman

to stupefy /ˈstjuːpɪfaɪ/ *vt* instupidire, stordire ◇ stupefare

stupid /ˈstjuːpɪd/ *a* stupido, cretino

sturdy /ˈstɜːdɪ/ *a* robusto, forte

to stutter /ˈstʌtəʳ/ *vi* balbettare

style /staɪl/ *s* stile *m*

stylish /ˈstaɪlɪʃ/ *a* elegante, alla moda

stylist /ˈstaɪlɪst/ *s* stilista *m/f*

suave /swɑːv/ *a* soave ◇ affabile, garbato

subaqueous /sʌbˈeɪkwɪəs/ *a* subacqueo

to subdivide /ˌsʌbdɪˈvaɪd/ *vt/i* suddividere, suddividersi

to subdue /sʌbˈdjuː/ *vt* sottomettere, dominare ◇ attenuare

subject /ˈsʌbdʒɪkt/ *a* soggetto, sottoposto ◆ *s* soggetto *m*, argomento *m*, materia *f* ◇ (*gramm*) soggetto *m* ◇ cittadino *m*, suddito *m* ◇ esemplare *m*, soggetto *m*

to subject /səbˈdʒekt/ *vt* assoggettare ◇ esporre, sottoporre

subjective /sʌbˈdʒektɪv/ *a* soggettivo

subjunctive /səbˈdʒʌŋ(k)tɪv/ *a/s* (*gramm*) congiuntivo *m*

to sublet /sʌbˈlet/ (*pass/pp* **sublet**) *vt* subaffittare

sublime /səˈblaɪm/ *a* sublime, eccelso

submarine /ˈsʌbməriːn/ *a* sottomarino, subacqueo ◆ *s* sottomarino *m*

to submerge /səbˈmɜːdʒ/ *vt/i* immergere, immergersi

submission /səbˈmɪʃ(ə)n/ *s* sottomissione *f* ◇ (*di domanda*) presentazione *f*

to submit /səbˈmɪt/ *vt* sottoporre, presentare ◆ *vi* sottomettersi, arrendersi

to subordinate /səˈbɔːdɪneɪt/ *vt* subordinare

to subscribe /səbˈskraɪb/ *vt* sottoscrivere, firmare ◇ contribuire con ◆ *vi* sottoscrivere ◇ approvare, aderire ◇ abbonarsi

subscriber /səbˈskraɪbər/ *a/s* abbonato *m*

subscription /səbˈskrɪpʃ(ə)n/ *s* sottoscrizione *f* ◇ abbonamento *m*

subsequent /ˈsʌbsɪkwənt/ *a* successivo, seguente

to subside /səbˈsaɪd/ *vi* calare, abbassarsi ◇ calmarsi, placarsi ◇ lasciarsi cadere

subsidence /səbˈsaɪd(ə)ns/ *s* abbassamento *m*, cedimento *m*

subsidiary /səbˈsɪdjəri/ *a* sussidiario, ausiliario, accessorio ◆ *s* (*società*) consociata *f*

to subsidize /ˈsʌbsɪdaɪz/ *vt* sovvenzionare

subsidy /ˈsʌbsɪdi/ *s* sussidio *m*

subsistence /səbˈsɪst(ə)ns/ *s* sussistenza *f*, mantenimento *m*

substance /ˈsʌbst(ə)ns/ *s* sostanza *f*

substantial /səbˈstænʃ(ə)l/ *a* sostanzioso, solido ◇ sostanziale, notevole

substantive /ˈsʌbst(ə)ntɪv/ *s* sostantivo *m*

substitute /ˈsʌbstɪtjuːt/ *s* sostituto *m*, delegato *m* ◇ surrogato *m* ◇ (*sport*) riserva *f* ◇ supplente *m/f*

to substitute /ˈsʌbstɪtjuːt/ *vt* sostituire, rimpiazzare, fare il supplente

subterranean /ˌsʌbtəˈreɪnjən/ *a* sotterraneo

to subtilize /ˈsʌtɪlaɪz/ *vt/i* sottilizzare

subtitle /ˈsʌbtaɪtl/ *s* sottotitolo *m*

subtle /ˈsʌtl/ *a* sottile, impercettibile ◇ astuto, scaltro

to subtract /səbˈtrækt/ *vt* sottrarre

suburb /ˈsʌbɜːb/ *s* sobborgo *m*, periferia *f*

suburban /səˈbɜːb(ə)n/ *a* suburbano, periferico

sulphur

subvention /səb'vɛnʃ(ə)n/ s sovvenzione f

subversive /sʌb'vɜːsɪv/ a sovversivo

subway /'sʌbweɪ/ s sottopassaggio m ◇ (USA) metropolitana f

to succeed /sək'siːd/ vi riuscire, aver successo ◆ vt succedere, seguire a ◆ vt succedere a, subentrare a

succeeding /sək'siːdɪŋ/ a successivo, seguente

success /sək'sɛs/ s successo m

successful /sək'sɛsf(ʊ)l/ a riuscito, di successo

successor /sək'sɛsər/ s successore m

such /sʌtʃ, sətʃ/ a tale, simile ◇ così tanto ◆ pr tale, tali, questo, questa, questi, queste ◆ avv così, talmente, tanto ◆ and s. e così via, e simili; as s. come tale; s. as come, quale; s. that tale che

to suck /sʌk/ vt succhiare ◆ vi succhiare ◇ fare schifo, essere schifoso

to suckle /'sʌkl/ vt allattare

suction /'sʌkʃ(ə)n/ s suzione f ◇ (mecc) aspirazione f

sudden /'sʌdn/ a improvviso ● all of a s. improvvisamente

to suffer /'sʌfər/ vt soffrire, patire ◇ sopportare ◆ vi soffrire

to suffice /sə'faɪs/ vi bastare

sufficient /s(ə)'fɪʃ(ə)nt/ a sufficiente, bastante

to suffocate /'sʌfəkeɪt/ vt/i soffocare

suffocation /ˌsʌfə'keɪʃ(ə)n/ s soffocamento m

suffrage /'sʌfrɪdʒ/ s suffragio m

to suffuse /sə'fjuːz/ vt soffondere, pervadere

sugar /'ʃʊgər/ s zucchero m ● cane s. zucchero di canna; lump s. zucchero in zollette

to sugar /'ʃʊgər/ vt zuccherare

sugary /'ʃʊgərɪ/ a zuccherino ◇ mellifluo

to suggest /sə'dʒɛst/ vt suggerire, proporre ◇ indicare, far pensare a ◇ sostenere

suggestible /sə'dʒɛstəbl/ a suggestionabile

suggestion /sə'dʒɛstʃ(ə)n/ s suggerimento m ◇ indizio m, traccia f ◇ suggestione f

suggestive /sə'dʒɛstɪv/ a suggestivo, evocativo ◇ indicativo ◇ provocante, sconveniente

suicide /'sjuːɪsaɪd/ s suicidio m ◇ suicida m/f

suit /sjuːt/ s abito m (da uomo), completo m ◇ (di carte da gioco) seme m ◇ (dir) causa f

to suit /sjuːt/ vt adattarsi a, soddisfare ◆ vi convenire, andare bene

suitable /'sjuːtəbl/ a adatto, appropriato

suitcase /'sjuːtkeɪs/ s valigia f

suite /swiːt/ s appartamento m ◇ (mus) suite f

sulky /'sʌlkɪ/ a imbronciato

sullen /'sʌlən/ a accigliato, scostante

to sully /'sʌlɪ/ vt macchiare, deturpare

sulphate /'sʌlfeɪt/ (USA sulfate) s solfato m

sulphur /'sʌlfər/ (USA sulfur) s zolfo m

sultry /'sʌltrɪ/ *a* afoso, soffocante ◇ appassionato

sum /sʌm/ *s* somma *f*, addizione *f* ◇ *(di denaro)* somma *f*, quantità *f*

to sum /sʌm/ *vt/i* sommare ● *to s. up* ricapitolare, riassumere

summary /'sʌmərɪ/ *s* compendio *m*, riassunto *m*

summer /'sʌmə*r*/ *s* estate *f* ♦ *a* estivo ● *s. house* casa di campagna, padiglione; *s. time* ora legale

summertime /'sʌmətaɪm/ *s* estate *f*

summit /'sʌmɪt/ *s* sommità *f*, vertice *m* ◇ *(pol)* summit *m*, incontro *m* al vertice

to summon /'sʌmən/ *vt* citare in giudizio ◇ convocare ● *to s. up* chiamare a raccolta, farsi coraggio

sumptuous /'sʌm(p)tjʊəs/ *a* sontuoso

sun /sʌn/ *s* sole *m* ● *s. lamp* lampada abbronzante

to sunbathe /'sʌnbeɪð/ *vi* prendere il sole

sunbed /'sʌnbed/ *s* lettino *m* abbronzante, solarium *m*

sunburn /'sʌnbɜːn/ *s* scottatura *f*

Sunday /'sʌndɪ/ *s* domenica *f*

sundown /'sʌndaʊn/ *s* tramonto *m*

sundries /'sʌndrɪz/ *s pl* oggetti *m pl* vari, cianfrusaglie *f pl* ◇ spese *f pl* varie

sunflower /'sʌnflaʊə*r*/ *s* girasole *m*

sunlight /'sʌnlaɪt/ *s* luce *f* solare, sole *m*

sunny /'sʌnɪ/ *a* soleggiato ◇ allegro

sunrise /'sʌnraɪz/ *s* alba *f*, sorgere *m* del sole

sunset /'sʌnset/ *s* tramonto *m*

sunshade /'sʌnʃeɪd/ *s* parasole *m*

sunshine /'sʌnʃaɪn/ *s* (luce del) sole *m*

sunstroke /'sʌnstrəʊk/ *s* insolazione *f*

super /'sjuːpə*r*/ *a (fam)* ottimo, eccellente, di prim'ordine

superb /sjuː'pɜːb/ *a* superbo, magnifico

supercilious /ˌsjuːpə'sɪlɪəs/ *a* altezzoso

superficial /ˌsjuːpə'fɪʃ(ə)l/ *a* superficiale

superfluous /sjuː(ː)'pɜːflʊəs/ *a* superfluo

to superimpose /ˌsjuːp(ə)rɪm'pəʊz/ *vt* sovrapporre

to superintend /ˌsjuːp(ə)rɪn'tend/ *vt/i* soprintendere

superior /sjuː'pɪərɪə*r*/ *a/s* superiore *m*

superiority /sjuːˌpɪərɪ'ɒrɪtɪ/ *s* superiorità *f*

superlative /sjuː'pɜːlətɪv/ *a/s* superlativo *m*

supermarket /'sjuːpəˌmɑːkɪt/ *s* supermercato *m*, supermarket *m*

supernatural /ˌsjuːpə'nætʃr(ə)l/ *a/s* soprannaturale *m*

to supersede /ˌsjuː(ː)pə'siːd/ *vt* soppiantare, rimpiazzare

superstition /ˌsjuːpə'stɪʃ(ə)n/ *s* superstizione *f*

to supervene /ˌsjuːpə'viːn/ *vi* sopraggiungere

to supervise /'sjuːpəvaɪz/ *vt* sovrintendere, dirigere

supine /sjuː'paɪn/ *a* supino

supper /'sʌpə*r*/ *s* cena *f*

supple /'sʌpl/ *a* flessibile ◇ agile

supplement /'sʌplɪmənt/ s supplemento m

supplementary /ˌsʌplɪ'ment(ə)rɪ/ a supplementare, integrativo

supplier /sə'plaɪə/ s fornitore m

supply /sə'plaɪ/ s rifornimento m, provvista f, scorta f ◇ (econ) offerta f ◇ **al pl** viveri m pl ◇ **al pl** sussidi m pl • s. **teacher** supplente

to supply /sə'plaɪ/ vt fornire, provvedere ◇ soddisfare ◇ supplire

support /sə'pɔːt/ s supporto m, sostegno m

to support /sə'pɔːt/ vt sostenere

to suppose /sə'pəʊz/ vt supporre

supposition /ˌsʌpə'zɪʃ(ə)n/ s supposizione f

suppository /sə'pɒzɪt(ə)rɪ/ s supposta f

to suppress /sə'pres/ vt sopprimere

supremacy /sjʊ'preməsɪ/ s supremazia f

supreme /sjʊ(ː)'priːm/ a supremo

surcharge /'sɜːtʃɑːdʒ/ s sovraccarico m ◇ soprattassa f, maggiorazione f ◇ sovrapprezzo m

sure /ʃʊə/ a sicuro ♦ avv certamente, sicuramente, davvero

surety /'ʃʊətɪ/ s (dir) garanzia f

surf /sɜːf/ s cresta f dell'onda ◇ **al pl** frangenti m pl

to surf /sɜːf/ vi praticare il surf ◇ (inform) navigare

surface /'sɜːfɪs/ s superficie f

to surface /'sɜːfɪs/ vt far emergere ◇ spianare, pavimentare ♦ vi venire in superficie, emergere

surfeit /'sɜːfɪt/ s eccesso m ◇ sazietà f

surge /sɜːdʒ/ s ondata f ◇ slancio m, impeto m

to surge /sɜːdʒ/ vi ondeggiare, fluttuare ◇ gonfiarsi, aumentare, sollevarsi

surgeon /'sɜːdʒ(ə)n/ s chirurgo m

surgery /'sɜːdʒ(ə)rɪ/ s chirurgia f ◇ ambulatorio m • s. **hours** orario delle visite

surgical /'sɜːdʒɪk(ə)l/ a chirurgico ◇ ortopedico

surname /'sɜːneɪm/ s cognome m

to surpass /sɜː'pɑːs/ vt superare

surplus /'sɜːpləs/ a eccedente ♦ s eccedenza f, sovrappiù m, surplus m • s. **value** plusvalore m

surprise /sə'praɪz/ s sorpresa f

surrender /sə'rendə/ s resa f, capitolazione f ◇ cessione f

to surrender /sə'rendə/ vt cedere, consegnare ◇ rinunciare a ♦ vi arrendersi, capitolare

surrogate /'sʌrəgɪt/ s sostituto m, surrogato m

to surround /sə'raʊnd/ vt circondare

surrounding /sə'raʊndɪŋ/ a circostante ♦ s **al pl** dintorni m pl ◇ condizioni f pl ambientali

surveillance /sɜː'veɪləns/ s sorveglianza f

survey /'sɜːveɪ/ s esame m, indagine f, rassegna f ◇ perizia f, verifica f, valutazione f ◇ rilevamento m

to survey /sɜː'veɪ/ vt osservare, esaminare ◇ ispezionare, sorvegliare, visitare ◇ valutare, fare la perizia di ◇ rilevare

survival /sə'vaɪv(ə)l/ s sopravvivenza f

to survive /sə'vaɪv/ *vt/i* sopravvivere (a)

survivor /sə'vaɪvə*/ *s* superstite *m/f*

susceptible /sə'septəbl/ *a* sensibile ◇ suscettibile, permaloso

suspect /'sʌs'pekt/ *a* sospetto ♦ *s* persona *f* sospetta

to suspend /sə'spend/ *vt* sospendere, differire ◇ appendere ● *to be suspended from* essere sospeso da (*lavoro, scuola*)

suspender /sə'spendə*/ *s* giarrettiera *f* ◇ *al pl* (*USA*) bretelle *f pl* ● *s. belt* reggicalze

suspension /sə'spenʃ(ə)n/ *s* sospensione *f*

suspicion /sə'spɪʃ(ə)n/ *s* sospetto *m*

to sustain /sə'steɪn/ *vt* sostenere, sopportare, reggere ◇ (*dir*) appoggiare, accogliere ◇ confermare

suture /'suːtʃə*/ *s* sutura *f*

to swagger /'swægə*/ *vi* pavoneggiarsi

swallow (1) /'swɒləʊ/ *s* (*zool*) rondine *f*

swallow (2) /'swɒləʊ/ *s* deglutizione *f* ◇ boccone *m* ◇ sorso *m*

to swallow /'swɒləʊ/ *vt/i* deglutire, inghiottire

swamp /swɒmp/ *s* palude *f*

swampy /'swɒmpɪ/ *a* paludoso

swan /swɒn/ *s* cigno *m*

to swap /swɒp/ *vt* barattare, scambiare

swarm /swɔːm/ *s* sciame *m*

to swarm /swɔːm/ *vi* sciamare, brulicare

swarthy /'swɔːðɪ/ *a* bruno, scuro

to swat /swɒt/ *vt* colpire, schiacciare

to sway /sweɪ/ *vt* far oscillare, far ondeggiare ◇ dominare, governare ◇ influenzare ♦ *vi* oscillare, ondeggiare

to swear /sweə*/ (*pass* **swore**, *pp* **sworn**) *vt/i* giurare ◇ imprecare, bestemmiare

to sweat /swet/ *vi* sudare ◇ sgobbare ♦ *vt* sudare, trasudare ◇ bagnare ◇ sfruttare

sweater /'swetə*/ *s* maglione *m*

sweatshirt /'swetʃɜːt/ *s* felpa *f*

Swede /swiːd/ *s* svedese *m/f*

Swedish /'swiːdɪʃ/ *a* svedese

sweep /swiːp/ *s* scopata *f*, spazzata *f* ◇ movimento *m* ampio ◇ ambito *m*, portata *f* ◇ distesa *f*, tratto *m* ◇ spazzacamino *m*

to sweep /swiːp/ (*pass/pp* **swept**) *vt* scopare, spazzare ◇ percorrere, sfiorare ◇ spaziare su ♦ *vi* incedere maestosamente ◇ estendersi ● *to s. away* spazzar via, eliminare

sweeping /'swiːpɪŋ/ *a* ampio, vasto ◇ completo, assoluto ◇ impetuoso ♦ *s al pl* rifiuti *m pl*

sweet /swiːt/ *a* dolce ◇ piacevole ◇ profumato ◇ (*fam*) carino ♦ *s* caramella *f* ◇ dolce *m* ◇ dolcezza *f*

to sweeten /'swiːtn/ *vt* zuccherare ◇ addolcire

sweetener /'swiːt(ə)nə*/ *s* dolcificante *m*

sweetheart /'swiːthɑːt/ *s* innamorato *m*

swell /swel/ *s* rigonfiamento *m* ◇ (*naut*) mare *m* lungo ◇ (*mus*) crescendo *m* ♦ *a* elegante ◇ (*fam*) magnifico

to swell /swel/ (pass **swelled**, pp **swollen**, **swelled**) vi dilatarsi, gonfiarsi ◇ aumentare, crescere ♦ vt gonfiare, dilatare ◇ aumentare

sweltering /ˈsweltərɪŋ/ a soffocante

to swerve /swɜːv/ vi deviare, sterzare

swift /swɪft/ a rapido, veloce

swig /swɪg/ s sorsata f

swim /swɪm/ s nuotata f

to swim /swɪm/ (pass **swam**, pp **swum**) vi nuotare ◇ essere inondato, essere coperto ◇ vacillare, ondeggiare ♦ vt attraversare a nuoto

swimming /ˈswɪmɪŋ/ s nuoto m ● s. pool piscina

swindle /ˈswɪndl/ s truffa f, imbroglio m

swine /swaɪn/ s porco m

swing /swɪŋ/ s oscillazione f ◇ (mus) ritmo m ◇ altalena f ◇ cambiamento m (di opinione) ◇ (mus) swing m ● in full s. in piena attività

to swing /swɪŋ/ (pass/pp **swung**) vt dondolare, far oscillare ◇ agitare, roteare ♦ vi dondolare, oscillare ◇ ruotare, girare ◇ girarsi, voltarsi

swinging /ˈswɪŋɪŋ/ s oscillazione f ♦ a oscillante, orientabile ◇ veloce ◇ cadenzato, ritmico

to swipe /swaɪp/ vt (fam) colpire ◇ rubare

to swirl /swɜːl/ vi turbinare

to swish /swɪʃ/ vi frusciare, sibilare

Swiss /swɪs/ a/s svizzero m

switch /swɪtʃ/ s frusta f ◇ cambiamento m ◇ interruttore m ◇ (ferr) scambio m

to switch /swɪtʃ/ vt frustare ◇ agitare ◇ deviare, smistare ◇ scambiare ◇ (el) commutare ● to s. off spegnere; to s. on accendere

swollen /ˈswəʊl(ə)n/ pp di to swell ♦ a gonfio

to swoon /swuːn/ vi svenire

sword /sɔːd/ s spada f

swordfish /ˈsɔːdfɪʃ/ s pescespada m

syllable /ˈsɪləbl/ s sillaba f

symbol /ˈsɪmb(ə)l/ s simbolo m

symmetry /ˈsɪmɪtrɪ/ s simmetria f

sympathetic /ˌsɪmpəˈθetɪk/ a comprensivo ◇ congeniale ◇ (anat) simpatico

sympathy /ˈsɪmpəθɪ/ s comprensione f, partecipazione f ◇ simpatia f ◇ condoglianza f

symphony /ˈsɪmfənɪ/ s sinfonia f

symptom /ˈsɪm(p)təm/ s sintomo m

synagogue /ˈsɪnəgɒg/ s sinagoga f

synchrony /ˈsɪŋkrənɪ/ s sincronia f

syndicalist /ˈsɪndɪkəlɪst/ s sindacalista m/f

syndicate /ˈsɪndɪkɪt/ s sindacato m

syndrome /ˈsɪndrəʊm/ s sindrome f

synonym /ˈsɪnənɪm/ s sinonimo m

syntax /ˈsɪntæks/ s sintassi f

synthesis /ˈsɪnθɪsɪs/ (pl **syntheses**) s sintesi f

syringe /ˈsɪrɪn(d)ʒ/ s siringa f

syrup /ˈsɪrəp/ s sciroppo m

system /ˈsɪstɪm/ s sistema m, metodo m ◇ sistema m, apparato m, impianto m ◇ rete f ◇ organismo m

tab 328

T

tab /tæb/ s linguetta f ◇ etichetta f

table /'teɪbl/ s tavolo m, tavola f ◇ tavolata f ◇ tabella f, elenco m ◇ tavoletta f, targa f, lastra f • **t.** *of contents* indice; *to set/to clear the t.* apparecchiare/sparecchiare la tavola; *to turn the tables* rovesciare la situazione

tablet /'tæblɪt/ s compressa f, pastiglia f ◇ targa f, tavoletta f

tabloid /'tæblɔɪd/ a conciso, ridotto ◆ s compressa f ◇ (giornale) tabloid m

taboo /təˈbuː/ s tabù m

tack /tæk/ s bulletta f, chiodino m ◇ imbastitura f ◇ linea f di condotta

tackle /'tækl/ s attrezzatura f ◇ paranco m

to tackle /'tækl/ vt affrontare ◇ afferrare ◇ (sport) caricare, placcare, contrastare

tacky /'tæki/ a appiccicaticcio

tact /tækt/ s tatto m

tactics /'tæktɪks/ s pl tattica f

tactless /'tæktlɪs/ a che manca di tatto

tag /tæg/ s cartellino m, etichetta f ◇ appendice f, estremità f ◇ puntale m ◇ frase f fatta

tail /teɪl/ s coda f • **t.** *end* parte finale; *t.* *lamp* luce posteriore, fanalino m

to tail /teɪl/ vt essere in coda a ◇ seguire, pedinare • **to t.** *away, off* assottigliarsi, disperdersi; *to t.* *back* incolonnarsi

tailor /'teɪlə/ s sarto m • **t.-made** fatto su misura

to taint /teɪnt/ vt corrompere, guastare

to take /teɪk/ (pass **took**, pp **taken**) vt prendere, afferrare, cogliere, conquistare ◇ comprendere ◇ condurre, portar via, accompagnare ◇ seguire obbligarsi con ◇ attirare, affascinare, cogliere ◇ impiegare, metterci, richiedere (ES: **it takes two hours** ci vogliono due ore) ◇ (TV) riprendere, girare ◇ contenere ◆ vi far presa, attecchire •**t.** *it easy!* calma!; *to t.* *after* somigliare a; *to t.* *away* allontanare, rimuovere, asportare; *to t.* *back* riportare, ritirare; *to t.* *down* smantellare, registrare; *to t.* *in* accogliere, ospitare, comprendere, imbrogliare; *to t.* *off* decollare, staccare, togliere; *to t.* *on* imbarcare, assumere, sfidare; *to t.* *out* portare fuori, emettere, sottoscrivere, uscire con; *to t.* *over* subentrare; *to t.* *part* (*in*) presenziare; *to t.* *place* accadere; *to t. to* darsi a; *to t.* *up* sollevare, iniziare, occupare

take-off /'teɪk.ɒf/ s decollo m

taking /'teɪkɪŋ/ a affascinante ◆ s presa f ◇ **al** pl incasso m

talcum /'tælkəm/ s talco m •**t.** *powder* borotalco

tale /teɪl/ s racconto m, novella f

talent /'tælənt/ s talento m

to talk /tɔːk/ vi parlare, conversare

◇ chiacchierare ♦ *to t. about* fare pettegolezzi su; *to t. out of* dissuadere da; *to t. back* ribattere (con arroganza)

tall /tɔːl/ *a (di statura)* alto ◇ *(fam)* incredibile

tally /ˈtælɪ/ *s* conteggio *m* ◇ tacca *f*, contrassegno *m* ◇ cartellino *m*

to tally /ˈtælɪ/ *vt* contare, fare il conto di, calcolare ◇ registrare ♦ *vi* corrispondere

tambourine /ˌtæmbəˈriːn/ *s* tamburello *m*

tame /teɪm/ *a* addomesticato ◇ docile, mansueto ◇ non rissoso, non polemico

to tame /teɪm/ *vt* addomesticare, domare

to tamper /ˈtæmpər/ *vi* manomettere

tampon /ˈtæmpən/ *s* tampone *m*

tan /tæn/ *a* marrone rossiccio ♦ *s* abbronzatura *f* ◇ concia *f*

to tan /tæn/ *vt (pelli)* conciare ◇ abbronzare ♦ *vi* abbronzarsi

tang /tæŋ/ *s* sapore *m* piccante ◇ punta *f*, traccia *f*

tangent /ˈtændʒ(ə)nt/ *a/s* tangente *f*

tangerine /ˌtændʒəˈriːn/ *s* mandarino *m*

tangle /ˈtæŋgl/ *s* groviglio *m* ◇ *(fig)* imbroglio *m*

tank /tæŋk/ *s* serbatoio *m*, bidone *m* ◇ carro *m* armato

tanker /ˈtæŋkə/ *s* autobotte *f* ◇ *(naut)* petroliera *f*

tantalizing /ˈtæntəlaɪzɪŋ/ *a* allettante

tap (1) /tæp/ *s* rubinetto *m* ◇ spina *f* ♦ *on t.* alla spina, a disposizione

tap (2) /tæp/ *s* colpetto *m* ♦ *t. dance* tip tap

to tap (1) /tæp/ *vt* spillare ◇ incidere ◇ *(tel)* intercettare

to tap (2) /tæp/ *vi* picchiettare, bussare ♦ *vt* battere leggermente

tape /teɪp/ *s* nastro *m* ♦ *t. recorder* registratore

to tape /teɪp/ *vt* registrare *(su nastro magnetico)* ◇ sigillare *(con nastro adesivo)*

tapestry /ˈtæpɪstrɪ/ *s* arazzo *m* ◇ tappezzeria *f*

tar /tɑː/ *s* catrame *m*

tare /teə/ *s* tara *f*

target /ˈtɑːgɪt/ *s* bersaglio *m*, obiettivo *m*

tariff /ˈtærɪf/ *s* tariffa *f*

to tarnish /ˈtɑːnɪʃ/ *vt* appannare, offuscare ◇ macchiare

tart (1) /tɑːt/ *a* aspro, acido

tart (2) /tɑːt/ *s* torta *f (di frutta)*, crostata *f*

tart (3) /tɑːt/ *s (fam)* sgualdrina *f*

tartar /ˈtɑːtə/ *s* tartaro *m*

task /tɑːsk/ *s* compito *m*, mansione *f* ♦ *t. force* unità operativa, squadra speciale

tassel /ˈtæs(ə)l/ *s* nappa *f*, pennacchio *m*

taste /teɪst/ *s* gusto *m*, sapore *m* ◇ assaggio *m* ◇ propensione *f*, inclinazione *f* ◇ buon gusto *m*

to taste /teɪst/ *vt* sentire (il sapore di), assaggiare ◇ gustare, provare ♦ *vi* sapere di, avere sapore

tasteful /ˈteɪstf(ʊ)l/ *a* raffinato

tasty /ˈteɪstɪ/ *a* gustoso, saporito

tatter /ˈtætə/ *s* straccio *m*, brandello *m* ♦ *in tatters* stracciato, distrutto

tattoo (1) /təˈtuː/ s tatuaggio m

tattoo (2) /təˈtuː/ s (mil) ritirata f ◇ parata f militare

taunt /tɔːnt/ s scherno m

Taurus /ˈtɔːrəs/ s (astr) toro m

taut /tɔːt/ a teso, tirato ◇ stiracchiato, conciso ◇ pulito, in ordine

tavern /ˈtævən/ s taverna f

tax /tæks/ a fiscale, di imposta ♦ s tassa f ◇ peso m, onere m ● t. allowance detrazione fiscale; t. disc bollo di circolazione; t.-free esentasse; t. return dichiarazione dei redditi; t. stamp bollo

to tax /tæks/ vt tassare ◇ mettere alla prova

taxi /ˈtæksɪ/ s taxi m ● t. driver tassista

taximeter /ˈtæksɪˌmiːtər/ s tassametro m

tea /tiː/ s tè m

to teach /tiːtʃ/ (pass/pp taught) vt/i insegnare

teacher /ˈtiːtʃər/ s insegnante m/f, docente m/f, professore m, maestro m

teaching /ˈtiːtʃɪŋ/ s insegnamento m

team /tiːm/ s squadra f, team m ● t. work lavoro d'équipe

teapot /ˈtiːpɒt/ s teiera f

tear (1) /tɪər/ s lacrima f

tear (2) /teər/ s spacco m, lacerazione f

to tear /teər/ (pass tore, pp torn) vt lacerare, strappare ◇ (fig) dilaniare ♦ vi lacerarsi, strapparsi ◇ correre a gran velocità ● to t. off staccare; to t. up fare a pezzi

to tease /tiːz/ vt canzonare, molestare, fare dispetti a

teaspoon /ˈtiːspuːn/ s cucchiaino m

technical /ˈteknɪk(ə)l/ a tecnico

technician /tekˈnɪʃ(ə)n/ s tecnico m

technology /tekˈnɒlədʒɪ/ s tecnologia f

teddy bear /ˈtedɪˌbeər/ s orsacchiotto m (di peluche)

tedious /ˈtiːdjəs/ a noioso, tedioso, uggioso

to teem /tiːm/ vi abbondare, brulicare ◇ diluviare

teen-ager /ˈtiːnˌeɪdʒər/ s adolescente m/f

teens /tiːnz/ s pl adolescenza f

to teeter /ˈtiːtər/ vi traballare

teeth /tiːθ/ pl di tooth

to teethe /tiːð/ vi mettere i denti

teetotal /tiːˈtəʊtl/ a/s astemio m

telecamera /ˌtelɪˈkæmərə/ s telecamera f

telecontrol /ˌtelɪkənˈtrəʊl/ s telecomando m

telegram /ˈtelɪɡræm/ s telegramma m

telegraph /ˈtelɪɡrɑːf/ s telegrafo m

telematics /ˌtelɪˈmætɪks/ s pl (v al sing) telematica f

telepathy /tɪˈlepəθɪ/ s telepatia f

telephone /ˈtelɪfəʊn/ s telefono m ● t. book, directory elenco telefonico; t. booth cabina telefonica; t. number numero di telefono

to telephone /ˈtelɪfəʊn/ vt/i telefonare

telephony /tɪˈlefənɪ/ s telefonia f ● cellular t. telefonia cellulare

telescope /ˈtelɪskəʊp/ s telescopio m

television /ˈtelɪˌvɪʒ(ə)n/ s televisione f ● t. set televisore

to tell /tel/ (pass/pp told) vt dire, raccontare ◇ rivelare, divulgare ◇ distinguere, riconoscere ◆ vi avere effetto, farsi sentire ● to t. off rimproverare

teller /ˈtelər/ s (banca) cassiere m

temper /ˈtempər/ s carattere m, umore m ◇ malumore m, collera f ◇ calma f, sangue m freddo

to temper /ˈtempər/ vt temperare, moderare

temperament /ˈtemp(ə)rəmənt/ s temperamento m

temperate /ˈtemp(ə)rɪt/ a temperato

temperature /ˈtempritʃər/ s temperatura f ◇ febbre f

tempest /ˈtempist/ s tempesta f

template /ˈtemplɪt/ s sagoma f

temple (1) /ˈtempl/ s tempio m

temple (2) /ˈtempl/ s (anat) tempia f

temporary /ˈtemp(ə)rərɪ/ a temporaneo, provvisorio ● t. work lavoro interinale

to tempt /tem(p)t/ vt tentare, allettare

tempting /ˈtem(p)tɪŋ/ a invitante, allettante

ten /ten/ a/s dieci m

tenacious /tɪˈneɪʃəs/ a tenace

tenacity /tɪˈnæsɪtɪ/ s tenacia f

tenancy /ˈtenənsɪ/ s locazione f, affitto m

tenant /ˈtenənt/ s inquilino m

to tend (1) /tend/ vt badare a

to tend (2) /tend/ vi tendere

tendency /ˈtendənsɪ/ s tendenza f

tender (1) /ˈtendər/ a tenero, molle, morbido ◇ delicato

tender (2) /ˈtendər/ s (comm) offerta f ◇ valuta f, moneta f

to tender /ˈtendər/ vt offrire

tendon /ˈtendən/ s tendine m

tennis /ˈtenɪs/ s tennis m

tenpin /ˈtenpɪn/ s birillo m ◇ al pl (v al sing) (USA) bowling m

tense (1) /tens/ a teso, tirato

tense (2) /tens/ s (gramm) tempo m

tension /ˈtenʃ(ə)n/ s tensione f

tent /tent/ s tenda f, tendone m ● t.-peg picchetto per tenda

tenth /tenθ/ a/s decimo m

tenuous /ˈtenjʊəs/ a tenue

tepid /ˈtepɪd/ a tiepido

term /tɜːm/ s termine m ◇ (a scuola) trimestre m ◇ (dir) sessione f ◇ al pl condizioni f pl

to term /tɜːm/ vt definire

terminal /ˈtɜːmɪnl/ a terminale, finale ◆ s terminale m, estremità f ◇ capolinea m, (aer) terminal m ◇ (el) morsetto m ◇ (inform) terminale m

to terminate /ˈtɜːmɪneɪt/ vt terminare, porre fine a

terminology /ˌtɜːmɪˈnɒlədʒɪ/ s terminologia f

terminus /ˈtɜːmɪnəs/ s capolinea m

terrace /ˈterəs/ s terrazzo m, terrapieno m ◇ terrazza f ◇ case f pl a schiera

terrain /ˈterɪn/ s terreno m

terrestrial /tɪˈrestrɪəl/ a terrestre

terrible /ˈterəbl/ a terribile, tremendo

terrific /təˈrɪfɪk/ a spaventoso ◇ (fam) fantastico, straordinario

to terrify /ˈterɪfaɪ/ vt terrorizzare

territory /ˈterɪt(ə)rɪ/ s territorio m

terror /'terǝ^r/ s terrore m ◇ (fam) (di bambino) peste f

terrorism /'terǝrız(ǝ)m/ s terrorismo m

test /test/ s esame m, prova f, test m ● t. pilot pilota collaudatore; t. tube provetta

to test /test/ vt esaminare, analizzare, collaudare, sperimentare, testare

testament /'testǝmǝnt/ s testamento m

testicle /'testıkl/ s testicolo m

to testify /'testıfaı/ vt/i testimoniare ◇ dimostrare

testimony /'testımǝnı/ s testimonianza f

testis /'testıs/ (pl testes) s testicolo m

text /tekst/ s testo m ● t. message SMS, messaggino

textbook /'teks(t)bʊk/ s manuale m

than /ðæn/ cong (comparativo) che, di, di quello che (ES: **You are younger t. I am** sei più giovane di me) ◇ (dopo 'other', 'else', 'rather', 'sooner') che (ES: **no other t.** nient'altro che; **rather t.** piuttosto che) ◇ (correlativo di 'hardly', 'scarcely') quando, che (ES: **hardly was your mother gone t. you began crying** tua madre era appena uscita che già iniziavi a piangere)

to thank /θæŋk/ vt ringraziare ● t. you grazie!

thankful /'θæŋkf(ʊ)l/ a riconoscente

thanks /θæŋks/ s pl ringraziamenti m pl ● t. to grazie a

that /ðæt/ (pl those) a quello, quella (ES: **t. pen** quella penna) ◆ pr quello, quella, questo, questa, ciò (ES: **who's t.?** chi è quello?; **what's t.** cos'è quello?) ◆ pr.rel che, il quale, la quale, i quali, le quali (ES: **the book t. I read** il libro che ho letto) ◇ in cui, che (ES: **the day t. Kennedy was murdered** il giorno in cui Kennedy venne assassinato) ◆ cong che (ES: **it was so cold t. we decided to stay at home** faceva così freddo che decidemmo di stare a casa)

to thaw /θɔ:/ vt sgelare, scongelare

the /ðiː/ art il, lo, la, i, gli, le

theatre /'θıǝtǝ^r/ (USA **theater**) s teatro m

theatrical /θı'ætrık(ǝ)l/ a teatrale ◇ melodrammatico

theft /θeft/ s furto m

their /ðeǝ^r/ a.poss il loro, la loro, i loro, le loro

theirs /ðeǝz/ pr.poss il loro, la loro, i loro, le loro

them /ðem, ðǝm/ pr.pers (compl) li, le, loro

theme /θiːm/ s tema m ● water t. park acquapark

themselves /ðǝm'selvz/ pr (rifl) stessi, se stesse, sé, si ◇ (enf) essi stessi, esse stesse, proprio loro

then /ðen/ avv allora, a quel tempo ◇ dopo, poi ◇ allora, in tal caso ◇ anche, poi ◆ cong dunque, allora ● before t. prima di allora; by t. a quel punto, ormai; now and t. di tanto in tanto; what t.? e allora?

thoughtless

theology /θɪˈɒlədʒɪ/ s teologia f

theorem /ˈθɪərəm/ s teorema m

theory /ˈθɪərɪ/ s teoria f

therapy /ˈθerəpɪ/ s terapia f

there /ðeər/ avv là, lì (ES: **where is it? it is it.** dov'è? là) ◊ ci, vi (ES: **it is an apple on the table** c'è una mela sul tavolo) ◆ inter ecco!

thereabout(s) /ˈðeərəˌbaʊt(s)/ avv nei pressi ◊ all'incirca

thereafter /ˌðeərˈɑːftər/ avv da allora in poi, quindi

thereby /ˈðeəbaɪ/ avv con ciò, per mezzo di ciò

therefore /ˈðeəfɔːr/ avv dunque, perciò, quindi

thermal /ˈθɜːm(ə)l/ a termale

thermic /ˈθɜːmɪk/ a termico

thermometer /θəˈmɒmɪtər/ s termometro m

thesaurus /θɪˈsɔːrəs/ s dizionario m dei sinonimi

these /ðiːz/ pl di **this**

thesis /ˈθiːsɪs/ (pl **theses**) s tesi f

they /ðeɪ/ pr.pers essi, esse, loro ● **t. say** si dice

thick /θɪk/ a spesso, denso, folto ◊ ottuso ◆ s il folto m ◆ avv fittamente ◊ a strati spessi

to thicken /ˈθɪk(ə)n/ vt addensare, ispessire, infoltire ◆ vi addensarsi, ispessirsi, infoltirsi ◊ (del tempo) offuscarsi

thicket /ˈθɪkɪt/ s boscaglia f

thickness /ˈθɪknɪs/ s densità f ◊ spessore m

thief /θiːf/ (pl **thieves**) s ladro m

thigh /θaɪ/ s coscia f ● **t. bone** femore m

thimble /ˈθɪmbl/ s ditale m

thin /θɪn/ a sottile, fine ◆ magro rado, poco denso ◊ diluito

to thin /θɪn/ vt assottigliare ◊ diradare, sfoltire ◊ diluire ◆ vi assottigliarsi ◊ diradarsi, sfoltirsi

thing /θɪŋ/ s cosa f

to think /θɪŋk/ (pass/pp **thought**) vt/i pensare ● **to t. about** pensare a; **to t. out** meditare su, escogitare; **to t. over** riflettere; **to t. up** trovare, inventare

third /θɜːd/ a terzo ◆ s terzo m (mus) terza f ◊ (aut) terza f (marcia) ● **t.-rate** di terz'ordine, scadente

thirdly /ˈθɜːdlɪ/ avv in terzo luogo

thirst /θɜːst/ s sete f

thirsty /ˈθɜːstɪ/ a assetato

thirteen /ˌθɜːˈtiːn/ a/s tredici m

thirteenth /ˌθɜːˈtiːnθ/ a/s tredicesimo m

thirtieth /ˈθɜːtɪɪθ/ a/s trentesimo m

thirty /ˈθɜːtɪ/ a/s trenta m

this /ðɪs/ (pl **these**) a questo, questa ◆ pr questo, questa, costui, ciò ◆ avv (fam) così ● **t. evening** stasera; **t. morning** stamattina; **t. night** stanotte; **t. time** stavolta

thorn /θɔːn/ s spina f

thorough /ˈθʌrə/ a minuzioso, profondo ◊ completo, assoluto

thoroughly /ˈθʌrəlɪ/ avv completamente

those /ðəʊz/ pl di **that**

though /ðəʊ/ cong sebbene, benché, malgrado ◆ avv comunque

thought /θɔːt/ s pensiero m

thoughtful /ˈθɔːtf(ʊ)l/ a pensieroso ◊ sollecito, pieno di attenzioni

thoughtless /ˈθɔːtlɪs/ a sconsiderato ◊ noncurante

thousand /ˈθauz(ə)nd/ *a* mille ♦ *s* migliaio *m* ● *by thousands, by the* t. a migliaia

to thrash /θræʃ/ *vt* battere, percuotere ♦ *vi* muoversi ● *to t. about* dimenarsi; *to t. out* chiarire, definire

thread /θred/ *s* filo *m* ◊ *(mecc)* filetto *m*, filettatura *f*

threadbare /ˈθredbɛər/ *a* consumato, logoro

threat /θret/ *s* minaccia *f*

to threaten /ˈθret(ə)n/ *vt/i* minacciare

three /θriː/ *a/s* tre *m*

threshold /ˈθreʃ(h)əuld/ *s* soglia *f*

thrill /θril/ *s* brivido *m*

to thrill /θril/ *vt* eccitare, commuovere ♦ *vi* fremere, rabbrividire, eccitarsi

thrilling /ˈθriliŋ/ *a* elettrizzante, eccitante, sensazionale

to thrive /θraiv/ *(pass* **throve,** *pp* **thriven)** *vi* prosperare, aver fortuna ◊ crescere rigogliosamente

throat /θrəut/ *s* gola *f*

throb /θrɔb/ *s* battito *m,* pulsazione *f* ◊ fremito *m*

throes /θrəuz/ *s pl* doglie *f pl* ◊ spasimi *m pl*

throne /θrəun/ *s* trono *m*

to throng /θrɔŋ/ *vt/i* affollare, affollarsi

to throttle /ˈθrɔtl/ *vt* strangolare

through (1) /θruː/ *avv* attraverso, da parte a parte ◊ da cima a fondo ◊ direttamente ♦ *prep (moto per luogo)* attraverso, per ◊ *(tempo)* durante, per la durata di, per ◊ *(mezzo)* mediante, per mezzo di ◊ *(causa)* a causa di, per

through (2) /θruː/ *a* finito, chiuso ◊ diretto

throughout /θruːˈaut/ *avv* da parte a parte, dal principio alla fine, completamente ♦ *prep* in tutto, per tutto, durante tutto

throw /θrəu/ *s* lancio *m,* tiro *m*

to throw /θrəu/ *(pass* **threw,** *pp* **thrown)** *vt* buttare, lanciare, scagliare ◊ abbattere, disarcionare ◊ confondere, imbarazzare ● *to t. away* gettare via; *to t. off* sgliersi, disfarsi di; *to t. out* buttar via, respingere; *to t. up* abbandonare, vomitare

thrust /θrʌst/ *s* spinta *f*

to thrust /θrʌst/ *(pass/pp* **thrust)** *vt* spingere, ficcare ◊ conficcare, piantare ♦ *vi* ficcarsi, infilarsi, farsi largo ◊ spingersi ● *to t. through* trafiggere

thud /θʌd/ *s* tonfo *m*

thumb /θʌmb/ *s* pollice *m*

to thumb /θʌmb/ *vt (pagine)* sfogliare ◊ lasciare ditate su ◊ strimpellare ● *to t. a lift* fare l'autostop

thump /θʌmp/ *s* botta *f,* colpo *m* ◊ tonfo *m*

to thump /θʌmp/ *vt* battere, picchiare ♦ *vi* menare colpi ◊ cadere con un tonfo

thunder /ˈθʌndər/ *s* tuono *m*

thunderbolt /ˈθʌndəbəult/ *s* fulmine *m*

thunderstorm /ˈθʌndəstɔː/ *s* temporale *m*

Thursday /ˈθəːzdi/ *s* giovedì *m*

thus /ðʌs/ *avv* così, pertanto, quindi ◊ fino a questo punto ● *t. far* fin qui, finora

to thwart /θwɔːt/ *vt* ostacolare

thyme /taɪm/ *s* (*bot*) timo *m*

thyroid /ˈθaɪrɔɪd/ *s* tiroide *f*

tibia /ˈtɪbɪə/ *s* tibia *f*

tick /tɪk/ *s* ticchettio *m*, tic tac *m* ◇ attimo *m* ◇ visto *m*, segno *m*

to tick /tɪk/ *vi* ticchettare, fare tic tac ◇ funzionare ◆ *vt* segnare, spuntare ● *to* t. *off* sgridare, fare arrabbiare, infastidire; *to* t. *over* perdere colpi, tirare avanti

ticket /ˈtɪkɪt/ *s* biglietto *m*, tessera *f* ◇ scontrino *m*, cartellino *m* ● *one-way* t. biglietto di sola andata; *return* t. biglietto di andata e ritorno; *t. collector* (*in treno*) biglietttaio, (*sui mezzi pubblici*) controllore; *t. window* sportello della biglietteria

to tickle /ˈtɪkl/ *vt* solleticare ◇ stuzzicare, stimolare

tide /taɪd/ *s* marea *f* ◇ corso *m*, corrente *f* ● *high/low* t. alta/bassa marea

tidy /ˈtaɪdɪ/ *a* ordinato, pulito

to tidy /ˈtaɪdɪ/ *vt* riordinare ● *to* t. *out* sgombrare; *to* t. *up* riordinare

tie /taɪ/ *s* laccio *m*, stringa *f* ◇ cravatta *f* ◇ legame *m*, vincolo *m* ◇ (*sport*) pareggio *m*, spareggio *m*

to tie /taɪ/ *vt* legare, annodare ◇ pareggiare, uguagliare ◆ *vi* essere allacciato ◇ pareggiare ● *to* t. *down* legare, vincolare; *to* t. *up* legare, collegare, impegnare, vincolare

tier /tɪə/ *s* fila *f*, ordine *m*, strato *m*

tiger /ˈtaɪgə/ *s* tigre *f*

tight /taɪt/ *a* teso, tirato ◇ stretto, aderente ◇ fermo, saldo, ben fissato ◇ ermetico, stagno ◇ severo, fermo, difficile ◇ scarso ◇ avaro, tirchio ◇ (*fam*) sbronzo ◆ *avv* strettamente ◇ fermamente ◇ completamente

to tighten /ˈtaɪtn/ *vt* stringere, serrare ◇ tendere, tirare

tightfisted /ˈtaɪtˈfɪstɪd/ *a* avaro, tirchio

tightly /ˈtaɪtlɪ/ *avv* strettamente

tights /taɪts/ *s pl* collant *m* ◇ calzamaglia *f*

tile /taɪl/ *s* piastrella *f* ◇ tegola *f*

till (1) /tɪl/ *cong* finché, fino a che non ◆ *prep* fino a ● *not* t. non prima di; *t. now* finora

till (2) /tɪl/ *s* cassa *f* ● *cash* t. registratore di cassa

tilt /tɪlt/ *s* copertone *m*, telone *m*

to tilt /tɪlt/ *vi* inclinarsi, piegarsi ◇ (*stor*) giostrare ◆ *vt* inclinare, piegare ● *to* t. *up* rovesciare

timbal /ˈtɪmb(ə)l/ *s* (*mus*) timballo *m*, timpano *m*

timber /ˈtɪmbə/ *s* legname *m*

timbre /ˈtɪmbə/ *s* (*di voce*) timbro *m*

time /taɪm/ *s* tempo *m* ◇ momento *m*, ora *f* ◇ periodo *m*, epoca *f* ◇ volta *f* ◇ ora *f*, orario *m* (ES: **what t. is it?** che ora è?) ● *at any* t. in qualunque momento; *at no* t. mai, in nessuna occasione; *at the same* t. contemporaneamente, nello stesso momento; *at times* talvolta, a volte; *from* t. *to* t. di tanto in tanto; *in good* t. per tempo; *next* t. la prossima volta; *on* t. puntuale, in orario; *opening* t. ora d'apertura; *t. off* periodo di permesso, periodo di riposo

to time /taɪm/ *vt* fare al momento giusto ◇ determinare i tempi, l'orario ◇ sincronizzare ◇ cronometrare

timeless /ˈtaɪmlɪs/ *a* senza tempo, eterno

timeliness /ˈtaɪmlɪnɪs/ *s* tempestività *f*

timely /ˈtaɪmlɪ/ *a* tempestivo

timer /ˈtaɪmər/ *s* cronometro *m* ◇ timer *m*

timetable /ˈtaɪmteɪbl/ *s* (ferr) orario *m*

timid /ˈtɪmɪd/ *a* timido, timoroso

timing /ˈtaɪmɪŋ/ *s* sincronizzazione *f* ◇ tempismo *m*

tin /tɪn/ *s* (chim) stagno *m* ◇ latta *f*, lamiera *f* ◇ lattina *f*, barattolo *m* ● *t. opener* apriscatole

tinfoil /ˈtɪnfɔɪl/ *s* stagnola *f*

tinge /tɪn(d)ʒ/ *s* sfumatura *f* ◇ (fig) traccia *f*

to tingle /ˈtɪŋgl/ *vi* pizzicare, formicolare

to tinkle /ˈtɪŋkl/ *vi* tintinnare

tinned /tɪnd/ *a* in scatola

tint /tɪnt/ *s* colore *m*, sfumatura *f*

tiny /ˈtaɪnɪ/ *a* minuscolo, piccino

tip (1) /tɪp/ *s* punta *f*, estremità *f*

tip (2) /tɪp/ *s* inclinazione *f* ◇ deposito *m*, discarica *f*

tip (3) /tɪp/ *s* colpetto *m*, tocco *m*

tip (4) /tɪp/ *s* mancia *f* ◇ informazione *f* riservata, soffiata *f*

to tip (1) /tɪp/ *vt* versare, rovesciare, scaricare ● *to t. up* ribaltare

to tip (2) /tɪp/ *vt* colpire leggermente

to tip (3) /tɪp/ *vt* dare la mancia a ◇

avvertire, informare ● *to t. off* passare una soffiata

tiptoe /ˈtɪptəʊ/ *avv* **on t.** in punta di piedi

tiptop /ˌtɪpˈtɒp/ *a* (fam) eccellente

tire /taɪər/ *s* (USA) → tyre

to tire /taɪər/ *vt/i* stancare, stancarsi

tired /taɪəd/ *a* stanco ◇ annoiato, infastidito ● *to get t.* affaticarsi

tiresome /ˈtaɪəsəm/ *a* noioso, seccante

tiring /ˈtaɪərɪŋ/ *a* faticoso

tissue /ˈtɪsjuː/ *s* tessuto *m* ◇ fazzoletto *m* di carta ● *t. paper* velina

titbit /ˈtɪtbɪt/ *s* golosità *f*, leccornia *f* ◇ notizia *f* ghiotta

title /ˈtaɪtl/ *s* titolo *m* ● *t. deed* titolo di proprietà; *t. page* frontespizio

to titter /ˈtɪtər/ *vi* ridacchiare

to (1) /tuː, tu, tə/ *prep* (termine, destinazione) a, verso, per (ES: **I will send a letter to you** ti manderò una lettera) ◇ (moto a luogo) in, a, verso (ES: **to go to school** andare a scuola) ◇ (confronto, relazione, preferenza) a, in confronto a, per (ES: **three sets to one** tre set a uno)

to (2) /tuː, tu, tə/ *particella preposta all'inf del v* (idiom) (ES: **to be** essere; **I want to stay** voglio rimanere) ◇ di, da, per, a (ES: **is there anything to do?** c'è qualcosa da fare?)

toad /təʊd/ *s* rospo *m*

toast (1) /təʊst/ *s* (cuc) pane *m* tostato

toast (2) /təʊst/ *s* brindisi *m*

to toast (1) /təʊst/ *vt* (*cuc*) abbrustolire, tostare

to toast (2) /təʊst/ *vi* brindare

tobacco /təˈbækəʊ/ *s* tabacco *m*

today /təˈdeɪ/ *s/avv* oggi *m*

toe /təʊ/ *s* (*del piede*) dito *m* ◇ punta *f*

toenail /ˈtəʊneɪl/ *s* (*del piede*) unghia *f*

toffee /ˈtɒfɪ/ *s* caramella *f* morbida, toffee *f/m*

together /təˈɡeðə/ *avv* insieme ◇ contemporaneamente ◇ di seguito

toil /tɔɪl/ *s* fatica *f*

to toil /tɔɪl/ *vi* affaticarsi

toilet /ˈtɔɪlɪt/ *s* gabinetto *m*, toilette *f* ◇ toletta *f* ◆ *t. case* necessaire; *t. paper* carta igienica

token /ˈtəʊkən/ *s* segno *m*, simbolo *m* ◇ pegno *m* ◇ contrassegno *m*, gettone *m* ◇ buono *m*

tolerance /ˈtɒlərəns/ *s* tolleranza *f*

tolerant /ˈtɒlərənt/ *a* tollerante

to tolerate /ˈtɒləreɪt/ *vt* tollerare

toll (1) /təʊl/ *s* pedaggio *m* ◇ tributo *m*, costo *m* ◆ *t.-free number* (*USA*) numero verde

toll (2) /təʊl/ *s* rintocco *m*

tomato /təˈmɑːtəʊ/ *s* pomodoro *m*

tomb /tuːm/ *s* tomba *f*, sepolcro *m*

tomboy /ˈtɒmbɔɪ/ *s* maschiaccio *m*

tombstone /ˈtuːmstəʊn/ *s* lapide *f*

tomcat /ˈtɒmˌkæt/ *s* gatto *m* maschio ◇ donnaiolo *m*

tome /təʊm/ *s* tomo *m*

tomorrow /təˈmɒrəʊ/ *s/avv* domani *m* ◆ *the day after t.* dopodomani

ton /tʌn/ *s* tonnellata *f*

tonality /təʊˈnælɪtɪ/ *s* tonalità *f*

tone /təʊn/ *s* tono *m*

to tone /təʊn/ *vt* dare il tono a, intonare ◆ *vi* intonarsi ◆ *to t. down* attenuare; *to t. up* tonificare

tongs /tɒŋz/ *s pl* pinze *f pl*

tongue /tʌŋ/ *s* lingua *f* ◆ *t. twister* scioglilingua

tonic /ˈtɒnɪk/ *a* tonico, tonificante ◆ *s* tonico *m*, ricostituente *m* ◇ (*mus*) tonica *f* ◆ *t. water* acqua tonica

tonight /təˈnaɪt/ *avv* stasera, stanotte ◆ *s* questa sera *f*, questa notte *f*

tonnage /ˈtʌnɪdʒ/ *s* tonnellaggio *m*

tonsil /ˈtɒnsl/ *s* tonsilla *f*

too /tuː/ *avv* anche, pure ◇ per di più, per giunta ◇ troppo ◆ *t. bad* che peccato!; *t. many* troppi; *t. much* troppo

tool /tuːl/ *s* attrezzo *m*, strumento *m*, utensile *m*

tooth /tuːθ/ (*pl* **teeth**) *s* dente *m*

toothache /ˈtuːθˌeɪk/ *s* mal *m* di denti

toothpaste /ˈtuːθpeɪst/ *s* dentifricio *m*

toothpick /ˈtuːθpɪk/ *s* stuzzicadenti *m*

top (1) /tɒp/ *s* cima *f*, vetta *f*, sommità *f* ◇ parte *f* superiore ◇ tappo *m*, coperchio *m* ◆ *a* superiore, massimo, il più alto ◆ *t. floor* ultimo piano; *t. level* massimo livello

top (2) /tɒp/ *s* trottola *f*

topaz /ˈtəʊpæz/ *s* topazio *m*

topic /ˈtɒpɪk/ *s* argomento *m*, tema *m*

topmost /ˈtɒpməʊst/ *a* il più elevato

to topple /ˈtɒpl/ *vi* crollare, cadere

◇ traballare, vacillare ◆ *vt* far cadere, rovesciare

topsy-turvy /ˌtɒpsɪˈtɜːvɪ/ *avv/a* sottosopra

torch /tɔːtʃ/ *s* torcia *f*, fiaccola *f* ◇ torcia *f* elettrica, pila *f* tascabile

to torment /tɔːˈmɛnt/ *vt* tormentare

torpedo /tɔːˈpiːdəʊ/ *s* (*zool*) torpedine *f* ◇ siluro *m*

torpor /ˈtɔːpə/ *s* torpore *m*

torrent /ˈtɒr(ə)nt/ *s* torrente *m*

torrid /ˈtɒrɪd/ *a* torrido

torsion /ˈtɔːʃ(ə)n/ *s* torsione *f*

tortoise /ˈtɔːtəs/ *s* testuggine *f*

tortuous /ˈtɔːtjʊəs/ *a* tortuoso

torture /ˈtɔːtʃə/ *s* tortura *f*

to torture /ˈtɔːtʃə/ *vt* torturare

Tory /ˈtɔːrɪ/ *a/s* conservatore *m*

to toss /tɒs/ *vt* gettare, lanciare ◇ sballottare, scuotere ◆ *vi* lanciare una moneta, fare a testa o croce ◇ agitarsi ● *to t. off* tracannare

total /ˈtəʊtl/ *a/s* totale *m*

to totter /ˈtɒtə/ *vi* barcollare, vacillare

touch /tʌtʃ/ *s* tocco *m*, colpetto *m* ◇ tatto *m* ◇ contatto *m*, relazione *f* ◇ tocco *m*, modo *m*, impronta *f* ◇ pizzico *m*, piccola quantità *f* ● *t. up* ritocco

to touch /tʌtʃ/ *vt* toccare ◇ riguardare, concernere ◇ raggiungere ◇ essere in contatto ◇ commuovere ◆ *vi* toccarsi ● *to t. down* atterrare; *to t. on* sfiorare; *to t. up* ritoccare

touch-and-go /ˌtʌtʃənˈgəʊ/ *a* incerto, rischioso

touched /tʌtʃt/ *a* commosso

touchy /ˈtʌtʃɪ/ *a* permaloso

tough /tʌf/ *a* duro, coriaceo ◇ forte, robusto ◇ difficile

to toughen /ˈtʌfn/ *vt/i* indurire, indurirsi

tour /tʊə/ *s* giro *m*, viaggio *m*, escursione *f* ◇ tournée *f* ● *t. operator* operatore turistico, tour operator

to tour /tʊə/ *vi* viaggiare, girare

touring /ˈtʊərɪŋ/ *a* turistico ◆ *s* turismo *m*, escursionismo *m*

tourism /ˈtʊərɪz(ə)m/ *s* turismo *m*

tourist /ˈtʊərɪst/ *s* turista *m/f* ◆ *a* turistico ● *t. class* classe turistica; *t. office* ufficio turistico

tournament /ˈtʊənəmənt/ *s* torneo *m*

to tout /taʊt/ *vi* fare il procacciatore, cercare clienti ◇ fare il bagarinaggio

tow /təʊ/ *s* rimorchio *m* ● *t. truck* carro attrezzi

to tow /təʊ/ *vt* rimorchiare, trainare

toward(s) /təˈwɔːd(z)/ *prep* verso, in direzione di ◇ nei confronti di ◇ verso, circa ◇ in previsione di

towel /ˈtaʊəl/ *s* asciugamano *m* ● *t. rack* portasciugamani

tower /ˈtaʊə/ *s* torre *f* ◇ (*inform*) tower *f* ● *t. block* palazzo a molti piani

town /taʊn/ *s* città *f* ◇ cittadinanza *f* ● *t. council* consiglio comunale; *t. hall* municipio; *t. planning* urbanistica

toxic /ˈtɒksɪk/ *a* tossico

toxin /ˈtɒksɪn/ *s* tossina *f*

toy /tɔɪ/ *s* giocattolo *m* ● *t. soldier* soldatino

to toy /tɔɪ/ *vi* giocherellare, trastullarsi

trace /treɪs/ *s* traccia *f*, orma *f* ◇ residuo *m* ◇ tracciato *m*

to trace /treɪs/ *vt* tracciare ◇ seguire le tracce di ◇ rintracciare

trachea /trəˈkiː(ə)/ *s* trachea *f*

track /træk/ *s* traccia *f*, impronta *f* ◇ pista *f*, sentiero *m* ◇ binario *m* ● *to be on the right t.* essere sulla strada giusta

to track /træk/ *vt* inseguire ◇ (*un sentiero*) percorrere, (*una pista*) seguire ● *to t. down* scovare; *to t. out* rintracciare

tract (1) /trækt/ *s* tratto *m*, distesa *f* ◇ (*anat*) tratto *m*

tract (2) /trækt/ *s* trattato *m*, opuscolo *m*

traction /ˈtrækʃ(ə)n/ *s* trazione *f*

tractor /ˈtræktə/ *s* trattore *m*

trade /treɪd/ *s* commercio *m*, scambio *m* ◇ industria *f*, settore *m* ◇ mestiere *m*, occupazione *f* ◆ *a* commerciale ● *free t.* libero scambio; *t. mark* marchio registrato; *t. name* nome depositato; *t. union* sindacato; *t. winds* alisei

to trade /treɪd/ *vt* scambiare ◇ commerciare ◆ *vi* trafficare, commerciare ● *to t. in* dar dentro (*l'usato*); *to t. off* controbilanciare

trader /ˈtreɪdə/ *s* commerciante *m/f*, mercante *m*

tradition /trəˈdɪʃ(ə)n/ *s* tradizione *f*

traffic /ˈtræfɪk/ *s* traffico *m* ◇ circolazione *f* ● *t. divider* spartitraffico; *t. jam* ingorgo stradale; *t. light* semaforo

tragedy /ˈtrædʒɪdɪ/ *s* dramma *m*, tragedia *f*

tragic /ˈtrædʒɪk/ *a* tragico

trail /treɪl/ *s* traccia *f*, orma *f* ◇ pista *f* ◇ scia *f*

to trail /treɪl/ *vt* trascinare, tirarsi dietro ◆ *vi* inseguire ◇ strisciare ◇ seguire le tracce ◇ (*di pianta*) arrampicarsi

trailer /ˈtreɪlə/ *s* rimorchio *m* ◇ (*USA*) roulotte *f* ◇ (*cin*) trailer *m*

train /treɪn/ *s* treno *m* ◇ strascico *m*, coda *f*, scia *f* ◇ corteo *m* ◇ serie *f*, successione *f* ● *express, fast t.* espresso; *slow t.* locale; *through t.* diretto

to train /treɪn/ *vt* allenare, addestrare ◇ formare ◇ puntare, orientare ◆ *vi* esercitarsi, allenarsi

trained /treɪnd/ *a* esperto, qualificato ◇ ammaestrato

trainer /ˈtreɪnə/ *s* allenatore *m*, istruttore *m* ◇ *al pl* scarpe *f pl* da ginnastica

trait /treɪ/ *s* tratto *m* saliente

traitor /ˈtreɪtə/ *s* traditore *m*

tram /træm/ *s* tram *m*

tramp /træmp/ *s* vagabondo *m* ◇ scarpinata *f* ◇ (*fam*) sgualdrina *f*

to trample /ˈtræmpl/ *vt* camminare su, calpestare

tranquil /ˈtræŋkwɪl/ *a* tranquillo

tranquillity /træŋˈkwɪlɪtɪ/ *s* tranquillità *f*

transaction /trænˈzækʃ(ə)n/ *s* transazione *f*

transatlantic /ˌtrænzətˈlæntɪk/ *a* transatlantico

to transcribe /trænsˈkraɪb/ *vt* trascrivere

transcript /ˈtrænskrɪpt/ s trascrizione f

to transfer /trænsˈfɜː/ vt trasferire

to transform /trænsˈfɔːm/ vt/i trasformare, trasformarsi

transgression /trænsˈgreʃ(ə)n/ s trasgressione f

transiency /ˈtrænzɪənsɪ/ s transitorietà f

transistor /trænˈsɪstə/ s transistor m

transit /ˈtrænsɪt/ s transito m, passaggio m

transitive /ˈtrænsɪtɪv/ a (gramm) transitivo

transitory /ˈtrænsɪt(ə)rɪ/ a passeggero

to translate /trænsˈleɪt/ vt tradurre

translation /trænsˈleɪʃ(ə)n/ s traduzione f

transmission /trænzˈmɪʃ(ə)n/ s trasmissione f

to transmit /trænzˈmɪt/ vt trasmettere

transparency /trænsˈpeərənsɪ/ s trasparenza f ◇ diapositiva f

transparent /trænsˈpeər(ə)nt/ a trasparente

to transpire /trænsˈpaɪə/ vi traspirare ◇ trapelare ◇ (fam) accadere

to transplant /trænsˈplɑːnt/ vt trapiantare

transplantation /ˌtrænsplɑːnˈteɪʃ(ə)n/ s trapianto m

transport /ˈtrænspɔːt/ s trasporto m ◇ mezzo m di trasporto

to transport /trænsˈpɔːt/ vt trasportare

transsexual /trænˈsekʃʊəl/ a/s transessuale m/f

transvestite /trænzˈvestaɪt/ s travestito m

trap /træp/ s trappola f ◇ tranello m ◇ (fam) bocca f

to trap /træp/ vt prendere in trappola, intrappolare

trap-door /ˈtræpdɔː/ s botola f

trapeze /trəˈpiːz/ s trapezio m

trapezium /trəˈpiːzɪəm/ s (pl trapezia) s (geom) trapezio m

trash /træʃ/ s ciarpame m, robaccia f ◇ (USA) immondizie f pl ◇ porcheria f ◇ sciocchezza f

trauma /ˈtrɔːmə/ s trauma m

travel /ˈtrævl/ s il viaggiare, viaggi m pl ● t. agency agenzia di viaggi

to travel /ˈtrævl/ vi viaggiare ♦ vt attraversare, percorrere

traveller /ˈtrævlə/ s viaggiatore m ● t.'s cheque traveller's chèque

travelling /ˈtrævlɪŋ/ a viaggiante ◇ da viaggio, di viaggio

tray /treɪ/ s vassoio m ◇ bacinella f

treacherous /ˈtretʃ(ə)rəs/ a sleale, infido

treachery /ˈtretʃ(ə)rɪ/ s tradimento m, slealtà f

tread /tred/ s passo m ◇ (di scalino) pedata f ◇ battistrada m

to tread /tred/ (pass trod, pp trodden) vt calpestare ◇ percorrere ♦ vi camminare, procedere

treason /ˈtriːz(ə)n/ s tradimento m

treasure /ˈtreʒə/ s tesoro m

to treasure /ˈtreʒə/ vt tenere in gran conto, apprezzare molto ◇ ricordare con tenerezza ◇ accumulare

treat /triːt/ s intrattenimento m, festa f ◇ piacere, gioia ● it's my t. offro io

to treat /triːt/ *vt* trattare ◇ curare ◇ offrire ♦ *vi* trattare, negoziare ◇ trattare, discutere ● *to t. sb to st* offrire qc a qn

treatment /ˈtriːtmənt/ *s* trattamento *m*, cura *f*

treaty /ˈtriːtɪ/ *s* trattato *m*, accordo *m*

treble /trebl/ *a/s* triplo *m*

to treble /trebl/ *vt/i* triplicare, triplicarsi

tree /triː/ *s* albero *m*, arbusto *m*

trek /trek/ *s* migrazione *f*, spedizione *f* ◇ percorso *m* accidentato ◇ trekking *m*

trellis /ˈtrelɪs/ *s* traliccio *m*

tremble /trembl/ *s* tremito *m*

to tremble /trembl/ *vi* tremare

trembling /ˈtremblɪŋ/ *a* tremante ♦ *s* tremito *m*

tremendous /trɪˈmendəs/ *a* formidabile, straordinario ◇ tremendo, terribile

tremor /ˈtremər/ *s* tremore *m*, tremito *m* ◇ *(di terremoto)* scossa *f*

trench /tren(t)f/ *s* fosso *m* ◇ trincea *f*

trend /trend/ *s* direzione *f* ◇ andamento *m*, orientamento *m* ◇ moda *f*, tendenza *f*

trendy /ˈtrendɪ/ *a* di moda

to trespass /ˈtrespəs/ *vi* trasgredire ◇ introdursi abusivamente

trestle /tresl/ *s* cavalletto *m* ◇ traliccio *m*

trial /ˈtraɪ(ə)l/ *s* (*dir*) giudizio *m*, processo *m* ◇ esperimento *m*, prova *f* ◇ collaudo *m* ◇ sofferenza *f*, fastidio *m*

triangle /ˈtraɪæŋgl/ *s* triangolo *m*

tribe /traɪb/ *s* tribù *f*

tribunal /traɪˈbjuːnl/ *s* tribunale *m*

tribune /ˈtrɪbjuːn/ *s* tribuna *f*

trice /traɪs/ *s* attimo *m*

trick /trɪk/ *s* trucco *m*, stratagemma *m* ◇ scherzo *m*, raggiro *m*, inganno *m* ● *card t.* gioco di prestigio con le carte

to trick /trɪk/ *vt* ingannare, raggirare

to trickle /ˈtrɪkl/ *vi* gocciolare

tricky /ˈtrɪkɪ/ *a* scaltro ◇ complicato

tricycle /ˈtraɪsɪkl/ *s* triciclo *m*

trifle /traɪfl/ *s* inezia *f*, sciocchezza *f*

trifling /ˈtraɪflɪŋ/ *a* irrilevante

trigger /ˈtrɪgər/ *s* grilletto *m*

trill /trɪl/ *s* trillo *m*

trim /trɪm/ *a* ordinato ◇ svelto ♦ *s* ordine *m*, disposizione *f* ◇ assetto *m* ◇ taglio *m*, spuntata *f*

to trim /trɪm/ *vt* ordinare ◇ regolare ◇ potare ◇ spuntare ◇ guarnire

trinity /ˈtrɪnɪtɪ/ *s* trinità *f*

trinket /ˈtrɪŋkɪt/ *s* gingillo *m*, ciondolo *m*

trip /trɪp/ *s* gita *f*, viaggio *m*, escursione *f* ◇ passo *m* falso, sgambetto *m* ◇ viaggio *m*, trip *m* ◇ (*fam*) sballo *m*

to trip /trɪp/ *vi* inciampare ◇ fare un passo falso ◇ farsi un trip ♦ *vt* far inciampare, fare lo sgambetto

triple /ˈtrɪpl/ *a* triplo

to triplicate /ˈtrɪplɪkeɪt/ *vt* triplicare

trite /traɪt/ *a* trito, banale

to triumph /ˈtraɪəmf/ *vi* trionfare

trivial /'trɪvɪəl/ *a* insignificante, banale

trolley /'trɒlɪ/ *s* carrello *m* ● *t.* **car** tram; *t.-bus* filobus

troop /truːp/ *s* truppa *f*, gruppo *m* ◇ squadrone *m* di cavalleria ◇ *al pl* truppe *f pl*

trophy /'trəʊfɪ/ *s* trofeo *m*, cimelio *m*

tropic /'trɒpɪk/ *s* tropico *m*

to trot /trɒt/ *vi* trottare

trouble /'trʌbl/ *s* guaio *m*, pasticcio *m* ◇ disturbo *m*, seccatura *f* ◇ difficoltà *f*, preoccupazione *f*, pena *f* ◇ (*tecn*) guasto *m*, anomalia *f* ● *to get out of t.* tirarsi fuori dai guai; *t.* **shooting** ricerca ed eliminazione dei guasti

to trouble /'trʌbl/ *vt* disturbare ◆ affliggere ◆ *vi* disturbarsi ◇ preoccuparsi, affliggersi

troublesome /'trʌblsəm/ *a* fastidioso

trousers /'traʊzəz/ *s pl* pantaloni *m pl*

trout /traʊt/ *s* trota *f*

truce /truːs/ *s* tregua *f*

truck (1) /trʌk/ *s* camion *m* ● *t.* **driver** camionista

truck (2) /trʌk/ *s* scambio *m* ◇ rapporto *m*, relazione *f*

true /truː/ *a* vero, esatto ◇ reale, autentico ◇ preciso, accurato ◇ puro, genuino ◆ *avv* esattamente, precisamente ● *t.-to-life* realistico

truffle /'trʌfl/ *s* tartufo *m*

trumpet /'trʌmpɪt/ *s* tromba *f*

truncheon /'trʌn(t)ʃ(ə)n/ *s* sfollagente *m*

trunk /trʌŋk/ *s* tronco *m*, busto *m* ◇

(*d'albero*) tronco *m* ◇ proboscide *f* ◇ tratto *m* ◇ baule *m* ◇ *al pl* calzoni *m pl* corti ◇ (*aut*) bagagliaio *m*

truss /trʌs/ *s* travatura *f* ◇ fascio *m* ◇ (*med*) cinto *m* erniario

trust /trʌst/ *s* fiducia *f*, fede *f* ◇ credito *m* ◇ amministrazione *f* fiduciaria ◇ trust *m*

to trust /trʌst/ *vt* fidarsi di, aver fiducia in ◇ sperare ◇ far credito a ◆ *vi* fidarsi, confidare ◇ sperare ◇ far credito

trustee /trʌs'tiː/ *s* amministratore *m* fiduciario, curatore *m* ◇ amministratore *m*

trustful /'trʌstf(ʊ)l/ *a* fiducioso

trustworthy /'trʌst,wɜːðɪ/ *a* fidato

truth /truːθ/ *s* verità *f*

truthful /'truːθf(ʊ)l/ *a* vero ◇ sincero

try /traɪ/ *s* prova *f*, tentativo *m*

to try /traɪ/ *vt* provare, tentare ◇ assaggiare ◇ mettere alla prova ◇ collaudare ◇ (*dir*) processare, giudicare ◆ *vi* provare, tentare ● *to t.* **for** cercare di ottenere; *to t.* **on** (*un vestito*) provare; *to t.* **out** collaudare

trying /'traɪɪŋ/ *a* duro, difficile

tsar /zɑː/ *s* zar *m*

tub /tʌb/ *s* tinozza *f* ◇ (*USA*) vasca *f* da bagno

tube /tjuːb/ *s* tubo *m* ◇ tubetto *m*, provetta *f* ◇ (*fam*) metropolitana *f*

tuber /'tjuːbə/ *s* tubero *m*

tuck /tʌk/ *s* piega *f* ◇ (*pop*) dolci *m pl*, merendine *f pl*

to tuck /tʌk/ *vt* piegare ◇ riporre ◇ mettere, infilare ● *to t.* **away**

riporre, nascondere; *to t. in*, *up* rimboccare; *to t. into* ingozzarsi

Tuesday /'tjuːzdɪ/ *s* martedì *m* ● *Shrove T.* martedì grasso

tuft /tʌft/ *s* ciuffo *m*

to tug /tʌɡ/ *vt* tirare, strappare ◇ (*naut*) rimorchiare

tuition /tjuː(ː)'ɪʃ(ə)n/ *s* istruzione *f* ◇ tasse *f pl* scolastiche

tulip /'tjuːlɪp/ *s* tulipano *m*

tumble /'tʌmbl/ *s* capitombolo *m* ◇ crollo *m*, caduta *f*

to tumble /'tʌmbl/ *vi* ruzzolare, cascare ◇ agitarsi ◇ gettarsi, precipitarsi ● *to t. down* crollare

tumbler /'tʌmblə*r*/ *s* acrobata *m/f* ◇ bicchiere *m* (*senza piede*)

tumour /'tjuːmə*r*/ (*USA* **tumor**) *s* tumore *m*

tuna /'tjuːnə/ *s* tonno *m*

tune /tjuːn/ *s* tono *m* ◇ melodia *f*, aria *f* ◇ (*radio, TV*) sintonia *f* ● *in t.* intonato; *out of t.* stonato

to tune /tjuːn/ *vt* accordare ◇ mettere a punto ◇ sintonizzare ● *to t. in* sintonizzarsi; *to t. up* accordarsi, armonizzarsi

tuner /'tjuːnə*r*/ *s* accordatore *m* ◇ sintonizzatore *m*

tunic /'tjuːnɪk/ *s* tunica *f*

tunny /'tʌnɪ/ *s* tonno *m*

turban /'tɜːbən/ *s* turbante *m*

turbine /'tɜːbɪn/ *s* turbina *f*

turbulence /'tɜːbjʊləns/ *s* turbolenza *f*

turf /tɜːf/ *s* zolla *f*, tappeto *m* erboso

Turk /tɜːk/ *s* turco *m*

turkey /'tɜːkɪ/ *s* tacchino *m*

Turkish /'tɜːkɪʃ/ *a* turco ◆ *s* (*lingua*) turco *m*

turmoil /'tɜːmɔɪl/ *s* tumulto *m*, agitazione *f*

turn /tɜːn/ *s* giro *m* ◇ curva *f*, svolta *f*, cambiamento *m* di direzione ◇ turno *m* ◇ attitudine *f*, disposizione *f* ◇ numero *m*, esibizione *f* ● *in t.* a turno; *t.-off* svincolo; *t.-out* partecipazione

to turn /tɜːn/ *vt* girare, curvare, voltare ◇ rivolgere, dirigere ◇ rovesciare ◆ *vi* girare, girarsi ◇ dirigersi, rivolgersi ◇ trasformarsi, diventare ◇ andare a male ● *to t. about* fare dietrofront; *to t. against* rivoltarsi contro; *to t. away* girarsi, respingere; *to t. back* tornare indietro; *to t. down* abbassare, ripiegare; *to t. from* distogliere, sviare; *to t. in* restituire, ripiegarsi, andare a letto; *to t. into* trasformarsi in, diventare; *to t. off* spegnere; *to t. on* accendere, eccitare; *to t. out* spegnere, mettere alla porta, rovesciare; *to t. over* girarsi, cappottare; *to t. up* saltar fuori, sopraggiungere, rialzare

turning /'tɜːnɪŋ/ *s* giro *m* ◇ curva *f*, svolta *f* ◇ sterzata *f*

turnip /'tɜːnɪp/ *s* rapa *f* ● *t. tops* cime di rapa

turnover /'tɜːnˌəʊvə*r*/ *s* rovesciamento *m* ◇ giro *m* d'affari ◇ turnover *m*, ricambio *m*

turpentine /'tɜːp(ə)ntaɪn/ *s* trementina *f*

turquoise /'tɜːkwɔːz/ *s* turchese *m*

turret /'tʌrɪt/ *s* torretta *f*

turtle /'tɜːtl/ *s* tartaruga *f*

tusk /tʌsk/ *s* zanna *f*

tutor /'tjuːtə*r*/ *s* precettore *m* ◇ professore *m*, assistente *m/f*, tutor *m/f*

tutorial /tjuːˈtɔːrɪəl/ *s* seminario *m*

TV /ˈtiːˈviː/ *s* TV *f*, televisione *f*

twang /twæŋ/ *s* vibrazione *f* ◇ suono *m* nasale

tweezers /ˈtwiːzəz/ *s pl* pinzette *f pl*

twelfth /twelfθ/ *a/s* dodicesimo *m*

twelve /twelv/ *a/s* dodici *m*

twentieth /ˈtwentiɪθ/ *a/s* ventesimo *m*

twenty /ˈtwenti/ *a/s* venti *m*

twice /twais/ *avv* due volte

to twiddle /ˈtwidl/ *vt* far girare tra le dita ◆ *vi* giocherellare

to twig /twig/ *vt* capire, afferrare

twilight /ˈtwailait/ *s* crepuscolo *m*

twin /twin/ *a/s* gemello *m* ● *t. beds* letti gemelli

twine /twain/ *s* spago *m* ◇ garbuglio *m*

to twine /twain/ *vt/i* torcere, attorcigliarsi

twinge /twin(d)ʒ/ *s* fitta *f* ◇ rimorso *m*

to twinkle /ˈtwiŋkl/ *vi* brillare, scintillare

twirl /twɜːl/ *s* giravolta *f*

twist /twist/ *s* torsione *f*, storta *f* ◇ curva *f*, tornante *m* ◇ spira *f*, spirale *f* ◇ (*tess*) filo *m* ritorto, treccia *f* ◇ variazione *f*, cambiamento *m* ◇ colpo *m* di scena

to twist /twist/ *vt* torcere, distorcere ◇ intrecciare, attorcigliare

◆ *vi* intrecciarsi, attorcigliarsi ◇ torcersi ◇ serpeggiare

twit /twit/ *s* presa *f* in giro ◇ (*fam*) cretino *m*

twitch /twitʃ/ *s* contrazione *f* ◇ strattone *m*

two /tuː/ *a/s* due *m*

twofold /ˈtuːfəʊld/ *a* doppio ◇ duplice

twosome /ˈtuːsəm/ *a* per due, in coppia ● *s* coppia *f*

two-way /ˈtuːwei/ *a* a doppio senso

tympanum /ˈtimpənəm/ *s* timpano *m*

type /taip/ *s* tipo *m*, modello *m*, esemplare *m* ◇ tipo *m*, specie *f*, genere *m* ◇ (*tip*) carattere *m*

to type /taip/ *vt* battere (*su tastiera*), dattilografare

typewriter /ˈtaipraitə/ *s* macchina *f* per scrivere

typhoon /taiˈfuːn/ *s* tifone *m*

to typify /ˈtipifai/ *vt* impersonare, simboleggiare

typography /taiˈpɒɡrəfi/ *s* tipografia *f*

typology /taiˈpɒlədʒi/ *s* tipologia *f*

tyrant /ˈtaiərənt/ *s* tiranno *m*

tyre /ˈtaiə/ (*USA* tire) *s* pneumatico *m*, gomma *f* ● *flat t.* gomma a terra; *t. rim* cerchione; *t. tread* battistrada

U

udder /ˈʌdər/ s (zool) mammella f

ugh /oh/ inter puh!

ugly /ˈʌglɪ/ a brutto, sgradevole ◊ minaccioso

ulterior /ʌlˈtɪərɪər/ a ulteriore, successivo ◊ segreto, nascosto

ultimate /ˈʌltɪmɪt/ a ultimo, estremo ◊ definitivo ◊ massimo, supremo

ultimately /ˈʌltɪmɪtlɪ/ avv in definitiva ◊ alla fine, infine

umbilical /ʌmˈbɪlɪk(ə)l/ a ombelicale ● **u. cord** cordone ombelicale

umbrella /ʌmˈbrelə/ s ombrello m ● **u. stand** portaombrelli

umpire /ˈʌmpaɪər/ s arbitro m

umpteen /ʌm(p)ˈtiːn/ a (fam) molti

umpteenth /ʌm(p)ˈtiːnθ/ a (fam) ennesimo

unable /ʌnˈeɪbl/ a incapace, impossibilitato, inadatto

unabridged /ˌʌnəˈbrɪdʒd/ a (di edizione) non abbreviato, integrale

unaccompanied /ˌʌnəˈkʌmp(ə)nɪd/ a solo, non accompagnato ◊ (mus) senza accompagnamento

unaccountable /ˌʌnəˈkaʊntəbl/ a inesplicabile ◊ irresponsabile

unaccustomed /ˌʌnəˈkʌstəmd/ a insolito ◊ non abituato

unacquainted /ˌʌnəˈkweɪntɪd/ a non pratico, non abituato

unaffected /ˌʌnəˈfektɪd/ a spontaneo, sincero ◊ non soggetto

unanimity /juːnəˈnɪmɪtɪ/ s unanimità f

unanswerable /ʌnˈɑːns(ə)rəbl/ a incontestabile, irrefutabile

unapproachable /ˌʌnəˈprəʊtʃəbl/ a inavvicinabile

unapt /ʌnˈæpt/ a non adatto

to unarm /ʌnˈɑːm/ vt disarmare

unashamed /ˌʌnəˈʃeɪmd/ a spudorato ◊ che non si vergogna, svergognato

unassuming /ˌʌnəˈsjuːmɪŋ/ a senza pretese

unattached /ˌʌnəˈtætʃt/ a libero, indipendente ◊ senza legami (sentimentali)

unattended /ˌʌnəˈtendɪd/ a incustodito

unattractive /ˌʌnəˈtræktɪv/ a poco attraente

unavailable /ˌʌnəˈveɪləbl/ a non disponibile

unaware /ˌʌnəˈweər/ a ignaro

unawares /ˌʌnəˈweəz/ avv inavvertitamente, inconsapevolmente ◊ di sorpresa

unbearable /ʌnˈbeərəbl/ a insopportabile

unbelievable /ˌʌnbɪˈliːvəbl/ a incredibile

to unbend /ʌnˈbend/ (pass/pp **unbent**) vt raddrizzare ◊ (naut) stendere, sciogliere ◊ distendere, rilassare ◆ vi raddrizzarsi distendersi, rilassarsi

unbias(s)ed /ʌnˈbaɪəst/ a imparziale

unborn /ʌnˈbɔːn/ a non ancora nato, futuro

unbroken /ʌnˈbrəʊk(ə)n/ a intatto ◊ ininterrotto ◊ imbattuto

to unbutton /ʌn'bʌtn/ *vt/i* sbottonare, sbottonarsi

uncalled /ʌn'kɔːld/ *a* non chiamato, non invitato ● *u.-for* superfluo, fuori luogo

uncanny /ʌn'kænɪ/ *a* misterioso

unceasing /ʌn'siːsɪŋ/ *a* incessante

uncertainty /ʌn'sɜːt(ə)ntɪ/ *s* incertezza *f*

to unchain /ʌn'tʃeɪn/ *vt* sciogliere, scatenare

unchanging /ʌn'tʃeɪn(d)ʒɪŋ/ *a* immutabile

unchecked /ʌn'tʃekt/ *a* sfrenato ◇ non verificato

uncle /'ʌŋkl/ *s* zio *m*

unclear /ʌŋklɪə/ *a* non chiaro, incerto

uncomfortable /ʌn'kʌmf(ə)təbl/ *a* scomodo ◇ spiacevole

uncommon /ʌn'kɒmən/ *a* insolito

uncompromising /ʌn'kɒmprə,maɪzɪŋ/ *a* intransigente

unconcerned /,ʌnkən'sɜːnd/ *a* indifferente ◇ non preoccupato

unconscious /ʌn'kɒnʃəs/ *a* inconscio ◇ incosciente ◆ *s* inconscio *m*

uncooked /,ʌn'kʊkt/ *a* non cotto, crudo

uncouth /ʌn'kuːθ/ *a* rozzo

to uncover /ʌn'kʌvə/ *vt* scoprire ◇ rivelare

undated /ʌn'deɪtɪd/ *a* non datato

undaunted /ʌn'dɔːntɪd/ *a* imperterrito

undeniable /,ʌndɪ'naɪəbl/ *a* innegabile

under /'ʌndə/ *prep* sotto ◇ in, in corso di ◇ meno di, per meno di ◆ *avv* sotto, al di sotto

underage /,ʌndə'reɪdʒ/ *a* minorenne

undercarriage /'ʌndə,kærɪdʒ/ *s* carrello *m* d'atterraggio ◇ *(aut)* telaio *m*

to undercharge /,ʌndə'tʃɑːdʒ/ *vt* far pagare meno

underclothing /'ʌndə,kləʊðɪŋ/ *s* biancheria *f* intima

undercover /,ʌndə'kʌvə/ *a* segreto ◆ *avv* sotto copertura, segretamente

undercurrent /'ʌndə,kʌrənt/ *s* corrente *f* sottomarina ◇ tendenza *f* occulta

underdevelopment /,ʌndədɪ'veləpmənt/ *s* sottosviluppo *m*

underdone /,ʌndə'dʌn/ *a* poco cotto, al sangue

to underestimate /,ʌndə'estɪmeɪt/ *vt* sottovalutare

underfed /,ʌndə'fed/ *a* denutrito

to undergo /,ʌndə'gəʊ/ *(pass* underwent, *pp* undergone) *vt* patire, subire

undergraduate /,ʌndə'grædjʊɪt/ *s* studente *m* universitario

underground /,ʌndə'graʊnd/ *a* sotterraneo ◆ *s* sottosuolo *m* ◇ metropolitana *f* ◇ movimento *m* clandestino ◆ *avv* sottoterra ◇ segretamente, clandestinamente

undergrowth /'ʌndəgrəʊθ/ *s* sottobosco *m*

underhand /'ʌndəhænd/ *a* nascosto, clandestino

to underlie /,ʌndə'laɪ/ *(pass* underlay, *pp* underlain) *vt* stare sotto a ◇ essere alla base di ◆ *vi* essere sottostante

uneducated

to underline /ˌʌndəˈlaɪn/ vt sottolineare, evidenziare

to undermine /ˌʌndəˈmaɪn/ vt minare ◊ indebolire

underneath /ˌʌndəˈniːθ/ avv sotto, disotto ♦ prep sotto, al di sotto di ♦ a.pred inferiore

underpants /ˈʌndəpænts/ s pl mutande f pl (da uomo)

underpass /ˈʌndəpɑːs/ s sottopassaggio m

to underrate /ˌʌndəˈreɪt/ vt sottostimare

undershirt /ˈʌndəʃɜːt/ s maglietta f (intima)

underside /ˈʌndəsaɪd/ s parte f inferiore

underskirt /ˈʌndəˈskɜːt/ s sottogonna f

to understand /ˌʌndəˈstænd/ (pass/pp understood) vt capire, comprendere, intendere ◊ venire a sapere, apprendere ◊ interpretare ◊ sottintendere ♦ vi capire, rendersi conto ◊ intendersi

understanding /ˌʌndəˈstændɪŋ/ a comprensivo ♦ s intelligenza f, comprensione f ◊ accordo m

to understate /ˌʌndəˈsteɪt/ vt sottovalutare, attenuare

understood /ˌʌndəˈstʊd/ pass/pp di **to understand** ♦ a sottinteso

to undertake /ˌʌndəˈteɪk/ (pass **undertook**, pp **undertaken**) vt intraprendere ◊ assumersi l'impegno di ♦ vi garantire

undertaking /ˌʌndəˈteɪkɪŋ/ s impresa f ◊ impegno m

underwater /ˌʌndəˈwɔːtəʳ/ a subacqueo ♦ avv sott'acqua

underwear /ˈʌndəweəʳ/ s biancheria f intima

underwood /ˈʌndəwʊd/ s sottobosco m

underworld /ˈʌndəwɜːld/ s malavita f

undies /ˈʌndɪz/ s pl (fam) biancheria f intima (da donna)

undisturbed /ˌʌndɪsˈtɜːbd/ a indisturbato

to undo /ʌnˈduː/ (pass **undid**, pp **undone**) vt disfare, annullare ◊ sciogliere, sbrogliare ◊ rovinare

undoing /ʌnˈduːɪŋ/ s rovina f

undone /ʌnˈdʌn/ pp di **to undo** ♦ a disfatto ◊ incompiuto

undoubted /ʌnˈdaʊtɪd/ a indubbio, sicuro

to undress /ʌnˈdres/ vi denudarsi, spogliarsi

undue /ʌnˈdjuː/ a indebito ◊ eccessivo

undulation /ˌʌndjʊˈleɪʃ(ə)n/ s ondulazione f

undulatory /ˈʌndjʊlətərɪ/ a ondulato ◊ ondulatorio

unduly /ʌnˈdjuːlɪ/ avv eccessivamente ◊ indebitamente, ingiustamente

to unearth /ʌnˈɜːθ/ vt dissotterrare ◊ scoprire

unearthly /ʌnˈɜːθlɪ/ a non terreno, soprannaturale ◊ sinistro, misterioso ◊ impossibile, assurdo

uneasiness /ʌnˈiːzɪnɪs/ s disagio m, inquietudine f

uneasy /ʌnˈiːzɪ/ a inquieto, preoccupato

uneducated /ʌnˈedjʊkeɪtɪd/ a ignorante, privo di istruzione

unemployed /ˌʌnɪmˈplɔɪd/ *a/s* disoccupato *m*

unemployment /ˌʌnɪmˈplɔɪmənt/ *s* disoccupazione *f*

unending /ʌnˈendɪŋ/ *a* senza fine

unequal /ʌnˈiːkw(ə)l/ *a* disuguale

unequalled /ʌnˈiːkw(ə)ld/ *a* incomparabile

unerring /ʌnˈɜːrɪŋ/ *a* infallibile

uneven /ʌnˈiːv(ə)n/ *a* irregolare, ineguale

uneveness /ʌnˈiːv(ə)nɪs/ *s* disuguaglianza *f*

unexceptionable /ˌʌnɪkˈsepʃnəbl/ *a* ineccepibile

unexpected /ˌʌnɪksˈpektɪd/ *a* imprevisto, improvviso, inatteso

unfailing /ʌnˈfeɪlɪŋ/ *a* infallibile ◇ sicuro, fidato ◇ inesauribile

unfair /ʌnˈfeə/ *a* ingiusto, sleale

unfashionable /ʌnˈfæʃnəbl/ *a* fuori moda

to unfasten /ʌnˈfɑːsn/ *vt* slegare, slacciare

unfavourable /ʌnˈfeɪv(ə)rəbl/ *a* (*USA* **unfavorable**) *a* sfavorevole

unfeeling /ʌnˈfiːlɪŋ/ *a* insensibile

unfit /ʌnˈfɪt/ *a* inadatto, incapace ◇ inabile

to unfold /ʌnˈfəʊld/ *vt* schiudere, spiegare ◇ rivelare ◆ *vi* aprirsi, schiudersi ◇ rivelarsi

unforeseen /ˌʌnfɔːˈsiːn/ *a* imprevisto

unforgivable /ˌʌnfəˈgɪvəbl/ *a* imperdonabile

unfortunate /ʌnˈfɔːtʃ(ə)nɪt/ *a* sfortunato

unfounded /ʌnˈfaʊndɪd/ *a* infondato

unfruitful /ʌnˈfruːtf(ʊ)l/ *a* infruttuoso

unfulfilled /ˌʌnfʊlˈfɪld/ *a* incompiuto, inappagato

ungainly /ʌnˈɡeɪnlɪ/ *a* goffo ◇ maldestro

ungodly /ʌnˈɡɒdlɪ/ *a* assurdo, impossibile

ungrateful /ʌnˈɡreɪtf(ʊ)l/ *a* ingrato

unhappy /ʌnˈhæpɪ/ *a* infelice

unharmed /ʌnˈhɑːmd/ *a* illeso, incolume

unhealthy /ʌnˈhelθɪ/ *a* malsano ◇ malaticcio

unheard /ʌnˈhɜːd/ *a* inascoltato ● *u.-of* inaudito, incredibile

to unhinge /ʌnˈhɪn(d)ʒ/ *vt* scardinare

to unhook /ʌnˈhʊk/ *vt* sganciare

unhurt /ʌnˈhɜːt/ *a* incolume

uniform /ˈjuːnɪfɔːm/ *a* uniforme ◆ *s* uniforme *f*, divisa *f*

uniformity /ˌjuːnɪˈfɔːmɪtɪ/ *s* uniformità *f*

to unify /ˈjuːnɪfaɪ/ *vt* unificare

unimaginable /ˌʌnɪˈmædʒ(ɪ)nəbl/ *a* inimmaginabile

uninjured /ʌnˈɪn(d)ʒəd/ *a* illeso

to uninstall /ˌʌnɪnˈstɔːl/ *vt* (*inform*) disinstallare

unintelligible /ˌʌnɪnˈtelɪdʒəbl/ *a* incomprensibile

union /ˈjuːnjən/ *s* unione *f* ◇ associazione *f*, lega *f*, consorzio *m* ◇ sindacato *m*

unique /juːˈniːk/ *a* unico

unit /ˈjuːnɪt/ *s* unità *f* ◇ complesso *m*, gruppo *m* ◇ (*mil*) reparto *m*

to unite /juːˈnaɪt/ *vt/i* unire, unirsi

unity /ˈjuːnɪtɪ/ *s* unità *f* ◇ accordo *m*

universe /ˈjuːnɪvɜːs/ *s* universo *m*

university /ˌjuːnɪˈvɜːsɪtɪ/ s università f

univocal /ˌjuːnɪˈvəʊk(ə)l/ a univoco

unjust /ʌnˈdʒʌst/ a ingiusto

unkempt /ʌnˈkem(p)t/ a spettinato ◇ sciatto

unkind /ʌnˈkaɪnd/ a scortese ◇ crudele

unknown /ʌnˈnəʊn/ a sconosciuto ◆ s (mat) incognita f

to unlace /ʌnˈleɪs/ vt slacciare

unlawful /ʌnˈlɔːf(ʊ)l/ a abusivo, illegale

unleaded /ʌnˈledɪd/ a (di benzina) senza piombo, verde

to unleash /ʌnˈliːʃ/ vt sguinzagliare

unless /ənˈles/ cong eccetto che, a meno che, se non

unlike /ʌnˈlaɪk/ a.pred diverso ◆ prep diversamente da, a differenza di

unlikely /ʌnˈlaɪklɪ/ avv improbabile

unlined /ʌnˈlaɪnd/ a sfoderato

to unload /ʌnˈləʊd/ vt scaricare ◇ disfarsi di

to unlock /ʌnˈlɒk/ vt aprire ◇ rivelare

unlucky /ʌnˈlʌkɪ/ a sfortunato ◇ di cattivo augurio

to unmake /ʌnˈmeɪk/ (pass/pp unmade) vt disfare

unmatched /ʌnˈmætʃt/ a impareggiabile ◇ scompagnato

unmistakable /ˌʌnmɪsˈteɪkəb/ a inconfondibile

to unnail /ʌnˈneɪl/ vt schiodare

unnoticed /ʌnˈnəʊtɪst/ a inosservato

unobtrusive /ˌʌnəbˈtruːsɪv/ a discreto, riservato

to unpack /ʌnˈpæk/ vt (valigie) disfare ◇ sballare

unpaid /ʌnˈpeɪd/ a non pagato

unpalatable /ʌnˈpælətəbl/ a sgradevole

unpleasant /ʌnˈpleznt/ a antipatico, sgradevole

to unplug /ʌnˈplʌg/ vt togliere la spina a, staccare

unprecedented /ʌnˈpresɪd(ə)ntɪd/ a inaudito

unpredictable /ˌʌnprɪˈdɪktəbl/ a imprevedibile

unprepared /ˌʌnprɪˈpeəd/ a impreparato

unprotected /ˌʌnprəˈtektɪd/ a indifeso

unprovided /ˌʌnprəˈvaɪdɪd/ a sprovvisto

unpublished /ʌnˈpʌblɪʃt/ a inedito

unqualified /ʌnˈkwɒlɪfaɪd/ a incompetente ◇ non abilitato, non qualificato ◇ assoluto, categorico

unquestionable /ʌnˈkwestʃ(ə)nəbl/ a indiscutibile

to unravel /ʌnˈræv(ə)l/ vt districare, sbrogliare

unreal /ʌnˈrɪəl/ a irreale

unreality /ˌʌnrɪˈælɪtɪ/ s irrealtà f

unrelated /ˌʌnrɪˈleɪtɪd/ a senza rapporti

unrelenting /ˌʌnrɪˈlentɪŋ/ a inesorabile

unreliable /ˌʌnrɪˈlaɪəbl/ a inaffidabile, inattendibile

unrest /ʌnˈrest/ s agitazione f

unripe /ʌnˈraɪp/ a acerbo, non maturo

to unrivet /ʌnˈrɪvɪt/ vt schiodare

to unroll /ʌnˈrəʊl/ vt srotolare

unruly /ʌnˈruːlɪ/ *a* indisciplinato

unsafe /ʌnˈseɪf/ *a* pericoloso, malsicuro

unsaleable /ʌnˈseɪləbl/ *a* invendibile

unsavoury /ʌnˈseɪv(ə)rɪ/ *a* scipito ◇ disgustoso

to unsay /ʌnˈseɪ/ (*pass/pp* **unsaid**) *vt* ritrattare, negare

unscathed /ʌnˈskeɪðd/ *a* illeso

to unscrew /ʌnˈskruː/ *vt* svitare

unscrupulous /ʌnˈskruːpjʊləs/ *a* senza scrupoli

unseasoned /ʌnˈsiːznd/ *a* scondito

unselfish /ʌnˈselfɪʃ/ *a* altruista, generoso

unsettled /ʌnˈsetld/ *a* disordinato, sconvolto ◇ indeciso, incerto ◇ non saldato, non pagato

unshakable /ʌnˈʃeɪkəbl/ *a* irremovibile

to unsheathe /ʌnˈʃiːð/ *vt* sfoderare

unsightly /ʌnˈsaɪtlɪ/ *a* brutto, sgradevole

unskilfulness /ʌnˈskɪlf(ʊ)lnɪs/ *s* imperizia *f*

unsound /ʌnˈsaʊnd/ *a* malsano

unspeakable /ʌnˈspiːkəbl/ *a* indicibile

unstable /ʌnˈsteɪbl/ *a* instabile

unsteady /ʌnˈstedɪ/ *a* malfermo

to unstick /ʌnˈstɪk/ (*pass/pp* **unstuck**) *vt* scollare, staccare

to unstitch /ʌnˈstɪtʃ/ *vt* scucire

unsuitable /ʌnˈsjuːtəbl/ *a* inadatto ◇ inopportuno

unsure /ʌnˈʃʊə/ *a* incerto

unsympathetic /ˌʌnsɪmpəˈθetɪk/ *a* antipatico

untapped /ʌnˈtæpt/ *a* non sfruttato

untenable /ʌnˈtenəbl/ *a* insostenibile

unthinkable /ʌnˈθɪŋkəbl/ *a* impensabile

untidy /ʌnˈtaɪdɪ/ *a* disordinato

to untie /ʌnˈtaɪ/ *vt* slegare ◇ risolvere

until /ʌnˈtɪl/ *prep* fino a, fino al momento di ◆ *cong* finché non, fino a quando

untimely /ʌnˈtaɪmlɪ/ *a* inopportuno

untiring /ʌnˈtaɪərɪŋ/ *a* instancabile

untold /ʌnˈtəʊld/ *a* taciuto ◇ innumerevole

untoward /ʌnˈtəʊ(ə)d/ *a* scomodo ◇ sconveniente

unused /ʌnˈjuːzd/ *a* non usato ◇ non abituato

unusual /ʌnˈjuːʒʊəl/ *a* inconsueto, insolito

to unveil /ʌnˈveɪl/ *vt* svelare

unwanted /ʌnˈwɒntɪd/ *a* non desiderato

unwavering /ʌnˈweɪv(ə)rɪŋ/ *a* incrollabile

unwelcome /ʌnˈwelkəm/ *a* sgradito

unwell /ʌnˈwel/ *a.pred* indisposto

unwieldy /ʌnˈwiːldɪ/ *a* ingombrante ◇ impacciato

unwilling /ʌnˈwɪlɪŋ/ *a* riluttante, non disposto

to unwind /ʌnˈwaɪnd/ (*pass/pp* **unwound**) *vt* dipanare, srotolare, sbrogliare ◆ *vi* srotolarsi ◇ (*fam*) rilassarsi

unwise /ʌnˈwaɪz/ *a* malaccorto

unwitting /ʌnˈwɪtɪŋ/ *a* involontario, inconsapevole

to unwrap /ʌnˈræp/ *vt* scartare, disfare

up /ʌp/ *avv* su, in alto ◇ più avanti, oltre ◇ completamente ◆ *prep* su, per ◆ *a* alzato ◇ finito, compiuto ◇ ascendente ◇ *up against* di fronte a; *up here* quassù; *up there* lassù; *up to* fino a; *it's up to you* decidi tu; *up to now* finora

upbringing /ˈʌpˌbrɪŋɪŋ/ *s* educazione *f* (di bambini)

to update /ʌpˈdeɪt/ *vt* aggiornare

to upgrade /ʌpˈgreɪd/ *vt* promuovere ◇ incrementare ◇ (*inform*) aggiornare (*un programma*)

upheaval /ʌpˈhiːv(ə)l/ *s* (*geol*) sollevamento *m* ◇ agitazione *f*

uphill /ʌpˈhɪl/ *a* in salita ◇ faticoso ◆ *s* salita *f* ◆ *avv* in salita

to uphold /ʌpˈhəʊld/ (*pass/pp* **upheld**) *vt* sostenere, sorreggere

upon /əˈpɒn/ *prep* sopra, su

upper /ˈʌpəʳ/ *a* superiore, più alto ◆ *s* parte *f* superiore ◇ tomaia *f* ◇ *al pl* stimolanti *m pl* ◆ *u. case* maiuscolo

uppermost /ˈʌpəməʊst/ *a* il più alto ◇ principale, predominante ◆ *avv* al di sopra, per prima cosa

upright /ˈʌpˌraɪt/ *a* diritto, eretto, verticale ◇ integro, onesto

uproar /ˈʌpˌrɔːʳ/ *s* pandemonio *m*, tumulto *m*

to uproot /ʌpˈruːt/ *vt* sradicare

upset /ʌpˈset/ *a* capovolto ◇ agitato, sconvolto ◆ *s* capovolgimento *m* ◇ turbamento *m*

to upset /ʌpˈset/ (*pass/pp* **upset**) *vt* capovolgere ◇ agitare, sconvolgere ◆ *vi* capovolgersi

upshot /ˈʌpʃɒt/ *s* conclusione *f*, risultato *m*

upside /ˈʌpsaɪd/ *avv* di sopra ◆ *s* lato *m* positivo, aspetto *m* positivo ◆ *u. down* sottosopra, alla rovescia

upstairs /ˌʌpˈsteəz/ *avv* al piano superiore

upstream /ˌʌpˈstriːm/ *a/avv* a monte ◇ contro corrente

uptake /ˈʌpteɪk/ *s* comprensione *f*, comprendonio *m*

up-to-date /ˌʌptəˈdeɪt/ *a* aggiornato

upturn /ˈʌptɜːn/ *s* ripresa *f*, rialzo *m*

upward /ˈʌpwəd/ *a* ascendente ◆ *avv* in su, in alto ◇ oltre

uranium /jʊˈreɪnjəm/ *s* uranio *m*

urban /ˈɜːbən/ *a* urbano, cittadino

urchin /ˈɜːtʃɪn/ *s* monello *m* ◇ (*fam*) riccio *m*, porcospino *m*

urea /ˈjʊərɪə/ *s* urea *f*

urge /ɜːdʒ/ *s* impulso *m*, stimolo *m*

to urge /ɜːdʒ/ *vt* spingere, sollecitare ◇ raccomandare

urgency /ˈɜːdʒ(ə)nsɪ/ *s* urgenza *f* ◇ insistenza *f*

urine /ˈjʊərɪn/ *s* urina *f*

us /ʌs/ *pr.pers* (*compl*) noi, ci

usage /ˈjuːzɪdʒ/ *s* uso *m*, applicazione *f* ◇ usanza *f*

use /juːs/ *s* uso *m*, utilizzo *m*, impiego *m* ◇ utilità *f* ◇ usanza *f* ◆ *out of u.* fuori uso; *to be of u.* servire

to use /juːz/ *vt* usare ◆ *to u. up* esaurire, consumare

useful /ˈjuːsf(ʊ)l/ *a* utile

useless /ˈjuːsləs/ *a* inutile

user /ˈjuːzəʳ/ *s* utente *m/f* ◆ *u.-friendly* facile da usare

usher /ˈʌʃəʳ/ *s* usciere *m*

to usher /ˈʌʃəʳ/ *vt* fare strada a

usual /ˈjuːʒʊəl/ *a* consueto, solito ● *as u.* come al solito

usufruct /ˈjuːsjuːfrʌkt/ *s* usufrutto *m*

utensil /juːˈtensl/ *s* utensile *m*

uterus /ˈjuːtərəs/ *s* utero *m*

utility /juːˈtɪlɪtɪ/ *s* utilità *f* ◇ *al pl* servizi *m pl* pubblici ◇ *(inform)* utility *f* ● *u. car* utilitaria

to utilize /ˈjuːtɪlaɪz/ *vt* utilizzare

utmost /ˈʌtməʊst/ *a* estremo ◇ massimo ◆ *s* limite *m* estremo,

massimo *m* ● *to the u.* a oltranza; *to try one's u.* fare del proprio meglio

utopia /juːˈtəʊpjə/ *s* utopia *f*

utter /ˈʌtə[r]/ *a* completo, totale

to utter /ˈʌtə[r]/ *vt* emettere ◇ pronunciare

U-turn /ˈjuːtɜːn/ *s* inversione *f* a U

uxoricide /ʌkˈsɔːrɪsaɪd/ *s* uxoricida *m/f*

V

vacancy /ˈveɪkənsɪ/ *s* vacanza *f* (*l'essere vacante*) ◇ posto *m* libero ● *no vacancies* completo

vacant /ˈveɪkənt/ *a* vacante, libero, disponibile ◇ vacuo

to vacate /vəˈkeɪt/ *vt* sgombrare

vacation /vəˈkeɪʃ(ə)n/ *s* vacanza *f*, ferie *f pl*

to vaccinate /ˈvæksɪneɪt/ *vt/i* vaccinare, fare una vaccinazione

vacuum /ˈvækjʊəm/ *s* vuoto *m* ● *v. cleaner* aspirapolvere; *v.- packed* confezionato sottovuoto

vagrant /ˈveɪgr(ə)nt/ *a/s* vagabondo *m*

vague /veɪg/ *a* vago, indistinto ◇ incerto

vain /veɪn/ *a* vano, inutile ◇ vanitoso

valediction /ˌvælɪˈdɪkʃ(ə)n/ *s* commiato *m*

valentine /ˈvæləntaɪn/ *s* biglietto *m* di S. Valentino

valiancy /ˈvæljənsɪ/ *s* valore *m*

valiant /ˈvæljənt/ *a* valoroso

valid /ˈvælɪd/ *a* valido, valevole

to validate /ˈvælɪdeɪt/ *vt* convalidare, rendere valido ◇ abilitare

valley /ˈvælɪ/ *s* vallata *f*, valle *f*

valour /ˈvælə[r]/ *s* valore *m*

valuable /ˈvæljʊəbl/ *a* pregevole, prezioso ◆ *s al pl* oggetti *m pl* di valore

valuation /ˌvæljʊˈeɪʃ(ə)n/ *s* valutazione *f*, stima *f*

value /ˈvæljuː/ *s* valore *m* ◇ pregio *m* ● *v.-added tax* imposta sul valore aggiunto

to value /ˈvæljuː/ *vt* valutare, stimare ◇ apprezzare, tenere in gran conto

valve /vælv/ *s* valvola *f*

vampire /ˈvæmpaɪə[r]/ *s* vampiro *m*

van /væn/ *s* furgone *m* ◇ vagone *m*

vandal /ˈvænd(ə)l/ *s* vandalo *m*

vane /veɪn/ *s* banderuola *f* ◇ pala *f*, paletta *f*

vanguard /ˈvænɡɑːd/ *s* avanguardia *f*

vanilla /vəˈnɪlə/ *s* vaniglia *f*

to vanish /ˈvænɪʃ/ *vi* sparire, svanire

vanity /ˈvænɪtɪ/ s vanità f

to vanquish /ˈvæŋkwɪʃ/ vt debellare

vantage /ˈvɑːntɪdʒ/ s vantaggio m

vapour /ˈveɪpər/ (USA vapor) s vapore m

variable /ˈveərɪəbl/ a variabile, mutevole

variance /ˈveərɪəns/ s variazione f ◇ divergenza f, disaccordo m ◇ varianza f

variation /ˌveərɪˈeɪʃ(ə)n/ s variazione f

variety /vəˈraɪətɪ/ s varietà f

various /ˈveərɪəs/ a (con s pl) vari, diversi, parecchi

varnish /ˈvɑːnɪʃ/ s vernice f

to varnish /ˈvɑːnɪʃ/ vt verniciare

to vary /ˈveərɪ/ vt variare, cambiare ◆ vi differire

vascular /ˈvæskjʊlər/ a vascolare

vase /vɑːz/ s vaso m

vast /vɑːst/ a vasto

vat /væt/ s tino m

vault (1) /vɔːlt/ s (arch) volta f ◇ cripta f, sotterraneo m

vault (2) /vɔːlt/ s volteggio m ● pole v. salto con l'asta

to vault /vɔːlt/ vi volteggiare, saltare

to vaunt /vɔːnt/ vt/i vantare, vantarsi

veal /viːl/ s (cuc) vitello m

vector /ˈvektər/ s vettore m

to veer /vɪər/ vi virare

vegetable /ˈvedʒɪtəbl/ a vegetale ◆ s vegetale m ◇ ortaggio m, al pl verdure f pl

vegetarian /ˌvedʒɪˈteərɪən/ a/s vegetariano m

vehemence /ˈviːɪməns/ s veemenza f

vehicle /ˈviːɪkl/ s veicolo m

veil /veɪl/ s velo m

to veil /veɪl/ vt velare, coprire

vein /veɪn/ s (anat) vena f ◇ venatura f, nervatura f

velocity /vɪˈlɒsɪtɪ/ s velocità f

velvet /ˈvelvɪt/ s velluto m

venal /ˈviːnl/ a venale

to venerate /ˈvenəreɪt/ vt venerare

Venetian /vɪˈniːʃ(ə)n/ a/s veneziano m ● V. blind (tenda alla) veneziana

vengeance /ˈven(d)ʒəns/ s vendetta f ● with a v. a tutta forza, estremamente, più forte che mai

venom /ˈvenəm/ s veleno m

vent /vent/ s foro m, orifizio m, apertura f ◇ sfogo m

to vent /vent/ vt scaricare, svuotare ◇ sfogare

to ventilate /ˈventɪleɪt/ vt ventilare ◇ (med) ossigenare

ventilator /ˈventɪleɪtər/ s ventilatore m

venture /ˈventʃər/ s avventura f, impresa f ◇ (econ) attività f imprenditoriale

to venture /ˈventʃər/ vt rischiare, arrischiare ◇ osare ◆ vi avventurarsi, arrischiarsi

venue /ˈvenjuː/ s luogo m di convegno ◇ (dir) sede f di processo

verb /vɜːb/ s verbo m

verdant /ˈvɜːd(ə)nt/ a verdeggiante

verdict /ˈvɜːdɪkt/ s verdetto m

verge /vɜːdʒ/ s limite m, orlo m, margine m ◇ verga f ◇ (arch) fusto m ● on the v. of sul punto di

to verge /vɜːdʒ/ *vi* declinare, volgere ◇ tendere, inclinare

● **to verify** /'verɪfaɪ/ *vt* verificare

verism /'vɪərɪz(ə)m/ *s* verismo *m*

veritable /'verɪtəbl/ *a* vero, genuino

vermilion /və'mɪljən/ *a* vermiglio

vermin /'vɜːmɪn/ *s* animali *m pl* nocivi, insetti *m pl* parassiti ◇ feccia *f* della società

vernacular /və'nækjʊlə/ *a* vernacolo, indigeno, locale ● *s* vernacolo *m*, parlata *f* locale

versant /'vɜːs(ə)nt/ *s* versante *m*

versatile /'vɜːsətaɪl/ *a* versatile

verse /vɜːs/ *s* verso *m*, versetto *m*

versed /vɜːst/ *a* versato, pratico, ferrato

version /'vɜːʃ(ə)n/ *s* versione *f*

versus /'vɜːsəs/ *prep* contro

vertebra /'vɜːtɪbrə/ *s* vertebra *f*

vertebrate /'vɜːtɪbrɪt/ *a/s* vertebrato *m*

vertex /'vɜːteks/ *s* (*geom*) vertice *m*

vertiginous /vɜː'tɪdʒɪnəs/ *a* vertiginoso ◇ che soffre di vertigini

vertigo /'vɜːtɪgəʊ/ *s* vertigine *f*

vervain /'vɜːveɪn/ *s* verbena *f*

very /'verɪ/ *a* (*enf*) proprio, esatto, assoluto, vero e proprio ● *avv* molto, assai

vesper /'vespə/ *s* vespro *m*

vessel /'ves/ *s* nave *f*, vascello *m* ◇ recipiente *m* ◇ (*anat*) vaso *m*

vest /vest/ *s* canottiera *f*, maglietta *f* intima ◇ (*USA*) panciotto *m*, gilet *m* ● *life v.* giubbotto di salvataggio

vet /vet/ *s* (*fam*) veterinario *m*

veteran /'vet(ə)r(ə)n/ *a* veterano ● *s* veterano *m*, reduce *m/f*

veterinary /'vet(ə)rɪn(ə)rɪ/ *a* veterinario ● *v. surgeon* (medico) veterinario

to veto /'viːtəʊ/ *vt* mettere il veto a

to vex /veks/ *vt* vessare, opprimere ◇ irritare, contrariare

via /'vaɪə/ *prep* per, attraverso, via

viable /'vaɪəbl/ *a* vitale ◇ autosufficiente ◇ praticabile, attuabile

vibrant /'vaɪbr(ə)nt/ *a* vibrante ◇ vivace

to vibrate /vaɪ'breɪt/ *vi* vibrare ◇ risuonare

vibration /vaɪ'breɪʃ(ə)n/ *s* vibrazione *f*

vicar /'vɪkə/ *s* curato *m* ◇ vicario *m*

vicarious /vaɪ'keərɪəs/ *a* vicario, sostituto ◇ indiretto

vice (1) /vaɪs/ *s* immoralità *f* ◇ vizio *m* ◇ difetto *m*

vice (2) /vaɪs/ *s* (*mecc*) morsa *f*

vice (3) /vaɪs/ *a* vice *m/f* ● *prep* al posto di

vicinity /vɪ'sɪnɪtɪ/ *s* vicinanza *f* ◇ vicinanze *f pl*, dintorni *m pl* ● *in the v. of* nelle vicinanze di, che si aggira su

vicious /'vɪʃəs/ *a* cattivo, malvagio ◇ pericoloso, feroce, ombroso ◇ vizioso

victim /'vɪktɪm/ *s* vittima *f*

victor /'vɪktə/ *s* vincitore *m*

Victorian /vɪk'tɔːrɪən/ *a* vittoriano ◇ *s* vittoriano

victory /'vɪkt(ə)rɪ/ *s* vittoria *f*

victuals /'vɪtlz/ *s pl* vettovaglie *f pl*

video /'vɪdɪəʊ/ *a* video ● *s* videoregistrazione *f* ◇ videocassetta *f* ◇ videoregistratore *m* ● *v. recorder* videoregistratore; *v. camera* videocamera

videogame /ˌvɪdɪəʊˈɡeɪm/ s videogioco m

videotape /ˈvɪdɪəʊteɪp/ s videocassetta f ● v. recorder videoregistratore

to vie /vaɪ/ vi gareggiare, competere

view /vjuː/ s vista f, veduta f, visione f ◇ vista f, panorama m ◇ opinione f, giudizio m ◇ intento m, mira f, scopo m ◇ rassegna f, mostra f ● in my v. secondo il mio punto di vista; in v. in vista; in v. of in considerazione di; on v. in mostra

to view /vjuː/ vt guardare, osservare ◇ esaminare, ispezionare ◇ considerare

viewer /ˈvjuːər/ s spettatore m ◇ ispettore m

viewpoint /ˈvjuːpɔɪnt/ s punto m di vista

vigil /ˈvɪdʒɪl/ s veglia f

vigilant /ˈvɪdʒɪlənt/ a vigile

vignette /vɪˈnjet/ s vignetta f

vigorous /ˈvɪɡ(ə)rəs/ a vigoroso

vigour /ˈvɪɡər/ s vigore m

vile /vaɪl/ a vile, abietto ◇ (fam) pessimo, disgustoso

villa /ˈvɪlə/ s villa f

village /ˈvɪlɪdʒ/ s villaggio m, paese m, borgo m

villain /ˈvɪlən/ s furfante m/f, canaglia f

to vindicate /ˈvɪndɪkeɪt/ vt rivendicare ◇ difendere, giustificare

vindictive /vɪnˈdɪktɪv/ a vendicativo

vine /vaɪn/ s (bot) vite f, vitigno m ◇ pianta f rampicante

vinegar /ˈvɪnɪɡər/ s aceto m

vineyard /ˈvɪnjəd/ s vigna f, vigneto m

vintage /ˈvɪntɪdʒ/ s vendemmia f ◇ annata f, raccolto m ◆ a d'annata, pregiato ● v. car auto d'epoca

to violate /ˈvaɪəleɪt/ vt violare, infrangere ◇ violentare

violence /ˈvaɪələns/ s violenza f

violent /ˈvaɪələnt/ a violento

violet /ˈvaɪəlɪt/ s violetta f

violin /ˌvaɪəˈlɪn/ s violino m

viper /ˈvaɪpər/ s vipera f

viral /ˈvaɪrəl/ a virale

virgin /ˈvɜːdʒɪn/ a/s vergine f

Virgo /ˈvɜːɡəʊ/ s (astr) vergine f

virile /ˈvɪraɪl/ a virile

virtual /ˈvɜːtjʊəl/ a virtuale ● v. reality realtà virtuale

virtue /ˈvɜːtjuː/ s virtù f ◇ vantaggio m, merito m

virtuous /ˈvɜːtjʊəs/ a virtuoso

virus /ˈvaɪrəs/ s (inform) virus m

visa /ˈviːzə/ s visto m ● entry v. visto d'ingresso

to visa /ˈviːzə/ vt vistare

viscid /ˈvɪsɪd/ a viscido

viscount /ˈvaɪkaʊnt/ s visconte m

visibility /ˌvɪzɪˈbɪlɪtɪ/ s visibilità f ● poor v. visibilità scarsa

visible /ˈvɪzəbl/ a visibile

vision /ˈvɪʒ(ə)n/ s vista f, capacità f visiva ◇ visione f

visionary /ˈvɪʒənərɪ/ a/s visionario m

visit /ˈvɪzɪt/ s visita f

to visit /ˈvɪzɪt/ vt visitare, fare visita a, andare a trovare

visitor /ˈvɪzɪtər/ s visitatore m, ospite m/f ◇ ispettore m

visor /ˈvaɪzər/ s visiera f

vista /ˈvɪstə/ s vista f, veduta f, prospettiva ◇ *al pl* ricordi *m pl*, memorie *f pl*

visual /'vɪzjʊəl/ *a* visuale, visivo

to visualize /'vɪzjʊəlaɪz/ *vt* immaginare ◇ visualizzare

vital /'vaɪtl/ *a* vitale

vitality /vaɪ'tælɪtɪ/ *s* vitalità *f*

vitamin /'vɪtəmɪn/ *s* vitamina *f* • *v. deficiency* avitaminosi

vitreous /'vɪtrɪəs/ *a* vitreo

vivacious /vɪ'veɪʃəs/ *a* vivace

vivid /'vɪvɪd/ *a* vivido, vivo

vivisection /ˌvɪvɪ'sekʃ(ə)n/ *s* vivisezione *f*

V-neck /'viːnek/ *s* scollatura *f* a V

vocabulary /və'kæbjʊlərɪ/ *s* vocabolario *m*

vocal /'vəʊk(ə)l/ *a* vocale

vocalic /vɒ(ʊ)'kælɪk/ *a* vocalico

vocation /və(ʊ)'keɪʃ(ə)n/ *s* vocazione *f* ◇ professione *f*

vocational /və(ʊ)'keɪʃ(ə)nl/ *a* professionale

vogue /vəʊg/ *s* voga *f*, moda *f*

voice /vɔɪs/ *s* voce *f* • *v. mail* (*tel*) casella vocale

to voice /vɔɪs/ *vt* esprimere, dare voce a

void /vɔɪd/ *a* vuoto ◇ (*dir*) invalido, nullo ◆ *s* vuoto *m*

volatile /'vɒlətaɪl/ *a* volatile ◇ volubile

volcano /vɒl'keɪnəʊ/ *s* vulcano *m*

volley /'vɒlɪ/ *s* raffica *f*, scarica *f* ◇ (*sport*) (*nel calcio*) tiro *m* al volo, (*nel tennis*) volée *f*

volleyball /'vɒlɪbɔːl/ *s* pallavolo *f*

voluble /'vɒljʊbl/ *a* loquace ◇ (*bot*) volubile

volume /'vɒljʊm/ *s* volume *m*

voluntary /'vɒlənt(ə)rɪ/ *a* volontario

volunteer /ˌvɒlən'tɪə/ *a* volontario ◇ (*bot*) spontaneo ◆ *s* volontario *m*

to volunteer /ˌvɒlən'tɪə/ *vi* arruolarsi volontario ◇ offrirsi volontariamente

voluptuous /və'lʌptjʊəs/ *a* voluttuoso

volute /və'ljuːt/ *s* voluta *f*

to vomit /'vɒmɪt/ *vt/i* vomitare

vortex /'vɔːteks/ *s* vortice *m*

vote /vəʊt/ *s* voto *m*

to vote /vəʊt/ *vt/i* votare • *to v. down* respingere (con votazione); *to v. in* eleggere; *to v. out* destituire (con votazione)

voter /'vəʊtə/ *s* elettore *m*

votive /'vəʊtɪv/ *a* votivo

to vouch /vaʊtʃ/ *vi* garantire

voucher /'vaʊtʃə/ *s* (*dir*) garante *m* ◇ documento *m* giustificativo ◇ buono *m*, voucher *m*

vow /vaʊ/ *s* voto *m*, promessa *f* solenne

to vow /vaʊ/ *vt* fare voto di, promettere solennemente ◇ votare, consacrare

vowel /'vaʊ(ə)l/ *s* vocale *f*

voyage /'vɔɪdʒ/ *s* viaggio *m*, traversata *f*

voyager /'vɔɪədʒə/ *s* viaggiatore *m*, passeggero *m*

vulgar /'vʌlgə/ *a* volgare

vulgarity /vʌl'gærɪt/ *s* volgarità *f*

vulnerable /'vʌln(ə)rəbl/ *a* vulnerabile

vulture /'vʌltʃə/ *s* avvoltoio *m*

W

wad /wɒd/ s batuffolo m, tampone m ◊ rotolo m, fascio m

to waddle /ˈwɒdl/ vi camminare ondeggiando

to wade /weɪd/ vi passare a guado ◊ procedere a stento ◆ vt guadare

wader /ˈweɪdə/ s (zool) trampoliere m ◊ al pl stivaloni m pl impermeabili

wafer /ˈweɪfə/ s cialda f ◊ (inform) wafer m

to waft /ˈwɒːft/ vt spargere, diffondere ◆ vi spandersi, diffondersi

to wag /wæg/ vt scuotere, agitare, dimenare ◆ vi scuotersi, agitarsi, dimenarsi

wage /weɪdʒ/ s paga f, salario m

to wage /weɪdʒ/ vt intraprendere, condurre ● to w. war muovere guerra

to waggle /ˈwægl/ (fam) vt agitare, dimenare, scuotere ◆ vi agitarsi

wag(g)on /ˈwægən/ s carro m ◊ vagone m

to wail /weɪl/ vi gemere, lamentarsi

waist /weɪst/ s vita f, cintola f ◊ strozzatura f

wait /weɪt/ s attesa f

to wait /weɪt/ vi aspettare ◊ rimanere in sospeso ◊ (a tavola) servire ◆ vt aspettare ◊ ritardare, rinviare ● to w. and see stare a vedere; to w. behind rimanere, fermarsi; to w. for sb aspettare qn; to w. on servire; to w. tables

fare il cameriere; to w. up rimanere alzato

waiter /ˈweɪtə/ s cameriere m

waiting /ˈweɪtɪŋ/ s attesa f ◊ servizio m ● no w. divieto di sosta; w. list lista di attesa; w. room sala d'aspetto

waitress /ˈweɪtrɪs/ s cameriera f

to waive /weɪv/ vt rinunciare a

wake (1) /weɪk/ s veglia f ◊ vigilia f ● w.-up sveglia

wake (2) /weɪk/ s scia f

to wake /weɪk/ (pass **woke**, **waked**, pp **waked**, **woke**, **woken**) vi svegliarsi, destarsi ◊ fare la veglia ◆ vt svegliare ◊ ridestare, rianimare ◊ vegliare

to waken /ˈweɪk(ə)n/ vt/i svegliare, svegliarsi

walk /wɔːk/ s camminata f, passeggiata f ◊ percorso m ◊ andatura f, passo m ◊ sentiero m, viale m

to walk /wɔːk/ vi camminare, passeggiare ◆ vt percorrere a piedi ◊ far camminare ◊ accompagnare ● to w. away from uscire incolume da, distanziare; to w. in entrare; to w. out uscire, scioperare, abbandonare per protesta; to w. out on piantare in asso; to w. over sconfiggere, sbaragliare; to w. up salire (a piedi)

walker /ˈwɔːkə/ s camminatore m ◊ pedone m ◊ (sport) podista m/f

walking /ˈwɔːkɪŋ/ a che cammina

◇ da passeggio ◇ a piedi ◆ **s** il camminare

walkway /wɔːkweɪ/ **s** passaggio **m** pedonale

wall /wɔːl/ **s** muro **m**, parete **f** ◇ **al pl** mura **f pl**

to wall /wɔːl/ **vt** cintare, cingere di mura

wallet /wɒlɪt/ **s** portafoglio **m**

to wallop /wɒləp/ **s** (fam) percuotere

wallpaper /wɔːlˌpeɪpə/ **s** carta **f** da parati

wally /wɒlɪ/ **a** (fam) scemo

walnut /wɔːlnət/ **s** noce **m** ◇ (frutto) noce **f**

to waltz /wɔːls/ **vi** ballare il valzer

wan /wɒn/ **a** pallido, esangue

wand /wɒnd/ **s** bacchetta **f**

to wander /wɒndə/ **vi** vagare, girovagare ◇ deviare, scostarsi ◇ delirare ◆ **vt** vagare per

wandering /wɒnd(ə)rɪŋ/ **a** errante, nomade ◇ tortuoso, serpeggiante ◆ **s** vagabondaggio **m**, peregrinazione **f** ◇ smarrimento **m** ◇ vaneggiamento **m**

to wane /weɪn/ **vi** calare, declinare

wangle /wæŋgl/ **s** (pop) imbroglio **m**

want /wɒnt/ **s** bisogno **m**, necessità **f** ◇ mancanza **f**, scarsità **f** ◇ indigenza **f**

to want /wɒnt/ **vt** volere, desiderare ◇ aver bisogno di ◇ ricercare ◆ **vi** mancare ●**to w. for** esser privo di; **what do you w.?** cosa ti serve?, cosa vuoi?

wanted /wɒntɪd/ **a** (dir) ricercato

◇ richiesto ◇ (negli annunci) cercasi

wanting /wɒntɪŋ/ **a** mancante, carente

wanton /wɒntən/ **a** sfrenato, sregolato ◇ arbitrario, immotivato ◇ licenzioso, scostumato

war /wɔː/ **s** guerra **f** ◆ **a** bellico, di guerra ●**to be at w. with** essere in guerra con; **to wage w. upon** muovere guerra a

ward /wɔːd/ **s** (dir) tutela **f**, custodia **f** ◇ (dir) persona **f** sotto tutela, pupillo **m** ◇ reparto **m**, corsia **f** ◇ circoscrizione **f**

warden /wɔːdn/ **s** guardiano **m** ◇ sovrintendente **m/f**, direttore **m**

warder /wɔːdə/ **s** carceriere **m**

wardrobe /wɔːdrəʊb/ **s** guardaroba **m**, armadio **m** ◇ vestiario **m**

ware /weə/ **s pl** articoli **m pl**, merce **f**

warehouse /weəhaʊs/ **s** magazzino **m**

warfare /wɔːfeə/ **s** guerra **f**

warm /wɔːm/ **a** caldo ◇ caloroso, cordiale ◆ **to be w.** avere caldo, far caldo

to warm /wɔːm/ **vt** scaldare, riscaldare ◇ animare ◆ **vi** scaldarsi, riscaldarsi ◇ animarsi

warm-hearted /ˌwɔːmˈhɑːtɪd/ **a** affettuoso

warmth /wɔːmθ/ **s** calore **m**

to warn /wɔːn/ **vt** avvertire, ammonire ◇ (dir) diffidare

warning /wɔːnɪŋ/ **a** di avvertimento ◇ ammonitore ◆ **s** avvertimento **m**, preavviso **m** ◇ avviso **m**, allarme **m** ◇ (dir) diffida **f** ●**w. light** spia luminosa

watercolour

to warp /wɔːp/ vt curvare, distorcere, deformare ♦ vi curvarsi, distorcersi, deformarsi

warrant /wɒr(ə)nt/ s mandato m, ordine m

to warrant /wɒr(ə)nt/ vt garantire ◇ autorizzare

warrior /wɒrɪə/ s guerriero m

warship /wɔːʃɪp/ s nave f da guerra

wart /wɔːt/ s verruca f ● warts and all con tutti i difetti, nonostante i difetti

wary /weərɪ/ a cauto, diffidente

wash /wɒʃ/ s lavaggio m, lavata f ◇ bucato m ◇ sciabordio m ◇ (di nave) scia f

to wash /wɒʃ/ vt lavare ◇ bagnare, spruzzare ♦ vi lavarsi ● to w. away, off togliere lavando; to w. down lavare con un getto d'acqua; to w. up lavare i piatti, lavarsi le mani e la faccia

washing /wɒʃɪŋ/ s lavaggio m ◇ bucato m ● w. machine lavatrice

washout /wɒʃaʊt/ s (fam) fiasco m, fallimento m

washroom /wɒʃruːm/ s gabinetto m

wasp /wɒsp/ s vespa f

wastage /weɪstɪdʒ/ s spreco m ◇ scarti m pl ◇ diminuzione f, calo m

waste /weɪst/ a deserto, incolto ◇ di scarto, di rifiuto ◇ di scarico, di scolo ♦ s perdita f, spreco m ◇ scarto m, rifiuti m pl, scorie f pl ◇ terreno m incolto, deserto m ● radioactive w. scorie radioattive; w. pipes tubazioni di scarico

to waste /weɪst/ vt sciupare, spre-

care, dissipare ◇ devastare, rovinare ♦ vi consumarsi, logorarsi ● to w. away deperire

wasteful /weɪstf(ʊ)l/ a sprecone ◇ dispendioso ◇ superfluo

wastepaper /weɪst,peɪpə/ s carta f straccia ● w. basket cestino per la carta straccia

watch /wɒtʃ/ s orologio m (da polso) ◇ guardia f, ronda f, sorveglianza f ◇ (naut) turno m di guardia, quarto m

to watch /wɒtʃ/ vt osservare, guardare ◇ sorvegliare, badare a, fare attenzione a ♦ vi stare a guardare, osservare ◇ stare in guardia, vigilare ● to w. out stare in guardia; to w. over vegliare su

watchdog /wɒtʃdɒg/ s cane m da guardia

watchful /wɒtʃf(ʊ)l/ a vigile

watchman /wɒtʃmən/ (pl watchmen) s sorvegliante m, guardiano m

water /wɔːtə/ s acqua f ● drinking w. acqua potabile; high/low w. alta/bassa marea; mineral w. acqua minerale; plain w. (USA) acqua naturale; running w. acqua corrente; shallow w. bassofondo; w. cannon idrante; w. gate chiusa; w. heater scaldabagno; w. polo pallanuoto; w. skiing sci nautico

to water /wɔːtə/ vt annaffiare, irrigare ◇ annacquare ◇ abbeverare ♦ vi abbeverarsi ◇ rifornirsi d'acqua ◇ lacrimare ● to w. down allungare, diluire

watercolour /wɔːtə,kʌlə/ s acquerello m

waterfall /'wɔːtəfɔːl/ s cascata f

watering /'wɔːtərɪŋ/ s annaffiamento m, irrigazione f ◇ diluizione f ◇ rifornimento m d'acqua ◆ *w. can* annaffiatoio

watermelon /'wɔːtəˌmelən/ s cocomero m

waterproof /'wɔːtəpruːf/ a impermeabile

watertight /'wɔːtətaɪt/ a stagno, a tenuta d'acqua

waterway /'wɔːtəweɪ/ s canale m, via f d'acqua

waterworks /'wɔːtəwɜːks/ s pl acquedotto m, impianto m idrico

watery /'wɔːtərɪ/ a acquoso ◇ lacrimoso ◇ insipido ◇ slavato

wave /weɪv/ s onda f, ondata f ◇ ondulazione f ◇ cenno m, gesto m

to wave /weɪv/ vi ondeggiare, sventolare ◇ fare un cenno (con la mano) ◇ essere ondulato ◆ vt agitare, brandire, sventolare ◇ fare segno di ◇ ondulare

wavelength /'weɪvleŋ(k)θ/ s lunghezza f d'onda

to waver /'weɪvə/ vi oscillare, vacillare ◇ esitare, tentennare

wavy /'weɪvɪ/ a ondulato ◇ ondeggiante

wax /wæks/ s cera f

to wax (1) /wæks/ vt dare la cera a

to wax (2) /wæks/ vi (della luna) crescere ◇ divenire, farsi

way /weɪ/ s via f, strada f, passaggio m, percorso m, cammino m ◇ maniera f, modo m ◇ direzione f, lato m ◇ abitudine f ◇ punto m di vista, aspetto m ◇ condizione f, stato m ● *by the w.* a proposito,

incidentalmente; *by w. of* via, passando per, a titolo di; *out of the w.* remoto, lontano; *in the wrong w.* in senso contrario; *to take it the wrong w.* offendersi; *w. in* entrata; *w. out* uscita

to waylay /weɪ'leɪ/ (pass/pp **waylaid**) vt tendere un agguato a, attendere al varco

wayward /'weɪwəd/ a caparbio ◇ capriccioso

wc /ˌdʌb(ə)ljuːˈsiː/ s gabinetto m, wc m

we /wi(ː)/ pr.pers noi

weak /wiːk/ a debole ◇ diluito, leggero ◇ tenue

to weaken /'wiːk(ə)n/ vt/i indebolire, indebolirsi

weakness /'wiːknɪs/ s debolezza f ◇ lato m debole

wealth /welθ/ s ricchezza f ◇ abbondanza f

wealthy /'welθɪ/ a ricco

to wean /wiːn/ vt svezzare ◇ disabituare

weapon /'wepən/ s arma f

wear /weə/ s uso m ◇ consumo m, logorìo m ◇ durata f, resistenza f all'uso ◇ abbigliamento m

to wear /weə/ (pass **wore**, pp **worn**) vt indossare, portare ◇ consumare ◆ vi consumarsi, logorarsi ◇ durare ◆ *to w. away* consumare, logorare; *to w. down* consumare, logorare, fiaccare; *to w. off* consumarsi, sparire lentamente; *to w. out* logorare, esaurire

weariness /'wɪərɪnɪs/ s stanchezza f, fiacca f

weary /'wɪərɪ/ *a* stanco ◇ annoiato ◇ stancante, estenuante

to weary /'wɪərɪ/ *vt/i* stancare, stancarsi

weather /'weðər/ *s* tempo *m* (atmosferico) ◆ *a* del tempo, meteorologico ● *bad/fine w.* tempo cattivo/buono; *w. forecast* previsioni del tempo

to weather /'weðər/ *vt* alterare, consumare ◇ esporre all'aria ◇ superare ◇ (*naut*) doppiare

weathercock /'weðəkɒk/ *s* banderuola *f*

to weave /wiːv/ (*pass* **wove**, *pp* **woven**) *vt* tessere ◇ intrecciare, ordire

web /web/ *s* tela *f*, trama *f* ◇ ragnatela *f* ◇ (*inform*) Rete *f*, Web *m* ● *w. page* (*inform*) pagina web

to wed /wed/ (*pass/pp* **wedded**) *vt/i* sposare, sposarsi

wedding /'wedɪŋ/ *s* matrimonio *m*, nozze *f pl* ● *w. dress* abito da sposa; *w. ring* fede, vera

Wednesday /'wenzdɪ/ *s* mercoledì *m*

wee /wiː/ *a* (*fam*) minuscolo

weed /wiːd/ *s* erbaccia *f*

weedy /'wiːdɪ/ *a* coperto di erbacce ◇ allampanato

week /wiːk/ *s* settimana *f*

weekday /'wiːkdeɪ/ *s* giorno *m* feriale

weekend /,wiːk'end/ *s* weekend *m*, fine settimana *m*

weekly /'wiːklɪ/ *a/s* settimanale *m* ◆ *avv* settimanalmente

to weep /wiːp/ (*pass/pp* **wept**) *vt/i* piangere ◇ stillare, trasudare

weeping /'wiːpɪŋ/ *a* piangente ◇ trasudante ◆ *s* pianto *m*

to weigh /weɪ/ *vt* pesare ◇ soppesare, valutare ◆ *vi* pesare ◇ incidere, avere peso ● *to w. anchor* salpare; *to w. down* piegare; *to w. in* pesarsi; *to w. up* soppesare

weight /weɪt/ *s* peso *m* ● *net/gross w.* peso netto/lordo; *to lose w.* dimagrire; *to put on w.* ingrassare; *w. lifting* sollevamento pesi

weighty /'weɪtɪ/ *a* pesante, gravoso

weird /wɪəd/ *a* soprannaturale, magico ◇ strano

welcome /'welkəm/ *a* gradito ◆ *s* benvenuto *m*, accoglienza *f* ◆ *inter* benvenuto ● *you're w.!* prego!

to welcome /'welkəm/ *vt* accogliere, dare il benvenuto ◇ accettare, gradire

to weld /weld/ *vt/i* saldare, saldarsi

welfare /'welfeər/ *s* benessere *m*, prosperità *f* ◇ sussidio *m* ● *w. state* stato sociale

well (1) /wel/ *s* pozzo ◇ fonte *f*, sorgente *f* ◇ tromba *f* delle scale

well (2) /wel/ (*comp* **better**, *sup* **best**) *avv* bene ◆ *a* sano ◇ opportuno, consigliabile ◇ bello, buono ◆ *inter* dunque, ebbene, allora ● *as w.* anche; *as w. as* come pure; *very w.* ottimamente, va bene; *w. done!* ben fatto!, bravo!

well-advised /,weləd'vaɪzd/ *a* saggio

well-behaved /,welbɪ'heɪvd/ *a* beneducato

well-being /ˌwelˈbiːɪŋ/ s benessere m

well-done /ˌwelˈdʌn/ a (cuc) ben cotto ◇ ben fatto

well-heeled /ˌwelˈhiːld/ a (fam) ricco

well-known /ˌwelˈnəʊn/ a noto

well-nigh /ˈwelnaɪ/ avv quasi

well-off /ˌwelˈɔːf/ a benestante ◇ ben fornito

well-read /ˌwelˈred/ a colto

well-timed /ˌwelˈtaɪmd/ a tempestivo

well-to-do /ˌweltəˈduː/ a (fam) ricco

well-wisher /ˈwelwɪʃər/ s fautore m

Welsh /welʃ/ a/s gallese m/f

west /west/ s ovest m, occidente m, ponente m ◆ a occidentale ◆ avv verso ovest, da ovest

westerly /ˈwestəlɪ/ a occidentale, da ovest

western /ˈwestən/ a occidentale, dell'ovest ◆ s western m

westwards /ˈwestwədz/ a occidentale ◆ avv verso occidente

wet /wet/ a bagnato, umido, fradicio ◇ piovoso ◇ (di vernice) non asciutto, fresco ◆ s umidità f, pioggia f ● w. blanket (fam) guastafeste; w. dock darsena; w. suit muta (da sub)

to wet /wet/ (pass/pp **wet**, **wetted**) vt bagnare, inumidire, inzuppare

whale /weɪl/ s balena f

wharf /wɔːf/ s pontile m, banchina f

what /wɒt/ a (interr) quale?, quali?, che? ◇ (rel) quello che, quella che, quelli che, quelle che ◇ (escl) che! ◆ pr (interr) che?,

che cosa?, quale? ◇ (rel) ciò che ◇ (escl) quanto come!

whatever /wɒtˈevər/ a qualunque, qualsiasi ◇ (enf) alcuno, di sorta, affatto ◆ pr qualunque cosa, qualsiasi cosa, ciò che, quello che

wheat /wiːt/ s frumento m, grano m

wheel /wiːl/ s ruota f ◇ volante m, ruota f del timone

to wheel /wiːl/ vt spingere, tirare ◇ far girare, roteare ◆ vi girare, ruotare, roteare ◇ girarsi ◇ fare un voltafaccia ● to w. and deal mercanteggiare

wheelchair /ˈwiːltʃeər/ s sedia f a rotelle

to wheeze /wiːz/ vi ansimare

when /wen/ avv (interr) quando? ◇ (rel) in cui ◆ cong quando, nel momento in cui ◇ sebbene ◇ quando, qualora

whenever /wenˈevər/ avv/cong ogni qualvolta, ogni volta che, quando ◇ una volta che, quando

where /weər/ avv (interr) dove? ◇ dove, nel luogo in cui ◆ cong dove

whereabout(s) /ˌweərəˈbaʊt(s)/ avv (interr) dove?, da che parte? ◆ s luogo m dove qc o qn si trova

whereas /weərˈæz/ cong (avversativo) mentre

whereby /weəˈbaɪ/ avv (interr) come?, in che modo? per mezzo di che cosa? ◇ (rel) con cui, per mezzo di cui, per cui

whereupon /ˌwɛərəˈpɒn/ *cong* dopo di che, al che

wherever /wɛərˈevə/ *avv* (*interr*) dove (mai)? ◇ in qualsiasi posto ◆ *cong* dovunque

to whet /wet/ *vt* affilare ◇ aguzzare, stimolare

whether /ˈweðə/ *cong* (*dubitativo*) se ◇ (*avversativo*) **w. ... or o ... o**

whey /weɪ/ *s* siero *m* (del latte)

which /wɪtʃ/ *a* (*interr*) quale?, quali? ◇ (*rel*) il quale, la quale, i quali, le quali ◆ *pr* (*interr*) chi?, quale?, quali? ◇ (*rel*) il quale, la quale, i quali, le quali, che

whichever /wɪtʃˈevə/ *a* qualunque, qualsiasi ◆ *pr* chiunque, qualunque cosa

whiff /wɪf/ *s* soffio *m*, sbuffo *m* ◇ zaffata *f*

while /waɪl/ *cong* mentre, intanto che ◇ sebbene, quantunque ◇ (*avversativo*) mentre ◆ *s* momento *m*

whim /wɪm/ *s* capriccio *m*

to whimper /ˈwɪmpə/ *vi* piagnucolare ◇ pigolare ◇ (*di cani*) uggiolare

whimsical /ˈwɪmzɪk(ə)l/ *a* stravagante, capriccioso

to whine /waɪn/ *vi* uggiolare ◇ gemere, lamentarsi ◇ piagnucolare

whinny /ˈwɪnɪ/ *s* nitrito *m*

to whip /wɪp/ *vt* frustare, battere ◇ (*cuc*) sbattere, montare, frullare ◆ **whipped cream** panna montata

whirl /wɜːl/ *s* vortice *m* ◇ turbinio *m*

whirlpool /ˈwɜːlpuːl/ *s* vortice *m*, mulinello *m*

whirlwind /ˈwɜːlwɪnd/ *s* tromba *f* d'aria

to whirr /wɜːr/ *vi* ronzare ◇ rombare

whisk /wɪsk/ *s* (*cuc*) frusta *f*, frullino *m*

whisker /ˈwɪskə/ *s* basetta *f* ◇ baffo *m* di gatto

whisper /ˈwɪspə/ *s* bisbiglio *m*, sussurro *m*

to whisper /ˈwɪspə/ *vt* bisbigliare, sussurrare

whistle /ˈwɪsl/ *s* fischio *m* ◇ fischietto *m*

white /waɪt/ *a/s* bianco *m* ◆ **collar** colletto bianco; **w. hot** incandescente

whiteness /ˈwaɪtnɪs/ *s* bianchezza *f* ◇ pallore *m*

Whitsunday /ˌwɪtˈsʌndɪ/ *s* pentecoste *f*

to whittle /ˈwɪtl/ *vt* tagliuzzare ◆ *to w. away, down* ridurre

whiz(z) /wɪz/ *s* ronzio *m* ◇ (*fam*) genio *m*, mago *m*

who /huː, huˈ/ *pr* (*interr*) chi? ◇ (*rel*) chi, che, il quale, la quale, i quali, le quali ◆ **w. knows** chissà

whoever /huːˈevə/ *pr* (*rel indef*) chiunque, chi ◇ (*interr*) chi mai?

whole /həʊl/ *a* intero, tutto ◇ intero, incolume ◆ *s* il complesso *m*, l'insieme *m*, il tutto *m*

whole-hearted /ˌhəʊlˈhɑːtɪd/ *a* cordiale, generoso

wholemeal /ˈhəʊlmiːl/ *a* integrale

wholesale /ˈhəʊlseɪl/ *a* all'ingrosso ◆ *s* vendita *f* all'ingrosso

wholesome /ˈhəulsəm/ a salubre, salutare ◇ retto, puro

whom /huːm/ pr (interr) chi? ◇ (rel) che, il quale, la quale, i quali, le quali

whore /hɔːʳ/ s (volg) puttana f

whose /huːz/ pr (interr) di chi? ◇ (rel) di cui, del quale, della quale, dei quali, delle quali

why /waɪ/ avv (interr) perché ◇ (rel) per cui ♦ cong perché, per quale ragione ♦ inter ma come!, ma via!

wicked /ˈwɪkɪd/ a cattivo ◇ peccaminoso

wicker /ˈwɪkəʳ/ s vimine m ♦ a di vimini

wide /waɪd/ a ampio, largo ◇ spalancato ◇ lontano, fuori segno ♦ avv largamente, in largo ◇ completamente ◇ fuori segno, a vuoto ♦ w. angle grandangolo

to widen /ˈwaɪdn/ vt/i allargare, allargarsi

widescreen /ˈwaɪdskriːn/ s schermo m gigante, schermo m panoramico ◇ maxischermo m

widespread /ˈwaɪdspred/ a diffuso

widget /ˈwɪdʒət/ s (USA) aggeggio m

widow /ˈwɪdəu/ s vedova f

widower /ˈwɪdəu(ə)ʳ/ s vedovo m

width /wɪdθ/ s ampiezza f, larghezza f

to wield /wiːld/ vt brandire ◇ esercitare

wiener /ˈwiːnəʳ/ s (USA) würstel m ◇ hot dog m

wife /waɪf/ s moglie f

wig /wɪg/ s parrucca f

to wiggle /ˈwɪgl/ vt/i dimenare, dimenarsi

wild /waɪld/ a feroce, selvaggio ◇ selvatico ◇ incolto ◇ scompigliato, disordinato ◇ agitato, tempestoso ◇ furibondo, pazzo ◇ (fam) strepitoso, eccellente ♦ s regione f selvaggia ♦ avv senza freno, all'impazzata

wilderness /ˈwɪldənɪs/ s deserto m ◇ regione f selvaggia ◇ riserva f naturale

wildlife /ˈwaɪldlaɪf/ s natura f

wilful /ˈwɪlf(u)l/ a caparbio ◇ premeditato

will (1) /wɪl/ v (ausiliare per la formazione del futuro semplice o volitivo) (ES: **he w. be here by eight o'clock** sarà qui per le otto) ◇ volere, desiderare (ES: **w. you have some more coffee?** vuoi dell'altro caffè?)

will (2) /wɪl/ vt volere m, volontà f ◇ testamento m

to will /wɪl/ vt volere ◇ costringere ◇ lasciare (per testamento)

willing /ˈwɪlɪŋ/ a volenteroso

willingly /ˈwɪlɪŋlɪ/ avv volentieri

willow /ˈwɪləu/ s salice m ● weeping w. salice piangente

willy-nilly /ˌwɪlɪˈnɪlɪ/ avv volente o nolente

to wilt /wɪlt/ vi appassire

wily /ˈwaɪlɪ/ a astuto

win /wɪn/ s vincita f, vittoria f

to win /wɪn/ (pass/pp **won**) vt vincere, battere ◇ ottenere ◇ persuadere ● to w. out trionfare; to w. over persuadere

wind /wɪnd/ s vento m ◇ respiro m,

fiato *m* ◇ sentore *m* • *w. instrument* strumento a fiato

to wind (1) /waɪnd/ *vt* arieggiare ◇ fiutare ♦ *vi* sfiatare

to wind (2) /waɪnd/ *(pass/pp* **wound)** *vt* avvolgere, attorcigliare ◇ caricare, girare ♦ *vi* serpeggiare ◇ avvolgersi, attorcigliarsi • *to w. up* avvolgere, arrotolare, *(orologio)* caricare, concludere

winding /ˈwaɪndɪŋ/ *a* sinuoso, tortuoso ◇ a chiocciola ♦ *s al pl* sinuosità *f pl* ◇ meandro *m*

windmill /ˈwɪn(d)mɪl/ *s* mulino *m* a vento ◇ mulinello *m*, girandola *f*

window /ˈwɪndəʊ/ *s* *(edil, inform)* finestra *f* ◇ vetrina *f* ◇ sportello *m* • *w. pane* vetro (di finestra)

windpipe /ˈwɪn(d)paɪp/ *s* trachea *f*

windscreen /ˈwɪn(d)skriːn/ *s* parabrezza *m* • *w. wiper* tergicristallo

windshield /ˈwɪndˌʃiːld/ *s* *(USA)* parabrezza *m* • *rear-w.* lunotto

wine /waɪn/ *s* vino *m* • *w. cellar* cantina; *w. bar* enoteca, *w. bar*

wing /wɪŋ/ *s* ala *f* ◇ *(di porta)* battente *m* • *al pl (teat)* quinte *f pl*

to wink /wɪŋk/ *vi* ammiccare ◇ lampeggiare

winning /ˈwɪnɪŋ/ *a* vincente ◇ avvincente ♦ *s al pl* vincite *f pl* (al gioco)

winter /ˈwɪntər/ *s* inverno *m* ♦ *a* invernale

wintry /ˈwɪntrɪ/ *a* invernale ◇ *(fig)* freddo

to wipe /waɪp/ *vt* strofinare, asciugare, pulire • *to w. off* cancella-

re; *to w. out* cancellare, estinguere, annullare; *to w. up* asciugare (con uno straccio)

wire /ˈwaɪər/ *s* filo *m* (metallico, elettrico), cavo *m* ◇ *(fam)* telegramma *m* ◇ bonifico *m*

wireless /ˈwaɪəlɪs/ *a* senza fili

wisdom /ˈwɪzdəm/ *s* saggezza *f* • *w. tooth* dente del giudizio

wise /waɪz/ *a* previdente, saggio

wish /wɪʃ/ *s* desiderio *m* ◇ augurio *m* • *best wishes* i migliori auguri

to wish /wɪʃ/ *vt* desiderare ◇ augurare

wishy-washy /ˈwɪʃɪˌwɒʃɪ/ *a* brodoso, annacquato ◇ insipido

wisp /wɪsp/ *s* ciuffo *m*, fascio *m*

wistful /ˈwɪstf(ʊ)l/ *a* desideroso ◇ meditabondo

wit /wɪt/ *s* brio *m*, spirito *m* ◇ persona *f* arguta

witch /wɪtʃ/ *s* strega *f*

with /wɪð/ *prep* *(compagnia)* con, insieme a ◇ *(mezzo, modo)* con, per mezzo di ◇ *(causa)* per, di, con, a causa di ◇ riguardo a, quanto a

to withdraw /wɪðˈdrɔː/ *(pass* **withdrew,** *pp* **withdrawn)** *vt* tirare indietro ◇ ritirare, prelevare ◇ ritrattare ♦ *vi* ritirarsi, allontanarsi, indietreggiare ◇ ritrattare

withdrawal /wɪðˈdrɔː(ə)l/ *s* ritirata *f*, ritiro *m* ◇ revoca *f*, rinuncia *f* ◇ prelievo *m* ◇ ritrattazione *f*

to wither /ˈwɪðər/ *vi* appassire

to withhold /wɪðˈhəʊld/ *(pass/pp* **withheld)** *vt* trattenere, rifiutare ◇ nascondere

within /wɪˈðɪn/ *prep* dentro, entro,

al di qua di ◇ nel giro di ◆ *avv* all'interno, dentro ◇ in casa

without /wɪ'ðaut/ *prep* senza

to withstand /wɪð'stænd/ (*pass/pp* **withstood**) *vt* resistere a

witness /'wɪtnɪs/ *s* testimone *m/f*

to witness /'wɪtnɪs/ *vt/i* testimoniare ◇ essere testimone di

witty /'wɪtɪ/ *a* spiritoso, intelligente

wizard /'wɪzəd/ *s* mago *m*

to wobble /'wɒbl/ *vi* oscillare, vacillare ◇ esitare, titubare

woe /wəu/ *s* dolore *m* ◇ calamità *f*

wolf /wulf/ *s* lupo *m*

woman /'wumən/ (*pl* **women**) *s* donna *f*

womanly /'wumənlɪ/ *a* femminile

womb /wu:m/ *s* utero *m* ◇ (*fig*) grembo *m*

wonder /'wʌndə/ *s* meraviglia *f*, prodigio *m* ◇ stupore *m*

to wonder /'wʌndə/ *vt/i* meravigliarsi (di) ◇ domandarsi

wonderful /'wʌndəf(u)l/ *a* meraviglioso

to woo /wu:/ *vt* sollecitare, cercare

wood /wud/ *s* bosco *m* ◇ legna *f*, legno *m*, legname *m* ● *w. carver* intagliatore

wooden /'wudn/ *a* di legno ◇ rigido

woodman /'wudmən/ (*pl* **woodmen**) *s* boscaiolo *m*

woodpecker /'wud,pekə/ *s* picchio *m*

woodwind /'wudwɪnd/ *s* (*mus*) legni *m pl*

woodworm /'wudwɜ:m/ *s* tarlo *m*

woody /'wudɪ/ *a* boscoso

wool /wul/ *s* lana *f*

woollen /'wulən/ (*USA* **woolen**) *a* di lana ◆ *s* articolo *m* di lana

word /wɜ:d/ *s* parola *f*, vocabolo *m* ◇ notizia *f*, informazione *f* ◇ parola *f* d'ordine ◇ ordine *m*, comando *m* ● *w. processing* trattamento testi

to word /wɜ:d/ *vt* esprimere, formulare

wording /'wɜ:dɪŋ/ *s* espressione *f*, formulazione *f* ◇ dicitura *f*

work /wɜ:k/ *s* lavoro *m* ◇ opera *f* ◇ *al pl* (*v al sing*) officina *f*, fabbrica *f* ◇ *al pl* meccanismo *m* ● *out of w.* disoccupato

to work /wɜ:k/ *vi* lavorare ◇ funzionare, essere efficace ◇ penetrare con difficoltà ◇ contrarsi ◆ *vt* lavorare, plasmare ◇ far lavorare ◇ far funzionare, manovrare, condurre ◇ operare, causare, provocare ◇ sfruttare ● *to w. in* introdurre, inserire; *to w. off* sbrigare, eliminare; *to w. out* elaborare, risolvere, calcolare, allenarsi; *to w. up* suscitare, elaborare, sviluppare

workaday /'wɜ:kədeɪ/ *a* comune, ordinario ◇ noioso

worker /'wɜ:kə/ *s* lavoratore *m*, operaio *m*

working /'wɜ:kɪŋ/ *a* attivo, laborioso ◇ funzionante ◇ di lavoro, da lavoro ◆ *s* lavoro *m*, lavorazione *f* ◇ funzionamento *m* ◇ *al pl* meccanismo *m* ● *w. class* classe operaia; *w. day* giorno lavorativo; *w. order* efficienza

workman /'wɜ:kmən/ (*pl* **workmen**) *s* operaio *m*

workmanship /ˈwɜːkmənʃɪp/ *s* abilità *f* tecnica ◇ fattura *f*, esecuzione *f*

workshop /ˈwɜːkʃɒp/ *s* laboratorio *m*, officina *f* ◆ workshop *m*, laboratorio *m*

workstation /ˈwɜːkˌsteɪʃn/ *s* (*inform*) stazione *f* di lavoro, postazione *f*

world /wɜːld/ *s* mondo *m* ◆ *a* mondiale, del mondo

worldly /ˈwɜːldlɪ/ *a* mondano, terreno

worldwide /ˈwɜːldwaɪd/ *a* mondiale, universale ◆ *avv* in tutto il mondo

worm /wɜːm/ *s* verme *m* ● *w.* eaten bacato, decrepito

worn /wɔːn/ *pp di* to wear ◆ *a* consumato ◇ indebolito ● *w.* out esausto, logoro, trito e ritrito

worried /ˈwʌrɪd/ *a* preoccupato

worry /ˈwʌrɪ/ *s* preoccupazione *f*, inquietudine *f* ◇ fastidio *m*, guaio *m*

to worry /ˈwʌrɪ/ *vt* infastidire, seccare ◇ preoccupare, affliggere ◇ azzannare, dilaniare ◆ *vi* preoccuparsi, affliggersi

worrying /ˈwʌrɪɪŋ/ *a* inquietante, preoccupante ◇ molesto

worse /wɜːs/ *a* (*comp di* bad) peggiore, peggiore ◇ (*comp di* ill) peggiore, peggiorato ◆ *s* il peggio *m* ◆ *avv* peggio ● *to get w.* peggiorare

to worsen /ˈwɜːsn/ *vt/i* peggiorare

worship /ˈwɜːʃɪp/ *s* culto *m*, venerazione *f* ◇ (*titolo*) eccellenza *f*, eminenza *f*

to worship /ˈwɜːʃɪp/ *vt* adorare, venerare

worst /wɜːst/ *a* (*sup di* bad, ill) (il)

peggiore ◆ *s* il peggio *m* ◆ *avv* peggio, nel modo peggiore ● *at w.* al peggio

worth /wɜːθ/ *a.pred* che vale, di valore, del valore di ◇ degno, meritevole ◆ *s* valore *m* ● *to be w.* meritare, valere; *to be w. it* valere la pena

worthless /ˈwɜːθlɪs/ *a* di nessun valore ◇ indegno, immeritevole

worthwhile /ˌwɜːθˈwaɪl/ *a* utile, che vale la pena

worthy /ˈwɜːðɪ/ *a* meritevole, degno ◇ (*ironico*) rispettabile ◆ *s* notabile *m*

would /wʊd, wəd/ *v* (*ausiliare per la formazione del condiz pres e pass*) (ES: **I w.** buy it, if I had enough money lo comprerei, se avessi abbastanza denaro) ◇ volere, avere intenzione di (*passato e condizionale*) (ES: **I w.** not stay non vorrei rimanere; **w. you** be so kind to give me a pen? mi daresti una penna per favore?) ◇ volere (*imperfetto cong*) (ES: **I could do it, if I w.** potrei farlo se volessi) ◇ (*idiom, indica consuetudine*) (ES: **he w. stare into the distance day after day** se ne stava a guardare lontano giorno dopo giorno)

wound /wuːnd/ *s* ferita *f*

to wound /wuːnd/ *vt* ferire

wrangle /ˈræŋl/ *s* litigio *m*

wrap /ræp/ *s* scialle *m*

to wrap /ræp/ *vt* avvolgere, fasciare ◇ impacchettare, incartare

wrapper /ˈræpər/ *s* involucro *m*, copertina *f*

wrath /rɔːθ/ *s* rabbia *f*

to wreak /riːk/ *vt* sfogare ◇ provocare

wreath /riːθ/ *s* ghirlanda *f*

wreck /rek/ *s* naufragio *m*, disastro *m* ◇ relitto *m*

to wreck /rek/ *vt* far naufragare ◇ rovinare, distruggere ◆ *vi* naufragare ◇ andare in pezzi

wrench /ren(t)ʃ/ *s* strappo *m*, torsione *f* ◇ (*med*) strappo *m* muscolare ◇ (*USA*) (*mecc*) chiave *f*

to wrench /ren(t)ʃ/ *vt* strappare, torcere

to wrestle /resl/ *vi* (*sport*) lottare

wrestler /reslə/ *s* (*sport*) lottatore *m*

wretched /retʃid/ *a* disgraziato, infelice ◇ miserabile ◇ orrendo, pessimo

to wriggle /rɪgl/ *vi* contorcersi, dimenarsi ◇ essere evasivo

to wring /rɪŋ/ (*pass/pp* **wrung**) *vt* torcere, strizzare ◇ stringere con forza ◇ estorcere ◆ *vi* contorcersi

wrinkle /rɪŋkl/ *s* ruga *f*, piega *f*

to wrinkle /rɪŋkl/ *vt* corrugare, raggrinzire

wrist /rɪst/ *s* polso *m*

to write /raɪt/ (*pass* **wrote**, *pp*

written) *vt* scrivere ◇ redigere, compilare ◆ *vi* scrivere ◇ fare lo scrittore ● *to w. down* prendere nota; *to w. in* inserire (in uno scritto); *to w. off* cancellare, annullare; *to w. out* trascrivere, compilare; *to w. up* riscrivere, recensire

writer /raɪtə/ *s* scrittore *m*

to writhe /raɪð/ *vi* contorcersi

writing /raɪtɪŋ/ *s* scrittura *f*, calligrafia *f* ◇ documento *m* scritto, scritta *f* ◇ *al pl* scritti *m pl* ● *w.-book* quaderno; *w. pad* blocco

wrong /rɒŋ/ *a* sbagliato, scorretto ◇ inopportuno, sconveniente ◇ illegittimo ◇ difettoso, guasto ◆ *s* ingiustizia *f*, torto *m*, danno *m* ◇ male *m*, peccato *m* ◆ *avv* erroneamente, male ◇ impropriamente ● *to be w.* ingannarsi, sbagliarsi

wrongful /rɒŋf(ʊ)l/ *a* ingiusto, iniquo ◇ illegittimo

wrongly /rɒŋlɪ/ *avv* male, erroneamente ◇ a torto

wrought /rɔːt/ *a* lavorato, battuto

wry /raɪ/ *a* storto, obliquo

wryneck /raɪnek/ *s* torcicollo *m*

X

xenophobia /ˌzenəˈfəʊbjə/ *s* xenofobia *f*

Xmas /ˈkrɪsməs/ *s* (*abbr fam di*

Christmas) Natale *m*

X-ray /ˈeksreɪ/ *s* raggi X *m pl* ◇ radiografia *f*

Y

yacht /jɒt/ s yacht m

yank /jæŋk/ s (fam) strattone m

Yankee /ˈjæŋkɪ/ s (fam) yankee m/f ◊ americano m (degli USA)

yard (1) /jɑːd/ s iarda f

yard (2) /jɑːd/ s cortile m, recinto m ◊ (ferr) scalo m ◊ cantiere m

yarn /jɑːn/ s filo m, filato m ◊ (fig) racconto m, storia f

to yawn /jɔːn/ vi sbadigliare

yeah /jeə/ avv (fam) sì

year /jɪə, jɜː/ s anno m, annata f ◊ al pl anni m pl, età f ♦ y. book annuario; y. by y. ogni anno

yearly /ˈjɜːlɪ/ a annuale, annuo ♦ avv annualmente

to yearn /jɜːn/ vi agognare

yeast /jiːst/ s lievito m

to yell /jel/ vt/i urlare

yellow /ˈjeləʊ/ a/s giallo m

to yelp /jelp/ vi guaire ◊ urlare per il dolore

yeoman /ˈjəʊmən/ (pl yeomen) s (stor) piccolo proprietario m terriero

yes /jes/ avv sì, certo ◊ davvero?, ah sì? ♦ inter non solo, anzi ♦ s sì m, risposta f affermativa

yesterday /ˈjestədɪ/ avv/s ieri m ♦ the day before y. ieri l'altro

yet /jet/ cong ma, però, tuttavia ♦ avv ancora, finora, tuttora ◊ ancora, già ● and y. eppure; as y. finora; just y. proprio ora; not y. (e) neppure; y. once ancora una volta

yew /juː/ s (bot) tasso m

yield /jiːld/ s prodotto m, raccolto

m ◊ produzione f, rendimento m ◊ rendita f ◊ (USA) diritto m di precedenza

to yield /jiːld/ vt produrre, fruttare, rendere ◊ concedere, dare ♦ vi fruttare ◊ sottomettersi ◊ (USA) dare la precedenza

yoghurt /ˈjɒgət/ s yogurt m

yoke /jəʊk/ s giogo m

yolk /jəʊk/ s tuorlo m

yonder /ˈjɒndə/ avv lassù

you /juː/ pr.pers tu, te, ti, voi, ve, vi ◊ (con valore impers) se, si (ES: y. never can be sure! non si può mai essere sicuri!)

young /jʌŋ/ a giovane ♦ s al pl i giovani m pl ◊ (di animale) i piccoli m pl ● y. child bimbo; y. lady signorina

youngster /ˈjʌŋstə/ s giovincello m

your /jɔː/ a.poss tuo, tua, tuoi, tue, vostro, vostra, vostri, vostre, Suo, Sua, Suoi, Sue, Loro ◊ (con valore indef) proprio

yours /jɔːz/ pr.poss il tuo, la tua, i tuoi, le tue, il vostro, la vostra, i vostri, le vostre, il Suo, la Sua, i Suoi, le Sue, il Loro, la Loro, i Loro, le Loro

yourself /jɔːˈself/ (pl yourselves) pr (rifl) ti, te, te stesso, sì, sé, Lei stesso, Lei stessa ◊ (enf) tu stesso, tu stessa, Lei stesso, Lei stessa (ES: you have done it y. lo hai fatto tu stesso)

youth /juːθ/ s gioventù f, giovinez-

za *f* ◇ i giovani *m pl* ◇ giovane *m*
● *y. hostel* ostello della gioventù
youthful /'ju:θf(ʊ)l/ *a* giovane ◇

giovanile
yummy /'jʌmɪ/ *a (fam)* delizioso
yuppie /'jʌpɪ/ *s* yuppie *m/f*

Z

to zap /zæp/ *vt (fam)* eliminare,
cancellare ◆ *vi* sfrecciare
zeal /ziːl/ *s* zelo *m*
zebra /'ziːbrə/ *s* zebra *f* ● *z. cross-ing* passaggio pedonale, strisce
(pedonali)
zed /zed/ *s* zeta *f*
zee /ziː/ *s (USA)* zeta *f*
zero /'zɪərəʊ/ *s* zero *m*
to zero /'zɪərəʊ/ *vt* azzerare
zest /zest/ *s* aroma *m*, gusto *m* ◇
(di arancio, limone) scorza *f* ◇
entusiasmo *m*, interesse *m*
zibeline /'zɪbəlɪn/ *s* zibellino *m*
to zigzag /'zɪɡzæɡ/ *vi* andare a zigzag, zigzagare
zinc /zɪŋk/ *s* zinco *m*
zing /zɪŋ/ *s (fam)* sibilo *m* ◇ brio *m*
Zionism /'zaɪənɪz(ə)m/ *s* sionismo *m*
zip /zɪp/ *s* cerniera *f*, chiusura *f*
lampo ◇ *(fam)* fischio *m*, sibilo
m ● *z. fastener* (chiusura) lampo,
zip, cerniera; *z. code* (USA) co-

dice postale
to zip /zɪp/ *vt* aprire (o chiudere)
con una cerniera lampo ◇ trasportare velocemente ◇ *(inform)*
zippare ◆ *vi* aprire (o chiudere)
una cerniera lampo ◇ sfrecciare
◇ fischiare, sibilare
zipper /'zɪpə/ *s (USA)* zip *f*, cerniera *f* lampo
zodiac /'zəʊdɪæk/ *s* zodiaco *m*
zombie /'zɒmbɪ/ *s* zombie *m/f*
zone /zəʊn/ *s* zona *f*
zoo /zuː/ *s* zoo *m*
zoology /zəʊ(ʊ)'ɒlədʒɪ/ *s* zoologia *f*
zoom /zuːm/ *s* rombo *m* ◇ *(TV)*
zoomata *f* ● *z. lens* zoom
zootechnics /ˌzəʊ(ʊ)ə'tekniks/ *s pl (v
al sing)* zootecnia *f*
zucchini /zuː'kiːnɪ/ *s (USA)* zucchina *f*
zygoma /zaɪ'ɡəʊmə/ *s* zigomo *m*
zyme /zaɪm/ *s* enzima *m*

ITALIANO-INGLESE
ITALIAN-ENGLISH

A

a o **ad** *prep* (*stato in luogo*) at, in (ES: **essere a casa** to be at home; **abitare a Londra** to live in London) ◇ (*moto a luogo, direzione*) to, at, in (ES: **andare a teatro/a Londra** to go to the theatre/to London) ◇ (ES: **dai questo libro a Paolo** give this book to Paul) ◇ (*tempo*) at, in (ES: **a mezzanotte** at midnight; **a maggio** in May) ◇ (*mezzo*) by, in (ES: **scritto a mano** written by hand; **dipinto all'acquerello** painted in watercolours) ◇ (*scopo, vantaggio, danno*) to, for (ES: **a proprio rischio** at one's own risk) ◇ (*distributivo*) a, by, at (ES: **due volte al giorno** twice a day; **a uno a uno** one by one)

abàte *sm* abbot

abbagliànte *a* dazzling ● (*luci*) *abbaglianti* (*aut*) high-beams, (*USA*) brights

abbagliàre *vt* to dazzle

abbàglio *sm* blunder

abbaiàre *vi* to bark

abbandonàre *vt* to abandon, to desert, to leave, to forsake ◇ (*rinunciare a*) to renounce, to give up ♦ *vrif* to let oneself go

abbandóno *sm* abandonment ◇ (*trascuratezza*) neglect

abbassaménto *sm* lowering

abbassàre *vt* to lower ◇ (*ridurre*) to reduce ◇ (*far scendere*) to let down ♦ *vrif* (*chinarsi*) to stoop ◇ (*diminuire*) to lower ◇

(*fig*) to lower oneself ◇ (*di vento, temperatura, ecc*) to drop

abbastànza *avv* (*a sufficienza*) enough ◇ (*alquanto*) quite, rather ● *averne a. di qn* to have had enough of sb

abbàttere *vt* (*atterrare*) to knock down ◇ (*demolire*) to demolish, to put down ♦ *vrif* (*cadere*) to fall ◇ (*scoraggiarsi*) to lose heart

abbazìa *sf* abbey

abbellìre *vt* to embellish, to adorn

abbigliaménto *sm* clothes *pl*, clothing ● *negozio d'a.* clothes shop

abbinàre *vt* to couple, to combine

abboccàre *vi* to bite ◇ (*fig*) to rise to the bait

abbonaménto *sm* (*trasporti, teatro*) season ticket, pass ◇ (*a giornale*) subscription

abbonàrsi *vrif* (*trasporti, teatro*) to get a season ticket, to have a pass ◇ (*giornale*) to subscribe, to take out a subscription

abbonàto *a/sm* (*trasporti, teatro*) season ticket holder, pass holder ◇ (*giornale*) subscriber

abbondànte *a* abundant, plentiful

abbottonàre *vt* to button up

abbozzàre *vt* to sketch, to outline ● *a. un sorriso* to make a half-smile

abbracciàre *vt* to embrace, to

hug ◇ (*comprendere*) to enclose, to include ◆ *vrif* to embrace each other

abbràccio *sm* embrace, hug

abbreviàre *vt* to shorten, to cut short, to abbreviate

abbreviazióne *sf* abbreviation

abbronzàre *vt* to tan ◆ *vrif* to get brown, to get (a) tan

abbronzatùra *sf* tan

abbrustolìre *vt* (*pane*) to toast, (*caffè, carne*) to roast

abbuffàrsi *vrif* to stuff oneself

aberrazióne *sf* aberration

abéte *sm* fir

abiètto *a* despicable, base

àbile *a* able, capable ◇ (*idoneo*) fit

abilità *sf* ability ◇ (*astuzia*) skill, cleverness

abilitàre *vt* to qualify ◇ (*rendere operativo*) to activate

abìsso *sm* abyss, gulf

abitàcolo *sm* cockpit, cabin

abitànte *sm/f* inhabitant

abitàre *vi* to live, to reside ◆ *vt* to inhabit, to live in

abitazióne *sf* residence, house

àbito *sm* (*da uomo*) suit, (*da donna*) dress

abituàle *a* habitual, usual ● *cliente a.* regular customer

abituàre *vt* to accustom ◆ *vrif* to get used (to), to get accustomed (to), to accustom oneself (to)

abitùdine *sf* habit, custom ● *come d'a.* as usual

abolìre *vt* to abolish, to suppress

abolizióne *sf* abolition, suppression

aborrìre *vt* to abhor

abortìre *vi* to miscarry, (*volontariamente*) to abort

abòrto *sm* miscarriage, (*volontario*) abortion

abrasióne *sf* abrasion

abrogàre *vt* to abrogate, to cancel, to repeal

abrogazióne *sf* abrogation, repeal ◇ (*annullamento*) annulment

abusàre *vi* to abuse, to misuse ◇ (*approfittare*) to take advantage (of)

abusìvo *a* abusive, unlawful, unauthorized

abùso *sm* abuse ● *a. sessuale* sexual abuse

àcca *sf* aitch

accadèmia *sf* academy

accadére *vi* to happen, to occur

accalcàrsi *vrif* to crowd

accaldàrsi *vpr* to get hot, to get overheated

accaloràrsi *vrif* to get excited

accampaménto *sm* camp

accampàre *vt* to camp ◇ (*fig*) to advance ◆ *vrif* to camp

accaniménto *sm* fury ◇ (*ostinazione*) obstinacy

accanìrsi *vpr* to rage ◇ (*ostinarsi*) to persist (in)

accanìto *a* relentless, pitiless ◇ (*ostinato*) obstinate, dogged ● *fumatore a.* inveterate smoker

accànto *avv* nearby ● *a* next ◆ *prep* **a.** *a* near, by, next to, close to

accantonàre *vt* to set aside

accappatóio *sm* bathrobe

accarezzàre *vt* to caress, to stroke

accasàre vt to marry ◆ vpr to get married

accasciàre vt to prostrate ◆ vpr to fall, to collapse ◇ (fig) to lose heart

accattóne sm beggar

accavallàre vt (incrociare) to cross ◇ (sovrapporre) to overlap ◇ (lavoro a maglia) to cross over ◆ vpr to overlap, to pile up

accecàre vt to blind ◆ vpr/rif to become blind

accèdere vi to enter ● a. a Internet to access Internet

acceleràre vt to speed up, to quicken ◆ vi to accelerate

acceleratóre sm accelerator

accelerazióne sf acceleration

accèndere vt to light ◇ (interruttore, radio, ecc) to switch on, to turn on

accendìno sm lighter

accennàre vi (fare cenno) to beckon, (col capo) to nod, to sign ◇ (alludere a) to hint ◇ (dare segno di) to show signs ◆ vt to outline

accénno sm (cenno) sign, nod ◇ (allusione) hint

accensióne sf lighting ◇ (aut) ignition

accènto sm accent, stress

accentràre vt to centralize

accentuàre vt to stress ◇ (enfatizzare) to accentuate, to emphasize

accerchiàre vt to encircle, to surround

accertàre vt to ascertain ◇ (verificare) to control, to check

accéso a alight (pred),lit, lit up

◇ (in funzione) on ◇ (di colore) bright

accessìbile a accessible ◇ (persona) approachable ◇ (prezzo) reasonable, affordable ◇ (inform) user-friendly

accèsso sm access, admittance, entry ◇ (med) fit, attack, access ● a. a Internet Internet access

accessòrio a accessory, secondary ◆ sm accessory

accétta sf hatchet

accettàre vt to accept, to agree to

accettazióne sf acceptance ◇ (ufficio) reception

accezióne sf meaning

acchiappàre vt to catch

acciàio sm steel ● a. inossidabile stainless steel

accidentàto a (di strada, terreno) uneven, bumpy

accidènte sm accident ◇ (fam) (colpo) fit

accidènti inter damn!

acciglàto a frowning

accìngersi vrif to set about, to get ready

acciùga sf anchovy

acclamàre vt to acclaim

acclimatàre vt to acclimatize ◆ vrif to become acclimatized, to get acclimatized

acclùdere vt to enclose

accogliènte a comfortable, cosy ◇ welcoming, hospitable

accogliènza sf reception, welcome

accògliere vt (ricevere) to receive, to welcome ◇ (accettare)

acerbo

to accept, to agree to ◊ (*esaudire*) to grant

accoltellàre *vt* to stab, to knife

accomiatàre *vt* to dismiss ♦ *vrif* to take leave (of)

accomodànte *a* obliging, accommodating

accomodàre *vt* (*riparare*) to repair ◊ (*sistemare*) to settle ♦ *vrif* (*sedersi*) to sit down, to take a seat ◊ (*entrare*) to come in ● *si accomodi!* take a seat!, come in!

accompagnaménto *sm* (*seguito*) retinue ◊ (*mus*) accompaniment

accompagnàre *vt* to take to, to see to, (*in auto*) to drive ◊ (*mus*) to accompany

accompagnatóre *sm* companion ◊ (*mus*) accompanist ● *a. turistico* tourist guide

accomunàre *vt* to join

acconciatùra *sf* hairstyle

acconsentìre *vi* to consent, to assent

accontentàre *vt* to satisfy ♦ *vrif* to be satisfied (with), to be content (with)

accónto *sm* advance, part payment ● *in a.* in advance

accoppiaménto *sm* coupling, matching ◊ (*mecc*) connection ◊ (*di animali*) mating

accoppiàre *vt* to couple ◊ (*unire*) to join ♦ *vrif* (*accordarsi*) to match ◊ (*di animali*) to mate

accorciàre *vt* to shorten ♦ *vpr* to shorten, to become shorten

accordàre *vt* (*concedere*) to grant ◊ (*gramm*) to make agree ◊ (*mus*) to tune up ♦ *vrif* to reach

an agreement ♦ *vpr* (*armonizzarsi*) to match

accòrdo *sm* (*intesa*) agreement, consent ◊ (*patto*) arrangement, agreement ◊ (*mus*) chord ● *andare d'a. con qn* to get on well with sb; *essere d'a.* to agree

accòrgersi *vpr* (*notare*) to notice ◊ (*rendersi conto*) to realize, to become aware of

accorgiménto *sm* (*accortezza*) shrewdness ◊ (*espediente*) trick, device

accórrere *vi* to run, to rush

accòrto *a* shrewd

accostàre *vt* to draw near ◊ (*porta, finestra*) to set ajar ◊ (*persone*) to approach ♦ *vrif* to go near

accovacciàrsi *vrif* to crouch, to squat, to squat down

accozzàglia *sf* rabble, jumble

accreditàre *vt* (*una somma*) to credit ◊ (*una notizia*) to confirm ◊ (*diplomazia*) to accredit

accréscere *vt/pr* to increase

accudìre *vt/i* to look after, to attend to

accumulàre *vt/pr* to accumulate, to pile up

accumulatóre *sm* accumulator

accuràto *a* accurate, careful

accùsa *sf* accusation, charge

accusàre *vt* to accuse, to charge ● *a. ricevuta* (*comm*) to acknowledge receipt

accusatìvo *a/sm* (*gramm*) accusative

accusàto *a/sm* (*dir*) accused

acèrbo *a* unripe, green ◊ (*aspro*) sour, sharp

acéto sm vinegar
àcido a/sm acid
acìdulo a acidulous
àcino sm grape
àcne sf acne
àcqua sf water ♦ **a. minerale** mineral water; **è a. passata** that's ancient story; **a. potabile** drinkable water; **sott'a.** underwater
acquamarìna sf aquamarine
acquàrio sm aquarium ◇ (astr) Aquarius
acquàtico a aquatic
acquavìte sf brandy, aquavitae
acquazzóne sm downpour
acquedótto sm aqueduct, waterworks
àcqueo a water, aqueous
acquerèllo sm watercolour
acquirènte sm/f purchaser, buyer, shopper
acquisìre vt to acquire
acquisizióne sf acquisition
acquistàre vt (comprare) to buy, to purchase ◇ (ottenere) to acquire, to gain, to obtain, to get
acquìsto sm purchase, buy ◇ (acquisizione) acquisition ♦ **andare a fare acquisti** to go shopping
acquitrìno sm bog, marsh, swamp
àcre a acrid, pungent
acrìlico a acrylic
acròbata sm/f acrobat
acrobazìa sf acrobatics pl
acuìre vt to sharpen, to whet
acùleo sm (bot) prickle ◇ (zool) sting
acùme sm acumen, perspicacity

acùstico a acoustic ♦ **apparecchio a.** hearing aid
acùto a acute, sharp ◇ (intenso) intense ◇ (perspicace) sharp, subtle ◇ (mus) high ♦ sm (mus) high note
ad → a
adagiàre vt to lay down ♦ vrif to lie down ◇ (fig) to subside, to sink
adàgio (1) avv slowly ♦ sm (mus) adagio
adàgio (2) sm adage, proverb
adattaménto sm adaptation
adattàre vt to fit, to adapt, to adjust ♦ vrif to adapt oneself, to fit oneself ♦ vpr to suit, to be suitable
adàtto a fit, suited, suitable, right
addebitàre vt to debit, to charge
addébito sm debit, charge
addensàre vt to thicken ♦ vrif to thicken ◇ (ammassarsi) to gather, to crowd
addestraménto sm training
addestràre vt/rif to train
addétto a assigned (to) ♦ sm (impiegato) employee ◇ (mil, ambasciata) attaché ♦ **a. stampa** press agent
addiètro avv before, ago
addìo sm goodbye ◇ (lett) farewell ♦ inter goodbye, byebye
addirittùra avv (direttamente) directly, straight away ◇ (persino) even ◇ (assolutamente) absolutely
additàre vt to point at ◇ (esporre) to point out
additìvo a/sm additive

addizióne *sf* addition

addòbbo *sm* decoration, ornament

addolcíre *vt* to sweeten ◇ (*fig*) to soften ♦ *vpr* to soften, to become milder

addoloràre *vt* to pain, to grieve ♦ *vpr* to grieve, to be sorry

addòme *sm* abdomen

addomesticàre *vt* to domesticate, to tame

addominàle *a* abdominal

addormentàre *vt* to send to sleep ◇ (*anestetizzare*) to anaesthetize ◇ (*intorpidire*) to deaden ♦ *vpr* to fall asleep

addossàre *vt* (*appoggiare*) to lean ◇ (*una colpa*) to charge with ♦ *vrif* to lean ◇ (*prendere su di sé*) to take upon oneself

addòsso *avv* on ♦ *prep* a. a on ◇ (*vicino*) close to ● *mettere le mani a. a qn* to lay hands on sb, to get one's hands on sb; *mettersi qc a.* to put st on

addùrre *vt* to adduce, to advance

adeguàre *vt* to conform, to adapt ♦ *vrif* to conform oneself

adémpiere *vt/i* to fulfil, to accomplish, to carry out

adèpto *sm* initiate

aderènte *a* adherent, sticking ◇ (*di vestito*) tight, close-fitting

aderíre *vi* (*attaccarsi*) to adhere, to stick ◇ (*acconsentire*) to assent, (*a un invito*) to accept, (*a una richiesta*) to comply with ◇ (*associarsi*) to join

adescaménto *sm* enticement, allurement

adescàre *vt* to entice, to allure

adesióne *sf* adhesion, adherence ◇ (*fig*) assent, agreement

adesívo *a/sm* adhesive

adèsso *avv* now ● *da a. in poi* from now on; *per a.* right now, for now

adiacènte *a* adjacent, adjoining

adiràrsi *vpr* to get angry

adocchiàre *vt* to eye

adolescènte *sm/f* adolescent, teenager

adolescènza *sf* adolescence, teens

adoperàre *vt* to use, to employ

adoràre *vt* to adore, to worship

adornàre *vt* to adorn, to decorate

adottàre *vt* to adopt ● *a. qn a distanza* to sponsor sb

adottìvo *a* adoptive, adopted

adozióne *sf* adoption

adulàre *vt* to flatter

adulazióne *sf* adulation, flattery

adulteràre *vt* to adulterate

adultèrio *sm* adultery

adùlto *a* adult, grown-up, (*zool*) fully-grown ♦ *sm* grown-up, adult

adunàre *vt/pr* to assemble, to gather

adùnco *a* hooked

aeràre *vt* to air, to ventilate

aerazióne *sf* aeration, ventilation

aèreo *a* air, aerial ♦ *sm* airplane, plane

aeròbica *sf* aerobics *pl* (*v al sing*)

aeròbico *a* aerobic

aerodinàmico *a* aerodynamic

aeromodèllo *sm* model aircraft

aeronàutico *a* aeronautic(al)

aeroplàno *sm* aircraft, aeroplane, plane, (*USA*) airplane

aeropòrto *sm* airport

aerosòl *sm* aerosol

aerospaziàle *a* aerospace

aerovìa *sf* airway

àfa *sf* mugginess

affàbile *a* affable

affacciàrsi *vrif* to appear

affamàto *a* hungry, starving

affannàrsi *vpr* to worry ◇ (*darsi da fare*) to busy oneself

affànno *sm* breathlessness ◇ (*fig*) worry, anxiety

affàre *sm* affair, matter ◇ (*comm*) business, transaction, (*vantaggioso*) bargain ◇ (*fam*) (*aggeggio*) thing ● **concludere un a.** to strike a bargain; **fare affari** to do business

affascinànte *a* charming, fascinating

affascinàre *vt* to charm, to fascinate

affaticàre *vt* to tire ◆ *vrif* to tire oneself, to get tired

affàtto *avv* quite, completely, entirely ◇ (*in frasi neg*) at all ● **niente a.** not at all

affermàre *vt* to assert, to affirm, to state ◆ *vrif* to impose oneself, to make a name for oneself

affermatìvo *a* affirmative

affermazióne *sf* affirmation, assertion ◇ (*successo*) achievement

afferràre *vt* to seize, to grasp, to catch

affettàre (1) *vt* (*tagliare a fette*) to slice

affettàre (2) *vt* (*ostentare*) to affect

affettàto (1) *sm* (*salumi*) sliced salami

affettàto (2) *a* (*ostentato*) affected

affètto *sm* affection, love ◇ (*med*) disease, affection

affettuóso *a* loving, affectionate, fond

affezionàrsi *vrif* to grow fond (of)

affezióne *sf* affection, attachment ● **prezzo d'a.** fancy price

affiancàre *vt* to place side by side, to put beside ◇ (*aiutare*) to help, to support

affiatàrsi *vrif* to get on well

affibbiàre *vt* (*fig*) to saddle with, (*dare*) to give

affidàbile *a* reliable

affidaménto *sm* trust, confidence ● **fare a. su qn** to rely (up) on sb

affidàre *vt* to entrust, to confide ◇ (*dir*) to grant ◆ *vrif* to rely (up) on

affìggere *vt* to post up, to stick up

affilàre *vt* to sharpen

affilàto *a* sharp ◇ (*fig*) thin

affiliàre *vt* to affiliate ◆ *vrif* to affiliate (with), to become a member (of)

affinàre *vt* to improve, to refine

affinché *cong* so that, in order that

affìne *a* similar, analogous

affinità *sf* affinity

affioràre *vi* to surface ◇ (*fig*) to emerge, to appear

affissióne *sf* bill-posting ● *a.*

abusiva flyposting; *divieto d'a.* post no bills

affittacàmere *sm/f* landlord *m*, landlady *f*

affittàre *vt* (*dare in affitto*) to let, to rent, to lease (out), (*a noleggio*) to hire (out) ◇ (*prendere in affitto*) to rent, (*a noleggio*) to hire ● *affittasi* to let, (*USA*) for rent

affitto *sm* rent, (*contratto*) lease

affliggere *vt* to afflict, to distress ◆ *vrif* to grieve, to worry

afflizióne *sf* affliction, distress

affluènte *sm* affluent, tributary

affluènza *sf* flow ◇ (*di persone*) crowd

affluire *vi* to flow ◇ (*di persone*) to crowd

afflùsso *sm* flow ◇ (*econ*) inflow, influx

affogàre *vt/i* to drown ◇ (*cuc*) to poach

affollaménto *sm* crowding, over-crowding

affollàre *vt/pr* to crowd

affondàre *vt/i* to sink

affrancàre *vt* to free, to release ◇ (*corrispondenza*) to stamp, to frank ◆ *vrif* to free oneself

affrancatura *sf* (*posta*) stamping, postage

affrànto *a* broken-hearted, disheartened ◇ (*distrutto*) worn out

affrésco *sm* fresco

affrettàre *vt* to hasten, to hurry ◇ (*anticipare*) to anticipate ◆ *vrif* to hurry, to make hasten ● *a. il passo* to quicken one's pace

affrontàre *vt* to face, to confront

◇ (*fig*) to tackle, to deal with ◆ *vrif* to come to blows

affrónto *sm* affront, insult

affumicàre *vt* (*riempire di fumo*) to fill with smoke ◇ (*annerire di fumo*) to blacken with smoke ◇ (*alimenti*) to smoke, to cure

àfono *a* voiceless, (*rauco*) hoarse

afóso *a* muggy

africàno *a/sm* African

afrodisìaco *a/sm* aphrodisiac

àfta *sf* aphtha

agènda *sf* diary ● *a. elettronica* organizer

agènte *sm* agent ● *a. di cambio* stockbroker; *a. immobiliare* estate agent, realtor

agenzìa *sf* agency ◇ (*succursale*) branch ● *a. di viaggi* travel agency, travel bureau; *a. immobiliare* estate agency

agevolàre *vt* to facilitate

agevolazióne *sf* facilitation, facility

agévole *a* easy

agganciàre *vt* to hook ◇ (*ferr*) to couple

aggettìvo *sm* adjective

aggiornaménto *sm* updating ◇ (*rinvio*) adjournment ◇ (*inform*) updating, upgrading ● *corso di a.* refresher course

aggiornàre *vt* to update, to bring up to date ◇ (*rinviare*) to adjourn ◆ *vrif* to keep oneself up to date

aggiràre *vt* to go round, to avoid ◇ (*mil*) to outflank ◆ *vpr* to wander about, to go about ◇ (*approssimarsi*) to be around, to be about

aggiudicàre *vt* to award ◇ (*asta*) to knock down ◇ (*aggiudicarsi*) to win

aggiùngere *vt* to add ◆ *vpr* to join, to be added

aggiùnta *sf* addition

aggiustàre *vt* (*riparare*) to mend, to repair, to fix ◇ (*sistemare*) to adjust ◆ *vpr* to come out right ◆ *vrif* to make do

aggrappàrsi *vrif* to cling

aggravàre *vt* to make worse, to worsen ◆ *vpr* to become worse

aggredìre *vt* to attack, to assault

aggregàre *vt* to aggregate ◆ *vrif* to join

aggressióne *sf* attack, assault

aggressività *sf* aggressiveness

aggressìvo *a* aggressive

aggressóre *sm* aggressor

aggrovigliàre *vt* to tangle ◆ *vrif* to get entangled

agguàto *sm* ambush ● *in a.* looming, on the horizon

agiàto *a* well-to-do

àgile *a* agile, nimble

agilità *sf* agility, nimbleness

àgio *sm* comfort, ease ◇ (*opportunità*) chance, time ● *sentirsi a proprio a.* to be at one's ease

agìre *vi* to act ◇ (*comportarsi*) to behave ◇ (*influenzare*) to act, to influence ◇ (*funzionare*) to work

agitàre *vt* to agitate, to shake ◇ (*fig*) to upset ◆ *vpr* to toss (about) ◇ (*turbarsi*) to get excited, to become upset

agitazióne *sf* agitation, unrest

àglio *sm* garlic

agnèllo *sm* lamb

àgo *sm* needle

agonìa *sf* death throes *pl*, agony

agonìstico *a* agonistic, competitive

agonizzàre *vi* to be on one's death bed

agopuntùra *sf* acupuncture

agósto *sm* August

agrìcolo *a* agricultural

agricoltóre *sm* farmer

agricoltùra *sf* agriculture, farming ● *a. biologica* organic farming

agriturìsmo *sm* holiday farm, farmhouse holiday ◇ (*ristorante*) farmhouse restaurant

àgro *a* sour, bitter ◇ (*fig*) sharp

agrodólce *a* bitter-sweet, sweet-and-sour

agrùme *sm* citrus (fruit, tree)

aguzzo *a* sharp

àia *sf* threshing-floor, farmyard

AIDS *sm* (*med*) AIDS, Aids

aiuòla *sf* flowerbed

aiutànte *sm/f* assistant ● *a. di campo* aide-de-camp

aiutàre *vt* to help, to assist, to aid ◇ (*favorire*) to stimulate ◆ *vrif* to help oneself ◇ (*reciproco*) to help each other

aiùto *sm* help, aid, assistance ◇ (*persona*) helper, assistant ● *a.!* help!; *chiedere a.* to call for help

àla *sf* wing

alàre (1) *a* wing

alàre (2) *sm* (*di caminetto*) firedog, andiron

àlba *sf* dawn

albeggiàre *vi* to dawn

albergatóre *sm* hotel keeper

albèrgo *sm* hotel

àlbero *sm* tree ◇ (*naut*) mast ◇ (*mecc*) shaft

albicòcca *sf* apricot

àlbo *sm* roll, register

àlbum *sm* album ● *a. da disegno* sketchbook

albùme *sm* albumen

alcalìno *a* alkaline

àlce *sm* elk ● *a. americano* moose

alchimìa *sf* alchemy

àlcol *sm* alcohol

alcòlico *a* alcoholic ♦ *sm* alcoholic drink ● *gli alcolici* alcohol beverages, wines and spirits

alcolismo *sm* alcoholism

alcolizzàto *a/sm* alcoholic

alcùno *a* (*in frasi afferm o interr con risposta afferm*) some, a few (ES: **alcuni anni fa** some years ago) ◇ (*in frasi neg, interr, dubit*) any, no (ES: **senza a. dubbio** without any doubt; **in garage non c'era alcuna macchina** no car was in the garage) ♦ *pr* (*in frasi afferm o interr con risposta positiva*) some, a few, some people (ES: **alcuni pensano che pioverà** some people think that it will rain) ◇ (*in frasi neg, interr, dubit*) (*persone*) anyone, anybody, no one, nobody, (*cose*) any, none (ES: **non vidi a.** I didn't see anyone, I saw no one)

aldilà *sm* afterlife, other world

alesàggio *sm* (*mecc*) bore

alfabèto *sm* alphabet

àlga *sf* alga, (*di mare*) seaweed

àlgebra *sf* algebra

aliànte *sm* glider

àlibi *sm* alibi

alìce *sf* anchovy

alienàre *vt* to alienate

alienazióne *sf* alienation

alimentàre (1) *a* alimentary, food

alimentàre (2) *vt* to feed, to nourish

alimentatóre *sm* feeder, power source

alimentazióne *sf* feeding

aliménto *sm* food, nourishment ◇ *al pl* (*dir*) alimony

alìquota *sf* share, quote ◇ (*tasse*) rate

aliscàfo *sm* hydrofoil

alisèi *sm pl* trade winds, trades

àlito *sm* breath

allacciàre *vt* to lace (up), to tie, to fasten ◇ (*abbottonare*) to button up

allagàre *vt* to flood, to inundate

allargàre *vt* to widen, to enlarge ◇ (*estendere*) to extend, to spread ◇ (*un vestito*) to let out ♦ *vpr* to become wide ◇ (*estendersi*) to extend, to grow

allarmàre *vt* to alarm ♦ *vrif* to become alarmed, to worry

allàrme *sm* alarm

allattàre *vt* to nurse, to suckle

alleànza *sf* alliance

alleàrsi *vrif* to form an alliance

alleàto *a* allied ♦ *sm* ally

allegàre *vt* to enclose, to append, to attach

allegàto *sm* enclosure ◇ (*inform*) attachment

alleggerìre *vt* to lighten, to relieve

allegorìa *sf* allegory

allegrìa *sf* mirth, cheerfulness

allégro *a* cheerful, merry ◊ (*di colore*) bright

allenaménto *sm* training

allenàre *vt/rif* to train

allenatóre *sm* trainer, coach

allentàre *vt* to slacken, to loosen ♦ *vpr* to loosen, to become slack

allergìa *sf* allergy ● *a. alimentare* food allergy

allèrgico *a* allergic

allestìre *vt* to prepare ◊ (*teat*) to stage ◊ (*naut*) to fit out

allevaménto *sm* (*di bambini*) upbringing ◊ (*di animali*) breeding ◊ (*luogo*) farm

allevàre *vt* (*bambini*) to bring up, to rear ◊ (*animali*) to breed

allibratóre *sm* bookmaker

alliévo *sm* pupil, student ◊ (*mil*) cadet

allineàre *vt* to line up, to align ♦ *vrif* to fall into line (with)

allocuzióne *sf* allocution

alloggiàre *vt* to lodge, to put up ♦ *vi* to lodge, to live

allòggio *sm* lodging, accomodation house ◊ (*appartamento*) flat, (*USA*) apartment

allontanaménto *sm* removal

allontanàre *vt* to remove, to put away ◊ (*mandare via*) to turn away, to send away ♦ *vpr* to go away, to go off, to depart

allóra *avv* (*in quel momento*) then ◊ (*in quel tempo*) at that time, in those days ◊ (*in tal caso*) then, in that case ◊ (*quindi*) therefore, so ● *da a. in poi* from then on; *e a.?* so what?

allòro *sm* laurel

àlluce *sm* big toe

allucinànte *a* (*fig*) incredible

allucinazióne *sf* hallucination

allùdere *vi* to allude, to refer

allumìnio *sm* aluminium, (*USA*) aluminum

allungàre *vt* to lengthen, to prolong, to extend ◊ (*stendere*) to stretch out ◊ (*porgere*) to pass ◊ (*annacquare*) to water down ♦ *vpr* to lengthen

allusióne *sf* allusion

alluvióne *sf* flood, alluvion

alméno *avv* at least

alpinìsmo *sm* alpinism, mountaineering

alpinìsta *sm/f* alpinist, mountain-climber

alpìno *a* alpine ● *sci a.* downhill skiing

alquànto *a* (*un po'*) some, a certain amount of ◊ (*al pl*) several, a few ♦ *pr* some, a certain amount ◊ (*al pl*) some, several, a few ♦ *avv* a little, rather, somewhat

alt *inter* halt, stop

altaléna *sf* (*appesa*) swing, (*in bilico*) seesaw

altàre *sm* altar

alteràre *vt* to alter, to change ◊ (*falsificare*) to falsify, to forge ♦ *vrif* to alter, to change ◊ (*turbarsi*) to lose one's temper, to get angry ◊ (*deteriorarsi*) to go bad, to go sour

alternànza *sf* alternation

alternàre *vt/pr* to alternate

alternatìva *sf* (*scelta*) alternative ◊ (*alternanza*) alternation

alternatìvo *a* alternative

altézza *sf* height ◊ (*statura*)

height, stature ◇ (*di stoffa*) width ◇ (*profondità*) depth ◇ (*di suono*) pitch ◇ (*titolo*) Highness ● **essere all'a.** di qc to be up to st, to be equal to st

altitúdine *sf* altitude, height

álto *a* high ◇ (*di statura*) tall ◇ (*profondo*) deep ◇ (*di stoffa*) wide ◇ (*di suono*) high, loud ◇ (*geogr*) upper ◇ (*fig*) high, noble ◆ *sm* top, height ◆ *avv* high, up

altoparlánte *sm* loudspeaker

altopiàno *sm* plateau, upland, tableland

altrettànto *a* as much (... as), (*pl*) as many (... as); (*in frasi neg*) so much (... as), (*pl*) so many (... as) ◆ *pr* (*correlativo*) as much (... as), (*pl*) as many (... as) ◇ (*la stessa cosa*) the same ◆ *avv* (*con agg e avv*) as (... as), (*in frasi neg*) so (... as) ◇ (*con verbi*) as much (as)

àltri *pr* someone else, (*in frasi neg*) anyone else

altrimènti *avv/cong* otherwise

àltro *a* other, (*un altro*) another, (*in più*) more, further (ES: **l'altra automobile** the other car; **un'altra automobile** another car; **vuoi a. caffè?** would you like more coffee?; **ho bisogno di altre notizie** I need further news) ◇ (*con agg, avv e pr interr o indef*) else (ES: **qualcun a.** somebody else; **nessun a.** nobody else; **in nessun a. luogo** nowhere else) ◇ (*diverso*) different (ES: **questa è un'altra cosa** that's a different thing) ◆ *pr* (the) other, (*un altro*) another (one), (*in più*) more; (*pl*)

others, other people (ES: **una volta o l'altra** some time or other; **tutti gli altri sono già qui** all the others are already here) ◇ (*altra cosa*) something else, (*in frasi neg e interr*) anything else (ES: **parliamo d'a.** let's talk of something else; **serve a.?** anything else?) ◇ (*l'un l'altro*) one another, each other ● **l'a. ieri** the day before yesterday

altrónde, d' *avv* on the other hand, however

altróve *avv* somewhere else, elsewhere

altrùi *a.poss* other's, other people's, someone else's

altruísmo *sm* altruism, unselfishness

altruísta *sm/f* altruist

altùra *sf* high ground ◇ (*naut*) high sea, deep sea

alùnno *sm* pupil

alveàre *sm* hive

alzàre *vt* to lift up, to raise, (*sollevare*) to heave ◇ (*il volume*) to turn up ◇ (*costruire*) to build, to erect ◆ *vpr* (*crescere, salire*) to raise ◇ (*dal letto*) to get up ◇ (*in piedi*) to stand up

amábile *a* lovable ◇ (*di vino*) sweet

amàca *sf* hammock

amànte *a* fond, keen ◆ *sm/f* lover

amàre *vt* to love ◇ (*piacere*) to be fond of, to like

amareggiàto *a* embittered

amarèna *sf* sour cherry

amàro *a* bitter ◇ (*senza zucchero*) without sugar, unsweetened bitter ◆ *sm* (*sapore*) bitter taste ◇ (*liquore*) bitters *pl*

ambasciàta *sf* embassy

ambasciatóre *sm* ambassador

ambedùe *a/pr* both

ambientàle *a* environmental

ambientàre *vt* to acclimatize ◇ (*fig*) to set ◆ *vrif* to get acclimatized, to adapt

ambiènte *sm* environment, habitat ◇ (*fig*) environment, circle, milieu, setting ◇ (*stanza*) room

ambiguità *sf* ambiguity

ambìguo *a* ambiguous

ambìre *vt/i* to aspire (to), to long (for)

àmbito *sm* ambit

ambizióne *sf* ambition

ambizióso *a* ambitious

àmbo *a* both ◆ *sm* (*lotto*) double

ambulànte *a* itinerant ● *venditore a.* street vendor

ambulànza *sf* ambulance

ambulatòrio *sm* surgery, (*di pronto soccorso*) first-aid station

amèno *a* pleasant, agreeable ◇ (*divertente*) funny

americàno *a/sm* American

amiànto *sm* amiant(h)us

amichévole *a* friendly

amicìzia *sf* friendship

amìco *a* friendly ◆ *sm* friend ● *a. del cuore* bosom friend, dear friend

àmido *sm* starch

ammaccàre *vt* to dent, (*di frutta*) to bruise

ammaccatùra *sf* dent, (*di frutta*) bruise

ammaestràre *vt* to train

ammalàrsi *vpr* to fall ill

ammalàto *a* ill, sick, diseased ◆ *sm* sick person

ammànco *sm* shortage, deficit

ammanettàre *vt* to handcuff

ammassàre *vt* to amass, to pile up ◆ *vpr* to crowd together, to gather together

ammattìre *vi* to go mad

ammazzàre *vt* to kill, (*assassinare*) to murder ◆ *vrif* to kill oneself

ammènda *sf* amends *pl* ◇ (*multa*) fine

amméttere *vt* (*accettare, introdurre*) to admit ◇ (*riconoscere*) to admit, to concede, to acknowledge ◇ (*supporre*) to suppose

ammezzàto *sm* mezzanine

ammiccàre *vi* to wink

amministràre *vt* to manage, to direct, to run ◇ (*relig*) to administer

amministratóre *sm* manager, director ● *a. delegato* managing director

amministrazióne *sf* administration, management

ammiràglio *sm* admiral

ammiràre *vt* to admire

ammiratóre *sm* admirer, fan

ammissìbile *a* admissible

ammissióne *sf* admission

ammobiliàre *vt* to furnish

ammòllo *sm* soaking

ammoniàca *sf* ammonia

ammoniménto *sm* admonition, admonishment, (*avvertimento*) warning

ammonìre *vt* to admonish, (*avvertire*) to warn

ammontàre (1) *vi* to amount, to come to

ammontàre (2) *sm* amount, sum

ammorbidìre *vt* to soften

ammortizzàre *vt* (*mecc*) to dampen ◇ (*econ*) to amortize, to depreciate

ammortizzatóre *sm* (*mecc*) shock absorber, damper

ammucchiàre *vt* to pile up

ammuffìre *vi/pr* to grow musty

ammuffito *a* mouldy, (*USA*) moldy

ammutinaménto *sm* mutiny

ammutinàrsi *vpr* to mutiny

ammutolìre *vi* to be struck dumb

amnesìa *sf* amnesia

amnistìa *sf* amnesty

àmo *sm* fish-hook

amoràle *a* amoral

amóre *sm* love ◇ (*persona amata*) beloved, love, darling ◇ (*desiderio*) desire ● *a. proprio* self-respect

amòrfo *a* amorphous

amoróso *a* amorous

ampiézza *sf* width, wideness ◇ (*abbondanza*) ampleness

àmpio *a* wide, large, ample, spacious ◇ (*abbondante*) abundant

amplèsso *sm* embrace ◇ (*rapporto sessuale*) sexual intercourse

ampliàre *vt* to amplify, to extend

amplificàre *vt* to amplify ◇ (*esagerare*) to magnify, to extol

amplificatóre *sm* amplifier

amputàre *vt* to amputate

amulèto *sm* amulet

anabbagliànte *a* dipped ● *sm* low-beam headlight, dipped headlight

anacronìsmo *sm* anachronism

anàgrafe *sf* registry office

anagràmma *sm* anagram

analcòlico *a* non-alcoholic, soft ● *sm* soft drink

analfabèta *a/sm/f* illiterate

analgèsico *a/sm* analgesic

analìsi *sf* analysis, test ● *a. del sangue* blood test

analizzàre *vt* to analyse

analogìa *sf* analogy

anàlogo *a* analogous

ànanas *sm* pineapple

anarchìa *sf* anarchy

anatomìa *sf* anatomy

ànatra *sf* duck

ànca *sf* hip

ànche *avv* (*pure*) also, too, as well ◇ (*davanti a comp*) even, still ◇ (*persino*) even ● *a. se* even if

àncora (1) *sf* (*naut*) anchor

ancóra (2) *avv* still ◇ (*in frasi neg*) yet ◇ (*di nuovo*) again ◇ (*di più*) more

ancoràggio *sm* anchorage, berth

ancoràre *vt/rif* to anchor, to drop anchor

andaménto *sm* (*tendenza*) trend ◇ (*corso*) course, state

andàre *vi* to go, (*a piedi*) to walk, (*in auto*) to drive ◇ (*essere, stare di salute, procedere*) to be, to get on ◇ (*funzionare*) to work, to run ◇ (*piacere*) to like, to feel like ◇ (*convenire, andar bene*) to suit, (*di misura*) to fit, (*armonizzare*) to match ◇ (*essere di moda*) to be in (fashion) ◇ (*in funzione dell'aus 'essere'*) to be, to get (ES: **se non vado errato** if I'm not mistaken) ◇ (*dover essere*) to have to be, must be (ES: **questa macchina va riparata** this car must be repaired) ◆ *vpr* to go (away)

andàta *sf* going ● *biglietto di a.* single ticket, one-way ticket

andatùra *sf* gait ◇ (*velocità*) pace

andróne *sm* entrance-hall

anèddoto *sm* anecdote

anèllo *sm* ring ◇ (*di catena*) link

anemìa *sf* an(a)emia

anèmico *a/sm* an(a)emic

anemòmetro *sm* anemometer

anestesìa *sf* an(a)esthesia

anestètico *sm* an(a)esthetic

anestetizzàre *vt* to an(a)esthetize

aneurìsma *sm* aneurism

anfetamìna *sf* amphetamine

anfìbio *a* amphibious ◆ *sm* amphibian ◇ *al pl* (*scarpe*) army boots *pl*

anfiteàtro *sm* amphitheatre

ànfora *sf* amphora

àngelo *sm* angel

angìna *sf* angina

anglicìsmo *sm* Anglicism

anglosàssone *a/sm/f* Anglo-Saxon

angolàre *a* angular

àngolo *sm* (*fis*) angle ◇ corner ● *a. cottura* kitchenette

angòscia *sf* anguish, anxiety

angùria *sf* watermelon

ànice *sm* anise

ànima *sf* soul ◇ (*parte centrale*) core, centre

animàle *a/sm* animal

animalista *sm/f* animalist

animàre *vt* to give life to, to animate ◆ *vpr* to become animated

animàto *a* (*vivente*) animated, living ◇ (*vivace*) animated, lively

animazióne *sf* animation ● *cinema d'a.* cartoon cinema

ànimo *sm* (*mente*) mind ◇ (*intenzione*) intention, thoughts *pl* ◇ (*coraggio*) courage, heart ◇ (*indole*) disposition, character, nature

annaffiàre *vt* to water

annaffiatóio *sm* watering can

annaspàre *vi* to grope

annàta *sf* year ◇ (*raccolto*) vintage ◇ (*di periodici*) volume

annebbiàre *vt* to fog, to obscure ◇ (*fig*) to cloud ◆ *vpr* to become foggy, to grow dim

annegàre *vt/i* to drown

annerìre *vt/pr* to blacken

annèttere *vt* to annex ◇ (*accludere*) to enclose ◇ (*attribuire*) to attach

annichilìre *vt* to annihilate

anniversàrio *sm* anniversary

ànno *sm* year

annodàre *vt* to knot, to tie (in knots)

annoiàre *vt* to annoy, to bore ◆ *vpr* to be bored, to get bored

annotàre *vt* (*postillare*) to annotate ◇ (*prender nota*) to note

annotazióne *sf* annotation, note

annuàle *a* annual, yearly ◇ (*che dura un anno*) year's

annuàrio *sm* yearbook

annuìre *vi* to nod

annullaménto *sm* annulment, cancellation

annullàre *vt* to annul, to cancel

annunciàre *vt* to announce

annunciatóre *sm* announcer, (*di telegiornale*) anchorman

annùncio *sm* announcement ◇ (*pubblicitario*) advertisement, ad

ànnuo *a* annual, yearly

annusàre *vt* to smell, to sniff

annuvolàrsi *vpr* to cloud over, to get cloudy

àno *sm* anus

anomalìa *sf* anomaly

anònimo *a* anonymous

anoressìa *sf* anorexia

anormàle *a* abnormal

ànsa *sf* (*manico*) handle ◇ (*di fiume*) bight, loop

ànsia *sf* anxiety

ansietà *sf* anxiety

ansimàre *vi* to pant, to huff and pant

ansiolìtico *sm* tranquillizer

ansióso *a* anxious

ànta *sf* (*di armadio*) door

antagonista *sm/f* antagonist, opponent

antàrtico *a* antarctic

antecedènte *a* preceding, previous

antefàtto *sm* previous history

antenàto *sm* ancestor, forefather

antènna *sf* (*TV*) aerial, (*USA*) antenna, (*tel*) mobile-phone aerial, (*USA*) mobile phone-antenna ◇ (*zool*) antenna, feeler ● *a*. *satellitare* dish, satellite dish

anteprìma *sf* preview ● *a. di stampa* print preview

anterióre *a* (*che è davanti*) front ◇ (*nel tempo*) former, preceding, previous

antiallèrgico *sm* antiallergic

antibiòtico *sm* antibiotic ● *a. a largo spettro* broad spectrum antibiotic

anticàmera *sf* anteroom, antechamber

antichità *sf* antiquity

anticiclóne *sm* anticyclone

anticipàre *vt* to anticipate ◇ (*denaro*) to advance ◇ (*notizie*) to disclose, to divulge ◇ (*prevenire*) to anticipate, to forestall ◆ *vi* to come early, to be ahead of time

anticipo *sm* anticipation, advance

antico *a* ancient ◇ (*vecchio*) old, antique

anticoncezionàle *a/sm* contraceptive

anticonformìsmo *sm* nonconformism

anticòrpo *sm* antibody

anticostituzionàle *a* anticonstitutional, unconstitutional

antidolorìfico *a/sm* analgesic

antìdoto *sm* antidote

antiemorràgico *a/sm* antihemorrhagic

antifecondatìvo *a/sm* contraceptive

antifùrto *a/sm* antitheft ● *a. satellitare* satellite security system

antigèlo *a/sm* antifreeze, antifreezing

antiglobalizzazióne *sf* antiglobalization

antincèndio *a* anti-fire, firefighting

antinfiammatòrio *a/sm* anti-inflammatory

antinfluenzàle *sm* anti-flu drug ◇ (*vaccino*) flu vaccine

antioràrio *a* counterclockwise, anticlockwise

antipàsto *sm* hors d'oeuvre, appetizer, starter

antipatia *sf* antipathy, dislike

antipàtico *a* unpleasant, disagreeable ◆ *sm* disagreeable person

antipùlci *a* flea

antiquariàto *sm* antique market ● *mobili d'a.* antique furniture

antiquàrio *a* antiquarian ◆ *sm* antique dealer

antiquàto *a* antiquated

antiràbbico *a* antirabies, rabies

antirùggine *a* antirust, rustproof

antiscivolo *a* non-slip

antisemitismo *sm* anti-Semitism

antisìsmico *a* antiseismic

antistamìnico *a* antihistaminic ◆ *sm* antihistamine

antitetànico *a* antitetanus

antologìa *sf* anthology

antropologìa *sf* anthropology

antropòlogo *sm* anthropologist

antropomòrfo *a* anthropomorphous

anulàre *a* ring-like ◆ *sm* ring finger

ànzi *cong* (*al contrario*) on the contrary ◇ (*rafforzativo*) rather

◇ (*o meglio*) even better, or better still

anziàno *a* elderly, old ◇ (*di grado*) senior ◆ *sm* elderly person

anziché *cong* (*piuttosto che*) rather than ◇ (*invece di*) instead of

anzitùtto *avv* first of all

apatìa *sf* apathy

àpe *sf* bee

aperitìvo *sm* aperitif

apèrto *a* open ● *all'aria aperta* in the open air

apertùra *sf* opening

àpice *sm* apex

apicoltùra *sf* apiculture

apnèa *sf* apn(o)ea

apòstolo *sm* apostle

apòstrofo *sm* apostrophe

appagàre *vt* to satisfy, to fulfil ◆ *vrfl* to be satisfied

appàlto *sm* contract ● *dare in a.* to farm out

appannàre *vt* to mist, to tarnish ◆ *vpr* to mist up ◇ (*vista*) to grow dim

apparàto *sm* (*tecn*) machinery, equipment ◇ (*anat*) apparatus, system

apparecchiàre *vt* to prepare, (*la tavola*) to lay the table

apparécchio *sm* apparatus, set ◇ (*aeroplano*) aircraft

apparènte *a* apparent

apparènza *sf* appearance

apparìre *vi* to appear ◇ (*sembrare*) to seem, to look

appariscènte *a* striking

appartaménto *sm* flat, (*USA*) apartment

appartenére *vi* to belong (to)

appassionàre *vt* to thrill, to move ◆ *vpr* to become fond of

appassionàto *a* impassioned, passionate ◇ (*amante*) keen (on)

appassìre *vi/pr* to wither

appèllo *sm* (*dir*) appeal ◇ (*chiamata*) roll-call ◇ (*invocazione*) call ● **fare l'a.** to call the roll

appéna *avv* (*a stento*) hardly, scarcely ◇ (*soltanto*) only ◇ (*da poco tempo*) (only) just ◆ *cong* as soon as ● **a. ... che, a. ... quando** just ... when, no sooner ... than

appèndere *vt* to hang

appendìce *sf* appendix ● **romanzo d'a.** serial

appendicìte *sf* appendicitis

appesantìre *vt* to make heavy ◆ *vpr* to grow stout

appetìto *sm* appetite

appiattìre *vt/pr* to flatten

appiccicàre *vt* to stick ◆ *vi* to be sticky

appiccicóso *a* sticky, (*di persona*) clinging

appièno *avv* fully, completely

appìglio *sm* hold ◇ (*fig*) pretext

appisolàrsi *vpr* to doze off

applaudìre *vt/i* to applaud, to clap, to cheer

applàuso *sm* applause, cheers *pl*

applicàre *vt* to apply ◇ (*dir*) to enforce ◆ *vrif* to apply oneself

applicazióne *sf* application ◇ (*dir*) enforcement

appoggiàre *vt* to lean, to lay ◇ (*sostenere*) to support ◆ *vrif* to lean ◇ (*fig*) to rely

appoggiatèsta *sm* headrest

appòggio *sm* support

appollaiàrsi *vrif* to perch

appórre *vt* to affix

appositaménte *avv* expressly, on purpose

appòsito *a* special ◇ (*adatto*) proper

appósta *avv* (*deliberatamente*) on purpose, intentionally ◇ (*con uno scopo preciso*) specially, expressly

apprèndere *vt* to learn ◇ (*venire a sapere*) to hear

apprendìsta *sm/f* apprentice

apprensióne *sf* apprehension, anxiety

apprensìvo *a* apprehensive, anxious

apprèsso *avv* (*vicino*) near, close ◇ (*dietro*) behind ◇ (*in seguito*) after, later, below

apprètto *sm* starch, size

apprezzaménto *sm* appreciation ◇ (*giudizio*) opinion

apprezzàre *vt* to appreciate

appròccio *sm* approach

approdàre *vi* (*naut*) to dock, to land ◇ (*riuscire*) to come to

appròdo *sm* landing, docking

approfittàre *vi/pr* to profit by, to take advantage of ◇ (*abusare*) to impose on

approfondìre *vt* to deepen ◇ (*fig*) to study in deep

appropriàto *a* appropriate, suitable

approssimàrsi *vpr/rif* to approach, to come near

approssimatìvo *a* approximate, rough ◇ (*impreciso*) imprecise, superficial

approvàre *vt* to approve

approvazióne *sf* approval
approvvigionaménto *sm* supplying ◇ *al pl* (*provviste*) provisions *pl*, supplies *pl*
appuntaménto *sm* appointment, date ● *a. al buio* blind date
appùnto (1) *sm* note, record ◇ (*osservazione*) remark
appùnto (2) *avv* exactly, just
appuràre *vt* to ascertain ◇ (*verificare*) to verify, to check
apribottìglie *sm* bottle-opener
aprìle *sm* April
aprìre *vt* to open ◇ (*acqua, gas*) to turn on ◇ (*cominciare*) to begin, to open ◆ *vi/pr* to open ◇ (*sbocciare*) to bloom
apriscàtole *sm* tin-opener, can-opener
àquila *sf* eagle
aquilóne *sm* kite
arabésco *sm* arabesque
àrabo *a/sm* Arab, Arabian
aràchide *sf* peanut
aragósta *sf* lobster, crayfish
aràldico *a* heraldic
arància *sf* orange
aranciàta *sf* orangeade
arancióne *a* orange
aràre *vt* to plough, (*USA*) to plow
aràtro *sm* plough, (*USA*) plow
aràzzo *sm* tapestry
arbitràre *vt* (*dir*) to arbitrate ◇ (*sport*) to referee, to umpire
arbitràrio *a* arbitrary
arbìtrio *sm* will ◇ (*abuso*) abuse
àrbitro *sm* (*dir*) arbitrator ◇ (*sport*) referee, umpire
arbòreo *a* arboreal
arbùsto *sm* shrub
àrca *sf* ark

arcàico *a* archaic
arcàngelo *sm* archangel
arcàno *a* arcane, mysterious
arcàta *sf* arch ◇ (*serie di archi*) arcade
archeologìa *sf* archaeology
archeològico *a* archaeologic
archeòlogo *sm* archaeologist
archètipo *sm* archetype
archétto *sm* (*mus*) bow
architétto *sm* architect
architettònico *a* architectonic, architectural
architettùra *sf* architecture
architràve *sm* architrave
archìvio *sm* archives *pl*, file
arcière *sm* archer, bowman
arcipèlago *sm* archipelago
arcivéscovo *sm* archbishop
àrco *sm* (*anat*) arch ◇ (*arma*) bow (*anche mus*) ◇ (*anche geom*) arc ◇ (*anche fig*) space
arcobaléno *sm* rainbow
àrdere *vt/i* to burn
ardèsia *sf* slate
ardóre *sm* ardour
àrduo *a* arduous
àrea *sf* area
àrgano *sm* windlass, winch
argentàto *a* (*color argento*) silvery, silver ◇ (*rivestito d'argento*) silver-plated
argenterìa *sf* silverware
argènto *sm* silver
argìlla *sf* clay
àrgine *sm* bank, embankment, (*diga*) dyke
argoménto *sm* (*tema*) subject, matter, topic ◇ (*prova*) argument
argùto *a* quick-witted, witty

argùzia sf wit ◇ (motto) witty remark

ària sf air ◇ (aspetto) look, (espressione) expression ◇ (mus) tune, air, (di opera) aria ♦ a. condizionata air conditioned; darsi delle arie to give oneself airs

àrido a dry, arid

arieggiàre vt to air, to ventilate

ariète sm ram ◇ (astr) Aries

arìnga sf herring

aristocràtico a aristocratic(al) ♦ sm aristocrat

aritmètica sf arithmetic

arlecchìno a/sm harlequin

àrma sf arm, weapon ◇ (mil) force

armàdio sm cupboard, (guardaroba) wardrobe

armaménto sm armament, arming ◇ (naut) rigging, equipment

armàre vt to arm ◇ (naut) to rig, to fit out ♦ vrif to arm oneself

armatóre sm shipowner

armatùra sf (mil) armour ◇ (telaio) framework

armistìzio sm armistice

armonìa sf harmony

armonióso a harmonious

armonizzàre vt/pr to harmonize

arnése sm (attrezzo) tool, implement ◇ (aggeggio) gadget, contraption, thing

aròma sm aroma, fragrance ◇ (cuc) spice

aromàtico a aromatic

àrpa sf harp

arpìa sf harpy

arpióne sm harpoon

arrabbiàrsi vpr to get angry

arrabbiàto a angry

arrampicàrsi vpr to scramble (up), to climb (up)

arrampicàta sf climb

arrancàre vi to hobble, to trudge

arrangiàre vt to arrange ♦ vpr to manage, to do the best one can ◇ (accordarsi) to come to an agreement ◇ (accomodarsi) to make oneself comfortable

arrecàre vt (portare) to bring ◇ (causare) to cause

arredaménto sm furnishing, fitting out, interior decoration ◇ (mobili) furniture, furnishings pl

arredàre vt to furnish

arrèdo sm furnishings pl, furniture

arrèndersi vrif to surrender ◇ (fig) to give up

arrestàre vt (fermare) to stop, to halt ◇ (trarre in arresto) to arrest ♦ vrif to stop, to pause

arrèsto sm (fermata) stop, halt, arrest ◇ (mil) arrest

arretràre vt to withdraw ♦ vi to draw back

arretràto a behind, back, rear ◇ (sottosviluppato) backward, underdeveloped ♦ sm arrear ◇ essere in a. to be behind (schedule); numero a. back issue

arricchìre vt to enrich ♦ vpr/rif to become rich, to grow rich

arricciàre vt to curl ♦ vpr to become curly ● a. il naso to turn up one's nose

arrivàre vi to arrive (at, in), to get (to), to reach, to come (to) ◇ (giungere a) to go as far as, to go so far as, to be reduced to ◇ (riuscire) to manage, to be able

◇ (*avere successo*) to attain success ◇ (*accadere*) to happen
arrivedérci *inter* goodbye, see you soon, see you later
arrivìsta *sm/f* social climber
arrìvo *sm* arrival ◇ (*sport*) finish, finishing line
arrogànte *a* arrogant
arrossaménto *sm* reddening
arrossìre *vi* to blush
arrostìre *vt* to roast, (*su graticola*) to broil, to grill
arròsto *a/sm* roast
arrotàre *vt* to sharpen
arrotolàre *vt* to roll up
arrotondàre *vt* to round ◇ (*fig*) to round off
arrovellàrsi *vrif* to strive, to work oneself up into a rage ● *a. il cervello* to rack one's brains
arrugginìre *vt/i/pr* to rust
arruolàre *vt* to recruit, to enlist ● *vrif* to join up, to enlist
arsenàle *sm* (*naut*) shipyard, dockyard ◇ (*mil*) arsenal
àrso *a* (*bruciato*) burnt ◇ (*riarso*) dry
arsùra *sf* (*caldo*) scorching heat ◇ (*sete*) burning thirst
àrte *sf* art ● *belle arti* fine arts
artéfice *sm* artificer, craftsman
artèria *sf* artery
arterioscleròsi *sf* arteriosclerosis
arterióso *a* arterial
àrtico *a* arctic
articolàre (1) *a* (*anat*) articular
articolàre (2) *vt* to articulate ◇ (*proferire*) to utter ◇ (*fig*) to subdivide ● *vrif* to articulate ◇ (*fig*) to be divided (into)

articolazióne *sf* articulation
artìcolo *sm* (*gramm*) article ◇ (*di giornale*) article ◇ (*comm*) item, article
artificiàle *a* artificial
artifìcio *sm* artifice, device, stratagem ● *fuochi d'a.* fireworks
artigianàto *sm* handicraft, (*prodotti*) handicrafts
artigiàno *sm* artisan, craftsman
artiglierìa *sf* artillery
artìglio *sm* claw
artìsta *sm/f* artist
artìstico *a* artistic
àrto *sm* (*anat*) limb ◇ (*zool*) arm
artrìte *sf* arthritis
artròsi *sf* arthrosis
ascèlla *sf* armpit
ascendènte *a* ascendant, rising ● *sm* (*influenza*) ascendency, influence ◇ (*astr*) ascendant ◇ (*antenato*) ancestor
ascensióne *sf* ascension, ascent
ascensóre *sm* lift, (*USA*) elevator
ascésa *sf* ascent
ascèsso *sm* abscess
ascetìsmo *sm* asceticism
àscia *sf* axe
asciugacapélli *sm* hairdryer
asciugamàno *sm* towel
asciugàre *vt* to dry, to wipe ● *vrif* to dry oneself, to wipe oneself ● *vpr* to dry up, to get dry
asciugatùra *sf* drying
asciùtto *a* dry ◇ (*brusco*) brusque, curt ◇ (*magro*) thin
ascoltàre *vt* to listen to ◇ (*dare retta*) to pay attention to
ascoltatóre *sm* listener, *pl* audience

ascólto sm listening ● stare in a. to be listening

asfàlto sm asphalt

asfissiàre vt to asphyxiate, to suffocate ◇ (fig) to bore ◆ vi to suffocate

asiàtico a/sm Asiatic, Asian

asìlo sm (d'infanzia) kindergarten, nursery school ◇ (rifugio) shelter, asylum

asimmètrico a asymmetric

àsino sm ass, donkey

àsma sf asthma

asmàtico a/sm asthmatic

àsola sf buttonhole

aspàrago sm asparagus, (pop) sparrow-grass

aspettàre vt to wait for, to await, to expect, to be looking forward ◇ (prevedere) to expect

aspettatìva sf (attesa) wait ◇ (speranza) expectation, hope ◇ (congedo) leave (of absence)

aspètto sm appearance, look, aspect ◇ (punto di vista) side, point of view

aspirànte a aspiring ◇ (mecc) suction ◆ sm aspirant, applicant, candidate

aspirapólvere sm vacuum cleaner, hoover

aspiràre vt to breathe in, to inhale ◇ (mecc) to create suction, to suction ◇ (fonetica) to aspirate ◆ vi to aspire

aspirìna sf aspirin

asportàre vt to remove, to carry away, to take away

àspro a sour, tart ◇ (fig) harsh, rough

assaggiàre vt to taste, to try

assàggio sm tasting ◇ (piccola quantità) taste ◇ (campione) sample

assài avv (molto) much, very ◇ (a sufficienza) enough ◇ (in funzione di agg) a lot of, many

assalìre vt to assail, to attack

assàlto sm assault, attack

assassinàre vt to murder, to assassinate

assassìnio sm murder, assassination

assassìno a murderous ◆ sm murderer, assassin

àsse (1) sf board

àsse (2) sm (scient) axis ◇ (mecc) axle

assediàre vt to besiege

assèdio sm siege

assegnàre vt to assign, to allot, to award

asségno sm (banca) cheque, (USA) check ◇ (contributo) allowance ● a. in bianco blank cheque; a. a vuoto uncovered cheque; bad cheque

assemblèa sf assembly, meeting

assènso sm assent

assentàrsi vpr to go away, to absent oneself

assènte a absent ◆ sm/f absentee

assènza sf absence

assestàre vt to arrange, to settle ◇ (un colpo) to deal ◆ vrif to settle (down)

assetàto a thirsty

assètto sm order, arrangement, disposition ◇ (aer) trim

assicuràre vt (garantire, mettere al sicuro) to assure, to secure, to ensure, to guarantee ◇ (fissa-

re) to fasten, to secure ◇ (*fare un'assicurazione*) to insure ◆ *vrif* (*accertarsi*) to make sure ◇ (*legarsi*) to fasten oneself ◇ (*fare un'assicurazione*) to insure oneself, to take out an insurance

assicurazióne *sf* assurance ◇ (*dir*) insurance ● *a. sulla vita* life insurance; *a. contro l'incendio* fire insurance

assìduo *a* assiduous

assième → **insieme**

assillàre *vt* to pester, to bother

assistènte *sm/f* assistant ● *a. sociale* social worker

assistènza *sf* (*presenza*) presence, attendance ◇ (*aiuto*) help, assistance, aid ◇ (*comm*) service ◇ (*beneficenza*) welfare

assìstere *vt* to assist, to help ◇ (*curare*) to treat, to look after ◆ *vi* to be present, to attend

àsso *sm* ace

associàre *vt* to associate, to combine ◇ (*fare socio*) to take into partnership ◆ *vrif* to join ◇ (*diventare membro*) to become a member ◇ (*diventare socio*) to enter into partnership

associazióne *sf* association

assoldàre *vt* to recruit, to engage

assólo *sm* solo

assolùto *a* absolute

assoluzióne *sf* (*dir*) acquittal, discharge ◇ (*relig*) absolution

assòlvere *vt* (*dir*) to acquit, to discharge ◇ (*relig*) to absolve ◇ (*compiere*) to accomplish, to perform

assomigliàre *vi* to resemble, to

be like ◆ *vrif* to resemble each other, to be alike

assonnàto *a* sleepy

assopìrsi *vpr* to doze off ◇ (*calmarsi*) to cool down

assorbènte *a/sm* absorbent ● *a. igienico* sanitary towel, sanitary napkin

assorbiménto *sm* absorption

assorbìre *vt* to absorb

assordànte *a* deafening

assordàre *vt* to deafen

assortiménto *sm* assortment

assortìto *a* assorted ◇ (*accoppiato*) matched

assottigliàre *vt* to thin, to make thin ◇ (*ridurre*) to reduce, to diminish ◆ *vpr* to grow thin ◇ (*ridursi*) to diminish, to be reduced

assuefàre *vt* to accustom ◆ *vrif* to get accustomed to, to accustom oneself, to get used

assuefazióne *sf* habit, inurement ◇ (*med*) tolerance, (*dipendenza*) addiction

assùmere *vt* to assume, to put on ◇ (*impegno, responsabilità*) to undertake, to take upon oneself ◇ (*in servizio*) to engage, to take on, to employ ◇ (*ingerire*) to take, to consume

assùrdo *a* absurd ◆ *sm* absurdity

àsta *sf* pole, mast ◇ (*tecn*) rod, bar ◇ (*comm*) auction ● *a mezz'a.* at half-mast; *salto con l'a.* pole-jumping; *vendere all'a.* to auction

astèmio *a* abstemious, teetotal ◆ *sm* teetotaller

astenérsi *vrif* to abstain, to refrain

asterìsco *sm* asterisk

àstice *sm* lobster

astigmàtico *a* astigmatic

astinènza *sf* abstinence

àstio *sm* rancour

astràtto *a/sm* abstract

astringènte *a/sm* astringent

àstro *sm* star, celestial body ◇ *(fig)* star

astrologìa *sf* astrology

astròlogo *sm* astrologer

astronàuta *sm/f* astronaut

astronàutico *a* astronautical

astronàve *sf* spaceship

astronomìa *sf* astronomy

astrònomo *sm* astronomer

astùccio *sm* case, box ◇ *(per penne)* pencil case

astùto *a* astute, shrewd, cunning

astùzia *sf* astuteness, shrewdness ◇ *(azione)* trick, stratagem

atàvico *a* ancestral, atavistic, atavic

atenèo *sm* university

àteo *a* atheistic ◆ *sm* atheist

atìpico *a* atypic(al)

atlànte *sm* atlas

atlàntico *a* Atlantic

atlèta *sm/f* athlete

atlètica *sf* athletics *pl (v al sing)*

atlètico *a* athletic

atmosfèra *sf* atmosphere

atmosfèrico *a* atmospheric(al)

atòllo *sm* atoll

atòmico *a* atomic

àtomo *sm* atom

àtrio *sm* entrance hall, lobby ◇ *(anat)* atrium

atròce *a* atrocious, terrible

attaccànte *sm (sport)* forward

attaccapànni *sm* (clothes) peg, hook, *(gruccia)* hanger

attaccàre *vt (unire)* to attach, to fasten, to tie ◇ *(appiccicare)* to stick, to glue ◇ *(appendere)* to hang ◇ *(assalire)* to attack, to assail ◇ *(iniziare)* to begin, to start, *(iniziare a suonare)* to strike up ◇ *(contagiare)* to infect, to pass on ◆ *vi (aderire)* to stick ◇ *(far presa)* to catch on ◆ *vrif (appigliarsi)* to cling ◇ *(affezionarsi)* to become attached

attàcco *sm (mil)* attack, assault ◇ *(med)* attack, fit ◇ *(punto di unione)* junction, connection ◇ *(avvio)* opening, beginning ◇ *(fig)* attack ◇ *(per sci)* fastening, binding

atteggiaménto *sm* attitude, stance, approach

attendàrsi *vpr* to camp

attèndere *vt* to wait for, to await ◆ *vi (aspettare)* to wait ◇ *(dedicarsi)* to attend

attendìbile *a* reliable

attenérsi *vrif* to keep to

attentàre *vi* to attempt, to make an attempt

attentàto *sm* attempt, outrage

attènto *a* attentive, careful ● *a.!* watch out!, be careful!

attenuànte *a* extenuating ◆ *sf* extenuating circumstance

attenuàre *vt* to attenuate, to mitigate ◇ *(diminuire la gravità di)* to extenuate

attenzióne *sf* attention, care ◇ *al pl (premure)* kindness ● *a.!* take care!, be careful!; *prestare a. a qn* to pay attention to sb

atterràggio sm landing ● *pista d'a.* landing strip

atterràre vt to knock down ◆ vi to land

attésa sf wait, waiting ◇ *al pl (aspettativa)* expectation ● *lista d'a.* waiting list

attéso a waited for, awaited ◇ *(desiderato)* longed for

attestàto sm certificate ◇ *(prova)* proof, *(segno)* sign

attìguo a adjoining, adjacent, next (to)

attillàto a close-fitting, tight

àttimo sm moment

attinènte a relating, concerning

attìngere vt to draw ◇ *(ricavare)* to get

attiràre vt to attract, to draw

attitùdine sf aptitude

attivàre vt to activate, to start up

attività sf activity ◇ *(lavoro)* occupation, job

attìvo a active ◆ sm *(comm)* assets pl ◇ *(gramm)* active form

attizzàre vt to poke

àtto sm act, action, deed ◇ *(atteggiamento)* attitude, *(gesto)* gesture, *(segno)* sign ◇ *(teat)* act ◇ *(attestato)* certificate, document, *(dir)* deed ◇ *al pl (di congresso, assemblea)* proceedings pl, records pl ● *all'a. del pagamento/della consegna* on payment/delivery; *a. di vendita* bill of sale; *mettere in a. qc* to carry out st

attorcigliàre vt/rif to twist, to twine

attóre sm actor

attórno avv about, around, round ◆ prep a. a about, around, round

attraccàre vt/i to moore, to berth, to dock

attraènte a attractive

attrattìva sf attraction

attraversaménto sm crossing ● *a. pedonale* pedestrian crossing

attraversàre vt to cross, to go through

attravèrso avv through ◆ prep through, across ◇ *(tempo)* over

attrazióne sf attraction

attrezzàre vt to equip, to fit out ◇ *(naut)* to rig

attrezzatùra sf equipment, outfit ◇ *(naut)* rigging

attrézzo sm tool, implement

attribuìre vt to attribute, to ascribe ◇ *(assegnare)* to assign, to award

attrìto sm friction

attuàle a present, current ◇ *(di attualità)* topical

attualità sf topicality, up-to-dateness ◇ *al pl (fatti recenti)* current events pl, up-to-date news

attualménte avv at present

audàce a bold, audacious ◇ *(arrischiato)* risky, rash ◇ *(provocante)* daring, bold

àudio sm sound, audio

audioguìda sf audioguide

audiovisìvo a audiovisual

auguràre vt to wish

augùrio sm wish ◇ *(presagio)* omen ● *i migliori auguri* best wishes

àula sf hall, room ◇ *(di tribunale)* courtroom ◇ *(di scuola)* classroom

aumentàre *vt* to increase, to raise, to augment ♦ *vi* to increase, to grow, to rise

auménto *sm* increase, addition ◇ *(rialzo)* rise

àureo *a (d'oro)* gold ◇ *(fig) (dorato)* golden

auréola *sf* halo

auricolàre *a* auricular, ear ♦ *sm* earphone

auróra *sf* dawn ● *a. boreale* aurora borealis

ausiliàre *a* auxiliary

ausiliàrio *a* auxiliary

auspìcio *sm* auspice, omen ◇ *(protezione)* patronage

austèro *a* austere

austràle *a* austral

australiàno *a/sm* Australian

austrìaco *a/sm* Austrian

autèntico *a* authentic, genuine

autista *sm/f* driver, *(privato)* chauffeur

àuto → **automobile**

autoabbronzànte *a* self-tanning

autoadesìvo *a* self-adhesive

autobiogràfico *a* autobiographic(al)

àutobus *sm* bus ● *a. a due piani* double-decker (bus)

autocàrro *sm* lorry, *(USA)* truck

autodidàtta *sm/f* self-taught person, autodidact

autodifésa *sf* self-defence

autòdromo *sm* autodrome, circuit

autogonfiàbile *a* self-inflating

autogòl *sm* own-goal

autògrafo *a* autographical ♦ *sm* autograph

autogrìll *sm* motorway restaurant

autogrù *sf* breakdown lorry, *(USA)* tow truck

autolìnea *sf* bus-line

autòma *sm* automaton

automàtico *a* automatic

automèzzo *sm* motor vehicle

automòbile *sf* car

automobilìsta *sm/f* (car) driver, motorist

autonoléggio *sm* car hire, car rental

autonomìa *sf* autonomy, self-government ◇ *(fig)* freedom, independence ◇ *(naut)* range

autònomo *a* autonomous

autopilòta *sm* autopilot

autopsìa *sf* autopsy

autoràdio *sf* car radio

autóre *sm* author

autorespiratóre *sm* aqualung, scuba

autorévole *a* authoritative

autoriméssa *sf* garage

autorità *sf* authority

autoritràtto *sm* self-portrait

autorizzàre *vt* to authorize

autorizzazióne *sf* authorization, warrant ◇ *(documento)* permit

autoscàtto *sm* self-timer

autoscuòla *sf* driving school

autostòp *sm* hitchhiking ● *fare l'a.* to hitchhike

autostràda *sf* motorway, *(USA)* speedway, expressway

autosufficiènte *a* self-sufficient

autotrèno *sm* lorry with trailer, *(USA)* trailer truck

autoveicolo *sm* motor vehicle

autovèlox *sm* speed trap, radar trap

autovettùra *sf* motor car

autunnàle *a* autumnal

autùnno *sm* autumn, (*USA*) fall

avambràccio *sm* forearm

avampósto *sm* outpost

avanguàrdia *sf* vanguard, avant-garde

avànti *avv* (*di luogo*) forward, ahead, in front ◊ (*di tempo*) before, forward, on ● *a.!* come in!; *a. e indietro* to and fro; *d'ora in a.* from now on

avantrèno *sm* forecarriage

avanzaménto *sm* advancement, progress ◊ (*promozione*) promotion

avanzàre *vt* to advance, to put forward, to present ◆ *vi* to advance, to go forward ◊ (*restare*) to be left

avànzo *sm* remainder, (*di cibo*) left-overs *pl*

avaría *sf* breakdown, damage, average

avàro *a* mean, miserly, stingy

avéna *sf* oats *pl*

avére *vaus* to have ◆ *vt* (*possedere, tenere*) to have (got) ◊ (*indossare*) to have on, to wear ◊ (*ottenere, prendere, ricevere*) to get ◊ (*provare, sentire*) to feel ● *a. da* (*dovere*) to have to

aviazióne *sf* aviation, (*arma*) Air Force

avidità *sf* avidity

avifàuna *sf* avifauna

àvo *sm* (*nonno*) grandfather ◊ *al pl* ancestors *pl*

avocàdo *sm* avocado

avòrio *sm* ivory

avvallaménto *sm* sinking, subsidence

avvantaggiàre *vt* to favour, to benefit ◆ *vrif* to take advantage

avvelenaménto *sm* poisoning

avvelenàre *vt* to poison

avveniménto *sm* event

avvenìre (1) *sm* future

avvenìre (2) *vi* to happen

avvenirìstico *a* futuristic

avventàrsi *vrif* to rush, to throw oneself

avventùra *sf* adventure ◊ (*sentimentale*) affair, fling (*fam*)

avventuràrsi *vrif* to venture

avventurièro *sm* adventurer

avventuróso *a* adventurous

avveràrsi *vpr* to come true

avvèrbio *sm* adverb

avversàrio *a* opposing ◆ *sm* opponent, adversary

avversióne *sf* aversion, dislike

avversità *sf* adversity

avvèrso *a* (*contrario*) adverse, unfavourable, hostile ◊ (*che sente avversione*) averse

avvertènza *sf* (*attenzione, cura*) care, caution ◊ (*avvertimento*) warning ◊ *al pl* instructions *pl*, directions *pl* ◊ (*prefazione*) preface, foreword

avvertiménto *sm* warning

avvertìre *vt* (*avvisare*) to inform, to advise, to point out ◊ (*ammonire*) to warn ◊ (*percepire*) to feel

avviaménto *sm* start, starting

avviàre *vt* (*indirizzare*) to direct ◊ (*iniziare*) to begin, to start up

◊ (*metter in moto*) to start up ◆ *vpr* to set out

avvicinàre *vt* to bring near ◊ (*una persona*) to approach ◆ *vpr* to come near, to approach

avvilìre *vt* (*scoraggiare*) to dishearten ◊ (*degradare*) to degrade ◆ *vpr* (*scoraggiarsi*) to lose heart, to be disheartened ◊ (*degradarsi*) to degrade oneself

avvincènte *a* engaging, charming

avvìo *sm* beginning, start ◊ (*inform*) start

avvisàre *vt* to inform, to advise

avvìso *sm* announcement, notice ◊ (*avvertimento*) warning ◊ (*opinione*) opinion ● *a. di chiamata* call waiting service

avvistàre *vt* to sight

avvitàre *vt* to screw

avvocàto *sm* lawyer

avvòlgere *vt* to wrap up ◊ (*arrotolare*) to wind, to roll up

avvoltóio *sm* vulture

aziènda *sf* firm, business, company, establishment ● *a. agricola* farm

azionàre *vt* to operate, to set in motion, to drive

azióne *sf* action, (*atto*) act ◊ (*fin*) share, stock

azòto *sm* azote

azzardàre *vt* to hazard, to risk ◆ *vpr* to dare, to risk

azzàrdo *sm* hazard, risk ● *gioco d'a.* game of chance

azzeccàre *vt* (*centrare*) to hit, to strike ◊ (*indovinare*) to guess

azzeràre *vt* to set to zero

azzuffàrsi *vrif* to come to blows

azzùrro *a/sm* blue

B

babbèo *sm* fool, simpleton

bàbbo *sm* father, dad, daddy

babysitteràggio *sm* baby-sitting

bacàto *a* worm-eaten, maggoty ◊ (*marcio*) rotten

bàcca *sf* berry

baccalà *sm* dried salted cod

baccàno *sm* row, clamour

bacchétta *sf* stick, rod ◊ (*di direttore d'orchestra*) baton ● *b. magica* magic wand

bachèca *sf* notice board

baciàre *vt* to kiss ◆ *vrif* to kiss each other

bacìllo *sm* bacillus

bacìno *sm* basin ◊ (*anat*) pelvis ◊ (*naut*) dock ◊ (*geol*) field

bàcio *sm* kiss

bàco *sm* worm ● *b. da seta* silkworm

badàre *vi* (*fare attenzione*) to be careful, to pay attention, to mind ◊ (*prendersi cura*) to look after

badìle *sm* shovel

bàffo *sm* moustache ◊ (*di animale*) whiskers *pl*

bagagliàio *sm* (*ferr*) luggage van ◊ (*aut*) boot, (*USA*) trunk

bagàglio *sm* luggage, baggage ● *b. a mano* hand-luggage, carry-on luggage; *fare/disfare i bagagli* to pack/to unpack

bagliore *sm* flash, glare

bagnante *sm/f* bather

bagnare *vt* to wet, (*immergere*) to dip, (*inzuppare*) to soak, (*inumidire*) to moisten, to dampen, (*spruzzare*) to sprinkle ◇ (*annaffiare*) to water ◇ (*di fiume*) to flow through, (*di mare*) to wash ♦ *vrif* to get wet ◇ (*fare il bagno*) to bathe

bagnino *sm* bathing-attendant, life-guard

bagno *sm* bath, (*in mare*) bathe ◇ (*stanza*) bathroom, toilet ● *fare il b.* (*in vasca*) to take a bath, (*al mare*) to go swimming

bagnomaria *sm* bain-marie

bagnoschiuma *sm* bubble bath, bath foam

bàia *sf* bay

balaùstra *sf* balustrade

balbettàre *vt/i* to stammer, to stutter

balbuziènte *sm/f* stammerer, stutterer

balcóne *sm* balcony

baldacchìno *sm* baldachin, canopy

baldòria *sf* merrymaking, good time

baléna *sf* whale ● *caccia alla b.* whaling

balenàre *vi* (*impers*) to lighten ◇ to flash ● *mi è balenata un'idea* an idea flashed through my mind

baléno *sm* lightning, flash ● *in un b.* in a flash

balèstra *sf* crossbow ◇ (*mecc*) leaf spring

bàlia *sf* wet nurse

ballàre *vt/i* to dance

ballerìna *sf* dancer, (*classica*) ballerina, ballet dancer

ballerìno *sm* dancer, (*classico*) ballet dancer

ballétto *sm* ballet

bàllo *sm* dance, dancing ◇ (*festa*) ball ● *corpo di b.* corps de ballet; *essere in b.* to be involved in st, to be at stake

ballottàggio *sm* second ballot ◇ play-off

balneàre *a* bathing, seaside

balórdo *a* stupid, foolish

balsàmico *a* balsamic

bàlsamo *sm* balm, balsam ◇ (*per capelli*) conditioner

balzàre *vi* to leap, to jump, to bounce

bàlzo *sm* leap, jump, bound

bambàgia *sf* cotton wool

bambìna *sf* child, baby-girl, little girl

bambìno *sm* child, baby, little boy, kid

bàmbola *sf* doll

banàle *a* banal, commonplace, trivial

banàna *sf* banana

bànca *sf* bank ● *b. dati* data bank; *conto in b.* bank account

bancarèlla *sf* stall

bancàrio *a* banking, bank ♦ *sm* bank clerk, bank teller ● *assegno b.* cheque

bancarótta *sf* bankruptcy ● *fare b.* to go bankrupt

banchétto *sm* banquet

banchière *sm* banker

banchìna *sf* (*naut*) quay, wharf, pier ◊ (*ferr*) platform ◊ (*strada*) shoulder, verge

banchìsa *sf* ice pack

bànco *sm* (*panca*) bench, (*di scuola*) desk, (*di chiesa*) pew ◊ (*di negozio*) counter, (*di mercato*) stall, stand ◊ (*da lavoro*) table, work bench ◊ (*geogr*) bank ◊ (*banca*) bank ◊ (*gioco*) bank • *b. di corallo* coral reef; *b. di sabbia* sandbar

bàncomat *sm* cash dispenser, ATM

banconòta *sf* banknote, (*USA*) bill

bànda (1) *sf* (*di armati*) band, gang ◊ (*di suonatori*) band

bànda (2) *sf* (*striscia*) band, stripe ◊ (*el*) band

banderuòla *sf* weathercock, vane

bandièra *sf* flag, banner

bandìre *vt* to proclaim, (*un concorso*) to advertise ◊ (*esiliare*) to exile, to banish ◊ (*metter da parte*) to dispense with

bandìto *sm* bandit, outlaw

bàndo *sm* ban ◊ (*esilio*) banishment ◊ (*annuncio pubblico*) proclamation, announcement

bar *sm* bar, coffee house

baràcca *sf* hut, shed, hovel ◊ (*oggetto*) junk • *mandare avanti la b.* to keep things going

baraónda *sf* hubbub

baràre *vi* to cheat

bàratro *sm* chasm

barattàre *vt* to barter, to swap

baràtto *sm* barter, exchange

baràttolo *sm* jar, pot, (*di latta*) tin, can

bàrba *sf* beard ◊ (*fam*) (*noia*) bore • *b. e capelli* shave and haircut; *che b.!* what a bore!; *farsi la b.* to shave; *in b. a* in spite of

barbabiètola *sf* beetroot ◊ (*da zucchero*) sugar beet

bàrbaro *a* barbarous, barbaric • *sm* barbarian

barbière *sm* barber, (*negozio*) barber's shop

barbitùrico *sm* barbiturate

barbóne *sm* (*barba*) long beard ◊ (*vagabondo*) tramp ◊ (*zool*) poodle

barbóso *a* (*fam*) boring

barbùto *a* bearded

bàrca *sf* boat • *b. a motore* motor boat; *b. a remi* row boat; *b. a vela* sailboat

barcollàre *vi* to stagger

barèlla *sf* stretcher

barìle *sm* barrel, cask

barìsta *sm/f* barman *m*, barmaid *f*, (*gestore*) barkeeper

barìtono *a/sm* baritone

barlùme *sm* glimmer, gleam • *un b. di speranza* a ray of hope

bàro *sm* cardsharper

baròcco *a/sm* Baroque

baròmetro *sm* barometer

baróne *sm* baron

bàrra *sf* bar ◊ (*naut*) helm, tiller ◊ (*segno*) stroke ◊ (*inform*) bar

barricàta *sf* barricade

barrièra *sf* barrier • *barriere architettoniche* architectural barriers

barùffa *sf* brawl, quarrel

barzellétta sf joke

basàre vt to base, to found ◆ vrif to base oneself, to be founded

bàse sf base, (fig) basis ◆ a basic, base

basétta sf sideburns pl

basilàre a basic, fundamental

basìlica sf basilica

basìlico sm basil

bàsso a low ◇ (di statura) short ◇ (di spessore) thin ◇ (di acqua) shallow ◇ (di suono) low, soft ◇ (geogr) southern, lower ◆ sm lower part, bottom ◇ (mus) bass

bassofóndo sm (naut) shallow(s), shoal ◇ al pl (fig) slums pl

bassorilièvo sm bas-relief, basso-relievo

bàsta inter (that's) enough!, that will do!

bastànte a sufficient, enough

bastàrdo a bastard, illegitimate ◇ (zool) crossbred

bastàre vi to be sufficient, to be enough, to suffice ◇ (durare) to last ● quanto basta (cuc) to taste

bastióne sm bastion, rampart

bastonàre vt to beat, to thrash

bastóne sm stick

batòsta sf blow

battàglia sf battle, fight, struggle

battèllo sm boat

battènte sm (di porta) leaf, (di finestra) shutter

bàttere vt to beat, to strike, to hit ◇ (sconfiggere) to beat, to overcome ◇ (a macchina) to type ◇ (moneta) to mint ◇ (bandiera) to fly ◆ vi to beat, to knock ◇ (pulsare) to beat ◇ (prostituirsi)

to walk the streets ◆ vpr to fight, (in duello) to duel

batterìa sf (tel) battery ◇ (mus) drums pl ● b. in dotazione battery included

battèrio sm bacterium

battésimo sm baptism ● nome di b. Christian, first name

battezzàre vt to baptize, to christen ◇ (soprannominare) to nickname

batticuòre sm palpitations pl

battistèro sm baptistery

battistràda sm outrider ◇ (di pneumatico) tread ● b. liscio smooth tread

bàttito sm beating, beat ◇ (cardiaco) heartbeat, pulsation ◇ (d'ali) wingbeat

battùta sf blow, beat, beating ◇ (di caccia) hunting ◇ (tip) stroke, character ◇ (mus) beat, bar, measure ◇ (teat) cue ◇ (frase spiritosa) quip, joke ◇ (tennis) service ◇ (rastrellamento) round-up

batùffolo sm flock, wad

baùle sm trunk ◇ (aut) boot, (USA) trunk

bàva sf slaver, dribble ● avere la b. alla bocca to be foaming at the mouth

bavàglio sm gag

bàvero sm collar

beàto a (relig) blessed ◇ happy, blissful ● b. te! lucky you!

beauty case sm (da donna) vanity case, (da uomo) travel kit

beccàre vt to peck ◇ (fam) (buscare) to catch, to get ◆ vrif to peck each other ◇ (*litigare*) to squabble

bécco *sm* beak, bill ◇ (*di bricco*) lip, spout ● *chiudi il b.!* shut up!

befàna *sf* Befana, (*Epifania*) Epiphany ◇ (*donna vecchia e brutta*) hag

bèffa *sf* joke, cheat ◇ (*scherno*) mockery

beffàre *vt* to mock ◆ *vrif* to scoff at, to make fun of

bèga *sf* quarrel, dispute ◇ (*problema*) trouble, problem

bèlga *a/sm/f* Belgian

bèlla *sf* (*donna bella*) beauty, belle ◇ (*fidanzata*) girlfriend ◇ (*sport*) decider, play-off, (*a carte*) final game ◇ (*bella copia*) fair copy

bellézza *sf* beauty, loveliness, good looks *pl*, (*di uomo*) handsomeness

bèllico *a* war

bèllo *a* beautiful, fine, lovely ◇ (*di uomo*) handsome, good-looking ◇ (*di tempo*) fine, nice, good ◇ (*elegante*) smart ◇ (*gentile*) fine, kind ◇ (*piacevole*) nice, pleasant ◆ *sm* the beautiful, beauty ◇ (*tempo*) fine weather ◇ (*innamorato*) boyfriend

bélva *sf* wild beast ● *diventare una b.* to go wild

belvedére *sm* (*arch*) belvedere ◇ (*luogo panoramico*) viewpoint

benché *cong* although, though ● *il b. minimo* the slightest

bènda *sf* bandage

bendàggio *sm* bandaging, bandage

bendàre *vt* to bandage, to dress ◇ (*gli occhi*) to blindfold

bène *sm* good ◇ (*affetto*) fondness, love ◇ (*dono*) gift, blessing ◇ *al pl* goods *pl*, property ◆ *avv* well ◇ (*per bene, completamente*) properly, thoroughly ◇ (*rafforzativo*) very, really, quite

benedire *vt* to bless

benedizióne *sf* blessing, benediction

beneducàto *a* well-mannered, polite

benefattóre *sm* benefactor

beneficènza *sf* charity ● *istituto di b.* charitable institution

beneficiàre *vt* to benefit ◆ *vi* to profit, to benefit from, to take advantage of

benefício *sm* benefit, advantage ● *con b. di inventario* with reservation

benèfico *a* beneficent, charitable ◇ (*vantaggioso*) beneficial

benemèrito *a* meritorious, well-deserving

benèssere *sm* wellbeing ◇ (*prosperità*) welfare, affluence

benestànte *a* well-to-do, well-off

benestàre *sm* approval

benèvolo *a* benevolent, (*gentile*) kind

beniamìno *sm* pet, (*favorito*) favourite

benìgno *a* benign

benintéso *avv* of course

bensì *cong* but

bentornàto *a* welcome back

benvenùto *a/sm/inter* welcome ● *dare il b. a qn* to welcome sb

benzìna sf petrol, (USA) gas, gasoline • **fare b.** to get petrol, to get gas, to fill up; **b. senza piombo, verde** unleaded petrol
bére vt/i to drink
bernòccolo sm bump ◇ (fig) bent, flair
berrétto sm cap
bersàglio sm target, butt • **tiro al b.** target-shooting
bestémmia sf blasphemy, (imprecazione) curse, swearword ◇ (sproposito) nonsense
bestemmiàre vi to curse, to swear
béstia sf beast • **andare in b.** to go wild
bestiàle a bestial, beastly ◇ (fam) terrible, incredible
bestiàme sm livestock, cattle
béttola sf tavern
betùlla sf birch
bevànda sf drink, beverage
bevùta sf drink
biancherìa sf linen • **b. intima** underwear
biànco a white ◇ (non scritto) blank • sm white ◇ (uomo bianco) white man • **di punto in b.** all of a sudden; **in b.** (non scritto) blank, (senza grassi) plain, unseasoned, (insonne) sleepless; **andare in b.** to come to nothing, to be a flop
biàsimo sm blame, reproof
Bibbia sf Bible
biberòn sm feeding bottle, (baby's) bottle
bìbita sf (soft) drink
bìblico a biblical
bibliografìa sf bibliography

bibliotèca sf library
bibliotecàrio sm librarian
bicarbonàto sm bicarbonate
bicchière sm glass • **b. di carta** paper cup
biciclétta sf bicycle, bike • **andare in b.** to ride a bicycle, to cycle
bicìpite sm biceps
bicolóre a two-coloured, bicoloured
bidèllo sm school caretaker
bidonàre vt (fam) to swindle, to cheat
bidóne sm tank, drum, bin ◇ (fam) (imbroglio) swindle • **b. per il riciclaggio del vetro** glass recycling bin
biennàle a (che dura due anni) two-year ◇ (ogni due anni) biennial ◇ (bot) biennial • sf biennial exhibition
biètola sf chard
bifamiliàre a semi-detached • **villetta b.** semi-detached house, (USA) duplex
bifocàle a bifocal
biforcazióne sf fork, branching off
bigamìa sf bigamy
bìgamo sm bigamist
bighellonàre vi to lounge about, to loiter, to loaf (about)
bigiotterìa sf trinkets pl, costume jewellery
biglietterìa sf ticket office, booking office, (teat) box office
bigliétto sm (breve scritto) note ◇ (contrassegno) ticket ◇ (cartoncino) card ◇ (banconota) note, (USA) bill • **b. d'andata e**

ritorno return ticket, roundtrip ticket; *b. di sola andata* single ticket, one-way ticket; *b. da visita* business card

bignè *sm* cream puff

bigodino *sm* curler

bilància *sf* balance, scales *pl* ◇ (*astr*) the Scales *pl*, Libra

bilanciàre *vt* to balance ◇ (*soppesare*) to weigh (up) ◆ *vrifl* to balance out

bilàncio *sm* balance, budget

bile *sf* bile ◇ (*collera*) anger, rage

biliàrdo *sm* billiards *pl* (*v al sing*) ● *tavolo da b.* billiard table

bilìngue *a/sm/f* bilingual

bilocàle *sm* two-roomed flat, two-roomer

bìmbo *sm* child, baby, kid

bimensìle *a* fortnightly, (*USA*) bimonthly ◆ *sm* fortnightly magazine, (*USA*) semimonthly

bimestràle *a* (once) every two months, bimestral ◇ (*che dura due mesi*) bimestrial, two-month

bimotóre *a* twin-engined

binàrio *sm* (railway) track, line ◇ (*marciapiede*) platform

binòcolo *sm* binoculars *pl*

biodegradàbile *a* biodegradable

biografìa *sf* biography

biogràfico *a* biographical

biologìa *sf* biology

biològico *a* biological

biòlogo *sm* biologist

bióndo *a* fair, blond (*f* blonde), golden ◆ *sm* blond colour, fair colour ● *b. cenere* ash-blond

biopsìa *sf* biopsy

bioterrorìsmo *sm* bioterrorism

birbànte *sm* rogue, (*iron*) scamp

birìllo *sm* skittle

bìro *sf* biro, ballpoint pen

bìrra *sf* beer, ale ● *b. alla spina* draught beer; *b. chiara/scura* lager/stout

birrerìa *sf* beer house

bis (*teat*) encore ◇ (*cibo*) second helping

bisbigliàre *vt* to whisper

bìsca *sf* gambling house

bìscia *sf* snake

biscòtto *sm* biscuit, (*USA*) cookie

bisessuàle *a/sm/f* bisexual

bisestìle *a* bissextile ● *anno b.* leap year

bisettimanàle *a* twice-weekly, (*USA*) semiweekly, biweekly

bislàcco *a* eccentric, odd

bisnònna *sf* great-grandmother

bisnònno *sm* great-grandfather

bisognàre *vimp* to be necessary, to have to, must

bisógno *sm* need, necessity ◇ (*mancanza*) lack ● *aver b. di qc* to need st; *in caso di b.* if necessary

bisognóso *a* needy, poor

bistécca *sf* steak

bistecchièra *sf* grill

bisticciàre *vi/rifl* to quarrel, to bicker, to squabble

bistìccio *sm* quarrel, bicker, squabble ◇ (*di parole*) pun

bistùri *sm* lancet, bistoury, scalpel

bisùnto *a* greasy

bìvio *sm* crossroads, fork

bizantìno *a* Byzantine

bìzza *sf* tantrum, caprice

bizzàrro *a* strange, odd, bizarre

bizzèffe, a *loc.avv* abundantly, in great quantity

blàndo *a* bland, soft, gentle

blasfèmo *a* blasphemous ♦ *sm* blasphemer

blèso *a* lisping

blindàto *a* armoured, bullet-proof

bloccàre *vt* to block, to stop ◇ *(mecc)* to lock, to stall ◇ *(mil)* to blockade ♦ *vpr* to jam, to stick ♦ *vrif* to stop, to get stuck

bloccastèrzo *sm* steering lock

blòcco (1) *sm* *(atto di bloccare)* block, stoppage, halt ◇ *(mil)* blockade ◇ *(econ)* freeze ● *posto di b.* road block

blòcco (2) *sm* *(pezzo)* block ◇ *(comm)* bulk, lump ◇ *(di fogli)* pad

bloc-notes *sm* notepad, notebook

blu *a/sm* (dark) blue

bòa (1) *sm* *(zool)* boa

bòa (2) *sf* *(naut)* buoy

boàto *sm* rumble, roar

bobìna *sf* spool, *(el)* coil

bócca *sf* mouth ● *a b. aperta* open-mouthed; *di b. buona* easily satisfied; *in b. al lupo!* break a leg!

boccàglio *sm* mouthpiece

boccàle *sm* jug, mug, *(di birra)* tankard

boccheggiàre *vi* to gasp

bocchìno *sm* *(per sigaretta)* cigarette holder ◇ *(di pipa e strumenti musicali)* mouthpiece

bòccia *sf* bowl ● *giocare a bocce* to play bowls, bocce

bocciàre *vt* *(respingere)* to reject ◇ *(agli esami)* to fail ◇ *(a bocce)* to hit

boccìno *sm* jack

bocciòlo *sm* bud

boccóne *sm* mouthful, morsel, bite

boccóni *avv* face downwards

bòdy *sm* body suit

bòia *sm* executioner, hangman

boicottàre *vt* to boycott

bólla (1) *sf* bubble

bólla (2) *sf* *(comm)* bill, note

bollènte *a* boiling, hot

bollétta *sf* bill, note ● *essere in b.* to be broke

bollettìno *sm* *(comunicato)* report, bulletin ◇ *(pubblicazione)* news, list, gazette ◇ *(modulo)* note, bill, form ● *b. meteorologico* weather report

bollìre *vt/i* to boil

bollitóre *sm* kettle, boiler

bóllo *sm* stamp ◇ *(sigillo)* seal ● *b. di circolazione* road tax (stamp)

bómba *sf* bomb

bombardaménto *sm* bombing, bombardment

bómbola *sf* bottle, bomb, cylinder

bombonièra *sf* bonbonnière, fancy sweet-box

bonàccia *sf* dead calm

bonàrio *a* kind, good-natured

bonìfica *sf* reclamation, drainage

bonificàre *vt* to reclaim, to drain

bonìfico *sm* *(banca)* money transfer

bontà *sf* goodness, kindness ◇

(*buona qualità*) excellence, good quality ◇ (*di cibo*) tastiness

borbottàre *vt* to mumble, to grumble, to mutter

bórchia *sf* stud ◇ (*aut*) boss

bórdo *sm* hem, border, edge ◇ (*naut*) board ● *a b.* aboard, on board

borgàta *sf* village

borghése *a* middle-class, bourgeois ◇ (*civile*) civilian ◆ *sm* middle-class person ● *in b.* in civilian dress, in mufti

borghesìa *sf* bourgeoisie, middle class(es)

bórgo *sm* village

bòria *sf* arrogance, haughtiness

borotàlco *sm* talcum powder

borràccia *sf* water-bottle

bórsa *sf* bag, (*borsetta*) handbag ◇ (*Borsa valori*) (Stock) Exchange ◇ *al pl* (*occhiaie*) bags *pl* ● *b. di studio* scholarship

borseggiatóre *sm* pickpocket

borsellino *sm* purse

borsétta *sf* handbag

boscàglia *sf* brush, scrub

boscaiòlo *sm* woodman

bòsco *sm* wood

boscóso *a* woody, wooded

bòssolo *sm* (cartridge) case

botànico *a* botanic(al) ◆ *sm* botanist

bòtola *sf* trapdoor

bòtta *sf* blow, (*rumore*) crash ◇ (*fig*) blow, shock ● *botte da orbi* free-for-all

bótte *sf* barrel, cask ● *volta a b.* barrel-vault

bottéga *sf* (*negozio*) shop, store

◇ (*laboratorio*) workshop, studio

botteghìno *sm* ticket office, (*teat*) box office

bottìglia *sf* bottle ● *vino in b.* bottled wine

bottìno *sm* booty, loot

bòtto *sm* bang, shot ● *di b.* suddenly

bottóne *sm* button ● *b. automatico* press stud

bovìno *a* bovine ◆ *sm al pl* cattle ● *carne bovina* beef

box *sm* (*garage*) garage ◇ (*per cavalli*) box ◇ (*per auto da corsa*) pit ◇ (*per bambini*) playpen ● *b. doccia* shower stall

boxe *sf* boxing

boxer *sm pl* boxer shorts

bòzza *sf* draft, (*tip*) proof

bozzétto *sm* sketch

bòzzolo *sm* cocoon ◇ (*fig*) shell

braccétto, *a loc.avv* arm in arm

braccialétto *sm* bracelet

bracciànte *sm* (day-)labourer, worker ● *b. agricolo* farmhand

bracciàta *sf* armful ◇ (*nuoto*) stroke

bràccio *sm* arm ◇ *al pl* (*manodopera*) hands *pl*, labourers *pl* ◇ (*di edificio*) wing ◇ (*di fiume*) arm, (*di mare*) strait ◇ (*di gru*) jib, (*di bilancia*) beam ◇ (*misura*) fathom, ell ● *in b.* in one's arms

bracconière *sm* poacher

bràce *sf* embers *pl* ● *cuocere alla b.* to barbecue

braciòla *sf* chop

bramàre *vt* to desire, to long for

brànca *sf* branch

brànchia sf gill

brànco sm (mandria) herd, (di lupi) pack, (di pecore, uccelli) flock, (di pesci) shoal ◇ (spreg) gang, pack

brancolàre vi to grope

brànda sf camp bed

brandèllo sm shred, scrap

bràno sm piece, (di testo) passage

branzìno sm bass

brasàto a braised ◆ sm braised meat

bràvo a (abile) clever, skilful, capable, fine, good ◇ (buono) good ●b.! bravo!, well done!

bravùra sf cleverness, skill

bréccia sf breach, gap ● fare b. nel cuore di qn to find a way into sb's heart

bretèlla sf brace, (USA) suspender

brève a short, brief ● in b. briefly; tra b. shortly

brevétto sm patent ◇ (di pilota) pilot's licence

brézza sf breeze

bricco sm pot, jug

brìciola sf crumb ● ridurre in briciole to crumble, to break to bits

brìciolo sm bit

brìga sf trouble ● attaccar b. to start a quarrel

brigànte sm brigand, bandit

brigàre vi to intrigue

brigàta sf (mil) brigade ◇ (compagnia) party, company

brìglia sf bridle ◇ al pl (fig) reins pl ●a b. sciolta at full speed

brillànte a bright, brilliant ◆ sm brilliant

brillàre vi to shine, to glitter, to twinkle, to sparkle ◇ (distinguersi) to shine ◆ vt (una mina) to set off

brìllo a (fam) tipsy, drunk

brìna sf frost, hoarfrost

brindàre vi to toast, to drink a toast ● b. alla salute di qn to drink to sb's health

brìndisi sm toast ● fare un b. to drink a toast, to make a toast

brìo sm liveliness, (fam) go ●con b. with spirit

britànnico a British

brìvido sm shiver, shudder ● far venire i brividi a qn to give sb the chills

brizzolàto a greying, grey-haired

bròcca sf pitcher, jug

broccàto sm brocade

bròccolo sm broccoli

bròdo sm broth, (minestra) soup

bronchìte sf bronchitis

bróncio sm pout ● tenere il b. to sulk, to pout

brónco sm bronchus

brontolàre vt/i to grumble, to mutter

brónzo sm bronze

bruciapélo, a loc.avv point-blank

bruciàre vt to burn ◇ (incendiare) to set fire to, to burn down ◆ vi to burn, to blaze ◇ (causare bruciore) to smart, to sting ◇ (scottare, aver voglia) to be burning ◆ vrif to burn oneself ◆ vpr to burn out

bruciatùra sf burning, burn

bruciόre sm burning • **b. di sto-maco** heartburn

brùco sm caterpillar

brùfolo sm pimple

brughièra sf moor, heath

brulicàre vi to swarm

brùma sf fog, mist

brùno a brown, dark ◆ sm/f (per-sona) brunette

brùsco a sharp, brusque ◇ (im-provviso) abrupt

brusìo sm buzz, buzzing

brutàle a brutal

brùto a/sm brute

brùtto a ugly, nasty ◇ (cattivo, sfavorevole, sgradevole) bad, nasty, unpleasant ◆ sm ugliness ◇ (persona brutta) ugly person • **brutta copia** rough copy; **brut-ta figura** poor figure

bùca sf hole, pit • **b. delle lettere** letter box, (USA) mailbox

bucàre vt to hole ◇ (pneumatico) to puncture ◇ (pungere) to prick ◆ vpr/rif to have a puncture ◇ (pungersi) to prick oneself ◇ (drogarsi) to shoot up

bucàto sm washing, laundry • **fresco di b.** freshly-laundered

bùccia sf peel, rind, skin ◇ (di legumi) pod, husk, (USA) shuck • **pelle a b. d'arancia** orange-peel skin

bucherellàre vt to riddle

bùco sm hole • **b. dell'ozono** ozone hole

bucòlico a bucolic

buddismo sm Buddhism

budèllo sm bowel, gut ◇ (per corde) (cat)gut ◇ (vicolo) alley

budìno sm pudding

bùe sm ox ◇ (cuc) beef

bùfalo sm buffalo

bufèra sf storm • **b. di neve** bliz-zard

bùffo a funny, droll ◇ (teat) co-mic, buffo

buffonàta sf buffoonery, tom-foolery

buffóne sm buffoon, fool, joker

buggeràre vt to trick, to cheat

bugìa (1) sf lie, fib

bugìa (2) sf (per candela) candle-holder

bugiàrdo a lying ◆ sm liar, fib-ber, storyteller

bugigàttolo sm poky little room, closet

bùio a dark ◆ sm darkness, dark

bùlbo sm bulb ◇ (oculare) eye-ball

bùlgaro a/sm Bulgarian

bullóne sm bolt

buonanòtte sf/inter good night

buonaséra sf/inter good evening

buongiórno sm/inter good morn-ing

buongustàio sm gourmet

buongùsto sm good taste

buòno (1) a good, kind ◇ (di tem-po) fine, good ◇ (pregevole) good, fine, first-rate ◇ (piacevo-le) fine, nice, lovely ◇ (in escla-mazioni) good, happy, nice ◆ sm (the) good ◇ (persona buona) good person • **in b. stato** in good repair

buòno (2) sm (tagliando) vou-cher, coupon ◇ (fin) bill, bond

buonsènso sm common sense

buontempóne sm jovial person

burattinàio sm puppeteer

burattìno *sm* puppet
bùrbero *a* surly, gruff
bùrla *sf* joke, trick
burocràtico *a* bureaucratic
burocrazìa *sf* bureaucracy
burràsca *sf* storm, tempest, (*di vento*) gale
bùrro *sm* butter ◆ *b. di cacao* cacao butter
burróne *sm* ravine
buscàre *vt* to get, to catch
bussàre *vi* to knock, to tap
bùssola *sf* compass
bùsta *sf* envelope ◇ (*astuccio*) case

bustarèlla *sf* bribe
bùsto *sm* (*arte*) bust ◇ (*indumento*) corset
buttafuòri *sm* bouncer, chucker-out
buttàre *vt* (*lanciare*) to throw, to fling, to cast ◇ (*gettare via*) to throw away, to waste ◆ *vi* (*di pianta*) to put out, to sprout ◆ *vrif* to throw oneself ◆ *b. giù* (*abbattere*) to knock down, to demolish, (*ingoiare*) to gulp down, to swallow, (*abbozzare*) to scribble, to rough out

C

càbala *sf* cab(b)ala
cabìna *sf* box, booth, hut ◇ (*al mare*) bathing hut ◇ (*naut*) cabin ◇ (*di ascensore, funivia*) cage ● *c. di pilotaggio* cockpit; *c. telefonica* telephone booth, telephone box
cabinovìa *sf* cableway
cacào *sm* (*bot*) cacao ◇ (*prodotto*) cocoa
càccia (1) *sf* hunting, hunt, (*con fucile*) shooting, (*inseguimento*) chase ● *c. al tesoro* treasure hunt; *licenza di c.* game licence; *riserva di c.* game preserve, game reserve
càccia (2) *sm* (*aer*) fighter ● *pilota di c.* fighter pilot
cacciagióne *sf* game
cacciàre *vt* to hunt, to shoot ◇ (*inseguire*) to chase ◇ (*scacciare*) to drive away, to chase away,

to throw out ◇ (*fam*) (*ficcare, mettere*) to thrust, to put, to stick ◇ (*fam*) (*emettere, tirare fuori*) to let out, to take out ◆ *vrif* (*ficcarsi*) to plunge ◇ (*andare a finire*) to get to ● *cacciarsi nei guai* to get into a mess
cacciatóre *sm* hunter, chaser
cacciavìte *sm* screwdriver
càcio *sm* cheese
càctus *sm* cactus
cadàuno *a/pr* each
cadàvere *sm* (dead) body, corpse
cadènte *a* falling ◇ (*di edificio*) crumbling, tumbledown ◇ (*di persona*) decrepit
cadènza *sf* cadence, rhythm ◇ (*accento*) intonation ◇ (*mus*) cadenza, run
cadére *vi* to fall, to drop
cadétto *a/sm* cadet

cadùta sf fall, drop ◇ (perdita) loss ◇ (comm) drop, fall ◇ (di aereo) crash ● c. massi falling rocks

caffè sm coffee ◇ (bar) coffee house, coffee shop, café ● c. ristretto strong coffee; c. lungo weak coffee; c. solubile instant coffee

caffeìna sf caffeine

caffellàtte sm white coffee

caffettièra sf coffeepot, (macchinetta) coffee-maker

cafóne sm boor

cagionévole a weak, sickly

cagliàre vi/rif to curdle

càglio sm rennet

càgna sf bitch

cagnésco a surly ● guardare qn in c. to scowl at sb

càla sf (geogr) creek, cove

calabróne sm hornet

calamàro sm squid

calamìta sf magnet

calamità sf calamity, disaster

calàre vt to lower, to let down, to drop ◇ (a maglia) to cast off ♦ vi (scendere) to go down, to come down, to fall ◇ (tramontare) to set ◇ (diminuire) to fall, to ebb, to drop, (di peso) to lose weight ♦ vrif to let oneself down

càlca sf throng, crowd

calcàgno sm heel ● alle calcagna di qn at sb's heels

calcàre (1) sm limestone

calcàre (2) vt (calpestare) to tread ◇ (premere) to press, to press down ◇ (sottolineare) to emphasize ● c. la mano to overdo

càlce sf lime

calcestrùzzo sm concrete

calciàre vt to kick

calciatóre sm footballer, (USA) soccer player

calcinàccio sm rubble

càlcio (1) sm (chim) calcium

càlcio (2) sm kick ◇ (sport) football, (USA) soccer ● c. d'angolo corner; c. di punizione free kick; c. di rigore penalty

càlcio (3) sm (di arma) stock, butt

càlco sm mould, cast ◇ (copia) copy

calcolàre vt to calculate, to compute, to reckon ◇ (valutare) to estimate, to evaluate ◇ (includere nel calcolo) to count in, to include

calcolatóre sm computer

calcolatrìce sf calculator

càlcolo sm calculation, reckoning, computation, (mat) calculus, (med) calculus, stone

caldàia sf boiler

caldarròsta sf roast chestnut

càldo a warm, hot ◇ (fig) warm, ardent, fervent ♦ sm heat, hot weather ● fa c. it's hot

caleidoscòpio sm kaleidoscope

calendàrio sm calendar

càlibro sm gauge, caliber, calibre ◇ (strumento) callipers pl ◇ (fig) caliber, calibre

càlice sm goblet, calice ◇ (bot) calyx

calìgine sf haze

calligrafìa sf handwriting

càllo sm corn, (osseo) callus

càlma sf calm ● perdere la c. to lose one's temper

calmànte *a* calming ◆ *sm* sedative

calmàre *vt* to calm (down), to appease ◇ (*lenire*) to soothe ◆ *vpr* to calm down ◇ (*placarsi*) to abate

càlmo *a* calm

càlo *sm* fall, drop, loss

calóre *sm* heat, warmth ● *colpo di c.* heatstroke

caloria *sf* calorie

calorifero *sm* radiator

caloróso *a* warm, hearty

calòtta *sf* cap

calpestàre *vt* to trample on, to tread upon ● *è vietato c. l'erba* keep off the grass

calpestìo *sm* stamping

calùnnia *sf* slander

calùra *sf* great heat

calvàrio *sm* ordeal, trial ◇ (*relig*) calvary

calvinista *a/sm/f* Calvinist

calvìzie *sf* baldness

càlvo *a* bald

càlza *sf* (*da donna*) stocking, (*da uomo*) sock ◇ (*lavoro a maglia*) knitting

calzamàglia *sf* tights *pl*

calzàre *vt* (*mettere ai piedi*) to put on ◇ (*indossare*) to wear ◆ *vi* to fit

calzascàrpe *sm* shoehorn

calzatùra *sf* footwear ● *negozio di calzature* shoe shop

calzettóne *sm* knee sock

calzìno *sm* sock

calzolàio *sm* shoemaker, shoe repairer

calzoncìni *sm pl* shorts *pl*

calzóni *sm pl* trousers *pl*, (*USA*) pants *pl*

camaleónte *sm* chameleon

cambiàle *sf* bill

cambiaménto *sm* change

cambiàre *vt/i* to change ◆ *vrif* to change (one's clothes)

cambiavalùte *sm/f* money-changer

càmbio *sm* change, (*scambio*) exchange, (*modifica*) alteration ◇ (*econ*) exchange, change ◇ (*aut*) gear ● *in c.* in exchange

cambùsa *sf* storeroom, galley

càmera *sf* room ◇ (*pol*) Chamber, House ◇ (*tecn*) chamber ● *c. a due letti* twin-bedded room; *c. da letto* bedroom; *c. d'aria* inner tube

cameràta (1) *sf* dormitory

cameràta (2) *sm* companion

camerièra *sf* (*al ristorante*) waitress, (*in albergo*) chambermaid, hotel maid, (*domestica*) (house)maid

camerière *sm* (*al ristorante*) waiter, (*domestico*) manservant, butler

camerìno *sm* dressing room

càmice *sm* white coat

camicétta *sf* blouse, shirt

camìcia *sf* shirt ● *c. da notte* nightgown

camìno *sm* (*canna fumaria*) chimney ◇ (*caminetto*) fireplace

càmion *sm* lorry, (*USA*) truck ● *c. con rimorchio* lorry with trailer, (*USA*) trailer truck

camioncìno *sm* van, pick-up

camionìsta *sm/f* lorry driver, (*USA*) truck driver

cammèllo *sm* camel

camminàre *vi* to walk, to go on foot ◇ (*funzionare*) to work

camminàta *sf* walk ◇ (*andatura*) gait

camomìlla *sf* camomile (tea)

camòscio *sm* chamois ● **pelle di c.** shammy leather

campàgna *sf* country, countryside ◇ (*tenuta*) estate, property ◇ (*mil*) campaign ◇ (*pubblicitaria*) campaign

campagnòlo *a* country ◆ *sm* countryman

campàle *a* field

campàna *sf* bell ● **c. di vetro** ball jar

campanèllo *sm* bell

campanìle *sm* bell tower, belfry

campanilìsmo *sm* parochialism

campàre *vi* to live, to get by

campàta *sf* span, bay

campeggiàre *vi* to camp ◇ (*risaltare*) to stand out

campeggiatóre *sm* camper

campéggio *sm* (*il campeggiare*) camping ◇ (*luogo*) campsite

campèstre *a* rural, country ● **corsa c.** cross-country race

campionàrio *a* sample, trade ◆ *sm* (set of) samples *pl* ● **c. di tessuti** pattern book

campionàto *sm* championship

campióne *a/sm* (*sport*) champion ◇ (*esemplare*) sample

càmpo *sm* field ◇ (*mil*) camp ◇ (*sport*) field, ground, pitch ◇ (*tel*) roaming area, roaming range ● **non c'è c.** to be out of roaming range

composànto *sm* cemetery, graveyard

camuffàre *vt* to disguise ◆ *vrif* to disguise oneself, to dress as

canadése *a/sm/f* Canadian

canàglia *sf* scoundrel, rascal

canàle *sm* canal ◇ (*di mare*) channel ◇ (*TV*) channel ◇ (*biol*) canal, duct

canalizzazióne *sf* canalization

cànapa *sf* hemp ● **c. indiana** cannabis

canarìno *sm* canary

cancellàre *vt* to delete, (*con la gomma*) to erase, to rub out, (*con un frego*) to strike out, to cross out, (*con straccio, cancellino*) to wipe out ◇ (*disdire, annullare*) to cancel ◇ (*fig*) to wipe out, to efface ◆ *vpr* to fade

cancellàta *sf* railing

cancellazióne *sf* cancellation, annulment

cancellerìa *sf* (*pol*) chancellery ◇ (*articoli di cartoleria*) stationery

cancèllo *sm* gate

cancerògeno *a* carcinogenic

cancrèna *sf* gangrene

càncro *sm* cancer

candéggio *sm* bleach

candéla *sf* candle ◇ (*aut*) spark plug

candelàbro *sm* candelabrum

candidàto *sm* candidate

candidatùra *sf* candidature

càndido *a* (snow-)white ◇ (*innocente*) pure, innocent ◇ (*since-*

ro) candid ◇ (*ingenuo*) ingenuous

candìto *sm* candied fruit

càne *sm* dog ● *freddo c.* biting cold

canèstro *sm* basket

cangùro *sm* kangaroo

canìle *sm* kennels *pl*

canìno *a/sm* canine

cànna *sf* reed, cane ◇ (*bastone*) stick, cane ◇ (*da pesca*) rod ◇ (*di fucile*) barrel ◇ (*di organo*) pipe ◇ (*di bicicletta*) crossbar ◇ (*spinello*) joint, reefer ● *c. da zucchero* sugar cane; *farsi una c.* to smoke a joint; *c. fumaria* chimney flue

cannèlla *sf* (*cuc*) cinnamon

cannéto *sm* cane thicket

cannibalìsmo *sm* cannibalism

cannocchiàle *sm* spyglass, telescope

cannóne *sm* gun

cannùccia *sf* straw

canòa *sf* canoe

cànone *sm* (*regola*) canon, rule ◇ (*somma da pagare*) rent, fee ◇ (*relig*) canon

canònico *a* canonical ● *sm* canon

canòro *a* singing, song

canottàggio *sm* rowing, canoe racing

canottièra *sf* (*intima*) vest ◇ (*maglietta*) top, tank top

canòtto *sm* dinghy, small boat, ◇ (*di gomma*) rubber boat

canovàccio *sm* (*per piatti*) dish cloth ◇ (*per ricamo*) canvas ◇ (*trama*) plot ◇ (*schema*) sketch

cantànte *sm/f* singer

cantàre *vt/i* to sing ◇ (*del gallo*) to crow ◇ (*fam*) (*tradire*) to squeal

cantautóre *sm* singer-songwriter

cantière *sm* yard ● *c. edile* construction site; *c. navale* shipyard

cantìna *sf* cellar

cànto *sm* (*il cantare*) singing ◇ (*canzone*) song, (*liturgico*) chant

cantonàta *sf* corner ◇ (*fig*) blunder

cantóne *sm* (*angolo*) corner ◇ (*Svizzera*) canton

canzonàre *vt* to make fun of, to tease

canzóne *sf* song

càos *sm* chaos

caòtico *a* chaotic

capàce *a* able, capable ◇ (*esperto*) skilful, clever ◇ (*ampio*) large, spacious, capacious

capacità *sf* (*abilità*) ability, capability, skill, cleverness ◇ (*capienza*) capacity ◇ (*dir*) capacity ◇ (*econ*) power, capacity ● *c. di memoria* (*inform*) storage capacity

capànna *sf* hut, cabin

capannèllo *sm* knot (of people)

capannóne *sm* shed, warehouse ◇ (*fienile*) barn, granary ◇ (*aer*) hanger

capàrbio *a* stubborn

capàrra *sf* deposit

capéllo *sm* hair ● *avere i capelli castani* to have brown hair

capezzàle *sm* bolster

capézzolo *sm* (*anat*) nipple, (*zool*) dug

capiènza *sf* capacity

capillàre *a* capillary ◇ (*fig*) detailed ◇ (*diffuso*) widespread, diffused ♦ *sm* capillary (vessel)

capire *vt* to understand, to make out, to realize

capitàle (1) *a* capital ♦ *sf* capital (city)

capitàle (2) *sm* (*econ*) capital ● *c. azionario* share capital

capitalìsmo *sm* capitalism

capitanerìa *sf* harbour office

capitàno *sm* captain

capitàre *vi* (*accadere*) to happen, to occur ◇ (*giungere*) to come, to turn up

capitèllo *sm* (*arch*) capital

capitolàre *vi* to capitulate

capitolo *sm* chapter

capitómbolo *sm* tumble

càpo *sm* (*testa*) head ◇ (*estremità*) top, end, head ◇ (*chi comanda*) boss, chief, leader ◇ (*geogr*) cape ◇ (*di vestiario*) article ● *da c.* over again

capodànno *sm* New Year's Day

capofamìglia *sm/f* head of a family

**capofìtto, *a* *loc.avv* headlong, headfirst, head downwards

capogìro *sm* giddiness

capolavóro *sm* masterpiece

capolìnea *sm* terminus

capolìno *sm* peep ● *far c.* to peep (in, out)

capoluògo *sm* chief town

caporàle *sm* corporal

caposcuòla *sm/f* leader of a movement

capostazióne *sm/f* stationmaster

capostìpite *sm/f* founder of a family, (*est*) ancestor

capotrèno *sm* guard, (*USA*) conductor

capovòlgere *vt* to turn upside down, to overturn ◇ (*fig*) to invert, to reverse ♦ *vpr* to overturn, to capsize ◇ to be reversed

càppa *sf* (*mantello*) mantle, cloak ◇ (*di camino*) cowl, (*di cucina*) hood ◇ (*naut*) cope

cappèlla (1) *sf* chapel ◇ (*mus*) choir

cappèlla (2) *sf* (*di fungo*) cap

cappèllo *sm* hat ● *c. a cilindro* top hat

càppero *sm* caper ● *capperi!* good heavens!

cappóne *sm* capon

cappottàre *vi* to overturn

cappòtto *sm* (over) coat

cappuccìno (1) *sm* (*relig*) Capuchin

cappuccìno (2) *sm* (*bevanda*) cappuccino

cappùccio *sm* hood, (*di penna*) cap

càpra *sf* goat

caprétto *sm* kid

capricciàre *sm* whim, caprice, fancy ● *fare i capricci* to be naughty

capriccióso *a* whimsical, capricious, (*di bambino*) naughty

Capricòrno *sm* (*astr*) Capricorn

capriòla *sf* somersault, somerset ● *fare capriole* to somersault, to somerset

capriòlo *sm* roe (deer)

càpro *sm* he-goat ● *c. espiatorio* scapegoat

càpsula *sf* capsule ◇ (*di dente*) crown

captàre *vt* (*radio*) to pick up ◇ (*intercettare*) to tap

carabìna *sf* rifle

caràffa *sf* carafe, decanter

caramèlla *sf* sweet, candy

caràto *sm* carat

caràttere *sm* character, temper ◇ (*caratteristica*) feature, characteristic ◇ (*tip*) type, character

caratterìstica *sf* characteristic, feature

caratterìstico *a* characteristic, typical

carbóne *sm* coal

carbonizzàre *vt/pr* to carbonize, to char ◇ (*bruciare*) to burn

carburànte *sm* fuel

carburatóre *sm* carburettor, (*USA*) carburetor ● *c.* **ingolfato** floaded carburettor

carcàssa *sf* carcass ◇ (*spreg*) wreck

carceràrio *a* prison

carceràto *sm* prisoner

càrcere *sm* jail, prison

carcerière *sm* jailor, warder

carciòfo *sm* artichoke

cardìaco *a* cardiac, heart ● *attacco c.* heart attack

cardinàle *a/sm* cardinal ● *punti cardinali* cardinal points

càrdine *sm* hinge, pivot ◇ (*fig*) foundation

cardiocircolatòrio *a* cardiovascular

cardiologìa *sf* cardiology

cardiòlogo *sm* cardiologist

carèna *sf* (*naut*) hull

carènte *a* lacking, deficient

carènza *sf* (*mancanza*) lack, want, deficiency ◇ (*scarsità*) scarcity, shortage

carestìa *sf* famine

carézza *sf* caress

cariàtide *sf* (*arch*) caryatid

càrica *sf* (*ufficio, dignità*) office, position ◇ (*el, di arma da fuoco*) charge ◇ (*di orologio*) winding

caricabatterìe *sm* battery charger

caricàre *vt* to load up ◇ (*di merce, passeggeri*) to take on, to load ◇ (*riempire*) to fill ◇ (*gravare*) to burden, to overload ◇ (*el*) to charge ◇ (*orologio*) to wind up

caricatùra *sf* caricature

càrico *a* loaded, laden ◇ (*el*) charged ◇ (*riempito*) filled ● *sm* loading, lading ◇ (*merce*) load, cargo, freight ◇ (*fig*) burden, weight ● *a c. di* charged to, at expense of; *essere a c. di qn* to be dependent on sb

càrie *sf* decay, caries *pl*, cavity

carìno *a* pretty, nice, cute

carìsma *sm* charisma

carismàtico *a* charismatic

carità *sf* charity ◇ (*elemosina*) alms *pl* ◇ (*favore*) favour

carlìnga *sf* nacelle

carnagióne *sf* complexion

càrne *sf* flesh ◇ (*alimento*) meat

carnéfice *sm* executioner

carnevàle *sm* carnival

carnìvoro *a* carnivorous ● *sm* carnivore

carnóso *a* plump, fleshy

càro *a* dear, charming ◇ (*costoso*) expensive, costly

carógna sf carrion ◇ (fig) swine

caròta sf carrot

carovàna sf caravan, convoy

carpentière sm carpenter

carpóni avv on all fours

carràbile a suitable for vehicles ● *passo c.* (avviso) driveway

carreggiàta sf carriageway, roadway, track

carrellàta sf (TV) tracking shot, dolly shot ◇ (fig) roundup

carrèllo sm trolley, truck ◇ (aer) undercarriage ◇ (supermercato) cart

carrétto sm cart, handcart

carrièra sf career ● *di gran c.* at full speed

carrìola sf wheelbarrow

càrro sm car, wagon ● *c. armato* tank

carròzza sf carriage, coach

carrozzerìa sf (aut) bodywork, body ◇ (officina) body shop

carrozzìna sf pram, (USA) baby carriage

carrùcola sf pulley

càrta sf paper ◇ (documento) card, paper, document ◇ (da gioco) (playing) card ◇ (geografica) map, chart ◇ (statuto) charter ● *c. di credito* credit card; *c. d'identità* identity card; *c. d'imbarco* boarding card; *c. igienica* toilet paper

cartàceo a paper

cartapésta sf papier-mâché

cartéggio sm correspondence

cartèlla sf (di cartone) folder, file, (per disegni, foto) portfolio ◇ (valigetta) briefcase, (da scuola) satchel ◇ (pagina) page, sheet ◇ (fin) bond

cartellìno sm label, tag, ticket ◇ (di presenza) time card

cartèllo sm sign-board, sign, notice, (pubblicitario) poster, (stradale) road sign

cartellóne sm poster, board

càrter sm (di bicicletta) guard, chain-guard ◇ (aut) case

cartilàgine sf cartilage

cartìna sf (mappa) map ◇ (per sigarette) cigarette paper

cartòccio sm paper bag, cornet ● *al c.* in tinfoil

cartografìa sf cartography

cartolerìa sf stationery shop

cartolìna sf card, postcard

cartomanzìa sf cartomancy

cartóne sm cardboard ◇ (scatola) carton, box ● *cartoni animati* cartoons

cartùccia sf cartridge

càsa sf house, (la propria abitazione) home, (appartamento) flat ◇ (famiglia) house, family ◇ (comm) house, firm, company ● *seconda c.* holiday home

casàcca sf cassock, tunic

casalìnga sf housewife

casalìngo a (di casa) homely, domestic ◇ (che ama la casa) home-loving ◇ (fatto in casa) homemade ◇ (semplice) plain, homely

casàto sm family, lineage

cascàre vi to fall, to tumble

cascàta sf waterfall

cascìna sf farmhouse, dairy farm

càsco sm helmet ◇ (di parruc-

chiere) hair dryer ◇ (*di banane*) bunch

caseggiàto *sm* block (of flats)

caseificio *sm* dairy

casèlla *sf* (*di schedario*) pigeon-hole ◇ (*riquadro*) square ●*c. postale* P.O. box; *c. di posta elettronica* e-mail account; *c. vocale* voice mail

casèllo *sm* (*di autostrada*) toll-booth

casèrma *sf* barracks *pl*

casino *sm* (*da caccia*) shooting lodge ◇ (*bordello*) brothel ◇ (*fam*) (*chiasso*) row, mess

càso *sm* chance ◇ (*fatto, vicenda*) case, event, affair ◇ (*eventualità*) case ● *in c. contrario* otherwise; *in ogni c.* in any case; *per c.* by chance; *si dà il c. che ...* it so happens that ...

casolàre *sm* homestead, cottage

càspita *inter* good heavens!

càssa *sf* case, chest, box ◇ (*di negozio*) cash desk, cash, desk, counter ◇ (*banca*) bank ◇ (*bara*) coffin ● *c. continua* night safe; *registratore di c.* cash register

cassafòrte *sf* safe, strongbox

cassapànca *sf* chest, settle

cassétta *sf* box ◇ (*mus*) cassette, tape ● *c. degli attrezzi* toolbox; *c. delle lettere* letterbox, (*USA*) mailbox; *film di c.* commercial film

cassétto *sm* drawer

cassière *sm* cashier

castàgna *sf* chestnut

castàgno *sm* chestnut

castàno *a* light brown, chestnut brown

castèllo *sm* castle

castigàre *vt* to punish

castigàto *a* chaste, decent

castìgo *sm* punishment

castità *sf* chastity

càsto *a* chaste, pure

castòro *sm* beaver

castràre *vt* to castrate, to geld

casuàle *a* random, casual, fortuitous

casualménte *avv* by chance, accidentally

cataclìsma *sm* cataclysm

catalizzàto *a* catalyst-fitted ● *auto catalizzata* catalyzed car

catalogàre *vt* to catalogue

catàlogo *sm* catalogue, (*USA*) catalog

catamaràno *sm* catamaran

catapécchia *sf* hovel, slum

catarifrangènte *sm* reflector

catàrro *sm* catarrh

catàsta *sf* stack, pile

catàsto *sm* land register

catàstrofe *sf* catastrophe, disaster

catechìsmo *sm* catechism

categorìa *sf* category ● *di prima c.* first-class

caténa *sf* chain

catràme *sm* tar

càttedra *sf* desk ◇ (*posto di insegnante*) teaching post, (*all'università*) chair ◇ (*seggio*) chair

cattedràle *sf* cathedral

cattivèria *sf* meanness, spite, (*di bambino*) naughtiness ◇ (*azione*) wicked action

cattività *sf* captivity

cattìvo *a* bad ◇ (*sgradevole*) nasty, bad ◇ (*di tempo*) bad, (*di* *mare*) rough ◇ (*malvagio*) wicked ◇ (*di bambino*) naughty ● **in c. stato** in bad repair

cattòlico *a/sm* Catholic

cattùra *sf* capture, (*arresto*) arrest

catturàre *vt* to capture, to seize, to arrest

caucciù *sm* caoutchouc, India rubber

càusa *sf* cause ◇ (*dir*) suit, case ● **a c. di** because of, owing to; **c. civile** civil suit; **c. penale** criminal case; **far c. a qn** to sue sb

causàle *a* causal ◆ *sf* cause, reason

causàre *vt* to cause, to bring about

càustico *a* caustic

cautèla *sf* caution

càuto *a* cautious, careful

cauzióne *sf* security, deposit, caution (money) ◇ (*dir*) bail ● **essere liberato su c.** to be released on bail

càva *sf* quarry, pit

cavalcàre *vt/i* to ride (horseback)

cavalcavìa *sm* flyover, overpass

cavalcióni, (a) *avv* astride

cavalière *sm* (*chi cavalca*) rider ◇ (*stor*) knight ◇ (*mil*) cavalryman ◇ (*chi accompagna una donna*) escort, partner

cavallerésco *a* chivalrous

cavallerìa *sf* (*mil*) cavalry ◇ (*stor*) chivalry ◇ (*comportamento*) chivalry, gallantry

cavallerìzzo *sm* horseman

cavallétta *sf* grasshopper

cavallétto *sm* trestle, (*per pittore*) easel, (*fot*) tripod

cavàllo *sm* horse ◇ (*scacchi*) knight ◇ (*cavallo vapore*) horsepower ◇ (*di pantaloni*) crotch ● **andare a c.** to ride (horseback)

cavallóne *sm* billow, (*frangente*) breaker

cavàre *vt* (*tirare fuori*) to take out, to draw, to pull out ◇ (*togliere*) to take off, to remove ◇ (*ricavare*) to get, to obtain ◇ (*cavarsela*) to get off

cavatàppi *sm* corkscrew

cavèrna *sf* cave, cavern

càvia *sf* guinea pig

caviàle *sm* caviar

cavìglia *sf* ankle

cavità *sf* cavity, hollow

càvo (1) *a* hollow ◆ *sm* cavity, hollow

càvo (2) *sm* (*el*) cable ◇ (*fune*) rope

cavolfióre *sm* cauliflower

cavolini di Bruxelles *sm pl* Brussels sprouts *pl*

càvolo *sm* cabbage

cazzòtto *sm* punch

cazzuòla *sf* trowel

ce *particella pr* to us, (ES: **perché non ce l'hai detto prima?** why didn't you tell us before?) ◆ *avv* there (ES: **quanti gatti ci sono? ce n'è uno** how many cats are there? there is one)

céce *sm* chickpea

cecità *sf* blindness

cèdere *vt* (*dare*) to give ◇ (*trasferire*) to hand over, to transfer ◇ (*vendere*) to sell ◇ (*consegna-*

re) to surrender, (*con trattato*) to cede ♦ *vi* (*arrendersi*) to surrender, to yield ◇ (*sprofondare, rompersi*) to give way

cedévole *a* yielding ◇ (*di terreno*) soft

cèdola *sf* coupon

cédro *sm* (*agrume*) citron ◇ (*albero*) cedar

cefalèa *sf* cephalalgy, headache

cèffo *sm* (*spreg*) mug

ceffóne *sm* slap, cuff

celàre *vt* to conceal, to hide ♦ *vrif* to hide oneself, to conceal oneself, to be hidden

celebràre *vt* to celebrate

celebrazióne *sf* celebration

cèlebre *a* celebrated, famous, renowned

celebrità *sf* celebrity

cèlere *a* swift, quick

celèste *a* (*del cielo*) heavenly, celestial ◇ (*colore*) light blue ♦ *sm* light blue

cèlibe *a* single, unmarried

cèlla *sf* cell ♦ *c. frigorifera* cold store, walk-in freezer

cèllula *sf* cell

cellulàre *a* cellular ♦ *sm* (*tel*) mobile phone, cellular phone

cellulìte *sf* (*accumulo*) cellulite ◇ (*infiammazione*) cellulitis

cèltico *a/sm* Celtic

ceménto *sm* cement

céna *sf* dinner, supper

cenàre *vi* to have dinner, to have supper, to dine

céncio *sm* rag

cénere *sf* ash(es) ● *color c.* ashy

cénno *sm* sign, gesture, (*con il capo*) nod, (*con la mano*) wave

◇ (*allusione*) hint, mention, allusion ◇ (*breve notizia*) notice, note ♦ *al pl* (*breve trattato*) outline

censiménto *sm* census

censùra *sf* censorship

centàuro *sm* centaur ◇ (*motociclista*) motorcyclist

centenàrio *a* (*che ha cento anni*) hundred-year-old, (*di persona*) centennial ◇ (*che ricorre ogni cento anni*) centenary ♦ *sm* (*anniversario*) centenary ◇ (*persona*) centenarian

centèsimo *a* hundredth ♦ *sm* (*la centesima parte*) (the, a) hundredth ◇ (*moneta*) cent, penny

centigrado *a* centigrade

centimetro *sm* centimetre, (*USA*) centimeter

centinàio *sm* hundred ♦ *a centinaia* by hundreds

cènto *a/sm* (a, one) hundred ● *per c.* per cent

centràggio *sm* cent(e)ring

centràle *a* central ♦ *sf* plant, station

centralinìsta *sm/f* operator

centralìno *sm* (*tel*) exchange, (*di albergo*) switchboard

centralizzàre *vt* to centralize

centràre *vt* (*colpire al centro*) to hit the centre of ◇ (*mettere al centro*) to centre ◇ (*fig*) to grasp fully

centravànti *sm* centre forward

centrìfuga *sf* centrifuge ◇ (*della lavatrice*) spin-dry

centrìfugo *a* centrifugal

centrìpeto *a* centripetal

cèntro *sm* centre, (*USA*) center ◇

(*città*) town, (*USA*) downtown ●
c. commercialeshopping centre,
mall

centrocampo *sm* centre field

céppo *sm* (*d'albero*) stump, (*da
ardere*) log ◇ (*mecc*) stock

céra (1) *sf* wax

céra (2) *sf* (*aspetto*) air, look

ceràmica *sf* ceramics *pl* (*v al
sing*), pottery

ceramista *sm/f* ceramist

cerbiàtto *sm* fawn

cercàre *vt* to look for, to search
for, to seek ◇ (*richiedere*) to ask
for, to want ◇ (*consultando*) to
look up ◆ *vi* to try

cérchia *sf* circle

cérchio *sm* circle, ring, round ◇
(*di ruota*) rim ◇ (*di botte*) hoop

cerchióne *sm* rim

cereàle *sm* cereal

cerimònia *sf* ceremony ● **senza
cerimonie** without ceremony

cèrnia *sf* grouper

cernièra *sf* hinge ● **c. lampo** zip,
zipper

céro *sm* candle

ceròtto *sm* plaster

certamènte *avv* certainly, sure-
ly, of course

certézza *sf* certainty

certificàto *sm* certificate ◆ *a* cer-
tified

cèrto (1) *a* certain (ES: **un c. giorno** a certain day) ◇ (*qualche, un
po' di*) some (ES: **dopo un c. tempo** after some time) ◇ (*di tale
genere*) such (ES: **certe persone**
such people) ◆ *pr* some (people)

cèrto (2) *a* certain, sure ◆ *avv* certainly, of course

certósa *sf* Chartreuse

cervèllo *sm* brain ◇ (*fig*) brain,
mind

cervicàle *a* cervical

cèrvo *sm* deer

cesellàre *vt* to chisel ◇ (*fig*) to
polish

cesóia *sf* shears *pl*

cespùglio *sm* bush

cessàre *vt/i* to cease, to stop

cèsso *sm* (*fam*) bog

cestino *sm* basket ● **c. per i rifiuti** litterbin, wastebasket

césto *sm* basket

cèto *sm* class

cetriolino *sm* gherkin

cetriòlo *sm* cucumber

che (1) *a* (*riferito a un numero
indefinito di cose o persone*)
what (ES: **c. città preferisci?**
what town do you like best?) ◇
(*riferito a un numero limitato di
cose o persone*) which (ES: **c. città della Francia preferisci?**
which French town do you like
best?) ◆ *pr* what (ES: **c. stai fa-
cendo?** what are you doing?)

che (2) *a* (*quale*) what (ES: **c. festa
noiosa!** what a boring party!) ◇
(*come*) how (ES: **c. strano!** how
strange!) ◆ *pr* what (ES: **c. dici!**
what are you saying!)

che (3) *pr.rel* (*sogg riferito a persona*) who, that, (*sogg riferito a
cose o animali*) which, that (ES:
il ragazzo c. cadde dal tetto the
boy who fell off the roof; **l'albero c. cresce in giardino** the tree
which grows in the garden) ◇
(*ogg riferito a persona*) whom,
who, that, (*ogg riferito a cose o*

animali) which, that (*spesso sottinteso*) (ES: **il ragazzo c. ho visto questa mattina** the boy (whom) I've seen this morning; **il libro c. vedi** the book (which) you see) ◇ (*in cui, quando, con cui, per cui*) in which, on which, when (*spesso sottinteso*) (ES: **l'anno c. andammo in Italia** the year (when) we went to Italy) ◇ (*la qual cosa, il che*) which (ES: **mio fratello non può venire, il c. è un vero peccato** my brother cannot come, which is a real pity) ◇ (*correl di stesso, medesimo*) as, that

che (4) *pr* (*qualcosa*) something (ES: **c'è una c. di strano in quella casa** there's something strange about that house)

che (5) *cong* (*dichiarativa dopo i verbi che esprimono opinione, sentimento, ecc*) that (*spesso sottinteso*) (ES: **mi dispiace c. tu non riesca a dormire** I'm sorry (that) you can't sleep) ◇ (*dichiarativa dopo i verbi che esprimono volontà o comando o dopo loc impers*) that (ES: **vorrei c. tu non venissi** I wish you wouldn't come) ◇ (*consecutiva*) that (ES: **ti sei svegliato così tardi c. hai perso l'autobus** you woke up so late that you missed the bus) ◇ (*finale*) that (*spesso sottinteso*) (ES: **bada c. non ti caschi** be careful (that) you don't drop it) ◇ (*comparativa*) than (ES: **più c. mai** more than ever) ◇ (*temporale*) when, since, for, (ES: **arrivai c. tutto era già finito**

everything was already over when I got there) ◇ (*eccettuativa*) only, but (ES: **non fa altro c. dormire** he does nothing but sleep) ◇ (*disgiuntiva*) whether (ES: **c. tu venga o no** whether you come or not)

chetichèlla, alla *loc.avv* secretly
● **entrare/uscire alla c.** to slip in/away

chi (1) *pr.rel* (*colui, colei che*) who, the person (man, boy, ecc) who; (*coloro che*) who, those who (ES: **non conosco c. ha scritto quel libro** I don't know who wrote that book) ◇ (*chiunque*) whoever, anyone who (ES: **c. vuole entrare deve suonare due volte il campanello** anyone who wants to come in must ring the bell twice) ◇ (*qualcuno che*) someone who, somebody who; (*in frasi neg*) no one who, nobody who, anyone who, anybody who (ES: **c'è c. mi aiuterà** there's someone who will help me; **non trovo c. mi dia retta** I don't find anyone who pays attention to me) ◇ (*chi chi*) some ... some, someone ... someone (ES: **c. viene, c. va** some come, some go)

chi (2) *pr* (*sogg*) who (ES: **c. è? who is it?) ◇ (*ogg e compl ind*) whom, who (ES: **a c. scrivi?** who are you writing to?)

chiàcchiera *sf* chatt, talk ◇ (*pettegolezzo*) gossip, (*notizia infondata*) rumor

chiacchieràre *vi* to chat, to talk ◇ (*spettegolare*) to gossip

chiacchieràta *sf* chat, talk

chiacchieróne *sm* chatterer ◇ *(pettegolo)* gossiper

chiamàre *vt* to call ◇ *(al telefono)* to phone, to ring up ◇ *(dare nome)* to name ♦ *vpr* to be called ● *come ti chiami?* what is your name?

chiamàta *sf* call ● *c. alle armi* call-up

chiarézza *sf* clearness, clarity ● *fare c. su qc* to shed light on st

chiariménto *sm* explanation

chiarire *vt* to clear up, to explain ♦ *vpr* to become clear

chiàro *a* clear ◇ *(di colore)* light ◇ *(luminoso)* bright ◇ *(evidente)* clear, evident ♦ *avv* clearly ◇ *(con franchezza)* frankly

chiaroscùro *sm* chiaroscuro, light and shade

chiàsso *sm* uproar, noise

chiassóso *a* rowdy, noisy ◇ *(fig)* gaudy

chiàve *sf* key ◇ *(mecc)* spanner, *(USA)* wrench ◇ *(mus)* clef

chiavistèllo *sm* bolt

chiàzza *sf* spot, stain ● *a chiazze* patchy

chìcco *sm (di cereale)* grain, *(di caffè)* coffeebean, *(d'uva)* grape ● *c. di grandine* hailstone

chièdere *vt (per sapere)* to ask ◇ *(per avere)* to ask for ◇ *(come prezzo)* to charge ◇ *(richiedere)* to demand, to require ♦ *vpr* to wonder

chiérico *sm* cleric

chièsa *sf* church

chìglia *sf* keel

chìlo *sm* kilo

chìmica *sf* chemistry

chìmico *a* chemical ♦ *sm* chemist

chìna *sf* slope ◇ *(inchiostro)* Indian ink

chinàre *vt* to bend, to bow, to lower ♦ *vrif* to stoop, to bend down

chincaglierìa *sf* trinkets *pl*, fancy goods *pl*

chiòccia *sf* brooding hen

chiòcciola *sf* snail ♦ *(inform)* at ● *scala a c.* winding staircase, spiral stairs

chiòdo *sm* nail, *(da roccia)* piton, *(da scarpe)* hobnail ◇ *(idea fissa)* fixed idea ● *c. di garofano* clove

chiòma *sf* hair ◇ *(di albero)* foliage

chiòsco *sm* kiosk, stall, stand

chiòstro *sm* cloister

chiromànte *sm/f* chiromancer

chirurgìa *sf* surgery

chirùrgo *sm* surgeon

chissà *avv* who knows, I wonder ◇ *(forse)* perhaps, maybe

chitàrra *sf* guitar

chitarrìsta *sm/f* guitarist

chiùdere *vt* to shut, to close ◇ *(recingere)* to enclose ◇ *(concludere)* to conclude, to end ◇ *(rinchiudere)* to shut up ◇ *(spegnere)* to turn off, to switch ♦ *vi* to close ♦ *vpr/rif* to close ◇ *(concentrarsi)* to withdraw ● *c. un occhio su* to turn a blind eye to

chiùnque *pr* anyone, anybody (ES: **c. è capace di farlo** anybody can do it) ♦ *pr.rel (sogg)* whoever, *(compl)* who(m)ever, anyone, anybody (ES: **c. telefoni, digli che sono uscito** whoever calls, tell him I'm out; **c. tu conosca, ignoralo** ignore anyone you know) ◊ (*seguito da part*) whichever (ES: **c. di loro arrivi, fallo sedere** whichever of them comes, let him sit down)

chiùsa *sf* lock

chiùso *a* closed, shut ◊ (*racchiuso*) enclosed ◊ (*di persona*) reserved, closed

chiusùra *sf* closing, shutting ◊ (*fine*) end, close ◊ (*allacciatura*) fastening ◊ (*serratura*) lock • **c. centralizzata** (remote) central locking; **c. lampo** zip

ci (1) *pr.pers* (*compl ogg*) us, (*compl di termine*) (to) us (ES: **non ci hanno chiamato** they didn't call us) ◊ (*riflessivo*) ourselves (*spesso sottinteso*) (ES: **non ci siamo vestiti come dovremmo** we didn't dress ourselves as we should) ◊ (*reciproco*) each other, one another (ES: **ci vediamo ogni domenica** we see each other every Sunday) ◆ *pr* this, that, it (ES: **non ci credo** I don't believe it)

ci (2) *avv* (*qui*) here, (*là*) there, (*per questo luogo*) through (ES: **ci vado sempre** I always go there) ◊ (*con il v essere*) there (ES: **c'è** there is; **ci sono** there are)

ciabàtta *sf* slipper, mule ◊ (*pane*) flat loaf of bread

ciàlda *sf* wafer

ciambèlla *sf* (*dolce*) bun, dough-

nut ◊ (*salvagente*) life buoy, life saver

cianfrusàglia *sf* junk, knick-knacks *pl*

ciào *inter* (*incontrandosi*) hello, (*USA*) hi ◊ (*accomiatandosi*) bye-bye, so long, cheerio

ciarlatàno *sm* charlatan, quack

ciascùno *a* (*ogni*) every ◊ (*distributivo*) each ◆ *pr* (*ognuno*) everybody, everyone ◊ (*distributivo*) each (one)

cibo *sm* food

cicàla *sf* cicada

cicalìno *sm* beeper

cicatrìce *sf* scar

cicca (1) *sf* (*di sigaretta*) cigarette end

cicca (2) *sf* chewing gum, gum

ciccia *sf* (*fam*) flesh

cìclico *a* cyclic

ciclìsmo *sm* cycling

ciclìsta *sm/f* cyclist ◊ (*chi ripara biciclette*) bicycle repairer

ciclo *sm* cycle

ciclomotóre *sm* motor-bicycle, moped

ciclóne *sm* cyclone

cicógna *sf* stork

cicòria *sf* chicory

cièco *a* blind

cièlo *sm* sky, (*lett*) heaven

cifra *sf* figure, digit, numeral, number ◊ (*somma*) amount ◊ (*monogramma*) cipher, monogram

ciglio *sm al pl* eyelashes *pl* ◊ (*bordo*) edge, brink, border • **senza batter c.** without flinching, without batting and eye

cigno *sm* swan

cigolàre *vi* to creak, to squeak

ciliègia *sf* cherry

cilindràta *sf* (piston) displacement ● *auto di grossa c.* high-powered car

cilìndrico *a* cylindrical

cilìndro *sm* cylinder ◇ *(cappello)* top hat

cìma *sf* top, peak, summit ◇ *(naut)* line, rope ◇ *(fig)* genious

cimèlio *sm* relic, antique

cìmice *sf* bug

ciminièra *sf* chimney

cimitèro *sm* graveyard, cemetery, *(presso una chiesa)* churchyard

cincìn *inter* cheers

cineamatóre *sm* amateur filmmaker

cìnema *sm* cinema, films *pl* ● *c. multisala* multiplex

cinematogràfico *a* cinematographic, film

cineprésa *sf* (cine) camera

cinése *a/sm/f* Chinese

cinètico *a* kinetic

cìngere *vt* to gird ◇ *(circondare)* to encircle, to surround

cìnghia *sf* strap, belt

cinghiàle *sm* (wild) boar

cinguettàre *vi* to chirp, to twitter

cìnico *a* cynical ● *sm* cynic

cinìsmo *sm* cynicism

cinòfilo *sm* canophilist, dog lover ● *unità cinofila* dog unit

cinquànta *a/sm* fifty

cinquantìna *sf* about fifty

cìnque *a/sm* five

cinquecènto *a/sm* five hundred

cintùra *sf* belt ● *c. di sicurezza* safety belt, seat belt

cinturìno *sm* strap

ciò *pr* this, that, it ● *c. che* what; *c. nonostante* in spite of this, nevertheless; *con tutto c.* for all that

ciòcca *sf* lock

cioccolàta *sf* chocolate ● *c. calda* hot chocolate; *c. al latte/fondente* milk/dark chocolate

cioccolàto → **cioccolata**

cioè *avv* that is, i.e. *(id est)*, namely ◇ *(con valore di rettifica)* better, or rather ● *c.?* what do you mean?, which is?

ciondolàre *vi* to dangle ◇ *(bighellonare)* to lounge about

cióndolo *sm* pendant

ciononostànte *avv* nevertheless, in spite of this

ciòtola *sf* bowl

ciòttolo *sm* pebble, cobble ◇ *(per pavimentazione)* cobblestone

cìpiglio *sm* scowl, frown

cipólla *sf* onion

cìppo *sm* cippus

ciprèsso *sm* cypress

cìpria *sf* (face) powder

cìrca *avv* about, approximately ● *prep* with regard to, about, concerning

cìrco *sm* circus

circolàre (1) *a* circular ● *sf* circular (letter)

circolàre (2) *vi* to circulate

circolazióne *sf* circulation ◇ *(traffico)* traffic

cìrcolo *sm* circle ◇ *(associazione)* club ● *entrare in c.* to enter the bloodstream

circondàre *vt* to surround, to encircle ◆ *vrif* to surround oneself
circonferènza *sf* circumference
circonvallazióne *sf* ring road
circoscrìvere *vt* to circumscribe
circoscrizióne *sf* district ● *c. elettorale* constituency
circospètto *a* circumspect, cautious
circostànte *a* surrounding
circostànza *sf* circumstance
circùito *sm* circuit ◇ *(percorso)* track, course
cistèrna *sf* cistern, tank ● *nave c.* tanker
cisti *sf* cyst
citàre *vt* to cite, to mention ◇ *(da un libro, da un discorso)* to quote ◇ *(dir)* to summon(s), *(fare causa)* to sue
citazióne *sf* citation, mention ◇ *(da un libro, da un discorso)* quotation ◇ *(dir)* summons
citòfono *sm* entry phone
città *sf* town, *(importante)* city ● *c. d'arte* city of art
cittadèlla *sf* citadel
cittadinànza *sf* nationality, citizenship ◇ *(popolazione di città)* citizens *pl*
cittadino *a* town, city ◆ *sm* citizen
ciùffo *sm* bangs *pl*, tuft
civètta *sf* *(zool)* owl ◇ *(fig)* coquette ● *far la c.* to flirt, to play coquette
civico *a* civic
civile *a* civil
civilizzazióne *sf* civilization
civiltà *sf* civilization, culture ◇ *(cortesia)* civility

clàcson *sm* horn ● *suonare il c.* to blow the horn
clamóre *sm* outcry
clamoróso *a* clamorous
clandestìno *a* clandestine ◆ *sm* stowaway
clarinétto *sm* clarinet
clàsse *sf* class
classicìsmo *sm* classicism
clàssico *a* classic(al) ◆ *sm* classic
classìfica *sf* classification, results *pl*
classificàre *vt* to classify ◆ *vrif* to come, to be placed
clàusola *sf* clause
claustrofobìa *sf* claustrophobia
clausùra *sf* seclusion ● *suora di c.* cloistered nun
clavicémbalo *sm* harpsichord
clavìcola *sf* clavicle
clemènte *a* *(di persona)* clement, lenient, merciful ◇ *(di tempo)* mild
cleptòmane *a/sm/f* kleptomaniac
clericàle *a* clerical
clèro *sm* clergy
clessìdra *sf* *(a sabbia)* sandglass, *(ad acqua)* clepsydra
cliccàre *vi/t* to click ● *c. su un'icona* to click an icon
cliènte *sm/f* *(di negozio)* customer, *(di albergo)* guest, *(di professionista)* client
clientèla *sf* clientele, customers *pl*
clìma *sm* climate
climàtico *a* climatic ● *stazione climatica* health resort
climatizzàto *a* air-conditioned

climatizzatóre *sm* air-conditioning unit

climatizzazióne *sf* air-conditioning

clinica *sf* clinic

clinico *a* clinical

clòro *sm* chlorine

clorofilla *sf* chlorophyl

coabitàre *vi* to cohabitate, to live together

coabitazióne *sf* cohabitation, house-sharing

coagulàre *vi/pr* to coagulate

coalizióne *sf* coalition, alliance

coàtto *a* forced

coautóre *sm* coauthor

cocaìna *sf* cocaine

coccinèlla *sf* ladybird, ladybug

còccio *sm* earthenware ◇ (*frammento*) fragment (of pottery) ● *di c.* (*fig*) stubborn, obstinate

còcco *sm* coconut

coccodrillo *sm* crocodile

coccolàre *vt* to cuddle

cocómero *sm* watermelon

códa *sf* tail ◇ (*fila*) queue, line ● *fare la c.* to queue up

codàrdo *sm* coward

codésto *a/pr* that

còdice *sm* code ◇ (*manoscritto*) codex ● *c. a barre* bar code

codifica *sf* codification

codificàre *vt* (*inform*) to encode

coefficiènte *sm* coefficient, factor

coerènte *a* coherent, consistent

coetàneo *a/sm* contemporary

coèvo *a* coeval, contemporary

còfano *sm* (*aut*) bonnet, (*USA*) hood

cògliere *vt* to pick, to gather ◇

(*sorprendere*) to catch ◇ (*colpire*) to hit, to get ◇ (*capire*) to understand

cognàta *sf* sister-in-law

cognàto *sm* brother-in-law

cognizióne *sf* knowledge ● *perdere la c. del tempo* to lose all sense of time

cognóme *sm* surname, family name

coincidènza *sf* coincidence ◇ (*mezzi di trasporto*) connection

coincidere *vi* to coincide

coinvòlgere *vt* to involve

colabròdo *sm* colander

colapàsta *sm* colander

colàre *vt* (*filtrare*) to strain, to filter, to drain ◇ (*fondere*) to cast ◆ *vi* to drip ● *c. a picco* to sink

colazióne *sf* (*del mattino*) breakfast, (*di mezzogiorno*) lunch

colèi *pr* she, the (who)

colèra *sm* cholera

colesteròlo *sm* cholesterol

còlica *sf* colic

còlla *sf* glue, paste

collaboràre *vi* to collaborate, to cooperate

collaborazióne *sf* collaboration, cooperation, (*a giornale*) contribution

collàna *sf* necklace ◇ (*raccolta*) collection

collant *sm* tights *pl*, stockings *pl*, (*USA*) nylons *pl*

collàre *sm* collar ● *c. antipulci* flea collar

collàsso *sm* collapse, breakdown

collaudàre *vt* to test, to try out

collàudo sm test

còlle sm hill

collèga sm/f colleague

collegaménto sm connection, link

collegàre vt to connect, to join, to link ◆ vrif to join, to link up ◇ (mettersi in collegamento) to get in touch, to link up

collègio sm (organo consultivo) board ◇ (consesso) college ◇ (convitto) boarding school ◇ (elettorale) constituency

còllera sf anger, fury ● andare in c. to get angry, to fly into a rage

collèrico a irascible, hot-tempered

collètta sf collection

collettività sf collectivity, community

collettìvo a collective, general, joint ◆ sm collective

collétto sm collar

collezionàre vt to collect

collezióne sf collection

collìna sf hill

collìrio sm eyewash, eyedrops pl

collisióne sf collision

còllo (1) sm neck ◇ (colletto) collar

còllo (2) sm (pacco) parcel, item

collocàre vt to place, to put, to set ◇ (prodotti) to sell ◆ vpr/rif to place oneself ◇ (trovare lavoro) to find employment

collòquio sm talk, meeting, (di lavoro) interview

collutòrio sm mouthwash

colmàre vt to fill up ◇ (fig) to fill, to load

cólmo a full, brimful ◆ sm top, summit ◇ (fig) height, peak ● questo è il c.! this beats all!

colómba sf dove

colómbo sm pigeon

còlon sm colon

colònia sf colony ◇ (di vacanze) summer camp ● c. penale penal settlement

coloniàle a colonial ● generi coloniali groceries

colonizzàre vt to colonize

colónna sf column ● c. vertebrale backbone

colonnàto sm colonnade

colorànte sm dye ● c. alimentare food dye

coloràre vt to colour, (tingere) to tinge, to dye ◆ vpr to colour, to tinge, to turn

colóre sm colour, (USA) color

colorìto a coloured, (di viso) rosy ◇ (fig) colourful ◆ sm (carnagione) complexion ◇ (fig) vivacity

colóro pr they, those people ● c. che they who

cólpa sf fault, wrong, (peccato) sin ◇ (colpevolezza) guilt, guiltiness ◇ (responsabilità) blame ◇ (dir) negligence ● dare la c. a qn to lay the blame on sb; per c. di because of

colpévole a guilty, culpable ◆ sm/f culprit, offender

colpìre vt to hit, to strike ◇ (con arma da fuoco) to shoot ◇ (fig) to strike ◇ (danneggiare) to damage

cólpo sm blow, stroke ◇ (d'arma da fuoco) shot ◇ (rumore) bang ◇ (giornalistico) scoop ◇ (rapi-

na) robbery ◇ (*fig*) shock, blow ● *c. di sole* sunstroke; *c. di stato* coup d'état; *c. di telefono* ring; *far c.* to make a sensation

coltellàta *sf* stab

coltèllo *sm* knife

coltivàre *vt* to cultivate, to till, to farm

coltivatóre *sm* tiller, farmer, grower

coltivazióne *sf* cultivation, growing, farming

cólto *a* cultured, well-educated

coltùra *sf* cultivation, farming, growing ◇ (*biol*) culture

colùi *pr* he, the man, the one ● *c. che* the man who, the one who

còma *sm* coma

comandànte *sm* commander, master

comandàre *vt* to order, to command ◇ (*mil*) to be in command of ◇ (*mecc*) to control, to drive ◇ (*richiedere*) to demand, to require ◆ *vi* to be in charge, to be in command

comàndo *sm* (*ordine*) order, command ◇ (*autorità*) command ◇ (*sede del comandante*) headquarters *pl* ◇ (*tecn*) control, drive ◇ (*sport*) lead

combaciàre *vi* to meet, to join, to correspond

combàttere *vt/i* to fight, to combat

combattiménto *sm* fight, combat ● *mettere fuori c.* to knock out

combinàre *vt* to combine, to match ◇ (*organizzare*, *concludere*) to conclude, to arrange, to

settle ◇ (*fam*) (*fare*) to do, to make ◆ *vi* to agree ◆ *vpr/rif* (*accordarsi*) to agree ◇ (*conciarsi*) to get oneself up ◇ (*chim*) to combine

combinazióne *sf* combination ◇ (*coincidenza*) chance, coincidence

combustìbile *a* combustible ◆ *sm* fuel

cóme *avv* (*in frasi interr*) how (ES: *c. stai?* how are you?), (*quanto bene*) what ... like (ES: **com'è il tempo?** what's the weather like?) ◇ (*che cosa*) what ◇ (*in frasi escl*) how ◇ (*il modo in cui*) how, the way, (*nel modo in cui*) as ◇ (*comp*) as (so) ... as ◇ (*in qualità di*) as ◇ (*a somiglianza*) like ◇ (*in correlazione con 'così', 'tanto'*) as, both ... and, as well as ◆ *cong* (*non appena*) as, as soon as ◇ (*dichiarativa*) that ● *c. no!* of course!, why not?; *c. se* as if, as though

cométa *sf* comet

còmico *a* comical, funny ◇ (*teat*) comic ◆ *sm* (*comicità*) funniness, comicality ◇ (*attore*) comic, comedian

comìgnolo *sm* chimney-pot

cominciàre *vt/i* to begin, to start

comitàto *sm* committee, board

comitìva *sf* party, group

comìzio *sm* meeting

commèdia *sf* comedy, play ◇ (*fig*) sham, pretence

commediògrafo *sm* playwright

commemoràre *vt* to commemorate

commemorazióne *sf* commemoration

commentàre *vt* to comment on

comménto *sm* comment, commentary

commerciàle *a* commercial, trade, business ♦ *sm* salesman

commercialista *sm/f* chartered accountant

commerciànte *sm/f* trader, dealer, (*negoziante*) shopkeeper

commèrcio *sm* trade • *c. all'ingrosso/al minuto* wholesale/retail trade; *fuori c.* not for sale, (*esaurito*) out of stock

commèssa *sf* (*ordine*) order, job ◇ (*venditrice*) (female) shop assistant, (*USA*) salesclerk

commésso *sm* (male) shop assistant, (*USA*) salesclerk • *c. viaggiatore* salesman

commestibile *a* eatable, edible

comméttere *vt* to commit

commiàto *sm* leave-taking

commiserare *vt* to commiserate, to pity ♦ *vrif* to feel sorry for oneself

commissariàto *sm* (*di polizia*) police station

commissàrio *sm* commissary

commissióne *sf* errand ◇ (*incarico*) commission ◇ (*compenso*) commission, fee ◇ (*comitato*) committee, board, commission • *fare le commissioni* to do the shopping

committènte *sm/f* customer, buyer, client

commòsso *a* moved, touched

commovènte *a* moving, touching

commozióne *sf* emotion, commotion • *c. cerebrale* concussion

commuòvere *vt* to move, to touch ♦ *vpr* to be moved

comodino *sm* bedside table

comodità *sf* comfort ◇ (*opportunità*) convenience

còmodo *a* (*confortevole*) comfortable ◇ (*opportuno*) convenient ◇ (*maneggevole*) handy ♦ *sm* comfort, convenience

compaesàno *sm* fellow countryman

compagnìa *sf* company ◇ (*gruppo di persone*) group, party, gathering ◇ (*società*) company, (*USA*) corporation • *essere di c.* to be companionable

compàgno *sm* companion, (*fam*) chum, mate ◇ (*convivente*) partner • *c. di giochi* playfellow; *c. di scuola* schoolmate

comparàre *vt* to compare

comparativo *a/sm* comparative

comparìre *vi* to appear

compàrsa *sf* appearance ◇ (*cin*) walk-on, extra

compartiménto *sm* compartment

compassàto *a* stiff

compassióne *sf* compassion, pity

compàsso *sm* compasses *pl*

compatìbile *a* (*inform*) (*conciliabile*) compatible ◇ (*scusabile*) excusable

compatìre *vt* (*compiangere*) to pity, to be sorry for ◇ (*scusare*) to forgive

compàtto *a* compact

compèndio *sm* outline, summary, digest

compensàre *vt* (*controbilanciare*) to compensate for ◇ (*supplire a*) to make up for, to compensate ◇ (*ricompensare*) to reward ◇ (*pagare*) to pay ◇ (*risarcire*) to indemnify ◆ *vrif* to compensate each other

compènso *sm* compensation ◇ (*retribuzione*) remuneration, payment ◇ (*ricompensa*) reward ●*in c.* in return

competènte *a* competent

competènza *sf* competence ◇ *al pl* (*onorario*) fee

compètere *vi* (*gareggiare*) to compete ◇ (*spettare*) to be due

competitività *sf* competitiveness

competitivo *a* competitive

competizióne *sf* competition ● *da c.* racing

compiacènza *sf* courtesy, kindness ◇ (*compiacimento*) pleasure, satisfaction

compiacére *vt* to please, to gratify ◆ *vpr* to be pleased (with) ◇ (*congratularsi*) to congratulate

compiàngere *vt* to pity, to be sorry for ◆ *vrif* to feel sorry for oneself

cómpiere *vt* (*finire*) to finish, to complete ◇ (*effettuare*) to do, to perform, to accomplish, to achieve, to carry out ◇ (*adempiere*) to fulfil ◇ (*gli anni*) to turn ◆ *vpr* to end ◇ (*avverarsi*) to come true ●*quando compi gli anni?* when is your birthday?

compilàre *vt* to compile ◇ (*modulo*) to fill out

compilazióne *sf* compilation, (*di modulo*) filling in

compitàre *vt* to spell out

cómpito (1) *sm* task, duty, job ◇ (*di scuola*) exercise, (*a casa*) homework

compito (2) *a* polite

compleànno *sm* birthday ●*buon c.!* happy birthday!

complementàre *a* complementary

compleménto *sm* complement ◇ (*mil*) reserve

complessità *sf* complexity

complessivo *a* total, overall, comprehensive

complèsso *a* complex ◆ *sm* (*totalità*) whole ◇ (*serie*) combination, set ◇ (*impresa*) group, plant ◇ (*mus*) ensemble, band ◇ (*psic*) complex

completàre *vt* to complete, (*un modulo*) to fill in

complèto *a* complete, full, whole ◇ (*totale*) complete, absolute, total ◇ (*pieno*) full up ◆ *sm* set, outfit ◇ (*abbigliamento*) suit, outfit, set ●*al c.* full (up)

complicàre *vt* to complicate ◆ *vpr* to get complicated, to thicken

complicazióne *sf* complication

còmplice *sm/f* accomplice, party

complimentàrsi *vpr* to congratulate

compliménto *sm* compliment ◆ *al pl* (*cortesia eccessiva*) ceremony ◇ (*congratulazioni*) congratulations *pl*

complòtto *sm* conspiracy
componènte *a* component ♦ *sm/f* (*persona*) member ◇ (*cosa*) compon-ent
componìbile *a* modular
compórre *vt* to compose, to make up, to arrange ◇ (*musica*) to compose ◇ (*conciliare*) to settle ◇ (*tip*) to set ◇ (*numero telefonico*) to dial
comportaménto *sm* behaviour
comportàre *vt* to involve, to require ♦ *vpr* to behave, to act
compòsito *a* composite
compositóre *sm* composer
composizióne *sf* composition ◇ (*conciliazione*) settlement ◇ (*tip*) setting
compósto *a* compound ◇ (*formato da*) made up of ◇ (*ordinato*) tidy ◇ (*calmo*) composed, calm ♦ *sm* mixture, compound
compràre *vt* to buy, to purchase ◇ (*corrompere*) to bribe
comprèndere *vt* to comprise, to include ◇ (*capire*) to understand, to realize
comprensióne *sf* comprehension, understanding ◇ (*simpatia*) sympathy
comprensìvo *a* inclusive, comprehensive ◇ (*che prova comprensione*) sympathetic, understanding
comprèso *a* (*incluso*) included (*pred*), inclusive ◇ (*capito*) understood ◇ (*assorto*) filled with ● *tutto c.* all-inclusive
comprèssa *sf* tablet
compressióne *sf* compression
compressóre *sm* compressor

comprìmere *vt* to compress
compr(o)mésso *sm* compromise ◇ (*dir*) preliminary agreement
comprométtere *vt* to compromise
comproprietà *sf* joint ownership
comprovàre *vt* to prove
computàre *vt* to calculate
computer *sm* computer ● *c. portatile* laptop
còmputo *sm* calculation
comunàle *a* municipal, town ◇ (*stor*) communal
comùne (1) *a* common, general ◇ (*ordinario*) ordinary ♦ *sm* common run ♦ *fuori del c.* unusual, uncommon
comùne (2) *sm* municipality, town council ◇ (*stor*) commune
comunicàre *vt/i* to communicate
comunicàto *sm* announcement, bulletin ● *c. stampa* press release
comunicazióne *sf* communication ◇ (*tel*) telephone call, (*linea telefonica*) telephone line ◇ (*comunicato*) announcement, (*messaggio*) message, (*relazione*) report
comunióne *sf* communion ◇ (*dir*) community
comunìsmo *sm* communism
comunità *sf* community
comùnque *avv* (*tuttavia*) but, all the same ◇ (*in ogni caso*) however, anyhow, in any case ♦ *cong* however, whatever
cón *prep* (*compagnia, unione, comparazione, relazione*) with (ES: **sono c. lei** I'm with her; **paragonare un colore c. l'altro** to

compare one colour with the other) ◇ (*mezzo, strumento*) with, by (ES: **scrivere c. la matita** to write with a pencil; **andare c. l'autobus** to go by bus) ◇ (*maniera*) with (ES: **trattare c. cura** to handle with care) ◇ (*per indicare una caratteristica*) with (ES: **un uomo c. gli occhi azzurri** a man with blue eyes) ◇ (*con valore temporale*) with, at, on, in (ES: **c. la sua partenza** on his departure) ◇ (*verso*) to (ES: **essere scortese c. qn** to be impolite to sb) ◇ (*contro*) against, with (ES: **scontrarsi c. la polizia** to clash with the police) ◇ (*avversativo, concessivo*) with, for (ES: **c. tutti i suoi soldi, lo detesto** for all his money, I hate him) ◇ (*consecutivo*) to (ES: **c. nostro profondo rammarico** to our great regret)

conàto *sm* effort ◇ (*di vomito*) retching

cónca *sf* basin

concatenazióne *sf* concatenation, link

còncavo *a* concave

concèdere *vt* to grant, to allow, to concede ◇ (*permettere*) to allow ◇ (*ammettere*) to admit ● *concedersi un lusso* to treat oneself

concentraménto *sm* concentration

concentràre *vt* to concentrate ◆ *vrif* (*riunirsi*) to concentrate, to gather ◇ (*fig*) to concentrate

concentrazióne *sf* concentration

concèntrico *a* concentric

concepiménto *sm* conception

concepìre *vt* (*generare, fig*) to conceive ◇ (*immaginare, escogitare*) to imagine, to contrive ◇ (*nutrire*) to entertain ◇ (*comprendere*) to understand

concertàre *vt* (*mus*) to harmonize ◇ (*fig*) to plan, to arrange

concertista *sm/f* concert player

concèrto *sm* concert, (*composizione*) concerto

concessionàrio *sm* concessionaire, agent ● *c. d'auto* car distributor

concessióne *sf* concession ◇ permission ◇ (*dir*) (*autorizzazione*) franchise

concètto *sm* concept, idea

concettuàle *a* conceptual

concezióne *sf* conception

conchìglia *sf* shell, conch

conciàre *vt* (*trattare*) to treat, (*pelli*) to tan, (*tabacco*) to cure ◇ (*maltrattare*) to ill-treat, to beat up ◇ (*sporcare*) to dirty, to soil ◆ *vrif* (*sporcarsi*) to get dirty ◇ (*vestirsi*) to get oneself up

conciliàre *vt* to reconcile, to conciliate ◇ (*favorire*) to induce ● *c. una contravvenzione* to settle a fine

concìlio *sm* council

concìme *sm* manure, dung

concisióne *sf* concision

concìso *a* concise

concitàto *a* excited

concittadìno *sm* fellow citizen

conclùdere *vt* to conclude, to end, to finish ◇ (*dedurre*) to conclude, to infer ◇ (*combinare*) to do ◆ *vpr* to end up, to conclude

conclusióne sf conclusion • *in c.* in short

concomitànte a concomitant

concordànza sf concordance, agreement ◊ *(gramm)* concord

concordàre vt to agree, to arrange ◊ *(mettere d'accordo)* to reconcile ◊ *(gramm)* to make agree ♦ vi to agree

concòrde a in agreement

concorrènte sm/f *(sport)* competitor ◊ *(candidato)* candidate, applicant ♦ a a concurrent ◊ *(rivale)* competing, rival

concorrènza sf competition • *fare c. a* to compete with

concórrere vi *(contribuire)* to contribute, to concur ◊ *(partecipare)* to share in, to take part in ◊ *(competere)* to compete

concórso sm *(competizione)* competition, contest ◊ *(partecipazione)* contribution ◊ *(assistenza)* assistance, aid ◊ *(dir)* complicity

concretézza sf concreteness

concrèto a concrete

condànna sf condemnation, *(dir)* conviction, *(pena)* punishment

condannàre vt *(dir)* to convict, to sentence ◊ *(est)* to condemn

condannàto a convicted ♦ sm convict

condènsa sf condensate

condensàre vt/pr to condense

condiménto sm flavouring, seasoning, *(per insalata)* dressing ◊ *(sostanza)* condiment, dressing, sauce

condìre vt to flavour, to season, *(insalata)* to dress

condiscendènza sf *(degnazione)* condescension ◊ *(remissività)* compliance

condivìdere vt to share

condizionàle a/sm conditional

condizionaménto sm conditioning

condizionatóre sm (air-)conditioner

condizióne sf condition • *a c. che* provided that; *senza condizioni* unconditional

condogliànza sf condolence • *fare le condoglianze a qn* to offer sb one's condolences

condomìnio sm joint ownership, *(edificio)* condominium

condóno sm remission, pardon

condótta sf *(comportamento)* conduct, behaviour ◊ *(conduzione)* conduct, direction ◊ *(tubazione)* pipe

condótto sm duct, pipe

conducènte a/sm driver

condùrre vt *(guidare)* to lead, to conduct, *(veicolo)* to drive ◊ *(accompagnare)* to take, to bring ◊ *(gestire)* to manage ◊ *(effettuare)* to carry out, to conduct ◊ *(TV)* to anchor ♦ vi to conduct

conduttùra sf piping • *c. dell'acqua* water mains

confederazióne sf confederation

conferènza sf lecture ◊ *(riunione)* conference • *c. stampa* press conference

conferìre vt to confer, to give, to award ♦ vi to confer with

confèrma sf confirmation

confermàre *vt* to confirm ◆ *vrif* to prove oneself

confessàre *vt/pr* to confess

confessionàle *a/sm* confessional

confessióne *sf* confession

confètto *sm* sugared almond ◇ (*med*) pill

confettùra *sf* jam

confezionàre *vt* to make up (*up*), to manufacture ◇ (*pacco*) to pack, to wrap up

confezióne *sf* (*di abiti*) manufacture, tailoring, dressmaking ◇ *al pl* (*abiti*) clothes ◇ (*imballaggio*) wrapping, packing ◇ (*pacco*) package ● *c. regalo* gift wrapping

conficcàre *vt* to hammer in ◆ *vrif* to stick

confidàre *vt* to confide ◆ *vi* to confide, to trust, to rely on ◆ *vrif* to confide in

confidènte *sm/f* (*amico*) confidant *m*, confidante *f* ◇ (*informatore*) informer

confidènza *sf* confidence, trust ◇ (*cosa confidata*) confidence, secret ◇ (*familiarità*) intimacy ● *dare c.* to be familiar (with); *in c.* confidentially

confidenziàle *a* confidential ◇ (*cordiale*) friendly, familiar

configuràre *vt* to shape (*up*) (*inform*) to configure, to set up ◆ *vpr* to take shape, to assume a form

confinànte *a* neighbouring, bordering

confinàre *vt* to confine ◆ *vi* to border on, to adjoin

confine *sm* border, boundary

confiscàre *vt* to confiscate

conflitto *sm* conflict

confluìre *vi* to flow, to meet ◇ (*fig*) to converge

confóndere *vt* (*mescolare*) to confuse, to mix up ◇ (*scambiare*) to mistake ◇ (*disorientare*) to confuse, to embarrass ◆ *vpr/rif* to get mixed up, to become confuse ◇ (*mescolarsi*) to mix, to merge

conformàre *vt* to conform, to adapt ◆ *vrif* to conform to, to comply with

conformeménte *avv* according to

conformìsmo *sm* conformism

confortàre *vt* (*consolare*) to comfort, to console ◇ (*incoraggiare*) to encourage ◇ (*sostenere*) to support ◆ *vrif* to take comfort

confortévole *a* (*che conforta*) comforting ◇ (*comodo*) comfortable

confórto *sm* comfort, consolation ◇ (*incoraggiamento*) encouragement ◇ (*sostegno*) support

confrontàre *vt* to compare, to confront

confrónto *sm* comparison ● *in c. a* in comparison with; *mettere a c.* to compare; *nei confronti di* towards; *senza confronti* beyond compare

confusióne *sf* muddle, confusion, mess ◇ (*rumore*) row, noise ◇ (*imbarazzo*) confusion, embarrassment

confùso *a* confused, (*imbaraz-*

zato) embarrassed, (*mescolato*) mingled

confutàre *vt* to refute

congedàre *vt* to take leave of, to dismiss ◇ (*mil*) to discharge ♦ *vrif* to take one's leave of ◇ (*mil*) to be discharged

congèdo *sm* leave ◇ (*mil*) discharge ● *in c.* on leave, (*in pensione*) retired

congégno *sm* device, gear

congelàre *vt/pr* to freeze

congelatóre *sm* freezer

congestióne *sf* congestion

congettùra *sf* conjecture

congiùngere *vt* to join ◇ (*collegare*) to connect, to join up ♦ *vrif* to join

congiuntivìte *sf* conjunctivitis

congiuntìvo *a/sm* (*gramm*) subjunctive

congiuntùra *sf* (*giuntura*) joint ◇ (*circostanza*) circumstance, situation ◇ (*econ*) conjuncture, situation, (*tendenza*) trend

congiunzióne *sf* connection ◇ (*gramm*) conjunction

congiùra *sf* conspiracy, plot

congiuràre *vi* to conspire

congratulàrsi *vpr* to congratulate

congratulazióni *sf pl* congratulations *pl*

congregazióne *sf* congregation

congrèsso *sm* congress

congruènza *sf* congruency

conguàglio *sm* balance, adjustment

coniàre *vt* to coin

cònico *a* conic(al)

conìfera *sf* conifer

conìglio *sm* rabbit ◇ (*fig*) coward

coniugàre *vt* to conjugate ◇ (*fig*) to combine

coniugazióne *sf* conjugation

còniuge *sm* consort, partner

connazionàle *sm/f* compatriot

connessióne *sf* connection ● *c. a Internet* Internet connection

connèttere *vt* to connect, to link ♦ *vi* to think straight ♦ *vpr* to be connected ◇ (*inform*) to log-in

connotàto *sm spec pl* description ● *cambiare i connotati a qn* to smash sb's face

còno *sm* cone ● *c. gelato* ice-cream cone

conoscènte *sm/f* acquaintance

conoscènza *sf* (*sapere*) knowledge ◇ (*il conoscere una persona e la persona conosciuta*) acquaintance ◇ (*coscienza*) consciousness ● *al pl* connections *pl* ● *essere a c. di qc* to know (of) st

conóscere *vt* to know ◇ (*incontrare*) to meet ◇ (*fare esperienza*) to experience ◇ (*riconoscere*) to recognize ♦ *vrif* to know each other ◇ (*fare conoscenza*) to meet ● *far c. qn a qn* to introduce sb

conosciùto *a* well-known, famous

conquista *sf* conquest

conquistàre *vt* to conquer ◇ (*fig*) to win ◇ (*sedurre*) to conquer

consacràre *vt* to consecrate ♦ *vrif* to devote oneself

consanguìneo *a* consanguineous, akin (*pred*) ♦ *sm* kinsman

consapévole *a* conscious, aware (*pred*)

cònscio *a* conscious, aware (*pred*)

consecutìvo *a* consecutive, in a row ◇ (*seguente*) following ◇ (*gramm*) consecutive

conségna *sf* delivery ◇ (*custodia*) consignment ◇ (*mil*) orders *pl* • **c. a domicilio** home delivery; **pagamento alla c.** cash on delivery

consegnàre *vt* to deliver, to hand over, to consign

conseguènte *a* consequent

conseguènza *sf* consequence

conseguìre *vt* to reach, to achieve, to obtain ♦ *vi* to result • **ne consegue che** it follows that

consènso *sm* consent

consensuàle *a* consensual

consentìre *vi* (*essere d'accordo*) to agree ◇ (*acconsentire*) to consent, to assent ♦ *vt* to allow

consèrva *sf* preserve • **c. di pomodoro** tomato purée

conservànte *sm* preservative

conservàre *vt* to keep, to preserve ♦ *vpr* to keep, to remain

conservatóre *a/sm* conservative

conservatòrio *sm* conservatoire, (*USA*) conservatory

conservazióne *sf* conservation, preservation

consideràre *vt* to consider, to think of ◇ (*stimare*) to think highly of ♦ *vrif* to consider oneself

considerazióne *sf* consideration ◇ (*stima*) regard, respect

considerévole *a* considerable

consigliàre *vt* to advise, to counsel ♦ *vpr* to ask advice, to consult

consiglière *sm* adviser, counsellor ◇ (*membro di consiglio*) councillor

consìglio *sm* advice, counsel ◇ (*organo collegiale*) council, board

consistènte *a* substantial, solid

consistènza *sf* consistency, solidity ◇ (*fondatezza*) foundation, validity

consìstere *vi* to consist

consociàto *a/sm* associate

consolàre *vt* to console, to soothe, to comfort ♦ *vrif* to take comfort ◇ (*rallegrarsi*) to cheer up

consolàto *sm* consulate

consolazióne *sf* consolation, comfort ◇ (*gioia*) joy

cònsole *sm* consul

consolidàre *vt/pr* to consolidate

consonànte *a/sf* consonant

consòrte *sm/f* consort

consòrzio *sm* association, (*d'imprese*) syndicate

constàre *vi* (*essere composto*) to consist, to be made up ♦ *vimp* (*risultare*) to appear, to be proved

constatàre *vt* to ascertain ◇ (*notare*) to note, to observe

constatazióne *sf* ascertainment ◇ (*osservazione*) observation • **c. amichevole** agreed statement

consuèto *a* usual, customary

consuetùdine *sf* custom, habit

consulènte *a/sm/f* consultant

consulènza *sf* advice

consultàre *vt* to consult ♦ *vpr* to confer, to consult ♦ *vrif* to consult together, to confer

consultìvo *a* advisory

consumàre *vt* to consume, to use up, (*vestiti*) to wear ◇ (*dissipare*) to waste ◇ (*usare*) to consume, to use ◇ (*mangiare*) to eat, (*bere*) to drink ◇ (*compiere*) to commit, to consumate ● *vpr* to consume, to wear out ● *(da) consumarsi preferibilmente entro* ... best before ...

consumatóre *sm* consumer

consumazióne *sf* consumption ◇ (*al bar*) order ◇ (*compimento*) consummation

consùmo *sm* consumption

consuntìvo *a* final ♦ *sm* final balance, survey

contàbile *sm/f* book-keeper, accountant

contabilità *sf* book-keeping, accounting

contadìno *a* rural, country ♦ *sm* farmer, countryman, peasant

contagiàre *vt* to infect ♦ *vpr* to get infected

contàgio *sm* contagion, infection

contagióso *a* contagious, infectious

contagìri *sm* rev(olution) counter

contagócce *sm* dropper ● *col c.* in dribs and drabs

contaminàre *vt* to contaminate, (*inquinare*) to pollute

contaminazióne *sf* contamination, (*inquinamento*) pollution

contànte *a/sm* cash

contàre *vt* to count ◇ (*annoverare*) to have ◇ (*fam*) (*raccontare*) to tell ♦ *vi* (*sperare*) to expect ◇

(*fare assegnamento*) to count, to depend ◇ (*valere*) to mean

contatóre *sm* meter, counter

contattàre *vt* to contact

contàtto *sm* contact

cónte *sm* count, earl

contèa *sf* (*titolo*) earldom, (*territorio*) county, -shire

contéggio *sm* count

contégno *sm* (*comportamento*) behaviour ◇ (*atteggiamento controllato*) self-control

contemplàre *vt* to admire, to contemplate ◇ (*prevedere*) to provide for

contemplatìvo *a* contemplative

contemporaneaménte *avv* at the same time

contemporàneo *a/sm* contemporary

conténdere *vt* to contend for, to contest ♦ *vi* to quarrel, to contest ♦ *vrif* to contend for

contenére *vt* to contain, to hold ◇ (*frenare*) to contain, to control ♦ *vrif* to contain oneself

contenitóre *sm* container

contentàre *vt* to satisfy, to please ♦ *vpr* to be content, to be pleased

contènto *a* pleased, happy, glad

contenùto *sm* contents *pl* ◇ (*argomento*) content, subject

contésa *sf* contest, contention ◇ (*gara*) competition

contestàre *vt* (*negare*) to contest, to deny ◇ (*notificare*) to notify ◇ (*opporsi a*) to contest, to challenge, to dispute

contestazióne *sf* dispute, con-

troversy ◊ (*notifica*) notification ◊ (*protesta*) protest

contèsto *sm* context

contìguo *a* contiguous, adjoining

continènte *sm* continent

continènza *sf* continence

contingènte *a* a contingent ◆ *sm*
(*mil*) contingent ◊ (*econ*) quota,
share

contingènza *sf* circumstance ●
indennità di c. cost-of-living allowance

continuaménte *avv* (*ininterrot-
tamente*) continuously, non-
stop ◊ (*frequentemente*) conti-
nually

continuàre *vt/i* to go on, to continue, to keep on

continuazióne *sf* continuation ●
in c. over and over again, continuously

contìnuo *a* continuous, non-stop
◊ (*frequente*) continual

cónto *sm* (*calcolo*) calculation ◊
(*banca*) account ◊ (*al ristorante*)
bill ◊ (*considerazione*) esteem,
regard ● *fare c. su qc/qn* to rely
on st/sb; *per c. mio* for me;
rendersi c. di qc to realize st

contornàre *vt* to surround ◊ to
border ◆ *vrif* to surround oneself

contórno *sm* contour, outline,
edge ◊ (*cuc*) side dish

contòrto *a* twisted ◊ (*fig*) involved, tortuous

contrabbàndo *sm* smuggling ●
di c. smuggled, contraband

contrabbàsso *sm* double bass

contraccambiàre *vt* to return, to
repay

contraccettìvo *a/sm* contraceptive

contraccólpo *sm* rebound, recoil ◊ (*fig*) reaction, consequence

contraddìre *vt/i* to contradict ◆
vrif to contradict oneself

contraddistìnguere *vt* to mark
◆ *vpr* to stand out, to be charac-
terised by

contraddizióne *sf* contradiction

contraffàre *vt* (*simulare*) to
counterfeit, to imitate, to simulate ◊ (*falsificare*) to counterfeit, to falsify, to forge

contrappéso *sm* counterbalance

contrappórre *vt* to oppose, to
counter ◆ *vrif* to oppose, to set
oneself against

contrapposizióne *sf* contrast,
opposition, contraposition

contrariaménte *avv* (*in modo
contrario*) contrarily, contrary
to ◊ (*al contrario*) on the contrary

contrariàre *vt* to oppose ◊ (*irritare*) to vex, to irritate

contrarietà *sf* (*opposizione*)
contrariety, opposition, aversion
◊ (*avversità*) misfortune, trouble, problem

contràrio *a* contrary, opposite ◊
(*sfavorevole*) unfavourable ◊
(*riluttante*) unwilling ◆ *sm* contrary, opposite ● *al c.* on the contrary, (*a ritroso*) backwards, (*a
rovescio*) inside out

contràrre *vt/pr* to contract ● *c.
una malattia* to get, to catch an
illness

contrasségno (1) *sm* mark

contrasségno (2) avv cash on delivery

contrastàre vt to oppose, to resist ◆ vi to be in contrast, to contrast

contràsto sm contrast ◇ (litigio) quarrel, argument

contrattaccàre vt/i to counterattack

contrattàre vt to bargain over, to negotiate

contrattèmpo sm mishap, hitch

contràtto sm agreement, contract

contravvenzióne sf infringement, violation ◇ (multa) fine

contrazióne sf contraction

contribuènte sm/f taxpayer

contribuire vi to contribute

contribùto sm contribution ◇ (sovvenzione) grant ● pagare i contributi to pay contributions

cóntro prep against ◇ (sport) versus ◆ avv against ● il pro e il c. the pros and cons

controbàttere vt to refute, to rebut

controffensìva sf counter-offensive, counterattack

controfigùra sf double

controindicazióne sf contraindication

controllàre vt to check, to control ◇ (conti) to audit ◆ vrif to control oneself

contròllo sm check, inspection ◇ (dei conti) audit ◇ control ● c. di sé self-control

controllóre sm controller ◇ (mezzi di trasporto) ticket collector ● c. di volo air-traffic controller

controlùce sf backlight ◆ avv against the light

contromàno avv in the wrong direction

contropàrte sf counterpart ◇ (dir) opposing party

contropiède sm counterattack

controproducènte a counterproductive

contrórdine sm counterorder, countermand

controrifórma sf Counter-Reformation

controsènso sm contradiction ◇ nonsense

controvalóre sm equivalent, ◇ (banca) exchange value

controvèrsia sf controversy

controvòglia avv unwillingly

contùso a bruised

convalescènte a/sm/f convalescent

convalescènza sf convalescence

convalidàre vt to validate, to confirm ◇ (rafforzare) to corroborate

convégno sm meeting, congress

convenévoli sm pl compliments pl, regards pl

conveniènte a (adatto) fitting, suitable ◇ (prezzo) reasonable, (di articolo) cheap ◇ profitable

conveniènza sf appropriateness, suitability ◇ (vantaggio) advantage, gain ◇ (di prezzo) cheapness

convenìre vi (impers) to be better, to suit ◇ (concordare) to

agree ◇ (*essere vantaggioso*) to be worth

convènto sm convent

convenzionàle a agreed, prearranged ◇ (*tradizionale*) conventional

convenzióne sf convention

convergènza sf convergence ◇ (*fig*) meeting

conversàre vi to talk, to converse

conversazióne sf conversation, talk

conversióne sf conversion

convertìre vt to convert ♦ vpr/rif to be converted

convèsso a convex

convìncere vt to convince ♦ vrif to convince oneself

convìnto a convinced

convinzióne sf conviction

convivènte sm/f cohabitant

convìvere vi to cohabit, to live together

convocàre vt to call, to convene, to summon

convocazióne sf convocation

convogliàre vt (*trasportare*) to carry ◇ (*indirizzare*) to direct

convòglio sm convoy ◇ (*ferr*) train

convulsióne sf fit, convulsion

cooperatìva sf cooperative

cooperazióne sf cooperation

coordinaménto sm coordination

coordinàre vt to coordinate

coordinàta sf coordinate

copèrchio sm cover, lid, cap

copèrta sf blanket, cover, rug ◇ (*naut*) deck

copertìna sf cover, (*USA*) (book) jacket

copèrto (1) a covered ◇ (*del cielo*) overcast ◇ (*vestito*) clothed ◇ (*nascosto*) hidden ● al c. indoors

copèrto (2) sm (*posto a tavola*) place, setting ◇ (*prezzo*) cover charge

copertóne sm (*aut*) tyre

copertùra sf cover, covering ◇ (*tel*) roaming area, roaming range

còpia sf copy ● c. di backup backup copy

copiàre vt to copy

copióne (1) sm (*teat*) script

copióne (2) sm (*fam*) copycat

còppa sf cup ● c. dell'olio oil sump

còppia sf couple, pair ● a coppie in pairs

coprifuòco sm curfew

coprilètto sm bedspread, bedcover

coprìre vt to cover ◇ (*occupare*) to hold ♦ vrif to cover oneself, to wrap up ♦ vpr to be covered ◇ (*rannuvolarsi*) to become overcast

coràggio sm courage, bravery ◇ (*impudenza*) nerve, cheek ● c.! come on!, cheer up!

coraggióso a courageous, brave

coràle a choral

corallìno a coral

coràllo sm coral

Coràno sm Koran

coràzza sf (*mil*) armour, (*stor*) cuirass ◇ (*zool*) carapace, shell

corazzàto a armoured

còrda sf rope, cord ◊ (mus) string ◊ (anat) cord • *tagliare la c.* (fig) to slip away

cordiàle a cordial, warm ◊ (profondo) hearty • *cordiali saluti* best wishes

cordòglio sm grief, condolence

coreografìa sf choreography

coriàceo a tough, coriaceous

coriàndolo sm (bot) coriander ◊ *al pl* confetti pl (verbo al sing)

coricàre vt to lay down ◊ (mettere a letto) to put to bed ♦ *vrif* to lie down ◊ (andare a letto) to go to bed

corista sm/f chorister

cornamùsa sf bagpipes pl

còrnea sf cornea

cornétta sf (mus) cornet ◊ (tel) receiver

cornétto sm croissant ◊ (gelato) cone • *al pl* (fagiolini) French beans pl

cornìce sf frame ◊ (arch) cornice ◊ (scenario) setting

còrno sm horn • *fare le corna* to be unfaithful, to cheat

còro sm chorus, choir

coròlla sf corolla

coróna sf crown ◊ (di fiori) wreath

coronàre vt to crown ◊ (circondare) to surround ◊ (realizzare) to realize, to crown

còrpo sm body ◊ (organico) corps, staff

corporatùra sf build

corporazióne sf corporation ◊ (stor) guild

corpulènto a stout

corpùscolo sm corpuscle

corredàre vt to equip, to furnish ◊ (accludere) to attach, to enclose

corrèdo sm equipment, kit, set ◊ (di sposa) trousseau

corrèggere vt to correct ♦ *vrif* to correct oneself

correlazióne sf correlation

corrènte a (che scorre) running, flowing ◊ (scorrevole) fluent ◊ (attuale) current, present ◊ (di moneta) current ◊ (comune) common, current ◊ (ordinario) common, ordinary ♦ sf current, draught, (USA) draft ◊ (flusso) stream, flow • *essere al c.* to be informed; *mettere al c.* to inform

córrere vi to run ◊ (precipitarsi) to rush ◊ (di veicolo) to speed along ◊ (gareggiare) to race ◊ (circolare) to go round, to circulate ♦ vt (sport) to run, to take part in ◊ (affrontare) to run • *c. dietro a qn* to chase after sb; *lasciar c.* to let things go

corrètto a correct, right ◊ (onesto) honest ◊ (educato) polite ◊ (di caffè) laced

correzióne sf correction

corridóio sm passage, corridor

corridóre sm runner, (sport) racer

corrièra sf coach

corrière sm courier, messenger ◊ (chi trasporta merci) carrier • *c. espresso* (azienda) courier company, (servizio) express courier

corrimàno sm handrail

corrispettìvo a corresponding ♦ sm consideration, compensation

corrispondènte *a* corresponding ◆ *sm/f* correspondent

corrispondènza *sf* correspondence

corrispóndere *vt* (*pagare*) to pay ◇ (*ricambiare*) to return ◆ *vi* to correspond ◇ (*coincidere*) to coincide ◇ (*essere equivalente*) to be equivalent to ◇ (*essere all'altezza*) to meet, to fulfil

corródere *vt/pr* to corrode

corrómpere *vt* to corrupt, (*con denaro*) to bribe ◆ *vpr/rif* to become corrupted ◇ (*putrefarsi*) to rot, to taint, to putrefy

corrosióne *sf* corrosion

corrosìvo *a/sm* corrosive

corrótto *a* corrupt

corruzióne *sf* corruption, (*con denaro*) bribery

córsa *sf* run ◇ (*gara*) race ◇ (*di mezzo di trasporto*) trip, journey ◇ (*mecc*) stroke ◆ *di c.* in a hurry

corsìa *sf* (*sport, strada*) lane ◇ (*ospedale*) ward

corsìvo *sm* (*scrittura*) cursive ◇ (*tip*) italics *pl*

córso *sm* course ◇ (*econ*) course, (*prezzo*) rate, (*circolazione*) circulation ◇ (*di fiume*) flow

córte *sf* court

cortéccia *sf* bark

corteggiàre *vt* to court, to woo

cortèo *sm* procession

cortése *a* kind, polite, courteous

cortesìa *sf* kindness, courtesy, politeness ◇ (*favore*) favour

cortigiàno *a* court ◆ *sm* courtier

cortìle *sm* courtyard

cortìna *sf* curtain

cortisóne *sm* cortisone

córto *a* short ◆ *a c. di qc* short of st

cortocircùito *sm* short circuit

còrvo *sm* raven, crow

còsa *sf* thing ◇ (*faccenda*) matter ◇ (*che cosa*) what ● *qualche c., una c.* anything, something

còscia *sf* thigh, (*di animale*) leg

cosciènte *a* conscious (*pred*)

cosciènza *sf* conscience ◇ (*consapevolezza*) awareness ◇ (*responsabilità*) conscientiousness ◇ (*sensi*) consciousness

coscienzióso *a* conscientious, scrupulous

così *avv* (*in questo modo*) like this, this way ◇ (*in quel modo*) like that, that way ◇ (*in tal modo*) so, thus ◇ (*come segue*) as follows ◇ (*tanto*) so, such as ◇ (*altrettanto*) so, the same ◆ *cong* (*perciò*) so, (*dunque*) then ◆ *a* (*tale, siffatto*) such, like that ● *c. ... come* as ... as; *c. ... da, che* ... that, so ... as

cosicché *cong* (*in modo che*) so that ◇ (*perciò*) so

cosiddétto *a* so-called

cosmètico *a/sm* cosmetic

còsmico *a* cosmic

còsmo *sm* cosmos

cosmopolìta *a* cosmopolitan

còso *sm* (*fam*) thing, thingummy, thingamabob

cospàrgere *vt* to strew, to scatter, (*liquido*) to sprinkle

cospètto *sm* presence ● *al c. di qn* into sb's presence, before sb

cospìcuo *a* conspicuous

cospiràre *vi* to conspire

cospirazióne *sf* conspiracy

còsta *sf* coast, coastline, (*litorale*) shore ◇ (*anat*) rib ◇ (*di libro*) back • *velluto a coste* cord, corduray

costànte *a/sf* constant

costàre *vt/i* to cost • *c. molto/ poco* to be expensive/cheap; *quanto costa?* how much is it?

costàta *sf* chop

costeggiàre *vt* (*naut*) to coast, to hug, to run along ◇ (*a terra*) to skirt, (*in macchina*) to drive along

costéi *pr* (*sogg*) she, (*compl*) her, (*spreg*) this woman, that woman

costellazióne *sf* constellation

costernazióne *sf* consternation, dismay

costièro *a* coastal

costipazióne *sf* constipation ◇ (*raffreddore*) (bad) cold

costituíre *vt* (*fondare*) to constitute, to set up ◇ (*formare, comporre*) to constitute, to form, to make up ◇ (*rappresentare*) to constitute ◆ *vrif* (*dir*) to give oneself up ◇ (*nominarsi*) to constitute oneself ◇ (*formarsi*) to become, to set oneself up

costituzióne *sf* (*di stato*) constitution ◇ (*il costituire*) establishment, setting up • *c. fisica* frame, constitution

còsto *sm* cost, (*prezzo*) price, (*spesa*) expence

còstola *sf* rib

costóro *pr* (*sogg*) they, (*compl*) them, (*spreg*) these people, those people

costóso *a* dear, expensive

costríngere *vt* to force, to compel

costruíre *vt* to build, to construct

costruzióne *sf* construction, building ◇ (*edificio*) building

costùi *pr* (*sogg*) he, (*compl*) him, (*spreg*) this man, that man

costùme *sm* (*usanza*) custom, usage, habit ◇ (*vestito*) costume ◇ (*da bagno*) bathing costume, bathing suit • *di facili costumi* of loose morals

cotolétta *sf* cutlet, chop

cotóne *sm* cotton • *di c.* cotton

còtta *sf* (*fam*) crush

còttimo *sm* piecework • *lavorare a c.* to do piecework

cottùra *sf* cooking, (*al forno*) baking

covàre *vt* to brood, to hatch ◇ (*fig*) to brood over, to nurse ◇ (*una malattia*) to come down with ◆ *vi* to smoulder

cóvo *sm* den

còzza *sf* mussel

cozzàre *vi* to butt, to crash into, to bang against, (*di veicolo*) to collide ◇ (*fig*) to collide, to clash

cràmpo *sm* cramp

crànico *a* cranial

crànio *sm* skull, cranium

cratère *sm* crater

cravàtta *sf* tie

creàre *vt* to create ◇ (*causare*) to produce, to cause ◇ (*costituire*) to form, to set up ◆ *vpr* to be created

creatività *sf* creativity

creatóre *a* creating ◆ *sm* creator

creatùra *sf* creature

creazióne *sf* creation

credènte sm/f believer

crédere vi to believe ◆ vt (credere vero) to believe ◇ (pensare) to think, to suppose ◆ vrif to consider oneself

credìbile a credible, believable

crédito sm credit ◇ (reputazione) esteem, reputation

creditóre a/sm creditor

crèma sf cream

cremazióne sf cremation

cremóso a creamy

crèpa sf crack, crevice ◇ (fig) rift

crepàccio sm cleft, (di giacciaio) crevasse

crepàre vi (fam) (scoppiare) to die of, to burst ◇ (morire) to snuff it ◆ vpr to crack

crepitàre vi to crackle, to pop

crepùscolo sm twilight

créscere vi to grow (up) ◇ (aumentare) to increase, to rise ◆ vt (allevare) to bring up

créscita sf growth, increase, rise

crèsima sf confirmation

créspo a curly, frizzy ◆ sm (tess) crêpe

crésta sf crest

créta sf clay

cretinàta sf silly thing

cretìno a stupid ◆ sm jerk

cric sm jack

cricca sf gang

criminàle a/sm/f criminal

crìmine sm crime

crinàle sm ridge

crìne sm horsehair

crinièra sf mane

cripta sf crypt

criptico a cryptic

crìsi sf crisis ◇ (med) attack, fit

cristallerìa sf crystalware, glassware

cristallìno a/sm crystalline

cristallizzàre vi/pr to crystallize

cristàllo sm crystal ● cristalli liquidi liquid crystals

cristianésimo sm Christianity

cristiàno a/sm Christian

critèrio sm criterion, standard, principle ◇ (buon senso) common sense

crìtica sf criticism ◇ (saggio critico) critical essay, (recensione) review ◇ (insieme dei critici) critics pl

criticàre vt to criticize

crìtico a critical ◇ (di crisi) crucial ◆ sm critic, reviewer

crivellàre vt to riddle

croccànte a crisp, crunchy

crocchétta sf croquette

cróce sf cross ◇ (tormento) trial, affliction ● fare una c. su qc to give st up; mettere in c. qn to pester sb

crocevìa sm crossroads

crociàta sf crusade

crocièra sf cruise

crocifìggere vt to crucify

crocifìsso sm crucifix

crogiolàrsi vrif to bask

crogiòlo sm melting pot

crollàre vi to collapse, to fall, to fall down, to crumble ◇ (lasciarsi cadere) to flop down, to slump

cròllo sm collapse ◇ (fig) downfall, ruin ◇ (econ) collapse, fall, drop

cromàtico a chromatic

cròmo sm chromium

cromosòma sm chromosome

crònaca sf chronicle ◊ (di giornale) news ◊ (resoconto) description, (radio, TV) commentary ● c. mondana society news; c. nera crime news

crònico a chronic

cronista sm/f (stor) chronicler ◊ (di giornale) reporter ◊ (TV) commentator

cronològico a chronologic

cronometràre vt to time

cronòmetro sm chronometer, timer

cròsta sf crust ● c. di formaggio cheese rind

crostàceo sm crustacean

crostàta sf tart

crostino sm crouton

crùccio sm worry, trouble

crucivèrba sm crossword puzzle

crudèle a cruel

crudeltà sf cruelty

crùdo a raw, (poco cotto) underdone ◊ (aspro) harsh, crude

crùsca sf bran

cruscòtto sm (aut) dashboard, (aer) instrument panel

cùbico a cubic

cùbo a cubic ● sm cube

cuccàgna sf good time ● albero della c. greasy pole

cuccétta sf (ferr) couchette ◊ (naut) berth

cucchiaiàta sf spoonful

cucchiaìno sm teaspoon

cucchiàio sm spoon

cùccia sf dog's bed, kennel

cùcciolo sm cub, (di cane) pup, (di gatto) kitten

cucìna sf kitchen ◊ (il cucinare)

cooking, cuisine ◊ (apparecchio) stove, cooker ● c. casalinga homecooking

cucinàre vt to cook ● c. al forno to bake

cucìre vt to sew, to stitch ● c. a macchina to machine; cucirsi la bocca to button one's lips

cucitùra sf seam

cucù sm cuckoo

cucùlo sm cuckoo

cùffia sf cap, bonnet ◊ (auricolare) headphones pl

cugìno sm cousin

cui pr.rel (compl ind) who(m) (persone), which (cose e animali) (spesso sottinteso) (ES: la persona c. scrissi the person to whom I wrote) ◊ (possessivo) whose (persone), of which, whose (cose e animali) (ES: la persona di c. ho scritto l'indirizzo the person whose address I wrote) ● in c. (dove) where, (quando) when

culinàrio a culinary

cùlla sf cradle

cullàre vt to rock, to cradle

culminàre vi to culminate

cùlmine sm top

cùlo sm (volg) arse, bum, (USA) ass, butt ● avere c. to luck out; prendere per il c. qn to mess around with sb, to get sb's arse

cùlto sm cult, worship ◊ (religione) religion

cultùra sf culture, (conoscenze) learning, education

culturàle a cultural

cumulatìvo a cumulative, inclusive

cùmulo *sm* heap, pile ◇ (*meteor*) cumulus

cùneo *sm* wedge

cunìcolo *sm* tunnel

cuòcere *vt/i* to cook, (*alla griglia*) to grill, (*al forno*) to bake, to roast

cuòco *sm* cook

cuòio *sm* leather ● *c. capelluto* scalp

cuòre *sm* heart ● *di c.* heartily; *nel c. della notte* in the middle of night

cupidìgia *sf* cupidity, greed

cùpo *a* dark, obscure ◇ (*suono, colore*) deep ◇ (*triste*) gloomy

cùpola *sf* dome

cùra *sf* care ◇ (*med*) treatment ● *a c. di* (*libro*) edited by; *casa di c.* nursing home

curàre *vt* to take care of, to look after ◇ (*med*) to treat, to cure ◇ (*fare in modo*) to make sure, to see to ◇ (*un libro*) to edit ♦ *vrif* to take care of oneself, to follow a treatment

curatóre *sm* (*dir*) curator ◇ (*di libro*) editor

cùria *sf* curia

curiosàre *vi* to pry, to nose about, to browse around

curiosità *sf* curiosity ● *per c.* out of curiosity

curióso *a* curious, (*strano*) odd, funny

cursóre *sm* cursor

cùrva *sf* curve, bend ● *fare una c.* to turn

curvàre *vt/i/pr* to bend, to curve ♦ *vrif* to bend, to curve oneself

cuscinétto *sm* pad ◇ (*mecc*) bearing ● *c. a sfere* ball bearing

cuscìno *sm* cushion, (*guanciale*) pillow

custòde *sm/f* keeper, custodian, guardian ◇ (*portiere*) doorkeeper

custòdia *sf* custody, care ◇ (*astuccio*) case, (*per telefono cellulare*) cell phone holder

custodìre *vt* (*conservare*) to keep, to preserve ◇ (*aver cura*) to take care of, to look after

cutàneo *a* cutaneous, skin

cùte *sf* cutis, skin

cyclette *sf* stationary bike

D

da *prep* (*moto da luogo, provenienza, separazione*) from (ES: **arrivo da Londra** I'm coming from London; **separarsi da qn** to part from sb) ◇ (*lontananza*) from (ES: **essere assente da scuola** to be absent from school) ◇ (*moto a luogo*) to (ES: **sono andato da mia madre** I've been to my mother's) ◇ (*stato in luogo*) at (ES: **dove sei? sono dal panettiere** where are you? I'm at the baker's) ◇ (*moto per luogo*) through (ES: **entrare dalla finestra** to go in through the window) ◇ (*agente, causa efficien-*

te) by ◇ (ES: **il granaio fu distrutto da un incendio** the barn was destroyed by a fire) ◇ (*causa*) for, with (ES: **sta piangendo dal dolore** he's crying for pain; **tremare dal freddo** to shiver with cold) ◇ (*durata nel tempo*) for (ES: **aspetto da un mese** I've been waiting for a month) ◇ (*decorrenza*) (*riferito al pass*) since, (*riferito al pres e fut*) (as) from (ES: **aspetto dal mese scorso** I've been waiting since last month, **da oggi in poi** from today onwards) ◇ (*modo*) like (ES: **comportarsi da uomo** to behave like a man) ◇ (*condizione*) as (ES: **da bambino** as a child) ◇ (*uso, scopo*) forme aggettivali (ES: **occhiali da sole** sun glasses; **rete da pesca** fishing net)

dabbène *a* respectable, honest

daccàpo *avv* (*di nuovo*) over again ◇ (*dall'inizio*) from the beginning

dàdo *sm* die (*pl* dice) ◇ (*mecc*) nut ◇ (*da brodo*) cube

daffàre *sm* work

dài *inter* come on!

dàino *sm* fallow deer

daltònico *a* colour-blind

d'altrónde *avv* on the other hand

dàma *sf* lady ◇ (*nel ballo*) partner ◇ (*gioco*) draughts *pl*, (USA) checkers *pl*

dannàre *vt* to damn ◇ (*far dannare*) to drive mad ◆ *vrif* to be damned ◇ (*affannarsi*) to strive hard

dannazióne *sf* damnation

danneggiàre *vt* to damage ◇

(*sciupare*) to spoil ◇ (*menomare*) to injure ◇ (*nuocere*) to harm

dànno *sm* damage, harm, injury

dànza *sf* dance, (*il danzare*) dancing

danzàre *vt/i* to dance

danzatóre *sm* dancer

dappertùtto *avv* everywhere

dapprìma *avv* at first

dàre (1) *vt* to give ◇ (*porgere*) to pass ◇ (*concedere*) to grant, to give ◇ (*rappresentare*) to put on ◇ (*produrre*) to yield, to bear ◆ *vi* (*colpire, urtare*) to hit, to bump ◇ (*di porta, finestra*) to look on to, to lead into ◆ *vrif* to devote oneself

dàre (2) *sm* (*econ*) debit

dàrsena *sf* wet dock

dàta *sf* date

datàre *vt/i* to date

dàto (1) *a* given, stated ◆ *d. che* since, as

dàto (2) *sm* (*inform*) datum, information ◇ *al pl* (*inform*) data *pl* ◆ *d. di fatto* fact

dàttero *sm* date

dattilògrafo *sm* typist

davànti *avv* in front ◆ *a/sm* front ◆ *prep d. a* in front of, opposite ◇ (*innanzi*) before

davanzàle *sm* windowsill

davvéro *avv* really, indeed

dàzio *sm* duty ◆ *esente da d.* duty free

dèa *sf* goddess

debellàre *vt* to wipe out

debilitàre *vt/pr* to weaken

débito (1) *sm* debt ◇ (*comm*) debit ◆ *essere in d. con qn* to be indebted to sb

débito (2) *a* due, proper

debitóre *sm* debtor • **essere d. di qc a qn** to owe sb st

débole *a* weak, faint, feeble ♦ *sm* (*punto debole*) weak point ◊ (*inclinazione*) weakness

debolézza *sf* weakness

debuttàre *vi* to make one's début

debùtto *sm* début

dècade *sf* (*dieci anni*) decade, ten years *pl*, (*dieci giorni*) ten days *pl*

decadènte *a* decadent

decadènza *sf* decay, decline ◊ (*lett*) decadence ◊ (*dir*) loss

decadére *vi* to decay, to decline

decadùto *a* impoverished

decaffeinàto *a* decaffeinated

decàno *sm* doyen, dean

decapitàre *vt* to behead, to decapitate

decappottàbile *a/sf* convertible

deceduto *a* deceased, dead

decelerazióne *sf* deceleration

decennàle *a/sm* decennial

decènte *a* (*decoroso*) decent, proper, decorous ◊ (*accettabile*) acceptable, reasonable, quite good

decentraménto *sm* decentralization ◊ (*pol*) devolution

decènza *sf* decency

decèsso *sm* death

decìdere *vt/i* to decide ♦ *vpr* to make up one's mind

decìduo *a* deciduous

decifràre *vt* to decipher, to decode

decimàle *a/sm* decimal

decimàre *vt* to decimate

dècimo *a/sm* tenth

decìna *sf* (*dieci*) ten, half-a-score ◊ (*circa dieci*) about ten

decisaménte *avv* decidedly, definitely ◊ (*risolutamente*) resolutely

decisióne *sf* decision

decisìvo *a* decisive, conclusive

decìso *a* decided, firm, resolute ◊ (*definito*) definite

declamàre *vt/i* to declaim

declassàre *vt* to declass, to degrade

declinàre *vt* (*gramm*) to decline ♦ *vi* (*tramontare*) to set ◊ (*venir meno*) to decline, to wane ◊ (*degradare*) to slope down

declinazióne *sf* (*gramm*) declension ◊ (*fis*) declination

declìno *sm* decline

decodificàre *vt* to decode

decollàre *vi* to take off

decòllo *sm* take-off

decolorazióne *sf* decoloration, bleaching

decompórre *vt* to decompose ◊ (*chim*) to dissociate ♦ *vpr* to decompose ◊ (*putrefarsi*) to rot, to decay

decomposizióne *sf* decomposition

decongestionàre *vt* to decongest

decontaminàre *vt* to decontaminate

decoràre *vt* to decorate

decoratìvo *a* decorative

decorazióne *sf* decoration

decòro *sm* (*dignità*) decorum, dignity ◊ (*lustro*) honour ◊ (*ornamento*) décor

decoróso *a* decorous

decórrere vi (trascorrere) to elapse ◇ (avere inizio) to start, to run, (avere effetto) to become effective ● a d. da starting from

decrèpito a decrepit

decrescènte a decreasing

decréscere vi to decrease, to diminish

decretàre vt to decree ◇ (tributare) to confer

decréto sm decree

decurtàre vt to curtail, to reduce

dèdalo sm maze

dèdica sf dedication

dedicàre vt to dedicate ◇ (intitolare alla memoria) to name after ● vrif to devote oneself

dèdito a devoted, dedicated ◇ (a vizio) addicted

dedùrre vt to deduce ◇ (defalcare) to deduct

deduzióne sf deduction

defalcàre vt to deduct

deferìre vt to refer

defezióne sf defection, desertion

deficiènte a (insufficiente) insufficient ◇ (med) mentally deficient ● sm/f mentally deficient person ◇ (stupido) idiot

dèficit sm deficit ● essere in d. to have a deficit

definìre vt to define ◇ (determinare) to determine, to fix ◇ (risolvere) to settle

definitìvo a definitive, final

definizióne sf definition ◇ (risoluzione) settlement

deflagrazióne sf deflagration

deflèttere vi to deflect, to deviate ◇ (cedere) to yield

deflettóre sm deflector

defluìre vi to flow

deflùsso sm downflow, outflow, (di marea) ebb

deformàre vt to deform ◇ (alterare) to distort, to warp ● vpr to get deformed, to lose one's shape

deformazióne sf deformation ● d. professionale bias

defórme a deformed

defùnto a dead, late ◆ sm dead, deceased

degeneràre vi to degenerate

degenerazióne sf degeneration

degènere a degenerate

degènte sm/f patient

deglutìre vt to swallow

degnàre vt to think worthy ◆ vpr to deign, to condescend ● d. qn di uno sguardo to deign to look at sb, to notice sb

dégno a worthy

degradànte a degrading

degradàre vt to demote ◇ (fig) to degrade ◆ vrif to degrade oneself ◆ vpr to deteriorate

degràdo sm decay, deterioration

degustàre vt to taste

degustazióne sf tasting

delatóre sm informer

delazióne sf delation

dèlega sf delegation ◇ (procura) proxy

delegàre vt to delegate

delegazióne sf delegation

deletèrio a deleterious, harmful

delfìno sm dolphin

deliberàre vt to deliberate ◇ (decidere) to decide

deliberataménte avv deliberately

delicatézza sf delicacy ◊ (cura) care

delicàto a delicate

delimitàre vt to delimit

delimitazióne sf delimitation

delineàre vt to outline ♦ vpr to loom, to take shape

delinquènte a/sm/f criminal, delinquent ◊ (fam) rogue

deliràre vi to rave

delìrio sm delirium, raving

delìtto sm crime ◊ (omicidio) murder

delìzia sf delight

delizióso a delightful, (di sapore, odore) delicious

dèlta sm delta

deltaplàno sm (sport) hang-gliding ◊ (attrezzo) hang-glider

delucidazióne sf elucidation

delùdere vt to disappoint

delusióne sf disappointment

demagogìa sf demagogy

demànio sm State property

demènte a (med) demented ◊ (est) insane, mad ♦ sm/f (med) dement ◊ (est) lunatic

demenziàle a (med) demential ◊ (est) crazy

democràtico a democratic ♦ sm democrat

democrazìa sf democracy

demografìa sf demography

demogràfico a demographic

demolìre vt to demolish

demolizióne sf demolition

dèmone sm d(a)emon ◊ (diavolo) devil

demònio sm devil, demon

demoralizzàre vt to demoralize ♦ vpr to lose heart

demotivàre vt to demotivate ♦ vpr to become demotivated

denàro sm money ◊ al pl (carte da gioco) diamonds pl

denigràre vt to denigrate, to run down

denominàre vt to name, to call ♦ vpr to be named

denominazióne sf denomination, name

denotàre vt to denote, to indicate

densità sf density, thickness

dènso a dense, thick ◊ (pieno di) full

dentàle a dental

dènte sm tooth ◊ (di forchetta) prong, tine ♦ al d. slightly underdone

dentièra sf denture, false teeth pl

dentifrìcio sm toothpaste

dentìsta sm/f dentist

déntro avv in, inside ◊ (interiormente) inwardly ◊ (all'interno) indoors ♦ prep in, inside ◊ (entro) within ◊ (con v di moto) into ♦ qui d. inside here

denudàre vt to strip, to denude ♦ vrif to strip (off), to undress

denùncia sf accusation, complaint ◊ (dichiarazione) declaration, report

denunciàre vt (dir) to denounce ◊ (manifestare) to denote, to reveal ◊ (dichiarare) to declare

denutrìto a underfed

denutrizióne sf malnutrition

deodorànte a/sm deodorant

depennàre vt to cross out, to strike out

deperìre vi to waste away, to decline ◇ (*di pianta*) to wither ◇ (*di cose*) to perish, to decay

depilare *vt* to depilate

depilazione *sf* depilation ●*d. definitiva* permanent hair removal

dépliant *sm* brochure, leaflet

deplorare *vt* to deplore

depórre *vt* to lay (down), to put down ◇ (*da una carica*) to remove, to depose ◇ (*depositare*) to deposit ◇ (*rinunciare*) to give up, to renounce ♦ *vi* (*dir*) to depose, to give evidence

deportare *vt* to deport

depositare *vt* to deposit ◇ (*metter giù*) to put down ◇ (*immagazzinare*) to store ◇ (*un marchio*) to register ♦ *vpr* to settle, to deposit

depòsito *sm* deposit ◇ (*magazzino*) warehouse, (*mil*) depot ●*d. bagagli* left-luggage (office), checkroom, (*USA*) baggage check

deposizione *sf* deposition ◇ (*di una carica*) removal

depravàto *a* depraved

depravazione *sf* depravity

deprecàre *vt* to deprecate

depredàre *vt* to plunder, to pillage

depressióne *sf* depression

deprèsso *a* depressed

deprezzaménto *sm* depreciation

deprìmere *vt* to depress ♦ *vpr* to get depressed, to lose heart

depuràre *vt* to depurate

depuratóre *sm* purifier, depurator

deputàto *sm* deputy

deragliaménto *sm* derailment

deragliàre *vi* to go off the rails ● *far d.* to derail

derisióne *sf* derision

derìva *sf* drift ◇ (*superficie*) keel ●*andare alla d.* to drift

derivàre *vi* (*provenire*) to derive, to come, to originate from ◇ (*scaturire*) to rise ◇ (*andare alla deriva*) to drift ♦ *vt* to derive ◇ (*fiume, canale*) to divert

dermatite *sf* dermatitis

dermatologia *sf* dermatology

dermoprotettivo *a* skin-protecting

dèroga *sf* derogation

derubàre *vt* to steal, to rob

descrittìvo *a* descriptive

descrìvere *vt* to describe

descrizióne *sf* description

desèrtico *a* desert, waste

desèrto *a* desert ◇ (*abbandonato*) deserted, (*vuoto*) empty ♦ *sm* desert ◇ (*fig*) wilderness, wasteland

desideràre *vt* to want, to desire, to wish ◇ (*richiedere*) to want ◇ (*sessualmente*) to desire

desidèrio *sm* wish, desire

designàre *vt* to designate

desinènza *sf* (*gramm*) ending

desìstere *vi* to desist, to give up

desolàto *a* desolate ◇ (*sconsolato*) disconsolate, sorrowful ◇ (*spiacente*) sorry

desolazióne *sf* desolation

dessert *sm* dessert

destàre *vt/pr* to wake (up), to awake

destinàre *vt* to destine ◇ (*assegnare*) to assign ◇ (*nominare*) to appoint ◇ (*stabilire*) to fix ◇ (*ri-*

servare, dedicare) to intend, to devote

destinatàrio *sm* receiver, (*di lettera*) addressee

destinazióne *sf* destination

destìno *sm* destiny

destituìre *vt* to dismiss

désto *a* awake

dèstra *sf* (*mano*) right hand ◇ (*parte*) right (side) ◇ (*pol*) Right ◆ *a d.* on the right

destreggiàrsi *vpr* to manage

destrézza *sf* skill, dexterity

dèstro *a* right, right-hand ◇ (*abile*) clever ◆ *sm* chance

desùmere *vt* to infer, to deduce

deteinàto *a* decaffeinated

detenére *vt* to hold ◇ (*dir*) to possess ◇ (*in prigione*) to detain, to hold in custody

detenùto *sm* prisoner, convict

detenzióne *sf* (*possesso*) possession ◇ (*imprigionamento*) detention, imprisonment

detergènte *a/sm* detergent

deterioràre *vt* to deteriorate, to damage ◆ *vpr* to deteriorate, to go bad

determinàre *vt* to determine ◇ (*causare*) to produce

determinàto *a* (*definito*) determinate, definite ◇ (*particolare*) certain ◇ (*deciso*) resolute, determined

detersìvo *sm* detergent

detestàre *vt* to detest, to hate

detràrre *vt/i* to deduct, to detract

detrazióne *sf* deduction ◆ *d. fiscale* tax allowance

detrìto *sm* debris, rubble

dettàglio *sm* detail, particular ◆ *al d.* (at) retail

dettàre *vt* to dictate

dettàto *sm* dictation

détto *a* (*chiamato*) called, named, (*soprannominato*) nicknamed ◇ (*sopraddetto*) said, aforesaid ◆ *sm* saying

deturpàre *vt* to disfigure, to sully

devastàre *vt* to devastate, to ravage

deviàre *vi* to deviate, to swerve ◆ *vt* to divert

deviazióne *sf* deviation, deflection ◇ (*stradale*) detour

devòto *a* (*relig*) devotional, pious ◇ (*affezionato*) devoted, sincere

devozióne *sf* devotion

di *prep* (*specificazione, denominazione, abbondanza, privazione, quantità, ecc*) of (ES: **il senso dell'umorismo** a sense of humour; **la città di Oxford** the city of Oxford, **un chilo di pane** a kilo of bread) ◇ (*possesso*) of, *genitivo sassone* (ES: **la coda del cane** the dog's tail) ◇ (*partitivo*) some, any (ES: **vuoi ancora del caffè?** would you like any more coffee?) ◇ (*appartenenza*) by (ES: **una poesia di Leopardi** a poem by Leopardi) ◇ (*condizione, qualità*) at, in, by (ES: **conoscere di nome** to know by name) ◇ (*argomento*) about, of (ES: **so molte cose di lui** I know a lot about him) ◇ (*dopo un comp*) than, (*dopo un sup*) of, in (ES: **meglio di te** better than you; **il fiume più lungo del mondo** the longest river in the world) ◇

(*materia, età, valore, misura*) of (*spesso idiom*) (ES: **un tavolo di legno** a wooden table; **un conto di dieci sterline** a ten-pound bill) ◇ (*causa*) of, for, with (ES: **tremare di paura** to tremble with fear; **piangere di dolore** to cry for pain) ◇ (*mezzo, strumento*) with, on (ES: **ungere di burro** to grease with butter) ◇ (*moto da luogo, allontanamento, separazione, origine, provenienza*) from, out of (ES: **venire dall'ufficio** to come from the office; **venire dalla Francia** to come from France) ◇ (*tempo*) in, at, on (ES: **di sera** in the evening; **di domenica** on Sundays) ◇ (*con v all'infinito*) idiom (ES: **credo di essere proprio stanco** I think I'm really tired) ◇ (*con altra prep*) idiom (ES: **dopo di te** after you)

diabète *sm* diabetes

diabètico *a/sm* diabetic

diadèma *sm* diadem

diafràmma *sm* diaphragm ◇ (*fig*) screen

diàgnosi *sf* diagnosis

diagnosticàre *vt* to diagnose

diagonàle *a* diagonal

diagràmma *sm* diagram, chart

dialettàle *a* dialectal

dialètto *sm* dialect

diàlisi *sf* dialysis

dialogàre *vi* to converse, to talk together

diàlogo *sm* dialogue

diamante *sm* diamond

diàmetro *sm* diameter

diàmine *inter* good heavens!

diapositiva *sf* slide

diàrio *sm* diary, journal ● *d. di bordo* log

diarrèa *sf* diarr(ho)ea

diàvolo *sm* devil

dibàttere *vt* to debate, to discuss ◆ *vrif* to struggle

dibàttito *sm* debate, discussion ◇ (*disputa*) controversy

dicèmbre *sm* December

dicerìa *sf* rumour, gossip

dichiaràre *vt* to declare, (*affermare*) to state ◆ *vrif* to declare oneself

dichiarazióne *sf* declaration, statement

diciannòve *a/sm* nineteen

diciassètte *a/sm* seventeen

diciòtto *a/sm* eighteen

didascalìa *sf* caption, legend

didàttico *a* didactic, educational

dièci *a/sm* ten

diesel *a/sm* diesel

dièta *sf* diet ● *essere a d.* to be on a diet

dietètico *a* dietetic

diètro *avv* behind, at the back ◆ *prep* behind, after ◆ *a/sm* back ● *d. l'angolo* round the corner

difàtti *cong* in fact, as a matter of fact

difèndere *vt* to defend ◇ (*sostenere*) to maintain, to support ◆ *vrif* to defend oneself ◇ (*cavarsela*) to manage

difensivo *a* defensive

difensóre *sm* defender ◇ (*sostenitore*) supporter, advocate

difésa *sf* defence

difètto *sm* (*fisico*) defect, (*morale*) fault, (*imperfezione*) blemish

◇ *(colpa)* fault ◇ *(deficienza)* deficiency, *(mancanza)* lack

difettóso *a* defective, faulty

diffamazióne *sf* defamation, slander, *(a mezzo stampa)* libel

differènza *sf* difference

differenziàre *vt* to differentiate ♦ *vpr/rif* to be different

differìre *vi* to differ ♦ *vt* to delay, to postpone

difficile *a* difficult, hard ◇ *(incontentabile)* difficult to please ◇ *(improbabile)* unlikely ♦ *sm* difficulty, hard part

difficoltà *sf* difficulty ◇ *(obiezione)* objection

diffida *sf* warning

diffidàre *vi* to distrust, to mistrust ♦ *vt* to warn

diffidènte *a* distrustful, mistrustful ◇ *(sospettoso)* suspicious

diffidènza *sf* distrust, mistrust ◇ *(sospetto)* suspicion

diffóndere *vt* to spread, to diffuse ♦ *vpr* to spread ◇ *(dilungarsi)* to dwell

difformità *sf* difference, dissimilarity

diffusióne *sf* diffusion, spread ◇ *(di giornale)* circulation

difterite *sf* diphtheria

diga *sf* dam, dike ◇ *(portuale)* breakwater

digerènte *a* digestive

digeribile *a* digestible

digerìre *vt* to digest

digestióne *sf* digestion

digestivo *a/sm* digestive

digitàle *a* digital

digitàre *vt* to type in

digiunàre *vi* to fast

digiùno *a* fasting ♦ *sm* fast

dignità *sf* dignity

dignitóso *a* dignified ◇ *(decoroso)* decent, respectable

digressióne *sf* digression

digrignàre *vt* to gnash

dilagàre *vi* to flood, to overflow ◇ *(diffondersi)* to spread, to increase

dilapidàre *vt* to squander, to waste

dilatàre *vt/pr* to dilate, to widen, to expand

dilatazióne *sf* dilatation, expansion

dilazióne *sf* delay, extension

dileguàre *vt* to disperse ♦ *vi/pr* to vanish, to disappear, to fade away

dilèmma *sm* dilemma

dilettànte *a/sm/f* amateur

dilettantésco *a* amateurish

dilettàre *vt* to delight, to give pleasure to ♦ *vpr* to delight, to enjoy ◇ *(occuparsi per diletto)* to dabble

dilètto *sm* pleasure, delight

diligènte *a* diligent, careful

diligènza (1) *sf* diligence, care

diligènza (2) *sf (carrozza)* stagecoach

diluìre *vt* to dilute, *(con acqua)* to water

dilungàrsi *vpr* to dwell, to talk at length

diluviàre *vi* to pour

dilùvio *sm* deluge

dimagrànte *a* slimming

dimagrìre *vt* to make thin ◇ *(smagrire)* to slim ♦ *vi* to grow thin, to lose weight, to slim

dimensióne sf dimension, (grandezza) size

dimenticànza sf forgetfulness ◇ (svista) oversight, (inavvertenza) inadvertence

dimenticàre vt to forget ◇ (perdonare) to forgive ◇ (lasciare in un posto) to leave ♦ vpr to forget

dimésso a modest, (trascurato) shabby

dimestichézza sf familiarity

diméttere vt to discharge ◇ (da una carica) to dismiss, to remove ♦ vrifl to resign

dimezzàre vt to halve ♦ vpr to be halved

diminuíre vt to diminish, to lessen, to reduce ♦ vi to decrease, to fall, to go down, to drop

diminutivo a/sm diminutive

diminuzióne sf decrease, reduction

dimissióni sf pl resignation ● dare le d. to resign

dimòra sf abode, home, residence

dimostràre vt (mostrare) to show, (età) to look ◇ (provare) to demonstrate, to prove, to show ♦ vi to protest, to demonstrate ♦ vrifl to show oneself, to prove

dimostrazióne sf demonstration

dinàmico a dynamic

dinamismo sm dynamism

dinamite sf dynamite

dìnamo sf dynamo

dinànzi → davanti

dinastìa sf dynasty

diniègo sm denial

dinosàuro sm dinosaur

dintórni sm pl neighbourhood

dìo sm god

diòcesi sf diocese

diottrìa sf diopter

dipanàre vt to wind into a ball ◇ (districare) to disentangle

dipartiménto sm department

dipendènte a dependent, subordinate ♦ sm/f employee, subordinate

dipendènza sf dependence ● essere alle dipendenze di qn to be employed by sb

dipèndere vt to depend (on) ◇ (derivare) to come from, to be due to, to derive ◇ (essere alle dipendenze) to be under the authority (of)

dipìngere vt to paint

dipìnto sm painting

diplòma sm diploma, certificate

diplomàre vt to award a diploma to ♦ vpr to get a diploma

diplomàtico a diplomatic ♦ sm diplomat

diplomazìa sf diplomacy ◇ (carriera) diplomatic service

diradàre vt to thin out ◇ (ridurre) to reduce, to cut down ♦ vpr to thin away, to clear away ◇ (ridursi) to become less frequent

diramàre vt to issue, to diffuse ♦ vpr to branch out, (di strada) to branch off

diramazióne sf branch, ramification

dìre vt to say, (raccontare, riferire) to tell ◇ (significare) to mean ◇ (dimostrare) to show ◇ (pen-

sare) to think, to say ◆ *vrif* to profess

dirètto *a* a bound, going to ◇ (*indirizzato*) addressed to ◇ (*immediato*) direct, immediate ◇ (*condotto*) conducted, run ◇ (*gramm*) direct ◆ *sm* (*ferr*) through train ◇ (*boxe*) straight right (*destro*), straight left (*sinistro*) ◆ *avv* direct, directly

direttóre *sm* director, manager ◇ (*d'orchestra*) conductor ◇ (*di giornale*) editor in chief ◇ (*di prigione*) governor ◇ (*di scuola*) headmaster, principal

direzionàle *a* (*che dirige*) executive ◇ (*che indica direzione*) directional

direzióne *sf* (*verso*) direction, course ◇ (*guida*) direction, guidance, management, leadership ◇ (*sede*) head office, administrative department

dirigènte *a* managing ◆ *sm/f* manager, executive, (*pol*) leader

dirìgere *vt* (*volgere*) to direct, to turn ◇ (*rivolgere*) to address, to direct ◇ (*amministrare*) to manage, to run ◇ (*un'orchestra*) to conduct ◆ *vrif* to head for, to make for

dirimpètto *avv* opposite ◆ *prep* **d. a** opposite to

diritto (1) *a* straight ◇ (*eretto*) upright, erect ◆ *sm* right side ◇ (*di moneta*) obverse ◇ (*lavoro a maglia*) plain ◆ *avv* straight, directly ◆ *vada sempre d.* go straight on

diritto (2) *sm* (*facoltà*) right ◇ (*legge*) law ◇ (*tributo*) due,

duty, fee ◆**diritti d'autore** royalties; **d. civile/penale** civil/criminal law; **d. di voto** right to vote

diroccàto *a* crumbling, in ruins

dirottaménto *sm* diversion ◇ (*di aereo*) hijacking, (*USA*) skyjacking

dirottàre *vt* to divert ◇ (*un aereo*) to hijack, (*USA*) to skyjack ◆ *vi* to change course

dirùpo *sm* crag

disàbile *a* disabled, handicapped

disabilitàre *vt* to disable

disabitàto *a* uninhabited, (*abbandonato*) deserted

disaccòrdo *sm* disagreement ● *essere in d. su qc* to disagree on st

disadórno *a* unadorned, (*semplice*) plain

disagévole *a* uncomfortable

disagiàto *a* (*scomodo*) uncomfortable ◇ (*povero*) poor, needy

disàgio *sm* uneasiness, uncomfortableness ◇ (*disturbo*) inconvenience, trouble ◇ *al pl* discomforts *pl*, hardship ● *sentirsi a d.* to feel uneasy

disapprovàre *vt* to disapprove of, to deprecate

disapprovazióne *sf* disapproval

disappùnto *sm* disappointment

disarmàre *vt* to disarm ◇ (*smantellare*) to dismantle ◇ (*naut*) to lay up

disarmònico *a* discordant

disàstro *sm* disaster, damage ◇ (*fiasco*) failure

disastróso *a* disastrous, deadful

disattenzióne *sf* inattention, carelessness ◇ (*svista*) oversight

disavventùra sf mishap, misadventure

disboscàre vt to deforest

disbrigo sm dispatching

discàpito sm detriment

discàrica sf dump

discendènte a descending ♦ sm/f descendant

discéndere vi to go down, to come down, to descend ◇ (declinare) to descend, to slope down ◇ (di prezzi, temperatura) to fall, to drop ◇ (trarre origine) to descend, to come from ♦ vt to go down, to come down

discépolo sm disciple

discèrnere vt to discern ◇ (distinguere) to distinguish

discésa sf (movimento) descent ◇ (pendio) slope, declivity ◇ (caduta) fall, drop ● strada in d. downhill road

disciògliere vt (slegare) to unbind ◇ (sciogliere) to dissolve ◇ (liquefare) to melt ♦ vpr (slegarsi) to loosen ◇ (sciogliersi) to dissolve ◇ (liquefarsi) to melt

disciplìna sf discipline

disco sm disk, disc ◇ (mus) record, disc ◇ (sport) discus, (per hockey) puck ● d. fisso, rigido hard disk

discolpàre vt to clear, to excuse

discontìnuo a discontinuous

discordànte a discordant

discordàre vi to disagree, to dissent ◇ (essere differente) to differ ◇ (di suoni) to be discordant, (di colori) to clash

discórrere vi to talk, to discuss

discorsìvo a conversational

discórso sm speech ◇ (conversazione) talk, conversation

discotèca sf (locale) disco, discothèque ◇ record library

discrepànza sf discrepancy

discretaménte avv (con discrezione) discreetly ◇ (a sufficienza) quite well, fairly ◇ (piuttosto) rather

discréto a (che ha discrezione) discreet ◇ (abbastanza buono) fair, fairly good ◇ (moderato) moderate

discrezióne sf (riservatezza) discretion ◇ (arbitrio) judgement, discretion

discriminazióne sf discrimination

discussióne sf discussion, debate ◇ (litigio) argument

discùtere vt to discuss, to debate ◇ (obiettare) to question ♦ vi to discuss ◇ (obiettare) to argue

disdegnàre vt to disdain

disdétta sf (dir) notice, cancellation ◇ (sfortuna) bad luck

disdìre vt to cancel, to call off

disegnàre vt to draw ◇ (progettare) to design, to plan ◇ (fig) to outline

disegnatóre sm draftsman, (progettista) designer, (illustratore) illustrator

diségno sm drawing ◇ (progetto) design, plan ◇ (motivo) pattern

diserbànte sm herbicide

disertóre sm deserter

disfaciménto sm decay, break-up

disfàre vt to undo, (distruggere) to destroy ◇ (un meccanismo) take down ◇ (*slegare*) to untie, to unfasten ◇ (*sciogliere*) to melt ◇ (*sconfiggere*) to defeat ♦ *vpr* to break up ◇ (*sciogliersi*) to melt ♦ *vrif* (*liberarsi di qc*) to get rid of ♦ *d. le valigie* to unpack

disfàtta *sf* defeat, overthrow

disfunzióne *sf* (*med*) disorder, trouble ◇ (*malfunzionamento*) malfunction

disgèlo *sm* thaw

disgràzia *sf* (*sventura*) misfortune, bad luck ◇ (*sfavore*) disgrace, disfavour ◇ (*incidente*) accident

disguìdo *sm* mistake, error ◇ (*contrattempo*) hitch, snag ◇ (*postale*) misdelivery

disgustàre *vt* to disgust, to sicken ♦ *vpr* to become disgusted

disgùsto *sm* disgust ◇ (*avversione*) dislike, aversion

disgustóso *a* disgusting

disidratàre *vt* to dehydrate

disidratazióne *sf* dehydration

disillùdere *vt* to disillusion, to disenchant, to disappoint ♦ *vrif* to be disenchanted

disimparàre *vt* to forget

disincantàto *a* disenchanted

disinfestàre *vt* to disinfest

disinfettànte *sm* disinfectant

disinfettàre *vt* to disinfect

disinibìto *a* uninhibited

disinquinàre *vt* to depollute

disinstallàre *vt* to uninstall

disintegràre *vt/pr* to disintegrate

disinteressàrsi *vpr* to lose one's interest (in)

disintèresse *sm* disinterested-

ness, unselfishness ◇ (*indifferenza*) indifference

disintossicazióne *sf* detoxication

disinvòlto *a* self-assured, confident

disinvoltùra *sf* self-assurance, ease ◇ (*superficialità*) carelessness

dislessìa *sf* dyslexia

dislivèllo *sm* difference in level/ height ◇ (*inclinazione*) slope ◇ (*ineguaglianza*) difference, inequality

dislocaménto *sm* (*naut*) displacement ◇ (*mil*) deployment ◇ (*distribuzione*) distribution

dismisùra *sf* excess

disoccupàto *a/sm* unemployed

disoccupazióne *sf* unemployment

disonèsto *a* dishonest

disonóre *sm* dishonour, disgrace

disópra *avv* upstairs ♦ *sm* top ♦ *prep* (**al**) **d. di** over, above

disordinàto *a* untidy, muddled ◇ (*sregolato*) intemperate, irregular

disórdine *sm* disorder, untidiness, mess ◇ (*sregolatezza*) intemperance ◇ **al pl** (*tumulti*) riots *pl*

disorganizzazióne *sf* disorganization

disorientaménto *sm* disorientation ◇ (*fig*) confusion

disorientàre *vt* to disorientate ◇ (*fig*) to bewilder, to disconcert ♦ *vpr* to get confused

disòtto *avv* downstairs ♦ *sm* underside ◆ *prep* (al) d. di under, below

dispàccio *sm* dispatch

disparàto *a* disparate

dìspari *a* odd ◇ (*diseguale*) unequal

disparità *sf* difference, inequality

dispàrte, in *loc.avv* aside, apart

dispendióso *a* expensive, costly

dispènsa *sf* pantry, larder ◇ (*pubblicazione periodica*) instalment ◇ (*dir*) exemption ◇ (*relig*) dispensation

dispensàre *vt* (*distribuire*) to dispense, to distribute ◇ (*esentare*) to exempt

disperazióne *sf* despair

dispèrdere *vt* to disperse, to scatter ◇ (*dissipare*) to waste, to dissipate ◆ *vpr/rif* to disperse

dispersióne *sf* dispersion

dispèrso *sm* missing person

dispètto *sm* spite ◇ (*stizza*) vexation, annoyance ◆ *fare dispetti a qn* to tease sb

dispettóso *a* spiteful

dispiacére (1) *vi* to dislike, not to like (*costruzione pers*) ◇ (*essere spiacente*) to be sorry ◇ (*nelle frasi di cortesia*) to mind ◆ *vpr* to be sorry

dispiacére (2) *sm* regret, sorrow ◇ (*dolore*) grief ◇ (*preoccupazione*) trouble

disponìbile *a* available, on hand ◇ (*libero*) vacant, free, available ◇ (*disposto*) helpful

dispórre *vt* to arrange, to set out, to dispose ◇ (*preparare*) to prepare, to make arrangements ◇

(*deliberare*) to order ◆ *vi* to have at one's disposal, to dispose, to have ◆ *vrif* (*collocarsi*) to place oneself ◇ (*prepararsi*) to prepare, to get ready

dispositìvo *sm* device

disposizióne *sf* disposal ◇ (*collocamento*) disposition, arrangement ◇ (*ordine*) order, instruction ◇ (*inclinazione*) bent

disprezzàre *vt* to despise

disprèzzo *sm* contempt ◆ *d. del pericolo* disregard of danger

dìsputa *sf* dispute, discussion ◇ (*lite*) quarrel

disputàre *vi* to discuss, to dispute ◇ (*gareggiare*) to contend ◆ *vt* to dispute, to contend ◇ (*sport*) to play

dissanguaménto *sm* bleeding

disseccàre *vt/pr* to dry up, to wither

disseminàre *vt* to scatter, to disseminate ◇ (*fig*) to spread

dissènso *sm* dissent, disagreement

dissenterìa *sf* dysentery

dissentìre *vi* to dissent, to disagree

dissertazióne *sf* dissertation

disservìzio *sm* inefficiency

dissestàre *vt* to upset, to ruin

dissèsto *sm* instability ◇ (*econ*) financial trouble

dissetàre *vt* to quench thirst ◆ *vrif* to quench one's thirst

dissidènte *a/sm/f* dissident

dissìdio *sm* disagreement

dissìmile *a* unlike, dissimilar

dissimulàre *vt* to dissimulate, to dissemble

dissipàre *vt* (*disperdere*) to dispel ◇ (*scialacquare*) to dissipate, to waste, to squander

dissociàre *vt* to dissociate ◆ *vrif* to dissociate oneself

dissodàre *vt* to break up, to till

dissolùto *a* dissolute, debauched

dissolvènza *sf* fading

dissòlvere *vt* to dissolve ◇ (*disperdere*) to dissipate ◆ *vpr* to dissolve ◇ (*svanire*) to fade away

dissonànte *a* dissonant

dissuadére *vt* to dissuade

distaccàre *vt* to detach, to separate ◇ (*trasferire*) to detach, to detail ◇ (*sport*) to leave behind ◆ *vpr* to come off, to break off

distàcco *sm* detachment ◇ (*partenza*) separation, parting ◇ (*indifferenza*) detachment, indifference ◇ (*sport*) lead

distànte *a* distant, faraway

distànza *sf* distance

distanziàre *vt* to space out ◇ (*lasciare indietro*) to outdistance, to leave behind

distàre *vi* to be distant, to be ... away

distèndere *vt* to spread, to stretch (out) ◇ (*porre*) to lay ◇ (*rilassare*) to relax ◆ *vpr/rif* to spread, to stretch (out) ◇ (*sdraiarsi*) to lie down ◇ (*rilassarsi*) to relax

distensióne *sf* stretching ◇ (*rilassamento*) relaxation ◇ (*pol*) détente

distésa *sf* expanse, stretch

distillàre *vt* to distil, (*USA*) to distill

distillerìa *sf* distillery

distìnguere *vt* to distinguish ◇ (*contrassegnare*) to mark ◆ *vpr* to distinguish oneself

distintivo *a* distinctive ◆ *sm* badge

distìnto *a* distinct ◇ (*raffinato*) distinguished ● **distinti saluti** best regards

distinzióne *sf* distinction

distògliere *vt* (*dissuadere*) to dissuade ◇ (*distrarre*) to divert, to distract ◇ (*allontanare*) to remove

distòrcere *vt* to distort, to twist ◆ *vpr* to twist

distorsióne *sf* distortion ◇ (*med*) sprain

distràrre *vt* to distract ◇ (*divertire*) to entertain, to amuse ◇ (*dir*) to misappropriate ◆ *vrif* to divert one's attention ◇ (*divertirsi*) to amuse oneself

distràtto *a* absent-minded, inattentive

distrazióne *sf* absent-mindedness ◇ (*disattenzione*) inattention, carelessness ◇ (*divertimento*) recreation, amusement ◇ (*dir*) misappropriation

distrétto *sm* district

distribuìre *vt* to distribute

distributóre *sm* distributor, dispenser ● **d. di benzina** petrol pump, (*USA*) gasoline pump; **d. di sigarette** cigarette machine

distribuzióne *sf* distribution

districàre *vt* to disentangle ◆ *vrif* to disentangle oneself

distrùggere *vt* to destroy ◇ (*fig*) to shatter

distruzióne *sf* destruction

disturbàre *vt* to disturb, to trouble ◇ (*sconvolgere*) to upset ◆ *vrif* to trouble (oneself), to bother

distùrbo *sm* trouble, inconvenience ◇ (*med*) trouble, illness ◇ (*radio*) noise

disubbidìre *vi* to disobey

disuguaglianza *sf* inequality

disuguàle *a* (*differente*) different ◇ (*irregolare*) uneven

disumàno *a* inhuman

disùso *sm* disuse

dìtale *sm* thimble

dìtàta *sf* fingerprint

dìto *sm* finger, (*del piede*) toe

dìtta *sf* firm, business

dittatóre *sm* dictator

dittatùra *sf* dictatorship

dittòngo *sm* diphthong

diurètico *a/sm* diuretic

diùrno *a* day, day-time

divagàre *vi* to stray, to digress

divampàre *vi* to flare up

divàno *sm* sofa, divan ● *d.-letto* sofa bed, studio couch

divaricàre *vt/pr* to open wide

divàrio *sm* discrepancy, gap

divenìre → **diventare**

diventàre *vi* to become ◇ (*farsi*) to grow (into), to turn (into), to get

divèrbio *sm* altercation, squabble

diversità *sf* diversity, difference

diversivo *sm* diversion, distraction

divèrso (1) *a spec pl* several ◆ *pr* several people

divèrso (2) *a* different

divertènte *a* amusing, funny

divertiménto *sm* amusement, fun

divertìre *vt* to amuse, to entertain ◆ *vrif* to amuse oneself, to have fun, to enjoy oneself

divìdere *vt* to divide, to split ◇ (*condividere*) to share ◇ (*separare*) to part ◆ *vrif* to part ◇ (*reciproco*) to separate

divièto *sm* prohibition ● *d. d'accesso* no entry; *d. di sosta* no parking

divincolàrsi *vrif* to wriggle

divinità *sf* divinity

divìno *a* divine

divìsa (1) *sf* uniform

divìsa (2) *sf* (*valuta*) foreign currency

divisióne *sf* division

divìso *a* divided ◇ (*separato*) separated ◇ (*condiviso*) shared

dìvo *sm* star ● *d. del cinema* movie star

divoràre *vt* to devour, to eat up

divorziàre *vi* to divorce

divòrzio *sm* divorce

divulgàre *vt* to spread, to divulge ◆ *vpr* to spread

divulgatìvo *a* popular

dizionàrio *sm* dictionary

DOC *abbr di denominazione di origine controllata* DOC ◆ *a* DOC ◇ (*autentico*) genuine ◇ (*di gran pregio*) first-class

dóccia *sf* shower ● *fare la d.* to take a shower

docènte *a* teaching ◆ *sm/f* teacher

dòcile *a* docile

documentàre *vt* to document ◆ *vrif* to gather information

documentàrio *sm* documentary

documénto *sm* document, paper, record

dódici *a/sm* twelve

dogàna *sf* customs *pl* ◆ *dichiarazione per la d.* customs declaration; *pagare la d.* to pay duty

doganière *sm* customs officer

dòglie *sf pl* labour ◆ *avere le d.* to be in labour

dògma *sm* dogma

dólce *a* sweet ◇ (*mite*) mild ◇ (*tenero*) soft ◆ *sm* (*sapore*) sweetness ◇ (*cibo*) sweet ◇ (*torta*) cake

dolcézza *sf* sweetness ◇ (*gentilezza*) kindness ◇ (*di clima*) mildness ◇ (*di suono, colore*) softness

dolciùme *sm* sweet(meat)

dolènte *a* sorrowful ◇ (*che fa male*) aching

dolére *vi/pr* to ache ◇ (*rincrescere*) to be sorry

dòllaro *sm* dollar

dolorànte *a* aching

dolóre *sm* pain, ache ◇ (*morale*) sorrow, grief

doloróso *a* painful, sore ◇ (*che procura dolore morale*) sorrowful, sad

dolóso *a* fraudulent

domànda *sf* question ◇ (*richiesta*) request, (*scritta*) application ◇ (*econ*) demand

domandàre *vt* (*per sapere*) to ask, (*per avere*) to ask for ◇ (*esigere*) to demand ◆ *vi* to inquire, to ask

domàni *avv/sm* tomorrow

domàre *vt* to tame

domattìna *avv* tomorrow morning

doménica *sf* Sunday

domèstico *a* domestic, home ◆ *sm* servant, domestic

domicìlio *sm* domicile

dominàre *vt* to dominate, to rule ◇ (*frenare*) to control ◇ (*sovrastare*) to overlook, to dominate ◆ *vi* to rule ◇ (*prevalere*) to predominate ◆ *vrif* to control oneself

dominatóre *sm* ruler

dominazióne *sf* domination, rule

domìnio *sm* domination, rule ◇ (*territorio*) dominion ◇ (*proprietà*) property ◇ (*settore*) domain

donàre *vt* to give (as a present) ◆ *vi* (*addirsi*) to suit

donatóre *sm* donor, giver ◆ *d. di sangue* blood donor

dondolàre *vt/i* to swing, to rock ◆ *vrif* to swing, to rock oneself

dònna *sf* woman ◇ (*domestica*) maid ◇ (*carte da gioco*) queen ◆ *d. di casa* housewife; *d. di servizio* maid

dóno *sm* gift, present ◇ (*disposizione*) gift, talent

dópo *avv* (*tempo*) after, afterwards, (*poi*) then, (*più tardi*) later, (*successivamente*) next ◇ (*luogo*) after ◆ *prep* (*tempo*) after, (*a partire da*) since ◇ (*luogo*) after, (*oltre*) past, (*dietro*) behind ◆ *cong* after ◆ *a* next, after

dopobàrba *sm* aftershave

dopocéna *sm* after dinner, evening

dopodomàni avv the day after tomorrow

dopoguèrra sm postwar period

dopopranzo sm afternoon

doposci sm après-ski

doposóle sm after-sun

dopotùtto avv after all

doppiàggio sm dubbing

doppiàre vt to double ◇ (sport) to lap ◇ (cin) to dub

dóppio a double ◇ (mecc) dual ♦ sm double, twice the amount ◇ (tennis) doubles pl ♦ avv double ● d. gioco double-cross

doppióne sm duplicate

doppiopètto a double-breasted

doràto a gilt, (color d'oro) golden

dormicchiàre vi to doze

dormiglióne sm sleepy-head

dormire vi/t to sleep ● andare a d. to go to bed

dormìta sf sleep

dormitòrio sm dormitory

dormivéglia sm drowsiness

dòrso sm back

dosàggio sm dosage

dosàre vt to dose, to measure out ◇ (distribuire con parsimonia) to dole out

dòse sf dose, quantity, amount ● d. giornaliera raccomandata recommended daily intake

dòsso sm (di strada) hump

dotàre vt to endow ◇ (fornire) to equip, to furnish

dotazióne sf (rendita) endowment ◇ (attrezzatura) equipment ● in d. equipped with

dòte sf dowry ◇ (dono naturale) gift, quality

dòtto a learned

dottóre sm (medico) doctor, physician ◇ (laureato) graduate

dottrìna sf doctrine

dóve avv where

dovére (1) v (obbligo) must, to have (got) to, to be to, shall (ES: **devo correre se non voglio essere in ritardo a scuola** I must run if I don't want to be late at school; **devi imparare a controllarti** you've got to learn to control yourself; **che cosa devo fare?** what am I supposed to do?) ◇ (necessità, opportunità, convenienza) to have to, need, (in frasi neg e interr neg) not to need, need not, not to have (got) to (ES: **a che ora devi essere all'aeroporto?** what time must you be at the airport?; **questa sera non devo uscire** I don't need to go out tonight) ◇ (certezza, probabilità, supposizione, inevitabilità) must, to be bound to, to have to (ES: **Paolo deve essere sordo** Paul must be deaf ◇ (accordo, programma stabilito) to be to, to be due (to) (ES: **chi deve arrivare adesso?** who is supposed to arrive now?; **l'aereo deve atterrare alle 12,15** the plane is due to land at 12,15) ◇ (devo?, dobbiamo?, nel senso di 'vuoi che?', 'volete che?') shall (ES: **devo aspettarti?** shall I wait for you?) ◇ (al condiz) should, ought to (ES: **dovreste aiutarlo** you ought to help him; **non avrebbe dovuto farlo** he shouldn't have done it) ◇ (al *congiuntivo imperfetto*) should, were to (ES: **se dovessi tardare, precedetemi** if I should be late, just go ahead) ◇ (*essere costretto, obbligato*) to be compelled to, to be forced to, to have to (ES: **il ministro dovette dimettersi** the minister was forced to resign) ◇ (*consiglio, suggerimento*) should have, ought to have (*con pp*) (ES: **dovevamo pensarci prima** we should have thought of that before) ◆ *vt* (*essere debitore di*) to owe ◇ (*derivare*) to take ◇ (*esser dovuto*) to be due

dovére (2) *sm* duty ● *a d.* properly; *chi di d.* the person responsible, person in charge

doveróso *a* right (and proper)

dovùnque *avv* (*dappertutto*) everywhere, (*in qualsiasi luogo*) anywhere ◆ *cong* wherever

dozzìna *sf* dozen ● *a dozzine* in dozens

dozzinàle *a* cheap, ordinary

dràgo *sm* dragon

dràmma *sm* drama, play ◇ (*fig*) tragedy

drammàtico *a* dramatic

drappéggio *sm* drapery

dràstico *a* drastic

drenàggio *sm* drainage, drain ● *d. fiscale* fiscal drag

dritto *a* straight ◇ (*eretto*) upright ◇ (*fam*) (*furbo*) smart ◆ *sm* right side ◇ (*fam*) (*furbo*) smart person ◇ (*maglia*) plain ◆ *avv* straight

drìzza *sf* halyard

drizzàre *vt* (*raddrizzare*) to straighten ◇ (*rizzare*) to prick up

dròga *sf* (*spezie*) spice ◇ (*stupefacente*) drug, (*fam*) dope

drogàre *vt* to drug ◆ *vrif* to take drugs

drogàto *sm* drug addict

droghería *sf* grocery, grocer's shop

dromedàrio *sm* dromedary

dualìsmo *sm* dualism

dùbbio *a* doubtful, uncertain ◇ (*ambiguo*) dubious ◆ *sm* doubt ● *senza d.* no doubt, without doubt

dubitàre *vi* to doubt, to have doubts ◇ (*temere*) to suspect ◇ (*diffidare*) to distrust

dùca *sm* duke

ducàto *sm* dukedom, duchy ◇ (*moneta*) ducat

duchéssa *sf* duchess

due *a/sm* two

duecènto *a/sm* two hundred

duèllo *sm* duel ● *battersi in d.* to have a duel

duétto *sm* duet

dùna *sf* dune

dùnque *cong* (*conclusione, conseguenza*) so, therefore ◇ (*rafforzativo*) so, then, well ● *venire al d.* to come to the point

dùo *sm* duo, duet

duòmo *sm* cathedral

duplex *a/sm* (*tel*) shared

duplicàto *sm* duplicate

duplicazióne *sf* duplication

dùplice *a* double, twofold

durànte *prep* during, in, throughout

duràre *vi* to last, to go on ◇ (*resi*-

stere) to hold out, (*di tessuto*) to wear ◇ (*conservarsi*) to keep

duràta *sf* duration, length ◇ (*di tessuto*) wear ◇ (*di motore*) life

duratùro *a* lasting ◇ (*di materiale*) durable ◇ (*di colore*) fast

durévole *a* lasting, durable

durézza *sf* hardness ◇ (*asprezza*) harshness ◇ (*rigidità*) stiffness

dùro *a* hard ◇ (*rigido*) tough, stiff ◆ *avv* hard ● *essere un d.* to be tough

dùttile *a* ductile, pliable

E

e o **ed** *cong* and

èbano *sm* ebony

ebbène *cong* well, so

ebbrézza *sf* drunkenness, intoxication ◇ (*fig*) elation, thrill

ebollizióne *sf* boiling ◇ (*fig*) turmoil

ebràico *a* (*della lingua*) Hebrew, Hebraic, (*della religione*) Jewish ◆ *sm* (*lingua*) Hebrew

ebrèo *a* Hebrew, Jewish ◆ *sm* Jew, Hebrew

eccedènte *a/sm* excess, surplus

eccèdere *vt* to exceed, to surpass ◆ *vi* to go too far

eccellènte *a* excellent, first-rate

eccellènza *sf* excellence ◇ (*titolo*) Excellency ● *per e.* par excellence

eccèllere *vi* to excel

eccèlso *a* lofty, sublime

eccèntrico *a/sm* eccentric

eccepìre *vt* to object, to raise an objection

eccessìvo *a* excessive

eccèsso *sm* excess, surplus

eccètera *avv* etcetera, etc, and so on

eccètto *prep* except (for), but, save (for) ● *e. che* unless

eccettuàre *vt* to except, to leave out

eccezionàle *a* exceptional ◇ (*straordinario*) extraordinary, (*fam*) cool

eccezióne *sf* exception ◇ (*obiezione*) objection ● *a e. di* with the exception of, except for; *d'e.* outstanding

ecchìmosi *sf* ecchymosis, bruise

eccìdio *sm* slaughter, massacre

eccitànte *a* exciting ◇ provocative

eccitàre *vt* to excite ◇ (*provocare*) to rouse, to stir up ◆ *vpr* to get excited

ecclesiàstico *a* ecclesiastic(al), clerical ◆ *sm* ecclesiastic, clergyman

ècco *avv* (*qui*) here, (*là*) there ◇ (*rafforzativo*) so there, there ● *e. fatto* that's that; *eccomi!* here I am!; *e. tutto* that's all

eccóme *avv/inter* rather, yes indeed, certainly

echeggiàre *vt/i* to echo

eclèttico *a/sm* eclectic

eclìssi *sf* eclipse ◇ (*fig*) decline, fall

èco *sm/f* echo

ecografia *sf* echography

ecologia *sf* ecology

ecologista *sm/f* green, environmentalist

economia *sf* economy, (*scienza*) economics *pl* (*v al sing*) ◇ **al pl** (*risparmi*) savings *pl* ● *fare e. su qc* to save money on st, to economize on st

econòmico *a* economic ◇ (*poco costoso*) cheap, economic(al)

economizzàre *vi* to economize

ecònomo *a* sparing, thrifty ◆ *sm* treasurer

ecosistèma *sm* ecosystem

ecumènico *a* (o)ecumenical

eczèma *sm* eczema

edèma *sm* (o)edema

édera *sf* ivy

edìcola *sf* news-stand, kiosk, bookstall ◇ (*arch*) aedicule

edificàbile *a* building

edificànte *a* edifying ● *poco e.* unedifying

edificàre *vt* to build ◇ (*fig*) to set up

edifício *sm* building

edìle *a* building

edilizia *sf* building

editóre *sm* publisher ◇ (*curatore*) editor

editoria *sf* publishing

editoriàle *a* publishing ◆ *sm* (*articolo*) editorial

editto *sm* edict

edizióne *sf* edition

edonìsmo *sm* hedonism

educàre *vt* to bring up ◇ (*esercitare*) to train, to educate ◇ (*istruire*) to educate, to cultivate

educatìvo *a* educational, educative

educàto *a* well-mannered, polite

educazióne *sf* upbringing ◇ (*istruzione*) education, training ◇ (*buone maniere*) (good) manners *pl*, courtesy

effeminàto *a* effeminate, womanish

efferàto *a* brutal, ferocious, savage

effervescènte *a* sparkling, fizzy

effettìvo *a* real, actual, effective ◇ (*di personale*) permanent

effètto *sm* effect ◇ (*impressione*) impression, effect ◇ (*comm*) bill ● *effetti personali* personal belongings; *e. serra* greenhouse effect; *a tutti gli effetti* in every respect

effettuàre *vt* to effect, to carry out, to make ◆ *vpr* to take place

efficàce *a* effective

efficiènte *a* efficient

efficiènza *sf* efficiency

effìgie *sf* effigy

effìmero *a* ephemeral

efflùvio *sm* scent, effluvium

effrazióne *sf* housebreaking, burglary

effusióne *sf* effusion

egemonìa *sf* hegemony

égli *pr.pers* he ● *e. stesso* he himself

egocèntrico *a* egocentric, self-centred

egoìsmo *sm* selfishness, egoism

egrègio *a* excellent, remarkable ◇ (*nelle lettere*) dear

eiaculàre *vi* to ejaculate

elaboràre vt to elaborate, to work out ◇ (*inform*) to process

elaboratóre sm computer

elaborazióne sf elaboration ◇ (*inform*) processing

elargizióne sf donation

elasticità sf elasticity ◇ (*agilità*) agility, flexibility

elàstico a elastic, flexible ◆ sm rubber band

elefànte sm elephant

elegànte a elegant, smart

elèggere vt to elect

elementàre a elementary ◇ (*di base*) basic

eleménto sm element ◇ (*componente*) constituent, ingredient, element, person ◇ (*persona*) member, person ◇ al pl (*rudimenti*) rudiments pl

elemòsina sf charity, alms ● **chiedere l'e.** to beg

elencàre vt to list

elènco sm list ● **e. telefonico** telephone directory, phonebook

elettoràle a electoral ● **cabina e.** polling booth

elettóre sm elector, voter

elettràuto sm car electrician, (*officina*) car electrical repairs

elettricista sm electrician

elettricità sf electricity

elèttrico a electric(al) ● **centrale elettrica** power station

elettrocardiogràmma sm electrocardiogram

elèttrodo sm electrode

elettrodomèstico sm household appliance

elettroencefalogràmma sm electroencephalogram

elettromagnètico a electromagnetic

elettróne sm electron

elettrònica sf electronics pl (*v al sing*) ● **e. di consumo** consumer electronics

elettrònico a electronic

elevàre vt to raise, to lift up ◇ (*erigere*) to erect ◇ (*mat*) to raise ◆ vpr to rise, (*dominare*) to overlook

elezióne sf election ● **d'e.** of choice

èlica sf propeller, screw

elicòttero sm helicopter

eliminàre vt to eliminate

èlio sm helium

elipòrto sm heliport

elisabettiàno a Elizabethan

elitàrio a elitist, elite

élla pr.pers she ● **e. stessa** she herself

ellenìstico a Hellenistic

ellìsse sf ellipse

ellìttico a elliptic

élmo sm helmet

elogiàre vt to praise

elògio sm praise

eloquènte a eloquent

eloquènza sf eloquence

elùdere vt to evade, to elude, to dodge

elusivo a elusive

emaciàto a emaciated

e-mail sm/f (*messaggio*) e-mail ◇ (*indirizzo*) e-mail address

emanàre vt (*esalare*) to exhale ◇ (*ordini, leggi*) to issue ◆ vi to emanate, to proceed

emancipàre vt to emancipate ◆

vrif to become emancipated, to free oneself

emancipazióne sf emancipation

emarginàre vt to cast out, to isolate, to exclude

ematòlogo sm haematologist

ematòma sm hematoma

emblemàtico a emblematic

embolìa sf embolism

embrióne sm embryo

emendaménto sm amendment

emergènza sf emergency ● di e. emergency

emèrgere vi to emerge

emersióne sf emergence, emersion

eméttere vt to give out, (suono) to utter ◊ (esprimere) to express, to deliver ◊ (mettere in circolazione) to issue, to draw

emettitóre sm emitter

emicrània sf migraine, headache

emigràre vi to emigrate

emigrazióne sf emigration

eminènte a eminent, distinguished

emiràto sm emirate

emisfèro sm hemisphere

emissióne sf (fis) emission ◊ (econ) issue

emittènte a (banca) issuing ◊ (radio, TV) broadcasting ◆ sm/f (di cambiale) drawer, (di titolo) issuer ◆ sf (radio, TV) transmitter, broadcaster

emofilìa sf hemophilia

emorragìa sf hemorrhage

emorròidi sf pl hemorrhoids (pl)

emostàtico a hemostatic

emotìvo a emotional, sensitive

emozionàre vt to move, to excite

◆ vpr to get excited, (commuoversi) to be moved

emozióne sf emotion, excitement

èmpio a impious, godless

empìrico a empiric

empòrio sm emporium, trade center, general shop

emulàre vt to emulate

èmulo sm emulator

emulsióne sf emulsion

enciclopedìa sf encyclop(a)edia

endèmico a endemic

endocrinòlogo sm endocrinologist

endovéna sf intravenous injection

energètico a energy ◊ (di sostanza alimentare) energy-giving ◆ sm tonic, energizer

energìa sf energy, strength

enèrgico a energetic, vigorous, (deciso) firm

enfàtico a emphatic

enfisèma sm emphysema

enigma sm enigma, (indovinello) riddle

enigmàtico a enigmatic

ennèsimo a nth ◊ (fig) umpteenth

enologìa sf oenology

enórme a enormous, huge

enormità sf enormity, hugeness

ènte sm body, board, institution, (ufficio) office, bureau, (società) company, agency, corporation

entràmbi a both, either ◆ pr both

entràre vi to go in, to come in, to get in, to enter ◊ (unirsi a) to join ◊ (avere a che fare) to have to do with

entràta sf entrance, entry ◇ spec al pl (econ) income, revenue, receipts pl, earnings pl ● e. libera free admission; entrate e uscite debit and credit

éntro prep in, within, before, by ● e. oggi by this evening

entrotèrra sm inland, hinterland

entusiasmàre vt to arouse enthusiasm in, to be carried away by, to thrill ◆ vpr to become enthusiastic

entusiàsmo sm enthusiasm

enumeràre vt to enumerate, to list

enunciàre vt to enunciate

eòlico a aeolian ● energia e. wind energy

epàtico a hepatic ● colica epatica liver attack

epatite sf hepatitis

epicèntro sm epicentre, centre

èpico a epic

epidemìa sf epidemic

epidèmico a epidemic(al)

epidèrmico a epidermic ◇ (fig) superficial, instinctive

epìgono sm imitator, follower

epilessìa sf epilepsy

epìlogo sm epilogue

episcopàle a episcopal

episòdio sm episode ● a episodi in episodes

epitàffio sm epitaph

epìteto sm epithet ◇ (insulto) insult

època sf epoch, age ◇ (tempo, periodo) time, period ● d'e. period

epopèa sf epos, epic poem

eppùre cong and yet

epuràre vt to purge

epurazióne sf purge

equatóre sm equator

equazióne sf equation

equèstre a equestrian ● circo e. circus

equidistànte a equidistant

equilibràre vt/pr to equilibrate, to balance

equilìbrio sm balance, equilibrium

equìno a equine, horse

equinòzio sm equinox

equipaggiaménto sm equipment

equipaggiàre vt to equip ◆ vrif to equip oneself, to kit oneself out

equipàggio sm crew

equiparàre vt to make equal, to level

équipe sf team

equità sf equity

equitazióne sf (horseback) riding, horse riding

equivalènte a/sm equivalent

equivalére vi/rif to be equivalent, to be equal in value

equivocàre vi to misunderstand, to mistake

equìvoco a equivocal, ambiguous ◇ (sospetto) dubious ◆ sm equivocation, misunderstanding, mistake

èquo a fair, just, impartial

èra sf era, age

èrba sf grass, (medicinale, aromatica) herb, (infestante) weed, (marijuana) pot

erbàrio sm herbarium, (libro) herbal

erboristerìa sf herbalist's shop

erède *sm/f* heir

eredità *sf* (*dir*) inheritance ◇ (*fig*) heritage ◇ (*biol*) heredity ● *lasciare in e.* to bequeath

ereditàre *vt* to inherit

eremìta *sm* hermit

èremo *sm* hermitage

eresìa *sf* heresy

erètico *a* heretical ◆ *sm* heretic

erètto *a* erect, upright ◇ (*costruito*) erected, built ◇ (*istituito*) founded

erezióne *sf* erection

ergàstolo *sm* life sentence

ergonòmico *a* ergonomic

erìgere *vt* to erect, to build ◇ (*innalzare*) to raise ◇ (*istituire*) to found ◆ *vrif* (*drizzarsi*) to stand up ◇ (*fig*) to claim to be

eritèma *sm* erythema

ermafrodito *sm* hermaphrodite ◆ *a* hermaphroditic

ermètico *a* hermetic, airtight ◇ (*fig*) obscure

èrnia *sf* hernia

eròe *sm* hero

erogàre *vt* to supply, (*somma*) to disburse

eròico *a* heroic

eroìna (1) *sf* heroine

eroìna (2) *sf* (*chim*) heroin

eroìsmo *sm* heroism

erosióne *sf* erosion

eròtico *a* erotic

erotìsmo *sm* erotism

erràre *vi* (*vagare*) to wander (about), to roam ◇ (*sbagliare*) to be mistaken, to make mistakes

erróre *sm* mistake, error ● *e. di stampa* misprint; *per e.* by mistake

erudìto *sm* scholar, learned person

eruttàre *vt* to throw out, to erupt

eruzióne *sf* eruption ◇ (*med*) rash

esacerbàre *vt* to exacerbate, to exasperate

esageràre *vt* to exaggerate ◆ *vi* to overdo, to go too far

esagerazióne *sf* exaggeration

esagonàle *a* hexagonal

esàgono *sm* hexagon

esalàre *vt* to exhale

esalazióne *sf* exhalation

esaltàre *vt* to extol, to celebrate ◇ (*entusiasmare*) to thrill ◆ *vpr* to become elated

esàme *sm* examination, exam, test

esaminàre *vt* to examine, (*controllare*) to check

esànime *a* lifeless

esasperàre *vt* to exasperate, to irritate ◇ (*esacerbare*) to exacerbate, to aggravate ◆ *vpr* to become bitter

esasperazióne *sf* exasperation, irritation ◇ (*inasprimento*) aggravation

esattaménte *avv* (*in maniera esatta*) exactly, precisely, (*correttamente*) correctly ◇ (*proprio*) just

esàtto *a* exact, correct ◇ (*accurato*) careful ◆ *avv* exactly

esattóre *sm* collector

esaudìre *vt* to grant, to fulfil

esauriènte *a* exhaustive

esauriménto *sm* exhaustion, depletion ● *e. nervoso* nervous breakdown

esaurire *vt* to exhaust, to use up ◆ *vpr/rif* to get exhausted ◇ *(di merci)* to run out, to sell out

esàusto *a* exhausted, worn out

ésca *sf* bait

eschimése *a* Eskimo, Inuit ◆ *sm/f* Eskimo, Inuit

esclamàre *vt/i* to exclaim, to cry (out)

esclùdere *vt* to exclude, to leave out ◆ *vrif* to exclude one another

esclusìva *sf* exclusive right, sole right ◇ *(TV)* exclusive, scoop

esclusìvo *a* exclusive

escogitàre *vt* to contrive, to devise

escoriazióne *sf* excoriation, graze

escursióne *sf* excursion, tour ◇ *(scient)* range ● *fare un'e.* to make a trip, to go trekking

escursionìsmo *sm* touring

esecutìvo *a/sm* executive

esecutóre *sm* executor ◇ *(mus)* performer

esecuzióne *sf* execution ◇ *(mus)* performance

eseguìre *vt* to execute, to carry out, to perform

esèmpio *sm* example, instance ◇ *(modello)* model, paragon ● *per e.* for example, for instance

esemplàre *a* exemplary, model ◆ *sm (modello)* model ◇ *(elemento di serie)* specimen, *(copia)* copy

esemplificazióne *sf* exemplification

esentàre *vt* to exempt, to let off

esènte *a* exempt, free

esercitàre *vt* to exercise ◇ *(una professione)* to practise ◇ *(addestrare)* to train ◆ *vrif* to practise, to train oneself

esercitazióne *sf* exercise, practice, *(addestramento)* training

esèrcito *sm* army

esercìzio *sm* exercise ◇ *(pratica)* practice ◇ *(azienda commerciale)* concern, *(negozio)* shop ● *e. fisico* physical exercise

esibìre *vt* to exhibit, to show ◆ *vrif* to show off ◇ *(in spettacoli)* to perform

esibizióne *sf* show, display, exhibition ◇ *(di spettacolo)* performance

esigènte *a* exacting, demanding

esigènza *sf* demand, need

esìgere *vt* to demand, to require, to insist on ◇ *(riscuotere)* to collect, *(pretendere)* to exact

esìguo *a* scarce, exiguous, scanty

esilarànte *a* exhilarating ● *gas e.* laughing gas

èsile *a* thin, slender ◇ *(debole)* weak, faint

esìlio *sm* exile, banishment

esìmere *vt* to exempt ◆ *vrif* to get out of

esistènza *sf* existence, life

esìstere *vi* to exist, to be, to live

esitàre *vi* to hesitate

esitazióne *sf* hesitation

èsito *sm* result, outcome

èsodo *sm* exodus, flight

esoneràre *vt* to exonerate, to free, to exempt ◇ *(licenziare)* to sack, to fire

esorbitànte *a* exorbitant

esorcizzàre *vt* to exorcize

esòrdio *sm* (*inizio*) beginning ◇ (*debutto*) debut

esordìre *vi* to begin, to start

esortàre *vt* to exhort, to urge

esortazióne *sf* exhortation

esotèrico *a* esoteric

esòtico *a* exotic

espàndere *vt* to expand, to extend ◆ *vpr* to expand, to spread out

espansióne *sf* expansion

espansìvo *a* expansive

espatriàre *vi* to expatriate

espediènte *sm* expedient, device

espèllere *vt* to expel, to turn out ◇ (*emettere*) to eject, to discharge

esperiènza *sf* experience

esperiménto *sm* experiment, trial, test

espèrto *sm* expert ◆ *a* experienced, skilled, expert

espiàre *vt* to expiate

espiràre *vt/i* to expire, to breathe out

espletàre *vt* to dispatch, to carry out

esplicatìvo *a* explanatory, explicative

esplìcito *a* explicit, clear

esplòdere *vi* to explode, to burst, to blow up, to go off

esploràre *vt* to explore ◇ (*mil*) to scout

esploratóre *sm* explorer ◇ (*mil*) scout ● *giovane e.* boy scout

esplorazióne *sf* exploration ◇ (*mil*) scouting

esplosióne *sf* explosion ◇ (*fig*) outburst, outbreak

esplosìvo *a/sm* explosive

esponènte *sm/f* exponent

espórre *vt* to expose ◇ (*mettere fuori*) to put out, to expose ◇ (*mettere in mostra*) to show, to display ◇ (*spiegare*) to expound, to explain ◆ *vrif* to expose oneself ● *esporsi a un rischio* to run a risk

esportàre *vt* to export

esportazióne *sf* export

esposizióne *sf* exposure ◇ (*mostra*) exhibition, exposition, show ◇ (*lo spiegare*) exposition

espósto *sm* petition, (*denuncia*) complaint

espressaménte *avv* (*esplicitamente*) explicitly ◇ (*apposta*) on purpose, specially

espressióne *sf* expression

espressìvo *a* expressive

esprèsso *a* expressed ◇ (*esplicito*) express, explicit ◇ (*su richiesta*) express, made to order ◇ (*veloce*) fast, express ◆ *sm* (*lettera*) express letter, (*USA*) fast letter ◇ (*treno*) express ◇ (*caffè*) espresso

esprìmere *vt* to express ◆ *vpr* to express oneself

espròprio *sm* expropriation

espulsióne *sf* expulsion ● *tasto di e.* eject button

éssa *pr.pers* (*sogg*) (*riferito a cosa o animale di sesso imprecisato*) it, (*riferito ad animale femmina o, fam, per 'ella, lei'*) she ◇ (*compl*) (*riferito a cosa o animale di sesso imprecisato*) it, *(riferito ad animale femmina o, fam, per 'lei')* her

ésse *pr.pers (sogg)* they ◇ *(compl)* them ● *e. stesse* they themselves

essènza *sf* essence

essenziàle *a* essential

èssere (1) *vaus (copula, aus del passivo)* to be (ES: **la porta è aperta** the door is open; **il presidente è eletto ogni 4 anni** the President is elected every four years) ◇ *(aus nella coniugazione attiva di v intr, rifl e impers)* to have (ES: **sono già partito** I have already left) ◇ *(con v serv)* to have (ES: **è dovuto partire improvvisamente** he has had to leave unexpectedly) ♦ *vi (esistere)* to be ◇ *(accadere)* to become, to happen, to be ◇ *(consistere)* to consist ◇ *(costare)* to be, to cost, *(valere)* to be, to be worth, *(pesare)* to be, to weigh ◇ *(andare, arrivare, stare, trovarsi)* to be ◇ *(diventare)* to be, to get ◇ *(esserci)* to be ◇ *(materia)* to be (made) of, *(appartenenza)* to be of, *(origine)* to be from

èssere (2) *sm* being, *(esistenza)* existence ◇ *(creatura)* creature ◇ *(stato)* state, condition

éssi *pr.pers (sogg)* they ◇ *(compl)* them ● *e. stessi* they themselves

essiccàre *vt* to dry (up) ◇ *(prosciugare)* to drain ♦ *vpr* to become dry, to dry up

ésso *pr.pers (sogg) (riferito a cosa o animale di sesso imprecisato)* it, *(riferito ad animale ma-* *schio o, fam, per 'egli, lui')* he ◇ *(compl) (riferito a cosa o animale di sesso imprecisato)* it, *(riferito ad animale maschio o, fam, per 'lui')* him

èst *sm* east ♦ *verso e.* eastward(s)

èstasi *sf* ecstasy

estàte *sf* summer, summertime

estemporàneo *a* extemporary

estèndere *vt* to extend, to expand ♦ *vpr* to extend, to spread, to stretch

estensióne *sf* extension ◇ *(distesa)* expanse, extent ◇ *(mus)* range

estenuànte *a* exhausting, weary

esterióre *a* external, outer, outward

esternàre *vt* to express, to disclose

estèrno *a* external, outer, outside ♦ *sm* outside ● *per uso e.* for external use only

èstero *a* foreign ♦ *sm* foreign countries *pl* ● *all'e.* abroad

estéso *a* large, wide, extensive

estètico *a* aesthetic(al)

estetista *sm/f* beautician

estimatóre *sm* admirer

estìnguere *vt* to extinguish, to put out ◇ *(saldare)* to settle, to pay off ♦ *vpr* to come to an end, to die out

estìnto *sm* deceased

estintóre *sm* extinguisher

estinzióne *sf* extinction

estirpàre *vt* to extirpate

estìvo *a* summer

estòrcere *vt* to extort

estorsióne *sf* extortion

estradizióne *sf* extradition

estràneo *a* extraneous, foreign, unrelated (to) ◆ *sm* stranger, outsider, foreigner

estràrre *vt* to extract, to pull out ◇ (*a sorte*) to draw ◇ (*minerale*) to mine

estrazióne *sf* extraction ◇ (*sorteggio*) drawing ◇ (*da miniera*) mining

estremista *a/sm/f* extremist

estremità *sf* extremity, end ◇ *al pl* (*arti*) limbs *pl* ◇ (*margine*) border, margin ◇ (*punta*) top, point

estrèmo *a* (*nello spazio*) extreme, farthest ◇ (*nel tempo*) last, final ◆ *sm* extreme ◇ *al pl* terms, essential data ● *l'E. Oriente* the Far East

èstro *sm* inspiration ◇ (*capriccio*) whim, fancy

estróso *a* whimsical, fanciful

estrovèrso *a* extroverted ◆ *sm* extrovert

estuàrio *sm* estuary

esuberànte *a* exuberant ◇ (*in eccesso*) excess, redundant

esulàre *vi* to go into exile ◇ (*fig*) to lie outside

èsule *sm/f* exile

esultàre *vi* to exult

età *sf* age

etèreo *a* ethereal

eternità *sf* eternity

etèrno *a* eternal, everlasting

eterogèneo *a* heterogeneous

eterosessuàle *a/sm/f* heterosexual

ètica *sf* ethics *pl* (*v al sing*)

etichétta (1) *sf* label

etichétta (2) *sf* (*cerimoniale*) etiquette

ètico *a* ethical

etilìsmo *sm* alcoholism

etilotèst *sm* breath test

etimologìa *sf* etymology

ètnico *a* ethnic(al)

etnologìa *sf* ethnology

etrùsco *a/sm* Etruscan

èttaro *sm* hectare

ètto *sm* hectogram

eufemìstico *a* euphemistic

euforìa *sf* euphoria, elation

europeìsmo *sm* Europeanism

europèo *a/sm* European

eutanasìa *sf* euthanasia

evacuàre *vt/i* to evacuate

evàdere *vt* (*sbrigare*) to dispatch ◇ (*sottrarsi a*) to evade ◆ *vi* to escape, to get away

evangèlico *a* evangelical

evaporàre *vt/i* to evaporate

evaporazióne *sf* evaporation

evasióne *sf* escape, getaway ◇ (*fiscale*) evasion

evasìvo *a* evasive

evàso *sm* fugitive, runaway

eveniènza *sf* event, eventuality ● *per ogni e.* for every occasion, (*bisogno*) in case of need

evènto *sm* event

eventuàle *a* possible

eventualménte *avv* in case

evidènte *a* evident, plain

evidènza *sf* evidence, obviousness

evitàre *vt* to avoid ◇ (*sfuggire a*) to escape ◇ (*risparmiare*) to spare ◆ *vrif* to avoid each other

èvo *sm* age, ages *pl*, era ● *il Medio E.* the Middle Ages

evocàre vt to evoke

evolutìvo a evolutive

evolùto a advanced, fully-developed

evoluzióne sf evolution

evvìva inter hurrah!

extra a (speciale) superior, first-rate ◇ (in più) extra, additional

extracomunitàrio sm (immigrato) non-EU immigrant, (cittadino) non-EU citizen

extraconiugàle a extramarital

extraeuropèo a non-European

extraterrèstre a/sm/f extraterrestrial

F

fa avv ago ● un mese fa a month ago

fabbisógno sm needs pl, requirements pl

fàbbrica sf factory, works

fabbricàre vt to manufacture, to produce ◇ (costruire) to build

fàbbro sm smith

faccènda sf matter, affair, business ◇ al pl (di casa) housework

facchìno sm porter

fàccia sf face ◇ (espressione) look, expression ◇ (lato) face, side ● f. a f. face to face; dire qc in f. to say st openly

facciàta sf (arch) front, façade, face ◇ (pagina) page

facèzia sf witty remark, joke

fachìro sm fakir

fàcile a easy ◇ (incline) inclined, prone ◇ (probabile) likely, probable

facilità sf ease, facility ◇ (l'esser facile) easiness ◇ (attitudine) aptitude

facilitàre vt to make easy

facilitazióne sf facilitation ◇ (agevolazione) facility

facinoróso sm ruffian

facoltà sf faculty ◇ (autorità) power, authority, right ◇ (università) faculty, department

facoltatìvo a optional ● fermata facoltativa request stop

facoltóso a wealthy, well-to-do

facsìmile sm facsimile

fàggio sm beech

fagiàno sm pheasant

fagiolìno sm French bean, (USA) string bean

fagiòlo sm bean

fagòtto sm bundle ◇ (mus) bassoon ● fare f. to pack up

fài-da-te sm do-it-yourself

falànge sf phalanx

fàlce sf sickle, scythe

falciàre vt to sickle, to cut down

fàlco sm hawk

falcóne sm falcon

fàlda sf (geol) stratum, layer ◇ (di abito) tail ◇ (di cappello) brim ◇ (di tetto) pitch ◇ (di monte) foot ● f. acquifera aquifer

falegnàme sm carpenter

fàlla sf leak

fallàce a fallacious, misleading

fallimentàre *a* bankruptcy ◊ *(fig)* ruinous

falliménto *sm* bankruptcy ◊ *(fig)* failure, flop

fallìre *vi* to go bankrupt ◊ *(fig)* to fail ♦ *vt* to miss

fallìto *sm* bankrupt ◊ *(fig)* failure

fàllo *sm* error, fault, mistake ◊ *(difetto)* defect, flaw ◊ *(sport)* foul

falò *sm* bonfire

falsàrio *sm* forger, falsifier

falsificazióne *sf* falsification, forgery

fàlso *a* false ♦ *sm* falsehood ◊ *(oggetto falsificato)* forgery, fake

fàma *sf (reputazione)* reputation, repute ◊ *(rinomanza)* fame, renown

fàme *sf* hunger ◊ *(carestia)* famine ● *avere f.* to be hungry

famèlico *a* ravenous, greedy

famìglia *sf* family

familiàre *a* domestic, family ◊ *(conosciuto)* familiar, well-know ◊ *(semplice)* informal, homely ♦ *sm* relative

familiarità *sf* familiarity

familiarizzàre *vi/pr* to become familiar, to familiarize oneself (with)

famóso *a* famous

fanàle *sm* light, lamp

fanàtico *a* fanatical ♦ *sm* fanatic

fanciùllo *sm* child

fandònia *sf* lie

fanfàra *sf* fanfare ◊ *(banda)* brass-band

fàngo *sm* mud ● *fare i fanghi* to take mud baths

fannullóne *sm* idler, lounger

fantasciènza *sf* science-fiction

fantasìa *sf (fantasticheria)* fantasy, daydream ◊ *(immaginazione)* fancy, imagination ◊ *(disegno)* pattern

fantàsma *sm* ghost, phantom

fantasticàre *vi* to daydream

fantàstico *a* fantastic(al), imaginary, fanciful ◊ *(straordinario)* incredible, fantastic, *(fam)* cool

fànte *sm* infantryman ◊ *(carte da gioco)* jack

fanterìa *sf* infantry

fantòccio *sm* puppet

faraóne *sm* Pharaoh

faraònico *a* Pharaonic

farcìre *vt* to stuff, to fill

fardèllo *sm* bundle, burden

fàre *vt (in generale e in senso astratto)* to do (ES: **che cosa fai?** what are you doing?) ◊ *(creare, produrre, realizzare, confezionare, cucinare, ecc)* to make (ES: **f. soldi** to make money) ◊ *(di professione)* to be ◊ *(dire)* to say ◊ *(reputare)* to think ◊ *(scrivere)* to write, *(dipingere)* to paint ◊ *(indicare)* to make, to be ◊ *(rappresentare)* to perform, *(agire da, impersonare)* to act ◊ *(pulire)* to clean ◊ *(dedicarsi a)* to go in for, *(giocare a)* to play ◊ *(generare)* to bear, to have ◊ *(percorrere)* to go ◊ *(trascorrere)* to spend ◊ *(con valore causativo, seguito da infinito)* to have, to get, *(causare)* to cause, to make, *(lasciare)* to let ♦ *vi (impers)* to be ◊ *(essere* *adatto*) to suit ◇ (*stare per*) to be about ♦ *vpr/rif* (*diventare*) to become ◇ (*movimento*) to go, to come ◇ (*con l'infinito*) to make oneself, to get ◇ (*drogarsi*) to drug

faretra *sf* quiver

farfàlla *sf* butterfly

farìna *sf* flour, meal

farinàceo *a* farinaceous, starchy ♦ *sm al pl* starches *pl*

faringe *sf* pharynx

faringite *sf* pharyngitis

farmacìa *sf* (*scienza e tecnica*) pharmacy ◇ (*negozio*) chemist's shop, (*USA*) pharmacy, drugstore

farmacìsta *sm/f* chemist, pharmacist

fàrmaco *sm* drug, medicine ● *f. generico* generic drug, ge

farneticàre *vi* to rave

fàro *sm* (*naut*) lighthouse ◇ (*aer*) beacon, light ◇ (*aut*) headlight

fàrsa *sf* farce

fàscia *sf* band, strip ◇ (*benda*) bandage ◇ (*geogr*) zone, strip ◇ (*fig*) sector, band ● *in fasce* in arms, in swathing clothes

fasciàre *vt* to bind, to bandage ◇ (*avvolgere*) to wrap

fasciatùra *sf* bandage, dressing

fascìcolo *sm* (*incartamento*) dossier, file ◇ (*di rivista*) issue, number, instalment ◇ (*libretto*) booklet

fàscino *sm* fascination, charm

fàscio *sm* bundle, sheaf ◇ (*di luce*) beam

fascìsmo *sm* Fascism

fàse *sf* (*scient*) phase ◇ (*stadio*) phase, stage ◇ (*mecc*) stroke

fastìdio *sm* nuisance, bother, trouble ◇ (*irritazione*) annoyance ◇ (*avversione*) disgust

fastidióso *a* annoying, bothersome

fàsto *sm* pomp

fàta *sf* fairy

fatàle *a* fatal ◇ (*inevitabile*) fated, destined ◇ (*irresistibile*) killing

fatalità *sf* fate, destiny, fatality ◇ (*disgrazia*) mishap

fatìca *sf* (*lavoro faticoso*) labour, hard work, toil ◇ (*sforzo*) effort, exertion ◇ (*stanchezza*) weariness, fatigue ◇ (*difficoltà*) difficulty ◇ (*mecc*) fatigue

faticàre *vi* to work hard, to toil ◇ (*stentare*) to have difficulty

faticóso *a* tiring, hard ◇ (*difficile*) difficult

fatìdico *a* fateful

fàto *sm* fate

fattìbile *a* feasible, doable

fàtto *a* done, made ◇ (*adatto*) fit ♦ *sm* fact, deed ◇ (*avvenimento*) event ◇ (*faccenda*) affair, matter ● *in f. di* as for

fattóre (1) *sm* factor

fattóre (2) *sm* (*di campagna*) bailiff, farmer

fattorìa *sf* farm, (*casa*) farmhouse

fattorìno *sm* messenger, office boy

fattùra *sf* (*fabbricazione*) making, manufacture ◇ (*comm*) invoice, bill ◇ (*fam*) (*maleficio*) spell

fatturàre *vt* to invoice, to bill

fàtuo *a* fatuous, vain

fàuna *sf* fauna

fàva *sf* broad bean, fava bean

favìlla *sf* spark

fàvola *sf* tale, story, fairy story, fable ◊ (*fandonia*) tall story

favolóso *a* fabulous

favóre *sm* favour ● *per f.* please

favorévole *a* favourable

favorìre *vt* to favour, to support ◊ (*promuovere*) to promote, to encourage

favoritìsmo *sm* favouritism

favorito *a/sm* favourite

fax *sm* fax ● *per, via f.* by fax

fazióso *a* factious

fazzolétto *sm* handkerchief ● *f. di carta* paper tissue

febbràio *sm* February

fèbbre *sf* fever ● *f. da fieno* hay-fever

febbricitànte *a* feverish

fèci *sf pl* faeces *pl*, (*USA*) feces *pl*

fècola *sf* flour ● *f. di patate* potato flour

fecondàre *vt* to fertilize

fecondazióne *sf* fecundation, fertilization

fecóndo *a* fertile, prolific

féde *sf* faith ◊ (*anello*) wedding ring

fedéle *a* faithful, loyal ◊ (*veritiero*) true, exact

fedeltà *sf* fidelity, faithfulness

fèdera *sf* pillowcase

federàle *a* federal

federazióne *sf* federation

fégato *sm* liver ◊ (*coraggio*) courage, guts *pl* ◊ (*faccia tosta*) cheek, nerve

félce *sf* fern

felìce *a* happy, pleased, glad ◊ (*fortunato*) lucky

felicità *sf* happiness

felicitazióni *sf pl* congratulations *pl*

felìno *a* feline, catlike ◆ *sm* feline

félpa *sf* (*tessuto*) plush ◊ (*indumento*) sweatshirt

féltro *sm* felt

fémmina *sf* female ◊ (*bambina, ragazza*) girl ◊ (*di animale*) she-, (*di grande mammifero*) cow-

femminìle *a* (*di sesso*) female ◊ (*di donna*) feminine, woman's ◊ (*gramm*) feminine ◊ (*per donne*) woman's, women's

femminìsmo *sm* feminism

fèmore *sm* femur, thigh-bone

fendinébbia *a/sm* fog-light

fenìcio *a/sm* Phoenician

fenicòttero *sm* flamingo

fenomenàle *a* phenomenal

fenòmeno *sm* phenomenon ◊ (*oggetto di meraviglia*) wonder

feriàle *a* weekday, working

fèrie *sf pl* holidays *pl*, vacation

feriménto *sm* wounding

ferìre *vt* to wound, to injure, to hurt ◆ *vpr/rif* to hurt oneself, to wound oneself

ferìta *sf* wound, hurt

feritóia *sf* loophole

fermàglio *sm* clasp, clip

fermàre *vt* to stop, to halt ◊ (*interrompere*) to stop, to interrupt ◊ (*dir*) to hold ◊ (*fissare*) to fix, to fasten ◆ *vi* to stop ◆ *vpr/rif* to stop ◊ (*trattenersi*) to stay (*fare una pausa*) to make a pause ◇ (*mecc*) to stall

fermàta *sf* stop, halt ◆ *f. obbligatoria/a richiesta* regular/request stop

fermentazióne *sf* fermentation

ferménto *sm* ferment

férmo *a* still, motionless ◇ (*saldo*) firm, steady ◆ *sm* (*blocco*) lock, stop ◇ (*arresto*) (provisional) arrest

fermopòsta *a/avv* poste restante, (*USA*) general delivery

feróce *a* ferocious, fierce, wild

ferragósto *sm* feast of the Assumption

ferraménta *sf* hardware, ironware, ironmongery ◆ *sm* (*negozio*) hardware store, ironmonger's shop

férro *sm* iron ◇ *al pl* (*ceppi*) irons *pl*, chains *pl* ◇ (*attrezzi*) instruments *pl*, tools *pl* ● *f. da calza* knitting-needle; *f. da stiro* iron; *f. di cavallo* horseshoe

ferrovìa *sf* railway, (*USA*) railroad ● *per f.* by rail

ferroviàrio *a* railway, (*USA*) railroad ● *orario f.* train timetable

fèrtile *a* fertile, fruitful

fervóre *sm* fervour, heat

fessería *sf* nonsense, rubbish ◇ (*inezia*) trifle, nothing

fésso *a* stupid, foolish

fessùra *sf* crack, slit, fissure, (*per gettone*) slot

fèsta *sf* (*solennità religiosa*) feast, festivity ◇ (*giorno di vacanza*) holiday ◇ (*ricevimento*) party

festeggiaménto *sm* celebration

festeggiàre *vt* to celebrate ◇ (*accogliere festosamente*) to give a hearty welcome to

festività *sf* festivity, holiday ● *f. civile* public holiday

festìvo *a* holiday, Sunday

festóso *a* joyful, merry, hearty

feticcio *sm* fetish

feticìsmo *sm* fetishism

fèto *sm* f(o)etus

fétta *sf* slice

feudàle *a* feudal

fèudo *sm* fief, feud

fiàba *sf* fairy tale, tale, story

fiabésco *a* fairy, fairy-tale ◇ (*favoloso*) fabulous

fiàcca *sf* (*stanchezza*) weariness ◇ (*indolenza*) indolence, laziness

fiaccàre *vt* to weaken, to exhaust

fiàcco *a* (*stanco*) weary, slack ◇ (*debole*) weak, limp

fiàccola *sf* torch

fiàla *sf* phial

fiàmma *sf* flame, (*viva*) blaze ◇ *alla f.* flambé; *in fiamme* alight

fiammàta *sf* burst of flame

fiammeggiàre *vi* to blaze, to flame ◆ *vt* (*cuc*) to sear, to flambé

fiammìfero *sm* match

fiammìngo *a* Flemish ◆ *sm* Fleming ◇ Flemish (*lingua*)

fiancàta *sf* side, flank

fiancheggiàre *vt* to flank ◇ (*sostenere*) to support

fiànco *sm* side ◇ (*anat*) hip, (*zool*) flank ◇ (*mil*) flank ● *f. a f.* abreast

fiàsco *sm* flask ◇ (*insuccesso*) fiasco, flop (*fam*)

fiàto *sm* breath

fibbia *sf* buckle

fibra *sf* fibre, (USA) fiber ● *f. ottica* optical fibre

ficcàre *vt* to thrust, to drive ◊ (*mettere*) to put, to stuff ◆ *vrif* to dive, to hide

fico (1) *sm* (*bot*) fig

fico (2) *a* cool ◆ *sm* cool guy

fidanzaménto *sm* engagement

fidanzàrsi *vrif* to become engaged, to get engaged

fidanzàto *sm* fiancé

fidàre *vi* to trust ◆ *vpr* to trust, to rely on

fidàto *a* trustworthy, reliable

fidùcia *sf* confidence, reliance, trust

fièle *sm* gall

fienìle *sm* barn, hayloft

fièno *sm* hay

fièra (1) *sf* (*mostra*) fair, exhibition ◊ (*festa*) fête ● *f. campionaria* trade fair

fièra (2) *sf* (*animale feroce*) wild beast

fierìstico *a* fair

fièro *a* (*orgoglioso*) proud ◊ (*audace*) bold ◊ (*indomito*) untamed ◊ (*severo*) severe

fifa *sf* (*fam*) fright

figlia *sf* daughter

figlio *sm* son, child

figùra *sf* figure ◊ (*forma, sagoma*) shape, form ◊ (*illustrazione*) picture ● *fare bella/brutta f.* to make a good/bad impression

figuràre *vt* to represent ◊ (*immaginare*) to imagine, to picture ◊ *vi* (*apparire*) to appear, to be ◊

(*far figura*) to make a good impression

figurativo *a* figurative

figurina *sf* (*statuetta*) figurine ◊ (*da raccolta*) picture-card, (*adesiva*) sticker

fila *sf* line, file, row ◊ (*coda*) queue, line ◊ (*serie*) string, series ● *fare la f.* to queue (up)

filàntropo *sm* philanthropist

filàre *vt* to spin ◆ *vi* (*correre*) to run, to make off ◊ (*di ragionamento*) to hang together ◊ (*amoreggiare*) to flirt ◊ (*comportarsi bene*) to behave

filarmònica *sf* philharmonic, philharmonic society

filastròcca *sf* rigmarole

filatelìa *sf* philately

filétto *sm* (*bordo*) border ◊ (*mecc*) thread ◊ (*cuc*) fillet

filiàle *a* filial ◆ *sf* branch

filifórme *a* filiform

filigràna *sf* filigree ◊ (*della carta*) watermark

film *sm* film, (motion) picture, (USA) movie ◊ (*pellicola, strato*) film ● *f. in DVD* film on DVD

filmàre *vt* to film, to shoot

filo *sm* thread, (*tess*) yarn ◊ (*di metallo*) wire ◊ (*el*) cable, wire ◊ (*di collana*) string ◊ (*taglio*) edge ● *f. d'erba* blade of grass; *f. interdentale* dental floss; *f. spinato* barbed wire, razor wire

filóne *sm* (*min*) vein ◊ (*di pane*) long loaf ◊ (*fig*) trend, current

filosofìa *sf* philosophy

filòsofo *sm* philosopher

filtràre *vt/i* to filter

filtro sm filter

finàle a final ◆ sm end, conclusion ◆ sf (sport) ending, finals pl

finalista sm/f finalist

finalità sf aim, purpose, end

finalménte avv at last, (da ultimo) finally

finànza sf finance

finanziaménto sm financing, loan, (somma) fund

finché cong until, till ◇ (per tutto il tempo che) as long as

fine (1) sf end, ending, conclusion ◆ sm (scopo) aim, purpose, object ◇ (risultato) result, conclusion

fine (2) a fine, thin ◇ (raffinato) refined ◇ (acuto) subtle

finèstra sf window ◇ (inform) window, box

finestrìno sm window

fìngere vt/i to pretend, to simulate, to feign ◆ vrif to pretend

finimóndo sm bedlam, pandemonium

finìre vt to finish, to end ◇ (esaurire) to sell out ◇ (uccidere) to kill ◆ vi to finish, to end (up) ◇ (smettere) to stop ◇ (esaurirsi) to run out, to sell out ◇ (cacciarsi) to get to

finìto a finished ◇ (limitato) finite ◇ (rovinato) done for

finitùra sf finish, finishing

fìno (1) a (sottile) fine, thin ◇ (acuto) subtle, sharp ◇ (puro) fine, pure

fìno (2) prep (tempo) until, till, up to ◇ (luogo) as far as ◆ avv even ● f. da since

finòcchio sm fennel

finóra avv till now, up to now, yet

fìnta sf pretence, feint

fìnto a (falso) false, insincere ◇ (simulato) feigned ◇ (artificiale) dummy, artificial, false

finzióne sf pretence, make-believe ◇ (invenzione) fiction, invention

fiòcco sm bow ◇ (bioccolo) flock ◇ (cuc) flake ◇ (naut) jib ● f. di neve snowflake

fiòcina sf harpoon

fiòco a weak, (di suono) faint ◇ (rauco) hoarse

fiónda sf catapult, sling

fioràio sm florist

fiordalìso sm cornflower

fiòrdo sm fiord, fjord

fióre sm flower, (di albero da frutto) blossom ◇ (carte da gioco) clubs pl ◇ (parte scelta) the best part, the flower ● fiori di Bach Bach flower remedies

fiorentìna sf T-bone steak

fiorétto sm (arma) foil

fiorièra sf flower box

fiorìre vi to flower, to blossom, to bloom ◇ (fig) to flourish

fioritùra sf flowering, blooming, (di alberi da frutto) blossoming ◇ (fig) flourishing

firma sf signature

firmaménto sm firmament

firmàre vt to sign

fisarmònica sf accordion

fiscàle a fiscal, tax ◇ (fig) strict

fischiàre vi to whistle, (per disapprovazione) to boo ◇ (di segnale acustico) to hoot ◇ (di proiettile) to whiz(z) ◇ (di orec-

chie) to buzz ◆ *vt* to whistle, (*per disapprovazione*) to boo

fischio *sm* whistle, (*di disapprovazione*) boo ◇ (*di segnale acustico*) hoot ◇ (*di proiettile*) whiz(z) ◇ (*nelle orecchie*) buzzing

fisco *sm* revenue, (*ufficio*) tax office

fisica *sf* physics *pl* (*v al sing*)

fisico *a* physical ◆ *sm* (*scienziato*) physicist ◇ (*costituzione*) physique, body

fisiologico *a* physiologic

fisionomista *sm/f* physiognomist

fisioterapia *sf* physiotherapy

fisioterapista *sm/f* physiotherapist

fissare *vt* (*rendere fisso*) to fix, to fasten, to make firm ◇ (*guardare fisso*) to stare, to gaze ◆ (*stabilire*) to fix, to arrange, to set ◇ (*prenotare*) to book, to reserve ◆ *vpr* to be fixed ◇ (*ostinarsi*) to set one's heart on ◇ (*stabilirsi*) to settle

fissazione *sf* fixing, fixation ◇ (*idea ossessiva*) obsession

fisso *a* fixed ◆ *avv* fixedly

fitta *sf* sharp pain, pang

fittizio *a* fictitious

fitto *a* thick, packed

fiumana *sf* stream, flood

fiume *sm* river ◇ (*fig*) flood, stream

fiutare *vt* to smell, to sniff ◇ (*la selvaggina*) to scent ◇ (*fig*) to scent, to smell

fiuto *sm* scent ◇ (*fig*) nose

flagellazione *sf* flagellation, scourging

flagrante *a* flagrant

flanella *sf* flannel

flash *sm* (*fot*) flash ◇ (*notizia giornalistica*) newsflash

flauto *sm* flute

flebo *sf* drip, drip-feed, phleboclysis

flemmatico *a* phlegmatic, cool

flessibile *a* flexible, supple

flessione *sf* flexion ◇ (*calo*) decrease, drop

flessuoso *a* flexuous

flettere *vt* to bend, to bow

flora *sf* flora

floreale *a* floral

florido *a* flourishing, (*prosperoso*) buxom

floscio *a* flabby, soft, flaccid

flotta *sf* fleet

flottiglia *sf* flotilla

fluido *a* fluid, flowing ◆ *sm* fluid

fluire *vi* to flow

fluorescente *a* fluorescent

fluoro *sm* fluorine

flusso *sm* flow, stream ◇ (*fis*) flux

fluttuante *a* fluctuating, floating

fluttuare *vi* to fluctuate, to rise and fall ◇ (*econ*) to fluctuate, to float

fluviale *a* river

fobia *sf* phobia

foca *sf* seal

focalizzare *vt* to focus

foce *sf* mouth

focolaio *sm* (*med*) focus ◇ (*fig*) hotbed

focolare *sm* hearth, fireplace ◇ (*fig*) home

fòdera sf (interna) lining, (esterna) cover

foderàre vt (internamente) to line, (esternamente) to cover

fòdero sm sheath

fóga sf impetuosity, ardour

fòggia sf manner, fashion ◊ (forma) shape

fòglia sf leaf

fogliétto sm slip of paper

fòglio sm sheet ◊ (pagina) leaf ◊ (banconota) bank note ◊ (di metallo) plate

fógna sf sewer, drain

fognatùra sf sewerage system, drainage system

folclóre sm folklore

folcloristico a folklore, folk

folgorazióne sf (el) electrocution ◊ (fig) flash

fòlla sf crowd, throng

fòlle a mad, insane ◊ (pazzesco) foolish, wild ◊ (mecc) neutral

folleggiàre vi to make marry, to frolic

follìa sf madness, insanity ◊ (azione folle) folly

fólto a thick ◊ (est) large, great

fomentàre vt to foment, to encourage, to foster

fòn sm hairdryer

fondamentàle a fundamental, basic

fondaménto sm foundation

fondàre vt to found, to erect ◊ (istituire) to found, to establish ◊ (basare) to found, to base, to ground ◆ vpr/rif to base oneself, to be based on

fondatóre sm founder

fondazióne sf foundation

fondènte a melting ◆ sm (dolce) fondant ● cioccolato f. dark chocolate

fóndere vt (liquefare) to melt, to fuse ◊ (metalli) to cast, to mould ◊ (mescolare) to blend, to merge ◆ vi/pr to melt ◆ vrif to merge

fondiàrio a land, landed

fondìsta sm/f (atletica) long-distance runner ◊ (sciatore) langlaufer, cross-country skier

fóndo a deep ◆ sm bottom, (estremità) end ◊ (feccia) dregs pl ◊ (sfondo) background ◊ (econ) fund ● piatto f. soupplate; sci di f. cross-country skiing

fondovàlle sm valley bottom

fonètica sf phonetics pl (v al sing)

fonètico a phonetic

fontàna sf fountain

fónte sf source, spring ◆ sm (battesimale) font ● f. di energia power source, energy source

foràggio sm forage, fodder

foràre vt to pierce, to punch ◆ vi (pneumatico) to get a flat tyre, to puncture

foratùra sf piercing, (di pneumatico) puncture

fòrbici sf pl scissors pl

fórca sf fork ◊ (patibolo) gallows pl

forcèlla sf fork

forchétta sf fork

forcìna sf hairpin

forèsta sf forest

forestièro a foreign, alien ◆ sm foreigner

forfait *sm* lump-sum ● *dichiarare f.* to default, to scratch

fórfora *sf* dandruff

forgiàre *vt* to forge ◇ (*modellare*) to shape, to mould

fórma *sf* shape, form ◇ (*stampo*) mould ◇ (*genere, tipo, stile, procedura*) form ◇ (*formalità*) formality, form, appearance ● **al pl** (*di persona*) figure ◇ (*forma fisica*) form, fitness

formàggio *sm* cheese

formàle *a* formal

formalità *sf* formality, form ● *senza f.* informally

formàre *vt* to form, to make ◇ (*modellare*) to shape, to mould ◆ *vpr* to form

formazióne *sf* formation ◇ (*addestramento*) training

formìca *sf* ant

formicolàre *vi* (*brulicare*) to swarm, to be full ◇ (*prudere*) to tingle

formicolìo *sm* swarming ◇ (*intorpidimento*) tingling, pins and needles

formidàbile *a* formidable, terrible ◇ (*straordinario*) wonderful

formóso *a* buxom, shapely

fòrmula *sf* formula

formulàre *vt* to formulate ◇ (*esprimere*) to express

fornàce *sf* furnace, (*per laterizi*) kiln

fornàio *sm* baker, (*negozio*) bakery

fornèllo *sm* stove, cooker

fornìre *vt* to furnish, to supply, to provide ◆ *vrif* to stock up

fornitóre *sm* supplier

fórno *sm* oven ◇ (*negozio*) bakery ● *f. a microonde* microwave oven

fóro (1) *sm* hole

fòro (2) *sm* (*dir*) forum, court of justice

fórse *avv* perhaps, maybe ◇ (*probabilmente*) probably ◇ (*circa*) about

fòrte *a* strong ◇ (*di suono*) loud ◇ (*di malattia*) bad, severe ◇ (*considerevole*) large, heavy ◇ (*profondo*) deep ◆ *avv* strongly, hard ◇ (*a volume alto*) loudly, loud ◇ (*velocemente*) fast ◇ (*con intensità*) hard, hardly

fortézza *sf* fortress

fortificazióne *sf* fortification

fortìno *sm* blockhouse

fortùito *a* fortuitous, chance

fortùna *sf* fortune, luck ◇ (*successo*) success ◇ (*emergenza*) emergency

fortunàto *a* lucky, fortunate

forùncolo *sm* boil

fòrza *sf* strength, force ◇ (*potere*) power ◇ (*fis*) force ◇ (*violenza*) force

forzàre *vt* to force, to compel ◇ (*sforzare*) to strain ◆ *vrif* to force oneself

forzatùra *sf* forcing

forzière *sm* coffer

foschìa *sf* haze, mist

fósco *a* gloomy, dark

fosforescènte *a* phosphorescent

fòsforo *sm* phosphor(us)

fòssa *sf* ditch, trench ◇ (*tomba*) grave

fossàto *sm* ditch

fòssile *a/sm* fossil

fòsso *sm* ditch, trench

fòto → **fotografia**

fotocàmera *sf* camera ● *f. digitale* digital camera

fotocòpia *sf* photocopy

fotoelèttrico *a* photoelectric(al)

fotogènico *a* photogenic

fotografàre *vt* to photograph, to take a picture

fotografia *sf* (*arte*) photography ◇ (*immagine*) photo(graph)

fotogràfico *a* photographic ● *macchina fotografica* camera

fotògrafo *sm* photographer

fotomodèlla *sf* model

fotomontàggio *sm* photomontage

fototèssera *sf* passport photo

fra *prep* (*fra due termini*) between, (*fra più di due termini*) among ◇ (*in mezzo*) amid, amidst ◇ (*partitivo e dopo un sup rel*) among, of ◇ (*tempo*) in, within (*distrib*) among

fracassàre *vt* to smash, to shatter ◆ *vpr* to break up

fracàsso *sm* din, racket

fràdicio *a* (*marcio*) rotten ◇ (*zuppo*) wet through, soaked ● *ubriaco f.* dead drunk

fràgile *a* fragile, brittle ◇ (*fig*) frail, fragile

fràgola *sf* strawberry

fragóre *sm* uproar, rumble

fragrànte *a* fragrant

fraintèndere *vt/i* to misunderstand

framménto *sm* fragment, splinter

fràna *sf* landslide

franàre *vi* to slide down ◇ (*est*) to collapse, to fall in

francése *a* French ◆ *sm/f* (*abitante*) Frenchman *m*, Frenchwoman *f* ◆ *sm* (*lingua*) French

franchézza *sf* frankness, openness

franchìgia *sf* franchise

frànco (1) *a* frank, open, sincere ◇ (*comm*) free, franco

frànco (2) *sm* (*moneta*) franc

francobóllo *sm* stamp

francòfono *a* Francophone

frangènte *sm* breaker ◇ (*situazione difficile*) predicament, awkward situation

fràngia *sf* fringe

frangiflùtti *a/sm* breakwater

frantumàre *vt* to shatter, to crush

frappórre *vt* to interpose, to put ◆ *vpr/rif* to intervene, to interfere

fràsca *sf* branch

fràse *sf* sentence, period ◇ (*locuzione, espressione*) phrase ● *f. fatta* cliché

fràssino *sm* ash

frastagliàto *a* indented, jagged

frastornàre *vt* to confuse, to daze

frastuòno *sm* noise, din

fràte *sm* friar, monk, (*appellativo*) Brother

fratellànza *sf* brotherhood, fraternity

fratèllo *sm* brother

fraternizzàre *vi* to fraternize

frattàglie *sf pl* entrails *pl*, (*di maiale*) chitterlings *pl*

frattànto *avv* meanwhile

frattùra *sf* fracture ◇ (*est*) break, rupture

fratturàre *vt/pr* to fracture, to break

frazionàre *vt* to divide, to split ◆ *vpr/rif* to split

frazióne *sf* fraction ◇ (*di comune*) hamlet

fréccia *sf* arrow ◇ (*aut*) indicator

freddàre *vt* to cool ◇ (*ammazzare*) to kill ◆ *vpr* to become cold

fréddo *a* cold, chilly, (*fresco*) cool ◆ *sm* cold, coldness, chilliness

freddolóso *a* cold-natured

freddùra *sf* witticism

fregàre *vt* to rub ◇ (*fam*) (*rubare*) to pinch, to cheat ◇ (*fam*) (*imbrogliare*) to cheat ● **fregarsene** to give a damn

fregatùra *sf* cheat, swindle

frégio *sm* (*arch*) frieze ◇ ornament

frèmere *vi* to tremble, to quiver, to throb

frenàre *vt* to brake ◇ (*fig*) to restrain, to check ◆ *vi* to brake ◆ *vrif* to restrain oneself

frenàta *sf* braking

frenètico *a* frantic, frenzied

fréno *sm* brake ◇ (*fig*) restraint, check

frequentàre *vt* to frequent, to go often to, (*scuola*) to attend ◇ (*persone*) to frequent, to go round with, to associate with ◆ *vrif* to see one another

frequènte *a* frequent

frequènza *sf* frequency ◇ (*assiduità*) attendance

frèsa *sf* cutter

frésco *a* fresh ◇ (*di temperatura*) cool, fresh, chilly ◆ *sm* cool,

coolness ● *tenere in f.* to keep in a cool place

frétta *sf* hurry, haste

frettolóso *a* hasty, hurried

friàbile *a* friable

frìggere *vt/i* to fry

frìgido *a* frigid

frigo → **frigorifero**

frigorìfero *a* refrigerating, freezing ◆ *sm* refrigerator, fridge

frittàta *sf* omelette

fritto *a* fried ◆ *sm* fry

frittùra *sf* fry

frìvolo *a* frivolous

frizióne *sf* (*sulla pelle*) rubbing, friction ◇ (*fis*) friction ◇ (*aut*) clutch

frizzànte *a* (*di bevanda*) fizzy, sparkling ◇ (*di aria*) crisp

frodàre *vt* to defraud, to cheat

fròde *sf* fraud, cheating

frollàre *vt* to hang

frónda *sf* branch

frontàle *a* frontal

frónte *sf* forehead ◇ (*di edificio*) front, frontage ◆ *sm* front ● *di f.* *a* opposite, in front of, (*paragone*) in comparison with

fronteggiàre *vt* to face up ◆ *vrif* to face each other

frontespìzio *sm* (*edil*) frontispiece ◇ (*editoria*) title-page

frontièra *sf* frontier, boundary

frontóne *sm* pediment, fronton

frónzolo *sm* frill, frippery ● *senza fronzoli* straightforward

fròttola *sf* fib

frugàle *a* frugal

frugàre *vt/i* to rummage, to ransack

fruìre *vi* to enjoy

frullàre *vt* to whip, to whisk

frullatóre *sm* mixer, blender

fruménto *sm* wheat

frusciàre *vi* to rustle

frùsta *sf* whip ◇ (*cuc*) whisk

frustàre *vt* to whip, to flog

frustrazióne *sf* frustration

frùtta *sf* fruit ● *essere alla f.* (*fig*) to have reached the end

fruttàre *vt* to yield, to make ◆ *vi* to bear fruit

fruttéto *sm* orchard

fruttificàre *vi* to fructify, to bear fruit

fruttivéndolo *sm* greengrocer

frùtto *sm* fruit ◇ (*econ*) interest, return ● *frutti di mare* seafood

fu *a* late

fucilàre *vt* to shoot

fucìle *sm* gun, rifle, shotgun

fùga *sf* flight, escape ◇ (*fuoriuscita*) leak ◇ (*mus*) fugue ◇ (*sport*) sprint

fugàce *a* fleeting, short-lived

fuggiàsco *a/sm* fugitive

fuggìre *vi* to flee, to run away, to escape ◆ *vt* to avoid

fùlcro *sm* fulcrum

fùlgido *a* shining

fulgóre *sm* brightness, splendour

fulìggine *sf* soot

fulminànte *a* fulminant

fulminàre *vt* to strike by lightning ◇ (*colpire*) to strike down, to strike dead ◆ *vpr* (*di lampadina*) to burn out

fùlmine *sm* lightning, thunderbolt ● *un f. a ciel sereno* a bolt from the blue

fulmìneo *a* lightning, instantaneous

fumaiòlo *sm* funnel

fumàre *vt* to smoke ◆ *vi* to smoke ◇ (*emettere vapore*) to fume, to steam

fumatóre *sm* smoker

fumétto *sm* strip cartoon, comics *pl*

fùmo *sm* smoke ◇ (*il fumare*) smoking ◇ (*vapore*) fume, steam

funàmbolo *sm* tight-rope walker

fùne *sf* rope, cable

fùnebre *a* funeral ◇ (*lugubre*) funereal, mournful

funeràle *sm* funeral

funeràrio *a* funerary

fùngere *vi* to act (as)

fùngo *sm* mushroom, (*med*) fungus ● *f. velenoso* toadstool

funicolàre *sf* funicular, cable rail

funivia *sf* cableway

funzionàle *a* functional ◇ (*pratico*) practical, useful

funzionaménto *sm* working, operation

funzionàre *vi* to work, to operate, to run ● *far f. qc* to operate st, to make st work

funzionàrio *sm* official, functionary

funzióne *sf* (*ruolo, scopo*) function, role, task ◇ (*carica*) function, office, position ◇ (*funzionamento*) operation, working ◇ (*relig*) ceremony, service ◇ (*scient*) function

fuòco *sm* fire ◇ (*fornello*) burner ◇ (*fot*) focus

fuorché *cong* except, but ◆ *prep* except (for), excepting

fuòri *avv* out, outside, (*all'aper-*

to) outdoors ◇ (*lontano*) away ◆
prep f. da/di out of, outside ● *f.*
orario out of hours
fuoribórdo *sm* outboard
fuoriclàsse *a/sm/f* champion
fuorilégge *a* illegal ◆ *sm/f* outlaw
fuoristràda *sm* cross-country vehicle
fuoriuscìta *sf* discharge, emission
fùrbo *a* cunning, shrewd
furènte *a* raging, furious
furfànte *sm/f* rascal
furgóne *sm* van
fùria *sf* fury, rage ◇ (*fretta*) rush ●
a f. di by dint of; *in fretta e f.* in a
rush
furibóndo *a* furious, enraged ◇
(*violento*) violent

furióso *a* furious, raging ◇ (*violento*) violent, wild
furóre *sm* fury, rage
furtìvo *a* furtive
fùrto *sm* theft
fùsa *sf pl* fare le f. to purr
fuscèllo *sm* twig
fusìbile *a* fusible ◆ *sm* (*el*) fuse
fusióne *sf* fusion ◇ (*econ*) merger, merging
fùso (1) *a* fused, melted
fùso (2) *sm* (*tess*) spindle ◇ (*orario*) time zone
fusolièra *sf* fuselage
fùsto *sm* (*bot*) stem, (*tronco*)
trunk ◇ (*arch*) shaft ◇ (*recipiente*) drum
futilità *sf* futility
futùro *a/sm* future ● *in f.* for the
future

G

gabbàre *vt* to cheat ◆ *vpr* to make
fun
gàbbia *sf* cage
gabbiàno *sm* sea-gull
gabinétto *sm* consulting room,
(*med*) surgery, (*scient*) laboratory
◇ (*pol*) cabinet ◇ (*servizi igienici*) toilet, lavatory, wc
gaffe *sf* blunder
gagliàrdo *a* strong, vigorous
gàio *a* gay
gàla *sf* (*festa*) gala ◇ (*trina*) frill
galànte *a* gallant ◇ (*amoroso*)
love, amorous
galanterìa *sf* gallantry
galàssia *sf* galaxy

galatèo *sm* etiquette, (good)
manners *pl*
galeóne *sm* galleon
galeòtto *sm* convict
galèra *sf* (*naut*) galley ◇ (*prigione*) jail, prison
gàlla *sf* gall
gàlla, a *loc.avv* afloat, floating ●
stare a g. to float; *venire a g.* to
surface
galleggiàre *vi* to float
gallerìa *sf* (*traforo*) tunnel ◇ (*di
miniera*) gallery, tunnel ◇ (*per
esposizione*) gallery ◇ (*cin*) circle, balcony ◇ (*strada coperta*)
arcade
gallése *a* Welsh ◆ *sm/f* (*abitante*)

Welshman *m*, Welshwoman *f* ◆ *sm* (*lingua*) Welsh

gallicismo *sm* Gallicism

gallina *sf* hen

gallo *sm* cock

galòppo *sm* gallop

gàmba *sf* leg ◇ (*di lettera, di nota musicale*) stem ● *essere in g.* to be smart, to be on top of the world

gamberétto *sm* prawn, (*di mare*) shrimp

gàmbero *sm* crayfish

gàmbo *sm* stem, stalk ● *g. di sedano* stalk of celery

gàmma *sf* range

gàncio *sm* hook

gànghero *sm* hinge

gàra *sf* competition, contest ◇ (*sport*) competition, race, match

garànte *sm/f* guarantee, warranter

garantìre *vt* to guarantee, to warrant ◇ (*rendersi garante per*) to vouch for ◇ (*assicurare*) to assure ◆ *vrif* to secure oneself

garanzìa *sf* guarantee, warrant, security

garbàto *a* polite, well-mannered

gareggiàre *vi* to compete

gargarismo *sm* gargle

garitta *sf* sentry box

garòfano *sm* carnation ● *chiodi di g.* cloves

gàrza *sf* gauze

garzóne *sm* (*garzone*) boy ◇ (*apprendista*) apprentice

gas *sm* gas ● *a tutto g.* at full speed; *g. di scarico* exhaust gas

gasòlio *sm* gas oil, diesel oil

gàstrico *a* gastric

gastrìte *sf* gastritis

gastronomìa *sf* gastronomy

gastronòmico *a* gastronomic

gàtto *sm* cat

gattopàrdo *sm* ocelot

gàudio *sm* joy

gavétta *sf* mess tin

gavitèllo *sm* buoy

gàzza *sf* magpie

gazzèlla *sf* gazelle

gazzétta *sf* gazette

gelàre *vt/i* to freeze

gelaterìa *sf* ice-cream shop

gelatìna *sf* (*cuc*) jelly, gelatine ◇ (*chim*) gelatin(e)

gelàto *a* icy, frozen ◆ *sm* ice-cream

gèlido *a* icy, freezing

gèlo *sm* cold ◇ (*brina*) frost

gelóne *sm* chilblain

gelosìa *sf* jealousy ◇ (*invidia*) envy ◇ (*cura scrupolosa*) solicitude

gelóso *a* jealous ◇ (*invidioso*) envious ◇ (*possessivo*) particular, jealous

gemellàggio *sm* twinning

gemèllo *a/sm* twin

gèmere *vi* to moan, to groan

gèmma *sf* gem, jewel ◇ (*bot*) bud

gène *sm* gene

genealogìa *sf* genealogy

generàle *a/sm* general

generalità *sf* generality ◇ (*maggior parte*) majority ◇ *al pl* personal particulars *pl*

generalizzàre *vt/i* to generalize

generàre *vt* to give birth to, to procreate ◇ (*produrre*) to produce ◇ (*causare*) to beget ◇

(*scient*) to generate ◆ *vpr* to be generated

generatóre *sm* generator

generazióne *sf* generation

gènere *sm* kind, type, sort, family ◊ (*biol*) genus ◊ (*gramm*) gender ◊ (*lett*) genre ◊ (*prodotto*) product, goods *pl* ● *generi alimentari* foodstuff

genèrico *a* generic, general

gènero *sm* son-in-law

generóso *a* generous, liberal

gènesi *sf* genesis, origin

genètico *a* genetic

gengìva *sf* gum

geniàle *a* ingenious

genialità *sf* ingeniousness, genius

gènio *sm* genius ◊ (*inclinazione*) talent, gift ◊ (*folletto*) genie, genius

genitàle *a* genital ◆ *sm al pl* genitals *pl*, genitalia *pl*

genitóre *sm* parent

gennàio *sm* January

gènte *sf* people *pl*

gentìle *a* kind, courteous ◊ (*delicato*) gentle

gentilézza *sf* kindness ◊ (*favore*) favour

genuinità *sf* genuineness

genuìno *a* genuine, authentic

geografìa *sf* geography

geogràfico *a* geographic(al) ● *carta geografica* map

geologìa *sf* geology

geometrìa *sf* geometry

geomètrico *a* geometric(al)

gerànio *sm* geranium

gerarchìa *sf* hierarchy

geràrchico *a* hierarchic(al)

gèrgo *sm* slang, (*professionale*) jargon

geriatrìa *sf* geriatrics *pl* (*v al sing*)

germànico *a* Germanic

gèrme *sm* germ ● *g. di grano* wheat germ

germóglio *sm* bud, sprout

geroglifico *sm* hieroglyph

gèsso *sm* chalk ◊ (*edil*, *scultura*) plaster

gèsta *sf pl* deeds *pl*

gestazióne *sf* gestation

gestióne *sf* management

gestìre (1) *vt* to run, to manage

gestìre (2) *vi* (*gesticolare*) to gesticulate

gèsto *sm* gesture, sign, (*del capo*) nod, (*della mano*) wave ◊ (*azione*) act, deed

gestóre *sm* manager ◊ (*tel*) provider

gesuìta *sm* Jesuit

gettàre *vt* to throw, (*con forza*) to hurl ◊ (*tecn*) to cast ◆ *vpr/rif* to throw oneself ◊ (*di fiume*) to flow

gèttito *sm* yield, revenue ● *g. fiscale* tax revenue

gètto *sm* jet, spurt, shoot ◊ (*bot*) sprout ◊ (*tecn*) casting ◊ (*aer*) jet ● *di g.* straight off

gettóne *sm* token ◊ (*per giochi*) counter

ghiacciàia *sf* ice-box

ghiacciàio *sm* glacier

ghiacciàre *vi/pr* to freeze

ghiàccio *sm* ice

ghiacciòlo *sm* icicle ◊ (*gelato*) ice lolly

ghiàia *sf* gravel

ghiànda sf acorn

ghiàndola sf gland

ghigliottìna sf guillotine

ghignàre vi to sneer

ghiòtto a gluttonous, greedy ◇ (appetitoso) delicious

ghiribìzzo sm fancy, caprice

ghirlànda sf garland, wreath

ghiro sm dormouse ◇ (fig) sleepyhead

ghìsa sf cast iron

già avv already ◇ (prima di ora, prima di allora) before, already, (nelle frasi interr) yet ◇ (un tempo) once, (precedentemente) formerly ◇ (da questo, quel momento) (ever) since, from ◇ (per indicare consenso) yes, of course, that's right

giàcca sf jacket ● g. a vento windcheater, anorak, (USA) windbreaker

giacché cong as, since

giacére vi to lie

giacimento sm layer, body, deposit

giacìnto sm hyacinth

giàllo a yellow ◆ sm (colore) yellow ◇ (libro, film) thriller ◇ (di semaforo) amber light ● g. dell'uovo egg yolk

giammài avv never

giapponése a/sm/f Japanese

giardinàggio sm gardening

giardinière sm gardener

giardìno sm garden ● g. d'infanzia kindergarten; g. pensile roof garden; g. pubblico park

giavellòtto sm javelin

gigànte a gigantic, giant ◆ sm giant

gigantésco a gigantic, huge

gigantìsmo sm gigantism

gìglio sm lily

gilè sm waistcoat, (USA) vest

ginecòlogo sm gynaecologist

ginepràio sm (bot) juniper bush ◇ (fig) fix, quagmire

ginépro sm juniper

ginèstra sf broom

gingillàrsi vpr to dawdle, to fiddle

gingìllo sm knick-knack

ginnàsio sm (stor) gymnasium

ginnàsta sm/f gymnast

ginnàstica sf gymnastics pl (v al sing), (fam) gym ◇ (attività fisica) exercise

ginòcchio sm knee ● stare in g. to kneel

giocàre vi to play ◇ (d'azzardo) to gamble ◇ (scommettere) to bet ◇ (in Borsa) to speculate ◇ (aver peso) to play a part ◆ vt to play ◇ (scommettere) to bet on, to gamble on ◇ (ingannare) to fool ◇ (rischiare) to risk

giocatóre sm player ◇ (d'azzardo) gambler

giocàttolo sm toy

giòco sm (svago) game, amusement ◇ (con regole) game ◇ (modo di giocare) play ◇ (giocattolo) toy ◇ (d'azzardo) gambling ◇ (scherzo) fun, joke ◇ (mecc) clearance, play ● carte da g. playing cards; g. di prestigio conjuring trick, magic trick; g. di società parlour game

giocolière sm juggler

giocóso a playful, merry

giógo sm yoke

giòia (1) *sf* joy

giòia (2) *sf* (*pietra preziosa*) jewel

gioielleria *sf* jewellery, (*negozio*) jeweller's (*shop*)

gioièllo *sm* jewel

gioìre *vi* to rejoice

giornàio *sm* newsagent ◇ (*edicola*) newsstand

giornàle *sm* newspaper, paper ◇ (*periodico*) journal, magazine ◇ (*registro*) journal ◇ (*diario*) diary ● *g. di bordo* log; *g. radio* news

giornalièro *a* (*di tutti i giorni*) daily, day-to-day ◇ (*di un giorno*) day

giornalìsmo *sm* journalism

giornalista *sm/f* journalist

giornàta *sf* day ● *buona g.!* (*separandosi*) have a nice day!

giórno *sm* day ◇ (*luce del giorno*) daylight, day ● *al g. d'oggi* nowadays; *buon g.!* (*incontrandosi*) good morning!; *g. e notte* night and day; *g. festivo/lavorativo* holiday/workday

giòstra *sf* (*stor*) joust ● merry-go-round, roundabout

giovaménto *sm* benefit

gióvane *a* young ◇ (*giovanile*) youthful, youth ◆ *sm/f* young man *m*, young woman *f* ● *vino g.* new wine

giovanile *a* youthful, youth ◇ (*di aspetto*) young-looking

giovanòtto *sm* young man

giovàre *vi* (*essere utile*) to be useful ◇ (*far bene*) to be good (for) ◆ *vpr* to take advantage (of)

giovedì *sm* Thursday

gioventù *sf* youth, (*i giovani*) young people

gioviàle *a* jovial, jolly

giovinézza *sf* youth

giradischi *sm* record-player

giràffa *sf* (*zool*) giraffe ◇ (*TV*) boom

giramóndo *sm/f* globe trotter

giràndola *sf* (*fuoco d'artificio*) catherine-wheel ◇ (*giocattolo*) windmill ◇ (*banderuola*) weathercock

giràre *vt* to turn ◇ (*fare il giro*, *visitare*) to go round, to tour ◇ (*mescolare*) to stir ◇ (*avvolgere*) to wind ◇ (*banca*) to endorse ◇ (*cin*) to shoot, to make ◆ *vi* to turn ◇ (*sul proprio asse*) to turn, to rotate, (*rapidamente*) to spin ◇ (*andare in giro*) to go round ◇ (*vagare*) to wander ◆ *vri* to turn (round) ● *mi gira la testa* I feel dizzy

girasóle *sm* sunflower

giravòlta *sf* twirl

girévole *a* turning, revolving ● *ponte g.* swing bridge

gìro *sm* (*rotazione*) turn ◇ (*percorso*) round ◇ (*cerchio*, *cerchia*) circle ◇ (*viaggio*) trip, tour ◇ (*passeggiata*) stroll, walk, (*in bici*, *treno*, *ecc*) ride, (*in auto*) drive ◇ (*mecc*) turn, revolution ● *a g. di posta* by return mail; *g. d'affari* turnover; *prendere in g. qn* to make fun of sb

girocòllo *sm* round-necked pullover ◇ (*collana*) necklace

girocónto *sm* bank giro

gironzolàre *vi* to wander around, to stroll about

girovagàre *vi* to wander about, to stroll about

gìta *sf* trip, excursion

gitàno *a* gipsy

giù *avv* down, *(al piano inferiore)* downstairs ● *in g.* down, downwards; *su per g.* more or less

giubbòtto *sm* jacket ◇ *(antiproiettile)* bullet-proof vest ◇ *(di salvataggio)* life jacket

giubilèo *sm* jubilee

giudicàre *vt* to judge ◇ *(dir)* to try ◇ *(considerare)* to consider, to think ◆ *vi* to judge ◇ *(dir)* to pass sentence

giùdice *sm/f* judge ● *g. di pace* Justice of the Peace

giudiziàrio *a* judicial

giudìzio *sm (dir)* judgment, *(causa)* trial, *(sentenza)* sentence ◇ *(opinione)* judgment, opinion ◇ *(discernimento)* wisdom, good sense

giudizióso *a* sensible

giùgno *sm* June

giullàre *sm* jester

giumènta *sf* mare

giùnco *sm* reed, rush

giùngere *vi* to arrive, to reach, to come, to get ◇ *(riuscire)* to succeed ◆ *vt (congiungere)* to join

giùngla *sf* jungle ● *g. di asfalto* concrete jungle

giùnta (1) *sf* addition ● *per g.* in addition

giùnta (2) *sf (comitato)* council, committee

giuntàre *vt* to join

giùnto *sm* joint, coupling

giunzióne *sf* junction

giuraménto *sm* oath ● *sotto g.* on oath

giuràre *vt/i* to swear ● *g. il falso* to perjure oneself

giuràto *sm* juror

giurìa *sf* jury

giurìdico *a* juridical

giurisdizióne *sf* jurisdiction

giurisprudènza *sf* jurisprudence, law

giurìsta *sm/f* jurist

giustapposizióne *sf* juxtaposition

giustézza *sf* justness ◇ *(esattezza)* exactness

giustificàre *vt* to justify ◇ *(scusare)* to excuse ◆ *vrif* to justify oneself ◇ *(scusarsi)* to excuse oneself

giustificazióne *sf* justification, excuse

giustìzia *sf* justice

giustiziàre *vt* to execute

giùsto *a (equo)* just, fair ◇ *(esatto)* right, correct, exact ◇ *(adatto)* right, suitable ◆ *sm* the right ◆ *avv (esattamente)* right, correctly ◇ *(proprio)* just

glaciàle *a* glacial

glàssa *sf* icing

gli (1) ◇ → **i**

gli (2) *pr.pers sing (riferito a persona o animale di sesso maschile)* (to, for) him; *(riferito a cosa o animale di sesso non specificato)* (to, for) it ◆ *pl* (to, for) them

glicemìa *sf* glycemia

glicerìna *sf* glycerin

glìcine *sm* wistaria, wisteria

globàle *a* global, total

globalizzazióne sm globalizzation, globalism

glòbo sm globe

glòbulo sm (anat) corpuscle

glòria sf glory

glossàrio sm glossary

glucòsio sm glucose

glùteo sm gluteus

gnòmo sm gnome

goal sm goal

gòbba sf hump

gòbbo a humpbacked ◇ (curvo) bent ♦ sm humpback ◇ (gobba) hump

góccia sf drop

gocciolàre vt/i to drip

godére vt to enjoy ♦ vi (rallegrarsi) to be glad, to be delighted, to take delight in, to enjoy ◇ (fruire) to enjoy

godiménto sm enjoyment

gòffo a awkward, clumsy

góla sf throat ◇ (golosità) greediness, gluttony ◇ (geogr) gorge ● fare g. to tempt

gólfo sm gulf

golosità sf gluttony, greediness ◇ (boccone prelibato) titbit

golóso a greedy, gluttonous

gómito sm elbow ◇ (di strada) sharp bend ◇ (mecc) crank

gomitolo sm ball

gómma sf rubber ◇ (resina) gum ◇ (per cancellare) eraser ◇ (pneumatico) tyre ● forare una g. to get a puncture

gommapiùma sf foam-rubber

gommista sm/f tyre repairer

gommóne sm rubber dinghy

gonfiàre vt to swell, (con aria) to blow (up), to inflate ◇ (fig) to swell, to exaggerate ♦ vpr to swell

gónfio a swollen, (d'aria) inflated

gonfióre sm swelling

gònna sf skirt

górgo sm whirlpool

gorilla sm gorilla ◇ (fig) bodyguard

gòtico a Gothic

governànte sm governor, ruler ♦ sf (di casa) housekeeper, (bambinaia) nurse, governess

governàre vt to govern, to rule ◇ (dirigere) to run, to conduct ◇ (prendersi cura di) to take care of ◇ (controllare) to control ♦ vi (naut) to steer

governativo a government, state

governatóre sm governor

govèrno sm government, rule ◇ (direzione) direction, running ◇ (cura) care

gracchiàre vi to crook, (di corvo) to caw

gracidàre vi to croak

gràcile a weak, frail

gradàsso sm boaster

gradazióne sf gradation ◇ (sfumatura) shade ● g. alcolica alcoholic content

gradévole a pleasant, agreeable

gradiménto sm pleasure, liking ◇ (approvazione) approval, acceptance

gradinàta sf steps pl ◇ (di teatro, stadio) stands pl, tiers pl

gradino sm step

gradire vt to like ◇ (accogliere con piacere) to appreciate, to be pleased with

gràdo *sm* degree ◇ (*posizione*) rank, grade ◇ (*mil*) rank, (*gallone*) stripe ●*essere in g. di fare qc* to be able to do st

graduàle *a* gradual

graduàre *vt* to graduate

graduàto *a* graded ◇ (*provvisto di scala graduata*) graduated ◆ *sm* (*mil*) non-commissioned officer

graduatòria *sf* classification, list

graffétta *sf* clip, paperclip ◇ (*punto metallico*) staple

graffiàre *vt* to scratch ◇ (*fig*) to bite ◆ *vpr* to get scratched

gràffio *sm* scratch

graffito *sm* graffito

grafìa *sf* handwriting

gràfico *a* graphic ◆ *sm* graph, (*statistico*) chart ◇ (*disegnatore*) graphic designer

grafologìa *sf* graphology

gramìgna *sf* Bermuda grass ◇ (*fig*) weed

grammàtica *sf* grammar

gràmmo *sm* gram

gràna *sf* (*struttura*) grain ◇ (*fam*) (*problema*) trouble, hassle ◇ (*pop*) (*quattrini*) money

granàta *sf* (*mil*) grenade

grànchio *sm* crab ◇ (*fig*) (*errore*) blunder

grandàngolo *sm* wide-angle lens

grànde *a* (*di dimensioni*) big, large, (*largo*) wide ◇ (*elevato*) high, (*di statura*) tall ◇ (*numeroso*) large, great ◇ (*notevole, intenso*) great ◇ (*fuori misura*) large, big ◇ (*adulto*) grown-up

◆ *sm* (*adulto*) adult, grown-up ◇ (*personalità*) great man

grandézza *sf* (*dimensione*) size ◇ (*ampiezza*) width, breadth ◇ (*fig*) greatness ◇ (*grandiosità*) grandeur ◇ (*scient*) quantity

grandinàre *vimp* to hail

gràndine *sf* hail

grandióso *a* grand, magnificent

granducàto *sm* grand duchy

granèllo *sm* grain, (*di polvere*) speck

granito *sm* granite

gràno *sm* (*frumento*) wheat ◇ (*granello*) grain

grantùrco *sm* maize, (*USA*) corn ●*pannocchia di g.* corn-cob

granulóso *a* grainy, granular

gràppolo *sm* cluster, bunch ●*un g. d'uva* a bunch of grapes

gràsso *a* fat ◇ (*unto*) greasy, fatty ◇ (*di pianta*) succulent ◆ *sm* fat ◇ (*lubrificante*) grease

gràta *sf* grating

graticola *sf* grill

gratifica *sf* bonus

gratificàre *vt* to be rewarding, to gratify

gràtis *avv* free, gratis

gratitùdine *sf* gratitude

gràto *a* grateful

grattacièlo *sm* skyscraper

grattàre *vt* to scratch, (*raschiare*) to scrape ◇ (*grattugiare*) to grate ◇ (*fam*) (*rubare*) to pinch ◆ *vi* to grate ◆ *vrif* to scratch oneself

grattugiàre *vt* to grate

gratùito *a* free ◇ (*ingiustificato*) gratuitous

gravàre *vi* to weigh, to lie ♦ *vt* to burden

gràvea (*pesante*) heavy ◇ (*duro*) harsh, severe, grievous ◇ (*serio, importante*) serious ◇ (*solenne*) solemn, grave ◇ (*fonetica*) grave ◇ (*mus*) low, grave

gravidànza *sf* pregnancy ● *analisi di g.* pregnancy test

gràvido *a* pregnant ◇ (*fig*) laden

gravità *sf* gravity, seriousness ◇ (*fis*) gravity

gràzia *sf* grace ◇ (*favore*) favour ◇ (*dir*) mercy

graziàre *vt* to pardon

gràzie *inter* thank you!, thanks! ● *g. mille!* many thanks; *no, g.* no, thanks; *sì, g.* yes, please

grazióso *a* pretty ◇ (*piacevole*) pleasant

gregàrio *sm* follower

grégge *sm* flock

gréggio *a* raw, crude ♦ *sm* crude oil

grembiùle *sm* apron, smock, (*da bambino*) pinafore

grèmbo *sm* lap ◇ (*ventre materno*) womb

gremìto *a* full, packed, crowded

gréto *sm* pebbly shore

grétto *a* mean, narrow-minded

grézzo → greggio

gridàre *vt/i* to shout, to cry, to scream

grìdo *sm* cry, shout, scream

grìgio *a* grey

griglia *sf* grill ◇ (*scient*) grid ● *pesce alla g.* grilled fish

grigliàta *sf* grill ● *g. mista* mixed grill

grillétto *sm* trigger

grìllo *sm* cricket ◇ (*fig*) whim, fancy

grimaldèllo *sm* picklock, lock-pick

grìnta *sf* grit, spunk

grìnza *sf* wrinkle, (*su stoffa*) crease

grippàre *vi/pr* to seize, to bind

grissìno *sm* breadstick

grondàia *sf* gutter

grondàre *vt* to pour ♦ *vi* to stream, to drip

gròppa *sf* back

grossézza *sf* largeness, bigness ◇ (*dimensione*) size ◇ (*spessore*) thickness

grossìsta *sm/f* wholesaler

gròsso *a* big, large, great ◇ (*grave*) big, serious ◇ (*importante*) big, important ● *farla grossa* to screw up big

grossolàno *a* coarse, rough ◇ (*madornale*) gross

grossomòdo *avv* roughly, approximately

gròtta *sf* cave

grottésco *a* grotesque

groviglio *sm* tangle

gru *sf* crane

grùccia *sf* crutch ◇ (*per abiti*) coat-hanger

grugnìto *sm* grunt

grùgno *sm* snout

grùllo *a/sm* stupid

grùmo *sm* clot ◇ (*di farina*) lump

grùppo *sm* group, (*di persone*) party ◇ (*mecc*) unit, set ● *g. di lavoro* working party; *lavoro di g.* team work

grùzzolo *sm* hoard

guadagnàre vt to earn, to gain ♦ vi to earn

guadàgno sm gain, profit, earnings pl

guado sm ford

guaìna sf sheath

guàio sm trouble, fix

guaìre vi to yelp, to cry

guància sf cheek

guanciàle sm pillow

guànto sm glove

guardàre vt to look at ◊ (dare un'occhiata) to have a look ◊ (guardare fisso) to gaze at, to stare ◊ (guardare di sfuggita) to glance at ◊ (guardare furtivamente) to peep ◊ (osservare) to watch, to look, to observe, (scrutare) to eye ◊ (custodire, sorvegliare) to look after, to watch over ◊ (difendere) to defend, (proteggere) to protect ◊ (considerare) to consider, to view, to look at ◊ (esaminare) to look over, to look into ♦ vi to look at ◊ (essere orientato) to face, to look out on ◊ (considerare) to look on ◊ (cercare) to try ◊ (badare) to see, to mind, to be careful ♦ vrif to look at oneself ◊ (stare in guardia) to beware, to mind ◊ (astenersi) to forbear, to abstain ◊ (reciproco) to look at each other

guardaròba sm wardrobe ◊ (di locale pubblico) cloak-room, (USA) checkroom, coat check

guàrdia sf (sorveglianza) guard, watch ◊ (persona) guard

guardiàno sm keeper, warden ● g. notturno night-watchman

guarigióne sf recovery, (di ferita) healing

guarìre vi to recover, (di ferita) to heal ◊ (fig) to get out ♦ vt to cure, to heal

guarnigióne sf garrison

guarnìre vt (ornare) to trim ◊ (cuc) to garnish

guarnizióne sf (ornamento) trimming ◊ (mecc) washer, gasket

guastafèste sm/f spoilsport

guastàre vt to spoil, to damage, to ruin ♦ vpr to break down, to fail

guàsto a (danneggiato) damaged, out of order ◊ (marcio) rotten ♦ sm breakdown, fault, failure, damage

guazzabùglio sm muddle, jumble

guèrra sf war, warfare

guerrièro a warlike ♦ sm warrior

guerrìglia sf guerrilla

gùfo sm owl

gùglia sf spire, (di campanile) steeple

guìda sf guide ◊ (libro) guide, handbook ◊ (direzione) direction, leadership ◊ (mecc) guide, slide ◊ (aut) steering, drive, driving

guidàre vt to guide ◊ (amministrare) to run, to manage ◊ (essere a capo) to lead ◊ (un veicolo) to drive

guinzàglio sm lead, leash

guizzàre vi to dart

gùscio sm shell ◊ (di legumi) pod, husk

gustàre *vt* to enjoy ◇ *(assaggiare)* to taste

gùsto *sm* taste ◇ *(aroma)* flavour ◇ *(voglia)* fancy ◇ *(piacere)* relish, gusto, enjoyment

gustóso *a* tasty ◇ *(divertente)* amusing

gutturàle *a* guttural

H

hàbitat *sm* habitat

handicappàto *a* handicapped ♦ *sm* handicapped person, disabled person

hascìsc *sm* hashish

hashìsh *sm* hashish

hawaiàno *a/sm* Hawaiian

hennè *sm* henna

herpes *sm* herpes

hobbìsta *sm/f* hobbyist

hockey *sm* hockey ● *h. su ghiaccio* ice hockey; *h. su pista* roller hockey

hollywoodiàno *a* Hollywood

hostess *sf* flight attendant

hot line *sf* hotline ◇ *(per messaggi erotici)* sex hotline

hub *sm (inform)* hub ◇ *(aeroporto)* hub, hub airport

hurrà *inter* hurrah!

I

i o **gli** *art* the *(spesso non si traduce o si rende con un agg poss o un partitivo)* (ES: **i dolci fanno ingrassare** sweets are fattening; **ho comprato i biscotti** I have bought some cookies)

ibernazióne *sf* hibernation

ìbrido *a/sm* hybrid

icòna *sf* icon

iconografìa *sf* iconography

idèa *sf* idea ◇ *(intenzione)* mind, intention ◇ *(ideale)* ideal ● *non ne ha la più pallida i.* he doesn't have a clue

ideàle *a/sm* ideal

idealizzàre *vt* to idealize

ideàre *vt* to conceive ◇ *(progettare)* to plan

idèntico *a* identical

identificàre *vt* to identify ♦ *vrif* to identify oneself ♦ *vpr* to be ident-ical

identificazióne *sf* identification

identità *sf* identity

ideogràmma *sm* ideogram

ideològico *a* ideological

idilliaco *a* idyllic

idiòma *sm* language, idiom

idiomàtico *a* idiomatic

idiòta *a* idiotic, stupid ♦ *sm/f* idiot

idiozìa *sf* idiocy ◇ *(azione idiota)* stupid thing

ìdolo *sm* idol

idòneo *a* fit, suitable

idrànte *sm* hydrant

idratànte *a* hydrating ◇ (*di cosmetico*) moisturizing

idràulico *a* hydraulic ◆ *sm* plumber

ìdrico *a* water

idrocarbùro *sm* hydrocarbon

idròfilo *a* hydrophilic ● *cotone i.* cotton wool

idrofobìa *sf* hydrophobia

idrògeno *sm* hydrogen

idrografìa *sf* hydrography

idromassàggio *sm* hydromassage, (*vasca*) Jacuzzi

idrovolànte *sm* seaplane

ièlla *sf* (*fam*) bad luck

ièna *sf* hyena

ièri *avv/sm* yesterday ● *i. l'altro, l'altro i.* the day before yesterday, the other day

igiène *sf* hygiene ◇ (*salute*) health ● *i. dentale* dental care

igiènico *a* hygienic, sanitary ◇ (*salutare*) healthy

ignàro *a* unaware

ignìfugo *a* fireproof

ignòbile *a* ignoble, base

ignorànte *a* ignorant, uneducated ◇ (*maleducato*) rude, impolite

ignorànza *sf* ignorance

ignoràre *vt* not to know, to be unaware of ◇ (*trascurare*) to ignore ◆ *vrif* to ignore each other

ignòto *a* unknown ◆ *sm* the unknown ◇ (*persona*) unknown person

il o **lo** *art* the (*spesso non si traduce o si rende con un agg poss, con l'art indef o con un partitivo*) (ES: *adoro il vino bianco* I love white wine; **ho perso il por-**

tafoglio I lost my wallet; **la rosa è un fiore profumato** a rose is a fragrant flower; **vai a comprare il pane** go and buy some bread)

ilarità *sf* hilarity, cheerfulness

illazióne *sf* illation, inference

illécito *a* illicit

illegàle *a* illegal, unlawful

illéso *a* unhurt, unharmed ◇ (*fig*) intact

illetteràto *a* illiterate, ignorant

illibàto *a* pure, virgin

illimitàto *a* boundless, unlimited

illògico *a* illogical

illùdere *vt* to deceive, to delude ◆ *vrif* to deceive oneself, to delude oneself

illumināre *vt* to light up, to illuminate ◇ (*fig*) to enlighten ◆ *vpr* to lighten

illuminazióne *sf* lighting, illumination ◇ (*fig*) flash of inspiration

illusióne *sf* illusion, delusion ● *non farsi illusioni su qc* to have no illusions about st; *i. ottica* optical illusion

illustràre *vt* to illustrate

illustrazióne *sf* (*spiegazione*) illustration, explanation ◇ (*figura*) picture, illustration

illùstre *a* distinguished, famous

imballàggio *sm* (*l'imballare*) packing ◇ (*involucro*) package

imballàre *vt* to pack ◇ (*motore*) to race

imbalsamàre *vt* to embalm, (*animali*) to stuff

imbandìre *vt* to prepare, (*la tavola*) to lay

imbarazzànte *a* embarrassing

imbarazzàre *vt* to embarrass ◇

(*ostacolare*) to hamper ◆ *vpr* to be embarrassed

imbarazzo *sm* (*disagio*) embarrassment ◇ (*disturbo, impaccio*) trouble, obstacle

imbarcàre *vt* to embark, to take on board ◆ *vrif* to embark, to go aboard, to board ◇ (*prendere servizio su una nave*) to sign on ◇ (*fig*) to embark on, to engage in ◆ *vpr* (*deformarsi*) to warp

imbarcazione *sf* boat, craft

imbàrco *sm* embarkation, embarking, shipping ◇ (*aer*) boarding ◇ *i. immediato* now boarding

imbàttersi *vpr* to run into, to run up

imbattibile *a* unbeatable ◇ (*insuperabile*) unsurpassable

imbavagliàre *vt* to gag

imbecille *sm/f* stupid, imbecile

imbellire *vt* to make beautiful, to embellish ◆ *vpr* to become beautiful

imbèrbe *a* beardless

imbiancàre *vt* to whiten, to paint, to whitewash ◆ *vpr* to become white

imbianchino *sm* (house-)painter

imboccàre *vt* to feed ◇ (*entrare in*) to enter, to come on to, to turn into ◇ (*portare alla bocca*) to put to one's mouth

imboccatùra *sf* mouth ◇ (*di strada, galleria*) entrance ◇ (*di strumento a fiato*) mouthpiece

imbòcco *sm* entrance

imbonitóre *sm* barker

imboscàre *vt* to put into safe keeping ◆ *vrif* (*evitare il servizio militare*) to evade military ser-

vice ◇ (*eludere*) to shirk

imboscàta *sf* ambush

imbottigliàre *vt* to bottle ◇ (*bloccare*) to block ◆ *vpr* (*nel traffico*) to get caught in a traffic jam

imbottire *vt* to stuff, to pad ◇ (*farcire*) to fill

imbottitùra *sf* stuffing, padding

imbrattàre *vt* to dirty, to soil

imbrigliàre *vt* to bridle ◇ (*un torrente*) to dike

imbroccàre *vt* to hit ◇ (*fig*) to guess

imbrogliàre *vt* to cheat ◇ (*confondere*) to mix up ◇ (*arruffare*) to tangle, to entangle ◆ *vpr* (*confondersi*) to get confused ◇ (*arruffarsi*) to get tangled, to get entangled

imbròglio *sm* (*inganno*) trick, fraud ◇ (*impiccio*) scrape, fix ◇ (*intrico*) tangle

imbronciàto *a* sulky

imbruttire *vt* to make ugly ◆ *vi/p* to become ugly

imbucàre *vt* to post

imburràre *vt* to butter

imbùto *sm* funnel

imitàre *vt* to imitate, to copy ◇ (*fare l'imitazione*) to mimic ◇ (*contraffare*) to forge

imitazióne *sf* imitation ◇ (*contraffazione*) fake ◇ (*di attore*) impersonation, imitation

immaginàre *vt* to imagine, to fancy ◇ (*supporre*) to suppose, to think ◇ (*inventare*) to invent, to think up

immaginàrio *a* imaginary, fictitious

immaginazióne *sf* imagination, fancy

immàgine *sf* image ◇ *(disegno, illustrazione)* figure, picture, illustration

immàne *a* enormous ◇ *(spaventoso)* appalling, tremendous

immangiàbile *a* uneatable

immatricolàre *vt (persona)* to enrol ◇ *(veicolo)* to register ◆ *vrif* to enrol oneself

immatùro *a (frutto)* unripe ◇ *(fig)* immature ◇ *(prematuro)* premature, untimely

immediataménte *avv* immediately

immediàto *a* immediate, prompt

immemoràbile *a* immemorial

immensità *sf* immensity

immènso *a* immense, huge

immèrgere *vt* to immerse, to dip, to plunge ◆ *vrif* to plunge, *(di subacqueo)* to dive, *(di sottomarino)* to submerge ◇ *(dedicarsi)* to immerse oneself, to give oneself up

immersióne *sf* immersion, dip, plunge ◇ *(di subacqueo)* dive, *(di sottomarino)* submersion ◇ *(naut)* draft

immèttere *vt* to introduce, to put in, to put on ◆ *vi* to lead to ◆ *vrif* to get into, to get onto

immigràto *a/sm* immigrant

immigrazióne *sf* immigration

imminènte *a* imminent, forthcoming

immischiàre *vt* to involve ◆ *vpr* to meddle in, to interfere

immissàrio *sm* tributary

immissióne *sf* immission, input

immòbile *a* immovable, *(fermo)* still, motionless ◆ *sm* real estate immovable, *(palazzo)* building

immobiliàre *a* immovable ● *proprietà i.* real estate, real property

immobilizzàre *vt* to immobilize ◇ *(econ)* to lock up, to tie up ◆ *vpr/rif* to freeze

immondìzia *sf* garbage, rubbish, trash ● *vietato depositare i.* no dumping

immóndo *a* filthy

immoràle *a* immoral

immortàle *a/sm/f* immortal

immortalità *sf* immortality

immùne *a* immune ◇ *(libero)* free, *(esente)* exempt

immunità *sf* immunity ◇ *(esenzione)* exemption

immunitàrio *a* immune ● *sistema i.* immune system

immunizzàre *vt* to immunize ◆ *vrif* to immunize oneself, to become immune

immutàbile *a* immutable

impacchettàre *vt* to wrap up, to package

impacciàto *a (goffo)* awkward ◇ *(a disagio)* ill at ease

impàccio *sm* hindrance, obstacle ◇ *(situazione difficile)* scrape, trouble ◇ *(imbarazzo)* embarrassment

impàcco *sm* compress

impadronìrsi *vpr* to take possession, to appropriate, *(con la violenza)* to seize ◇ *(fig)* to master

impaginàre *vt* to lay out in pages, to paginate

impalàto *a* stiff

impalcatùra *sf* scaffolding ◇ *(struttura)* framework

impallidìre *vi* to turn pale ◇ *(svanire)* to fade

impalpàbile *a* impalpable

impanàre *vt (cuc)* to crumb, to bread

impappinàrsi *vpr* to get flustered, to falter

imparàre *vt* to learn

imparentàrsi *vpr* to become related to

impari *a* unequal, uneven

impartìre *vt* to impart, to give

imparziàle *a* impartial

impassìbile *a* impassive, unmoved *(pred)*

impastàre *vt* to knead, to mix ♦ *vpr* to merge

impàsto *sm* mixture

impàtto *sm* impact ● *i. ambientale* environmental impact

impaurìre *vt* to frighten, to scare ♦ *vpr* to get frightened, to be scared

impaziènte *a* impatient

impazzàta, all' *loc.avv* wildly, madly

impazzìre *vi* to go mad, to go crazy ◇ *(di apparecchio)* to go haywire ◇ *(di salsa)* to curdle ● *far i. qn* to drive sb crazy; *i. per qc/qn* to be mad about st/sb

impeccàbile *a* impeccable

impedimènto *sm* impediment

impedìre *vt* to prevent, to keep (from) ◇ *(ostruire)* to obstruct, to bar ◇ *(impacciare)* to hamper, to hinder

impegnàre *vt (dare in pegno)* to pawn, to pledge ◇ *(investire)* to invest ◇ *(vincolare)* to bind ◇ *(prenotare)* to reserve, to book ◇ *(mil)* to engage ◇ *(occupare)* to take up, to keep busy ♦ *vrif (prendersi un impegno)* to undertake, to commit oneself, to engage oneself ◇ *(dedicarsi)* to devote oneself ◇ *(farsi garante)* to go bail ◇ *(essere coinvolto)* to be involved

impegnatìvo *a* binding ◇ *(che richiede impegno)* exacting, demanding, time-consuming

impégno *sm* engagement, *(promessa)* promise, *(obbligo)* obligation, pledge ◇ *(applicazione)* care, diligence

impellènte *a* impelling, urgent

impennàta *sf (di cavallo)* rearing up ◇ *(aer)* zoom ◇ *(rialzo)* sudden rise

impensierìre *vt/pr* to worry

imperatìvo *a/sm* imperative

imperatóre *sm* emperor

impercettìbile *a* imperceptible

imperdonàbile *a* unforgivable

imperfètto *a/sm* imperfect

imperfezióne *sf* imperfection, flaw

imperiàle *a* imperial

imperizìa *sf* unskilfulness

impermeàbile *a* impermeable, *(all'acqua)* waterproof, *(all'aria)* airtight ♦ *sm* mackintosh, raincoat

impemiàre *vt* to hinge, to pivot ◇ *(fig)* to base ♦ *vpr* to hinge, to pivot ◇ *to be based*

impèro *sm* empire

impersonàle *a* impersonal ◇ (*banale*) banal

impersonàre *vt* to personify ◇ (*interpretare*) to play, to impersonate

impertèrrito *a* imperturbable, impassive

impertinènte *a* impertinent, cheeky

imperturbàbile *a* imperturbable

imperversàre *vi* to rage ◇ (*essere diffuso*) to be the rage

ìmpeto *sm* impetus, violence ◇ (*impulso*) fit, impulse

impettìto *a* stiff

impetuóso *a* violent, forceful ◇ (*impulsivo*) impetuous, impulsive

impiànto *sm* plant, system, installation ◇ (*costituzione*) establishment ◇ (*struttura*) framework

impiccàre *vt* to hang ◇ (*fig*) to put on the spot ◆ *vrif* to hang oneself

impiegàre *vt* (*usare*) to use, to make use of ◇ (*spendere*) to use, to spend ◇ (*di tempo, metterci*) to take ◇ (*assumere*) to take on, to employ ◇ (*investire*) to invest ◆ *vrif* to get a job

impiegàto *sm* employee, officeworker, clerk

impiègo *sm* (*uso*) use ◇ (*lavoro*) job, position, employment ◇ (*investimento*) investment

impietrìre *vt* to petrify ◆ *vi/pr* to become petrified

impigrìre *vt* to make lazy ◆ *vi/pr* to become lazy

implacàbile *a* implacable

implicàre *vt* to involve, to implicate ◇ (*comportare*) to imply

implicazióne *sf* implication

implìcito *a* implicit

impollinazióne *sf* pollination

imponènte *a* imposing

imponìbile *a* taxable ◆ *sm* taxable income

impopolàre *a* unpopular

impórre *vt* to impose ◇ (*ordinare*) to order, to force, to make ◇ (*stabilire*) to fix ◇ (*esigere*) to call for ◆ *vpr/rif* to impose oneself, to stand out ◇ (*farsi valere*) to assert oneself ◇ (*avere successo*) to become popular, to be successful ◇ (*rendersi necessario*) to be called for

importànte *a* important

importànza *sf* importance

importàre *vt* to import ◆ *vi* (*avere importanza*) to matter, to care ◇ (*essere necessario*) to be necessary ● *non importa!* it doesn't matter!

importazióne *sf* importation, import

impòrto *sm* amount, sum

importunàre *vt* to bother

imposizióne *sf* imposition ◇ (*ordine*) order, command ● *i. fiscale* taxation

impossessàrsi *vpr* to take possession, to seize ◇ (*fig*) to master

impossìbile *a* impossible ◆ *sm* (the) impossible ● *fare l'i.* to do one's best, to do all one can

impossibilità *sf* impossibility

impòsta (1) *sf* tax, duty

impòsta (2) *sf* (*di finestra*) shutter

impostàre (1) vt (gettare le basi) to set up, to lay down ◇ (formulare) to set out, to lay out, to formulate

impostàre (2) vt (corrispondenza) to post, to mail

impostazióne sf definition, formulation, statement

impotènte a impotent

impraticàbile a impracticable, (di strada) impassable

impratichìre vt to train ◆ vpr to practise, to get to know

imprecàre vi to curse

imprecisàto a unspecified

impregnàre vt to soak, to impregnate ◇ (fig) to fill ◆ vpr to become impregnated, to become soaked ◇ (fig) to be filled

imprenditóre sm entrepreneur

impreparàto a unprepared

imprésa sf enterprise, undertaking ◇ (azione) exploit ◇ (ditta) business, enterprise, firm, concern

impressionàbile a sensitive

impressionànte a impressive, striking, shocking

impressionàre vt to impress, to strike, to shock ◇ (turbare) to move, to upset ◇ (fot) to expose ◆ vpr to be struck, to be shocked ◇ (fot) to be exposed

impressióne sf impression ◇ (sensazione) sensation, feeling ◇ (impronta) impress, imprint

imprestàre vt to lend

imprevedìbile a unforeseeable

imprevisto a unforeseen, unexpected ◆ sm unexpected event

imprigionàre vt to imprison, to

put in prison ◇ (rinchiudere) to confine, to trap

imprìmere vt to impress, to imprint ◇ (comunicare) to give, to impart ◆ vpr to be impressed

improbàbile a improbable, unlikely

imprónta sf imprint, impression, mark ◇ (di piede) footprint ◇ (traccia) track ◇ (fig) stamp, mark ● **impronte digitali** fingerprints

impropèrio sm abuse ● **coprire qn di improperi** to abuse sb, to insult sb

impròprio a improper

improvvisàre vt/i to improvise ◆ vrif to play

improvviso a sudden

imprudènte a imprudent, rash

impudènte a impudent, shameless

impudìco a indecent

impugnàre vt to grasp, to grip ◇ (dir) (contestare) to impugn, to contest

impulsivo a impulsive

impùlso sm impulse

impunemènte avv with impunity

impuntàrsi vpr to jib, to stop dead ◇ (ostinarsi) to be obstinated

impùro a impure

imputàre vt (attribuire) to impute, to ascribe ◇ (accusare) to accuse, to charge

imputàto sm defendant

imputridìre vi to rot, to putrefy

in prep (stato in luogo) in, at, (sopra) on (ES: **in forno** in the oven; **stare in casa** to stay at home; **in**

prima pagina on the front page; **in via Mazzini** on Mazzini street) ◊ *(moto a luogo)* to, *(verso l'interno)* into (ES: **andare in Inghilterra** to go to England; **entrare nella stanza** to get into the room) ◊ *(moto per luogo)* through, across, round (ES: **correre nei campi** to run across the fields) ◊ *(trasformazione)* in, into (ES: **tradurre dall'inglese in italiano** to translate from English into Italian) ◊ *(tempo)* in, on, at (ES: **in primavera** in spring; **in questo momento** at this moment, right now; **in quel giorno** on that day) ◊ *(modo, condizione)* in, on, at (ES: **in fretta** in a hurry; **stare in piedi** to stand on one's feet) ◊ *(limitazione)* in, at (ES: **è bravo nel lavoro** he's good at work) ◊ *(mezzo)* by, in, on (ES: **viaggiare in treno** to travel by train; **pagare in dollari** to pay in dollars) ◊ *(materia)* idiom (ES: **una borsa in pelle** a leather bag)

in- *prefisso* un-

inabissàrsi *vpr* to sink

inaccessìbile *a* inaccessible

inacidìre *vt* to sour ◆ *vi/pr* to turn sour

inadempiènza *sf* default

inafferràbile *a* elusive ◊ *(fig)* incomprehensible

inalàre *vt* to inhale

inamidàre *vt* to starch

inammissìbile *a* inadmissible ◊ *(ingiustificabile)* unjustifiable

inanimàto *a* inanimate

inappetènza *sf* lack of appetite

inarcàre *vt/pr/rif* to bend, to curve

inaridìre *vt/pr* to dry up, to wither

inaspettàto *a* unexpected

inasprìre *vt* to embitter, to exacerbate ◊ *(aggravare)* to sharpen, to aggravate ◆ *vpr* to become embittered, to become harsher

inattìvo *a* inactive, idle

inauguràre *vt* to inaugurate, to open

inaugurazióne *sf* inauguration, opening

inavvertènza *sf* inadvertence, oversight

incallìto *a* hardened, callous ◊ *(fig)* inveterate

incalzàre *vt* to follow closely ◊ *(fig)* to press, to urge ◆ *vi* to press, to be imminent

incameràre *vt* to appropriate

incamminàrsi *vpr* to set out, to start

incanalàre *vt* to canalize ◊ *(fig)* to direct ◆ *vpr* to flow

incandescènte *a* incandescent, white-hot

incantàre *vt* to charm, to bewitch ◆ *vpr* to be charmed, to be spellbound ◊ *(incepparsi)* to jam

incantésimo *sm* spell, charm

incànto (1) *sm* spell, enchantment

incànto (2) *sm* *(asta)* auction

incapàce *a* unable, incompetent ◆ *sm/f* incompetent

incapacità *sf* incapacity, incompetence

incappàre *vi* to run into, to get into

incarceràre *vt* to imprison

incaricàre *vt* to charge, to entrust ◆ *vrif* to undertake, to take upon oneself

incaricàto *sm* delegate, appointee

incàrico *sm* task, job ◇ (*nomina*) appointment

incarnàre *vt* to incarnate, to embody ◆ *vpr* to become incarnate ◇ (*di unghia*) to grow in

incartaménto *sm* file, dossier

incartàre *vt* to wrap up

incassàre *vt* (*merce*) to pack ◇ (*edil*) to embed, to build in ◇ (*incastonare*) to set ◇ (*riscuotere*) to cash, to collect, to earn ◇ (*fig*) to get, to take

incàsso *sm* collection, (*somma incassata*) proceeds *pl*, takings *pl*, earnings *pl* ◆ *a i.* (*elettrodomestici*) built-in

incastràre *vt* to fix, to embed, to fit in ◇ (*intrappolare*) to set up ◆ *vpr* to fit ◇ (*impigliarsi*) to get stuck

incàstro *sm* joint

incatenàre *vt* to chain (up), to enchain ◇ (*fig*) to tie down

incattivìre *vt* to make wicked ◆ *vpr* to become wicked

incavàto *a* hollow

ìncavo *sm* hollow ◇ (*scanalatura*) groove ◇ (*tecn*) dap, notch

incendiàre *vt* to set fire to, to set on fire ◆ *vpr* to catch fire

incendiàrio *a* incendiary ◆ *sm* arsonist

incèndio *sm* fire ◆ *i. doloso* arson

incenerìre *vt* to reduce to ashes ◆ *vpr* to be reduced to ashes

incènso *sm* incense

incensuràto *a* uncensured ● *essere i.* to have a clean record

incentivàre *vt* to stimulate, to boost

incentìvo *sm* incentive

incentràre *vt* to centre, to base ◆ *vpr* to be based

inceppàre *vt* to hinder, to obstruct ◆ *vpr* to jam, to stick

incertézza *sf* uncertainty, doubt ◇ (*indecisione*) indecision

incèrto *a* uncertain, doubtful ◇ (*indeciso*) undecided, irresolute ◇ (*indefinito*) unclear ◇ (*instabile*) unsettled

incespicàre *vi* to stumble

incessànte *a* unending, unceasing

incèsto *sm* incest

incètta *sf* buying up

inchièsta *sf* inquiry, survey ◇ (*investigazione*) inquiry, investigation ◇ (*giornalistica*) report

inchinàre *vt* to bow, to bend ◆ *vrif* to bend down, to bow

inchiodàre *vt* to nail ◇ (*fig*) to fix ◆ *vpr* (*bloccarsi*) to pull up short

inchiòstro *sm* ink

inciampàre *vi* to stumble, to trip up ◇ (*imbattersi*) to run into

inciàmpo *sm* obstacle

incidènte *a* incident ◆ *sm* (*infortunio*) accident ◇ (*questione*) incident

incidènza *sf* influence, effect

incìdere (1) *vt* to engrave, to carve ◇ (*registrare*) to record ◇ (*med*) to incise ◇ (*fig*) to impress

incìdere (2) *vi* (*gravare*) to weigh

(on) ◇ (*influenzare*) to affect, to influence

incinta *a* pregnant

incirca, all' *avv* approximately, about

incisióne *sf* (*taglio*) cut, incision ◇ (*tacca*) notch ◇ (*arte*) engraving ◇ (*registrazione*) recording

incisivo *a* incisive ♦ *sm* incisor

incisóre *a* engraver

incitàre *vt* to incite

incivìle *a* uncivilized, barbaric ◇ (*scortese*) rude

inclinàre *vt* to tilt, to incline ♦ *vi* to slope, to be inclined ◇ (*fig*) to incline, to be disposed ♦ *vpr/rif* to tilt, to slope ◇ (*piegarsi*) to bend ◇ (*naut*) to list

inclinàto *a* sloping, slanted ◇ (*fig*) inclined

inclùdere *vt* to include ◇ (*allegare*) to enclose

inclusivo *a* inclusive

inclùso *a* included, inclusive ◇ (*allegato*) enclosed

incoerènte *a* inconsistent

incògnito *a* unknown ♦ *sm* incognito

incollàre *vt* to stick, to glue ♦ *vpr* to stick

incolóre *a* colourless

incolpàre *vt* to charge, to blame ♦ *vrif* to blame oneself

incólto *a* (*di terreno*) uncultivated, fallow ◇ (*trascurato*) neglected ◇ (*ignorante*) uneducated

incòlume *a* unscathed, unharmed

incombènte *a* impending ◇ (*spettante*) incumbent

incómbere *vi* to impend over, to hang over ◇ (*spettare*) to be incumbent on

incominciàre *vt/i* to begin, to start

incòmodo *sm* inconvenience, bother

incompetènte *a* incompetent

incompiùto *a* unfinished

incompleto *a* incomplete

incomprensìbile *a* incomprehensible

incompréso *a* not understood ◇ (*non apprezzato*) unappreciated

inconcepìbile *a* inconceivable

incongruènte *a* inconsistent

inconsapévole *a* unaware

inconscio *a/sm* unconscious

inconsistènte *a* insubstantial, unfounded

inconsuèto *a* unusual

incontràre *vt* to meet ◇ (*imbattersi in*) to meet with, to come up against ♦ *vi* (*aver successo*) to be popular, to be a success ♦ *vpr* to meet, to see ♦ *vrif* to meet ◇ (*coincidere*) to coincide

incóntro (1) *sm* meeting ◇ (*sport*) match

incóntro (a) (2) *prep* toward(s), up to

inconveniènte *sm* inconvenience, drawback ◇ (*contrattempo*) mishap, snag

incoraggiaménto *sm* encouragement

incoraggiàre *vt* to encourage

incorniciàre *vt* to frame

incoronàre *vt* to crown

incorporàre *vt* to incorporate ◇ (*territorio*) to annex ◇ (*econ*) to merge, to incorporate ◆ **vrif** to merge

incórrere *vi* to incur

incorruttìbile *a* incorruptible

incosciènte *a* unconscious ◇ (*irresponsabile*) irresponsible

incostànte *a* inconstant, variable

incredìbile *a* incredible, unbelievable

incrementàre *vt* to increase

increménto *sm* increase, increment

increspàre *vt/pr* (*di acqua*) to ripple, (*di capelli*) to frizz, (*di stoffa*) to gather

incriminàre *vt* (*dir*) to charge

incrinàre *vt* to crack ◇ (*fig*) to damage, to spoil ◆ **vpr** to crack ◇ (*fig*) to break up, to deteriorate

incrociàre *vt* to cross ◇ (*incontrare*) to meet ◆ **vi** (*aer*) to cruise ◆ **vrif** to cross, to intersect ◇ (*biol*) to interbreed

incrócio *sm* (*di strade*) crossing, crossroads *pl* ◇ (*biol*) crossbreed

incrostàre *vt* to encrust ◆ **vpr** to be encrusted

incubatrìce *sf* incubator

incubazióne *sf* incubation

ìncubo *sm* nightmare

incùdine *sf* anvil

inculcàre *vt* to inculcate, to instil

incuràbile *a/sm/f* incurable

incuriosìre *vt* to make curious, to excite curiosity ◆ **vpr** to become curious

incursióne *sf* raid

incurvàre *vt/pr* to bend

incustodìto *a* unattended

incùtere *vt* to arouse, to strike

indaffaràto *a* busy

indagàre *vt/i* to investigate, to inquire into

indàgine *sf* investigation, inquiry ◇ (*ricerca*) research, survey

indebitàre *vt* to get into debt ◆ **vrif** to run into debt

indebolìre *vt/pr* to weaken

indecènte *a* indecent ◇ (*sporco*) dirty

indecènza *sf* indecency ◇ (*vergogna*) shame

indecifràbile *a* indecipherable ◇ (*illeggibile*) illegible ◇ (*incomprensibile*) unintelligible

indecisióne *sf* indecision

indecìso *a* undecided, unsettled ◇ (*irresoluto*) irresolute

indefinìto *a* indefinite ◇ (*non risolto*) undefined

indeformàbile *a* non-deformable

indégno *a* unworthy ◇ (*vergognoso*) shameful

indènne *a* unhurt, unharmed, undamaged

indennità *sf* allowance, indemnity, compensation

indennìzzo *sm* indemnity, refund ● **domanda d'i.** claim for damages

indesideràbile *a* undesirable

indeterminàto *a* indeterminate ● **a tempo i.** indefinitely

indiàno *a/sm* Indian

indiavolàto *a* furious ◇ (*frenetico*) frenzied

indicàre *vt* to indicate, to show, to point out, (*col dito*) to point at/to ◇ (*denotare*) to be indicative of, to show, to denote ◇ (*significare*) to mean ◇ (*consigliare*) to suggest, to recommend ◇ (*prescrivere*) to prescribe

indicativo *a* indicative ◇ (*approssimativo*) approximate ◆ *sm* (*tel*) (*del paese*) country code, (*della località*) city code

indicazióne *sf* indication, sign ◇ (*istruzione*) direction, instruction ◇ *al pl* directions *pl*

ìndice *sm* (*dito*) forefinger ◇ (*lancetta*) indicator, pointer ◇ (*fig*) (*indizio*) sign, indication ◇ (*di libro*) (table of) contents *pl* ◇ (*scient*) index ◇ (*econ*) index, ratio ◆ *i. analìtico* index

indietreggiàre *vi* to draw back, to withdraw

indiètro *avv* back, behind ◇ (*di orologio*) slow ◆ *all'i.* backwards

indifferènte *a* indifferent ◇ (*disinteressato*) uninterested ◇ (*insensibile*) cold, impassible

indifferènza *sf* indifference

indìgeno *a/sm* native

indigènza *sf* indigence, poverty

indigestióne *sf* indigestion

indigèsto *a* indigestible

indignàre *vt* to shock, to offend ◆ *vpr* to be shocked, to get angry

indimenticàbile *a* unforgettable

indipendènte *a* independent

indipendènza *sf* independence

indirètto *a* indirect

indirizzàre *vt* to address ◇ (*dirigere*) to direct ◆ *vrif* (*dirigersi*) to direct one's step towards ◇ (*rivolgersi*) to apply, to address oneself

indirìzzo *sm* address ◇ (*fig*) direction, trend, turn ◆ *i. di posta elettronica* e-mail address

indiscréto *a* indiscreet, tactless

indispensàbile *a* indispensable

indispettìre *vt* to vex, to annoy ◆ *vpr* to become vexed, to become annoyed

indisposizióne *sf* indisposition, ailment

individuàle *a* individual

individualìsmo *sm* individualism

individuàre *vt* (*caratterizzare*) to individualize ◇ (*localizzare*) to locate ◇ (*distinguere*) to single out, to identify

indivìduo *sm* individual

indiziàto *a/sm* suspect

indìzio *sm* indication, sign, clue ◇ (*dir*) circumstantial evidence

indoeuropèo *a/sm* Indo-European

ìndole *sf* nature

indolènte *a* indolent, lazy

indolóre *a* painless

indossàre *vt* (*portare addosso*) to wear, to have on ◇ (*mettere addosso*) to put on

indossatóre *sm* model

indottrinàre *vt* to indoctrinate

indovinàre *vt* to guess ◇ (*prevedere, immaginare*) to foresee, to imagine

indovinèllo *sm* riddle

indovìno *sm* fortune-teller

indùbbio *a* undoubted

indugiàre *vi* to delay ◇ (*trattenersi*) to loiter, to linger

indùgio *sm* delay

indulgènte *a* indulgent

indùlgere *vi* to indulge

induménto *sm* garment, *al pl* clothes *pl*

indurìre *vt* to harden ◆ *vi/pr* to harden, to become hard, (*di cemento, colla, ecc*) to set

indùrre *vt* to induce, to persuade

indùstria *sf* industry

industriàle *a* industrial, manufacturing ◆ *sm/f* industrialist, manufacturer

industrializzazióne *sf* industrialization

inebetìto *a* dazed

inebriàre *vt* to intoxicate ◆ *vpr* to become intoxicated

inèdito *a* unpublished

inefficàce *a* ineffective

ineluttàbile *a* ineluctable

inerènte *a* inherent, concerning

inèrme *a* unarmed

inerpicàrsi *vpr* to climb

inèrte *a* inert ◇ (*immobile*) motionless

inèrzia *sf* inertia ◇ (*inattività*) inactivity

inesattézza *sf* inexactitude, inaccuracy

inesàtto *a* incorrect, inaccurate

inesistènte *a* inexistent

inesoràbile *a* inexorable

inespèrto *a* inexperienced, (*senza pratica*) inexpert

inestimàbile *a* invaluable, priceless

inètto *a* unfit, unsuitable ◇ (*incapace*) incompetent

inevàso *a* outstanding

inevitàbile *a* unavoidable, inevitable

inèzia *sf* trifle

infallìbile *a* infallible

infàme *a* infamous

infantìle *a* children's, infantile

infànzia *sf* childhood, infancy

infarinàre *vt* to flour

infàrto *sm* infarct, heart attack

infastidìre *vt* to annoy ◆ *vpr* to get annoyed

infàtti *cong* indeed, as a matter of fact

infatuàre *vt* to infatuate ◆ *vpr* to become infatuated

infatuazióne *sf* infatuation

infàusto *a* unfavourable

infedéle *a* unfaithful

infedeltà *sf* unfaithfulness

infelìce *a* unhappy, wretched ◇ (*inappropriato*) unfortunate, inappropriate ◇ (*malfatto*) bad

infelicità *sf* unhappiness ◇ (*inopportunità*) inappropriateness

inferióre *a* inferior ◇ (*più basso*) lower ◇ (*sottostante*) lower, below

inferiorità *sf* inferiority

infermeria *sf* infirmary

infermièra *sf* nurse

infermière *sm* male nurse

infermità *sf* infirmity ● *i. mentale* mental illness

infèrmo *a* invalid

infèrno *sm* hell

inferriàta *sf* bars *pl*

infervoràre *vt* to animate, to arouse enthusiasm ◆ *vpr* to grow fervent, to get excited

infestàre *vt* to infest

infettàre *vt* to infect ◆ *vpr* to become infected

infettìvo *a* infectious, catching

infètto *a* infected

infezióne sf infection

infiammàbile sf inflammable

infiammàre vt to set on fire ◇ (fig) to inflame ◆ vpr to take fire ◇ (fig) to become inflamed

infiammazióne sf inflammation

infierìre vi to be pitiless ◇ (imperversare) to rage

infilàre vt to thread, to string ◇ (introdurre) to insert, to slip in ◇ (infilzare) to run through, to transfix ◇ (indossare) to slip on, to put on ◆ **vrìf** (farsi largo) to thread one's way ◇ (introdursi) to slip ◇ (indossare) to slip on, to put on

infiltràrsi vpr to infiltrate

infiltrazióne sf infiltration

infine avv (alla fine) at last ◇ (da ultimo) finally ◇ (in fondo) after all ◇ (insomma) in short

infinito a infinite ◇ (interminabile) endless ◇ (innumerevole) innumerable, endless ◆ sm infinity ◇ (gramm) infinitive

infinocchiàre vt (fam) to fool (sb)

infischiàrsi vpr (fam) to not care, to not give a damn

infisso sm frame

infittìre vt/pr to thicken

inflazióne sf inflation

inflessìbile a inflexible

infliggere vt to inflict

influènte a influential

influènza sf influence ◇ (med) influenza, flu ◆ **prendere l'i.** to catch flu

influìre vi to influence

influsso sm influence

infondàto a groundless

infóndere vt to infuse

inforcàre vt to pitchfork ◇ (bicicletta, cavallo, ecc) to get on ◇ (occhiali) to put on

informàle a informal

informàre vt to inform, to acquaint ◇ (plasmare) to shape, to mould ◆ vpr to inquire ◇ (uniformarsi) to adapt oneself

informàtica sf computer science

informatóre sm informer, informant

informazióne sf information

infórme a shapeless

infortunàrsi vpr to get injured

infortùnio sm accident

infradito sm/f flip-flops pl, (USA) thongs pl

infràngere vt to break, to shatter ◇ (violare) to infringe ◆ vpr to break, to shatter

infrarósso a/sm infrared

infrasettimanàle a midweek

infrazióne sf infraction, infringement

infreddolìto a cold

infruttuóso a unfruitful, fruitless ◇ (improduttivo) unprofitable ◇ (vano) vain, unsuccessful

infuòri avv out, outwards ● **all'i. di** except, apart from

infuriàre vi to rage ◆ vpr to fly into a rage, to flare up

infusióne sf infusion ● **lasciare in i.** to let sleep

ingabbiàre vt to cage ◇ (fig) to enclose, to coop up

ingaggiàre vt to engage, to hire, to sign (up) ◇ (mil) to enlist ◇ (iniziare) to start

ingannàre vt to deceive, to cheat,

to swindle ♦ *vpr* to be mistaken, to be wrong ● *i. il tempo* to while away the time, to kill time

ingannévole *a* deceitful, deceptive

ingànno *sm* deceit, deception ● *con l'i.* under false pretences

ingegnàrsi *vt* to do one's best

ingegnère *sm* engineer

ingegnerìa *sf* engineering

ingégno *sm* intelligence

ingegnóso *a* ingenious, clever

ingelosìre *vt* to make jealous ♦ *vpr* to become jealous

ingènuo *a* ingenuous, naïve

ingerènza *sf* interference

ingerìre *vt* to swallow, to ingest ♦ *vpr* to interfere

ingessàre *vt* to plaster

inghiottìre *vt* to swallow

ingiallìre *vt/pr* to yellow

ingigantìre *vt* to magnify ♦ *vpr* to become gigantic

inginocchiàrsi *vpr* to kneel (down)

ingiùria *sf* insult, abuse ◇ *(dir)* slander, offence

ingiuriàre *vt* to insult, to abuse ♦ *vrif* to insult each other

ingiustìzia *sf* injustice, unfairness ◇ *(torto)* wrong

ingiùsto *a* unjust, unfair

inglése *a* English ♦ *sm/f* Englishman *m*, Englishwoman *f* ♦ *sm* *(lingua)* English

inglesìsmo *sm* Anglicism

ingoiàre *vt* to swallow

ingolfàre *vt* to flood ♦ *vpr* *(impelagarsi)* to plunge into ◇ *(aut)* to flood

ingombrànte *a* cumbersome ◇ *(fig)* awkward

ingómbro *sm* encumbrance, obstruction ◇ *(mole)* bulk, *(dimensione)* size

ingórdo *a* greedy

ingorgàre *vt* to clog, to block (up) ♦ *vpr* to become blocked up, to clog up

ingórgo *sm* obstruction, *(del traffico)* jam, traffic jam

ingozzàre *vt* *(far mangiare)* to stuff, to fatten ♦ *vrif* to gobble, to gulp down

ingranàggio *sm* gear ◇ *(fig)* mechanism, workings *pl*

ingranàre *vt* to put into gear, to engage ♦ *vi* to be in gear, to engage ◇ *(fig)* to get on (well), to fit in

ingrandiménto *sm* enlargement ● *lente d'i.* magnifying glass

ingrandìre *vt* to enlarge, to expand ◇ *(fis)* to magnify ◇ *(fig)* to exaggerate ♦ *vpr* to become larger, to grow, to expand

ingrassàre *vt* to fatten, to make fat ◇ *(lubrificare)* to grease ♦ *vi/pr* to put on weight, to fatten (up)

ingratitùdine *sf* ungratefulness

ingràto *a* ungrateful

ingrediènte *sm* ingredient

ingrèsso *sm* entry ◇ *(entrata)* entrance ◇ *(accesso)* entry, admittance, admission ● *i. gratuito* free admission; *vietato l'i.* no entry

ingrossàre *vt* to enlarge, to increase ◇ *(gonfiare)* to swell ♦ *vpr* to become bigger, to increase ◇ *(gon-fiarsi)* to swell up ◇ *(in-*

grassare) to become fat ◇ (*di mare*) to rise

ingròsso, all' *loc.avv* wholesale

ìnguine *sm* groin

inibìre *vt* to inhibit ◇ (*proibire*) to forbid ◆ *vrif* to restrain oneself

inibizióne *sf* inhibition

iniettàre *vt* to inject

iniettóre *sm* injector

iniezióne *sf* injection

inimicìzia *sf* enmity, hostility

ininterrótto *a* continuous, uninterrupted

iniziàle *a* initial, starting ◆ *sf* initial

iniziàre *vt* to begin, to start ◇ (*instradare*) to initiate, to introduce ◆ *vi* to begin, to start

iniziatìva *sf* initiative

iniziatóre *a/sm* initiator

inìzio *sm* beginning, start

innaffiàre *vt* to water

innalzàre *vt* to raise ◆ *vpr* to rise

innamoràre *vt* to charm ◆ *vpr/rif* to fall in love

innamoràto *a* in love (*pred*), loving

innànzi *avv* (*prima*) before ◇ (*poi*) on, onwards ◆ *a* previous ◆ *prep* i. (a) (*davanti a*) before, in front of ◇ (*prima*) before ● i. tutto above all, first of all

innàto *a* innate, inborn

innegàbile *a* undeniable

innervosìre *vt* to get on (sb's) nerves, to annoy ◆ *vpr* to get nervous, to get annoyed

innescàre *vt* (*tecn*) to prime ◇ (*fis*) to trigger ◆ *vpr* to start

innestàre *vt* (*bot*) to graft ◇ (*in-*

serire) to insert, to plug in (*el*) (*mecc*) to engage ◆ *vpr* to be inserted, to join

innèsto *sm* (*bot*) graft ◇ (*mecc*) connection, joint

ìnno *sm* hymn ● i. nazionale national anthem

innocènte *a* innocent ◇ (*dir*) not guilty ● fare l'i. to play the innocent, to put on an innocent air

innocènza *sf* innocence

innòcuo *a* innocuous, harmless

innovàre *vt* to innovate, to renew

innovatìvo *a* innovative

innumerévole *a* innumerable, countless

inoculàre *vt* to inoculate

inodóre *a* odourless

inoffensìvo *a* harmless, inoffensive

inoltràre *vt* to forward, to send, (*per posta*) to mail ◆ *vrif* to advance, to go forward

inóltre *avv* besides, also, beyond, moreover

inondàre *vt* to flood

inondazióne *sf* flooding, flood, inundation

inoperóso *a* inactive

inopportùno *a* inopportune, untimely

inorgànico *a* inorganic

inorridìre *vt* to horrify ◆ *vi* to be horrified

inospitàle *a* inhospitable

inosservàto *a* unobserved, unnoticed ◇ (*inadempiuto*) not observed, unfulfilled

inossidàbile *a* stainless

inquadràre *vt* to organize, to arrange ◇ (*cin*) to frame ◆ *vpr* to fit in, to form part of

inqualificàbile *a* unmarkable ◇ (*fig*) deplorable

inquietàre *vt* to worry, to disturb ◆ *vpr* (*arrabbiarsi*) to get angry ◇ (*preoccuparsi*) to worry

inquièto *a* (*agitato*) restless ◇ (*preoccupato*) uneasy, worried

inquietùdine *sf* (*agitazione*) restlessness ◇ (*preoccupazione*) anxiety, worry

inquilino *sm* tenant

inquinaménto *sm* pollution ● *i. acustico* noise pollution

inquinàre *vt* to pollute

inquisizióne *sf* inquisition

insabbiàre *vt* to sand ◇ (*fig*) to shelve ◆ *vpr/rif* to get covered with sand ◇ (*arenarsi*) to run aground ◇ (*fig*) to be shelved

insaccàti *sm pl* sausages *pl*

insalàta *sf* salad

insanguinàre *vt* to stain with blood ◇ (*funestare*) to bathe in blood

insaponàre *vt* to soap ◆ *vrif* to soap oneself

insapóre *a* flavourless, tasteless

inscatolàre *vt* to box, to tin, to can

insediàre *vt* to install ◆ *vpr* to take office, to install oneself ◇ (*stabilirsi*) to settle

inségna *sf* (*di locale*) sign ◇ (*bandiera*) banner, flag

insegnaménto *sm* teaching

insegnànte *a* teaching ◆ *sm/f* teacher

insegnàre *vt* to teach ◇ (*indicare*) to show

inseguiménto *sm* pursuit, chase

inseguìre *vt* to chase, to run after ◇ (*fig*) to pursue

inseminazióne *sf* insemination

insensàto *a* senseless

insensìbile *a* insensitive ◇ (*impercettibile*) imperceptible ◇ (*indifferente*) indifferent

inseparàbile *a* inseparable

inseriménto *sm* insertion

inserìre *vt* to insert, to put in, to include ◇ (*el*) to connect, to plug in ◆ *vpr/rif* to enter

insèrto *sm* insert

inservìbile *a* useless

insérviente *sm/f* attendant

inserzióne *sf* insertion ◇ (*su giornale*) advertisement, ad

insetticida *sm* insecticide

insètto *sm* insect

insicurézza *sf* insecurity

insidiàre *vt* to lay a trap for

insidióso *a* insidious

insième *sm* whole, complex, combination ◇ (*assortimento*) set ◇ (*mat*) set ◆ *avv* together ◇ (*congiuntamente*) together, jointly ◇ (*contemporaneamente*) together, at the same time ◆ *prep* i. a, con (together) with

insìgne *a* eminent, distinguished

insignificànte *a* insignificant, negligible ◇ (*inespressivo*) inexpressive

insindacàbile *a* unquestionable

insinuàre *vt* to slip, to insert ◇ (*fig*) to insinuate, to suggest ◆ *vpr/rif* to insinuate oneself ◇ (*penetrare*) to creep

insìpido *a* (*senza sale*) lacking in

salt ◇ (*insapore*) tasteless, insipid

insistènte *a* insistent ◇ (*ripetuto*) persistent ◇ (*incessante*) unceasing

insistere *vi* to insist

insoddisfàtto *a* unsatisfied ◇ (*scontento*) dissatisfied

insofferènte *a* (*irritabile*) impatient, irritable ◇ (*intollerante*) intolerant

insolazióne *sf* insolation ◇ (*colpo di sole*) sunstroke

insolènte *a* insolent

insolènza *sf* insolence

insòlito *a* unusual

insolùbile *a* insoluble

insolùto *a* unsolved ◇ (*non pagato*) unpaid

insolvènte *a* insolvent

insómma *avv* (*in breve*) in short ◇ (*in conclusione*) in conclusion ◇ (*dunque*) then, well ◇ (*esclamativo*) well (then), pretty much

insònne *a* sleepless

insònnia *sf* insomnia, sleeplessness

insonorizzàto *a* sound-proof(ed)

insopportàbile *a* unbearable, insufferable

insórgere *vi* (*ribellarsi*) to rise (up) ◇ (*protestare*) to protest ◇ (*manifestarsi*) to arise

insórto *sm* rebel, insurgent

insospettàbile *a* beyond suspicion

insospettìre *vt* to make suspicious, to arouse suspicions ◆ *vpr* to become suspicious

insostenìbile *a* unsustainable,

untenable ◇ (*insopportabile*) unbearable

inspiegàbile *a* inexplicable

inspiràre *vt* to breathe in

instàbile *a* unstable, unsteady ◇ (*mutevole*) changeable

installàre *vt* to install ◆ *vrif* to settle (oneself) in

installazióne *sf* installation

instauràre *vt* to set up, to establish ◆ *vpr* to begin

insuccèsso *sm* failure, flop

insufficiènte *a* insufficient, inadequate

insufficiènza *sf* insufficiency, inadequacy ◇ (*mancanza*) lack, shortage ◇ (*med*) insufficiency ◇ (*a scuola*) low mark

insulàre *a* insular

insulina *sf* insulin

insùlso *a* insipid, dull

insultàre *vt* to insult, to abuse

insùlto *sm* insult, abuse

insurrezióne *sf* insurrection, rising

intaccàre *vt* (*fare tacche*) to notch ◇ (*corrodere*) to corrode, to eat into ◇ (*cominciare a consumare*) to draw up, to dip into ◇ (*danneggiare*) to damage, to spoil

intagliàre *vt* to incise, to engrave ◇ (*scolpire*) to carve

intàglio *sm* (*arte*) intaglio ◇ (*tacca*) notch

intànto *avv* meanwhile, in the meantime, at the same time ◇ (*avversativo*) but ● *i. che* while, as

intàrsio *sm* inlay

intasaménto *sm* stoppage, block, (*nel traffico*) jam

intasàre *vt* to obstruct, to block ♦ *vpr* to become blocked, to get stopped up

intascàre *vt* to pocket

intàtto *a* intact, untouched ◊ (*illeso*) undamaged, uninjured

integràle *a* integral, complete, comprehensive ◊ (*di edizione*) unabridged ◊ (*non raffinato*) wholemeal, unrefined, wholewheat

integralménte *avv* in full

integràre *vt* to integrate ◊ (*completare*) to supplement ♦ *vrif* to integrate

integratóre *sm* integrator ● *i. alimentare* dietary supplement

intelaiatùra *sf* framework, (*di finestra*) sash

intellètto *sm* intellect

intellettuàle *a* intellectual

intelligènte *a* intelligent, clever

intelligènza *sf* intelligence, cleverness

intempèrie *sf pl* bad weather

intempestivo *a* untimely

intèndere *vt* (*capire*) to understand ◊ (*significare*) to mean, to intend ◊ (*avere intenzione*) to intend, to propose, to be going to ◊ (*udire*) to hear ♦ *vpr* to know about, to be an expert ♦ *vrif* (*mettersi d'accordo*) to come to an agreement, to agree ◊ (*andare d'accordo*) to get on with

intenditóre *sm* connoisseur, expert

intenerìre *vt* to soften ◊ (*fig*) to move (to pity) ♦ *vpr* to soften ◊ to be moved

intensificàre *vt/pr* to intensify

intensità *sf* intensity

intènso *a* intense

intènto *a* intent ● *sm* aim, purpose

intenzióne *sf* intention

interattivo *a* interactive

interazióne *sf* interaction

intercalàre (1) *sm* stock phrase, pet word

intercalàre (2) *vt* to insert

intercèdere *vi* to intercede, to plead

intercettàre *vt* to intercept, (*conversazione telefonica*) to tap

intercontinentàle *a* intercontinental

interdétto *a* (*vietato*) forbidden ◊ (*dir*) interdicted, disqualified ◊ (*sorpreso*) dumbfounded

interdire *vt* (*proibire*) to forbid ◊ (*dir*) to interdict, to disqualify

interdizióne *sf* (*proibizione*) prohibition ◊ (*dir*) interdiction, restraint

interessaménto *sm* interest, concern

interessànte *a* interesting ● *essere in stato i.* to be with child, to be expecting

interessàre *vt* to interest ◊ (*riguardare*) to concern, to affect ♦ *vi* to interest, to be of interest ◊ (*importare*) to matter ♦ *vpr* to be interested in, to care

interèsse *sm* interest

interfàccia *sf* (*inform*) interface ● *i. utente* user interface

interferènza sf interference
interferìre vi to interfere
interiezióne sf interjection
interinàle a temporary, interim • lavoro i. temporary work
interióra sf pl entrails pl
interióre a interior, inner
interlocutóre sm interlocutor ◊ (econ) broker
intermediàrio sm intermediary ◊ (econ) broker
intermèdio a intermediate
intermèzzo sm (intervallo) break, interval ◊ (teat) intermezzo
interminàbile a interminable
intermittènte a intermittent
internazionàle a international
internàre vt to intern
intèrno a internal, inner, inside ◊ (geogr) inland ◊ (interiore) inner, inward ◊ (econ) nazionale) home • sm interior, inside ◊ (tel) extension ◊ (alunno) boarder ◊ (fodera) lining
intéro a (tutto) whole, all ◊ (completo) entire, whole, complete • per i. in full
interpellàre vt to consult, to ask
interpórre vt to interpose ◊ (frapporre) to present • vpr/rif to interpose, to intervene
interpretàre vt to interpret ◊ (mus) to play, to interpret
interpretazióne sf interpretation
intèrprete sm/f interpreter
interrogàre vt to ask questions to ◊ (studente) to examine, to test ◊ (dir) to question, to interrogate ◊ (inform) to query, to search
interrogatìvo a interrogative,

questioning • sm question ◊ (fig) mistery • punto i. question mark
interrogazióne sf question, interrogation ◊ (a scuola) oral exam ◊ (inform) query
interrómpere vt to interrupt, to break off, to cut off ◊ (un discorso) to interrupt ◊ (bloccare) to block • vpr to stop, to break off
interruttóre sm switch
interruzióne sf interruption
intersezióne sf intersection
interurbàno a interurban • telefonata interurbana trunk call
intervàllo sm interval, break
intervenìre vi to intervene ◊ (prendere parte) to be present, to attend
intervènto sm intervention ◊ (discorso) speech ◊ (presenza) presence, attendance ◊ (med) operation
intervìsta sf interview
intervistàre vt to interview
intésa sf (comprensione) unterstanding ◊ (accordo) agreement ◊ (pol) entente
intestàre vt (mettere l'intestazione) to head ◊ (una proprietà) to register in sb's name, (un assegno) to make out • vpr to persist, to insist
intestazióne sf heading ◊ (registrazione) registration
intestinàle a intestinal
intestìno a intestine, civil • sm intestine
intimàre vt to order, to command, to summon
intimidìre vt to overawe, to make

shy ◇ (*impaurire*) to intimidate ♦ *vpr* to become shy ◇ (*impaurirsi*) to be intimidate

intimità *sf* intimacy, privacy ◇ (*familiarità*) familiarity

ìntimo *a* intimate, close ◇ (*privato*) private, intimate ◇ (*il più profondo*) inner, innermost ◇ (*profondo*) profound, deep ● *sm* (*parte interiore*) bottom ◇ (*amico*) intimate friend, close friend ◇ (*animo*) hearth, soul ← underwear, lingerie

intimorìre *vt* to intimidate, to frighten ♦ *vpr* to be frightened

intitolàre *vt* to entitle, to give a title to, to call ◇ (*dedicare*) to dedicate, to name after ♦ *vpr* to be entitled, to be called, to be named

intollerànte *a* intolerant

intollerànza *sf* intolerance ● *i. alimentare* intolerance

intònaco *sm* plaster

intonàre *vt* (*strumento*) to tune ◇ (*incominciare a cantare, suonare*) to strike up ◇ (*accordare*) to match ♦ *vpr* to be in tune, to match, to fit

intòppo *sm* obstacle

intórno *avv* round, around, about ♦ *prep* **i. (a)** round, around ◇ (*circa*) about ◇ (*riguardo a*) about, on

intossicàre *vt* to poison ♦ *vpr/rif* to be poisoned

intossicazióne *sf* poisoning

intralciàre *vt* to hinder, to hamper

intransigènte *a* intransigent

intransitivo *a/sm* intransitive

intraprendènte *a* enterprising

intraprèndere *vt* to undertake, to begin

intrattàbile *a* intractable

intrattenére *vt* to entertain ♦ *vpr* (*trattenersi*) to stop ◇ (*soffermarsi*) to dwell (upon)

intravedére *vt* (*vedere di sfuggita*) to catch a glimpse of ◇ (*prevedere*) to foresee

intrecciàre *vt* to twist, to intertwine ◇ (*capelli*) to plait ◇ (*fig*) to weave together ♦ *vrif* to intertwine ♦ to cross each other

intréccio *sm* intertwinement, weaving ◇ (*trama*) plot

intrigo *sm* intrigue

intrìnseco *a* intrinsic

introdùrre *vt* to introduce ◇ (*inserire*) to put in, to insert ◇ (*far entrare*) to show in, to usher ♦ *vpr* to get in

introduzióne *sf* introduction

introspettìvo *a* introspective

introvàbile *a* not able to be found, unfindable

introvèrso *a/sm* introvert

intrusióne *sf* intrusion

intrùso *sm* intruder

intuìre *vt* to perceive by intuition, to guess

intuitìvo *a* intuitive

intuizióne *sf* intuition

inumidìre *vt* to damp, to moisten ♦ *vpr* to moisten, to become damp

inùtile *a* useless, unusable, pointless ◇ (*non necessario*) unnecessary

inutilità *sf* uselessness, pointlessness

invadènte *a* intrusive

invàdere *vt* to invade

invalidità *sf* invalidity ◇ (*di persona*) disability

invàlido *a* invalid ◇ (*di persona*) disabled, invalid ◆ *sm* disabled person

invàno *avv* in vain, to no purpose

invasióne *sf* invasion

invasóre *a* invading ◆ *sm* invader

invecchiaménto *sm* ag(e)ing

invecchiàre *vt* to age, to make old ◇ (*far sembrare vecchio*) to make look older ◆ *vi* to age, to grow old, to get old

invéce *avv* instead, on the contrary, but ◆ *prep* i. di instead of ◆ *cong* i. che instead of

invendìbile *a* unsaleable

inventàre *vt* to invent

inventàrio *sm* inventory ◇ (*elenco*) list

inventóre *sm* inventor

invenzióne *sf* invention ◇ (*bugia*) lie, story

invernàle *a* winter

invèrno *sm* winter

inversióne *sf* inversion, reversal ◆ i. di marcia U-turn

invèrso *a* opposite, contrary, reverse ◇ (*mat*) inverse ◆ *sm* opposite, contrary

invertebràto *a/sm* invertebrate

invertìre *vt* to reverse, to invert ◆ *vi pron.* to be inverted

investigàre *vt/i* to investigate

investiménto *sm* investment ◇ (*aut*) collision, accident

investìre *vt* (*econ*) to invest ◇ (*aut*) to run over ◇ (*assalire*) to

assail ◇ (*conferire una carica*) to invest, to give ◆ *vrfl* to collide

investitóre *sm* (*econ*) investor

inviàre *vt* to send, to forward ◆ i. per posta elettronica to send by e-mail, to e-mail

inviàto *sm* messenger, envoy ◇ (*giornalista*) correspondent

invìdia *sf* envy

invidióso *a* envious

invìo *sm* (*di merce*) dispatch, forwarding ◇ (*di denaro*) remittance ◇ (*per posta*) mailing ◇ (*inform*) enter

invisìbile *a* invisible

invitànte *a* tempting, attractive, inviting

invitàre *vt* to invite, to ask

invitàto *sm* guest

invìto *sm* invitation

invocàre *vt* to invoke ◇ (*chiedere*) to demand ◇ (*fare appello a*) to appeal to

invogliàre *vt* to tempt

involontàrio *a* unintentional, involuntary

involtìno *sm* roulade

invòlucro *sm* wrapper, cover

involuzióne *sf* involution ◇ (*declino*) decline, regression

inzuppàre *vt* to soak ◇ (*immergere*) to dip ◆ *vpr* to get soaked

ìo *pr.pers* (*sogg*) I, (*pred*) me ◆ io stesso I myself

iòdio *sm* iodine

ipermercàto *sm* hypermarket

ipermetropìa *sf* hypermetropia

ipertensióne *sf* hypertension

ipnòsi *sf* hypnosis

ipnotizzàre *vt* to hypnotize

ipocrisìa *sf* hypocrisy

ipòcrita *a* hypocritical ◆ *sm/f* hypocrite

ipotèca *sf* mortgage ◇ *(fig)* claim

ipòtesi *sf* hypothesis ◇ *(congettura)* conjecture, supposition

ìppica *sf* horse racing

ippòdromo *sm* race-course

ira *sf* rage, anger

irascibile *a* irascible, quick-tempered

ìride *sf* iris

irlandése *a* Irish ◆ *sm/f* Irishman *m*, Irishwoman *f* ◆ *sm (lingua)* Irish

ironìa *sf* irony

irònico *a* ironic(al)

irradiàre *vt/i* to irradiate ◆ *vpr* to radiate, to spread out

irradiazióne *sf* irradiation

irraggiungibile *a* unattainable

irrazionàle *a* irrational

irreàle *a* unreal

irregolàre *a* irregular

irremovìbile *a* inflexible

irreparàbile *a* irreparable

irreperìbile *a* not to be found

irrequièto *a* restless

irresistìbile *a* irresistible

irresponsàbile *a* irresponsible

irrigàre *vt* to irrigate

irrigazióne *sf* irrigation

irrigidìre *vt* to stiffen ◆ *vpr* to become stiff

irrilevànte *a* insignificant, trifling

irrisòrio *a* derisive ◇ *(inadeguato)* trifling, ridiculous

irritànte *a* irritating, annoying ◇ *(med)* irritant

irritàre *vt* to irritate, to annoy ◇

(med) to irritate ◆ *vpr* to become irritated

irritazióne *sf* irritation

irrómpere *vi* to burst into, to break into

irruènte *a* impetuous

irruzióne *sf (polizia)* raid ◇ *(est)* irruption

iscrivere *vt (una persona)* to enrol(l), to enter ◇ *(registrare)* to record, to enter ◇ *(geom)* to inscribe ◇ *(scolpire)* to inscribe, to engrave ◆ *vrif* to enrol(l) oneself, to enter

iscrizióne *sf* enrol(l)ment, registration, entry ◇ *(su pietra)* inscription

islàmico *a/sm* Islamic, Muslim

islandése *a* Icelandic ◆ *sm/f* Icelander

isòbara *sf* isobar

isola *sf* island, isle ● *i. pedonale* traffic-free zone

isolaménto *sm* isolation ◇ *(tecn)* insulation

isolàno *a* island

isolànte *a* insulating

isolàre *vt* to isolate ◇ *(tecn)* to insulate ◆ *vpr* to isolate oneself, to cut oneself off ● *i. acusticamente* to sound-proof

isolàto *a* isolated, secluded ◇ *(tecn)* insulated ◆ *sm (di case)* block

ispànico *a* Hispanic

ispettóre *sm* inspector, surveyor

ispezióne *sf* inspection

ispido *a* bristly

ispiràre *vt* to inspire ◆ *vpr* to draw inspiration

ispiratóre *sm* inspirer

ispirazióne *sf* inspiration
israeliàno *a/sm* Israeli
issàre *vt* to hoist
istantàneo *a* instant, sudden
istànte *sm* instant, moment
istànza *sf* (*richiesta*) request, application, petition ◇ (*esigenza*) need, demand
istèrico *a* hysteric
istigàre *vt* to instigate, to incite
istigazióne *sf* instigation, incitement
istintìvo *a* instinctive
istìnto *sm* instinct
istituìre *vt* to institute, to establish, to set up
istitùto *sm* institute, institution ● **i. di bellezza** beauty salon
istituzióne *sf* institution
istmo *sm* isthmus
istrióne *sm* actor, (*spreg*) ham
istruìre *vt* to educate, to instruct ◇ (*addestrare*) to train ◇ (*dare*

istruzioni) to direct, to give instructions to
istruttìvo *a* instructive
istruttóre *sm* instructor
istruttòria *sf* inquest
istruzióne *sf* education, training ◇ (*cultura*) learning, culture ◇ **al pl** instructions *pl*, directions *pl* ◇ (*inform*) statement, instruction ● **i. obbligatoria** compulsory education
italiàno *a/sm* Italian
itàlico *a* Italic
iter *sm* course, procedure
iteratìvo *a* iterative
itinerànte *a* itinerant, wandering
itineràrio *sm* itinerary, route
itterìzia *sf* jaundice
ìttico *a* ichthyic, fish ● **mercato i.** fish market
iùta *sf* jute
IVA *sf* (*imposta sul valore aggiunto*) VAT

J

jazzìsta *sm/f* jazz player

jolly *sm* joker

K

keniòta *a/sm/f* Kenyan
kit *sm* kit ● **k. vivavoce** speaker-

phone
kitsch *a/sm* kitsch

L

là *avv* there

làbbro *sm* lip

labirìnto *sm* labyrinth, maze

laboratòrio *sm* (*di ricerca*) laboratory, (*fam*) lab ◇ (*di artigiano*) workshop, workroom ● *da, di l.* laboratory, lab

laborióso *a* (*industrioso*) hard-working, industrious ◇ (*faticoso*) laborious, toilsome

laburìsta *a* Labour ◆ *sm/f* Labourist

làcca *sf* lacquer, lake ◇ (*per capelli*) hair spray ◇ (*per unghie*) nail polish

lacchè *sm* lackey

làccio *sm* lace, string ◇ (*trappola*) snare ● *l. emostatico* tourniquet; *prendere al l.* to snare

laceràre *vt/vr* to tear, to lacerate

lacerazióne *sf* laceration, tearing

lacònico *a* laconic

làcrima *sf* tear ◇ (*goccia*) drop ● *scoppiare in lacrime* to burst into tears

lacrimàre *vi* (*per irritazione*) to water ◇ (*versare lacrime*) to shed tears ◇ (*stillare*) to drip

lacrimògeno *a* lachrymatory ● *gas l.* tear gas

lacùna *sf* gap, blank

lacùstre *a* lake, lacustrine

làdro *sm* thief, (*scassinatore*) burglar, (*rapinatore*) robber ● *al l.!* stop thief!

laggiù *avv* (*in basso*) down there ◇ (*lontano*) over there

lagnànza *sf* complaint

lagnàrsi *vpr* to complain, to moan

làgo *sm* lake ● *l. di sangue* pool of blood

lagùna *sf* lagoon

lagunàre *a* lagoon

laicìsmo *sm* laicism

làico *a* lay, laic(al) ◆ *sm* layman, laic

làma (1) *sf* blade

làma (2) *sm* (*zool*) llama

lambìre *vt* to lick, (*di acqua*) to lap

lamèlla *sf* (*zool*) lamella, (*di fungo*) gill

lamentàre *vt* to mourn, to lament ◆ (*esprimere protesta per*) to complain ◆ *vpr* to moan, to lament ◇ (*lagnarsi*) to complain about

lamentèla *sf* complaint

laménto *sm* lament, moan ◇ (*lagnanza*) complaint ◇ (*suono*) wail

lamétta *sf* razor-blade

lamièra *sf* plate, (*sottile*) sheet

làmina *sf* (*bot*) lamina ◇ (*met*) thin layer, leaf

laminàre *vt* to laminate, to roll ● *l. a caldo/freddo* hot/cold-roll

laminàto *sm* (*met*) rolled section ◇ (*plastico*) laminate

làmpada *sfu* lamp ◇ (*abbronzante*) sun lamp, (*lettino*) sunbed, (*USA*) tanning bed ● *fare la l.* to use a sun lamp

lampadàrio *sm* chandelier

lampadina sf bulb, lamp

lampeggiàre vi (sfolgorare) to flash ◇ (con luce intermittente) to flash, to blink, to wink ♦ vimp to lighten

lampeggiatóre sm (aut) indicator, blinker

lampióne sm street lamp

làmpo sm lightning ◇ (guizzo di luce, intuizione) flash ♦ sf (cerniera) zip (fastener)

lampóne sm raspberry

làna sf wool ● di l. woollen; pura l. pure wool

lancétta sf (di strumento) pointer, needle ◇ (di orologio) hand

lància sf lance ◇ (tecn) nozzle ◇ (naut) launch

lanciafiàmme sm flame-thrower

lanciàre vt to throw, to hurl, to fling ◇ (un prodotto) to launch ♦ vrif to throw oneself, to fling, to dash ◇ (fig) to launch ● l. un'occhiata to throw a look, to give a look, to glance (at)

lancinànte a piercing

làncio sm throw, hurl, fling ◇ (sport) throwing ◇ (pubblicitario) launch, launching

lànguido a languid, faint

languire vi to languish ◇ (venir meno) to slacken, to weaken, to fade

languóre sm weakness, languor

lantèrna sf lantern

lapidàre vt to stone

lapidàrio a lapidary

làpide sf (tombale) tombstone, (commemorativa) memorial tablet

lapsus sm slip

làrdo sm bacon fat, lard

larghézza sf width, breadth ◇ (abbondanza) abundance ◇ (ampiezza) largeness, breadth

làrgo a broad, wide ◇ (di vestito) loose-fitting, (troppo grande) big, loose ◇ (abbondante) large, abundant ♦ sm width ◇ (naut) open sea ● al l. offshore; farsi l. to make one's way

laringe sf larynx

laringite sf laryngitis

làrva sf (zool) larva, grub ◇ (apparenza) phantom

lasciapassàre sm pass

lasciàre vt to leave ◇ (abbandonare) to abandon, to quit ◇ (permettere) to let ◇ (lasciar andare) to let go, to free ◇ (lasciare da parte) to keep ♦ vrif to let oneself ◇ (reciproco) to leave each other ● l. correre to let things go; l. perdere to give up; lasciami stare! leave me alone!

lassativo a/sm laxative

làsso sm lapse, period

lassù avv up there

làstra sf slab, (di metallo e fot) plate, (di vetro, ghiaccio) sheet

làstrico sm paving ● essere sul l. to be on the rocks

latènte a latent

lateràle a lateral, side

latifóndo sm latifundio, large estate

latinìsmo sm Latinism

latino a/sm Latin

latino-americàno a/sm Latin American

latitànte sm/f absconder

latitùdine sf latitude

làto *sm* side ● *a l. di* next to, beside; *da un l. ..., dall'altro* on the one hand ..., on the other hand

làtta *sf* tin ◇ (*recipiente*) can, tin ● *di l.* tin

lattàio *sm* milkman

lattànte *sm/f* (unweaned) baby

làtte *sm* milk ● *l. in polvere* powdered milk; *l. intero* whole milk; *l. scremato* skimmed milk

làtteo *a* milky, milky ● *Via Lattea* Milky Way

lattería *sf* dairy

latticìnio *sm* dairy product

lattìna *sf* tin, can

lattùga *sf* lettuce

làurea *sf* degree ● *l. ad honorem* honorary degree

laureàto *sm* graduate

làuto *a* large, lavish

làva *sf* lava

lavabiancheria *sf* washing-machine

lavàbo *sm* washbasin

lavàggio *sm* washing ● *l. del cervello* brainwashing

lavàgna *sf* blackboard ● *l. luminosa* overhead projector

lavànda (1) *sf* (*bot*) lavender

lavànda (2) *sf* (*med*) lavage ● *l. gastrica* gastric lavage

lavandería *sf* laundry, (*automatica*) laund(e)rette, (*a secco*) dry cleaner

lavandìno *sm* sink

lavapiàtti *sm/f* dish-washer

lavàre *vt* to wash ♦ *vrif* to wash oneself ● *l. i piatti* to do the dishes; *l. a secco* to dry-clean

lavastovìglie *sf* dish-washer

lavatrìce *sf* washing machine

lavorànte *sm/f* worker, assistant

lavoràre *vi* to work ◇ (*funzionare*) to operate, to work ◇ (*di ditta*) to do (good) business ♦ *vt* to work ● *lavorarsi qn* (*fig*) to work on sb

lavoratìvo *a* working

lavoratóre *a* working ♦ *sm* worker

lavorazióne *sf* working, manufacturing, (*metodo*) processing, (*fattura*) workmanship, (*realizzazione*) production

lavóro *sm* work, (*spec manuale*) labour ◇ (*occupazione*) job, employment, work ◇ (*fis*) work ◇ (*opera*) (piece) of work

le (1) *art* (*spesso non si traduce o si rende con l'agg poss o con il partitivo*) (ES: **battere le mani** to clap hands; **lavati le mani** wash your hands; **hai comprato le mele?** did you buy some apples?)

le (2) *pr.f.sing* (*compl ind*) (to) her, (for) her (*riferito a donna o animale di sesso femminile*) (to) her, (for) her, (*riferito a cosa o animale di sesso non determinato*) (to) it, (for) it ◇ (*compl ind, dando del Lei*) (to) her, (for) you ♦ *pr.f.pl* (*compl ogg*) them

leàle *a* loyal ◇ (*onesto*) fair

lealtà *sf* loyalty ◇ (*onestà*) fairness

lébbra *sf* leprosy

leccapièdi *sm/f* bootlicker

leccàre *vt* to lick, to lap ◇ (*adulare*) to butter up

léccio *sm* ilex, holm-oak

lécito *a* (*dir*) licit, lawful ◇ (*con-*

cesso) allowed (*pred*), right ♦ *sm* right

lèdere *vt* to damage

léga *sf* league, alliance ◇ (*met*) alloy

legàle *a* legal ◇ (*conforme alla legge*) lawful ♦ *sm* lawyer ● *ora l.* summertime, (*USA*) daylight, saving(s) time

legalizzàre *vt* to legalize ◇ (*autenticare*) to authenticate

legàme *sm* tie, bond ◇ (*connessione*) link, connection ◇ (*amoroso*) love affair

legàre *vt* to tie, to bind, to fasten ♦ *vi* (*accordarsi*) to go well, to get on well ● (*aver connessione*) to be connected ♦ *vrif* to bind oneself

legatùra *sf* fastening ◇ (*mus*) ligature, slur

légge *sf* law ● *proposta di l.* bill

leggènda *sf* legend

leggendàrio *a* legendary

lèggere *vt/i* to read

leggerézza *sf* lightness ◇ (*agilità*) nimbleness ◇ (*mancanza di serietà*) thoughtlessness ● *con l.* thoughtlessly

leggèro *a* light ◇ (*lieve*) slight, (*di suono*) faint ◇ (*non forte*) light, weak ● *prendere qc alla leggera* to take st lightly

leggìbile *a* legible, readable

leggìo *sm* book-rest, (*mus*) music-stand

legiòne *sf* legion

legislatìvo *a* legislative

legislazióne *sf* legislation, laws *pl*

legittimàre *vt* to legitimize ◇ (*giustificare*) to justify

legìttimo *a* lawful, legitimate, legal ● *legittima difesa* self-defence

légna *sf* wood, (*da ardere*) firewood

legnàme *sm* wood, (*da costruzione*) timber

légno *sm* wood ◇ *al pl* (*mus*) woodwinds *pl* ● *di l.* wooden

legùme *sm* (*pianta*) legume ◇ *al pl* (*semi*) pulses *pl*

lèi *pr.pers* (*oggetto*) her ◇ (*sogg*) she ◇ (*nella forma di cortesia*) you

lémbo *sm* edge ◇ (*zona*) strip

lèmma *sm* headword, entry

lenìre *vt* to soothe, to relieve, to alleviate

lenitìvo *a* lenitive, soothing

lènte *sf* lens ● *lenti a contatto* contact lenses

lentézza *sf* slowness

lentìcchia *sf* lentil

lentìggine *sf* freckle

lènto *a* slow ◇ (*allentato*) slack, loose

lènza *sf* fishing line

lenzuòlo *sm* sheet ● *l. da bagno* bath-towel

leóne *sm* lion

leopàrdo *sm* leopard

lèpre *sf* hare ◇ (*sport*) pacemaker

lèrcio *a* dirty

lèsbica *sf* lesbian

lesinàre *vt/i* to skimp

lesionàre *vt* to damage ♦ *vpr* to be damaged

lesióne *sf* (*med*) lesion ◇ (*dir*) injury ◇ (*danno*) damage

lessàre vt to boil

lèssico sm lexicon, language ◇ (dizionario) dictionary, lexicon

lésso a boiled ♦ sm boiled beef, boiled meat

lèsto a quick

letàle a lethal

letàme sm manure, dung

letàrgo sm (fig) lethargy ◇ (zool) dormancy

letìzia sf joy

lèttera sf letter ● prendere alla l. to take literally

letteràle a literal

letteràrio a literary, (spreg) bookish

letteràto sm man of letters

letteratùra sf literature

lettìga sf stretcher

lettìno sm l. solare sunbed, (USA) tanning bed

lètto sm bed ● l. a castello bunk bed; l. a una piazza single bed; l. matrimoniale double bed

lettóre sm reader ◇ (università) lecturer ● l. di codice a barre bar code reader; l. di DVD DVD player

lettùra sf reading

leucemìa sf leukaemia

lèva (1) sf lever

lèva (2) sf (mil) call-up, (USA) draft ◇ (est) generation, class

levànte a rising ♦ sm east

levàre vt (sollevare) to raise, to lift ◇ (togliere) to remove, to take away, to take off ◇ (abolire) to remove, to abolish ♦ vpr/rif (togliersi) to get out ◇ (alzarsi dal letto) to get up, (alzarsi in piedi) to stand up, (alzarsi in

volo) to take off ◇ (sorgere) to rise

levatrìce sf midwife

levatùra sf stature, calibre

levigàre vt to smooth

levrière sm greyhound

lezióne sf lesson, (all'università) lecture ● ora di l. period

lezióso a affected

lézzo sm stink

li pr.pers (compl ogg) them

lì avv there ● di lì a poco shortly after; lì per lì (dapprima) at first, (sul momento) there and then; lì sopra up there; lì vicino nearby

lìbbra sf pound

libèllo sm libel

libèllula sf dragon-fly

liberàle a liberal ♦ sm/f (pol) Liberal

liberalìsmo sm liberalism, (econ) laissez-faire

liberalità sf liberality

liberalizzazióne sf liberalization

liberàre vt to free, to liberate, to release ◇ (sgombrare) to clear ♦ vrif to free oneself, to get rid

liberazióne sf liberation, freeing, release

lìbero a free ◇ (non occupato) clear, vacant, empty ◇ (aperto) open ◇ (non sposato) free, unmarried, single

libertà sf freedom, liberty

libertìno a/sm libertine

liberty a/sm art nouveau

libìdine sf lechery ◇ (desiderio) lust, thirst

libràio sm bookseller

librerìa sf bookshop, (USA) bookstore ◇ (mobile) bookcase

librétto sm booklet, book ◇ (d'opera) libretto ◇ l. degli assegni chequebook; l. di lavoro employment card; l. di circolazione registration book, (USA) vehicle registration

libro sm book ● l. di testo textbook; l. giallo thriller; l. nero (fig) black list

licènza sf (concessione) licence, authorization ◇ (scolastica) (esame) school-leaving examination, (diploma) (school-leaving) certificate ◇ (libertà) liberty, licence ◇ (mil) leave

licenziaménto sm dismissal

licenziàre vt to dismiss ◆ vrif to resign

licenzióso a dissolute, licentious

licèo sm high school

lìdo sm shore, beach

lièto a glad, happy

lième a light ◇ (debole) gentle, slight, soft

lievitàre vi to rise, to ferment ◇ (aumentare) to grow, to rise

lièvito sm yeast

light a low-fat, reduced-fat

lìgio a faithful

lìgneo a (di legno) wooden, (simile al legno) woody

lìlla a/sm lilac

lìma sf file

limàre vt to file ◇ (fig) to polish

limétta sf nail file

limitàre vt (circoscrivere) to bound ◇ (restringere) to limit, to restrict ◆ vrif to limit oneself, to restrict oneself

limitazióne sf limitation, restriction

lìmite sm limit, bound

limìtrofo a neighbouring

limonàta sf lemonade

limóne sm lemon

limpidézza sf clearness, limpidity

lìmpido a clear, limpid

lince sf lynx

linciàre vt to lynch

lìndo a neat

lìnea sf line ◇ (del corpo) figure ● l. analogica analogue line; l. dedicata dedicated line; l. digitale digital line; in l. d'aria as the crow flies; l. aerea airline; servizio di l. regular service

lineaménti sm pl features pl ◇ (fig) outlines pl

lineàre a linear ◇ (fig) straightforward, consistent

linearità sf linearity ◇ (fig) straightforwardness, consistency

lineétta sf dash

lìnfa sf (anat) lymph ◇ (bot) sap

lingòtto sm bar

lìngua sf tongue ◇ (linguaggio) language, tongue

linguàggio sm language, speech, (tecnico) jargon, slang

linguistica sf linguistics pl (v al sing)

linguìstico a linguistic

lìno sm (bot) flax ◇ (tessuto) linen

liofilizzàre vt to freeze-dry, to lyophilize

lìpide sm lipid

liquefàre vt/pr to liquefy

liquidàre vt (sciogliere) to liquidate, to wind up ◇ (saldare) to settle, to clear, to pay off ◇ (*svendere*) to sell off ◇ (*sbarazzarsi*) to get rid of

liquidazióne *sf* liquidation, winding-up ◇ (*pagamento*) settlement, payment ◇ (*indennità di fine rapporto*) severance pay ◇ (*svendita*) clearance sale

liquidità *sf* liquidity

líquido *a* liquid ◆ *sm* liquid, fluid ◇ (*denaro*) cash

liquirízia *sf* licorice

liquóre *sm* liquor, spirits *pl*

lìra (1) *sf* (*mus*) lyre

lìra (2) *sf* (*moneta*) lira • *l. sterlina* pound sterling

lírica *sf* lyric poetry ◇ (*componimento*) lyric ◇ (*mus*) opera

lirìsmo *sm* lyricism

lìsca *sf* fishbone

lisciàre *vt* to smooth ◇ (*accarezzare*) to stroke ◇ (*lusingare*) to flatter

líscio *a* smooth ◇ (*semplice*) plain ◆ *sm* (*ballo*) ballroom dance

líso *a* worn, worn out

lìsta *sf* list • *l. nozze* bridal registry

listìno *sm* list • *l. prezzi* price-list

litanìa *sf* litany ◇ (*sequela*) string

lìte *sf* quarrel, row ◇ (*dir*) lawsuit

litigàre *vi* to quarrel, to have a row, to argue

litìgio *sm* quarrel, row, argument

litografìa *sf* (*procedimento*) lithography, (*riproduzione*) lithograph

litoràle *sm* coast

litoràneo *a* coast, coastal

lìtro *sm* litre, (*USA*) liter • *mezzo l.* half a litre

liturgìa *sf* liturgy

litùrgico *a* liturgical

liutàio *sm* lute-maker

liùto *sm* lute

livèlla *sf* level

livèllo *sm* level ◇ (*grado*) standard, level, degree • *l. di guardia* danger level

lìvido *a* livid ◆ *sm* bruise

livóre *sm* spite

livrèa *sf* livery ◇ (*di uccello*) plumage

lìzza *sf* lists *pl* • *essere in l.* to be a candidate

lo (1) → **il**

lo (2) *pr.pers* (*compl ogg*) (*riferito a uomo o animale maschio*) him, (*riferito a cosa o animale di sesso non determinato*) it ◇ (*questo, ciò*) it, that (*spesso idiom*) (ES: **lo so** I know)

lòbo *sm* lobe

locàle *a* local ◆ *sm* (*stanza*) room, premises *pl* ◇ (*treno*) regional train ◇ (*pubblico*) café, pub, nightclub

località *sf* resort

localizzàre *vt* to locate ◇ (*circoscrivere*) to localize ◆ *vpr* to become localized

locànda *sf* inn

locandìna *sf* playbill

locatàrio *sm* tenant, renter, lessee

locatóre *sm* lessor

locazióne *sf* lease, (*affitto*) rent

locomotíva *sf* locomotive

locomozióne *sf* locomotion

locuzióne sf locution, expression, phrase

lodàre vt to praise

lòde sf praise

logaritmo sm logarithm

lòggia sf (arch) loggia ◇ (massonica) lodge

lògica sf logic

lògico a logical

lògo sm logo, logotype

logoràre vt/pr to wear out

lógoro a worn-out

logoterapìa sf speech therapy

lombàggine sf lumbago

lómbo sm loin

lombrìco sm earthworm

londinése a London ♦ sm/f Londoner

longèvo a long-lived

longilìneo a long-limbed

longitùdine sf longitude

lontanànza sf distance

lontàno a (nello spazio) far-off, far-away, distant, far, far off (pred), far away (pred), far apart (pred) ◇ (nel tempo) distant, far-away, far off (pred), far away (pred) ◇ (assente) absent ◇ (vago) faint, slight ♦ avv far away, a long way, in the distance, far ♦ prep l. da far from, away from

lóntra sf otter

loquàce a loquacious

lórdo a dirty, filthy ◇ (valore) gross

lóro (1) a.poss their, (loro proprio) their own ◇ (pred) theirs ◇ (nella forma di cortesia) your, yours (pred) ♦ pr.poss theirs ◇ (nella forma di cortesia) yours

lóro (2) pr.pers (compl ogg e ind) them ◇ (sogg) they ◇ (pred) them, they ◇ (nella forma di cortesia, sogg e compl) you

losànga sf lozenge

lósco a (bieco) sly ◇ (di dubbia onestà) suspicious, shady

lòtta sf struggle, fight ◇ (sport) wrestling

lottàre vi to struggle, to fight ◇ (sport) to wrestle

lottatóre sm fighter ◇ (sport) wrestler

lotterìa sf lottery, (di beneficenza) raffle

lottizzàre vt to lot out ◇ (pol) to carve up

lozióne sf lotion

lubrificànte a lubricating ♦ sm lubricant

lubrificàre vt to lubricate, to oil

lubrificazióne sf lubrication

lucchétto sm padlock

luccicàre vi to glitter, to sparkle, to twinkle

lùccio sm pike

lùcciola sf firefly ◇ (prostituta) streetwalker

lùce sf light ◇ (apertura) opening, (arch) span ◇ (finestra, vetrina) (light) window ♦ mettere in l. to stress; venire alla l. to be born

lucènte a shining

lucernàrio sm skylight

lucèrtola sf lizard

lucidàre vt to polish

lucidità sf lucidity

lùcido a bright, shiny, (lucidato) polished ◇ (fig) lucid ♦ sm brightness, sheen ◇ (*materiale lucidante*) polish

lucràre *vt* to gain, to make a profit

lùcro *sm* gain, profit

lùdico *a* ludic, playful

lùglio *sm* July

lùgubre *a* gloomy, dismal

lùi *pr.pers* (*compl ogg e ind*) him ◇ (*sogg*) he ◇ (*pred*) he, him

lumàca *sf* snail

lùme *sm* lamp, light

luminosità *sf* brightness, luminosity

luminóso *a* bright, luminous ◇ (*fig*) brilliant

lùna *sf* moon ● *l. di miele* honeymoon

lùna park *loc.sm* funfair, (*USA*) amusement park

lunàre *a* lunar, moon

lunàtico *a* moody

lunedì *sm* Monday

lunétta *sf* lunette

lungàggine *sf* slowness

lunghézza *sf* length ◇ (*edil*) run

lùngo *a* long ◇ (*alto*) tall ◇ (*lento*) slow ◇ (*diluito*) weak, thin ◆ *prep* along, by the side of ◇ (*durante*) during, over

lungolàgo *sm* lakeside

lungomàre *sm* seafront, promenade

lunòtto *sm* rear window, back window ● *l. termico* heated rear window

luògo *sm* place, spot ◇ (*di azione*) scene, site ◇ (*di scritto*) passage ● *avere l.* to take place; *l. comune* commonplace

luogotenènte *sm* lieutenant

lùpo *sm* wolf

lùppolo *sm* hop

lùrido *a* filthy, dirty

lusingàre *vt* to allure, to flatter

lusinghièro *a* flattering, tempting

lussàre *vt* to dislocate

lussazióne *sf* dislocation

lùsso *sm* luxury

lussuóso *a* luxurious

lussureggiànte *a* luxuriant

lussùria *sf* lust

lustràre *vt* to polish ◆ *vi* to shine ● *lustrarsi gli occhi* to get an eyeful

lustrascàrpe *sm/f* bootblck

lustrino *sm* sequin

lùstro (1) *a* bright, shining, (*lucidato*) polished ◆ *sm* shine, gloss ◇ (*fig*) lustre, splendour

lùstro (2) *sm* (*periodo di 5 anni*) five-year period

luteràno *a/sm* Lutheran

lùtto *sm* mourning

luttuóso *a* mournful ◇ (*che causa lutto*) tragic, distressing

M

ma *cong* but, (*invece*) only that, (*tuttavia*) yet, still

màcabro *a* macabre

macché *inter* of course not!

màcchia (1) *sf* stain, spot, blot ● *a macchie* spotted

màcchia (2) *sf* (*boscaglia*) bush, copse ● *darsi alla m.* to go into hiding

macchiàre *vt* to stain, to spot ◆ *vpr* to get stained ◇ (*fig*) to sully

macchiétta *sf* speck ◇ (*persona*) character

màcchina *sf* machine, engine ◇ (*aut*) car

macchinàre *vt* to plot, to scheme

macchinazióne *sf* machination, plot

macchinìsta *sm* (*ferr*) engine-driver, (*naut*) engineer

macchinóso *a* overly and unnecessarily, complex, involved

macedònia *sf* fruit-salad

macellàre *vt* to slaughter

macellerìa *sf* butcher's shop

macèllo *sm* slaughter ◇ (*fig*) mess

maceràre *vt* to soak, to steep ◇ (*tecn*) to macerate ◆ *vrif* (*struggersi*) to waste away

macèrie *sf pl* rubble, ruins *pl*

macìgno *sm* boulder, rock

màcina *sf* millstone

macinacaffè *sm* coffee grinder

macinapépe *sm* pepper-mill, pepper grinder

macinàre *vt* to grind, to mill, (*carne*) to mince ● *m. kilometri* to eat up the miles

macroscòpico *a* macroscopic ◇ (*fig*) gross, glaring

màdia *sf* kneading-trough

màdido *a* wet

madornàle *a* enormous, gross

màdre *sf* mother ◇ (*matrice*) counterfoil, stub ◆ *a* mother ● *scena m.* crucial scene

madrelìngua *a/sf* mother tongue ◆ *sm/f* native speaker

madrepàtria *sf* mother land, mother country

madrepèrla *sf* mother-of-pearl

madrigàle *sm* madrigal

madrìna *sf* godmother ◇ (*di cerimonia*) patroness

maestà *sf* majesty

maestóso *a* majestic, magnificent

maestràle *sm* mistral

maestrànze *sf pl* hands *pl*, workers *pl*

maèstro *a* (*principale*) main ◇ (*abile*) masterly, skilful ● *sm* master, teacher, (*di scuola*) schoolteacher

magàgna *sf* (*imperfezione*) flaw, defect ◇ (*problema*) catch ◇ (*acciacco*) infirmity

magàri *inter* and how!, you bet! ◆ *cong* (*desiderativo*) if only ◇ (*concessivo*) even if ◆ *avv* (*forse*) perhaps, maybe ◇ (*persino*) even

magazzìno *sm* (*deposito*) warehouse ◇ (*negozio*) shop, store ◇ (*scorte*) stocks *pl*, stores *pl* ● *grande m.* department store

màggio *sm* May

maggiorànza *sf* majority ● *la m. di* the great(er) part of, most, the majority of

maggioràre *vt* to increase, to put up

maggiorazióne *sf* (*aumento*) increase ◇ (*sovrapprezzo*) surcharge, extra charge

maggiordòmo *sm* butler

maggióre *a.comp* (*più grande*)

greater, (*più grosso*) larger, bigger, (*più alto*) higher, taller, (*più lungo*) longer, (*più largo*) wider ◇ (*più importante*) major ◇ (*più anziano*) older, (*tra figli*) elder ◆ *a.sup* (*il più grande*) the greatest, (*il più grosso*) the largest, the biggest, (*il più alto*) the highest, the tallest, (*il più lungo*) the longest, (*il più largo*) the widest ◇ (*il più importante*) major, main ◇ (*il più anziano*) oldest, (*tra figli*) eldest ◆ *sm/f* (*il più anziano*) the oldest, (*tra figli*) the eldest ◇ (*di grado*) superior ◇ (*mil*) major ● *m.* età full age; *la maggior parte* (*di*) most (of)

maggiorénne *sm/f* major, adult ● *diventare m.* to come of age

maggioritàrio *a* majority ● *sistema m.* majority system

magia *sf* magic ◇ (*incantesimo*) spell ● *come per m.* as if by magic

màgico *a* magical

magistèro *sm* teaching

magistràle *a* masterly, magistral

magistràto *sm* (*dir*) magistrate, judge ◇ (*funzionario*) official

magistratùra *sf* magistrature, magistracy ◇ (*insieme dei magistrati*) the Bench

màglia *sf* (*di filo*) stitch, (*di rete*) mesh, (*di catena*) link ◇ (*lavoro a maglia*) knitting ◇ (*indumento*) sweater, jumper ◇ (*intima*) vest ◇ (*maglietta*) T-shirt, (*sport*) shirt

magliétta *sf* T-shirt, shirt ◇ (*intima*) vest, undershirt

màglio *sm* hammer

magnànimo *a* magnanimous, noble

magnàte *sm* magnate, tycoon

magnèsio *sm* magnesium

magnète *sm* (*fis*) magnet ◇ (*mecc*) magneto

magnètico *a* magnetic

magnìfico *a* magnificent, wonderful

màgno *a* great

magnòlia *sf* magnolia

màgo *sm* magician, wizard

màgra *sf* (*di fiume*) minimum flow ◇ (*scarsezza*) shortage ◇ (*fam*) (*figuraccia*) poor figure

magrézza *sf* thinness, leanness

màgro *a* thin, lean, slim ◇ (*scarso*) poor, scanty ◇ (*misero*) meagre, scant ◆ *sm* (*parte magra*) lean (meat)

mài *avv* never, ever (*in frasi interr, comparative e in presenza di negazione*) ◇ *caso m.* if (ever); *come m.?* why?; *m. più* never again; *più che m.* more than ever; *m. e poi m.* never ever

maiàle *sm* pig ◇ (*cuc*) pork ◇ (*fig*) swine, pig

maiòlica *sf* majolica

maionése *sf* mayonnaise

màis *sm* maize, (*USA*) corn

maiùscolo *a* capital

malaccòrto *a* ill-advised, imprudent

malaféde *sf* bad faith

malandàto *a* in bad condition

malànno *sm* (*malattia*) illness, (*acciacco*) infirmity ◇ (*disgrazia*) misfortune

malapéna, a *loc.avv* hardly

malària *sf* malaria

malatìccio a sickly

malàto a sick, ill ◇ (di pianta) diseased ◇ (fig) unsound, morbid, unhealthy ◆ sm sick person, patient ● essere m. di... to suffer from...; m. di mente mentally ill

malattia sf sickness, illness, disease ◇ (di piante) disease ◇ (congedo dal lavoro) sick leave ● m. a trasmissione sessuale sexually transmitted disease, STD

malaugùrio sm ill omen

malavita sf (the) underworld ● m. organizzata organized crime

malcóncio a in bad shape, in a bad state ◇ (al verde) hard up ◇ (consumato) worn out, battered

malcontènto a dissatisfied ◆ sm discontent

malcostùme sm immorality

maldèstro a clumsy, awkward

màle sm (in senso morale) evil, wrong ◇ (dolore) pain, ache, (malattia) sickness, illness, disease ◇ (sventura) ill, misfortune, (guaio) trouble ◇ (danno) harm ◆ avv badly, not well ● andare a m. to go off; capire m. to misunderstand; farsi m. to hurt oneself; non c'è m. not too bad; prendersela a m. to get annoyed; stare m. (di salute) to be ill, (non adattarsi) to not suit

maledétto a cursed, damned

maledìre vt to curse, to damn

maledizióne sf curse, malediction ◆ inter damn!, blast it!

maleducàto a rude, ill-bred, impolite

maleducazióne sf rudeness, bad manners pl

maléfico sm spell

malèfico a harmful, malefic

maleodorànte a stinking

malèssere sm ailment, malaise ◇ (fig) uneasiness

malèvolo a malevolent

malfamàto a ill-famed

malfàtto a badly done

malfattóre sm criminal

malférmo a unsteady, shaky ◇ (di salute) poor, delicate

malformazióne sf malformation, deformity

malgovèrno sm misrule, bad government, (cattiva amministrazione) mismanagement

malgràdo prep notwithstanding, in spite of ◆ cong (al)though, even though ● mio/tuo m. against my/your will; m. tutto in spite of everything

malìa sf spell ◇ (fig) charm

malignità sf malignity, malice

malìgno a malicious, malevolent ◇ (malefico) evil, malignant, malign ◇ (med) malignant

malinconìa sf melancholy, sadness, gloom ◇ (pensiero) gloomy thought

malincònico a melancholy, sad, gloomy

malincuòre, a loc.avv unwillingly

malintenzionàto a ill-intentioned

malintéso a mistaken ◆ sm misunderstanding

malìzia sf malice ◇ (astuzia) cunning ◇ (espediente) trick

malizióso *a* malicious ◇ (*astuto*) artful

mallèolo *sm* malleolus

malmenàre *vt* (*picchiare*) to beat up ◇ (*trattare male*) to ill-treat, to mishandle

malmésso *a* shabby

malnutrito *a* malnourished

malnutrizióne *sf* malnutrition

malòcchio *sm* evil eye

malóra *sf* ruin ● andare in m. (*fam*) to go to the dogs

malóre *sm* (sudden) illness

malsàno *a* unhealthy, sickly ◇ (*non salutare*) unhealthy, unwholesome ◇ (*fig*) morbid, sick

malsicùro *a* (*poco stabile*) unsteady ◇ (*privo di sicurezza*) unsafe ◇ (*incerto*) uncertain ◇ (*inattendibile*) unreliable

màlta *sf* mortar

maltèmpo *sm* bad weather

màlto *sm* malt

maltrattaménto *sm* abuse, mistreatment

maltrattàre *vt* to ill-treat, to mal-treat, to abuse

malumóre *sm* bad temper, bad mood ◇ (*dissapore*) bad feeling ◇ (*scontento*) unrest

màlva *sf* (*bot*) mallow ◆ *sm* (*colore*) mauve

malvàgio *a* wicked, evil

malversazióne *sf* misappropriation

malvisto *a* disliked, unpopular

malvivènte *sm* delinquent

malvolentièri *avv* unwillingly, against one's will

màmma *sf* mother, mummy, (*USA*) mommy

mammèlla *sf* (*anat*) mamma, (*fam*) breast, (*di femmina d'animale*) udder

mammifero *a* mammalian ◆ *sm* mammal

mancaménto *sm* faint, fainting speel

mancànza *sf* want, lack ◇ (*assenza*) absence ◇ (*fallo*) fault ◇ (*difetto*) defect

mancàre *vi* (*non avere a sufficienza*) to lack, to be lacking, to want, to be wanting ◇ (*non esserci*) to be absent, (*non essere reperibile*) to be missing, (*essere lontano*) to be away ◇ (*per arrivare a un termine stabilito*) to be (ES: **manca un quarto alle dieci** it is a quarter to ten) ◇ (*per completare qc*) to be needed ◇ (*venire meno*) to fail ◇ (*agire male*) to wrong, (*sbagliare*) to make a mistake ◇ (*omettere*) to omit, to fail ◇ (*morire*) to pass away ◇ (*essere rimpianto*) to miss (*costruzione pers*) ◆ *vt* to miss

mància *sf* tip ● dare, lasciare la m. to tip

manciàta *sf* handful

mancino *a* left-handed ◇ (*fig*) treacherous

mandàre *vt* to send, to forward, to dispatch ◇ (*emettere*) to give off, to emit ● m. a chiamare to send for; m. a rotoli, a monte to upset; m. giù to swallow; m. in onda to broadcast

mandarino *sm* (*bot*) tangerine

mandìbola *sf* mandible, jaw

mandolino *sm* mandolin(e)

màndorla sf almond ● *occhi a m.* almond shaped eyes, slanting eyes

màndria sf herd

maneggévole a handy, manageable

maneggiàre vt (*strumenti*) to handle, to use ◇ (*pasta, cera*) to knead, to mould ◇ (*amministrare*) to manage

manéggio sm (*il maneggiare*) handling, use ◇ (*gestione*) management ◇ *al pl* (*intrighi*) intrigue ◇ (*equitazione*) manège

manétte sf pl handcuffs pl ● *in m.* handcuffed

manganèllo sm club

manganése sm manganese

mangiàbile a eatable, edible

mangianàstri sm cassette player

mangiàre vt to eat, (*a pranzo*) to have lunch, (*a cena*) to have dinner ◇ (*consumare*) to eat up, to consume ◇ (*nei giochi*) to take ◇ (*spendere*) to waste, to squander ● sm eating ◇ (*cibo*) food ● *mangiarsi le parole* to chaw one's words

mangiàta sf square meal, bellyful

mangiatóia sf manger

mangime sm feedstuff, (*foraggio*) fodder

manìa sf mania ● *m. di persecuzione* persecution complex

maniaco a maniac(al) ◇ (*fissato*) mad, crazy ● sm maniac

mànica sf sleeve ◇ (*fam*) (*combriccola*) gang ● *maniche corte/ lunghe* short/long sleeves

manicarétto sm dainty, delicacy

manichìno sm dummy, mannequin

mànico sm handle

manicòmio sm mental hospital ◇ (*fig*) madhouse

manièra sf manner, way ◇ *al pl* (*comportamento*) manners ◇ (*stile*) style, manner

manieràto a affected

manifattùra sf manufacture ◇ (*lavorazione*) workmanship ◇ (*fabbrica*) factory

manifestàre vt to manifest, to show, to display, to express ◆ vi to demonstrate ◆ vpr/rif to manifest oneself, to reveal oneself, to show oneself

manifestazióne sf manifestation, display ◇ (*dimostrazione*) demonstration, protest

manifèsto a clear, obvious ◆ sm (*affisso*) placard, poster, (*avviso*) notice ◇ (*ideologico, artistico*) manifesto, programme

manìglia sf handle, (*appiglio sui mezzi pubblici*) strap

maniglióne sm **m. antipanico** crash bar, crash bar handle

manipolàre vt to manipulate, to handle ◇ (*adulterare*) to adulterate, (*falsificare*) to falsify ◇ (*condizionare*) to manipulate

manipolazióne sf manipulation, handling ◇ (*adulterazione*) adulteration, (*falsificazione*) falsification, fiddling ◇ (*condizionamento*) manipulation ● *m. genetica* genetic manipulation

maniscàlco sm horseshoer

mànna sf manna ◇ (*fig*) blessing

màno sf hand ◇ (*lato*) side ◇

(tocco) touch, hand ◇ *(di vernice)* coat ● *a m.* by hand; *contro m.* on the wrong side of the road; *dare una m.* to lend a hand, to help out; *di seconda m.* second-hand; *fatto a m.* handmade, handwork; *stringersi la m.* to shake hands

manodòpera *sf* labour, manpower

manòmetro *sm* manometer, gauge

manométtere *vt* to tamper with

manòpola *sf* grip, handle ◇ *(girevole)* knob

manoscritto *a* handwritten ● *sm* manuscript

manovàle *sm* labourer

manovèlla *sf* crank, handle

manòvra *sf* *(mil)* manoeuvre ◇ *(movimento)* monoeuvring, working ◇ *(naut)* rigging ◇ *(fig)* manoeuvre

manovràre *vt* to manoeuvre, to handle, to control ◇ *(fig)* to manage, to manipulate ● *vi* to manoeuvre ◇ *(fig)* to scheme

mansàrda *sf* mansard, attic

mansióne *sf* function, task, duty

mansuèto *a* mild, meek

mantecàre *vt* to whisk

mantèllo *sm* mantle, cloak ◇ *(di animale)* coat

mantenére *vt* to maintain, to keep, to preserve ◇ *(sostenere)* to maintain, to support ◇ *(rispettare)* to keep ● *vrif* to earn one's living ● *vpr* to keep

mantenimento *sm* maintenance, keeping ◇ *(sostentamento)* support ◇ *(manutenzione)* upkeep

màntice *sf* bellows *pl* ◇ *(di carrozza)* hood

mànto *sm* mantle, cloak ● *m. stradale* road surface

manuàle *a* manual ● *sm* manual, handbook ● *da m.* textbook

manualità *sf* manual character ◇ *(destrezza)* manual dexterity

manualménte *avv* manually, by hand

manùbrio *sm* handle, *(di veicolo)* handlebar ◇ *(attrezzo ginnico)* dumb-bell

manufàtto *sm* handwork, hand-made article

manutenzióne *sf* maintenance, upkeep, *(tecnica)* service

manzo *sm* *(cuc)* beef

maomettàno *a/sm* Mohammedan

màppa *sf* map, plan

mappamóndo *sm* *(globo)* globe ◇ *(planisfero)* map of the world

maràsma *sm* *(decadenza)* decay ◇ *(caos)* chaos

maratóna *sf* marathon

màrca *sf* brand, mark, *(fabbricazione)* make ◇ *(bollo)* stamp ◇ *(contromarca)* check ◇ *(fig)* kind, character ● *prodotto di m.* brand-name product

marcàre *vt* to mark, to brand ◇ *(sport)* to score, *(un avversario)* to mark ◇ *(accentuare)* to emphasize

marchése *sm* marquis, marquess

marchiàre *vt* to brand, to mark, to stamp

màrchio *sm* brand, mark, *(bollo)* stamp ◇ *(comm)* brand (name), (trade) mark ◇(fig) mark ● m. di fabbrica trademark; m. registrato registered trademark

màrcia sf march ◇ (sport) walk ◇ (aut) gear, speed ◇ (mus) march

marciapiède sm pavement, (USA) sidewalk ◇ (ferr) platform

marciàre vi to march, to walk

màrcio a rotten, bad

marcire vi to rot, to go bad

marciùme sm rot

màrco sm mark

màre sm sea ● in m. aperto offshore; per m. by sea

marèa sf tide

maremòto sm seaquake

margarina sf margarine

margherita sf daisy

marginàle a marginal

màrgine sm (orlo, bordo) edge ◇ (di foglio) margin ◇ (econ) margin

marina sf navy ◇ (arte) seascape ◆ sm (naut) marina

marinàio sm seaman, sailor, mariner

marinàre vt (cuc) to marinate, to pickle ◇ (la scuola) to play truant, (USA) to play hooky

marino a marine, sea

marionétta sf puppet

maritàre vt to marry, to give sb in marriage ◆ vrif to get married

marito sm husband ● da m. marriageable

marittimo a maritime, marine, sea

marmàglia sf rabble

marmellàta sf jam ● m. di arance marmalade

marmitta sf (aut) silencer ● m.

catalìtica catalytic converter, catalyst

màrmo sm marble

marmòcchio sm kid

marmòreo a marble

marmòtta sf marmot

marocchino a/sm Moroccan

marróne a brown ◆ sm (castagna) chestnut

marsùpio sm (zool) marsupium, pouch ◇ (per bambini) baby sling ◇ (borsa) bumbag, (USA) waist pack

martedì sm Tuesday

martellaménto sm pounding

martellàre vt to hammer ◇ (fig) to pound ◆ vi to throb

martèllo sm hammer ● m. pneumatico jack hammer

martinétto sm jack

màrtire sm/f martyr

màrtora sf marten

marxismo sm Marxism

marzapàne sm marzipan

màrzo sm March

mascalzóne sm rascal, scoundrel

mascàra sm mascara

mascèlla sf jaw

màschera sf mask ◇ (travestimento) costume ◇ (persona mascherata) masker ◇ (di commedia) stock character ◇ (inserviente di teatro, cinema) usher m, usherette f

mascheràre vt to mask ◇ (travestire) to dress in costume ◇ (nascondere) to conceal, to disguise ◆ vrif to put on a mask, (vestirsi da) to dress as ◇ (fig) to pass oneself off

mascheràta *sf* masquerade

maschìle *a* male, men's ◇ (*virile*) masculine, manly ◇ (*gramm*) masculine

maschilista *a/sm* male chauvinist

màschio (1) *a* male ◆ *sm* male, (*ragazzo*) boy, (*uomo*) man, (*figlio*) son

màschio (2) *sm* (*di castello*) donjon, dungeon

mascolìno *a* masculine

mascotte *sf* mascot

masochìsmo *sm* masochism ◇ (*grande quantità*) heap, load ◇ (*folla*) mass, crowd ◇ (*fis*) mass ◇ (*el*) earth, ground

màssa *sf* mass, body ◇ (*grande quantità*) heap, load ◇ (*folla*) mass, crowd ◇ (*fis*) mass ◇ (*el*) earth, ground

massacrànte *a* exhausting

massacràre *vt* to massacre, to slaughter ◇ (*picchiare*) to beat ◇ (*rovinare*) to spoil ◇ (*stancare*) to exhaust, to wear out

massàcro *sm* massacre, slaughter ◇ (*fig*) disaster

massaggiàre *vt* to massage

massàggio *sm* massage

massàia *sf* housewife

massicciàta *sf* roadbed, ballast

massìccio *a* massive ◆ *sm* massif

massificazióne *sf* standardization

màssima (1) *sf* (*principio*) principle, rule ◇ (*detto*) saying, maxim ● *di m.* general, preliminary

màssima (2) *sf* (*temperatura*) maximum

massimàle *sm* limit, ceiling

massimalìsmo *sm* maximalism

màssimo *a* maximum, (*il migliore*) best ◇ (*mat*) highest, maximum ◆ *sm* utmost, maximum, top, peak ◆ *al m.* (*tutt'al più*) at most, (*al più tardi*) at the latest; *della massima importanza* of the utmost importance; *m. livello* top level; *tempo m.* time limit

màsso *sm* mass of stone, block, rock

massonerìa *sf* Freemasonry

masterizzàre *vt* to write, to burn

masticàre *vt* to chew, to masticate ◇ (*borbottare*) to mumble

màstice *sm* mastic, putty

mastodòntico *a* colossal, enormous

masturbazióne *sf* masturbation

matàssa *sf* skein, hank ◇ (*fig*) tangle

matemàtica *sf* mathematics *pl* (*v al sing*), (*fam*) maths *pl* (*v al sing*)

matemàtico *a* mathematic(al) ◆ *sm* mathematician

materassìno *sm* (*gonfiabile*) inflatable mattress, airbed ◇ (*sport*) mat

materàsso *sm* mattress

matèria *sf* matter, (*materiale*) material, (*sostanza*) substance ◇ (*argomento*) matter, subject, theme ◇ (*disciplina*) subject ● *materie prime* raw materials

materiàle *a* material ◇ (*rozzo*) rough ◆ *sm* material, stuff

materialìsmo *sm* materialism

maternità *sf* maternity, motherhood ● *congedo per m.* maternity leave

matèrno *a* maternal, motherly, mother

matita *sf* pencil

matrice *sf* matrix ◇ *(di registro, libretto)* counterfoil, stub ◇ *(met)* mould, die ◇ *(fig)* root

matricola *sf (registro)* roll list, register ◇ *(numero)* (matriculation) number ◇ *(studente)* fresher

matrigna *sf* stepmother

matrimoniàle *a* matrimonial, marriage, wedding ● *camera/letto m.* double room/bed

matrimònio *sm* marriage ◇ *(cerimonia)* wedding ● *pubblicazioni di m.* banns

mattatóio *sm* slaughter-house

mattina *sf* morning

mattinàta *sf* morning

mattinièro *a* early-rising

mattino *sm* morning

màtto *a* mad, crazy ● *sm* madman, lunatic ● *andare m. per qc* to be crazy about st

mattóne *sm* brick ◇ *(fig)* bore

mattonèlla *sf* tile

mattutino *a* morning ◇ *(mattiniero)* early-rising

maturàre *vt* to mature, to ripen ◇ *(raggiungere)* to reach gradually ● *vi (di frutto)* to mature ◇ *(di persona, cosa)* to mature ◇ *(comm)* to fall due, *(di interessi)* to accrue ● *vpr* to mature, to become mature

maturazióne *sf* maturation, ripening ◇ *(comm)* maturity, expiry, *(di interessi)* accrual

maturità *sf* maturity ◇ *(esame)* school-leaving examination

matùro *a* mature, ripe

mausolèo *sm* mausoleum

maxischérmo *sm* widescreen television

màzza *sf* club ● *m. da baseball* baseball bat

màzzo *sm* bunch ● *m. di carte* pack of cards; *farsi il m. (pop)* to work like mad

me *pr.pers (compl ogg e ind)* me ◇ *(con funzione di sogg)* I

meàndro *sm* meander

meccànica *sf* mechanics *pl (v al sing)* ◇ *(meccanismo)* mechanism

meccànico *a* mechanical ● *sm* mechanic, *(tecnico)* engineer

meccanismo *sm* mechanism, works *pl* ◇ *(fig)* mechanism

meccanizzazióne *sf* mechanization

mecenàte *sm/f* patron

mecenatismo *sm* patronage

mèda *sf* beacon, seamark

medàglia *sf* medal

medaglióne *sm* locket, medallion

medèsimo *a* same ● *pr (persona)* the same (one), *(cosa)* the same (thing)

mèdia *sf* average, mean ● *in m.* on the average; *fare una m. di* to average

mediàno *a* medial, middle ● *sm (sport)* half

mediànte *prep* by, by means of, through

mediàre *vt/i* to mediate

mediatóre *sm* mediator, middleman ◇ *(comm)* broker

medicaménto *sm* medicament

medicàre *vt* to medicate, to treat, to cure ♦ *vrif* to medicate oneself

medicazióne *sf* dressing, medication

medicina *sf* medicine ◇ (*medicamento*) medicine, medicament, (*USA*) drug

medicinàle *a* medicinal ♦ *sm* medicine, medicament, (*USA*) drug

mèdico *a* medical ♦ *sm* doctor

medievàle *a* medieval

mèdio *a* (*di mezzo*) middle, medium ◇ (*conforme alla media*) average, mean ◇ (*scient*) medium ♦ *sm* (*dito*) middle finger

mediòcre *a* mediocre, second-rate, ordinary

mediocrità *sf* mediocrity

medioèvo *sm* Middle Ages *pl*

meditàre *vt* to meditate, to ponder ◇ (*progettare*) to plan, to intend ♦ *vi* to meditate (on), to ponder (over)

meditazióne *sf* meditation

mediterràneo *a* Mediterranean

medùsa *sf* jelly-fish, medusa

megàfono *sm* megaphone

megalitico *a* megalithic

megalòmane *a/sm* megalomaniac

mèglio *avv* (*comp*) better ◇ (*sup rel*) best ♦ *a* (*migliore, preferibile*) better ◇ (*sup rel*) best ♦ *sm/f* (the) best (thing) ♦ *avere la m. su* to get the better of; *di bene in m.* better and better; *m. ancora* better still; *fare del proprio m.* to do one's best

méla *sf* apple ● *m. cotogna* quince

melagràna *sf* pomegranate

melanzàna *sf* aubergine, (*USA*) eggplant

melènso *a* dull

mellìfluo *a* unctuous, sugary

mélma *sf* slime, mud

melmóso *a* slimy, muddy

mélo *sm* apple-tree

melodìa *sf* melody, tune

melodióso *a* melodious

melodrammàtico *a* (*mus*) operatic ◇ (*fig*) melodramatic

melóne *sm* melon

membràna *sf* membrane

mèmbro *sm* member ◇ (*arto*) limb

memoràbile *a* memorable

memòria *sf* memory ◇ (*ricordo*) memory, remembrance, recollection ◇ (*oggetto*) memento, (*di famiglia*) heirloom ◇ (*scritto*) memoirs *pl* ◇ (*inform*) memory, storage ● *sapere qc a m.* to know st by heart

menadìto, a *loc.avv* perfectly

mendicàre *vt/i* to beg

menefreghìsmo *sm* indifference

menìnge *sf* meninx ● *spremersi le meningi* to rack one's brains

meningìte *sf* meningitis

menìsco *sm* meniscus

méno *avv* less, not so ... (as) ◇ (*comp*) less ... than, not so ... as, not as ... as ◇ (*sup*) the least, (*fra due*) the less ◇ (*mat*) minus ♦ *a* less, not so much, (*con s pl*) fewer ♦ *sm* less, not as much ◇ (*il minimo*) the least, as little as ◇ (*mat*) minus ♦ *a m. che* unless; *fare a m. di* to do without; *m.*

male! just as well!; *per lo m.* at least

menomàre *vt* to disable, to damage

menopàusa *sf* menopause

mènsa *sf* table ◇ *(di università)* refectory, dining hall, *(di fabbrica)* canteen, *(di soldati)* mess, *(di ufficiali)* caffeteria

mensile *a* monthly ✦ *sm (salario)* salary ◇ *(pubblicazione)* monthly

mènsola *sf* shelf ◇ *(arch)* console, bracket

ménta *sf* mint ● *alla m.* mint

mentàle *a* mental

mentalità *sf* mentality, outlook ● *m. ristretta* narrow-mindedness

ménte *sf* mind ● *venire in m.* to occur

mentìre *vi* to lie

ménto *sm* chin

mentòlo *sm* menthol

méntre *cong (temporale)* while, *(quando)* as ◇ *(avversativo)* whereas, while ◇ *(finché)* while, as long as ✦ *sm* moment, meantime, meanwhile

menù *sm* menu

menzionàre *vt* to mention

menzógna *sf* lie

meravìglia *sf* wonder ◇ *(sorpresa)* astonishment, surprise ◇ *(cosa meravigliosa)* wonder, marvel ● *che m.!* how wonderful!

meravigliàre *vt* to astonish, to amaze, to surprise ✦ *vpr* to be astonished, to be amazed, to wonder

meraviglióso *a* wonderful, marvellous

mercànte *sm* merchant, trader, dealer

mercanteggiàre *vt* to traffic in ✦ *vi* to bargain, to haggle

mercantìle *a* merchant, mercantile, commercial ✦ *sm* merchant ship

mercantilìsmo *sm* mercantilism

mercanzìa *sf (merce)* merchandise, goods *pl* ◇ *(roba)* stuff

mercàto *sm* market, *(luogo)* market-place ● *a buon m.* cheap

mèrce *sf* goods *pl*, wares *pl*

mercé *sf* mercy

mercenàrio *a/sm* mercenary

mercerìa *sf* haberdashery

mercoledì *sm* Wednesday

mercùrio *sm* mercury, quicksilver

mèrda *sf* shit ● *di m.* shitty

merènda *sf* snack ● *fare m.* to have a snack

meridiàna *sf* sun-dial

meridiàno *a/sm* meridian

meridionàle *a* southern, south ✦ *sm/f* southerner

meridióne *sm* south

merìnga *sf* meringue

meritàre *vt* to deserve, to merit ◇ *(valere)* to be worth ◇ *(procurare)* to earn

meritévole *a* deserving, worthy

mèrito *sm* merit ● *in m. a* as regards, as to; *è m. tuo* it's thanks to you

merlétto *sm* lace

mèrlo (1) *sm (zool)* blackbird

mèrlo (2) *sm (arch)* merlon

merlùzzo *sm* cod

meschìno *a* poor, miserable ◇ *(gretto)* mean, wretched

mescolànza *sf* mixture, blend

mescolàre *vt* to mix, to blend ◇ *(rimestare)* to stir ◇ *(confondere)* to confuse ◇ *(mettere in disordine)* to muddle ◇ *(le carte)* to shuffle ◆ *vpr/rif* to mix, to get mixed up

mése *sm* month

méssa *sf (relig)* Mass

messaggèro *sm* messenger

messàggio *sm* message ◇ *(discorso)* address ◇ *(pubblicitario)* commercial

mèsse *sf* harvest

messicàno *a/sm* Mexican

messinscèna *sf (teat)* staging ◇ *(fig)* sham, act

mestàre *vt* to stir, *(mescolare)* to mix ◆ *vi* to plot

mestière *sm* trade, profession, job ◇ *(esperienza)* craft, experience ◇ *al pl* housework ● *di m.* by profession, professional

mèsto *a* sad

méstolo *sm* ladle

mestruazióne *sf* menstruation ● *avere le mestruazioni* to have one's period

mèta *sf* destination ◇ *(fine)* goal, aim

metà *sf* half ◇ *(parte di mezzo)* middle ● *a m.* in half, *(incompiuto)* half-done

metabolìsmo *sm* metabolism

metafisico *a* metaphysical

metàfora *sf* metaphor

metafòrico *a* metaphoric(al)

metàllico *a* metal, metallic

metallizzàto *a* metallized, metallic

metàllo *sm* metal

metalmeccànico *a* engineering ◆ *sm* metalworker

metamòrfosi *sf* metamorphosis

metàno *sm* methane

metèora *sf* meteor

meteorologìa *sf* meteorology

meteorològico *a* meteorologic(al)

meticolóso *a* meticulous, scrupolous

metòdico *a* methodical

mètodo *sm* method

mètrico *a* metric(al)

mètro *sm* metre, *(USA)* meter ◇ *(strumento)* rule ◇ *(fig)* criterion ● *m. cubo* cubic metre; *m. quadrato* square metre

metropolitàna *sf* underground, *(fam)* tube, *(USA)* subway

metropolitàno *a* metropolitan

méttere *vt* to put, *(collocare)* to set, to place, *(disporre)* to arrange ◇ *(indossare)* to put on, to wear ◇ *(impiegare)* to take ◇ *(investire)* to put, *(scommettere)* to bet ◇ *(far pagare)* to charge ◇ *(supporre)* to suppose ◇ *(paragonare)* to compare ◇ *(causare)* to cause, to make, to inspire ◇ *(emettere)* to put forth ◇ *(installare)* to lay on, to put in ◆ *vpr/rif* to put oneself, to place oneself ◇ *(cominciare)* to start, to begin, to set to ◇ *(indossare)* to put on, to put on ● *mettersi con qn* to go out with sb; *mettersi male* to take a bad torn; *mettercela tutta* to do one's best

mezzadrìa *sf* métayage, share-cropping

mezzalùna *sf* half-moon, crescent

mezzanòtte *sf* midnight

mèzzo (1) *a* half ◇ (*medio*) middle, medium ♦ *sm* (*metà*) half ◇ (*centro*) middle, centre ♦ *avv* half • *in m.* in the middle

mèzzo (2) *sm* (*strumento*) means, equipment ◇ (*di trasporto*) (means of) transport ◇ (*fis*) medium ◇ *al pl* (*mezzi economici*) means, money

mezzogiòrno *sm* midday, noon, twelve o'clock ◇ (*sud*) south • *a m.* at noon

mezzóra *sf* half an hour

mi *pr.pers* (*compl ogg*) me ◇ (*compl ind*) (to, for) me ♦ *pr* myself (*o idiom*)

miagolàre *vi* to mew, to miaow

miccia *sf* fuse

micenèo *a* Mycenaean

micidiàle *a* deadly, lethal

micio *sm* pussy(cat)

micròbo *sm* microbe

microfìbra *sf* microfibre, (*USA*) microfiber

microfilm *sm* microfilm

micròfono *sm* microphone, (*fam*) mike

microrganìsmo *sm* microorganism

microscòpio *sm* microscope • *al m.* under the microscope

midóllo *sm* marrow • *m. spinale* spinal marrow

mièle *sm* honey

miètere *vt* to reap, to harvest

mietitùra *sf* reaping ◇ (*raccolto*) harvest ◇ (*tempo*) reaping time

migliàio *sm* thousand

miglio (1) *sm* (*bot*) millet

miglio (2) *sm* (*unità di misura*) mile • *m. marino* nautical mile

miglioraménto *sm* improvement

miglioràre *vt* to improve, to better ♦ *vi* to improve, to get better

miglióre *a* (*comp*) better ◇ (*sup*) the best, (*fra due*) the better ♦ *sm/f* the best

migliorìa *sf* improvement

mignolo *sm* little finger, (*del piede*) little toe

migràre *vi* to migrate

migratòrio *a* migratory

miliardàrio *a/sm* multimillionaire, (*USA*) billionaire

miliàrdo *sm* one thousand millions, milliard, (*USA*) billion

milionàrio *a/sm* millionaire

milióne *sm* million

militànte *a/sm/f* militant

militàre (1) *a* military ♦ *sm* soldier • *fare il m.* to do military service

militàre (2) *vi* (*fare il soldato*) to serve in the army ◇ (*fig*) to militate

millantàre *vt* to boast of

mille *a/sm* (*one*) thousand

millenàrio *a* millenary

millènnio *sm* millennium

millepièdi *sm* millepede

millèsimo *a/sm* thousandth

milligràmmo *sm* milligram(me)

millìmetro *sm* millimetre, (*USA*) millimeter

milza *sf* spleen

mimàre *vt/i* to mime

mimètico *a* mimetic(al)

mimetizzàre *vt* to camouflage ◆ *vrfl* to camouflage oneself

mìmica *sf* (*teat*) mime ◇ (*il gesticolare*) gestures *pl*

mìmo *sm* mime

mina *sf* mine ◇ (*di matita*) lead

minàccia *sf* menace, threat

minacciàre *vt* to threaten, to menace

minaccióso *a* threatening, menacing

minàre *vt* to mine ◇ (*insidiare*) to undermine

mináreto *sm* minaret

minatóre *sm* miner

minatòrio *a* threatening, minatory ● *lettera minatoria* poison-pen letter

mineràle *a* mineral ◆ *sm* mineral, (*da cui si estrae un metallo*) ore

mineralogìa *sf* mineralogy

mineràrio *a* mining, mineral, mine, ore

minèstra *sf* soup ● *m. di verdura* vegetable soup

mingherlìno *a* thin, slim

miniatùra *sf* miniature, (*di manoscritti*) illumination ● *in m.* miniature

minièra *sf* mine, pit

minigònna *sf* miniskirt

mìnima *sf* (*temperatura*) minimum temperature ◇ (*mus*) minim, (*USA*) half-note ◇ (*pressione*) minimum blood pression

minimizzàre *vt* to minimize

mìnimo *a* (the) least, the smallest, the slightest, minimum ◇ (*molto piccolo*) very small, very

slight, minimal ◆ *sm* minimum ◇ (*di motore*) lowest gear ◇ (*la minima cosa*) the least ● *come m.* at least

ministèro *sm* (*funzione*) office, function, (*relig*) ministry ◇ (*insieme dei ministri*) Ministry, Board, (*USA*) Department

ministro *sm* minister

minorànza *sf* minority

minóre *a.comp* (*più piccolo*) smaller, (*più corto*) shorter, (*più basso*) lower ◆ (*meno*) less(er) ◇ (*meno importante*) minor ◇ (*più giovane*) younger ◆ *a.sup* (*il più piccolo*) the smallest, (*il più corto*) the shortest, (*il più basso*) the lowest ◇ (*il minimo*) the least ◇ (*il meno importante*) minor ◇ (*il più giovane*) the youngest, (*tra due*) the younger ◆ *sm/f* (*il più giovane*) the youngest, (*tra due*) the younger ◇ (*di grado*) junior

minorènne *a* underage ◆ *sm/f* minor

minuétto *sm* minuet

minùscolo *a* (*di lettera*) small, (*tip*) lower case ◇ (*piccolo*) tiny

minùta *sf* draft, rough copy

minùto (1) *a* minute, small, tiny ◇ (*delicato*) delicate, frail ◇ (*particolareggiato*) detailed, minute ◇ (*di poco conto*) petty, small ◆ *sm* (*comm*) retail

minùto (2) *sm* minute ◇ (*momento*) moment, moment ● *lancetta dei minuti* minute hand

minùzia *sf* trifle ◇ (*meticolosità*) meticulousness

mìo *a.poss* my ◇ (*pred*) mine ◆

pr.poss mine ♦ *sm* (*denaro, averi*) my own money, my income ◇ *al pl* (*parenti*) my family, (*genitori*) my parents

miope *a* myopic, shortsighted

mira *sf* aim ◇ (*fig*) target, aim, goal, design ♦ *prendere di m. qn* to pick on sb; *prendere la m.* to take aim

miràcolo *sm* miracle ◇ (*fig*) wonder

miracolóso *a* miraculous

miràggio *sm* mirage

miràre *vi* to aim

mìriade *sf* myriad

mirìno *sm* sight ◇ (*fot*) finder

mirtìllo *sm* bilberry, (*USA*) blueberry

misàntropo *a* misanthropic ♦ *sm* misanthrope

miscèla *sf* mixture, blend

miscelatóre *sm* mixer

miscellànea *sf* miscellany

mìschia *sf* scuffle, fray

mischiàre *vt* to mix, to mingle, to blend ♦ *vrif* to mix, to mingle ♦ *m. le carte* to shuffle the cards

miscùglio *sm* mixture

miseràbile *a* miserable, wretched ◇ (*scarso*) poor, scanty ◇ (*spregevole*) despicable, mean

misèria *sf* poverty ◇ (*meschinità*) meanness ◇ (*inezia*) pittance, trifle ◇ *al pl* (*disgrazie*) troubles *pl*, misfortunes *pl*

misericòrdia *sf* mercy

mìsero *a* poor, miserable, wretched ◇ (*scarso*) poor, scanty ◇ (*meschino*) mean, miserable ◇ (*infelice*) unfortunate

misfàtto *sm* misdeed, crime

misògino *a* misogynous ♦ *sm* misogynist

missile *sm* missile

missionàrio *a/sm* missionary

missióne *sf* mission

misterióso *a* mysterious

mistèro *sm* mystery

mìstica *sf* mystical theology ◇ (*est*) mystique

mistificàre *vt* to mystify, to hoax

misto *a* mixed ♦ *sm* mixture ● *m. lana* wool blend

mistùra *sf* mixture, blend

misùra *sf* measure, measurement ◇ (*taglia*) size ◇ (*limite*) limit, proportion, (*moderazione*) moderation ◇ (*provvedimento*) measure, step

misuràre *vt* to measure, (*tecn*) to gauge ◇ (*valutare*) to estimate, to judge ◇ (*provare indossando*) to try on ◇ (*limitare*) to limit, to moderate ♦ *vi* to measure ♦ *vrif* (*contenersi*) to limit oneself ◇ (*cimentarsi*) to measure oneself

misuratóre *sm* meter, gauge

misurìno *sm* (small) measure

mite *a* mild, meek ◇ (*moderato*) moderate ◇ (*di clima*) mild

mìtico *a* mythical, legendary ● *m.!* wonderful!!

mitigàre *vt* to mitigate, to alleviate ♦ *vpr* to calm down ◇ (*del clima*) to become mild

mìtilo *sm* mussel

mitizzàre *vt* to mythicize

mito *sm* myth ● *sei un m.!* you're great!

mitologìa *sf* mythology

mitològico *a* mythologic(al)

mitòmane *a/sm/f* mythomaniac

mìtra (1) *sf* (*relig*) mitre

mìtra (2) *sm* (*arma*) submachine gun

mitragliatrìce *sf* machine gun

mittènte *sm/f* sender

mnemònico *a* mnemonic

mòbile *a* (*che si muove*) mobile, moving, (*che può essere mosso*) movable ◇ (*mutevole*) changeable, mutable, unstable ♦ *sm* piece of furniture, *al pl* furniture

mobìlia *sf* furniture

mobilità *sf* mobility ◇ (*mutevolezza*) inconstancy

mobilitàre *vt/rif* to mobilize

mobilitazióne *sf* mobilization

mocassìno *sm* moccasin

mòccolo *sm* (*di candela*) candle-end ◇ (*fam*) (*bestemmia*) oath ♦ *reggere il m.* (*fam*) to play gooseberry

mòda *sf* fashion, style ◇ (*maniera*) manner, custom, fashion ◇ (*mat*) mode ♦ *alla m.* fashionable; *fuori m.* out of fashion, out of style

modalità *sf* modality, (*procedura*) formality ◇ (*inform*) mode ♦ *m. provvisoria* temporary mode

modanatùra *sf* moulding

modèlla *sf* model

modellàre *vt* to model, to mould ♦ *vrif* to model oneself

modellìsmo *sm* model-making, modelling

modèllo *sm* model ◇ (*stampo*) mould ◇ (*di abito*) pattern ♦ *a* model, exemplary

moderàre *vt* to moderate, to check, to curb ◇ (*contenere*) to reduce, to regulate ♦ *vrif* to mod-erate oneself, to control (oneself)

moderàto *a* moderate

moderatóre *a* moderating ♦ *sm* moderator

moderazióne *sf* moderation ♦ *con m.* moderately, in moderation

modernità *sf* modernity

modernizzàre *vt* to modernize, to update ◇ *vrif* to bring oneself up-to-date

modèrno *a* modern, up-to-date

modèstia *sf* modesty

modèsto *a* modest ♦ *fare il m.* to feign modesty

mòdico *a* moderate, reasonable

modìfica *sf* modification, change

modificàre *vt/pr* to modify, to change

mòdo *sm* way, manner ◇ (*mezzo*) means, (*occasione*) way ◇ (*maniera*) manners *pl*, (*misura*) measure ◇ (*gramm*) mood ◇ (*locuzione*) expression ◇ (*mus*) mode ♦ *in che m.?* how?; *in m. che, da* so that, in such a way as to; *in ogni m.* anyway, in any case; *per m. di dire* so to say; *fare in m. che* to see that

modulàre *a* a modular

modulazióne *sf* modulation

mòdulo *sm* form ◇ (*tecn*) module ◇ (*fis*) modulus

mògano *sm* mahogany

mògio *a* dejected, depressed

mòglie *sf* wife ♦ *prendere m.* to get married, to take a wife

moìna *sf* simpering ♦ *fare le moine* to simper

mòla *sf* (*di mulino*) millstone ◇ (*molatrice*) grinder

molàre (1) *a/sm* (*dente*) molar

molàre (2) *vt* to grind ◇ (*tagliare*) to cut

mòle *sf* bulk, mass ◇ (*dimensione*) size, dimension ◇ (*quantità*) amount, volume

molècola *sf* molecule

molestàre *vt* to molest, to bother, to tease

molèstia *sf* nuisance, bother ● *m. sessuale* sexual harassment

molèsto *a* troublesome, annoying, bothering

mòlla *sf* spring ◇ (*fig*) incentive, mainspring ◇ *al pl* (*per afferrare*) tongs *pl* ● *prendere con le molle* to tread carefully with

mollàre *vt* (*allentare*) to slacken ◇ (*lasciar andare*) to let go ◇ (*fam*) (*abbandonare*) to quit, to leave ◇ (*fam*) (*appioppare*) to give ◆ *vi* to give in

mòlle *a* soft ◇ (*debole*) weak, flabby

mollétta *sf* (*per bucato*) clothes-peg, clothes-pin ◇ (*per capelli*) hair-clip ◇ (*per afferrare*) tongs *pl*

mollìca *sf* crumb

mollùsco *sm* mollusc, shellfish

mòlo *sm* mole, pier, wharf

moltéplice *a* manifold, various

moltiplicàre *vt/pr/rif* to multiply

moltiplicazióne *sf* multiplication

moltìssimo *a* very much, (*in frasi afferm*) a great deal of ◇ (*tempo*) very long ◇ *al pl* very many, (*in frasi afferm*) a great many ◆ *pr* very much, (*in frasi afferm*) a grat deal ◇ (*tempo*) a very long time ◇ *al pl* very many, (*in frasi afferm*) a great many ◆ *avv* very much

moltitùdine *sf* multitude, (*folla*) crowd

mólto *a* much, a lot of, lots of, a great deal of, a great quantity of ◇ (*tempo*) long ◇ (*grande*) great ◇ *al pl* many, a lot of, lots of, a great many ◆ *pr* much, a great deal, a lot ◇ (*molto tempo*) a long time ◇ *al pl* many, a lot of, (*molta gente*) many people, a lot of people ◆ *avv* (*con agg e avv di grado positivo, con participio pres*) very ◇ (*con agg e avv di grado comp*) much ◇ (*con pp*) much, greatly ◇ (*con verbo*) much, very much, a lot ◇ (*a lungo*) long, (*spesso*) often

momentàneo *a* momentary, temporary

moménto *sm* moment ◇ (*circostanza, tempo*) time ◇ (*opportunità*) opportunity, chance ● *per il m.* up to now; *sul m.* there and then

mònaca *sf* nun

monacàle *a* monastic

mònaco *sm* monk

monàrca *sm* monarch

monarchìa *sf* monarchy

monàrchico *a* monarchic(al) ◇ (*fautore della monarchia*) monarchist ◆ *sm* monarchist, royalist

monastèro *sm* monastery, (*di monache*) convent

monàstico *a* monastic

mónco *a* maimed ◇ (*fig*) incomplete

moncóne *sm* stump

mondàno *a* worldly, earthly, mundane ◇ (*della società elegante*) worldly, society ● *vita mondana* society life

mondàre *vt* to clean

mondiàle *a* world, world-wide ◇ *sm pl* (*sport*) world championship

móndo *sm* world ◇ (*grande quantità*) a world of, a lot of ● *al m.* in the world

monèllo *sm* rascal

monéta *sf* coin, piece ◇ (*denaro*) money ◇ (*spicciolo*) change ● *m. unica* single currency

monetàrio *a* monetary

mongolfièra *sf* hot-hair balloon

mònito *sm* warning

monitor *sm* monitor, screen

monitoràggio *sm* monitoring

monocoltura *sf* monoculture

monocòrde *a* monotonous

monocromàtico *a* monochrome, monochromatic

monodòse *a* single dose

monogamìa *sf* monogamy

monografìa *sf* monograph

monolìtico *a* monolithic

monolocàle *sm* bedsitter, (USA) one-bedroom apartment

monòlogo *sm* monologue

monopàttino *sm* push scooter

monopòlio *sm* monopoly

monopósto *a/sm* single-seater

monosìllabo *sm* monosyllable

monòssido *sm* **m. di carbonio** carbon monoxide

monoteìsmo *sm* monotheism

monotonìa *sf* monotony

monòtono *a* monotonous

monovolùme *sm/f* MPV, minivan

monsóne *sm* monsoon

montacàrichi *sm* goods-lift, (USA) freight elevator

montàggio *sm* assembly ◇ (*cin*) editing ◇ (*tip*) mounting ● *catena di m.* assembly line

montàgna *sf* mountain ● *montagne russe* roller coaster

montagnóso *a* mountainous

montàre *vt* (*salire*) to mount, to climb ◇ (*cavalcare*) to ride ◇ (*mettere insieme*) to assemble, (*un film*) to edit ◇ (*gonfiare*) to exaggerate ◇ (*incastonare*) to mount, to set ◆ *vi* to mount, to climb, to get on ◇ (*salire*) to rise ◆ *vpr* to get big-headed

montatùra *sf* (*di occhiali*) frame, rim ◇ (*di pietra*) setting, mounting ◇ (*fig*) stunt

mónte *sm* mountain, mount (*davanti a nome proprio*) ● *andare a m.* to fail; *m. di pietà* pawnshop; *m. premi* prize money

montgomery *sm* duffel coat

montóne *sm* ram, (*carne*) mutton ◇ (*giacca*) sheepskin coat ● *pelle di m.* sheepskin

monumentàle *a* monumental

monuménto *sm* monument

moquette *sf* moquette, carpet

mòra (1) *sf* (*di rovo*) blackberry ◇ (*di gelso*) mulberry

mòra (2) *sf* (*ritardo*) delay, (*dilazione*) extension, (*somma*) arrears *pl* ● *in m.* in default

morale *a* moral ◆ *sf* morals *pl* ◆ *sm* morale, spirits *pl* ● *giù di m.*

downhearted; *su di m.* in high spirits

moralità *sf* morality

moralizzàre *vt* to moralize

mòrbido *a* soft, smooth

morbillo *sm* measles *pl* (*v al sing*)

mòrbo *sm* disease, illness

morbóso *a* morbid

mordàce *a* biting, cutting

mòrdere *vt* to bite, to bite into, (*pungere*) to sting

morèna *sf* moraine

morènte *a* dying

morfologìa *sf* morphology

moribóndo *a* dying

morigeràto *a* moderate, sober

morìre *vi* to die ◇ (*cessare, spegnersi*) to die out, to go out, (*di suono*) to die away ◇ (*terminare*) to end

mormoràre *vt* to murmur, to whisper ◇ (*borbottare*) to mutter ◆ *vi* to murmur ◇ (*parlar male*) to speak ill

mòrsa *sf* vice, (*USA*) vise ◇ (*fig*) vicelike grip

morsétto *sm* (*mecc*) clamp ◇ (*el*) terminal

morsicàre *vt* to bite

mòrso *sm* (*boccone*) bit, scrap ◇ (*puntura*) sting ◇ (*del cavallo*) bit ● *i morsi della fame* the pangs of hunger

mortàio *sm* mortar

mortàle *a* (*che è soggetto a morte*) mortal ◇ (*che cagiona morte*) mortal, deadly ◇ (*come la morte*) deathlike, deathly ◆ *sm/f* mortal

mortalità *sf* mortality ● *indice di m.* death rate

mòrte *sf* death ● *a m.* to death

mortificàre *vt* to mortify ◆ *vrif* to mortify oneself ◆ *vpr* to feel mortified

mortificazióne *sf* mortification

mòrto *a* dead ◆ *sm* dead person, (*cadavere*) corpse ● *natura morta* still life; *stagione morta* off season

mosàico *sm* mosaic

mósca *sf* fly

moscerìno *sm* midge, gnat

moschèa *sf* mosque

móscio *a* flabby ◇ (*fig*) limp

mòssa *sf* movement ◇ (*nel gioco*) move ● *darsi una m.* to hurry up

mòstra *sf* show, exhibition ◇ (*ostentazione*) display ● *m. personale* one-man show; *mettersi in m.* to show off

mostràre *vt* to show, to display ◇ (*ostentare*) to show off ◇ (*indicare*) to show, to point out ◇ (*dimostrare*) to prove ◆ *vpr/rif* to show oneself ◇ (*apparire*) to appear

móstro *sm* monster

mostruóso *a* monstrous ◇ (*enorme*) enormous

motivàre *vt* to justify ◇ (*causare*) to cause ◇ (*suscitare interesse*) to motivate

motivazióne *sf* motivation, reason

motìvo *sm* motive, reason, ground ◇ (*mus*) motif, theme, tune ◇ (*elemento decorativo*) pattern, motif ● *m. conduttore* leit-motif; *senza m.* for no reason

mòto (1) *sm* motion, movement ◇ (*esercizio fisico*) exercise ◇ (*sommossa*) rebellion, revolt ◇ (*impulso*) impulse • *in m.* running, moving; *mettere in m.* to start

mòto (2) *sf* motorcycle

motociclétta *sf* motorcycle

motocìclo *sm* motorcycle

motociclista *sm/f* motorcyclist

motóre *a* motor, driving, propelling • *sm* engine, motor ◇ (*fig*) driving force • *a m.* motor, power

motorìno *sm* moped • *m. d'avviamento* starter

motoscàfo *sm* motorboat

mòtto *sm* saying ◇ (*facezia*) witticism

mouse *sm* mouse

movènte *sm* motive

movimentàre *vt* to enliven, to animate

moviménto *sm* movement ◇ (*moto*) motion ◇ (*andirivieni*) flow, bustle

mozióne *sf* motion

mozzàre *vt* to cut off • *m. il fiato* to take breath away

mozzicóne *sm* stub, end, (*USA*) butt

mózzo (1) *sm* (*naut*) ship boy ◇ (*di stalla*) stable boy

mòzzo (2) *sm* (*mecc*) hub

mùcca *sf* cow

mùcchio *sm* heap, stack • *un m. di...* a lot of...

mùco *sm* mucus

mucósa *sf* mucosa, mucous membrane

mùffa *sf* mould

muggìre *vi* to moo, to low ◇ (*mugghiare*) to bellow

muggìto *sm* moo, lowing

mughétto *sm* lily of the valley ◇ (*med*) thrush

mugnàio *sm* miller

mugolàre *vi* to howl, to whimper

mulattièra *sf* muletrack

mulinàre *vt* to whirl ◇ (*fig*) to brood over • *vi* to whirl around

mulinèllo *sm* (*d'acqua*) whirlpool, (*d'aria*) whirlwind ◇ (*per canna da pesca*) reel

mulìno *sm* mill • *m. a vento* windmill

mùlo *sm* mule

mùlta *sf* fine

multàre *vt* to fine

multicolóre *a* multicolour, multicoloured

multiculturàle *a* multicultural

multifórme *a* multiform

multimediàle *a* multimedia

multinazionàle *a* multinational • *sf* multinational (company)

mùltiplo *a/sm* multiple

multisàla *sm/f* multiplex (cinema)

mùmmia *sf* mummy

mùngere *vt* to milk ◇ (*fig*) to bleed dry, to mooch off of

municipàle *a* municipal, town

municipalità *sf* municipality

municìpio *sm* municipality, town council ◇ (*palazzo*) town hall, city hall

munificènza *sf* munificence, liberality

munìre *vt* (*fortificare*) to fortify ◇ (*provvedere*) to provide, to supply ◆ *vrif* to equip oneself, to supply oneself

munizióni *sf pl* munitions *pl*

muòvere *vt* to move ◇ (*suscitare*) to move, to induce ◇ (*sollevare*) to raise, to bring up ◆ *vi* to move ◆ *vrif* to move, to stir, to go ●*muoviti!* hurry up!

muràle *a* mural, wall

muràre *vt* to wall up ◇ (*circondare di mura*) to wall

muratóre *sm* bricklayer, mason

mùro *sm* wall ◇ *al pl* (*mura*) walls *pl*

mùschio *sm* musk ◇ (*bot*) moss

muscolàre *a* muscular

mùscolo *sm* muscle ◇ (*mitilo*) mussel

muscolóso *a* muscular, brawny

musèo *sm* museum

museruòla *sf* muzzle

mùsica *sf* music

musicàle *a* musical

musicassétta *sf* cassette

musicìsta *sm/f* musician

mùso *sm* (*di animale*) snout, muzzle ◇ (*di auto, aereo*) nose ◇ (*di persona*) mug ◇ (*broncio*) long face

musóne *sm* (*fam*) sulky person

musulmàno *a/sm* Muslim, Moslem

mùta *sf* (*di uccelli*) moult, (*di serpenti*) shedding ◇ (*di cani*) pack ◇ (*tuta per immersioni*) wet suit

mutaménto *sm* change

mutànde *sf pl* briefs *pl*, (*da uomo*) pants *pl*, underpants *pl*, (*da donna*) panties *pl*

mutàre *vt/i/p* to change

mutazióne *sf* change, mutation

mutévole *a* changeable, variable

mutilàre *vt* to maim, to mutilate

mutilàto *sm* cripple

mutilazióne *sf* maiming, mutilation, (*di statua*) disfigurement

mutìsmo *sm* mutism, silence

mùto *a* dumb, mute ●*film m.* silent film

mùtuo (1) *a* mutual, reciprocal

mùtuo (2) *sm* loan

N

nabàbbo *sm* nabob

nàfta *sf* diesel oil, naphta

naftalìna *sf* (*tarmicida in palline*) mothballs *pl*

nàilon *sm* nylon

nànna *sf* (*fam*) bye-byes

nàno *a/sm* dwarf

nàppa *sf* (*fiocco*) tassel ◇ (*pelle*) soft leather

narcisìsmo *sm* narcissism

narcòtico *a/sm* narcotic

narìce *sf* nostril

narràre *vt/i* to tell, to narrate

narratìva *sf* fiction

narratìvo *a* narrative

narratóre *sm* narrator, story-teller ◇ (*scrittore*) writer

narrazióne *sf* narration, telling ◇ (*racconto*) tale, story

nasàle *a* nasal

nàscere *vi* to be born ◇ (*trarre origine*) to come, (*derivare*) to arise, to derive, to be due ◇ (*sorgere*) to rise ◇ (*di piante*) to spring up, to come up, to grow ◇ (*di capelli, unghie, corna*) to sprout ◇ (*di fiume*) to rise ● *far n.* to give rise to, to originate

nàscita *sf* birth ◇ (*origine*) origin, extraction ● *luogo di n.* birthplace

nascituro *a* unborn

nascóndere *vt* to hide, to conceal ◆ *vpr/rif* to hide (oneself), to be hidden

nascondiglio *sm* hiding-place

nascondino *sm* hide-and-seek

nascósto *a* hidden

nàso *sm* nose ● *n. a patata* button nose

nàstro *sm* ribbon ◇ (*tecn*) tape, ribbon, band ● *n. di partenza* starting tape

natàle *a* native ◆ *sm* (*Natale*) Christmas ◇ (*giorno natale*) birthday ◇ *al pl* (*nascita*) birth ● *buon N.* merry Christmas

natalizio *a* Christmas

nàtica *sf* buttock

natìvo *a/sm* native

nàto *a* born

natùra *sf* nature ◇ (*genere*) type, kind, nature ◇ (*carattere*) nature, character ● *pagare in n.* to pay in kind

naturàle *a* natural

naturalézza *sf* truthfulness ◇ (*semplicità*) simplicity

naturalista *sm/f* naturalist

naturalizzàre *vt* to naturalize ◆ *vrif* to become naturalized

naturalménte *avv* naturally ◇ (*certamente*) of course

naturista *sm/f* naturist

naufragàre *vi* (*di nave*) to be wrecked, (*di persona*) to be shipwrecked ◇ (*fig*) to be wrecked, to fail

naufràgio *sm* shipwreck, wreck ◇ (*fig*) wreck, failure

nàufrago *sm* castaway, shipwrecked person

nàusea *sf* nausea ● *avere la n.* to feel sick

nauseabóndo *a* nauseating, sickening

nauseàre *vt/i* to nauseate, to make sick

nàutica *sf* nautical science ◇ (*attività*) boating

nàutico *a* nautical

navàle *a* naval

navàta *sf* (*centrale*) nave, (*laterale*) aisle

nàve *sf* ship, vessel, boat

navétta *sf* shuttle

navigàbile *a* navigable

navigabilità *sf* navigability

navigàre *vi* to sail, to navigate ◇ (*inform*) to surf

navigatóre *a* seafaring ◆ *sm* navigator ◇ (*marinaio*) sailor ● *n. satellitare* satellite navigator

navigazióne *sf* navigation, (*a vela*) sailing ◇ (*viaggio*) voyage, (*traversata*) crossing ● *compagnia di n.* shipping line

naviglio *sm* ships *pl*, fleet

nazionàle *a* national ◆ *sf* (*sport*) national team

nazionalismo *sm* nationalism

nazionalità *sf* nationality

nazionalizzàre vt to nationalize

nazióne sf nation, country

nazismo sm Nazism

ne pr (specificazione, argomento) of, about (him, her, them, this, that) (ES: **che ne sai?** what do you know about it?) ◇ (poss) his, her, its, their (ES: **quale ragazza? non ne ricordo il nome** which girl? I don't remember her name) ◇ (partitivo) some, any (ES: **chi ne vuol comprare?** who wants to buy some?; **non ne ho** I haven't any) ◇ (causale) for it, about it (ES: **ne sono felice** I'm very happy about it) ◇ (pleonastico) (ES: **me ne vado** I'm going, I'm leaving) ♦ avv (moto da luogo) from it, from here, out of it (ES: **andiamocene da qui** let us go, let's leave)

né cong neither, nor ● **né ... né** (neither) ... nor; **né l'uno né l'altro** neither; **né più né meno** exactly

neànche avv neither, nor ◇ (rafforzativo di altra negazione) even (ES: **non l'ho ● visto** I haven't even seen him) ♦ cong n. a/se even if

nébbia sf fog, (leggera) mist

nebbióso a foggy, misty

nebulósa sf nebula

nebulóso a nebulous, vague

nécessaire sm kit, set, (per bagno) toilet-case ● n. per barba shaving set

necessàrio a necessary, indispensable

necessità sf necessity, (bisogno) need

necessitàre vt to necessitate ♦ vi (aver bisogno) to need ◇ (essere necessario) to be necessary

necrològio sm obituary

necròpoli sf necropolis

nefàndo a wicked

nefàsto a inauspicious, fateful

negàre vt to deny ◇ (rifiutare) to refuse

negatìvo a/sm negative

negazióne sf denial, (rifiuto) refusal ◇ (gramm) negative ◇ (contrario) negation

negligènte a negligent

negligènza sf negligence ◇ (trascuratezza) shabbiness

negoziànte sm/f dealer, trader, (esercente) shop-keeper

negoziàre vt to deal in, to trade in ◇ (trattare) to negotiate

negoziàto sm negotiation

negòzio sm shop, (USA) store

négro a/sm (spreg) black

nemìco a (ostile) adverse, inimical, opposed ◇ (che detesta) fearful ◇ (del nemico) enemy ♦ sm enemy

nemméno → **neanche**

nènia sf sing-song ◇ (funebre) dirge

nèo sm spot, mole, (med) naevus ◇ (fig) flaw

neoclassicìsmo sm neoclassicism

neoclàssico a neoclassic(al)

neòfita sm/f neophyte, novice

neolìtico sm Neolithic

neologìsmo sm neologism

nèon sm neon

neonàto sm (newborn) baby

neozelandése *a* New Zealand ◆ *sm/f* New Zealander

nepotismo *sm* nepotism

neppùre → **neanche**

nèrbo *sm* scourge ◇ *(fig)* strength, backbone, heart

nerétto *sm (tip)* boldface

néro *a* black ◇ *(scuro)* dark ◇ *(tetro)* gloomy ◇ *(profondo)* dire ◆ *sm* black

nervatùra *sf (mecc)* ribs *pl* ◇ *(bot)* nervation

nèrvo *sm* nerve ● *avere i nervi* to be in a bad mood

nervosìsmo *sm* irritability

nervóso *a (anat)* nerve ◇ *(irritabile)* irritable, nervy ◇ *(incisivo)* incisive ◆ *sm* nervousness ● *avere il n.* to be on edge

nèspola *sf* medlar

nèsso *sm* connection, nexus

nessùno *a* no, *(con altra negazione)* any ◇ *(qualche)* any ◆ *pr (persona)* nobody, no one, *(cosa)* none; *(con partitivo)* none; *(con altra negazione)* anybody, anyone, any ◇ *(qualcuno)* anybody, anyone, *(con partitivo)* any ◆ *sm* nobody, no one

nèttare *sm* nectar

nétto *a* clean ◇ *(preciso)* clear, clear-cut, sharp ◇ *(comm)* net

netturbìno *sm* dustman, *(USA)* garbage collector

neurologìa *sf* neurology

neurólogo *sm* neurologist

neuropsichiàtra *sm/f* neuropsychiatrist

neutràle *a* neutral

neutralità *sf* neutrality

neutralizzàre *vt* to neutralize

nèutro *a* neutral ◇ *(gramm)* neuter

neutróne *sm* neutron

nevàio *sm* snowfield

néve *sf* snow

nevicàre *vimp* to snow

nevicàta *sf* snowfall

nevìschio *sm* sleet

nevóso *a* snowy, *(coperto di neve)* snow-covered

nevralgìa *sf* neuralgia

nevrastènico *a* neurasthenic ◇ *(irritabile)* irritable

nevròsi *sf* neurosis

nevròtico *a* neurotic

nìcchia *sf* niche

nicchiàre *vi* to hedge, to hesitate

nichilìsmo *sm* nihilism

nicotìna *sf* nicotine

nidiàta *sf* nestful, brood

nidificàre *vi* to nest

nìdo *sm* nest ◇ *(covo)* den ● *n. d'infanzia* crèche, nursery

niènte *pr* nothing, *(con altra negazione)* anything ◇ *(qualcosa)* anything ◆ *sm* nothing ◆ *a* no, *(con altra negazione)* any ◆ *avv* not at all ● *di n.!* *(prego!)* don't mention it

nienteméno *avv* no less than

nìnfa *sf* nymph

ninfèa *sf* waterlily

ninfèo *sm* nymphaeum

ninnanànna *sf* lullaby

nìnnolo *sm* knick-knack

nipóte *sm/f (di zii)* nephew *m*, niece *f*, *(di nonni)* grandson *m*, granddaughter *f*

nirvàna *sm* nirvana

nìtido *a* clear, limpid

nitràto *sm* nitrate

nitrico *a* nitric

nitrire *vi* to neigh, to whinny

nitrito (1) *sm* neigh, whinny

nitrito (2) *sm* (*chim*) nitrite

nitroglicerina *sf* nitroglycerine

no *avv* no, not ♦ *sm* no, (*rifiuto*) refusal ● *un giorno sì e uno no* every other day; *sì e no* (*circa*) about, (*forse*) maybe, yes and no

nobile *a/sm/f* noble

nobiliare *a* nobiliary, noble

nobiltà *sf* nobility

nocca *sf* knuckle

nocciòla *sf* hazel(-nut)

nòcciolo *sm* stone ◇ (*fig*) heart, kernel

nóce *sf* walnut ● *n. di cocco* coconut; *n. moscata* nutmeg

nocivo *a* harmful, noxious

nòdo *sm* knot ◇ (*ferr*) junction ◇ (*scient*) node ◇ (*del legno*) knag ◇ (*punto cruciale*) crux ◇ (*unità di misura*) knot

nodóso *a* knotty

no global *a* antiglobalization

nói *pr.pers* (*sogg*) we ◇ (*compl*) us ● *n. stessi* we ourselves

nòia *sf* boredom ◇ (*fastidio*) annoyance, nuisance, bother

noióso *a* boring, tiresome ◇ (*fastidioso*) annoying, bothersome

noleggiàre *vt* (*prendere a noleggio*) to hire, to rent, (*aer*) to charter ◇ (*dare a noleggio*) to hire out, to rent, to let out

noléggio *sm* hire, rent, charter ◇ (*prezzo*) hire (rate), rental ● *prendere a n.* to hire, to rent

nòmade *a* nomadic ♦ *sm/f* nomad

nóme *sm* name ◇ (*gramm*) noun

◇ (*soprannome*) nickname ● *n. commerciale* trade name; *n. e cognome* full name, first and last name

nomèa *sf* reputation

nomìgnolo *sm* nickname

nòmina *sf* nomination, appointment

nominàle *a* nominal

nominàre *vt* (*menzionare*) to mention ◇ (*designare*) to designate, to appoint, to name

nominativo *a* (*gramm*) nominative ◇ (*comm*) registered

non *avv* not

nonché *cong* (*tanto meno*) let alone, still less ◇ (*e inoltre*) as well as

noncurànte *a* careless

noncurànza *sf* carelessness, nonchalance

nondiméno *cong* nevertheless

nònna *sf* grandmother, (*fam*) grandma

nònno *sm* grandfather, (*fam*) grandpa

nonnùlla *sm* trifle

nòno *a* ninth

nonostànte *prep* in spite of, despite, notwithstanding ♦ *cong n. che* (even) though, although

non stiro *a* non-iron

nòrd *sm* north

nòrdico *a* northern ◇ (*dell'Europa settentrionale*) Nordic

nòrma *sf* rule, norm, standard ◇ (*avvertenza*) instruction, direction ◇ (*consuetudine*) custom, norm

normàle *a* normal, standard

normalità *sf* normality

normalizzàre *vt* to normalize

normànno *a/sm* Norman

normativa *sf* set of rules

norvegése *a/sm/f* Norwegian

nostalgìa *sf* longing (for), nostalgia, (*di casa*) homesickness

nostàlgico *a* nostalgic, (*di casa*) homesick

nostràno *a* local, home

nòstro *a.poss* our ◊ (*pred*) ours ♦ *pr.poss* ours ◊ **al pl** (*la nostra famiglia*) our family, our relatives, (*i nostri amici*) our friends

nòta *sf* (*segno*) sign, mark ◊ (*appunto, commento*) note ◊ (*mus*) note ◊ (*lista*) list ◊ (*conto*) bill

notàbile *sm* notable

notàio *sm* notary (public)

notàre *vt* (*annotare*) to note, to take note of ◊ (*osservare*) to notice, to observe

notes *sm* notebook

notévole *a* (*pregevole*) remarkable, notable ◊ (*grande*) considerable

notifica *sf* notification, notice

notificàre *vt* (*dir*) to notify, to serve ◊ (*rendere noto*) to advise, to announce

notizia *sf* piece of news, news ◊ (*informazione*) information

notiziàrio *sm* news

nòto *a* well-known, known

notorietà *sf* notoriety, renown

notòrio *a* well-known, (*spreg*) notorious

nottàmbulo *sm* night bird

nottàta *sf* night

nòtte *sf* night ● *buona n.* good night; *di n.* by night, at night; *la*

n. scorsa last night; *questa n.* tonight

nottùrno *a* nocturnal, night

novànta *a/sm* ninety

nòve *a/sm* nine

novecènto *a/sm* nine hundred ● *il Novecento* the twentieth century

novèlla *sf* tale, short story

novèllo *a* new, spring ◊ (*secondo*) second

novèmbre *sm* November

novilùnio *sm* new moon

novità *sf* novelty ◊ (*innovazione*) change, innovation ◊ (*notizia*) news ● *non è una n.!* there is nothing new about that!

novìzio *sm* novice

nozióne *sf* knowledge, notion

nòzze *sf pl* wedding, marriage ● *viaggio di n.* honeymoon

nùbe *sf* cloud

nubifràgio *sm* cloudburst

nùbile *a* unmarried, single

nùca *sf* nape

nucleàre *a* nuclear ● *energia n.* nuclear power

nùcleo *sm* nucleus ◊ (*gruppo*) group, (*squadra*) squad, team ● *n. familiare* family unit

nudìsmo *sm* nudism

nudìsta *a/sm/f* nudist

nùdo *a* bare, naked, nude, (*svestito*) unclothed ● *mezzo n.* half-nacked

nùlla → **niente**

nullaòsta *sm* permit, authorization

nullità *sf* nullity ◊ (*cosa o persona*) nonentity ◊ (*non validità*) invalidity

nùllo *a* (*dir*) null, invalid ◇ (*di nessuna importanza*) of no importance

numeràle *a/sm* numeral

numeràre *vt* to number

numerazióne *sf* numbering, numeration

numèrico *a* numerical

nùmero *sm* number ◇ (*cifra*) figure, digit ◇ (*taglia, misura*) size ◇ (*di spettacolo*) turn ● *n. civico* street number; *n. di emergenza* emergency number; *n. di telefono* telephon number; *n. verde* freefone, freephone, (*USA*) toll-free number

numeróso *a* numerous, large

numismàtica *sf* numismatics *pl* (*v al sing*)

nuòcere *vi* to damage, to do harm (to), to harm

nuòra *sf* daughter-in-law

nuotàre *vi* to swim

nuotatóre *sm* swimmer

nuòto *sm* swimming

nuòva *sf* news

nuovaménte *avv* again

nuòvo *a/sm* new ● *di n.* again; *n. di zecca* brand-new

nutriènte *a* nourishing

nutriménto *sm* nourishment, food

nutrìre *vt* to feed, to nourish ♦ *vi* to be nutritious ♦ *vrif* to feed (on)

nutritìvo *a* nutritive ◇ (*nutriente*) nourishing

nutrizióne *sf* nourishment

nùvola *sf* cloud

nuvolóso *a* cloudy, overcast

nuziàle *a* wedding, nuptial

O

o o **od** *cong* or ● *o ... o* either ... or

òasi *sf* oasis

obbediènza *sf* obedience

obbedìre *vi* to obey, to comply

obbligàre *vt* to oblige, to compel ◇ (*costringere*) to force, to make ◇ (*impegnare*) to bind ♦ *vrif* to bind oneself, to engage oneself

obbligatòrio *a* compulsory

obbligazióne *sf* obligation ◇ (*fin*) bond, debenture

òbbligo *sm* obligation ◇ (*impegno, dovere*) duty

obbròbrio *sm* disgrace

obelìsco *sm* obelisk

oberàto *a* overburdened

obesità *sf* obesity

obèso *a* obese

obiettàre *vt/i* to object

obiettività *sf* objectivity

obiettìvo *a* objective ● *sm* objective ◇ (*scopo*) aim, goal, target, objective ◇ (*fot*) lens

obiettóre *sm* objector ● *o. di coscienza* conscientious objector

obiezióne *sf* objection

oblìo *sm* oblivion

oblìquo *a* oblique, (*inclinato*) slanting ◇ (*indiretto*) indirect

obliteràre *vt* to obliterate ◇ (*biglietto*) to stamp

oblò *sm* bull's eye

oblùngo *a* oblong

òboe *sm* oboe

òbolo *sm* mite

obsolèto *a* obsolete

òca *sf* goose

occasionàle *a* immediate ◇ (*casuale*) fortuitous, chance ◇ (*saltuario*) occasional

occasióne *sf* occasion ◇ (*opportunità*) opportunity, chance, occasion ◇ (*affare*) bargain

occhiàie *sf pl* shadows *pl*, bags *pl*

occhiàli *sm pl* glasses *pl* ◆ *o.* bifocali bifocals; *o.* da sole sunglasses

occhiàta (1) *sf* look, glance

occhiàta (2) *sf* (*zool*) saddled bream

occhieggiàre *vt* to eye ◆ *vi* to peep

occhièllo *sm* buttonhole ◇ (*tecn*) eye ◇ (*sottotitolo*) subheading

òcchio *sm* eye ◇ (*vista*) sight ◇ (*sguardo*) look, glance, eye ◆ *a o.* nudo with the nacked eye; *a quattr'occhi* in private; *chiudere un o.* su qc to turn a blind eye to st; *dare nell'o.* to attract attention

occidentàle *a* west, western, (*da occidente*) westerly

occidènte *sm* west

occlùdere *vt* to occlude

occlusióne *sf* occlusion

occorrènte *a* necessary, required ◆ *sm* the necessary

occorrènza *sf* necessity ◆ *all'o.* in case of need

occórrere *vi* to need, to want, to be needed, to be wanted (ES: **occorrono molti più soldi** much

more money is needed) ◇ (*tempo*) to take (ES: **per cuocere una torta di mele occorre mezz'ora** it takes half an hour to cook an apple pie) ◆ *vimp* to be necessary, to need, to must, to have to (ES: **non occorre che ti muova** you needn't move)

occultàre *vt* to hide, to conceal, (*astr*) to occult

occùlto *a* (*nascosto*) hidden ◇ (*magico*) occult

occupàre *vt* to occupy, to take possession of ◇ (*spazio*) to take up ◇ (*tempo*) to spend, to occupy ◇ (*carica*) to hold ◇ (*impiegare*) to employ ◇ (*impegnare*) to keep busy ◆ *vpr* to attend to, to be responsible for, (*come lavoro*) to do as a job, (*commerciare*) to deal in ◇ (*interessarsi*) to be interested in, to be concerned with ◇ (*prendersi cura*) to look after, to see to ◇ (*impicciarsi*) to get involved in ◇ (*trovare lavoro*) to find a job

occupàto *a* (*impegnato*) busy, engaged ◇ (*non libero*) taken, engaged ◇ (*soggetto a occupazione*) occupied ◇ (*impiegato*) employed

occupazióne *sf* occupation ◇ (*attività*) job, employment, occupation ◇ (*dir*) occupancy

oceànico *a* oceanic, ocean

ocèano *sm* ocean

oceanografìa *sf* oceanography

òcra *sf* ochre

oculàre *a* ocular, eye ◆ *testimone o.* eye-witness

oculàto *a* cautious, shrewd

oculìsta *sm/f* oculist

òde *sf* ode

odiàre *vt* to hate ◆ *vrif* to hate each other

odièrno *a* today's

òdio *sm* hatred, hate

odióso *a* hateful, hideous, detestable

odissèa *sf* odyssey

odontotècnico *sm* dental mechanic

odoràre *vt/i* to smell

odoràto *sm* smell

odóre *sm* smell, odour, scent ◇ (*piacevole*) perfume, scent ◇ (*fig*) odour ◇ *al pl* (*cuc*) herbs *pl*

odoróso *a* sweet-smelling, fragrant

offèndere *vt* to offend ◇ (*danneggiare*) to damage, to injure ◇ (*violare*) to break, to infringe ◆ *vpr* to be offended, to take offence ◆ *vrif* to offend each other, to insult each other

offensìva *sf* offensive

offensìvo *a* offensive

offèrta *sf* offer ◇ (*donazione*) offering, donation ◇ (*comm*) offer, (*econ*) supply, (*a un'asta*) bidding

offésa *sf* offence, insult ◇ (*torto*) wrong

offéso *a* offended, hurt ◇ (*ferito*) injured

officiàre *vt* to serve

officìna *sf* workshop, shop ● *o. meccanica* garage, machine-shop

offrìre *vt* to offer ◇ (*a un'asta*) to bid ◇ (*esporre*) to expose ◆ *vrif* to offer oneself ◆ *vpr* (*presentar-si*) to offer oneself, to occur, to arise ● *offrirsi volontario* to volunteer

offuscàre *vt* to darken, to dim ◆ *vpr* to darken, to get dark, to grow dark, to become obscured

oftàlmico *a* ophthalmic

oggettività *sf* objectivity

oggettìvo *a* objective

oggètto *sm* object, thing ◇ (*argomento*) subject, subject matter ◇ (*motivo*) object, reason ◇ (*scopo*) object, purpose ◇ (*gramm*) object

òggi *avv/sm* today ● *a tutt'o.* untill today; *o. stesso* this very day

oggigiórno *avv* nowadays

ogìva *sf* ogive

OGM *sm* (*organismo geneticamente modificato*) GMO

ógni *a* (*ciascuno*) every, each, (*tutti*) all ◇ (*qualsiasi*) any, all ◇ (*distributivo*) every ● *o. due giorni* every two days, every second day; *o. giorno* every day; *o. tanto* every now and then

ognùno *pr* everybody, everyone ◇ (*con partitivo*) each (one), every (single) one, all

olandése *a* Dutch ◆ *sm/f* Dutchman *m*, Dutchwoman *f* ◆ *sm* (*lingua*) Dutch

oleodótto *sm* oil pipeline

oleóso *a* oily, oil

olfàtto *sm* (sense of) smell

oliàre *vt* to oil

oliatóre *sm* oiler

olimpìadi *sf pl* Olympic games *pl*, Olympics *pl*

olìmpico *a* (*dell'Olimpo*) Olym-

pian ◇ (*delle Olimpiadi*) Olympic

olimpiònico *a* Olympic

òlio *sm* oil ● *o. d'oliva/di semi* olive/seed oil; *sott'o.* in oil

olìva *sf* olive

olìvo *sm* olive tree

ólmo *sm* elm

olocàusto *sm* holocaust

oltraggiàre *vt* to outrage, to insult

oltràggio *sm* outrage

oltrànza, a *loc.avv* to the death, to the bitter end

óltre *avv* (*di luogo*) farther (on), further (on) ◇ (*di tempo*) longer, more, over ◇ (*di quantità*) over, more ◆ *prep* (*di luogo*) beyond, on the other side of, over ◇ (*più di*) more than, over ◇ *o. a* (*in aggiunta*) besides, in addition to, as well as ● *o. tutto* and besides

oltremàre *avv* overseas

oltrepassàre *vt* to go beyond ◇ (*eccedere*) to exceed

omàggio *sm* (*ossequio*) homage ◇ *al pl* (*saluto*) regards *pl*, compliments *pl* ◇ (*offerta*) (free) gift, (*comm*) free sample, giveaway ● *biglietto in o.* complimentary ticket

ombelicàle *a* umbilical

ombelìco *sm* navel, (*fam*) belly-button

ómbra *sf* shade, shadow ◇ (*parvenza*) shadow, hint ◇ (*spettro*) shade

ombreggiàre *vt* to shade

ombreggiatùra *sf* shading

ombrèllo *sm* umbrella ● *o. da sole* sunshade, parasol

ombrellóne *sm* beach-umbrella

ombrétto *sm* eye shadow

ombróso *a* shady, shadowy ◇ (*di cavallo*) skittish ◇ (*di persona*) touchy

omelìa *sf* homily

omeopatìa *sf* hom(o)eopathy

omeopàtico *a* hom(o)eopathic

òmero *sm* humerus

ométtere *vt* to omit, to leave out

omicida *sm/f* homicide, murderer

omicìdio *sm* homicide, murder

omissióne *sf* omission

omogeneità *sf* homogeneity

omogeneizzàto *sm* baby food, homogenized food

omogèneo *a* homogeneous

omologàre *vt* to homologate, to approve, to validate ◇ (*riconoscere*) to recognize

omologìa *sf* homology

omònimo *a* homonymous ◆ *sm* homonym ◇ (*persona*) namesake

omosessuàle *a/sm* homosexual

óncia *sf* ounce

oncòlogo *sm* oncologist

ónda *sf* wave

ondàta *sf* wave ● *o. di caldo* heat-wave

ondeggiàre *vi* to rock, to roll ◇ (*oscillare*) to wave, to sway

ondulàto *a* wavy, undulating ◇ (*di lamiera, cartone*) corrugated

ondulazióne *sf* undulation ◇ (*di capelli*) wave

ònere *sm* burden, (*dovere*) duty, (*spesa*) charge

oneróso *a* onerous, burdensome

onestà *sf* honesty ● *in tutta o.* in all fairness

onèsto *a* honest

ònice *sf* onyx

onìrico *a* oneiric

onnipotènte *a* (*di Dio*) omnipotent, almighty ◇ (*di persona*) all-powerful

onnipresènte *a* omnipresent, ubiquitous

onnìvoro *a* omnivorous

onomàstico *sm* name-day

onoranze *sf pl* honour ● *o. funebri* last honours

onoràre *vt* to honour ◇ (*conferire onore*) to do honour to ◆ *vrif* to be honoured

onoràrio (1) *a* honorary

onoràrio (2) *sm* fee, emolument

onóre *sm* honour

onorificènza *sf* honour, (*decorazione*) decoration

onorìfico *a* honorary

ónta *sf* (*disonore*) dishonour, disgrace ◇ (*offesa*) offence ● *a o. di* in spite of

opàco *a* opaque

opàle *sm* opal

opalescènte *a* opalescent

open space *sm* open-plan room, (*ufficio*) open-plane office

òpera *sf* work ◇ (*melodramma*) opera ◇ (*ente*) institution

operàio *a* (*che lavora*) worker, (*di operai*) working, workers' ◆ *sm* workman, worker, hand ● *o. specializzato* skilled worker

operàre *vt* to do, to work, to perform ◇ (*med*) to operate on ◆ *vi* to operate, to work, to act ◆ *vpr*

(*accadere*) to occur ◇ (*farsi operare*) to be operated on

operativo *a* (*in vigore*) operative ◇ (*pratico*) operating

operatóre *sm* operator ● *o. turistico* tour operator

operatòrio *a* operating

operazióne *sf* operation ◇ (*econ*) transaction, operation

operétta *sf* operetta

operóso *a* industrious, active

opinàbile *a* debatable

opinióne *sf* opinion

òppio *sm* opium

oppórre *vt/pr/rif* to oppose

opportunismo *sm* opportunism

opportunità *sf* timeliness, opportuneness ◇ (*occasione*) opportunity, occasion, chance

opportùno *a* opportune, timely, (*appropriato*) appropriate

opposizióne *sf* opposition

oppósto *a* opposite ◇ (*contrario*) opposite, opposing, contrary ◆ *sm* op-posite, contrary ● *all'o.* on the contrary

oppressióne *sf* oppression

oppressóre *sm* oppressor

opprimènte *a* oppressive

opprìmere *vt* to oppress, to weigh down

oppugnàre *vt* to impugn, to refute

oppùre *cong* or ◇ (*altrimenti*) or else, otherwise

optàre *vi* to opt (for), to decide (for)

opulènza *sf* wealth, opulence

opùscolo *sm* booklet

opzionàle *a* optional

opzióne *sf* option, choice

óra (1) *sf* hour ◇ (*nel computo del tempo*) time ◇ (*tempo*) time, (*momento*) moment ● *che o. è?* what time is it?; *o. di apertura/ chiusura* opening/closing time; *ore dei pasti* meal time; *ore di punta* peak hours; *o. legale/solare* summer/standard time

óra (2) *avv* (*adesso*) now, at present ◇ (*poco fa*) just ◇ (*tra poco*) in a minute, shortly ◆ *cong* (*allora*) now ◇ (*invece*) but ● *o. che* now that; *or o.* just now; *prima d'o.* before

oràcolo *sm* oracle

òrafo *sm* goldsmith

oràle *a* oral

oràrio *a* hourly, hour ◆ *sm* time, hours *pl* ◇ (*tabella*) time-table

oràta *sf* (*zool*) gilthead

oratóre *sm* orator, speaker

oratòrio *sm* (*arch*) oratory ◇ (*per ragazzi*) parish youth club

orazióne *sf* (*preghiera*) prayer ◇ (*discorso*) oration

òrbita *sf* orbit ◇ (*anat*) eye-socket, orbit

orchèstra *sf* orchestra, (*piccola*) band ● *direttore d'o.* conductor

orchidèa *sf* orchid

òrco *sm* ogre

òrda *sf* horde

ordìgno *sm* device, contrivance

ordinàle *a* ordinal

ordinaménto *sm* order, arrangement ◇ (*regolamento*) regulations *pl*, rules *pl*

ordinànza *sf* ordinance, order, injunction

ordinàre *vt* (*mettere in ordine*) to put in order, to arrange ◇ (*comandare*) to order, to command, to direct ◇ (*commissionare*) to order ◇ (*prescrivere*) to prescribe ◇ (*relig*) to ordain ◆ *vrif* to arrange oneself, to draw oneself up

ordinàrio *a* ordinary, usual ◇ (*grossolano*) common

ordinazióne *sf* order ◇ (*relig*) ordination

órdine *sm* order ● *di prim'o.* first-class, first-rate; *o. del giorno* agenda; *o. professionale* professional association

ordìre *vt* to plot, to plan

ordìto *sm* warp

orecchiàbile *a* catchy

orecchìno *sm* earring

orécchio *sm* ear

orecchióni *sm pl* (*fam*) mumps *pl*

oréfice *sm* goldsmith, (*gioielliere*) jeweller

oreficerìa *sf* (*arte*) jeweller's art, goldsmith's art ◇ (*negozio*) jeweller's (shop), goldsmith's (shop)

òrfano *a/sm* orphan

orfanotròfio *sm* orphanage

orgànico *a* organic ◇ (*sistematico*) organized, systematic ◆ *sm* staff

organigràmma *sm* organization chart

organìsmo *sm* organism ◇ (*organizzazione*) organization, body ● *o. geneticamente modificato* genetically modified organism

organizzàre *vt* to organize ◆ *vrif* to organize oneself

organizzatóre *a* organizing ◆ *sm* organizer

organizzazióne *sf* organization

òrgano *sm* organ ◇ (*apparato, ente*) body, branch, organ ◇ (*mecc*) part, unit

orgàsmo *sm* orgasm ◇ (*agitazione*) excitement

òrgia *sf* orgy

orgóglio *sm* pride

orgoglióso *a* proud

orientàbile *a* adjustable

orientàle *a* oriental, eastern, east, (*da oriente*) easterly

orientaménto *sm* orientation ◇ (*tendenza*) trend ● senso dell'o. sense of direction

orientàre *vt* to orient, to orientate ◇ (*indirizzare*) to steer ◆ *vrif* to orientate oneself, to take one's bearings ◇ (*tendere*) to tend ◇ (*intraprendere*) to take up

oriènte *sm* east

orìgano *sm* oregano, origanum, wild marjoram

originàle *a* original ◇ (*nuovo*) new, original ◇ (*non contraffatto*) genuine, real ◇ (*strano*) strange, queer ◆ *sm* original ◇ (*persona*) eccentric

originalità *sf* originality ◇ (*novità*) novelty ◇ (*stranezza*) strangeness

originàrio *a* original, primary ◇ (*nativo*) native

orìgine *sf* origin

origliàre *vt* to eavesdrop

orìna *sf* urine

orizzontàle *a* horizontal

orizzontàrsi *vrif* to orientate one-self, to get one's bearings ◇ (*raccapezzarsi*) to find one's way

orizzónte *sm* horizon

orlàre *vt* to hem ◇ (*bordare*) to border, to edge

órlo *sm* (*di vestito, tenda, ecc*) hem ◇ (*margine*) border, edge, brink, rim, lip

órma *sf* footprint, track ◇ (*fig*) trace, mark

ormài *avv* by now, by this time, (*riferito al pass*) by then, by that time ◇ (*quasi*) almost, nearly

ormeggiàre *vt/pr* to moor

orméggio *sm* mooring

ormóne *sm* hormone

ornaménto *sm* ornament

ornàre *vt* to adorn, to decorate ◆ *vrif* to adorn oneself

ornitologìa *sf* ornithology

òro *sm* gold ● o. zecchino fine gold; *placcato in o.* gold plated

orografìa *sf* orography

orologiàio *sm* watchmaker, (*riparatore*) watch-repairer

orològio *sm* clock, (*da polso, da tasca*) watch

oròscopo *sm* horoscope

orrèndo *a* horrible, dreadful

orrìbile *a* horrible, dreadful

òrrido *a* horrid, horrible

orripilànte *a* horrifying

orróre *sm* horror ● film dell'o. horror film

órso *sm* bear

ortàggio *sm* vegetable

ortìca *sf* nettle

orticària *sf* nettle rash

orticoltùra *sf* horticulture

òrto *sm* vegetable garden, kitchen garden ● *o. botanico* botanical garden

ortodòsso *a/sm* orthodox

ortogonàle *a* orthogonal

ortopèdico *a* orthop(a)edic(al) ◆ *sm* orthop(a)edist

orzaiòlo *sm* sty(e)

òrzo *sm* barley ● *o. perlato* pearl barley

osannàre *vt* to acclaim

osàre *vi* to dare ◆ *vt* to risk, to attempt

oscenità *sf* obscenity

oscèno *a* obscene

oscillàre *vi* to swing, to sway, to rock, to oscillate ◇ (*variare*) to fluctuate ◇ (*essere dubbioso*) to waver ◇ (*el*) to oscillate

oscillazióne *sf* swinging, oscillation ◇ (*variazione*) fluctuation ◇ (*fis*) oscillation

oscuraménto *sm* darkening, obscuring ◇ (*mil*) blackout

oscuràre *vt* to darken, to obscure, to black out ◆ *vi/pr* to darken, to become obscure

oscurità *sf* darkness, obscurity

oscùro *a* dark, obscure ◇ (*poco noto*) obscure, unknown ◆ *sm* dark ● *essere all'o. di qc* to be in the dark about st

ospedàle *sm* hospital

ospedalièro *a* hospital

ospitàle *a* hospitable

ospitalità *sf* hospitality

ospitàre *vt* to give hospitality to, to put up, to take in ◇ (*di albergo*) to accommodate ◇ (*contenere*) to house

òspite *sm/f* (*chi ospita*) host *m*, hostess *f* ◇ (*persona ospitata*) guest ● *o. d'onore* special guest

ospìzio *sm* hospice, (*per anziani*) old people's home

ossatùra *sf* skeleton, bones *pl* ◇ (*struttura*) framework, structure

òsseo *a* bony, osseous

ossèquio *sm* (*omaggio*) homage ◇ *al pl* (*saluti*) regards *pl*, respects *pl* ◇ (*obbedienza*) obedience

ossequióso *a* deferential, respectful

osservàbile *a* noticeable, visible

osservàre *vt* to observe, to watch, to examine ◇ (*rispettare*) to keep, to observe, to respect ◇ (*notare*) to notice, to point out ◇ (*obiettare*) to object

osservatóre *sm* observer

osservatòrio *sm* observatory

osservazióne *sf* observation ◇ (*rimprovero*) reproach

ossessionàre *vt* to haunt, to obsess

ossessióne *sf* obsession

ossessìvo *a* haunting, obsessive

ossìa *cong* (*cioè*) that is, (*abbr di* id est) *o* (*o meglio*) or rather

ossidàre *vt/pr* to oxidize

òssido *sm* oxide

ossigenàre *vt* to oxygenate ◇ (*i capelli*) to peroxide, to bleach

ossìgeno *sm* oxygen

òsso *sm* bone ◇ (*nocciolo*) stone, pit

ostacolàre *vt* to hinder, to hamper

ostàcolo *sm* obstacle, hindrance,

handicap ◇ (*ippica*) jump, (*atletica*) hurdle

ostàggio *sm* hostage

òste *sm* host, innkeeper

osteggiàre *vt* to oppose, to be hostile to

ostèllo *sm* (youth) hostel

ostentàre *vt* to show off, to parade ◇ (*fingere*) to feign

ostentazióne *sf* ostentation, showing off

osterìa *sf* tavern, pub, small restaurant

ostetrìcia *sf* obstetrics *pl* (*v al sing*)

òstia *sf* (*relig*) host ◇ (*cialda*) wafer

òstico *a* hard, difficult

ostìle *a* hostile

ostilità *sf* hostility

ostinàrsi *vpr* to persist, to insist

ostinàto *a* obstinate, stubborn

ostinazióne *sf* obstinacy, stubbornness

òstrica *sf* oyster

ostruìre *vt* to obstruct, to block (up) ◆ *vpr* to become obstructed

ostruzióne *sf* obstruction

otìte *sf* otitis

otorinolaringoiàtra *sm/f* otorhinolaryngologist

ótre *sm* wineskin

ottagonàle *a* octagonal

ottànta *a/sm* eighty

ottàva *sf* octave

ottàvo *a/sm* eighth

ottenére *vt* to obtain, to get ◇ (*ricavare*) to obtain, to extract

òttica *sf* optics *pl* (*v al sing*) ◇ (*fig*) point of view ● *mettersi*

nell'o. di to get into the right frame of mind for

òttico *a* optic(al) ◆ *sm* optician

ottimàle *a* optimal, optimum

ottimìsmo *sm* optimism

ottimìsta *a* optimistic ◆ *sm/f* optimist

ottimizzàre *vt* to optimize

òttimo *a* very good, excellent, first-rate ◇ (*ottimale*) optimal, optimum ◆ *sm* the best ◇ (*l'optimum*) optimum

òtto *a/sm* eight

ottóbre *sm* October

ottocènto *a/sm* eight hundred ● *l'Ottocento* the nineteenth century

ottomàno *a/sm* Ottoman

ottóne *sm* brass ◇ *al pl* (*mus*) brass

otturàre *vt* to block (up), to stop (up) ◇ (*un dente*) to fill ◆ *vpr* to get blocked up, to clog

otturatóre *sm* (*arma*) breechblock ◇ (*fot*) shutter

otturazióne *sf* blocking (up), stopping ◇ (*di dente*) filling

ottùso *a* obtuse ◇ (*fig*) dull, obtuse

ovàia *sf* ovary

ovàle *a/sm* oval

ovàtta *sf* cotton wool, (*per imbottitura*) padding

ovazióne *sf* ovation

òvest *sm* west ● *verso o.* westward(s)

ovìle *sm* sheepfold, pen

ovìno *a* ovine, sheep ◆ *sm* sheep

ovìparo *a* oviparous

òvulo *sm* (*biol*) ovum ◇ (*bot*) ovule

ovùnque → **dovunque**

ovvéro *cong* (*ossia*) or, that is ◇ (*o meglio*) or rather

ovviàre *vi* to get around, to obviate

òvvio *a* clear, obvious, evident

oziàre *vi* to idle about, to laze about

òzio *sm* idleness, laziness ◇ (*riposo*) leisure

ozióso *a* idle

ozòno *sm* ozone

P

pacàto *a* calm, quiet

pacchétto *sm* packet, parcel, package ● *p. turistico* package tour

pacchiàno *a* garish, showy, tacky

pàcco *sm* parcel, pack, package

pàce *sf* peace

pachidèrma *sm* pachyderm

pacificàre *vt* to pacify, to appease ◇ (*riconciliare*) to reconcile ◆ *vpr* to make up ◇ (*calmarsi*) to calm down ◆ *vrif* to reconcile oneself

pacificazióne *sf* pacification ◇ (*riconciliazione*) reconciliation

pacìfico *a* peaceful, pacific

pacifista *sm/f* pacifist

padèlla *sf* frying pan

padiglióne *sm* pavilion ◇ (*anat*) auricle

pàdre *sm* father

padrìno *sm* godfather

padronàle *a* owner's, master's ◇ (*principale*) main

padronànza *sf* mastery, command, control ● *p. di sé* self-control

padróne *sm* master ◇ (*proprietario*) owner ◇ (*di casa*) landlord

padroneggiàre *vt* to master, to command, to control ◆ *vrif* to control oneself

paesàggio *sm* landscape, scenery, view

paesàno *a* country, rural ◇ (*di paese*) village ◆ *sm/f* (*compaesano*) fellow townsman ◇ (*contadino*) countryman

paése *sm* (*nazione*) country ◇ (*territorio*) land, country ◇ (*villaggio*) village

paffùto *a* chubby

pàga *sf* pay, wages *pl* ● *busta p.* pay packet

pagàia *sf* paddle

pagaménto *sm* payment ● *condizioni di p.* terms of payment; *TV a p.* pay TV

pagàno *a/sm* pagan, heathen

pagàre *vt/i* to pay ● *p. da bere a qn* to stand sb a drink

pagèlla *sf* (school) report

pàggio *sm* pageboy

pagherò *sm* (*comm*) I owe you (*abbr* IOU)

pàgina *sf* page ● *p. bianca* blank page; *prima p.* front page

pàglia *sf* straw

pagliàccio *sm* clown, buffoon ● *fare il p.* to play the fool

pagliétta *sf* (*cappello*) straw hat ◇ (*per pulire*) steel wool

pagnòtta *sf* loaf

pagòda *sf* pagoda

pàio *sm* pair ◇ (*circa due*) couple

paiòlo *sm* pot ◇ (*quantità*) potful

pàla *sf* shovel ◇ (*di remo, elica, ventilatore*) blade, (*di mulino*) vane ◇ (*d'altare*) altar-piece

paladino *sm* paladin, champion

palafitta *sf* palafitte ◇ (*edil*) pilework

palàto *sm* palate

palàzzo *sm* palace ◇ (*casa signorile*) mansion ◇ (*edificio*) building ● *p. dello sport* stadium

palco *sm* (*teat*) box ◇ (*tribuna*) stand, platform ◇ (*palcoscenico*) stage

palcoscènico *sm* stage

paleocristiàno *a* early Christian

paleolìtico *a/sm* Pal(a)eolithic

palesàre *vt* to reveal, to disclose, to express ◆ *vpr/rif* to show oneself

palése *a* evident, manifest, clear

palèstra *sf* gymnasium, (*fam*) gym ◇ (*fig*) training ground

palétta *sf* (small) shovel, (*per la spazzatura*) dustpan ◇ (*del capostazione*) bat

palétto *sm* stake, pole, post ◇ (*chiavistello*) bolt

palinsèsto *sm* programme schedule

palizzàta *sf* fence

pàlla *sf* ball ● *che palle!* what a bore!

pallacanèstro *sf* basketball

pallanuòto *sf* water polo

pallavólo *sf* volleyball

palliativo *a/sm* palliative

pàllido *a* pale ◇ (*fig*) faint, dim, slight

pallìno *sm* (*bocce*) jack ◇ (*biliardo*) cue ball ◇ (*da caccia*) shot ◇ (*fig*) mania ● *disegno a pallini* polka-dot pattern, dotted pattern

pallóne *sm* (*calcio*) football ◇ (*aerostato*) hot-air balloon ● *andare nel p.* to get flustered

pallóre *sm* pallor

pallòttola *sf* pellet ◇ (*proiettile*) bullet

pallottolière *sm* abacus

pàlma *sf* palm

palmàre *sm* hand-held computer

palmìpede *sm* web-footed bird

palmìzio *sm* palm

pàlmo *sm* (*della mano*) palm ◇ (*spanna*) span ● *a p. a p.* inch by inch

pàlo *sm* pole, post, stake ◇ (*fam*) (*complice*) lookout ◇ (*sport*) goal post ● *di p. in frasca* from one subject to another

palpàre *vt* to feel, to finger ◇ (*med*) to palpate ◇ (*a scopo erotico*) to fondle

pàlpebra *sf* eyelid

palpitàre *vi* to palpitate, to throb

palpitazióne *sf* palpitation, throbbing

paltò *sm* overcoat

palùde *sf* marsh, bog, swamp, fen

paludóso *a* marshy, boggy, swampy

pànca *sf* bench, form, (*di chiesa*) pew

pancétta sf (pancia) paunch, belly ◇ (cuc) bacon

panchìna sf bench ◇ (sport) sidelines pl

pància sf belly, stomach, (fam) tummy • a p. in giù on one's stomach; mal di p. belly-ache

panciòtto sm waistcoat, (USA) vest

pàncreas sm pancreas

pàne sm bread ◇ (fig) (il necessario) bread, living, food ◇ (forma) block, cake, loaf • p. integrale wholemeal, wholewheat bread; p. tostato toast

panegìrico sm panegyric

panetterìa sf bakery, (negozio) baker's (shop)

pangrattàto sm breadcrumbs pl

pànico sm panic • farsi prendere dal p. to panic

panière sm basket

panifìcio sm bakery, baker's (shop)

panìno sm roll, (imbottito) sandwich

pànna sf cream • p. montata whipped cream

pannèllo sm panel, board • p. solare solar panel

pànno sm cloth • mettersi nei panni di qn to put oneself in sb's shoes

pannòcchia sf cob

pannolìno sm napkin, (USA) diaper

panoràma sm view, panorama ◇ (fig) survey, outline

panoràmica sf (panorama) view, panorama ◇ (fig) survey

◇ (cin) panning ◇ (med) panoramic x-ray

panoràmico a panoramic • schermo p. wide screen; strada panoramica panoramic drive

pantalóni sm pl trousers pl, pants pl • p. corti shorts

pantàno sm morass, quagmire

pantèra sf panther

pantòfola sf slipper

pantomìma sf pantomime

paonàzzo a purple, violet

pàpa sm Pope

papà sm daddy, dad, pa

papàle a papal

papàto sm papacy

papàvero sm poppy

pàpera sf duckling, gosling ◇ (errore) slip

paperback sm paperback

papìro sm papyrus

pàppa sf pap, baby food • p. molle whimp

pappagàllo sm parrot

pappagòrgia sf double chin

pàra sf para rubber

paràbola (1) sf (racconto) parable

paràbola (2) sf (geom) parabola ◇ (fig) course ◇ (antenna) satellite dish

parabrézza sm windscreen, (USA) windshield

paracadùte sm parachute

paracadutìsmo sm parachuting • p. acrobatico skydiving

paracàrro sm kerbstone

paradìso sm paradise, heaven • p. fiscale tax heaven

paradòsso sm paradox

parafàngo *sm* mudguard, (*USA*) fender

paraffìna *sf* paraffin

paràfrasi *sf* paraphrase ● *fare la p.* to paraphrase

parafùlmine *sm* lightning-rod

paràggi *sm pl* neighbourhood, surrounding area

paragonàbile *a* comparable

paragonàre *vt* to compare ♦ *vrif* to compare oneself

paragóne *sm* comparison ◇ (*esempio*) analogy

paràgrafo *sm* paragraph

paralìtico *a/sm* paralytic

paralizzàre *vt* to paralyse

parallelepìpedo *sm* parallelepiped

parallèlo *a/sm* parallel

paralùme *sm* lampshade

paràmetro *sm* parameter

paranòia *sf* paranoia

paranormàle *a/sm* paranormal

paraòcchi *sm* blinkers *pl*, (*USA*) blinders *pl*

parapendìo *sm* paragliding

parapètto *sm* parapet, (*naut*) bulwark

parapìglia *sm* turmoil, confusion

parapsicologìa *sf* parapsychology

paràre *vt* (*addobbare*) to adorn, to decorate ◇ (*riparare*) to shield ◇ (*evitare*) to parry, (*calcio*) to save ● *andare a p.* to drive at, to get at, to lead up to

parasóle *a* sun ♦ *sm* parasol, sunshade

parassìta *a* parasitic(al) ♦ *sm* parasite

paràta (1) *sf* parade

paràta (2) *sf* (*sport*) parry, (*calcio*) save

paratìa *sf* bulkhead

paraùrti *sm* bumper

parcèlla *sf* fee, bill

parcheggiàre *vt* to park

parchéggio *sm* parking ◇ (*posteggio*) (car) park ● *divieto di p.* no parking

parchìmetro *sm* parking-meter

pàrco (1) *sm* park ● *p. divertimenti* amusement park

pàrco (2) *a* frugal, parsimonious ◇ (*moderato*) moderate, sparing

parécchio *a* (*quite*) a lot of, rather a lot of, plenty of ◇ (*tempo*) (*quite*) a long, rather a long ◇ *al pl* several, quite a lot of, rather a lot of ♦ *pr* quite a lot, rather a lot ◇ *al pl* several, quite a few, quite a lot ♦ *avv* quite, very, quite a lot

pareggiàre *vt* to equalize, to make equal ◇ (*comm*) to balance, to square, to settle ◇ (*uguagliare*) to match ◇ (*livellare*) to level ◇ (*tagliando*) to trim ♦ *vi* (*finire pari*) to draw, to tie

paréggio *sm* (*comm*) balance, squaring ◇ (*sport*) draw, tie

parènte *sm/f* relative, relation

parentèla *sf* relationship, kinship ◇ (*insieme dei parenti*) relatives *pl*

parèntesi *sf* (*segno*) parenthesis, bracket ◇ (*inciso*) digression ◇ (*intervallo*) interval, period

parére (1) *vi* to seem, to appear, to look (like) ◇ (*impers*) to seem, (*credere*) to think ● *mi pare di sì* I think so; *pare impos-*

sibile che ... it seems impossible that ...

parére (2) *sm* opinion, advice • *a mio p.* in my opinion; *essere del p. che* to think that

paréte *sf* wall ◇ *(superficie)* side, surface ◇ *(di montagna)* face

pàri *a* equal, same, *(simile)* like, similar ◇ *(di punteggio, conto)* equal, even ◇ *(di numero)* even ◇ *(allo stesso livello)* level, equal ◇ *(equivalente)* equivalent, equal ♦ *sm (pareggio)* draw, tie ◇ *(numero pari)* even number ◇ *(persona)* equal, peer • *alla p.* at the same level, *(presso famiglia)* au pair, *(fin)* at par; *fare p. e dispari* to play odds and evens

parigino *a/sm* Parisian

parità *sf* parity, equality ◇ *(pareggio)* draw, tie

parlamentàre *a* parliamentary ♦ *sm/f* member of Parliament, MP

parlaménto *sm* Parliament

parlantìna *sf* talkativeness

parlàre *vi* to speak, to talk ♦ *vt* to speak ♦ *vrif* to speak to each other • *p. male di qn* to speak ill of sb; *non se ne parla!* it's out of question!

parlàta *sf* way of speaking, *(dialetto)* dialect

parlatòrio *sm* parlour

parodìa *sf* parody • *fare la p. di* to parody

paròla *sf* word ◇ *(facoltà di parlare)* speech ◇ *(promessa)* word, promise ◇ *(discorso)* words *pl*, speech ◇ *al pl (di canzone)* lyrics *pl* • *non avere parole* to be at a loss for words; *p. chiave* key word; *p. d'ordine* password; *parole incrociate* crossword puzzle; *rivolgere la p. a qn* to address sb

parolàccia *sf* swearword, four-letter word

parricida *sm* parricide

parròcchia *sf* parish

pàrroco *sm (cattolico)* parish priest, *(protestante)* parson, vicar

parrùcca *sf* wig

parrucchière *sm* hairdresser

parsimonióso *a* thrifty

pàrte *sf (porzione)* part, share, portion ◇ *(luogo, regione)* parts *pl*, region ◇ *(lato)* side, part ◇ *(direzione)* way, direction ◇ *(ruolo)* part, role ◇ *(partito, fazione)* party, faction • *a p. ciò* apart from that; *d'altra p.* on the other side; *farsi da p.* to step aside; *p. civile* plaintiff; *prendere p.* to join; *di p.* partisan

partecipàre *vi* to participate (in), to share, to take part (in) ◇ *(essere presente)* to be present (at), to attend ♦ *vt (annunciare)* to announce, to inform

partecipazióne *sf* participation ◇ *(presenza)* presence, attendance ◇ *(fin)* holding, interest ◇ *(annuncio)* announcement, *(scritto)* card • *p. di nozze* wedding announcement

partécipe *a* participating • *essere p. di qc* to take part in st, to share st; *rendere p. qn di qc* to acquaint sb with st

parteggiàre *vi* to side (with), to support

partènza *sf* departure ◇ *(sport)* start ● *in p.* now departing

particèlla *sf* particle

particìpio *sm* participle

particolàre *a* particular, special, peculiar ◇ *(privato)* particular, private ◇ *(strano)* peculiar, strange ◇ *(accurato)* detailed ◆ *sm* particular, detail

particolarità *sf* particularity, peculiarity

partigiàno *a/sm* partisan

partìre *vi* to leave, to go away ◇ *(decollare)* to take off, *(salpare)* to sail ◇ *(mettersi in moto)* to start ◇ *(iniziare)* to start ◇ *(provenire)* to come ◇ *(fam)* *(rompersi)* to go ● *a p. da* beginning from, as from

partìta *sf* *(comm)* lot, parcel, stock ◇ *(sport)* game, match ◇ *(scrittura contabile)* entry

partìto *sm* party ◇ *(risoluzione)* decision, resolution ◇ *(occasione di matrimonio)* match

partitùra *sf* score

pàrto *sm* (child)birth, delivery ◇ *(fig)* creation, product ◆ *p. cesareo* caesarian section; *sala p.* delivery room

partorìre *vt* to bear, to give birth to

parziàle *a* partial

pascolàre *vt/i* to graze, to pasture

pàscolo *sm* pasture ◇ *(il pascolare)* grazing

pàsqua *sf* Easter

pasquàle *a* Easter

pasquétta *sf* Easter Monday

passàbile *a* fairly good, passable

passàggio *sm* passage, passing ◇ *(transito)* transit ◇ *(luogo dove si passa)* passage, way, *(attraversamento)* crossing ◇ *(su veicolo)* lift ◇ *(mus)* passage ◇ *(fig)* *(cambiamento)* shift, *(trasferimento)* handing, transfer ● *p. pedonale* pedestrian crossing; *p. a livello* level crossing; *vietato il p.* no transit

passànte *sm/f* passer-by ◆ *sm* *(di cintura)* loop ● *p. ferroviario* railway link

passapòrto *sm* passport ● *p. scaduto* expired passport

passàre *vi* to pass, *(attraverso)* to pass through, to go through, *(vicino)* to pass by, to go by ◇ *(trascorrere)* to pass, to go by, to elapse ◇ *(cessare)* to pass away, to cease ◇ *(fare visita)* to call on, to call at, to drop in ◇ *(diventare)* to become ◇ *(essere considerato)* to be considered, *(essere scambiato)* to pass off as, to be taken for ◇ *(essere approvato)* to be passed, to get through ◇ *(intercorrere)* to be ◇ *(a carte)* to pass ◆ *vt* *(attraversare)* to pass, to cross, *(valicare)* to go beyond ◇ *(trascorrere)* to pass, to spend ◇ *(far passare)* to pass ◇ *(dare)* to give, to hand, to pass ◇ *(cospargere di)* to put, to spread ◇ *(sopportare)* to go through, to pass through ◇ *(tra-*

figgere) to pass through ◇ (*promuovere*) to pass ● *p. a prendere* to call for sb; *p. il tempo* to spend one's time; *p. sopra qc* to overlook st

passatèmpo *sm* pastime, hobby

passàto *a* past ◇ (*scorso*) last ◆ *sm* past ◇ (*gramm*) past, perfect ◇ (*cuc*) soup

passaverdùra *sm* vegetable mill

passeggèro *a* passing, transitory ◆ *sm* passenger

passeggiàre *vi* to walk, to take a walk, to stroll

passeggiàta *sf* walk, (*in bici, a cavallo*) ride ◇ (*luogo*) walk, promenade ◇ (*fig*) walkover, (*USA*) cakewalk

passeggìno *sm* pushchair, (*USA*) stroller

passéggio *sm* walk, stroll ● *da p.* walking

passerèlla *sf* (*per imbarco e sbarco*) gangway ◇ (*teat*) parade ◇ (*per sfilate di moda*) catwalk

pàssero *sm* sparrow

passionàle *a* of passion, passional ◇ (*appassionato*) passionate

passióne *sf* passion

passìvo *a* passive ◆ *sm* (*econ*) deficit, liabilities *pl* ◇ (*gramm*) passive ● *in p.* in the red

pàsso (1) *sm* step, pace ◇ (*andatura*) pace, walk ◇ (*rumore*) footstep, (*orma*) footprint ◇ (*brano*) passage ◇ (*tecn*) pitch

pàsso (2) *sm* (*passaggio*) passage, way ◇ (*valico*) pass

pàsta *sf* (*impasto*) dough, pastry ◇ (*pasticcino*) pastry, cake ◇

(*per minestra*) pasta ◇ (*sostanza pastosa*) paste ◇ (*fig*) nature ● *p. frolla* short pastry

pastasciùtta *sf* pasta

pastèllo *a/sm* pastel

pasticcerìa *sf* confectionery ◇ (*negozio*) pastry-shop, bakery

pasticciàre *vt/i* to mess up, to make a mess

pasticcière *sm* confectioner, baker

pasticcìno *sm* pastry, cake

pastìccio *sm* mess ◇ (*cuc*) pie

pastìglia *sf* pastille, lozenge, drop ◇ (*di freni*) pad, (brake) lining

pàsto *sm* meal

pastoràle *a* pastoral

pastóre *sm* shepherd ◇ (*relig*) pastor, minister

pastóso *a* pasty, doughy ◇ (*fig*) mellow, soft

pastùra *sf* pasture

patàta *sf* potato ● *p. americana* sweet potato; *patate fritte* fried potatoes, chips, (*USA*) French fries

patènte *sf* licence, permit ● *p. di guida* driving licence, (*USA*) driver's license

paternità *sf* paternity, fatherhood

patèrno *a* paternal, (*da padre*) fatherly

patètico *a* pathetic

patìbolo *sm* gallows, scaffold

pàtina *sf* patina, coat, varnish, glaze

patìre *vi* to suffer ◆ *vt* to suffer, to undergo ◇ (*sopportare*) to bear, to stand

patìto *a* sickly ♦ *sm* fan, lover

patologìa *sf* pathology

patològico *a* pathologic(al)

pàtria *sf* (native) country, homeland ◇ (*luogo di nascita*) birthplace, home

patriàrca *sm* patriarch

patrìgno *sm* stepfather

patrimoniàle *a* patrimonial ● *imposta p.* property tax

patrimònio *sm* patrimony, property ◇ (*somma considerevole*) fortune ◇ (*fig*) heritage ● *p. dell'umanità* World Heritage, Mankind Heritage

patriòta *sm/f* patriot

patriòttico *a* patriotic

patrocinàre *vt* (*dir*) to plead, to defend ◇ (*sponsorizzare*) to sponsor, to support

patrocinìo *sm* (*dir*) pleading, defence ◇ (*sponsorizzazione*) patronage, sponsorship

patròno *sm* (*dir*) counsel ◇ (*protettore*) patron, supporter ◇ (*santo*) patron saint

pàtta *sf* flap, (*di pantaloni*) fly

patteggiàre *vt/i* to negotiate ◇ (*dir*) to plea bargain

pattinàggio *sm* skating ● *p. artistico* figure-skating; *p. a rotelle* roller-skating; *p. su ghiaccio* ice-skating

pattinàre *vi* to skate

pàttino *sm* skate ● *pattini in linea* rollerblades

pàtto *sm* agreement, pact ◇ (*condizione*) term, condition ● *a p. che* on condition that; *venire a patti* to come to terms

pattùglia *sf* patrol

pattuìre *vt* to agree upon, to stipulate

pattumièra *sf* dustbin, (*USA*) garbage-can

paùra *sf* fear, dread, (*spavento*) fright, scare ● *aver p. di qc* to be afraid of st; *per p.* out of fright

pauróso *a* (*che ha paura*) fearful, timorous ◇ (*che incute paura*) frightening

pàusa *sf* pause, (*nel lavoro*) break ◇ (*mus*) rest ◇ (*interruzione*) standstill, halt

pavimentàre *vt* (*di casa*) to floor ◇ (*di strada*) to pave

pavimènto *sm* floor

pavóne *sm* peacock

pavoneggiàrsi *vpr* to strut (about)

pazientàre *vi* to be patient

paziènte *a/sm* patient

paziènza *sf* patience ● *p.!* never mind!

pazzésco *a* mad, crazy, foolish ◇ (*eccessivo*) absurd, senseless

pazzìa *sf* madness

pàzzo *a* mad, crazy, insane, lunatic ◇ (*eccessivo*) wild ♦ *sm* madman, lunatic ● *p. di qn/qc* mad, crazy about sb/st

pècca *sf* fault

peccàre *vi* (*fare peccato*) to sin ◇ (*essere difettoso*) to be faulty, to lack

peccàto *sm* sin ● *che p.!* what a pity!

péce *sf* pitch

pècora *sf* sheep

peculiàre *a* peculiar, characteristic

pedàggio *sm* toll

pedagogìa sf pedagogy
pedalàre vi to pedal, to cycle
pedàle sm pedal
pedàna sf footboard, (della cattedra) dais ◇ (salto) springboard, (lancio) circle, (scherma) piste
pedànte a pedantic ◆ sm/f pedant
pedantería sf pedantry
pedàta sf kick ◇ (impronta) footprint
pedèstre a pedestrian, dull
pediàtra sm/f p(a)ediatrician
pediatrìa sf p(a)ediatrics pl (v al sing)
pedìna sf (dama) man, (scacchi, fig) pawn
pedinàre vt to tag after, to tail
pedofilìa sf paedophilia, (USA) pedophilia
pedonàle a pedestrian
pedóne sm pedestrian ◇ (pedina) pawn
pèggio a worse ◆ sm/f the worst (thing) ◆ avv (comp) worse ◇ (sup rel) worst, (tra due) worse ● alla meno p. anyhow, somehow; alla p. at worst; avere la p. to get the worst of it
peggioraménto sm worsening
peggioràre vt to worsen, to make worse ◆ vi to get worse
peggióre a (comp) worse ◇ (sup rel) the worst, (tra due) the worse
pégno sm pawn, pledge ● dare in p. to pawn
pelàre vt (sbucciare) to peel, (spellare) to skin ◇ (fam) to fleece

pelàto a (calvo) bald, hairless ◇ (sbucciato) peeled ◆ sm baldhead ◇ al pl (cuc) peeled tomatoes pl
pèlle sf skin, (carnagione) complexion ◇ (cuoio) hide, leather ◇ (buccia) peel, skin, rind ● p. d'oca goose flesh
pellegrinàggio sm pilgrimage
pellegrìno sm pilgrim
pelleróssa sm/f American Indian
pellicàno sm pelican
pelliccerìa sf furs pl ◇ (negozio) furrier's shop
pellìccia sf fur ◇ (indumento) fur coat ● p. ecologica fake fur
pellìcola sf (membrana) film, pellicle ◇ (cin) film
pélo sm hair ◇ (pelame) coat, hair, (pelliccia) fur ◇ (di tessuto) pile ● per un p. by a hair's breath
pelóso a hairy
péltro sm pewter
pelùria sf down
péna sf (dir) punishment, penalty ◇ (sofferenza) pain, suffering, sorrow ◇ (fatica) trouble ● a mala p. hardly; mi fa p. I feel sorry for him; non ne vale la p. it isn't worth it
penàle a penal ◆ sf penalty, fine ● codice p. criminal code
penalità sf penalty
penalizzàre vt to penalize ◇ (danneggiare) to damage
penàre vi to suffer ◇ (far fatica) to find it difficult
pendènte a hanging ◇ (inclinato) leaning ◇ (dir) pending, out-

standing ◆ *sm* pendant, (*orecchino*) ear-drop

pendènza *sf* slope, incline ◇ (*grado d'inclinazione*) gradient ◇ (*dir*) pending suit ◇ (*comm*) outstanding account

pèndere *vi* to hang (down) ◇ (*inclinare*) to lean ◇ (*di superficie*) to slant, to slope ◇ (*incombere*) to hang over ◇ (*propendere*) to be inclined, to tend ◇ (*dir*) to be pending

pendìo *sm* slope, slant

pendolàre *a* pendular ◇ (*di lavoratore*) commuting ◆ *sm/f* commuter

pèndolo *sm* pendulum ● *orologio a p.* pendulum-clock

pène *sm* penis

penetràre *vt* to seep into, to penetrate, to pierce ◇ (*fig*) to penetrate ◆ *vi* to penetrate into, to pierce into ◇ (*entrare*) to enter, (*furtivamente*) to steal into

penetrazióne *sf* penetration

penicillìna *sf* penicillin

penìsola *sf* peninsula

penitènza *sf* penance ◇ (*castigo*) punishment ◇ (*nei giochi*) forfeit

penitenziàrio *a* penitentiary ◆ *sm* prison, (*USA*) penitentiary

pénna *sf* (*per scrivere*) pen ◇ (*di uccello*) feather ◇ (*scrittore*) writer

pennarèllo *sm* felt-tip pen

pennèllo *sm* brush ●*p. da barba* shaving-brush; *stare a p.* to fit perfectly

pennìno *sm* nib

penómbra *sf* half-light, semi-darkness

penóso *a* painful, pitiful

pensàre *vt* to think ◇ (*proporsi, decidere*) to think, to decide ◇ (*considerare*) to consider, to bear in mind ◇ (*immaginare*) to think, to imagine ◆ *vi* to think (of) ◇ (*badare*) to mind, to take care of, to see to ◇ (*giudicare*) to think

pensatóre *sm* thinker

pensièro *sm* thought ◇ (*opinione*) opinion, mind ◇ (*attenzione*) thought, care ◇ (*preoccupazione*) trouble, worry ◇ (*dono*) gift ● *stare in p. per qn/qc* to worry about sb/st

pensieróso *a* thoughtful, pensive

pènsile *a* pensile, hanging, suspended

pensilìna *sf* cantilever roof, shelter

pensionaménto *sm* retirement

pensionàto *sm* (*persona*) pensioner, retired person ◇ (*istituto*) boarding-house, hostel, (*per anziani*) rest home

pensióne *sf* (*assegno*) pension, annuity ◇ (*vitto e alloggio*) board and lodging ◇ (*luogo*) boarding-house, guest-house ● *andare in p.* to retire; *mezza p.* half board

pensóso *a* thoughtful, pensive

pentàgono *sm* pentagon

pentagràmma *sm* (*mus*) staff, stave

Pentecòste *sf* Pentecost, Whitsunday

pentiménto *sm* repentance, regret

pentìrsi *vpr* to repent, to regret

péntola *sf* pot, pan, saucepan ● *p. a pressione* pressure cooker

penùltimo *a* penultimate, second-to-last, next to last

penùria *sf* scarcity, shortage

penzolàre *vi* to dangle, to hang down

penzolóni *avv* hanging, dangling

pepàto *a* peppery, *(piccante)* hot ◇ *(fig)* sharp, spicy

pépe *sm* pepper ● *p. in grani* whole pepper

peperoncino *sm* hot pepper, Cayenne pepper, chilli pepper

peperóne *sm* pepper

pepìta *sf* nugget

pér *prep* *(moto per luogo)* through, *(senza direzione fissa)* about, around, *(lungo)* along, up, *(sopra)* over, all over (ES: **passare p. Londra** to pass through London) ◇ *(moto a luogo)* for, to (ES: **partire p. Roma** to leave for Rome) ◇ *(stato in luogo)* in, on (ES: **incontrare qn p. la strada** to meet sb in the street) ◇ *(estensione, misura)* for (ES: **camminare p. miglia e miglia** to walk for miles and miles) ◇ *(per un certo periodo, per una data precisa)* by, *(per un termine)* by, *(per un intero periodo di tempo)* (all) through, throughout (ES: **p. due ore** for two hours; **saranno di ritorno p. le cinque** they'll be back by five o'clock) ◇ *(mezzo)* by, through (ES: **p. via aerea** by air mail) ◇

(modo) by, in (ES: **chiamare p. nome** to call by name; **p. iscritto** in writing) ◇ *(prezzo)* for (ES: **comprare qc p. 50 sterline** to buy st for fifty pounds) ◇ *(causa)* for, owing to, because of, on account of, out of, through, due to (ES: **assente p. malattia** absent owing to illness; **fare qc p. amore** to do st out of love) ◇ *(termine, vantaggio, utilità, interesse)* for (ES: **fatelo p. me** do it for me) ◇ *(fine, scopo)* for (ES: **la lotta p. la vita** the struggle for life) ◇ *(limitazione)* for (ES: **è troppo difficile p. me** it's too difficult for me) ◇ *(colpa)* for (ES: **fu processato p. furto** he was tried for theft) ◇ *(distributivo)* by, at, in, per, for (ES: **il tre p. cento** three per cent; **uno p. uno** one by one; **due p. volta** two at a time) ◇ *(mat)* by (ES: **dividere p. due** to divide by two) ◇ *(come, in qualità di)* as (ES: **avere un cane p. amico** to have a dog as a friend) ◇ *(scambio, sostituzione)* for (ES: **ti ho scambiata p. la moglie di Mario** I mistook you for Mario's wife) ♦ *cong* *(finale)* for, (in order) to ◇ *(causale)* for ◇ *(concessivo)* however

péra *sf* pear ◇ *(dose di eroina)* fix

peràltro *avv* moreover, what is more

perbàcco *inter* by Jove!, *(certo!)* of course

perbène *a* respectable ♦ *avv* well

percènto *avv/sm* percent

percentuàle *a* percent, proportional ♦ *sf* percentage, *(tasso)* rate ◇ *(commissione)* commission

percepire *vt* to perceive, to feel ◇ *(ricevere)* to collect, to cash, to receive

percezióne *sf* perception

perché *avv* why, what for ♦ *cong (esplicativo)* because, for, since, as ◇ *(finale)* so (that), so as, in order that ◇ *(correlativo di 'troppo')* for, to ♦ *sm (motivo)* reason, motive ◇ *(dubbio)* question

perciò *cong* so, for this/that reason, therefore

percórrere *vt (una distanza)* to cover, to go along ◇ *(in lungo e in largo)* to travel, to scour ◇ *(attraversare)* to run through, to go across

percórso *sm (tratto)* way, journey ◇ *(distanza)* run, distance ◇ *(tracciato)* route, course ◇ *(inform)* path ●*p. vita* paracourse

percòssa *sf* blow, stroke

percuòtere *vt* to strike, to hit, to beat, to knock

percussióne *sf* percussion

pèrdere *vt* to lose ◇ *(lasciarsi sfuggire)* to miss ◇ *(sprecare)* to waste ◇ *(lasciar uscire)* to leak, to lose ◇ *(rovinare)* to ruin ♦ *vi* to lose ◇ *(far uscire liquido)* to leak ♦ *vpr (smarrirsi)* to get lost, to lose oneself ◇ *(svanire)* to fade away, *(sparire)* to disappear ◇ *(andare smarrito)* to be mislaid, to get lost ◇ *(rovinarsi)* to be ruined ●*vuoto a p.* dispo-

sable bottle; *da non p.* not to be missed

pèrdita *sf* loss ◇ *(spreco)* waste ◇ *(falla)* leak

perditèmpo *sm/f* timewaster, loafer, idler

perdonàre *vt* to forgive, to pardon ◇ *(scusare)* to excuse, to pardon ◇ *(risparmiare)* to spare ♦ *vi* to forgive

perdóno *sm* forgiveness, pardon ◇ *(esclamativo)* sorry

perduràre *vi* to continue, to go on ◇ *(persistere)* to persist

peregrinazióne *sf* wandering

perènne *a* perennial, perpetual, *(eterno)* everlasting

perentòrio *a* peremptory

perfètto *a* perfect

perfezionaménto *sm* perfecting, improvement ◇ *(completamento)* completion ◇ *(specializzazione)* specialization

perfezionàre *vt* to perfect, *(migliorare)* to improve ♦ *vpr/rif* to perfect oneself, to improve oneself ◇ *(specializzarsi)* to specialize

perfezióne *sf* perfection ●*alla p.* perfectly

pèrfido *a* perfidious, treacherous

perfino *avv* even

perforàre *vt* to perforate, to pierce, to punch ♦ *vpr* to be pierced

perforazióne *sf* perforation, piercing

pergamèna *sf* parchment

pergolàto *sm* pergola, bower

pericolànte *a* tumbledown, unsafe, precarious

perìcolo *sm* danger, peril, hazard

pericolóso *a* dangerous, unsafe

periferìa *sf* (*zona esterna*) periphery ◇ (*di città*) outskirts *pl*, suburbs *pl*

perifèrico *a* (*esterno*) peripheral ◇ (*di quartiere*) suburban

perìfrasi *sf* periphrasis

perimetrale *a* perimetric(al), (*esterno*) outer

perìmetro *sm* perimeter

periodicità *sf* periodicity

periòdico *a* periodic(al), recurring ◆ *sm* periodical, magazine

perìodo *sm* period

peripezìa *sf* vicissitude ◇ (*fig*) adventure

perìre *vi* to perish, to die

periscòpio *sm* periscope

perìto *sm* expert

peritonìte *sf* peritonitis

perìzia *sf* (*abilità*) skill, ability ◇ (*valutazione*) appraisal, survey, examination, (*tecnica*) expert report, expertise

pèrla *sf* pearl

perloméno *avv* at least

perlopiù *avv* (*per la maggior parte*) mainly, mostly ◇ (*di solito*) usually

perlustràre *vt* to search, to patrol

perlustrazióne *sf* (*mil*) patrol, reconnaissance ◇ (*est*) searching

permalóso *a* touchy, testy, huffy

permanènte *a* permanent, standing ◆ *sf* permanent wave, perm

permanènza *sf* permanence, persistence ◇ (*soggiorno*) stay

permanére *vi* to remain, (*perdurare*) to persist

permeàre *vt* to permeate

permésso *sm* permission, leave, permit ◇ (*dal lavoro*) leave ◇ (*licenza*) licence, permit ● *p. di soggiorno* residence permit

perméttere *vt* to allow, to permit, to let ◇ (*rendere possibile*) to enable ◇ (*autorizzare*) to authorize ◇ (*concedersi*) to afford, to allow

permissìvo *a* permissive

pèrmuta *sf* exchange, permutation

perniciòso *a* pernicious, noxious

pèrno *sm* pivot, pin ◇ (*cardine*) hinge ◇ (*fig*) mainstay, support

pernottàre *vi* to stay overnight

péro *sm* pear (tree)

però *cong* (*avversativo*) but, however, yet ◇ (*concessivo*) nevertheless

peróne *sm* perone, fibula

peroràre *vt* to plead, to defend ◆ *vi* to perorate

perpendicolàre *a/sf* perpendicular

perpetràre *vt* to perpetrate, to commit

perpetuàre *vt* to perpetuate ◆ *vpr* to last

perpètuo *a* perpetual

perplèsso *a* perplexed, puzzled

perquisìre *vt* to search

perquisizióne *sf* perquisition, search ● *mandato di p.* search warrant

persecuzióne *sf* persecution

perseguìre *vt* to pursue, to follow ◇ (*dir*) to prosecute

perseguitàre *vt* to persecute, to pursue

perseverànza sf perseverance

perseveràre vi to persevere, to persist

persiàna sf shutter, blind

persìno → **perfino**

persìstere vi to persist

persóna sf (essere umano) person (pl people) ◇ (qualcuno) someone, somebody ◇ (corpo) body, figure ◇ (dir) person • a p. each; in, di p. personally

personàggio sm personage, personality ◇ (lett) character, person ◇ (tipo strano) character

personàle a personal ◆ sm staff ◇ (corporatura) figure ◇ (sfera privata) privacy

personalità sf personality ◇ (persona importante) personage, personality

personalizzàre vt to personalize

personificazióne sf personification

perspicàce a perspicacious, shrewd

persuadére vt to persuade, to convince ◆ vrif to persuade oneself, to convince oneself

persuasióne sf persuasion, conviction

persuasìvo a persuasive, convincing

pertànto cong therefore, so, for this reason

pèrtica sf perch, pole

pertinènte a pertinent

pertùgio sm hole, opening

perturbàre vt to perturb, to upset ◆ vpr) to become upset, (di tempo) to worsen

perturbazióne sf perturbation, disturbance

pervàdere vt to pervade

pervenìre vi to reach, to attain, to achieve, to arrive at

perversióne sf perversion

pervèrso a perverse

pervertìre vt to pervert ◆ vpr to become perverted

pésa sf (pesatura) weighing ◇ (pesa pubblica) weigh-house

pesànte a heavy ◇ (noioso) boring, dull, heavy ◇ (faticoso) tyring ◇ (di aria) close, stuffy ◇ (duro) hard, rough

pesàre vt to weigh ◆ vi to weigh, to be heavy ◇ (esser gravoso) to bother, to be a burden ◇ (aver importanza) to count ◆ vrif to weigh oneself

pèsca (1) sf (frutto) peach

pésca (2) sf (il pescare) fishing ◇ (il pescato) catch, haul • p. a strascico trawling; p. con la lenza angling; p. di beneficenza lucky dip

pescàre vt to fish for, (prendere) to fish, to catch ◇ (trovare) to get hold of ◇ (cogliere sul fatto) to catch ◇ (estrarre) to draw, to pick up ◆ vi (naut) to draw

pescatóre sm fisherman

pésce sm fish

pescecàne sm shark

pescespàda sm swordfish

pescheréccio a fishing ◆ sm fishing boat

pescherìa sf fishmonger's, fishshop

pescivéndolo sm fishmonger

pèsco *sm* peach(-tree) ● *fiori di p.* peach-blossom

pescóso *a* abounding in fish

péso *sm* weight ◇ *(importanza)* weight, importance ◇ *(onere)* burden, load ● *essere di p. a qn* to be a burden for sb; *di p.* bodily

pessimista *sm/f* pessimist

pèssimo *a* very bad, awful, terrible

pestàre *vt* to crush, to pound, *(ridurre in polvere)* to grind ◇ *(calpestare)* to tread on, to trample on ◇ *(picchiare)* to beat

pèste *sf (med)* plague ◇ *(fig)* pest

pestìfero *a* pestiferous ◇ *(puzzolente)* stinking, *(disgustoso)* disgusting ◇ *(fastidioso)* bothersome, pestilent

pestilènza *sf* pestilence, plague

pètalo *sm* petal

petàrdo *sm* firecracker

petizióne *sf* petition

petrolièra *sf* tanker

petrolìfero *a* oil ◇ *pozzo p.* oil-well

petròlio *sm* petroleum, oil

pettegolézzo *sm* gossip, rumour

pettégola *a* gossipy ◆ *sm* gossip, gossiper

pettinàre *vt* to comb ◆ *vrif* to comb one's hair

pettinatùra *sf* hairstyle, hair-do ◇ *(tess)* combing

pèttine *sm* comb ◇ *(zool)* pecten, scallop

pettirósso *sm* robin

pètto *sm* chest, breast ● *prendere qc di p.* to tackle sth head-on

pèzza *sf (di stoffa)* roll, piece ◇

(toppa) patch ◇ *(straccio)* rag ◇ *(macchia)* spot

pezzènte *sm/f* tramp

pèzzo *sm* piece, bit, part ● *da un p.* for quite a time

piacére *sm* pleasure, delight ◇ *(divertimento)* pleasure, amusement ◇ *(favore)* favour, kindness ◇ *(volontà)* will ◆ *vi* to like, to be fond of ● *a p.* at will; *chiedere un p. a qn* to ask a favour of sb; *per p.* please

piacévole *a* pleasant, agreeable, enjoyable

piàga *sf* sore ◇ *(flagello)* plague, scourge, curse ◇ *(persona)* pain, nuisance

piagnistèo *sm* whine, whining

piagnucolàre *vi* to whine, to whimper

piàlla *sf* plane, *(macchina)* planer

piallàre *vt* to plane

piàna *sf* plain, flat

pianeggiànte *a* level, flat

pianeròttolo *sm* landing

pianéta *sm* planet

piàngere *vi* to cry, to weep ◆ *vt* to cry, to weep ◇ *(lamentare)* to grieve for, to mourn

pianificàre *vt* to plan

pianificazióne *sf* planning

pianista *sm/f* pianist

piàno (1) *a* flat, level, even ◇ *(liscio)* smooth ◇ *(chiaro)* clear, plain ◇ *(semplice)* simple ◇ *(geom)* plane ◆ *avv (sommessamente)* softly, quietly, *(a bassa voce)* in a low voice ◇ *(lentamente)* slowly, slow ◇ *(con cautela)* gently, carefully

pìano (2) *sm (terreno pianeggiante)* plain, flat land, level land ◇ *(superficie piana)* plane ◇ *(di casa)* floor, storey, *(di nave, bus)* deck ◇ *(progetto)* plan, scheme, project, programme ◇ *(mus)* piano

pianofòrte *sm* piano ● *p. a coda* grand piano

pianotèrra *sm* ground floor, *(USA)* first floor

piànta *sf* plant, *(albero)* tree ◇ *(del piede, della scarpa)* sole ◇ *(disegno di edificio)* plan, *(mappa)* map ● *di sana p.* completely; *in p. stabile* on the permanent staff

piantagióne *sf* plantation

piantàre *vt* to plant ◇ *(conficcare)* to thrust, to drive ◇ *(abbandonare)* to leave, to quit, to abandon ◆ *vpr (conficcarsi)* to stick, to get stuck in ◇ *(piazzarsi)* to plant oneself, to place oneself ◆ *vrif* to leave each other, to part ● *p. in asso qn* to leave sb in the lurch; *piantarla* to stop

pianterréno *sm* ground floor, *(USA)* first floor

piànto *sm* weeping, crying ◇ *(lacrime)* tears *pl* ● *scoppiare in p.* to burst into tears

pianùra *sf* plain, flat land, lowland

piàstra *sf (mecc)* plate ◇ *(edil)* slab ◇ *(cuc)* hotplate, griddle ● *alla p.* grilled

piastrèlla *sf* tile

piattafórma *sf* platform

piattèllo *sm* disk ● *tiro al p.* trapshooting, clay-pigeon shooting

piàtto *a* flat ◆ *sm (stoviglia)* plate, *(grande)* dish ◇ *(vivanda)* dish ◇ *(portata)* course ◇ *al pl (mus)* cymbals *pl* ◇ *(nel gioco delle carte)* kitty ◇ *(di bilancia)* plan

piàzza *sf* square ◇ *(comm)* market ◇ *(posto)* place ● *fare p. pulita* to make a clean sweep

piazzaménto *sm* placing

piazzàre *vt* to place, to put ◇ *(comm)* to sell, to market ◆ *vrif (mettersi)* to settle oneself ◇ *(sport)* to be placed, to come

piazzìsta *sm* commercial traveller

piccànte *a* spicy, hot ◇ *(fig)* bawdy, spicy, risqué

picchétto *sm (paletto)* peg ◇ *(mil, di scioperanti)* picket

picchiàre *vt* to beat, to hit, to strike ◆ *vi (battere)* to strike, to tap ◇ *(bussare)* to knock ◆ *vrif* to fight, to come to blows

picchiàta *sf (aer)* nosedive

picchiettàre *vi* to patter ◆ *vt* to spot, to fleck

picchio *sm (zool)* woodpecker

piccióne *sm* pigeon ● *p. viaggiatore* carrier-pigeon

picco *sm* peak ● *a p.* vertically

piccolo *a* small, little, tiny ◇ *(basso)* short ◇ *(giovane)* young ◇ *(di poco conto)* sligh, small, trifling ◇ *(meschino)* mean, petty ◇ *(breve)* short, brief ◆ *sm* child, little one ◇ *(di animale)* joey, *(di cane)* pup ● *da p.* as a child

piccóne *sm* pick, pickaxe

piccòzza *sf* axe ● *p. da ghiaccio* ice pick

pidòcchio *sm* louse

piède *sm* foot ● *a piedi* on foot; *a piedi nudi* barefoot; *in piedi* standing; *in punta di piedi* on tiptoe; *p. di porco* jemmy, crowbar; *mettere p.* to set foot; *prendere p.* to get a footing

piedistàllo *sm* pedestal

pièga *sf* fold, wrinkle ◇ *(fatta ad arte)* pleat, *(dei pantaloni)* crease ◇ *(dei capelli)* style, blow-dry ◇ *(andamento)* turn ◇ *(geol)* fold

piegàre *vt* to fold (up), *(flettere)* to bend ◇ *(sottomettere)* to bend, to subdue ◆ *vi* to bend, to turn ◆ *vpr/rif* to bend ◇ *(cedere)* to yield, to give in

pieghévole *a (flessibile)* pliable, pliant ◇ *(atto a essere piegato)* folding ◆ *sm* brochure

pièna *sf* flood, spate ◇ *(folla)* crowd ● *fiume in p.* river in flood

pièno *a* full, filled ◇ *(non cavo)* solid ◇ *(in carne)* full, plump ◇ *(sazio)* full up ◆ *sm (colmo)* height, *(mezzo)* middle ◇ *(carico completo)* full load, *(di nave)* full cargo ● *fare il p. (di benzina)* to fill up

pietà *sf* pity, compassion, mercy ◇ *(devozione)* piety, devotion

pietànza *sf* dish ◇ *(portata)* course

pietóso *a (che sente pietà)* pitiful, merciful ◇ *(che muove a pietà)* pitiful, pitiable, piteous,

(miserevole) wretched ◇ *(brutto)* awful

piètra *sf* stone

pietrificàre *vt* to petrify ◆ *vpr* to become petrified, to petrify

pìffero *sm* fife, pipe

pigiàma *sm* pyjamas *pl*

pigiàre *vt* to press, to push

pigliàre → **prendere**

piglio *sm* manner, look

pigmentazióne *sf* pigmentation

pigménto *sm* pigment

pigmèo *sm* pigmy

pigna *sf (bot)* pine-cone ◇ *(mucchio)* heap

pignòlo *a* pedantic, fussy ◆ *sm* pedant, fastidious person

pignoràre *vt* to distrain on, to attach

pigolàre *vi* to peep

pigrìzia *sf* laziness

pigro *a* lazy ◇ *(lento)* sluggish

pila *sf (di oggetti)* pile, heap, stack ◇ *(el)* battery, pile ◇ *(torcia)* torch ● *a p.* battery-operated

pilàstro *sm* pillar

pile *sm* fleece

pillola *sf* pill

pilóne *sm (di ponte)* pier ◇ *(di linea elettrica)* pylon

pilòta *a/sm* pilot

pilotàre *vt* to pilot

pinacotèca *sf* picture-gallery

pinéta *sf* pinewood

pìngue *a (grasso)* fat ◇ *(fertile)* fertile, rich ◇ *(grosso)* large, big

pinguìno *sm* penguin

pinna *sf (di pesce)* fin, *(di mammifero acquatico)* flipper ◇ *(per nuotare)* flipper ◇ *(aer)* fin

pinnàcolo *sm* pinnacle

pìno *sm* pine

pinòlo *sm* pine-seed

pìnza *sf* pliers *pl*, pincers *pl*, tongs *pl*

pinzétta *sf* tweezers *pl*

pìo *a* pious, devout ◊ (*misericordioso*) compassionate ◊ (*benefico*) charitable

pioggerèlla *sf* drizzle

pióggia *sf* rain ◊ (*est*) shower

piòlo *sm* peg

piombàre *vi* (*cadere a piombo*) to plunge, to plump, to fall ◊ (*gettarsi su*) to pounce, to swoop ◊ (*arrivare all'improvviso*) to rush

piómbo *sm* lead

pionière *sm* pioneer

piòppo *sm* poplar

piovàno *a* rain

piòvere *vi* (*impers*) to rain ◊ (*fig*) to rain, to pour

piovigginàre *vimp* to drizzle

piovosità *sf* rainfall

piovóso *a* rainy

piòvra *sf* octopus

pìpa *sf* pipe

pipì *sf* (*fam*) pee ● *fare p.* to pee

pipistrèllo *sm* bat

piramidàle *a* pyramidal

piràmide *sf* pyramid

piràta *sm* pirate ● *p. informatico* hacker; *p. della strada* road-hog

piraterìa *sf* piracy

piròga *sf* pirogue

piròmane *sm/f* pyromaniac

pirotècnico *a* pyrotechnic(al), firework

piscicoltùra *sf* fish breeding

piscìna *sf* swimming pool

pisèllo *sm* pea

pisolìno *sm* nap, snooze, doze ● *fare un p.* to take a nap

pìsta *sf* (*traccia*) track, (*di animale*) trail, scent ◊ (*percorso*) track ◊ (*sport*) track, race-track ◊ (*aer*) strip

pistàcchio *sm* pistachio

pistòla *sf* (*arma*) pistol ◊ (*tecn*) gun

pistóne *sm* piston, (*idraulico*) ram

pitóne *sm* python

pittóre *sm* painter

pittorésco *a* picturesque

pittùra *sf* painting ◊ (*dipinto*) picture ◊ (*vernice*) paint ● *p. fresca* wet paint

pitturàre *vt* to paint

più *a* more (ES: **hai p. amici di me** you have more friends than I have) ◊ (*parecchi*) several (ES: **p. volte** several times) ◆ *avv* (*in maggior quantità*) more, (*in frasi neg*) no more, (*con altra negazione*) any more (ES: **ha bevuto p. del solito** he drank more than usual; **dovresti dormire di p.** you should sleep more; **non c'è p. pane** there's no more bread; **non ne voglio p.** I don't want any more) ◊ (*comp di maggioranza*) more, -er (*suffisso aggiunto ad avv e agg*) (ES: **p. difficile** more difficult; **p. facile** easier; **p. alto** taller) ◊ (*sup rel*) the most, (*tra due*) the more; the -est, (*tra due*) the -er (*suffisso aggiunto ad agg e avv*) (ES: **è la p. bella** she is the most beautiful; **il giorno p. lungo** the longest day; **sei il p. felice di tutti noi**

you are the happiest of us all) ◇
(*in frasi neg per indicare la cessazione di un fatto*) no longer,
not any longer, not any more
(ES: **non siete p. studenti** you
are no longer students; **non abitano p. qui** they don't live here
any longer) ◇ (*mat*) plus, and
(ES: **due p. due** two plus two) ◆
sm (*comp*) more, (*sup*) most (ES:
il p. è fatto most of it is done) ◇
(*la maggioranza*) the majority ◆
prep plus

piuccheperfètto *sm* past perfect
piùma *sf* feather, plume
piumìno *sm* (*d'oca*) down ◇ (*coperta*) quilt ◇ (*giacca*) padded
jacket ◇ (*per cipria*) powder
puff ◇ (*per spolverare*) feather
duster
piuttòsto *avv* (*preferibilmente*)
rather, sooner, (*o meglio*) better
◇ (*alquanto*) rather, somewhat,
quite ◇ (*invece*) instead ◆ *cong*
p. che, di rather than, better than
pizza *sf* (*cuc*) pizza ◇ (*cin*) film
can ◇ (*noia*) nuisance, bore ●**p.
al trancio** pizza by the slice
pizzicàre *vt* to pinch, to nip ◇ (*di
insetti*) to bite, to sting ◇ (*di sostanza*) to burn ◇ (*cogliere di
sorpresa*) to catch ◇ (*mus*) to
pluck ◆ *vi* (*prudere*) to itch ◇
(*essere piccante*) to be hot ◇ (*di
insetti*) to bite, to sting
pìzzico *sm* pinch, nip ◇ (*piccola
quantità*) bit ◇ (*puntura d'insetto*) bite
pizzicòtto *sm* pinch, nip
pìzzo *sm* (*merletto*) lace ◇ (*bar-*

ba) pointed beard ◇ (*estorsione*)
protection money
placàre *vt* (*calmare*) to placate,
to calm (down) ◇ (*mitigare*) to
soothe ◆ *vpr/rif* to calm down
plàcca *sf* plate ◇ (*med*) plaque
placcàre *vt* to plate ◇ (*sport*) to
tackle
plàcido *a* placid, calm
plagiàre *vt* to plagiarize
plàgio *sm* plagiarism
planàre *vi* to glide, (*naut*) to
plane
plancia *sf* (*naut*) bridge ◇ (*aer*)
dashboard
planetàrio *a* planetary ◇ (*del
mondo*) worldwide ◆ *sm* planetarium
planisfèro *sm* planisphere
plàsma *sm* plasma
plasmàre *vt* to mould, to shape
plàstica *sf* (*arte del modellare*)
plastic art ◇ (*med*) plastic surgery, plastics *pl* (*v al sing*) ◇ (*materia*) plastic
plasticità *sf* plasticity
plàstico *a* plastic ◆ *sm* (*modello*)
plastic model ◇ (*esplosivo*)
plastic
plastificàre *vt* to plasticize
plàtano *sm* plane tree
platèa *sf* (*teat*) stalls *pl* ◇ (*est*)
audience, public
plateàle *a* blatant
plàtino *sm* platinum
platònico *a* Platonic
plausìbile *a* plausible
plàuso *sm* approval
plèbe *sf* (*stor*) plebs, (*spreg*) mob
plenàrio *a* plenary
plenilùnio *sm* full moon

pleonàstico *a* pleonastic, unnecessary

plèttro *sm* plectrum

pleurite *sf* pleurisy

plìco *sm* (*busta*) cover

plotóne *sm* platoon, squad

plùmbeo *a* leaden ◇ (*opprimente*) oppressive

pluràle *a/sm* plural ● *al p.* in the plural

pluralìsmo *sm* pluralism

plusvalóre *sm* surplus(-value)

plutocrazìa *sf* plutocracy

pluviàle *a* pluvial, rain ● *foresta p.* rainforest

pneumàtico *a* pneumatic, air ● *sm* tyre

po' → **poco**

pòco *a* little, not much ◇ (*di tempo*) short ◇ (*scarso*) scant, little ◇ *al pl* few, not many, (*alcuni*) a few ● *pr* little, not much ◇ (*un poco*) a little, some, a few ◇ *al pl* few, very few, not many, (*poche persone*) few people ● *sm* little ● *avv* (*con agg e avv di grado positivo, con part pres e part pass in funzione di agg*) not very ◇ (*con agg e avv comp*) not much, little ◇ (*con verbi*) little, not ... very much ◇ (*un po'*) rather, quite, a little, a bit ● *a p. a p.* little by little; *p. di buono* good-for-nothing; *fra p.* very soon, shortly; *per p. non* ... nearly; *p. fa* a short time ago

podére *sm* farm, (*proprietà terriera*) estate

poderóso *a* powerful, mighty

pòdio *sm* podium, platform

podìsmo *sm* walking, (*gara sportiva*) track events *pl*

poèma *sm* poem

poesìa *sf* poetry ◇ (*componimento*) poem, piece of poetry

poèta *sm* poet

poètico *a* poetic

poggiàre *vt* to lean, to rest ◇ *vi* to rest, to be based ● *vrif* to rely, to base oneself

poggiatèsta *sm* headrest

pòggio *sm* knoll, hillock

pòi *avv* (*successivamente*) then, (*dopo*) after(wards), (*più tardi*) later on ◇ (*inoltre*) and then, besides, (*in secondo luogo*) secondly ◇ (*avversativo*) but ◇ (*conclusivo*) finally, then, after all ● *sm* future ● *d'ora in p.* from now on; *prima o p.* sooner or later

poiché *cong* as, since, for ◇ (*dopo che*) after, when

polàcco *a* Polish ● *sm* (*abitante*) Pole ◇ (*lingua*) Polish

polàre *a* polar ● *freddo p.* freezing cold

polarizzàre *vt/pr* to polarize ◇ (*fig*) to focus

polèmica *sf* polemic, controversy ◇ (*spreg*) wrangle

policlìnico *sm* polyclinic, general hospital

polièstere *sm* polyester

polifònico *a* polyphonic

polìgamo *a* polygamous ● *sm* polygamist

poliglòtta *a/sm/f* polyglot

polìgono *sm* polygon ● *p. di tiro* rifle-range

poliomielite *sf* poliomyelitis

pòlipo sm (med) polyp

polistiròlo sm polystyrene

politècnico a/sm polytechnic

polìtica sf politics pl (v al sing) ◇ (linea di condotta) policy ◇ (diplomazia) diplomacy ● p. interna/estera domestic/foreign politics

polìtico a political ◇ (diplomatico) diplomatic ◆ sm politician

politòlogo sm political expert

polivalènte a (chim) polyvalent ◇ (est) multi-purpose

polizìa sf police ● p. stradale traffic police; posto di p. police station

poliziésco a police ◇ (di libro, film) detective

poliziòtto sm policeman

pòlizza sf (assicurativa) policy ◇ (ricevuta) bill, receipt ● p. sulla vita life insurance policy

pollàio sm poultry-pen, henhouse

pollàme sm poultry

pòllice sm thumb ◇ (unità di misura) inch

pòlline sm pollen

pòllo sm chicken ◇ (fig) dupe, sucker ● p. arrosto roast chicken

polmóne sm lung

polmonite sf pneumonia

pòlo (1) sm (geogr) pole

pòlo (2) sm (sport) polo

pòlpa sf (di frutto) pulp ◇ (carne) lean meat

polpàccio sm calf

polpastrèllo sm fingertip

polpétta sf rissole, (di carne) meatball

pòlpo sm octopus

polsìno sm cuff

pólso sm (anat) wrist ◇ (pulsazione) pulse ◇ (polsino) cuff ◇ (fig) energy, nerve ● uomo di p. a vigorous man

poltìglia sf mash, mush ◇ (fango) mud, slush

poltrìre vi to laze (about)

poltróna sf armchair, chair ◇ (teat) stall ◇ (fig) position

pólvere sf dust ◇ (sostanza polverulenta) powder ● in p. powdered; p. da sparo gunpowder

polverièra sf powder magazine ◇ (fig) powder keg

polverizzàre vt to pulverize ◆ vpr to pulverize ◇ (svanire) to melt away

polveróso a dusty ◇ (simile a polvere) powdery

pomàta sf ointment, cream

pomèllo sm knob

pomeridiàno a afternoon ◇ (di ore) p.m. (post meridiem)

pomerìggio sm afternoon

pómo sf (bot) pome, (mela) apple ◇ (pomello) knob

pomodòro sm tomato

pómpa (1) sf (fasto) pomp ● pompe funebri undertaker's

pómpa (2) sf pump ● p. di benzina petrol pump

pompàre vt to pump, to draw up ◇ (fig) to blow up, to pump up

pompèlmo sm grapefruit

pompière sm fireman ◇ al pl (squadra) fire brigade, (USA) fire department

pompóso a pompous

ponderàre vt to ponder, to weigh up ◆ vi to reflect

ponderóso *a* (*pesante*) heavy, ponderous ◇ (*gravoso*) weighty

ponènte *sm* west

pónte *sm* bridge ◇ (*naut*) deck ◇ (*impalcatura*) scaffold ● *p. aereo* air lift; *p. levatoio* drawbridge

pontéfice *sm* Pontiff

pontificàto *sm* pontificate

pontile *sm* wharf

popolàre (1) *a* popular ◇ (*tradizionale*) folk

popolàre (2) *vt* to populate, to people ● *vi* to become populated

popolarità *sf* popularity

popolazióne *sf* population ◇ (*popolo*) people

pòpolo *sm* people

póppa *sf* stern ● *a p.* aft

porcellàna *sf* china, porcelain

porcheria *sf* (*sudiciume*) filth, dirt ◇ (*azione disonesta*) dirty trick ◇ (*indecenza*) obscenity ◇ (*cibo schifoso*) disgusting food ◇ (*cosa fatta male*) rubbish, trash

porcìle *sm* pigsty

porcìno *sm* pore mushroom

pòrco *sm* pig, swine ◇ (*cuc*) pork

porcospìno *sm* hedgehog

pòrfido *sm* porphyry

pòrgere *vt* to hand, to pass, to give

pornografìa *sf* pornography

pornogràfico *a* pornographic

pòro *sm* pore

pórpora *sf* purple ◇ (*med*) purpura

pórre *vt* to put, to place, (*posare*) to lay (down) ◇ (*supporre*) to suppose ◇ (*imporre*) to set, to put ◆ *vrif* to put oneself, to place oneself ◇ (*accingersi*) to set to ● *poniamo che ...* let us suppose that ...

pòrro *sm* (*bot*) leek ◇ (*med*) wart

pòrta *sf* door ◇ (*di città*) gate ◇ (*calcio*) goal ● *abitare p. a p.* to live next door to; *a porte chiuse* (*dir*) in camera

portabagàgli *sm* (*facchino*) porter ◇ (*aut*) boot, (*USA*) trunk, (*sul tetto*) roof rack

portacénere *sm* ashtray

portachiàvi *sm* key-ring

portaèrei *sf* aircraft-carrier

portafinèstra *sf* French window, French door

portafòglio *sm* wallet, (*USA*) pocketbook ◇ (*banca*) portfolio

portafortùna *sm* lucky charm ◇ (*mascotte*) mascot

portàle *sm* portal

portaménto *sm* bearing

portamonéte *sm* (*change*) purse

portantìna *sf* sedan (chair) ◇ (*lettiga*) stretcher

portapàcchi *sm* carrier, rack

portàre *vt* (*verso chi parla*) to bring, (*andare a prendere*) to fetch ◇ (*lontano da chi parla, accompagnare*) to take ◇ (*portare con fatica, d'abitudine, trasportare*) to carry ◇ (*prendere con sé*) to take, to bring ◇ (*indossare*) to wear ◇ (*condurre*) to lead ◇ (*provare, nutrire sentimenti*) to nourish, to bear ◇ (*causare*) to cause, to bring about ◇ (*produrre*) to bear, to bring forth, to produce ◇ (*avere*) to have, to bear ◇ (*sopportare*) to bear, to endure ◇ (*addurre*) to adduce, to bring forward ◇ (*avere una portata di*) to have a range of ♦ *vpr/rif* (*spostarsi*) to move ◇ (*andare*) to go, (*venire*) to come ● *p. avanti* to carry out, to maintain; *p. fortuna* to bring luck; *p. via* to take away

portascì *sm* ski rack

portàta *sf* (*di pranzo*) course ◇ (*capacità di carico*) capacity, (*di nave*) tonnage ◇ (*raggio d'azione*) range ◇ (*di corso d'acqua*) flow, discharge, (*di pompa*) delivery capacity ◇ (*importanza*) importance ● *a p. di mano* within reach, at hand

portàtile *a* portable ♦ *sm* (*inform*) laptop

portavóce *sm/f* spokesman *m*, spokeswoman *f*

portènto *sm* portent, wonder ◇ (*persona*) prodigy

porticàto *sm* arcade, porch

pòrtico *sm* porch, portico, (*porticato*) arcade

portièra *sf* (*portinaia*) porter, concierge, doorkeeper ◇ (*aut*) door

portière *sm* (*portinaio*) porter, concierge, doorkeeper ◇ (*calcio*) goal-keeper

portinàio *sm* porter, concierge, doorkeeper

pòrto (1) *sm* port, harbour ● *capitano di p.* harbour master; *p. franco* free port; *p. di mare* (*fig*) open house

pòrto (2) *sm* (*prezzo del trasporto*) carriage, freight ◇ (*licenza*) licence ● *p. franco* carriage free;

p. assegnato carriage forward; *p. d'armi* gun licence

portoghése *a/sm/f* Portuguese

portóne *sm* main entrance

portuàle *a* port, harbour

porzióne *sf* part, portion, share ◇ (*di cibo*) helping

pòsa *sf* (*il porre*) laying, placing ◇ (*per un ritratto*) sitting, pose ◇ (*atteggiamento affettato*) pose ◇ (*posizione*) posture ◇ (*fot*) exposure ● *teatro di p.* studio

posacénere *sm* ashtray

posàre *vt* to put (down), to lay (down), to place ♦ *vi* (*essere basato*) to rest, to stand ◇ (*per ritratto, foto*) to pose, to sit ◇ (*atteggiarsi*) to pose ♦ *vpr/rif* (*di uccello, cosa*) to alight, to settle, (*appollaiarsi*) to perch ◇ (*aer*) to land ◇ (*soffermarsi*) to stay

posàta *sf* (*piece of*) cutlery

positìvo *a* positive

posizionàre *vt* to position

posizióne *sf* position

posologìa *sf* posology, dosage

pospórre *vt* (*porre dopo*) to place after ◇ (*posticipare*) to postpone

possedére *vt* to possess, to own, to have

possediménto *sm* possession, (*proprietà immobiliare*) property, estate

possessìvo *a* possessive

possèsso *sm* possession, ownership ◇ (*padronanza*) mastery

possessóre *sm* possessor, owner, (*detentore*) holder

possìbile *a* possible ● *non è p.!* I can't believe it!

possibilità *sf* possibility, opportunity, chance ◇ *al pl* (*mezzi*) means *pl* ● **nessuna p.** not a chance

possibilménte *avv* if possible

pòsta *sf* post, mail ◇ (*ufficio*) post office ◇ (*fig*) (*al gioco*) stake ● **fare la p. a qn** to waylay sb; **per p.** by mail; **p. aerea** air mail; **p. elettronica** e-mail; **p. prioritaria** first-class mail

postàle *a* postal, post, mail ● **cartolina p.** postcard; **pacco p.** parcel

postazióne *sf* post, position

posteggiàre *vt/i* to park

postéggio *sm* car park, (*USA*) parking lot ● **p. di taxi** taxi rank, (*USA*) cab stand

posterióre *a* back, rear, hind, posterior ◇ (*nel tempo*) later, following

posticcio *a* artificial, false

posticipàre *vt* to postpone

postilla *sf* (marginal) note, gloss

postìno *sm* postman

pósto *sm* (*luogo*) place, spot ◇ (*collocazione*) place ◇ (*spazio*) space, room ◇ (*posto a sedere*) seat ◇ (*lavoro*) job, position ◇ (*luogo con particolare funzione*) station, post ● **al p. di** instead of; **a p.** in order, tidy; **fuori p.** out of place, in the wrong place

postulàto *sm* postulate

pòstumo *a* posthumous ♦ *sm* aftereffect

potàbile *a* drinkable

potàre *vt* to prune, to lop, to trim

potàssio *sm* potassium

potènte *a* powerful, mighty ◇ (*efficace*) potent, effective

potènza *sf* power, might, (*forza*) strength ◇ (*efficacia*) potency ◇ (*stato*) power ◇ (*mat*) power ◇ (*tecn*) power, rating

potenziàle *a* potential

potenziàre *vt* to strengthen, (*sviluppare*) to develop

potére (1) *v* (*avere la capacità, la forza, la facoltà di fare*) can (*indicativo e congiuntivo pres*), could (*indicativo e congiuntivo pass, condiz*), to be able (ES: **posso mangiare tutto ciò che voglio** I can eat all I like; **ieri notte non ho potuto dormire** yesterday night I could not sleep; **se parlasse italiano, potrei capirlo** if he should speak Italian, I could understand him) ◇ (*avere la possibilità, il permesso di fare*) may, can (*indicativo e congiuntivo pres*), might, could (*condiz, indicativo pass nel discorso ind*), to be able, to be allowed, to be permitted (ES: **posso entrare?** may I come in?; **chiese se poteva vederlo** he asked if he might (*o* could) see him) ◇ (*essere probabile, possibile*) may, might, can, could, to be possible, to be likely (ES: **potrebbe esserci un errore** there might be a mistake; **posso avere torto** I may be wrong) ◇ (*augurio, esortazione*) may, might, could (ES: **potrebbe almeno rispondere!** he could at least reply!) ♦ *vt* to have an effect

potére (2) *sm* power ◇ (*influenza*) influence, sway

pòvero *a* poor, needy ◇ (*miserabile*) poor, unfortunate, wretched ◇ (*scarso*) scanty, poor ◇ (*semplice*) plain, bare ◇ (*defunto*) late ◆ *sm* poor man

pozzànghera *sf* puddle

pózzo *sm* well ◇ (*min*) shaft ◇ (*fig*) mine

pragmàtico *a* pragmatic

pranzàre *vi* to dine, to have dinner, (*a mezzogiorno*) to lunch, to have lunch ● *p. in casa/fuori* to dine in/out

prànzo *sm* dinner, (*di mezzogiorno*) lunch

pràssi *sf* praxis, usual procedure

prateria *sf* grassland, (*USA*) prairie

pràtica *sf* practice ◇ (*esperienza*) experience ◇ *al pl* (*trattative*) negotiations ◇ (*incartamento*) file, dossier ● *fare p.* to train, to do one's training

praticànte *a* practising ◆ *sm/f* apprentice

praticàre *vt* (*mettere in pratica*) to practise, to put into practice ◇ (*esercitare*) to practice, to follow ◇ (*frequentare*) to frequent ◇ (*fare*) to make, (*uno sport*) to play ◆ *vi* to practise ◇ (*frequentare*) to associate with

praticità *sf* practicality

pràtico *a* practical ◇ (*esperto*) experienced, skilled, familiar

pràto *sm* meadow, grass, (*all'inglese*) lawn

preannunciàre *vt* to announce (previously)

preavvisàre *vt* to inform in advance, to forewarn

preavvìso *sm* notice, forewarning

precarietà *sf* precariousness

precàrio *a* precarious ◇ (*temporaneo*) temporary

precauzióne *sf* precaution ◇ (*cautela*) caution, care

precedènte *a* preceding, previous, former ◆ *sm* precedent ◇ *al pl* record

precedènza *sf* precedence, priority ◇ (*di traffico*) right of way ● *in p.* previously

precèdere *vt* to precede, to come before ◆ *vi* to precede, to come first

precètto *sm* rule, precept

precettóre *sm* tutor

precipitàre *vt* to precipitate, to throw down ◇ (*affrettare*) to rush, to hasten ◆ *vi* to fall, (*aer*) to crash ◇ (*evolvere negativamente*) to come to a head ◆ *vpr* to throw oneself ◇ (*affrettarsi*) to rush, to dash

precipitóso *a* precipitous, headlong ◇ (*avventato*) hasty, rash

precipizio *sm* precipice ● *correre a p.* to run headlong

precisàre *vt* to specify, to tell precisely

precisióne *sf* precision, accuracy ◇ (*esattezza*) preciseness ● *di p.* precision

preciso *a* (*accurato*) careful ◇ (*esatto*) precise, exact ◇ (*definito*) definite, particular ◇ (*identico*) identical ◇ (*in punto*) sharp

preclùdere *vt* to preclude, to bar

preclusióne *sf* preclusion

precòce *a* precocious, *(anticipato)* early ◇ *(prematuro)* premature

precocità *sf* precocity

preconcètto *a* preconceived ◆ *sm* preconception

precórrere *vt* to anticipate

precursóre *sm* precursor, forerunner

prèda *sf* prey, quarry ◇ *(bottino)* booty

predatóre *a* predatory ◆ *sm (solo animale)* predator

predecessóre *sm* predecessor

predèlla *sf* platform, dais, *(di altare)* predella

predeterminàre *vt* to predetermine

predétto *a* above-mentioned, aforesaid

prèdica *sf* sermon ◇ *(ramanzina)* telling-off, lecture

predicàre *vt/i* to preach

predicatóre *sm* preacher

predilètto *a/sm* favourite

predilezióne *sf* fondness, partiality

prediligere *vt* to prefer

predire *vt* to foretell, to predict

predispórre *vt* to predispose, to induce ◇ *(preparare in anticipo)* to arrange in advance, to plan ◆ *vrif* to prepare oneself

predisposizióne *sf (med)* predisposition ◇ *(inclinazione)* bent, gift ◇ *(preparazione)* arrangement

predominànte *a* predominant, prevailing

predominio *sm* predominance, *(supremazia)* supremacy

preesistere *vi* to pre-exist

prefabbricàto *a* prefabricated

prefazióne *sf* preface, foreword

preferènza *sf* preference

preferire *vt* to prefer, to like better

prefètto *sm* prefect

prefettùra *sf* prefecture

prefiggere *vt* to fix, to establish (in advance)

prefiguràre *vt* to prefigure

prefisso *sm* prefix ◇ *(tel)* (area) code

pregàre *vt* to pray ◇ *(chiedere)* to ask, to beg ● *farsi p.* to wait to be asked; *si prega di attendere* please wait

pregévole *a* valuable

preghièra *sf* prayer ◇ *(richiesta)* request

pregiàto *a* valuable, fine, esteemed, prized

prègio *sm (stima)* esteem, regard ◇ *(valore)* value ◇ *(buona qualità)* (good) quality, *(merito)* merit

pregiudicàto *sm* previous offender

pregiudizio *sm* prejudice

pregnànte *a* pregnant

prégno *a* pregnant ◇ *(fig)* full, rich

prègo *inter (rispondendo a chi ringrazia)* don't mention it!, you're welcome ◇ *(per invitare a ripetere)* pardon? ◇ *(per invitare ad accomodarsi)* please ◇ *(cedendo il passo)* after you ◇ *(a un cliente)* may I help you?

pregustàre *vt* to foretaste, to anticipate

preistòria *sf* prehistory

preistòrico *a* prehistoric

prelevàre *vt* to take, to draw, (*danaro*) to withdraw

prelibàto *a* delicious

prelièvo *sm* (*banca*) withdrawal ◇ (*med*) sample

preliminàre *a/sm* preliminary

prelùdio *sm* prelude

prematùro *a* premature ♦ *sm* premature baby

premeditazióne *sf* premeditation

prèmere *vt* to press ◇ (*incalzare*) to bear down on ♦ *vi* to press ◇ (*importare*) to matter, to be of interest

preméssa *sf* introduction, preamble, premise

preméttere *vt* to state beforehand ◇ (*mettere prima*) to put before, to place before ♦ *premesso che ...* granted that ...

premiàre *vt* to give a prize to, to award a prize to ◇ (*ricompensare*) to reward, to recompense

premiazióne *sf* prize-giving

prèmio *sm* prize, award ◇ (*ricompensa*) reward ◇ (*di assicurazione*) premium ◇ (*indennità*) bonus ♦ *a premi* prize-winning

premonitóre *a* premonitory

premunìre *vt* to fortify ◇ (*fig*) to protect, to preserve ♦ *vrif* to protect oneself ◇ (*munirsi*) to provide oneself

premùra *sf* (*sollecitudine*) care ◇ (*gentilezza*) kindness ◇ (*fretta*) hurry, haste

premuróso *a* solicitous

prenatàle *a* antenatal, prenatal

prèndere *vt* to take, (*acchiappare*) to catch, (*afferrare*) to seize ◇ (*assumere*) to take over, to assume, (*personale*) to employ, to engage ◇ (*ottenere, guadagnare*) to get, to earn ◇ (*sorprendere*) to catch, to take ◇ (*comprare*) to buy, (*far pagare*) to charge ◇ (*occupare*) to take up ◇ (*una malattia*) to catch, to get ♦ *vi* to take ◇ (*attecchire*) to take root ◇ (*far presa*) to set ♦ *prendersela* to get offended

prenotàre *vt* to book, to reserve

prenotazióne *sf* booking, reservation ♦ *annullare una p.* to cancel a booking

preoccupàre *vt* to worry, to trouble ♦ *vpr* to worry, to be troubled ◇ (*occuparsi*) to make sure

preoccupazióne *sf* worry, care

preparàre *vt* to prepare, to make ready, (*predisporre*) to arrange ♦ *vrif* to prepare oneself, to get ready ◇ (*accingersi*) to be about to ♦ *vpr* (*essere prossimo*) to be in store ♦ *p. la tavola* to lay the table

preparatìvo *sm* preparation

preparazióne *sf* preparation ◇ (*esperienza*) qualification ◇ (*sport*) training

preponderànte *a* preponderant, predominant

prepórre *vt* to place before ◇ (*mettere a capo*) to put at the head of, to put in charge

preposizióne *sf* preposition

prepotènte *a* overbearing

prerogativa sf prerogative, privilege ◇ (peculiarità) quality, property

présa sf taking ◇ (cattura) seizure, capture ◇ (stretta) hold ◇ (pizzico) pinch ◇ (d'acqua, d'aria) intake ◇ (el) tap, socket ● far p. to hold, to get a grip, (di cemento) to set; macchina da p. movie camera; p. di posizione stand; p. in giro joke; essere alle prese con to be up against

presàgio sm presage, omen

presagíre vt (prevedere) to foresee, to predict ◇ (essere presagio di) to forebode

présbite a long-sighted, (USA) far-sighted

prescíndere vi to leave aside ● a p. da ciò apart from this

prescrívere vt to prescribe

prescrizióne sf (med) prescription ◇ (precetto) precept, regulation

presentàre vt (mostrare) to present, to show, (esibire) to produce ◇ (inoltrare) to put in, to present, (proporre) to propose ◇ (offrire, porgere) to present, to offer ◇ (far conoscere) to introduce, to present ◇ (uno spettacolo) to present ● vrif to present oneself ◇ (farsi conoscere) to introduce oneself ◆ vpr (offrirsi) to arise, (capitare) to occur ◇ (sembrare) to seem, to appear

presentatóre sm presenter, anchorperson

presentazióne sf presentation ◇ (il far conoscere una persona a un'altra) introduction

presènte (1) a present ◇ (attuale) present, current ◇ (questo) this ◆ sm (tempo) present (time), (gramm) present (tense) ◇ al pl those present ● avere p. to know, to remember; fare p. to point out; tenere p. to keep in mind

presènte (2) sm (dono) present, gift

presentimento sm foreboding, presentiment

presènza sf presence ◇ (frequenza) attendance

presenziàre vt/i to be present (at)

presèpe sm crib, crèche, nativity scene

preservàre vt to preserve, to keep

preservativo a preservative ◆ sm prophylactic, condom

prèside sm/f head (master), (di facoltà) dean, (USA) principal

presidènte sm president, (di assemblea) chairman

presidènza sf presidency, (di assemblea) chairmanship

presídio sm (mil) garrison ◇ (salvaguardia) protection, defence ◇ (med) aid

presièdere vt/i to preside, to be at the head of, to act as chairman of

prèssa sf press

pressappòco avv about, more or less

pressàre vt to press

pressióne sf pressure

prèsso avv nearby, near, close (at hand) ◆ prep (vicino a) near, not far from ◇ (accanto, a fianco) beside, next to, by ◇ (*a casa di, da*) with, in, at, (*negli indirizzi*) c/o (*care of*) ◇ (*fra*) among, with ◆ **sm al pl** (*vicinanze*) neighbourhood, (*dintorni*) outskirts pl

pressoché *avv* almost, nearly, all but, practically

prestabilire *vt* to arrange beforehand, to fix

prestare *vt* (*dare in prestito*) to lend ◇ (*dare*) to give ◆ **vrifl** (*essere disponibile*) to lend oneself, (*rendersi utile*) to help ◇ (*acconsentire*) to consent ◆ **vpr** (*essere adatto*) to be fit

prestazione *sf* performance

prestigio *sm* (*influenza*) prestige ◇ (*fascino*) glamour ◇ (*prestidigitazione*) sleight-of-hand ◆ **giochi di p.** conjuring tricks

prestigioso *a* prestigious

prestito *sm* loan ◆ **dare in p.** to lend; **prendere in p.** to borrow

presto *avv* (*in breve tempo*) soon, in a short time, before long ◇ (*di buon'ora*) early ◇ (*in fretta*) quickly ◆ **p.!** quick!, hurry up!; **p. o tardi** sooner or later; **al più p.** as soon as possible

presumere *vt* to presume, to think

presuntuoso *a* presumptuous, conceited

presunzione *sf* (*supposizione*) presumption ◇ (*boria*) conceit

presupporre *vt* to presuppose ◇ (*supporre*) to suppose, to assume

presupposto *sm* (*premessa*) assumption ◇ (*condizione necessaria*) presupposition, requirement

prète *sm* priest

pretendente *sm/f* pretender ◇ (*corteggiatore*) suitor

pretèndere *vt* to claim, to pretend ◇ (*esigere*) to expect, to require ◆ **vi** to pretend

pretenzioso *a* pretentious

pretésa *sf* pretension, claim ◇ (*richiesta*) claim, demand ● **senza pretese** unpretentious

pretèsto *sm* pretext ◇ (*occasione*) occasion, opportunity

prevalènza *sf* prevalence, priority

prevalére *vi* to prevail ◇ (*essere in numero superiore*) to outnumber

prevedére *vt* to foresee, to foretell, to anticipate, (*di tempo atmosferico*) to forecast ◇ (*stabilire*) to provide (for)

prevedibile *a* predictable

prevenire *vt* (*precedere*) to precede, to arrive before, (*anticipare*) to anticipate, to forestall ◇ (*cercare di evitare*) to prevent ◇ (*preavvertire*) to inform, to forewarn ◇ (*influenzare negativamente*) to prejudice

preventivo *a* preventive ◇ (*econ*) estimated ◆ **sm** estimate, budget

prevenzióne *sf* prevention, (*di malattia*) prophylaxis ◇ (*pregiudizio*) prejudice, bias

previdènza *sf* providence ● **p. sociale** social security

previsione *sf* forecast, prevision, expectation ● **previsioni del tempo** weather forecast

prezióso *a* precious

prezzémolo *sm* parsley ● *essere come il p.* to turn up everywhere

prèzzo *sm* price, *(costo)* cost, *(tariffa)* rate, fee

prigióne *sf* prison, jail ◇ *(pena)* imprisonment ● *in p.* behind bars

prigionìa *sf* imprisonment

prigionièro *a* imprisoned ◆ *sm* prisoner

prima (1) *avv (nel tempo)* before ◇ *(in anticipo)* beforehand, in advance ◇ *(più presto)* earlier, sooner ◇ *(un tempo)* formerly, once ◇ *(per prima cosa)* first, *(in primo luogo)* first of all ◇ *(nello spazio)* first, before ● *p. di* before, ahead of

prima (2) *sf (prima classe)* first class ◇ *(teat)* first night, *(cin)* première ◇ *(aut)* first gear ◇ *(sport)* basic position

primàrio *a* primary ◇ *(principale)* main, leading ◆ *sm* head physician

primàto *sm* primacy, supremacy ◇ *(sport)* record

primavèra *sf* spring

primeggiàre *vi* to excel

primitìvo *a* primitive ◇ *(precedente)* original

primìzia *sf* firstling

prìmo *a* first ◇ *(principale)* main, principal, chief ◇ *(iniziale)* early, first ◇ *(prossimo)* next ◆ *sm* (the) first, *(fra due)* the former ◇ *(il migliore)* (the) best, (the) top ◇ *(primo piatto)* first course ◇ *(minuto primo)* minute

● *prima serata* prime time; *p. ministro* prime minister

primogènito *a/sm* first-born

primordiàle *a* primordial ◇ *(est)* early

principàle *a* principal, chief, main ◆ *sm* master, manager

principàto *sm* principality

prìncipe *sm* prince ● *p. azzurro* prince charming

principiànte *sm/f* beginner

principio *sm (inizio)* beginning ◇ *(norma)* principle ◇ *al pl (rudimenti)* principles *pl* ◇ *(origine, causa)* origin, cause ◇ *(chim)* principle

prióre *sm* prior

priorità *sf* priority

prìsma *sm* prism

privacy *sf* privacy

privàre *vt* to deprive ◆ *vrif* to deprive oneself, *(negarsi)* to deny oneself

privataménte *avv* in private

privàto *a* private ◇ *(privo)* deprived, bereft ◆ *sm* private person

privazióne *sf (il privare)* deprivation ◇ *(perdita)* loss ◇ *(disagio)* hardship, privation

privilegiàre *vt* to favour

privilègio *sm* privilege ● *(onore)* honour

privo *a* deprived (of), devoid (of), *(mancante)* lacking (in)

pro (1) *prep* for, for the benefit of

pro (2) *sm* advantage, benefit ● *i p. e i contro* the pros and cons

probàbile *a* probable, likely

probabilità *sf* probability, chance

problèma sm problem, trouble

problemàtico a problematic

probòscide sf trunk

procèdere vi to proceed, to go on, to advance ◊ (accingersi) to start ◊ (comportarsi) to behave, (trattare) to deal

procediménto sm (corso) course ◊ (metodo) process, procedure ◊ (dir) proceedings pl

procedùra sf procedure

processàre vt to try

processióne sf procession

procèsso sm (dir) trial, action, proceedings pl ◊ (fase, metodo) process

processóre sm processor

procióne sm racoon

proclamàre vt to proclaim

proclamazióne sf proclamation, declaration

procreàre vt to procreate, to beget

procùra sf proxy ◊ (ufficio) attorney's office ● per p. by proxy

procuràre vt to procure, to get, to obtain ◊ (causare) to cause, to bring about ◊ (fare in modo che) to see to

procuratóre sm proxy ◊ (dir) attorney

prodézza sf feat, exploit

prodigàre vt to lavish ◆ vrif to do all one can

prodìgio sm prodigy, marvel, wonder

prodigióso a prodigious, portentous, wonderful

pròdigo a prodigal, extravagant

prodótto sm product, (produzione) produce

prodùrre vt (generare) to produce, to yield, to bear ◊ (fabbricare) to produce, to make ◊ (causare) to cause ◆ vrif to appear ◆ vpr to happen, to occur

produttìvo a productive

produttóre sm producer

produzióne sf production

profanàre vt to profane

profàno a (non sacro) profane, secular ◊ (inesperto) ignorant ◆ sm layman

proferìre vt to utter

professàre vt to profess, to declare ◊ (esercitare) to practise ◆ vrif to profess oneself

professionàle a professional, (derivante da professione) occupational

professióne sf profession ● di p. professional

professionìsmo sm professionalism

professionìsta sm/f professional

professóre sm teacher, (di università) professor

profèta sm prophet

profètico a prophetic(al)

profezìa sf prophecy

profìcuo a profitable

profilàre vt to profile ◊ (orlare) to border, to edge ◆ vpr to be outlined ◊ (fig) to loom up

profilàttico a prophylactic ◆ sm prophylactic, condom

profìlo sm (del volto) profile ◊ (linea di contorno) outline ◊ (scient) profile ◊ (descrizione) sketch ● di p. in profile

profittàre vt to profit, to take advantage

profitto sm profit, benefit, advantage ◇ (econ) profit, gain

profondità sf depth ● in p. deeply

profóndo a deep, profound

pròfugo a/sm refugee

profumàre vt to perfume, to scent ◆ vi to smell, to be fragrant ◆ vrif to put on scent, to perfume oneself

profumàto a scented, fragrant

profumeria sf perfumery ◇ (negozio) perfume shop

profùmo sm perfume, scent, fragrance

profusióne sf profusion

progettàre vt to plan, to design ◇ (fare il progetto) to plan, to design

progettìsta sm/f planner, designer

progètto sm plan, project, design

prògnosi sf prognosis

programma sm programme, (USA) program, plan ◇ (scolastico) syllabus, programme ◇ (inform) program

programmàre vt to plan, to programme, to program

programmazióne sf programming, planning

progredìre vi to advance ◇ (fare progressi) to progress, to make progress, to get on ◇ (migliorare) to improve

progressióne sf progression

progressìvo a progressive

progrèsso sm progress, (sviluppo) development

proibìre vt to forbid, to prohibit ◇ (impedire) to prevent

proibitìvo a prohibitive

proibìto a forbidden, prohibited

proibizióne sf prohibition

proiettàre vt to project, to cast, to throw ◇ (geom) to project ◇ (film) to show

proièttile sm bullet, shell

proiettóre sm (sorgente luminosa) searchlight, floodlight ◇ (aut) light ◇ (cin) projector

proiezióne sf projection

pròle sf children pl

proletàrio a/sm proletarian

proliferàre vi to proliferate

prolìsso a prolix, verbose

pròlogo sm prologue

prolùnga sf extension

prolungaménto sm prolongation, extension

prolungàre vt to prolong, to extend ◇ (prorogare) to delay ◆ vpr to extend, to continue ◇ (dilungarsi) to dwell

promemòria sm memorandum, memo

promèssa sf promise

prométtere vt/i to promise

prominènte a prominent

promiscuità sf promiscuity

promìscuo a promiscuous, mixed

promontòrio sm promontory, headland

promozionàle a promotion, promotional

promozióne sf promotion ◇ (comm) special offer

promulgàre vt to promulgate

promuòvere vt to promote ◇ (uno studente) to pass

pronipóte sm/f (di bisnonno) great grandchild, (di prozio) grandnephew *m*, grandniece *f* ◇ *al pl* (*discendenti*) descendants

pronóme *sm* pronoun

pronòstico *sm* forecast, prediction

prontaménte *avv* readily, quickly

prontézza *sf* readiness, quickness

prónto *a* ready, prepared ◇ (*svelto*) prompt, quick, ready ◇ (*incline*) inclined ●*p.!* (*al telefono*) hello!

prontuàrio *sm* manual, handbook

pronùncia *sf* pronunciation

pronunciàre *vt* to pronounce, (*proferire*) to utter ◇ (*dire*) to say, (*recitare*) to deliver ◆ *vpr* to pronounce, to declare one's opinion

propagànda *sf* propaganda, (*pubblicità*) advertising

propagàre *vt/pr* to propagate, to spread

propèndere *vi* to incline, to be inclined, to tend

propensióne *sf* propensity, propension, inclination

propènso *a* disposed, inclined

propinàre *vt* to administer, (*cibo*) to dish up

propizio *a* propitious

proponìbile *a* proposable

propórre *vt* to propose, (*suggerire*) to suggest ◇ (*decidere*) to decide, to set ◇ (*offrire*) to offer

proporzionàle *a* proportional

proporzióne *sf* proportion, (*rapporto*) ratio ◇ (*dimensione*) dimension, size

propòsito *sm* purpose, intention, design ◇ (*argomento*) subject ● *a p.* by the way; *capitare a p.* to come at the right time; *a p. di* with regard to

proposizióne *sf* clause

propósta *sf* proposal, (*offerta*) offer

proprietà *sf* property, ownership ◇ (*possedimento*) property, estate ◇ (*caratteristica*) property, characteristic ◇ (*i proprietari*) owners *pl*

proprietàrio *a* proprietary ◆ *sm* owner, (*terriero*) landowner

pròprio *a* (*possessivo*) one's (own), (*di lui*) his (own), (*di lei*) her (own), (*di cosa o animale*) its (own), (*di loro*) their (own) ◇ (*caratteristico*) characteristic, particular, typical ◇ (*appropriato*, *conveniente*) appropriate, suitable ◇ (*letterale*) literal, exact ◇ (*mat*) proper ◆ *pr.poss* one's (own), (*di lui*) his (own), (*di lei*) hers, her (own), (*di cosa o animale*) its (own), (*di loro*) theirs, their (own) ◆ *sm* one's own ◆ *avv* (*davvero*) really, quite ◇ (*precisamente*) just, exactly ◇ (*affatto*, *in frasi neg*) at all ●*mettersi in p.* to start business on one's own

pròroga *sf* extension, delay ◇ (*rinvio*) adjournment

prorogàre *vt* to extend, to prolong ◇ (*rinviare*) to postpone, to delay

pròsa *sf* prose ◇ (*opera in prosa*) prose work ◇ (*teat*) drama

prosàico *a* prosaic

prosciògliere *vt* to release, to absolve

prosciugàre *vt* to dry up, to drain ◇ *(fig)* to exhaust ◆ *vi* to dry up

prosciùtto *sm* ham

prosecuzióne *sf* prosecution, continuation

proseguiménto *sm* continuation

proseguire *vt* to continue, to carry on ◆ *vi* to continue, to go on, to pursue

prosperàre *vi* to prosper, to flourish, to boom

prosperità *sf* prosperity, affluence

pròspero *a* prosperous, flourishing

prospettàre *vt* to show, to point out ◆ *vpr* to appear, to be in sight

prospettiva *sf* perspective ◇ *(possibilità)* prospect

prospètto *sm (facciata)* front ◇ *(tabella)* table, *(riassunto)* list, scheme

prossimità *sf* closeness, proximity ● *in p. di* close to

pròssimo *a (molto vicino)* near, close, at hand *(pred)* ◇ *(successivo)* next ◆ *sm* neighbour

prostituire *vt* to prostitute ◆ *vrif* to prostitute oneself, to sell oneself

prostitùta *sf* prostitute

prostituzióne *sf* prostitution

prostràre *vt* to prostrate, to exhaust ◆ *vrif* to prostrate oneself

protagonista *sm/f* protagonist ◇ *(attore)* leading actor

protèggere *vt* to protect, to shield, to shelter, to take care of

◇ *(favorire)* to favour, to promote ◆ *vrif* to protect oneself

proteina *sf* protein

pròtesi *sf (med)* prosthesis ● *p. dentaria* dental prosthesis

protèsta *sf* protest

protestànte *a/sm* Protestant

protestàre *vt/i* to protest

protettóre *sm* protector, patron

protezióne *sf* protection ◇ *(patrocinio)* patronage

protocòllo *sm* protocol ◇ *(registro)* record, register ● *foglio p.* sheet of foolscap

protòtipo *sm* prototype

protràrre *vt* to prolong, to extend ◇ *(differire)* to postpone, to defer ◆ *vpr* to continue

protuberànza *sf* protuberance

pròva *sf (esperimento, controllo)* trial, test ◇ *(dimostrazione)* proof, *(elemento di prova)* evidence ◇ *(tentativo)* try ◇ *(risultato)* result ◇ *(di abito)* fitting ◇ *(teat)* rehearsal ● *a p. di* -proof; *mettere alla p.* to test

provàre *vt (dimostrare)* to prove, to demonstrate, to show ◇ *(tentare)* to try, *(sperimentare)* to experience ◇ *(sentire)* to feel ◇ *(mettere alla prova)* to try, to test ◇ *(un vestito)* to try on ◇ *(teat)* to rehearse ◇ *(assaggiare)* to taste ◆ *vpr* to try, to attempt

proveniènza *sf* origin, provenance ◇ *(fonte)* source

provenire *vi* to come ◇ *(avere origine)* to derive, to originate

provènto *sm* proceeds *pl*, income

provèrbio *sm* proverb, saying

provétta *sf* test tube

provìncia sf province, district

provinciàle a/sm/f provincial

provocànte a provocative

provocàre vt to provoke ◇ (suscitare) to cause, to induce

provocazióne sf provocation

provvedére vt (fornire) to provide, to supply ◇ (disporre) to prepare, to get ready ◆ vi to provide (for), to arrange for ◇ (prendersi cura) to take care of ◆ vrif to provide oneself

provvediménto sm measure, action, provision

provvidènza sf providence ◇ (provvedimento) provision

provvigióne sf commission

provvisòrio a provisional, temporary

provvista sf provision, supply

prùa sf bow

prudènte a prudent, cautious

prudènza sf prudence, caution

prùdere vi to itch, to be itchy

prùgna sf plum ● p. secca prune

prùno sm blackthorn

prurito sm itch

pseudònimo sm pseudonym, (di scrittore) pen name

psichiàtra sm/f psychiatrist

psichico a psychic(al), mental

psicofàrmaco sm psychotropic drug

psicologìa sf psychology

psicòlogo sm psychologist

psicòsi sf psychosis

pubblicàre vt to publish, to issue

pubblicazióne sf publication, issue ◇ al pl (di matrimonio) banns pl, (USA) marriage license

pubblicità sf publicity ◇ (propa-

ganda commerciale) advertising

pubblicitàrio a advertising

pùbblico a public, (dello stato) state ◆ sm public ◇ (uditorio) audience ◇ (vita pubblica) public life

pùbe sm pubis

pubertà sf puberty

pudìco a modest, (spreg) prudish

pudóre sm modesty, decency ◇ (vergogna) shame

puerìle a childish

pugilàto sm boxing

pùgile sm boxer

pugnalàre vt to stab

pugnàle sm dagger

pùgno sm fist ◇ (colpo) punch, blow ◇ (manciata) fistful, handful ● avere in p. to have in one's power; fare a pugni to fight; prendere a pugni qn to punch sb

pùlce sf flea

pulcìno sm chick

pulédro sm colt

puléggia sf pulley

pulìre vt to clean

pulìto a clean ◇ (fig) clear, honest

pulizìa sf (il pulire) cleaning ◇ (l'essere pulito) cleanliness, cleanness ● p. del viso face cleaning

pùllman sm coach

pullulàre vi to spring up ◇ (essere gremito) to swarm, to teem

pulmìno sm minibus

pulsànte a pulsating ◆ sm (push)button

pulsazióne sf pulsation, beat

pulviscolo sm (fine) dust ● p. at-

mosferico atmospheric motes, atmospheric dust

pùngere *vt* to prick, to sting

pungiglióne *sf* sting

punìre *sf* to punish

punizióne *sf* punishment ◊ (*sport*) penalty

pùnta *sf* point ◊ (*estremità*) tip, end ◊ (*cima*) top, peak ◊ (*promontorio*) cape, headland ◊ (*di trapano*) drill ◊ (*massima intensità*) peak ◊ (*piccola quantità*) touch, pinch ● *camminare in p. di piedi* to tiptoe

puntàre *vt* (*dirigere*) to point, to direct ◊ (*mirare*) to point, to aim ◊ (*poggiare, spingere*) to put, to push ◊ (*scommettere*) to bet, to wager ◊ (*di cane*) to set, to point ◊ (*guardare fissamente*) to stare at ◊ (*la sveglia*) to set ● *vi* (*dirigersi*) to head ◊ (*aspirare a*) to aim ◊ (*fare assegnamento*) to count (on)

puntàta (1) *sf* (*somma scommessa*) bet, stake ◊ (*breve visita*) flying visit

puntàta (2) *sf* (*di scritto*) instalment, (*TV, radio*) episode ● *romanzo a puntate* serial

punteggiatùra *sf* punctuation

puntéggio *sm* score

puntellàre *vt* to prop (up) ◊ (*fig*) to back up, to support

puntèllo *sm* prop, support

puntiglióso *a* stubborn, obstinate

puntìna *sf* (*da disegno*) drawing pin ◊ (*mecc*) point

pùnto *sm* point ◊ (*cucito, maglia*) stitch ◊ (*macchiolina*) dot

◊ (*segno d'interpunzione*) full stop ● *due punti* colon; *mettere a p.* to set up, to adjust, to tune up; *p. e virgola* semicolon

puntuàle *a* punctual, on time (*pred*) ◊ (*accurato*) precise, careful

puntualità *sf* punctuality ◊ (*precisione*) precision

puntùra *sf* (*di ago, spina*) prick, (*di insetto*) sting, bite ◊ (*iniezione*) injection, shot (*fam*)

punzecchiàre *vt* to sting, to bite ◊ (*stuzzicare*) to tease ● *vrif* to tease each other

pupàzzo *sm* puppet

pupìlla *sf* pupil ◊ (*fig*) apple of one's eye)

purché *cong* provided (that), on condition that, as long as

pùre *avv* also, too, as well, (*perfino*) even ◊ (*concessivo*) please, as you like, certainly ● *cong* (*anche se*) even if, (*sebbene*) even though ◊ (*tuttavia, eppure*) but, yet ● *entra p.!* please come in!; *pur di* just to

purè *sm* mash, purée ◊ *p. di patate* mashed potatoes

purézza *sf* purity

pùrga *sf* laxative ◊ (*fig*) purge

purgànte *sm* laxative

purgàre *vt* to give a laxative to ◊ (*purificare*) to purge, to purify ◊ (*espurgare*) to expurgate

purgatòrio *sm* purgatory

purificàre *vt* to purify

puritàno *a/sm* Puritan

pùro *a* pure ◊ (*semplice*) sheer, mere ● *per p. caso* by mere chance

purtròppo *avv* unfortunately

pùstola *sf* pustule

putifèrio *sm* row, mess

putrefazióne *sf* putrefaction, rot, corruption

pùtrido *a* rotten, putrid

puttàna *sf* whore

pùzza *sf* stench, stink, bad smell

puzzàre *vi* to stink, to smell bad

pùzzola *sf* polecat

puzzolènte *a* stinking, bad-smelling

Q

qua *avv* here ● *di q.* on this side of; *q. e là* here and there

quadèrno *sm* exercise-book, copy-book ● *q. ad anelli* ring binder

quadrangolàre *a* quadrangular

quadrànte *sm* quadrant, *(di orologio)* dial

quadràre *vt* to square ◇ *(i conti)* to balance ♦ *vi (essere esatto)* to balance ◇ *(essere pertinente)* to fit, to suit

quadràto *a* square ◇ *(fig)* well-balanced, sound ♦ *sm* square ◇ *(box)* ring

quadrétto *sm* small square, small check *(scenetta)* scene ● *a quadretti (di carta)* squared, graph, *(di stoffa)* check(ed), checkered

quadrifòglio *sm* four-leaved clover

quadrimèstre *sm* period of four months

quàdro (1) *a* square

quàdro (2) *sm* *(pittura)* picture, painting ◇ *(descrizione)* picture, description, outline ◇ *(vista, spettacolo)* sight, scene ◇ *(quadrato)* square ◇ *(tabella)* table ◇ *(tecn)* board, panel ◇ *al pl (pol)*

cadre, *(d'azienda)* management ◇ *al pl (carte da gioco)* diamonds *pl*

quàdruplo *a/sm* quadruple

quaggiù *avv* down here

quàglia *sf* quail

quàlche *a* a few, some, *(in frasi interr)* any ◇ *(un certo)* some, a certain amount of ◇ *(quale che sia)* some, *(in frasi interr)* any ● *da q. parte* somewhere, anywhere; *fra q. minuto* in a few minutes; *in q. modo* somehow or other; *q. volta* sometimes

qualcòsa *pr (in frasi afferm o interr con valore positivo)* something ◇ *(in frasi neg e dubit)* anything

qualcùno *pr (in frasi afferm o interr con valore positivo) (persona)* somebody, someone, *(persona o cosa)* some ◇ *(in frasi interr e dubit) (persona)* anybody, anyone, *(persona o cosa)* any ◇ *(alcuni) (persona)* some (people), any (people), a few (people), *(persona o cosa)* some, any ♦ *sm (persona importante)* somebody ● *qualcun altro* some other, any other, *(un'altra persona)* somebody

else, anybody else, *(uno in più)*
some more, any more

quàle *a (interr) (fra un numero limitato)* which, *(fra un numero indeterminato)* what ◇ *(escl)* what ◇ *(rel) (spesso correlato con 'tale')* (just) as ◇ *(qualunque)* whatever ◆ *pr (interr) (fra un numero limitato)* which, *(fra un numero indeterminato)* what ◇ *(rel riferito a persone) (sogg)* who, that, *(compl ogg e ind)* who, that, whom, *(poss)* whose ◇ *(rel riferito a cose o animali)* which, that, *(poss)* of which, whose ◆ *avv (in qualità di)* as a

qualifica *sf* qualification ◇ *(giudizio)* appraisal ◇ *(titolo)* title

qualificàre *vt* to qualify ◇ *(definire)* to describe ◇ *(caratterizzare)* to characterize ◆ *vrif* to qualify ◇ *(presentarsi)* to introduce oneself

qualificazióne *sf* qualification

qualità *sf* quality, *(proprietà)* property ◇ *(genere)* kind, sort ◇ *(ufficio, carica)* capacity

qualóra *cong* if, in case

qualsìasi → **qualunque**

qualùnque *a* any ◇ *(mediocre)* ordinary, common ◇ *(quale che sia)* whatever, *(riferito a un numero limitato)* whichever

quàndo *avv* when ◆ *cong* when ◇ *(ogni volta che)* whenever ◇ *(mentre)* while ◇ *(condizionale o causale)* when, since, if ● *da q.* since; *da q.?* since when?; *fino a q.* till, as long as

quantità *sf* quantity ● *una (grande) q. di* a lot of

quantitativo *a* quantitative ◆ *sm* quantity, amount

quànto *a (interr)* how much, *pl* how many, *(quanto tempo?)* how long (ES: **q. pane c'è?** how much bread is there?; **q. tempo ci vuole per arrivare alla stazione?** how long does it take to get to the station?) ◇ *(in frasi ellittiche)* how much, *(di tempo)* how long *(anche idiom)* (ES: **q. costa?** how much is it?; **c'è da Milano a Venezia?** how far is it from Milan to Venice?; **quanti ne abbiamo oggi?** what is the date today?) ◇ *(escl)* what (a lot of), how (ES: **quanti dischi hai!** what a lot of records you have!) ◇ *(tutto quello che)* as ... as (ES: **avrai tanto aiuto q. te ne serve** you'll have as much help as you need) ◆ *avv (interr) (con agg e avv)* how, *(con v)* how much (ES: **q. è grande la casa?** how big is the house?; **q. hai studiato oggi?** how much have you studied today?) ◇ *(escl) (con agg)* how, *(con v)* how (much) (ES: **q. è bello!** how beautiful it is!; **q. mi piace!** how I love it!) ◇ *(correlativo di 'tanto')* as ... as, *(sia ... sia)* both ... and, *(quanto più ... tanto meno)* the more ... the less, the ...-er ... the less, *(quanto più, tanto più)* the more ... the more, the ...-er ... the ...-er (ES: **ne so [tanto] q. prima** I know as much as I did before; **mangerò tanto il dolce q. la macedonia** I'll have both the dessert and the fruit salad; **q. più freddo è il**

tempo, tanto meno mi piace the colder the weather is, the less I like it; **q. più mangi, tanto più ingrassi** the more you eat, the fatter you become) ♦ *pr* (*interr*) how much, *pl* how many (ES: **q. ne vuoi?** how much do you want of it?; **quanti ne hai letti?** how many did you read?) ◇ (*escl*) what a lot (of) (ES: **q. ne hai consumato!** what a lot you've used!) ♦ *pr.rel* (*ciò che*) what, (*tutto quello che*) all (that) (ES: **ho q. mi occorre** I have all I need) ◇ *al pl* (*tutti coloro che*) all those (who), whoever (ES: **quanti credono in Dio** all those who believe in God) ◇ (*correlativo di 'tanto'*) as (ES: **ho dormito [tanto] q. ho potuto** I've slept as much as I could) ◇ (*in frasi comp*) than (ES: **meno di q. pensassimo** less than we expected) ◇ **in q.** (*poiché*) since, as, (*in qualità di*) as; **per q.** however, although; **q. a** as for

quantùnque *cong* (*benché*) (although ◇ (*anche se*) even if

quaranta *a/sm* forty

quarantèna *sf* quarantine

quarésima *sf* Lent

quartétto *sm* quartet ◇ (*fam*) foursome

quartière *sm* (*di città*) quarter, area, neighbourhood ◇ (*mil*) quarters *pl*

quàrto *a* a fourth ♦ *sm* quarter, fourth ◇ (*di ora*) quarter

quàrzo *sm* quartz ● **orologio al q.** quartz watch

quàsi *avv* almost, nearly, (*con si-*

gnificato *neg*) hardly ◇ (*forse*) perhaps ◇ (*per poco non*) very nearly ♦ *cong* **q. che** as if ● **q. mai** hardly ever; **q. sempre** almost always

quassù *avv* up here

quattórdici *a/sm* fourteen

quattrìno *sm* penny, *al pl* money

quàttro *a/sm* four

quattrocènto *a/sm* four hundred

quattromila *a/sm* four thousand

quéllo *a* that, those *pl* ♦ *pr* that (one), those *pl* ◇ (*prima di un agg qualif, di un'espressione attributiva o di una frase relativa*) the one (ES: **prenderò q. che mi piace di più** I'll take the one I like best) ◇ (*con un poss non si traduce*) (ES: **questa non è la mia macchina, è quella di mia moglie** this isn't my car, it's my wife's) ◇ (*seguito da un pr relativo*) (*colui*) the man, the one, (*colei*) the woman, the one, (*coloro*) those, the people, (*chiunque*) whoever, anyone, (*ciò che*) what (ES: **quelli che hai incontrato sono miei amici** the people you met are friends of mine) ◇ (*con valore di pr.pers*) he, *f* she, *pl* they, (*con valore di 'ciò'*) that

quèrcia *sf* oak

querèla *sf* (*dir*) lawsuit, suit, action

querelàre *vt* to bring an action against, to sue

quesìto *sm* question

questionàrio *sm* questionnaire

questióne *sf* (*discussione*) question, issue ◇ (*faccenda*) question, matter, (*punto della questione*) point ◇ (*litigio*) quarrel

quésto *a* this, *pl* these ◆ *pr* this (one), *pl* these ◇ (*con valore di pr.pers*) he, *f* she, *pl* they, (*con valore di 'ciò'*) that, this ● *q. ... quello* one ... one, some ... some, (*tra due già menzionati*) the latter ... the former

quèstua *sf* begging, (*in chiesa*) collection

qui *avv* here ◇ (*temporale*) now ● *q. dentro/fuori* in/out here

quietànza *sf* receipt

quietàre *vt* to quiet, to calm ◆ *vpr* to quiet down, to calm down

quiète *sf* quiet, calm ◇ (*riposo*) rest

quìndi *avv* then, afterwards ◆ *cong* so, therefore

quìndici *a/sm* fifteen

quindicinàle *a* fortnight's ◇ (*che ricorre ogni 15 giorni*) fortnightly

quinquènnio *sm* period of five years

quintàle *sm* quintal

quìnto *a/sm* fifth

quòta *sf* (*somma*) share, amount, (*rata*) instalment, (*contributo*) dues *pl* ◇ (*altezza*) altitude, height ◇ (*nel disegno tecnico*) dimension ● *a 3000 metri di q.* at 3000 metres above sea level

quotàre *vt* (*valutare*) to value, to assess ◇ (*Borsa*) to quote, to list ◇ (*nel disegno tecnico*) to dimension ◆ *vrif* to subscribe

quotazióne *sf* (*prezzo*) quotation prize, (*valutazione*) evaluation ◇ (*Borsa*) quotation ◇ (*di moneta*) exchange rate ◇ (*reputazione*) reputation

quotidiàno *a* daily, everyday ◆ *sm* daily

quoziènte *sm* quotient

R

rabàrbaro *sm* rhubarb

ràbbia *sf* anger, rage, fury ◇ (*med*) rabies

rabbìno *sm* rabbi

rabbióso *a* furious, angry ◇ (*accanito*) violent, furious ◇ (*med*) rabid

rabbrividìre *vi* to shudder, to shiver

raccapricciànte *a* horrifying

raccattàre *vt* to pick up

racchétta *sf* (*da tennis*) racket, (*da ping-pong*) bat, (*da sci*) ski-stick, ski-pole ◇ (*del tergicristallo*) windscreen wiper, windshield wiper

racchiùdere *vt* to contain, to hold

raccògliere *vt* to pick (up) ◇ (*mettere insieme*) to gather, to collect ◇ (*fare collezione*) to collect, to make a collection of ◇ (*ricevere*) to receive ◇ (*mietere*) to reap, to harvest ◇ (*dare rifugio*) to shelter, to take in ◇ (*accettare*) to accept ◆ *vpr* to gather ◆ *vrif* to collect one's thoughts, to concentrate

raccoglitóre *sm* (*per documenti*) folder

raccòlta *sf* collection, raising ◇ (*di frutti della terra*) harvesting, (*raccolto*) harvest ◇ (*collezione*) collection ◇ (*adunata*) gathering ● *r. differenziata* separate waste collection

raccòlto *a* (*colto*) picked ◇ (*adunato*) gathered ◇ (*assorto*) absorbed, engrossed ◇ (*intimo*) cosy ◆ *sm* crop, harvest

raccomandàre *vt* to recommend ◇ (*affidare*) to entrust, to commit ◇ (*esortare*) to exhort ◇ (*corrispondenza*) to register ◆ *vrif* to implore, to beg

raccomandàta *sf* registered letter

raccomandazióne *sf* recommendation ◇ exhortation, advice

raccontàre *vt* to tell

raccónto *sm* story, tale, (*novella*) short story ◇ (*resoconto*) relation, account

raccòrdo *sm* connection, link ◇ (*mecc*) connector, connection ◇ (*ferr*) sidetrack ● *r. stradale* junction

rachitico *a* (*med*) rachitic ◇ (*stentato*) stunted

raddolcìre *vt* to sweeten ◇ (*fig*) to soften ◆ *vpr* to soften, to mellow

raddoppiàre *vt/i* to double, to redouble

raddrizzàre *vt* to straighten ◇

(*fig*) to correct, to settle ◆ *vrif* to straighten oneself

ràdere *vt* to shave ◇ (*abbattere*) to raze ◇ (*sfiorare*) to graze ◆ *vrif* to shave (oneself)

radiànte *sm* radiant

radiàre *vt* to expel, to strike off

radiatóre *sm* radiator

radiazióne *sf* radiation

radicàle *a/sm/f* radical

radicàre *vi/pr* to root, to take root

radìcchio *sm* radicchio, chicory

radìce *sf* root

ràdio (1) *sm* (*anat*) radius

ràdio (2) *sm* (*chim*) radium

ràdio (3) *sf* radio

radioattìvo *a* radioactive

radiocrònaca *sf* radio commentary

radiografìa *sf* radiography ◇ (*immagine*) X-ray

radiòlogo *sm* radiologist

radiosegnàle *sm* radio signal

radióso *a* radiant, bright

radiovéglia *sf* radio alarm

radiotàxi *sm* radiotaxi

ràdo *a* (*sparso*) thin, sparse ◇ (*non frequente*) infrequent, occasional ● *di r.* rarely

radunàre *vt* to gather, to assemble ◇ (*raccogliere*) to amass ◆ *vpr* to gather, to assemble

radùno *sm* gathering, meeting

radùra *sf* clearing, glade

raffazzonàre *vt* to patch up

raffèrmo *a* stale

ràffica *sf* (*di vento*) gust ◇ (*di proiettili*) burst ◇ (*fig*) hail ● *parlare a r.* to talk nonstop

raffiguràre *vt* (*rappresentare*) to represent, to show ◇ (*simboleg-*

giare) to symbolize, to be a symbol of ◇ (*immaginare*) to imagine

raffinatézza *sf* refinement

raffinàto *a* refined

raffinería *sf* refinery

rafforzàre *vt* to reinforce, to strengthen ♦ *vpr* to get stronger

raffreddàre *vt* to cool, to make cold ♦ *vpr* to cool down, to become cold ◇ (*fig*) to die down, to cool off ◇ (*prendere un raffreddore*) to catch a cold

raffreddóre *sm* cold

raffrónto *sm* comparison

ragàzza *sf* girl ◇ (*fidanzata*) girlfriend

ragàzzo *sm* boy, (*giovane*) youth ◇ (*fidanzato*) boyfriend

raggiànte *a* radiant

ràggio *sm* ray, beam ◇ (*geom*) radius ◇ (*di ruota*) spoke ◇ (*fis*) ray ◇ (*portata*) range

raggiràre *vt* to deceive, to cheat, to swindle

raggìro *sm* cheat, swindle, trick

raggiùngere *vt* to reach, to get to, to arrive at ◇ (*riunirsi con qc*) to join, to catch up ◇ (*conseguire*) to attain, to achieve

raggomitolàre *vt* to roll up ♦ *vrif* to curl up

raggranellàre *vt* to scrape together, to scrape up

raggrinzìre *vt* to wrinkle (up) ♦ *vpr* to become wrinkled

raggruppàre *vt/pr* to group, to assemble

ragguàglio *sm* information, details *pl*

ragionaménto *sm* reasoning, argument

ragionàre *vi* to reason, to think ◇ (*discutere*) to argue

ragióne *sf* reason ◇ (*causa*) reason, motive ◇ (*diritto*) right, reason ◇ (*argomentazione*) reason, justification ◇ (*rapporto*) ratio, proportion, (*tasso*) rate ● *a maggior r.* even more so; *avere r.* to be right; *r. sociale* corporate name

ragionévole *a* reasonable

ragionière *sm* accountant

ragnatéla *sf* cobweb, (spider's) web

ràgno *sm* spider

ragù *sm* meat sauce, bolognese sauce

rallegràre *vt* to cheer up, to make glad ♦ *vpr* to cheer up, to rejoice ◇ (*congratularsi*) to congratulate

rallentaménto *sm* slowing down

rallentàre *vt* to slow down, to slacken ♦ *vi* to slow down ◇ (*ridurre*) to slacken, to die down

ramanzìna *sf* telling-off

ramàrro *sm* green lizard

ramàzza *sf* broom

ràme *sm* copper

ramificàre *vi* to branch ♦ *vpr* to branch out

rammàrico *sm* regret

rammendàre *vt* to darn, to mend

rammèndo *sm* mend, darn ● *r. invisibile* invisible darn

rammentàre *vt/pr* to remember, to recall

rammollìre *vt/pr* to soften

ràmo *sm* branch

ràmpa *sf* ramp, slope ◊ *(di scale)* flight ● *r. di lancio* launching pad

rampànte *a* rampant ◊ *(fig)* go-getting

rampicànte *a* climbing, creeping ● *sm* climber, creeper

rampóllo *sm* bud, shoot ◊ *(fig)* offspring

rampóne *sm* crampon

ràna *sf* frog ● *nuoto a r.* breaststroke

ràncido *a* rancid

rancóre *sm* grudge

randàgio *a* stray

randèllo *sm* cudgel, club

ràngo *sm* rank

rannuvolàrsi *vpr* to become cloudy ◊ *(fig)* to darken, to become gloomy

ràntolo *sm* wheeze

ràpa *sf* turnip

rapàce *a* predaceous, predatory ◊ *(fig)* greedy ● *sm* bird of prey

rapàre *vt* to crop ● *vrif* to have one's hair cropped

rapidità *sf* swiftness, rapidity

ràpido *a* swift, rapid, quick ● *sm* express (train)

rapiménto *sm* kidnapping ◊ *(fig)* rapture

rapìna *sf* robbery

rapinatóre *sm* robber

rapìre *vt* to kidnap, *(portar via)* to carry off, to steal ◊ *(fig)* to ravish

rapitóre *sm* kidnapper

rappacificàre *vt* to reconcile, to pacify ● *vrif* to become reconciled

rapportàre *vt/pr* to relate

rappòrto *sm* *(resoconto)* report, statement ◊ *(relazione, connessione)* relation, connection ◊ *(sessuale)* intercourse ◊ *(scient)* ratio ◊ *(confronto)* comparison ● *in r.* in relation to, with reference to

rapprèndere *vi/pr* to coagulate, to congeal, to set ◊ *(di latte)* to curdle

rappresàglia *sf* retaliation, reprisal

rappresentànte *sm/f* representative ◊ *(comm)* agent

rappresentàre *vt* to represent, to depict ◊ *(fare le veci di)* to act for, to represent, *(comm)* to be an agent for, to be a representative for, to represent ◊ *(simboleggiare)* to symbolize, to stand for ◊ *(teat)* to perform, to stage, *(cinto)* to show ◊ *(significare)* to mean

rappresentazióne *sf* representation ◊ *(teat)* performance

rapsodìa *sf* rhapsody

rarefàre *vt/pr* to rarefy

ràro *a* rare ◊ *(non comune)* uncommon, exceptional

rasàre *vt* *(radere)* to shave ◊ *(siepe)* to trim, *(prato)* to mow ● *vrif* to shave

raschiàre *vt* to scrape

rasentàre *vt* to graze, to skim ◊ *(fig)* to border on

rasente a *prep* close to

ràso (1) *sm* satin

ràso (2) *a* smooth ◊ *(pieno)* level, full to the brim, brimful

rasóio *sm* razor ● *r. elettrico* electric razor

rasségna *sf* *(mil)* review, inspection ◊ (*resoconto*) review, survey, (*rivista*) review ◊ (*mostra*) show, exhibition

rassegnàre *vt* (*presentare*) to hand in ♦ *vpr* to resign oneself ● *r. le dimissioni* to hand in one's resignation

rassegnazióne *sf* resignation

rasserenàre *vt/pr* to clear up ◊ (*fig*) to cheer up

rassettàre *vt* to tidy up, to put in order

rassicuràre *vt* to reassure ♦ *vpr* to be reassured

rassomigliàre *vi* to be like, to resemble ♦ *vrif* to be similar to, to be alike

rastrellàre *vt* to rake, to rake up ◊ (*mil*) to mop up, (*di polizia*) to round up ◊ (*econ*) to buy up

rastrèllo *sm* rake

ràta *sf* instalment ● *comprare a rate* to buy by instalments; *vendita a rate* hire purchase

rateazióne *sf* division into instalments

ratificàre *vt* to ratify, to confirm

ràtto (1) *sm* abduction, rape

ràtto (2) *sm* (*zool*) rat

rattoppàre *vt* to patch, to mend

rattristàre *vt* to sadden ♦ *vpr* to become sad, to be sad

raucèdine *sf* hoarseness

ràuco *a* hoarse, raucous

ravanèllo *sm* radish

ravvisàre *vt* to recognize

ravvivàre *vt/pr* to revive ◊ (*rallegrare*) to brighten (up)

razionàle *a* rational

razionàre *vt* to ration

razióne *sf* ration, (*porzione*) portion, share

ràzza *sf* race, (*di animali*) breed ◊ (*genere*) kind, sort

razzia *sf* raid, foray

razziàle *a* racial

razzismo *sm* racism

razzista *a/sm/f* racist

ràzzo *sm* rocket

re *sm* king

reagìre *vi* to react

reàle (1) *a* real

reàle (2) *a* (*di re*) royal

realismo *sm* realism

realizzàre *vt* to carry out, to achieve, to fulfil, to accomplish ◊ (*econ*) to realize ◊ (*sport*) to score ◊ (*comprendere*) to realize ♦ *vpr* to come off, to come true ♦ *vrif* to fulfil oneself

realizzazióne *sf* carrying out, achievement ◊ (*econ*) realization ◊ (*produzione*) production

realtà *sf* reality ● *r. virtuale* virtual reality

reàto *sm* offence, crime

reattività *sf* reactivity

reattóre *sm* reactor

reazióne *sf* reaction

recapitàre *vt* to deliver

recàpito *sm* (*indirizzo*) address ◊ (*consegna*) delivery

recàre *vt* to bring, to carry ◊ (*arrecare*) to cause, to bring ♦ *vpr* to go

recèdere *vi* to withdraw

recensióne *sf* review

recènte *a* recent, late ● *di r.* recently

recessióne *sf* recession

recìdere *vt* to cut (off)

recidìvo *a* recidivous ◆ *sm* recidivist

recìnto *sm* (*per animali*) pen, corral ◇ (*per bambini*) playpen ◇ (*recinzione*) fence

recipiènte *sm* container, vessel

recìproco *a* reciprocal

recitàre *vt* to recite, to say aloud ◇ (*teat*) to perform, to act, to play ◆ *vi* to act, to play

recitazióne *sf* recitation ◇ (*di attore*) acting ● *scuola di r.* drama school

reclamàre *vt* to claim, to ask for ◇ (*aver bisogno di*) to need ◆ *vi* to protest, to make a complaint

reclinàre *vt* to recline, to bend (down)

reclusióne *sf* seclusion ◇ (*dir*) imprisonment

rècluta *sf* recruit

reclutàre *vt* to recruit

recriminazióne *sf* recrimination ◇ (*lagnanza*) complaint

recrudescènza *sf* fresh outbreak

recuperàre *vt* to recover, to get back ◇ (*riguadagnare*) to make up for ◇ (*riabilitare*) to rehabilitate ◇ (*riciclare*) to recycle

redattóre *sm* (*estensore*) compiler, drafter ◇ (*di casa editrice*) editor ◇ (*di giornale*) copyreader, member of the editorial staff

redazióne *sf* (*stesura*) drafting ◇ (*di libro, giornale*) editing ◇ (*insieme dei redattori*) editorial staff

redditività *sf* profitability

redditìzio *a* profitable

rèddito *sm* income

redenzióne *sf* redemption

redìgere *vt* to draw up, to write, to compile ◇ (*curare come redattore*) to edit

redìmere *vt* to redeem

rèdine *sf* rein

rèduce *a* back, returned ◆ *sm/f* veteran ◇ (*sopravvissuto*) survivor

referènza *sf* reference

refettòrio *sm* refectory

refezióne *sf* meal

refrigeràre *vt* to refrigerate, to cool

refrigèrio *sm* refreshment, relief

refurtìva *sf* stolen goods *pl*

refùso *sm* misprint

regalàre *vt* to give, to present

regàle *a* regal, royal

regàlo *sm* present, gift

regàta *sf* regatta, race

règgere *vt* to bear, to support, (*tenere*) to hold ◇ (*sopportare*) to stand ◇ (*governare*) to rule ◇ (*dirigere*) to run, to manage ◇ (*gramm*) to govern, to take ◆ *vi* (*resistere*) to hold out, to resist ◇ (*sopportare*) to stand, to bear ◇ (*durare*) to last, to hold out ◇ (*essere plausibile*) to stand up, to be consistent ◆ *vpr/rifl* (*sostenersi*) to stand, (*aggrapparsi*) to hold on ◇ (*governarsi*) to be ruled

reggicàlze *sm* suspender belt, (*USA*) garter-belt

reggisèno *sm* brassière, bra

regìa *sf* (*di spettacolo*) direction ◇ (*est*) organization

regìme *sm* regime, system ◇

(*dieta*) diet ◇ (*tecn*) running, condition, (*velocità*) speed

regina *sf* queen

regionàle *a* regional

regióne *sf* region, district

regista *sm/f* (*di spettacoli*) director ◇ (*est*) organizer

registràre *vt* to record, to enter, to register ◇ (*suoni, immagini*) to record

registratóre *sm* recorder

registrazióne *sf* (*annotazione*) record, entry ◇ (*di suoni, immagini*) recording

registro *sm* register

regnàre *vi* to reign

régno *sm* reign ◇ (*paese*) kingdom

règola *sf* rule ● *a r. d'arte* duly

regolàbile *a* adjustable

regolaménto *sm* rule, regulation, rules *pl* ◇ (*pagamento*) settlement

regolàre (1) *a* regular ◇ (*uniforme*) even, smooth

regolàre (2) *vt* to regulate ◇ (*ridurre*) to reduce, (*controllare*) to control ◇ (*tecn*) to adjust, to set ◇ (*definire*) to settle ♦ *vrif* (*comportarsi*) to act ◇ (*moderarsi*) to control oneself

regolazióne *sf* regulation

regredìre *vi* to go back ◇ (*fig*) to regress

regrèsso *sm* regress, regression

reincarnazióne *sf* reincarnation

reinserìre *vt* to reinstate, to reinsert ● *r. qn nella società* to rehabilitate

reintegràre *vt* to reintegrate

relatività *sf* relativity

relatìvo *a* relative, related ◇ (*non assoluto*) relative, comparative ◇ (*attinente*) relevant, pertinent ◇ (*gramm*) relative

relatóre *sm* (*di conferenza*) speaker, lecturer ◇ (*di tesi universitaria*) supervisor

relazionàre *vt* to report, to inform

relazióne *sf* (*resoconto*) report, account ◇ (*nesso*) connection, relation ◇ (*conoscenza*) acquaintance ◇ (*contatto*) touch ◇ (*legame amoroso*) (love) affair

relegàre *vt* to relegate, to exile

religióne *sf* religion

religióso *a/sm* religious

relìquia *sf* relic

relìtto *sm* wreckage, wreck ◇ (*fig*) outcast

remàre *vi* to row

remissióne *sf* remission

remissìvo *a* submissive

rèmo *sm* oar ● *a remi* rowing, row

remòto *a* distant, remote

rèndere *vt* (*restituire*) to give back, to return, to restore ◇ (*contraccambiare*) to render, to return, to repay ◇ (*dare, fare*) to render, to give, to make ◇ (*produrre*) to produce, to return, (*fruttare*) to yield ◇ (*rappresentare*) to render, to reproduce ♦ *vrif* to become, to make oneself

rendicónto *sm* statement, report

rendiménto *sm* (*produzione*) yield, production, output ◇ (*efficienza*) efficiency ◇ (*fin*) yield, return

rèndita *sf* (*privata*) income, (*pubblica*) revenue ◇ (*dir*) annuity

rène *sm* kidney

réni *sf pl* loins *pl*, back

rènna *sf* (*zool*) reindeer ◇ (*pelle conciata*) buckskin

repàrto *sm* department, division, (*di ospedale*) ward ◇ (*mil*) detachment

repellènte *a* repellent, repulsive

repentìno *a* sudden

reperìre *vt* to find

repèrto *sm* find ◇ (*med*) report

repertòrio *sm* (*elenco*) list, inventory ◇ (*teat*) repertory, repertoire

rèplica *sf* (*risposta*) reply, answer ◇ (*teat*) performance ◇ (*copia*) copy, (*di opera d'arte*) replica ◇ (*ripetizione*) repetition

replicàre *vt* (*rispondere*) to replay, to answer ◇ (*ripetere*) to repeat

repressióne *sf* repression

reprìmere *vt* to repress, to restrain

repùbblica *sf* republic

repubblicàno *a/sm* republican

reputàre *vt* to consider, to deem

reputazióne *sf* reputation

requisìre *vt* to requisition

requisìto *sm* requisite, requirement

requisizióne *sf* requisition

résa *sf* (*mil*) surrender ◇ (*restituzione*) return ◇ (*rendimento*) yield, return, profit

rescìndere *vt* to rescind, to cancel

residènte *a/sm/f* resident

residènza *sf* residence

residuo *a* residual ◆ *sm* remainder, remnant

resìna *sf* resin

resistènte *a* resistant, -proof ◇ (*forte*) strong, tough

resistènza *sf* resistance

resìstere *vi* to resist, to withstand, to hold out ◇ (*sopportare*) to endure, to stand

resocónto *sm* account, report, statement

respingènte *sm* buffer, bumper

respìngere *vt* to repel, to repulse ◇ (*rimandare*) to return, to send back ◇ (*rifiutare*) to reject, to refuse ◇ (*bocciare*) to fail

respiràre *vt/i* to breathe

respiratóre *sm* aqualung

respirazióne *sf* respiration, breathing

respìro *sm* breath, breathing ◇ (*fig*) respite, rest

responsàbile *a* responsible, liable ◆ *sm/f* person in charge

responsabilità *sf* responsibility

rèssa *sf* throng, crowd

restàre *vi* to stay, to remain ◇ (*essere, diventare*) to be, to become ◇ (*esser lasciato*) to be left ◇ (*avanzare*) to remain, to be left ◇ (*resistere*) to stay, to last

restauràre *vt* to restore

restaurazióne *sf* restoration

restàuro *sm* restoration, repair

restìo *a* unwilling, reluctant

restituìre *vt* to return, to give back, to restore ◇ (*contraccambiare*) to return, to repay

rèsto *sm* remainder, rest ◇ (*di denaro*) change ◇ (*mat*) remainder ◇ *al pl* (*rovine*) ruins *pl*, remains *pl* ◇ *al pl* (*di cibo*) leftovers *pl*

restrìngere *vt* to tighten, to narrow, (*vestito*) to take in ◇ (*limitare*) to restrict, to limit ◆ *vpr/rif* to narrow, to get narrower, (*contrarsi*) to contract ◇ (*di tessuto*) to shrink ◇ (*limitarsi*) to limit oneself

restrizióne *sf* restriction

réte *sf* net ◇ (*complesso, sistema*) network, system ◇ (*inganno*) snare, trap ◇ (*inform*) net, network

reticènza *sf* reticence

retìcolo *sm* network, grid

rètina (1) *sf* retina

retìna (2) *sf* (*per capelli*) hairnet

retòrica *sf* rhetoric

retòrico *a* rhetorical

retràttile *a* retractile

retribuìre *vt* to pay, to remunerate

retribuzióne *sf* pay, remuneration

rètro *sm* back

retrocèdere *vt* (*degradare*) to demote, (*mecc*) to degrade ◇ (*dir*) to recede ◆ *vi* to retreat, to recede, to withdraw

retromàrcia *sf* (*mecc*) reverse gear

retroscèna *sf* (*teat*) backstage ◆ *sm* (*fig*) behind-the-scenes action

retrospettìva *sf* retrospective

retroterra *sm* hinterland ◇ (*fig*) background

retrovisóre *sm* rearview mirror

rètta (1) *sf* (*geom*) straight line

rètta (2) *sf* (*somma da pagare*) charge

rètta (3) *loc* dare r. a to listen to

rettangolàre *a* rectangular

rettàngolo *sm* rectangle

rettificàre *vt* to correct, to adjust ◇ (*chim*) to rectify ◇ (*mecc*) to grind

rèttile *sm* reptile

rettilìneo *a* rectilinear, straight ◆ *sm* straight stretch

rètto *a* straight, right ◇ (*onesto*) upright, honest

rettóre *sm* (*relig*) rector ◇ (*di università*) chancellor, (*USA*) president

reumatìsmo *sm* rheumatism

reverèndo *a/sm* reverend

reversìbile *a* reversible, (*dir*) versionary

revisióne *sf* revision, review ◇ (*di conti*) audit, auditing ◇ (*mecc*) overhaul

revisóre *sm* reviser ◇ (*contabile*) auditor

rèvoca *sf* revocation, repeal

revocàre *vt* to revoke, to repeal

riabilitàre *vt* to rehabilitate ◇ (*reintegrare*) to reinstate ◆ *vrif* to rehabilitated oneself

riabilitazióne *sf* rehabilitation

riabituàre *vt* to reaccustom ◆ *vrif* to reaccustom oneself

riaccèndere *vt* to light again ◇ (*motore, luce*) to switch on again

riaccompagnàre *vt* to take back

riaddormentàre *vt* to put to sleep again ◆ *vpr* to fall asleep again

riaffermàre *vt* to reaffirm ◇ (*confermare*) to confirm

riàlzo *sm* rise, increase ◇ (*di terreno*) elevation

rianimàre *vt* to reanimate, to revive ◇ (*med*) to resuscitate ◇ (*rallegrare*) to cheer up ♦ *vpr* to recover oneself ◇ (*riprendere coraggio*) to take heart again ◇ (*rallegrarsi*) to cheer up

rianimazióne *sf* reviving ◇ (*med*) resuscitation, (*reparto*) intensive care

riaprire *vt/i/pr* to reopen

riassùmere *vt* to re-engage, to take on again ◇ (*riprendere*) to reassume ◇ (*riepilogare*) to sum up

riassùnto *sm* summary

riavviàre *vt* to reboot, to restart

ribadìre *vt* (*mecc*) to clinch ◇ (*confermare*) to confirm, to repeat

ribàlta *sf* (*piano ribaltabile*) flap ◇ (*teat*) front of the stage ◇ (*fig*) limelight

ribaltàbile *a* folding, (*di sedile*) tip-up

ribaltaménto *sm* overturning

ribaltàre *vt/pr* to overturn, to capsize

ribàsso *sm* fall, drop, decrease, (*sconto*) discount

ribellàrsi *vpr* to rebel, to revolt

ribèlle *a* rebellious, rebel ♦ *sm/f* rebel

ribellióne *sf* rebellion

ribes *sm* currant, (*nero*) blackcurrant, (*rosso*) redcurrant

ribrézzo *sm* disgust

ributtànte *a* disgusting

ricadére *vi* to fall again, to fall back ◇ (*avere una ricaduta*) to relapse ◇ (*scendere*) to fall down, to hang (down) ◇ (*gravare*) to fall, to rest

ricadùta *sf* relapse ◇ (*fis*) fallout

ricàmbio *sm* replacement ◇ (*pezzo di ricambio*) spare part ◇ (*avvicendamento*) turnover

ricàmo *sm* embroidery

ricapitolàre *vt* to sum up, to recapitulate

ricàrica *sf* reloading, (*di batteria*) recharging

ricaricàbile *a* rechargeable ◇ (*tel*) pay-as-you-go

ricaricàre *vt* to reload ◇ (*batteria*) to recharge ♦ *vrif* to buck up

ricattàre *vt* to blackmail

ricàtto *sm* blackmail

ricavàre *vt* (*dedurre*) to deduce, to come to ◇ (*ottenere*) to obtain, to get ◇ (*estrarre*) to extract ◇ (*guadagnare*) to gain, to earn

ricàvo *sm* proceeds *pl*, return

ricchézza *sf* wealth ◇ (*abbondanza*) abundance, richness

rìccio (1) *a* curly ♦ *sm* curl

rìccio (2) *sm* (*zool*) hedgehog ◇ (*di castagna*) (chestnut) husk ● *r. di mare* sea urchin; *chiudersi a r.* to clam up

rìcciolo *sm* curl

ricco *a* rich, wealthy ◇ (*di valore*) valuable, precious ◇ (*sfarzoso*) sumptuous ◇ (*abbondante*) full, rich, abounding ♦ *sm* rich person

ricérca *sf* search, quest ◇ (*il perseguire*) pursuit ◇ (*scientifica*) research ◇ (*indagine*) investiga-

tion, inquiry ◇ (*richiesta*) demand ◇ (*inform*) search, query
ricercàre *vt* to look for, to seek (for), to search for ◇ (*perseguire*) to pursue ◇ (*investigare*) to investigate, to inquire into
ricetrasmittènte *sf* transceiver
ricètta *sf* (*cuc*) recipe ◇ (*med*) prescription ◇ (*fig*) formula
ricettàrio *sm* (*cuc*) recipe book, cookbook ◇ (*med*) book of prescriptions
ricévere *vt* to receive, to get ◇ (*accettare*) to accept, to take ◇ (*ammettere*) to admit ◇ (*prendere, avere*) to take, to get, to have, to receive ◇ (*accogliere*) to receive, to welcome ◇ (*ammettere a visitare*) to receive, to be at home to, (*a un'udienza*) to grant an audience to
ricevimento *sm* receiving, receipt ◇ (*accoglienza*) reception ◇ (*festa*) reception, party
ricevitoria *sf* receiving office
ricevùta *sf* receipt
ricezióne *sf* reception
richiamàre *vt* to call again ◇ (*far tornare*) to call back, to recall ◇ (*attirare*) to attract ♦ *vpr* (*far riferimento*) to refer ◇ (*appellarsi*) to appeal
richiàmo *sm* recall, call
richièdere *vt* to ask for again, to ask for back ◇ (*domandare*) to ask, to request ◇ (*fare domanda*) to apply for ◇ (*esigere*) to demand, (*necessitare*) to require
richièsta *sf* request, demand, (*scritta*) application
riciclàggio *sm* recycling ♦ *r. di*

denaro (sporco) money laundering
riciclàre *vt* to recycle
ricognizióne *sf* reconnaissance
ricominciàre *vt/i* to begin again, to start again
ricompensàre *vt* to reward, to repay
riconciliàre *vt* to reconcile ♦ *vrif* to be reconciled, to make up ◇ (*reciproco*) to make friends again, to make up
riconciliazióne *sf* reconciliation
ricondùrre *vt* to bring again, to bring back, to take back
riconoscènza *sf* thankfulness, gratitude
riconóscere *vt* to recognize ◇ (*ammettere ufficialmente*) to acknowledge, to recognize ◇ (*ammettere*) to admit, to own ◇ (*apprezzare*) to appreciate, to recognize ◇ (*identificare*) to identify ♦ *vrif* to admit ◇ (*reciproco*) to recognize each other
riconoscimento *sm* recognition, (*ufficiale*) acknowledgement ◇ (*identificazione*) identification ◇ (*ammissione*) admission, avowal
ricopiàre *vt* to copy, to recopy
ricoprìre *vt* to cover, (*di nuovo*) to cover again ◇ (*tecn*) to plate ◇ (*colmare*) to load ◇ (*occupare*) to hold, to fill ♦ *vpr/rif* to cover oneself
ricordàre *vt* to remember, to recall ◇ (*richiamare alla memoria altrui*) to remind ◇ (*menzionare*) to mention ♦ *vpr* to remember

ricòrdo *sm* memory, recollection, remembrance ◇ *(oggetto)* souvenir

ricorrènza *sf* recurrence ◇ *(anniversario)* anniversary

ricórrere *vi (rivolgersi)* to apply, to go to ◇ *(fare appello)* to appeal ◇ *(ripetersi)* to recur ◇ *(accadere)* to occur, *(di anniversario)* to fall

ricórso *sm* resort, recourse ◇ *(dir)* petition, appeal

ricostituènte *a/sm* tonic

ricostruire *vt* to reconstruct, to rebuild

ricoveràre *vt* to shelter, to take in ◆ *vrif* to take shelter ● *r. all'ospedale* to hospitalize

ricóvero *sm* shelter ◇ *(in ospedale)* admission, hospitalization ◇ *(ospizio)* shelter, *(per anziani)* old people's home

ricreativo *a* recreative, recreational

ricreazióne *sf* recreation

ricrédersi *vpr* to change one's mind

ricucire *vt* to resew, to sew again, to restitch, *(una ferita)* to sew up ◇ *(ricomporre)* to re-establish

ricuperàre → **recuperare**

ridere *vi* to laugh (at)

ridicolo *a* ridiculous, absurd ◇ *(esiguo)* paltry ◆ *sm* ridicule ◇ *(ridicolaggine)* ridiculousness

ridimensionàre *vt (riorganizzare)* to reorganize, *(ridurre)* to reduce ◇ *(fig)* to reconsider, to reappraise

ridondànte *a* redundant

ridòsso *sm* shelter ● *a r. di* under

(the) lee of, at the back of, behind

ridùrre *vt* to reduce, to cut down ◇ *(trasformare)* to turn into, to reduce ◇ *(spingere, portare)* to drive, to reduce ◇ *(adattare)* to adapt ◆ *vpr* to reduce oneself ◇ *(diventare)* to be reduced, to become ◇ *(diminuire)* to decrease, *(restringersi)* to shrink

riduzióne *sf* reduction, cut ◇ *(sconto)* discount ◇ *(adattamento)* adaptation

riempire *vt* to fill (up), to stuff ◇ *(compilare)* to fill in ◆ *vpr/rif* to be filled ◇ *(rimpinzarsi)* to stuff oneself

rientràre *vi* to re-enter, to enter again, *(tornare)* to go back, to return ◇ *(far parte)* to be included in, to be part of

riepilogo *sm* recapitulation, summary

rifàre *vt* to do again, to make again, to remake ◇ *(ripristinare)* to restore, *(ricostruire)* to rebuild ◇ *(riparare)* to repair ◇ *(imitare)* to imitate, to ape ◇ *(ripercorrere)* to retrace ◆ *vpr/rif* to make up ◇ *(vendicarsi)* to revenge oneself ◇ *(risalire)* to go back to

riferiménto *sm* reference

riferìre *vt* to report, to tell, to relate ◇ *(ascrivere)* to attribute, to connect ◆ *vpr (alludere)* to refer, to make reference ◇ *(concernere)* to concern, to refer

rifilàre *vt (tagliare)* to trim ◇ *(dare)* to give, *(appioppare)* to palm off

rifinitùra sf finishing touch, touch-up

rifiutàre vt to refuse, (respingere) to reject ◊ (non concedere) to deny, to refuse ◆ vpr to refuse

rifiùto sm refusal, rejection ◊ (diniego) denial ◊ (scarto) refuse, al pl waste, rubbish

riflessióne sf reflection

riflèsso sm reflection ◊ (fig) influence, effect ◊ (med) reflex

riflèttere vt to reflect ◆ vi to think over, to reflect, to consider ◆ vrif to be reflected

riflùsso sm reflux, (di acqua) ebb

rifocillàre vt to give refreshment to ◆ vrif to take refreshment

rifórma sf reform, reformation

riformàre vt to re-form (sottoporre a riforma) to reform, to amend

rifornimènto sm supplying, (di carburante) refuelling ◊ (scorta) supply ● fare r. di benzina to fill up the tank

rifornìre vt to supply, to stock ◆ vrif to stock up

rifrazióne sf refraction

rifugiàrsi vpr to shelter, to take refuge

rifùgio sm refuge, shelter

rìga sf line ◊ (fila) row ◊ (da disegno) rule ◊ (striscia) stripe ◊ (scriminatura) parting

righèllo sm ruler

rìgido a rigid, stiff ◊ (di clima) rigorous, harsh ◊ (severo) strict, severe, rigid

rìgo sm line ◊ (mus) stave, staff

rigoglióso a luxuriant, flourishing

rigóre sm (freddo) rigours pl ◊ (austerità) uprightness ◊ (severità) rigour, strictness, severity ◊ (precisione) exactness

rigoróso a rigorous, strict

riguardàre vt to look at, to examine ◊ (considerare) to regard, to concern ◊ (custodire) to take care of ◆ vrif to take care of oneself

riguàrdo sm (cura) care ◊ (rispetto) respect, regard, consideration ◊ (relazione) regard, respect

rilasciàre vt to leave again ◊ (liberare) to release, to set free ◊ (concedere) to grant, to give ◊ (allentare) to relax ◆ vpr/rif to relax

rilassàre vt/rif to relax

rilegàre vt to bind

rilegatùra sf binding

rilevamènto sm survey ◊ (naut) bearing

rilevànte a considerable

rilevàre vt (notare) to notice, to point out ◊ (ricavare) to take ◊ (dare il cambio) to relieve ◊ (subentrare) to take over, (comprare) to buy ◊ (topografia) to survey, (geogr) to map ◊ (naut) to take a bearing of

rilièvo sm relief ◊ (importanza) importance, stress ◊ (osservazione) remark ◊ (rilevamento) survey ◊ (altura) height, high ground ● mettere in r. to point out

rìma sf rhyme ◊ al pl (versi) rhymed verses pl, poetry

rimandàre vt to send again ◊ (re-

stituire, mandare indietro) to send back ◇ (*rinviare*) to postpone, to put off ◇ (*far riferimento*) to refer

rimanére *vi* to remain, to stay (*avanzare*) to be left, to remain ◇ (*persistere*) to remain, to last ◇ (*essere situato*) to be located ◇ (*mantenersi*) to keep, to remain ◇ (*stupirsi*) to be astonished ● **r. male** to be disappointed

rimarginàre *vt/pr* to heal

rimbàlzo *sm* rebound

rimbombàre *vi* to rumble, to resound

rimborsàre *vt* to reimburse, to refund, to repay

rimbórso *sm* reimbursement, refund, repayment

rimboschiménto *sm* reforestation, reafforestation

rimediàre *vt* (*porre rimedio a*) to remedy, to put right ◇ (*racimolare*) to scrape up ♦ *vi* to remedy, to make up for

rimèdio *sm* remedy, cure

riméssa *sf* (*di denaro*) remittance, transfert ◇ (*deposito di autobus*) (bus) depot, garage ◇ (*calcio*) throw-in

riméttere *vt* to put again, to replace ◇ (*affidare*) to refer, to leave ◇ (*mandare*) to remit, (*consegnare*) to deliver ◇ (*perdonare, condonare*) to remit, to forgive ◇ (*rimetterci*) to lose, to ruin ♦ *vpr/rif* (*ristabilirsi*) to recover ♦ (*affidarsi*) to rely (on) ◇ (*rasserenarsi*) to clear up ● **r. a nuovo** to renew, to renovate

rimónta *sf* recovery

rimontàre *vt* to go up ◇ (*ricomporre*) to reassemble ♦ *vi* to remount ◇ (*risalire*) to go back, to date back ◇ (*recuperare uno svantaggio*) to move up, to catch up

rimorchiàre *vt* to tow ◇ (*fig*) (*una persona*) to pick up

rimòrchio *sm* tow ◇ (*veicolo*) trailer ● **prendere a r.** to take in tow, to tow

rimòrso *sm* remorse, regret

rimozióne *sf* removal ◇ (*da un incarico*) dismissal, discharge ● **zona a r. forzata** towaway zone

rimpatriàre *vt/i* to repatriate

rimpiàngere *vt* to regret

rimpiànto *sm* regret

rimpiazzàre *vt* to replace

rimpicciolìre *vt* to make smaller ♦ *vpr* to become smaller

rimpinguàre *vt* to fatten (up) ◇ (*arricchire*) to enrich ♦ *vrif* to grow fat ◇ (*arricchirsi*) to grow rich

rimproveràre *vt* to reproach, to rebuke, (*sgridare*) to scold ◇ (*biasimare*) to blame, to reproach ◇ (*rinfacciare*) to grudge

rimpròvero *sm* reproach, rebuke, (*sgridata*) scolding

rimuginàre *vt/i* to turn over in one's mind

rimuneràre *vt* to remunerate

rimunerazióne *sf* remuneration, payment

rimuòvere *vt* to remove ◇ (*destituire*) to dismiss, to discharge ◇ (*dissuadere*) to dissuade, to deter

rinasciménto *sm* Renaissance

rinàscita *sf* renaissance, revival

rincasàre *vi* to go back home

rinchiùdere *vt* to shut up ♦ **vrif** to shut oneself up

rincórrere *vt* to run after

rincórsa *sf* run-up

rincréscere *vi* to be sorry, to regret ◊ (*dispiacere*) to mind

rinforzàre *vt* to strengthen, to reinforce ♦ *vi* (*di vento*) to grow stronger ♦ *vpr* to become stronger

rinfòrzo *sm* strengthening, reinforcement

rinfrescàre *vt* to cool ◊ (*rinnovare*) to do up, to restore ♦ *vi* to cool, (*di vento*) to freshen ♦ *vrif* to cool down, to freshen up

rinfrésco *sm* (*festa*) party ◊ (*cibi e bevande*) refreshments *pl*

rinfùsa, àlla *loc.avv* in confusion, higgledy-piggledy

ringhiàre *vi* to growl, to snarl

ringhièra *sf* railing, (*di scala*) banister

ringiovanìre *vt* to make young (again) ◊ (*far sembrare più giovane*) to make look younger ♦ *vi* to grow young again ◊ (*sembrare più giovane*) to look younger, to look half one's age

ringraziaménto *sm* thanks *pl*

ringraziàre *vt* to thank

rinnegàre *vt* to disown, to deny

rinnovàre ♦ *vt* to renew ◊ (*ripetere*) to repeat ◊ (*cambiare*) to change, to renew ♦ *vpr* to be renewed ◊ (*ripetersi*) to happen again

rinnòvo *sm* renewal

rinocerónte *sm* rhinoceros

rinomàto *a* renowned, famous

rintócco *sm* (*di campana*) toll, (*di orologio*) stroke

rintracciàre *vt* to trace, to track down, (*trovare*) to find

rinùncia *sf* renunciation ◊ *al pl* (*sacrifici*) sacrifice

rinunciàre *vi* to renounce, to give up

rinvenìre *vt* to find out, to discover ♦ *vi* (*recuperare i sensi*) to recover one's senses, to come to ◊ (*recuperare freschezza*) to revive

rinviàre *vt* (*mandare indietro*) to send back, to return ◊ (*posporre*) to put off, to postpone

rinvìo *sm* postponement, adjournment ◊ (*restituzione*) return, sending back ◊ (*riferimento*) cross-reference

rióne *sm* district, quarter

riordinàre *vt* to put in order again, to tidy up ◊ (*riorganizzare*) to reorganize

riorganizzàre *vt* to reorganize

ripagàre *vt* to pay again ◊ (*ricompensare*) to repay, to reward ◊ (*risarcire*) to pay, to refund

riparàre *vt* (*aggiustare*) to repair ◊ (*proteggere*) to shelter, to protect ◊ (*rimediare*) to redress, to make amends for ♦ *vi* to make up (for) ♦ *vrif* to protect oneself

riparazióne *sf* repair, fixing

ripàro *sm* shelter, cover, protection

ripartìre (1) *vt* (*dividere*) to split up, to divide, (*distribuire*) to share out

ripartìre (2) *vi* (*partire di nuovo*) to leave again, (*riavviarsi*) to start again

ripartizióne *sf* division, distribution

ripercussióne *sf* repercussion

ripescàre *vt* (*tirare fuori dall'acqua*) to fish out ◇ (*trovare*) to find (again)

ripètere *vt* to repeat ◆ *vrif* to repeat oneself ◆ *vpr* to recur

ripetizióne *sf* repetition ◇ (*lezione privata*) private lesson, tutoring, coaching

ripiàno *sm* (*di scaffale*) shelf ◇ (*terreno*) level ground

rìpido *a* steep

ripiegàre *vt* to bend again, to refold ◇ (*piegare*) to fold up ◇ (*abbassare*) to lower ◆ *vi* (*ritirarsi*) to withdraw, to retreat ◇ (*fig*) to fall back ◆ *vpr* to bend

ripiègo *sm* expedient, makeshift

ripièno *a* (*pieno*) full, (*riempito, farcito*) stuffed, filled ◆ *sm* stuffing, filling

ripórre *vt* to put away ◇ (*collocare*) to place, to put

riportàre *vt* to bring again, to take again, to bring back, to take back, to carry back ◇ (*riferire*) to report, (*citare*) to quote ◇ (*ricevere, ottenere*) to get, to receive, to carry off ◇ (*mat*) to carry ◆ *vpr* (*tornare*) to carry ◇ (*riferirsi*) to refer

riposàre *vt/i/rif* to rest

ripòso *sm* rest

ripostìglio *sm* lumber-room, store-room

riprèndere *vt* to take again,

(*riacchiappare*) to catch again, (*riconquistare*) to retake ◇ (*prendere indietro*) to take back, to get back, (*recuperare*) to recover ◇ (*rincominciare*) to begin again, to start again, to resume ◇ (*rimproverare*) to tell off, to reprove ◇ (*cin*) to shoot ◆ *vi* (*ricominciare*) to start again, to begin again ◆ *vpr* to recover

riprésa *sf* restarting, resumption, renewal ◇ (*rinascita*) revival ◇ (*da malattia, emozioni*) recovery ◇ (*teat*) revival ◇ (*cin*) shot, take ◇ (*aut*) pick-up ◇ (*di partita*) second half, (*pugilato*) round, (*baseball*) inning

ripristinàre *vt* to restore

riprodùrre *vt/pr/rif* to reproduce

riproduzióne *sf* reproduction

riprovàre *vt* to try again ◇ (*sentire di nuovo*) to feel again ◆ *vi/i* to try again

ripudiàre *vt* to repudiate, to disown

ripulìre *vt* to clean again ◇ (*pulire*) to clean up ◇ (*dirozzare*) to refine ◇ (*svuotare*) to clean out, to clear ◆ *vrif* to clean oneself up

riquàdro *sm* square

risàcca *sf* undertow, backwash

risàia *sf* rice-field

risalìre *vt* to go up again, to climb up again ◇ (*contro corrente*) to go up ◆ *vi* to go up again, to climb up again ◇ (*aumentare*) to rise again, to go up again ◇ (*nel tempo*) to go back, to date back

risaltàre *vi* (*spiccare*) to stand

out, to show up ◇ (*sporgere*) to stick out

risanàre *vt* (*guarire*) to cure, to restore ◇ (*bonificare*) to reclaim ◇ (*riequilibrare*) to balance, (*riorganizzare*) to reorganize

risarciménto *sm* compensation, refund ● **richiesta di r.** claim for damages

risàta *sf* laughter, laugh

riscaldaménto *sm* heating ◇ (*sport*) warm up ● **r. autonomo** independent heating (system); **r. centrale** central heating

riscaldàre *vt* to warm, to heat ◇ (*scaldare di nuovo*) to warm up, to warm up ◇ (*fig*) to stir up ● *vi* to give heat ◆ *vrif* to warm oneself, to get warm ◇ (*fig*) to warm up, to get excited

riscattàre *vt* to ransom, to redeem

riscàtto *sm* redemption ◇ (*prezzo richiesto*) ransom

rischiàre *vt* to risk, to venture

rìschio *sm* risk

rischióso *a* risky

risciacquàre *vt* to rinse

riscontràre *vt* (*verificare*) to check, to verify ◇ (*trovare*) to find, to notice ◇ (*confrontare*) to compare

riscóntro *sm* (*controllo*) check ◇ (*confronto*) comparison ◇ (*conferma*) confirmation

riscuòtere *vt* to collect, to draw, to cash ◇ (*conseguire*) to earn, to win ◇ (*scuotere*) to shake ◆ *vpr* (*trasalire*) to start ◇ (*risvegliarsi*) to come to

risentiménto *sm* resentment

risèrbo *sm* reserve, discretion

risèrva *sf* (*scorta*) reserve ◇ (*restrizione*) reserve, reservation ◇ (*di caccia, pesca*) reserve, preserve

riservàre *vt* to reserve, to keep ◇ (*prenotare*) to book ◆ *vpr* to intend, to propose

riservatézza *sf* privacy ◇ (*carattere*) reserve, discretion

risguàrdo *sm* flyleaf

risièdere *vi* to reside, to live ◇ (*consistere*) to consist (in)

rìsma *sf* (*di carta*) ream ◇ (*fig*) kind, sort

rìso (1) *sm* laugh, laughter

rìso (2) *sm* (*bot*) rice

risoluzióne *sf* resolution, decision ◇ (*mat*) solution ◇ (*dir*) cancellation

risòlvere *vt* to solve, to work out, to resolve ◇ (*definire*) to settle ◇ (*rescindere*) to cancel ◆ *vpr* (*decidersi*) to decide, to make up one's mind ◇ (*trasformarsi*) to change, to turn into ◇ (*di malattia*) to resolve, to clear up

risorgìva *sf* resurgence

risórsa *sf* resource

risparmiàre *vt* to save (up) ◇ (*evitare, salvare*) to spare ◆ *vrif* to spare oneself

rispàrmio *sm* saving ◇ (*somma risparmiata*) savings *pl*

rispettàbile *a* respectable ◇ (*considerevole*) considerable

rispettàre *vt* to respect, to honour ◇ (*osservare*) to comply with, to observe

rispettìvo *a* respective

rispètto *sm* respect

risplèndere *vi* to shine

rispóndere *vi* to answer, to reply ◇ (*ribattere*) to answer back ◇ (*farsi garante*) to be responsible for, to answer for ◇ (*corrispondere*) to meet ◇ (*obbedire*) to respond ◆ *vt* to answer ◇ (*a carte*) to reply

rispósta *sf* answer, reply ◇ (*reazione*) response

rissa *sf* brawl

ristabilìre *vt* to re-establish, to restore ◆ *vpr* to settle again ◇ (*rimettersi*) to recover, to get well again

ristàmpa *sf* reprint

ristampàre *vt* to reprint

ristorànte *sm* restaurant

ristoràre *vt* to refresh ◆ *vrif* to refresh oneself

ristrétto *a* narrow ◇ (*meschino*) mean ◇ (*limitato*) narrow, limited ◇ (*condensato*) condensed

ristrutturàre *vt* to restructure, to renovate

risucchiàre *vt* to suck

risultàre *vi* to result, to come out, to follow, to ensue, to spring ◇ (*essere noto, impers*) to understand, to know ● *risulta chiaro che ...* it is clear that ...

risultàto *sm* result, outcome

risuolàre *vt* to resole

risurrezióne *sf* resurrection

risuscitàre *vt* to resuscitate, to revive ◆ *vi* to rise again, to revive

risvéglio *sm* (re)awakening, waking up ◇ (*fig*) revival

risvòlto *sm* (*di giacca*) lapel, (*di pantaloni*) turn-up ◇ (*fig*) implication, consequence

ritagliàre *vt* to cut out

ritàglio *sm* (*pezzetto*) scrap, (*di giornale*) cutting, clipping ● *nei ritagli di tempo* in one's spare time

ritardàre *vt* to delay, to retard, to put off ◆ *vi* to delay, to be late

ritardatàrio *sm* latecomer

ritàrdo *sm* delay ● *essere in r.* to be late

ritégno *sm* reserve, restraint

ritenére *vt* (*trattenere*) to hold, to keep, to retain ◇ (*credere*) to think, to believe ◆ *vrif* to consider oneself

ritiràre *vt* (*tirare di nuovo*) to throw again ◇ (*tirare indietro*) to withdraw, to draw back, to retract ◇ (*farsi consegnare*) to collect, to pick up, (*riscuotere*) to draw ◆ *vrif* to retire, to withdraw ◆ *vpr* (*di tessuto*) to shrink ◇ (*di acque*) to subside, to recede

ritiro *sm* withdrawal, retirement ◇ (*luogo appartato*) retreat

ritmo *sm* rhythm ◇ (*tasso*) rate

rito *sm* rite ◇ (*usanza*) custom

ritócco *sm* touch-up, finishing touch ◇ (*di prezzi*) adjustment, revision

ritornàre *vi* to return, to go back, to come back ◇ (*ricorrere*) to recur ◇ (*tornare a essere*) to become again ◆ *vt* to return, to give back

ritornèllo *sm* refrain ◇ (*mus*) ritornello ● *il solito r.* the same old story, the same old song and dance

ritórno *sm* return

ritràrre *vt* (*tirare indietro*) to withdraw, to draw back ◇ (*distogliere*) to divert ◇ (*rappresentare*) to represent, to portray, to depict ◆ *vrif* to withdraw ◇ (*sottrarsi*) to get out ◇ (*rappresentarsi*) to portray oneself

ritrattàre *vt* (*trattare di nuovo*) to treat again ◇ (*ritirare*) to retract, to withdraw

ritràtto *sm* portrait

ritróso *a* (*riluttante*) reluctant ◇ (*timido*) shy ● *a r.* backwards

ritrovàre *vt* to find (again) ◇ (*scoprire*) to find, to discover ◇ (*recuperare*) to recover ◇ (*incontrare di nuovo*) to meet (again) ◆ *vpr* to find oneself ◆ *vrif* (*raccapezzarsi*) to see one's way ◇ (*sentirsi a proprio agio*) to feel at ease ◇ (*reciproco: incontrarsi di nuovo*) to meet again

ritròvo *sm* meeting, (*luogo*) meeting-place

ritto *a* upright, erect

rituàle *sm* ritual

riunióne *sf* meeting

riunìre *vt* to reunite, to put together ◇ (*adunare*) to gather, to collect together ◇ (*riconciliare*) to bring together again ◆ *vrif* to come together again ◇ (*adunarsi*) to gather, to meet

riuscìre *vi* to succeed, to manage, (*essere capace*) to be able ◇ (*avere esito*) to come out, to turn out, (*avere esito positivo*) to be successful, to succeed ◇ (*avere attitudine*) to be clever

at, to be good at ◇ (*apparire, risultare*) to be, (*dimostrarsi*) to prove ◇ (*uscire di nuovo*) to go out again

riuscìta *sf* result, outcome, (*successo*) success

rìva *sf* (*di fiume*) bank, (*di lago, mare*) shore

rivàle *a/sm/f* rival ● *non avere rivali* to be matchless

rivalità *sf* rivalry

rivàlsa *sf* (*rivincita*) revenge ◇ (*risarcimento*) compensation

rivalutàre *vt* to revalue, to re-evaluate

rivedére *vt* (*vedere di nuovo*) to see again, (*incontrare di nuovo*) to meet again ◇ (*correggere*) to revise, to correct, (*controllare*) to check ◇ (*ripassare*) to look over again ◆ *vrif* to see each other again, to meet again

rivelàre *vt* to reveal, to disclose ◇ (*mostrare*) to show ◆ *vrif* to reveal oneself, to show oneself

rivelazióne *sf* revelation

rivendicàre *vt* to claim

rivèrbero *sm* reverberation

riverènza *sf* reverence ◇ (*inchino*) bow, curtsey

riverìre *vt* to revere, to respect ◇ (*salutare*) to pay one's respects to

riversàre *vt* to pour (again) ◇ (*inform*) to copy, to transfer ◆ *vpr* to flow ◇ (*fig*) to pour (out)

rivestiménto *sm* covering, coating, (*interno*) lining

rivestìre *vt* (*vestire di nuovo*) to dress again ◇ (*provvedere di abiti*) to dress, to provide with clothes ◇ (*ricoprire*) to cover, to coat, (*foderare*) to line ◇ (*una carica*) to hold ♦ **vrif** to dress again

rivincita *sf* (*sport*) return match, (*gioco*) return game ◇ (*rivalsa*) revenge

rivista *sf* (*mil*) review ◇ (*periodico*) review, (*rotocalco*) magazine ◇ (*teat*) revue, show ● *passare in r.* to review

rivòlgere *vt* to turn, to direct ◇ (*indirizzare*) to address ◇ **vrif** to turn, to address ◇ (*ricorrere*) to apply

rivolta *sf* revolt, rebellion

rivoltàre *vt* to turn (over) again ◇ (*rovesciare*) to turn (over), (*con l'interno verso l'esterno*) to turn inside out, (*capovolgere*) to turn upside down ♦ **vrif** to turn round, to turn over ♦ **vpr** (*ribellarsi*) to revolt, to rebel

rivoltèlla *sf* revolver

rivoluzionàre *vt* to revolutionize

rivoluzióne *sf* revolution

rizzàre *vt* to raise, to erect ♦ **vpr** (*di capelli, peli*) to bristle

ròba *sf* stuff, things *pl*

robùsto *a* strong, sturdy

ròcca *sf* fortress, stronghold

roccafòrte *sf* fortress, stronghold

rocchétto *sm* reel, spool ◇ (*el*) coil

ròccia *sf* rock

rocciatóre *sm* rock-climber

roccióso *a* rocky

rodàggio *sm* (*aut*) running-in, (*USA*) breaking-in, period (of adjustment) ◇ (*fig*) trial stage

ródere *vt* to gnaw ◇ (*corrodere*) to eat into, to corrode ♦ **vrif** to worry

rógna *sf* (*med*) scabies, (*zool*) scab ◇ (*fastidio*) nuisance, trouble

rognóne *sm* kidney

rògo *sm* (*supplizio*) stake ◇ (*pira*) (funeral) pyre ◇ (*incendio*) fire

rollìo *sm* roll

romànico *a* Romanesque

romàno *a/sm* Roman

romanticìsmo *sm* Romanticism

romàntico *a/sm* romantic

romanzière *sm* novelist

romànzo *sm* novel ◇ (*medievale*) romance ◇ (*novellistica*) fiction ◇ (*fig*) fantasy, romance

rómbo (1) *sm* (*geom*) rhombus

rómbo (2) *sm* (*zool*) rhombus

rómbo (3) *sm* (*rumore*) rumble, roar

rómpere *vt* to break, to burst, to smash ◇ (*interrompere*) to break off ♦ *vi* (*interrompere i rapporti*) to break up ◇ (*fam*) (*seccare*) to bother ♦ **vpr** to break

rompicàpo *sm* riddle, puzzle

rompighiàccio *sm* (*naut*) ice breaker ◇ (*attrezzo*) ice pick

rompiscàtole *sm/f* nuisance, pest

rónda *sf* rounds *pl*, patrol

rondèlla *sf* washer

róndine *sf* swallow

ronzàre *vi* to buzz, to hum ◇ (*girare*) to hang round

ronzìno *sm* nag

ròsa (1) *a/sm* pink

ròsa (2) *sf* (*bot*) rose ◇ (*gruppo di*

persone) group ● **r. dei venti** compass card

rosàrio *sm* rosary

ròseo *a* rosy

rosicchiàre *vt* to nibble, to gnaw (at)

rosmarìno *sm* rosemary

rosolàre *vt* to brown ◆ *vpr* to get brown ◇ (*fig*) to bask in the sun

ròspo *sm* toad

rossétto *sm* lipstick

rósso *a/sm* red

rosticcerìa *sf* rotisserie, (*USA*) delicatessen, deli

rotàia *sf* rail

rotazióne *sf* rotation ◇ (*di personale, scorte*) turnover

rotèlla *sf* small wheel, (*di pattino*) roller

rotolàre *vt/i* to roll

ròtolo *sm* roll, (*di corda*) coil

rotónda *sf* (*arch*) rotunda ◇ (*terrazza*) round terrace ◇ (*stradale*) roundabout, (*USA*) traffic circle

rotóndo *a* round

rótta (1) *sf* (*sconfitta*) rout, retreat ● **a r. di collo** headlong; **essere in r. con qn** to be on bad terms with sb

rótta (2) *sf* (*aer*) course, route

rottàme *sm* scrap

rottùra *sf* break, breaking

rótula *sf* kneecap, rotula

roulotte *sf* caravan, (*USA*) trailer

róvere *sm/f* durmast

rovesciàre *vt* to upset, to knock over, to overturn ◇ (*rivoltare*) to turn inside out ◇ (*versare*) to pour, (*accidentalmente*) to spill ◇ (*abbattere*) to overthrow ◆ *vpr*

to overturn, (*capovolgersi*) to capsize ◇ (*versarsi*) to spill ◇ (*riversarsi*) to pour

rovèscio *a* (*capovolto*) upside down, (*con l'interno all'esterno*) inside out ◆ *sm* reverse, back, other side ◇ (*opposto*) opposite ◇ (*lavoro a maglia*) purl (stitch) ◇ (*tennis*) backhand ◇ (*di pioggia*) heavy shower ◇ (*dissesto*) setback

rovìna *sf* ruin

rovinàre *vt* to ruin, (*guastare*) to spoil ◇ (*abbattere*) to demolish, to pull down ◆ *vi* to crash, to collapse ◆ *vpr/rif* to be ruined

róvo *sm* bramble

rózzo *a* rough, coarse

rubàre *vt* to steal

rubinétto *sm* tap, (*USA*) faucet

rubìno *sm* ruby

rubrìca *sf* (*quaderno*) index-book, (*per indirizzi*) address-book ◇ (*di giornale*) column, survey ◇ (*tel*) phone book

rùde *a* rough, harsh

rùdere *sm* ruin

rudiménto *sm* rudiment

rùga *sf* wrinkle

rùggine *sf* rust

ruggìre *vi* to roar

rugiàda *sf* dew

rugóso *a* (*di viso*) wrinkled ◇ (*scabro*) rough

rùllo *sm* roll, (*di macchina per scrivere*) platen ● **r. compressore** steamroller

ruminànte *a/sm* ruminant

rumóre *sm* noise

rumoróso *a* noisy

ruòlo *sm* role

ruòta *sf* wheel ● *r. di scorta* spare wheel

ruotàre *vt* to rotate, (*occhi*) to roll ◆ *vi* to rotate, to revolve ◇ (*roteare*) to circle (round), to wheel about

rùpe *sf* cliff, rock

rupèstre *a* rocky

ruràle *a* rural, country

ruscèllo *sm* brook

rùspa *sf* scraper, bulldozer

ruspànte *a* farmyard

russàre *vi* to snore

rùsso *a/sm* Russian

rùstico *a* country, rustic, rural ◇ (*rozzo*) rough

ruttàre *vi* to burp

rùtto *sm* burp

rùvido *a* rough, coarse

ruzzolàre *vi* (*cadere*) to tumble down ◇ (*rotolare*) to roll

S

sàbato *sm* Saturday

sabbàtico *a* sabbatical

sàbbia *sf* sand

sabbiatùra *sf* sand bath ◇ (*tecn*) sandblasting

sabotàggio *sm* sabotage

sabotàre *vt* to sabotage

sàcca *sf* bag, knapsack

saccarina *sf* saccharine

saccènte *a* pedantic, (*presuntuoso*) conceited ◆ *sm/f* know-all

saccheggiàre *vt* to sack, to pillage, to plunder, to loot

sacchéggio *sm* sack, pillage, plunder

sacchétto *sm* bag

sàcco *sm* sack, bag ◇ (*grande quantità*) a lot, lots *pl*, a great deal, heaps *pl* ● *s. a pelo* sleeping bag

sacerdòte *sm* priest

sacerdòzio *sm* priesthood

sacraménto *sm* sacrament

sacrificàre *vt* to sacrifice ◇ (*sprecare*) to waste ◆ *vi* to offer

sacrifices ◆ *vrif* to sacrifice oneself

sacrificio *sm* sacrifice

sacrilègio *sm* sacrilege

sàcro *a* sacred, holy ◇ (*consacrato*) consecrated, dedicated

sàdico *a* sadistic ◆ *sm* sadist

sadomasochismo *sm* sadomasochism

saétta *sf* (*freccia*) arrow ◇ (*fulmine*) thunderbolt, flash of lightning

sagàce *a* shrewd, sagacious

saggézza *sf* wisdom

saggiàre *vt* (*analizzare*) to assay ◇ (*fig*) to test, to try out

sàggio (1) *a* wise ◆ *sm* wise man

sàggio (2) *sm* (*prova*) test, trial, (*met*) assay ◇ (*campione*) sample ◇ (*dimostrazione*) proof ◇ (*scritto*) essay

sàgola *sf* line

sàgoma *sf* (*forma*) shape, outline, profile ◇ (*tecn*) template ◇ (*bersaglio*) target ◇ (*fam*) (*persona stramba*) character

sàgra sf festival, feast

sagràto sm church square

sagrestìa sf sacristy

sàio sm habit

sàla sf hall, room ● s. da pranzo dining room, (in locali pubblici) lounge; s. d'aspetto waiting room; s. operatoria operating theatre

salàme sm salami

salamòia sf brine, pickle

salàre vt to salt, (per conservare) to corn

salàrio sm wage, salary

saldàre vt (met) to weld ◇ (unire) to link up with, to join ◇ (comm) to settle, to pay off, to balance ♦ vpr (met) to weld ◇ (di ossa) to knit ◇ (unirsi) to tie up, to link

saldatóre sm welder

saldatùra sf (met) welding ◇ (fig) link, connection

sàldo sm (importo residuo) settlement, balance ◇ (resto) rest, balance ◇ (svendita) sale

sàle sm salt ● s. grosso coarse salt; sotto s. salted

sàlice sm willow ● s. piangente weeping willow

salièra sf saltcellar

salìre vi to rise, to climb, to go up, to come up ◇ (su un mezzo di trasporto) to get on ◇ (fig) to rise, to go up ♦ vt to climb, to go up, to ascend

salìta sf slope, ascent ◇ (il salire) climbing, ascent ◇ (aumento) rise, increase

salìva sf saliva, spittle

sàlma sf corpse

salmì sm salmi

sàlmo sm psalm

salmóne sm salmon ● s. affumicato smoked salmon

salóne sm hall ◇ (per esposizione) showroom

salòtto sm drawing room, sitting room ◇ (letterario) salon ● fare s. to gossip, to chat

salpàre vt to weigh ♦ vi to (set) sail, to set sail

sàlsa sf sauce ● s. di soia soy sauce

salsìccia sf sausage

salsièra sf sauce boat, gravy boat

saltàre vt to jump (over), to leap (over), to skip ♦ vi to jump, to leap, to spring ◇ (esplodere) to blow up, to pop out

saltimbànco sm acrobat, tumbler

sàlto sm jump, leap, spring ◇ (omissione) gap

saltuàrio a irregolar, occasional

salùbre a salubrious, wholesome, healthy

salumerìa sf delicatessen (shop)

salùmi sm pl charcuterie, cold cuts pl

salutàre (1) vt to greet, to say hello to, (partendo) to say goodbye to ◇ (mil) to salute ◇ (fare visita) to call (in) ♦ vrif to greet each other, to say goodbye to each other

salutàre (2) a wholesome, healthy, salutary

salùte sf health

salùto sm greeting, salutation

salvadanàio sm money-box, (a forma di maialino) piggy-bank

salvagènte *sm* (*ciambella*) life buoy, (*giubbotto*) life jacket, (*cintura*) life belt

salvaguardàre *vt* to safeguard, to protect

salvàre *vt* to save, (*trarre in salvo*) to rescue ◇ (*mettere da parte*) to put aside, to save ◇ (*inform*) to save ◆ *vrif* to save oneself, to survive ◇ (*evitare*) to be spared

salvatàggio *sm* rescue ● *battello di s.* life boat, (*zattera*) life raft; *cintura di s.* (life-)harness

sàlve *inter* hello!, hi!

salvézza *sf* salvation ◇ (*sicurezza*) safety ◇ (*scampo*) escape

sàlvia *sf* sage

salviétta *sf* (*tovagliolo*) serviette, napkin ◇ (*asciugamano*) towel

sàlvo (1) *a* safe ◇ (*al sicuro*) secure ● *mettersi in s.* to reach safety

sàlvo (2) *prep* (*tranne*) except (for), but ◇ (*a parte*) apart from ◆ *cong s. che* except that, (*a meno che*) unless

sanàre *vt* to cure ◇ (*correggere*) to rectify, to correct ◇ (*econ*) to balance, to put right

sanatòrio *sm* sanatorium

sancìre *vt* to sanction

sàndalo (1) *sm* (*bot*) sandal, sandalwood

sàndalo (2) *sm* (*calzatura*) sandal

sàngue *sm* blood ● *al s.* (*di carne*) rare, underdone; *a s. freddo* in cold blood

sanguìgno *a* blood, sanguineous

sanguinàre *vi* to bleed

sanguisùga *sf* leech

sanità *sf* soundness, (*salubrità*) wholesomeness ◇ (*ente sanitario*) health board

sanitàrio *a* sanitary, health ● *certificato s.* health certificate

sàno *a* healthy, wholesome, (*senza difetto*) sound ◇ (*salubre*) healthy, healthful, wholesome ◇ (*saggio*) sound ● *s. e salvo* safe and sound

santità *sf* holiness, sanctity

sànto *a* holy, (*seguito da nome proprio*) Saint ◆ *sm* saint

santuàrio *sm* sanctuary, shrine

sanzióne *sf* sanction

sapére (1) *vt* to know ◇ (*venire a sapere*) to hear, to learn, to know ◇ (*essere capace*) can, to be able, to know how ◆ *vi* to know ◇ (*venire a conoscenza*) to hear, to learn ◇ (*aver sapore*) to taste, (*aver odore*) to smell ◇ (*pensare*) to think

sapére (2) *sm* knowledge, (*cultura*) learning

sàpido *a* flavourful, sapid

sapiènte *a* (*saggio*) wise ◇ (*colto*) learned ◇ (*abile*) skilful

sapóne *sm* soap

sapóre *sm* taste, flavour ◇ (*fig*) spice

saporìto *a* tasty, flavourful

saracinésca *sf* (rolling) shutter

sarcàsmo *sm* sarcasm

sarcàstico *a* sarcastic

sarcòfago *sm* sarcophagus

sardìna *sf* sardine

sàrdo *a/sm* Sardinian

sàrta *sf* dressmaker

sàrto *sm* tailor

sartorìa sf tailor's (workshop), dressmaker's

sàsso sm stone, rock, (ciottolo) pebble

sassòfono sm saxophone, sax

satànico a satanic

satellitàre a satellite

satèllite sm satellite

sàtira sf satire

satìrico a satiric(al)

saturazióne sf saturation

sàuna sf sauna

savàna sf savanna(h)

saziàre vt to satisfy, to sate, to glut ◇ (riempire) to fill ♦ vrif to get full, to become satiated ◇ (fig) to get tired

sàzio a satiated, glutted, full (up) (fam)

sbadàto a careless ♦ sm scatter-brain

sbadigliàre vi to yawn

sbadiglio sm yawn

sbagliàre vt to mistake, to go wrong ♦ vi/pr to make a mistake, to be wrong, to be mistaken

sbàglio sm mistake, error • per s. by mistake

sballottàre vt to toss (about), to push (about)

sbalordìre vt to amaze, to aston-ish ♦ vi/pr to be amazed, to be astonished

sbalzàre vt to throw, to toss, to fling ◇ (lavorare a sbalzo) to emboss

sbàlzo sm jolt, jerk ◇ (cambia-mento) sudden change, jump ◇ (sporgenza) overhang ◇ (rilie-vo) embossment

sbandaménto sm (aut) sliding,

veering ◇ (naut) heeling ◇ (fig) leaning, disorientation

sbandàre vi (aut) to slide ◇ (naut) to heel ◇ (fig) to lean ♦ vpr to disperse, to disband

sbandieràre vt to wave ◇ (fig) to display, to show off

sbaragliàre vt to rout, to beat

sbarazzàre vt to clear up ♦ vrif to get rid, to rid oneself

sbarbàre vt/rif to shave

sbarcàre vt to disembark, (da aereo) to land, (da autobus) to put down, (merci) to unload ♦ vi to land, to get off

sbàrco sm landing, (di merci) unloading

sbàrra sf bar

sbarràre vt to bar, to block, to obstruct ◇ (gli occhi) to open wide ◇ (segnare con barra) to cross

sbàttere vt (battere) to knock, to bang, to beat ◇ (sbatacchiare) to bang, to slam ◇ (gettare) to hurl, to fling, (buttare fuori) to throw out ◇ (agitare) to shake, to toss ♦ vi (di porta, finestra) to bang, to slam ◇ (di ali, vele) to flap • s. le uova to beat the eggs

sbattùto a (frullato) beaten ◇ (stanco) tired out

sbavàre vi to dribble ◇ (di in-chiostro) to smudge

sbèrla sf slap, cuff

sberlèffo sm sneer

sbiadìre vt/i/pr to fade

sbiancàre vt to whiten, (tessuto) to bleach ♦ vpr to turn white ◇ (impallidire) to go pale

sbièco *a* sloping, aslant, oblique ◆ *sm* bias

sbigottìre *vt* to bewilder, to astonish, (*turbare*) to dismay ◆ *vi/pr* to be bewildered, to be astonished, (*turbarsi*) to be dismayed

sbilanciàre *vt* to unbalance, to throw off the balance ◆ *vpr* to lose one's balance

sbirciàre *vt* to peep, to glance at

sbìrro *sm* (*spreg*) cop

sbloccàre *vt* to unblock, to free ◇ (*mecc*) to unlock, to release ◇ (*econ*) to decontrol ◆ *vpr/rif* to reopen, to restart ◇ (*psic*) to get over

sboccàre *vi* (*di corso d'acqua*) to flow into ◇ (*di strada*) to lead to, to come out

sbócco *sm* outlet, (*di fiume*) mouth, (*uscita*) way out

sbollìre *vi* to stop boiling ◇ (*fig*) to cool down

sbòrnia *sf* drunkenness

sborsàre *vt* to pay out, to spend

sbottàre *vi* to burst out

sbottonàre *vt* to unbutton ◆ *vrif* to undo one's buttons ◇ (*fig*) to open one's heart

sbraitàre *vi* to shout

sbranàre *vt* to tear to pieces

sbriciolàre *vt/pr* to crumble

sbrigàre *vt* to dispatch, to get through, to finish off ◆ *vpr* to hurry up, to be quick

sbrigativo *a* speedy, (*affrettato*) hasty

sbrinàre *vt* to defrost

sbrodolàre *vt* to soil ◆ *vrif* to soil oneself

sbrogliàre *vt* to disentangle, to unravel ◆ *vrif* to extricate oneself, to get oneself out of

sbronzàrsi *vrif* to get drunk

sbrónzo *a* drunk

sbruffóne *sm* boaster

sbucàre *vi* to come out of ◇ (*fig*) to spring

sbucciàre *vt* to peel ◇ (*sgranare*) to shell ◇ (*produrre un'abrasione*) to graze

sbuffàre *vi* to puff, to pant ◇ (*per noia*) to grumble, to snort ◇ (*gettare sbuffi di fumo*) to puff away

scabróso *a* rough ◇ (*fig*) scabrous, delicate

scacchièra *sf* (*per scacchi*) chessboard, (*per dama*) draughtboard

scacciàre *vt* to chase away, to drive away, to drive out, to expel

scàcco *sm* (*quadratino di scacchiera*) square, (*disegno*) check ◆ *al pl* (*gioco*) chess ◇ (*sconfitta*) loss, setback

scaccomàtto *sm* checkmate ● *dare s.* to checkmate

scadènte *a* poor, second-rate

scadènza *sf* expiry, (*ultima data utile*) deadline ● *data di s.* expiration date, (*di pagamento*) due date; *in s.* falling due, expiring

scadére *vi* to expire, to be due, to mature ◇ (*peggiorare*) to fall off

scafàndro *sm* diving suit

scaffàle *sm* shelf, bookcase

scàfo *sm* hull

scagionàre *vt* to exculpate

scàglia *sf* scale, (*di sapone*) flake

scagliàre vt to hurl, to throw ◆ **vrif** to hurl oneself, to throw oneself, to rush

scaglionàre vt to space out, to spread

scaglióne sm (*gruppo*) group, batch ◇ (*mil*) echelon ◇ (*classe*) bracket

scàla sf staircase, stairs pl, (*portatile*) ladder ◇ (*mat*) scale ● **s. antincendio** fire escape; **s. a pioli** ladder; **s. mobile** escalator

scalàre vt to scale, to climb (up) ◇ (*detrarre*) to scale down, to take off

scalàta sf climbing

scalatóre sm climber

scaldabàgno sm water heater

scaldàre vt to heat, to warm ◆ vi to warm, to give out heat ◆ **vrif** to warm oneself ◆ **vpr** to heat up, to warm up ◇ (*eccitarsi*) to get excited

scalétta sf list ◇ (*cin*) treatment

scalfire vt to scratch ◇ (*fig*) to touch, to affect

scalinàta sf flight of steps

scalìno sm step

scàlo sm call ◇ (*porto*) port, (*aeroporto*) airport ◇ (*impalcatura per navi*) slip ● **s. merci** goods yard; **volo senza s.** non-stop flight

scalógna sf bad luck

scaloppìna sf escalope

scalpèllo sm chisel ◇ (*med*) scalpel

scalpóre sm noise, sensation

scàltro a shrewd, sly, cunning

scalzàre vt to bare the roots of ◇ (*fig*) to undermine

scàlzo a barefoot

scambiàre vt to exchange, to swap ◇ (*confondere*) to mistake ◆ **vrif** to exchange ● **s. una visita** to return a visit

scàmbio sm exchange ◇ (*ferr*) points pl, (*USA*) switch

scampagnàta sf outing, picnic

scampàre vt to save, to rescue ◇ (*evitare*) to avoid, to escape ◆ vi to escape ◇ (*rifugiarsi*) to take refuge

scàmpo (1) sm escape, safety

scàmpo (2) sm (*zool*) prawn

scàmpolo sm remnant

scanalatùra sf groove ◇ (*arch*) flute, fluting

scàndalo sm scandal

scandalóso a scandalous, shocking

scandìnavo a/sm Scandinavian

scandìre vt (*versi*) to scan ◇ (*parole*) to articulate, to pronounce ◇ (*mus*) to stress

scansafatiche sm/f lazybones pl (v al sing)

scansàre vt (*spostare*) to move aside ◇ (*evitare*) to avoid, to escape ◆ **vrif** to step aside

scantinàto sm basement

scantonàre vi to turn the corner, (*svignarsela*) to slip away

scàpito sm detriment

scàpola sf scapula, shoulder-blade

scàpolo a unmarried, single ◆ sm bachelor

scappaménto sm exhaust ● **tubo di s.** exhaust pipe

scappàre vi (*fuggire*) to flee, to run away, to get away, to escape

◇ (*andarsene in fretta*) to rush ◇ (*sfuggire*) to slip

scappàta *sf* call, short visit • *fare una s. da qn* to drop by sb

scappatóia *sf* way out, loophole

scarabèo *sm* beetle

scarabocchiàre *vt* to scribble, to scrawl

scarafàggio *sm* cockroach

scaramùccia *sf* skirmish

scaraventàre *vt* to hurl, to fling

scarceràre *vt* to release, to set free

scarcerazióne *sf* release

scardinàre *vt* to unhinge

scàrica *sf* discharge, (*di proiettili*) volley

scaricàre *vt* to unload, to discharge, to release, (*deporre*) to set down ◇ (*riversare*) to discharge, to empty ◇ (*registrare in uscita*) to write down, to cancel ◇ (*detrarre*) to deduct ◇ (*inform*) to download ♦ *vrif* to unburden oneself ◇ (*rilassarsi*) to unwind ♦ *vpr* (*perdere la carica*) to run down ◇ (*sfociare*) to flow

scàrico *a* unloaded, (*di orologio*) run-down, (*di batteria*) flat, (*USA*) dead ♦ *sm* unloading, discharging ◇ (*di rifiuti*) dumping ◇ (*registrazione in uscita*) cancellation ◇ (*di motore*) exhaust • *tubo di s.* wastepipe, drainpipe

scarlattìna *sf* scarlatina, scarlet fever

scarlàtto *a* scarlet

scàrno *a* (*magro*) lean, skinny ◇

(*inadeguato*) meagre, inadequate ◇ (*spoglio*) bare

scàrpa *sf* shoe • *scarpe da ginnastica* sneakers, gymshoes

scarpàta *sf* slope, escarpment

scarpièra *sf* shoe rack

scarpinàta *sf* long walk, tramp

scarpóne *sm* boot

scarseggiàre *vi* to be lacking, to be short, to run out

scarsità *sf* scarceness, scarcity, shortage, (*mancanza*) lack

scàrso *a* scarce, scanty, poor, (*manchevole*) lacking

scartamènto *sm* gauge

scartàre (1) *vt* to unwrap ◇ (*rifiutare*) to discard, to reject

scartàre (2) *vi* (*deviare*) to swerve

scàrto (1) *sm* discard, waste, scrap ◇ (*al gioco delle carte*) discard

scàrto (2) *sm* (*deviazione*) swerve, (*di cavallo*) shy ◇ (*margine*) spread, margin ◇ (*differenza*) difference

scassàre *vt* to break, to smash

scassinàre *vt* to break open

scassinatóre *sm* burglar, (*di banche*) bank robber, (*di cassaforte*) safebreaker

scatenàre *vt* (*suscitare*) to rouse, to set off ◇ (*aizzare*) to stir up ♦ *vpr* to break out, to burst out ◇ (*sfrenarsi*) to run wild

scàtola *sf* box, case, (*di cartone*) carton, (*di latta*) tin, can

scatolàme *sm* tins *pl*, cans *pl*, (*di generi alimentari*) tinned food, canned food

scattàre *vi* (*di congegno*) to go

off, to be released ◇ (*balzare*) to spring ◇ (*adirarsi*) to lose one's temper ◇ (*iniziare*) to start, to begin ♦ *vt* (*fot*) to take, to snap

scattista *sm/f* sprinter

scàtto *sm* (*mecc*) click, (*pezzo*) release ◇ (*balzo*) spring, burst ◇ (*impulso*) impulse, (*scatto d'ira*) fit ◇ (*aumento*) increase ◇ (*tel*) unit

scaturìre *vi* to spring ◇ (*derivare*) to originate, to result

scavalcàre *vt* to pass over, to climb over ◇ (*soppiantare*) to supplant ◇ (*superare*) to go ahead, to overtake

scavàre *vt* to dig, to excavate

scavatrìce *sf* excavator, digger

scàvo *sm* digging out, excavation ◇ *al pl* (*archeol*) excavation, (*min*) workings *pl*

scégliere *vt* to choose, to pick out, to select ◇ (*preferire*) to choose, to prefer

sceicco *sm* sheik(h)

scelleràto *a* wicked

scellino *sm* shilling

scélta *sf* choice, selection

scemàre *vi* to diminish, to lessen

scémo *a* stupid, silly ♦ *sm/f* idiot, moron

scémpio *sm* ruin

scèna *sf* scene ◇ (*scenario*) scenery ◇ (*palcoscenico*) stage, (*teat*) theatre ◇ (*finzione*) act

scenàrio *sm* (*teat*) scenery ◇ (*ambiente*) background

scenàta *sf* scene, row

scéndere *vi* to go down, to get down, to come down ◇ (*da un mezzo*) to get off, to get out ◇

(*presentare pendenza*) to descend, to slope, to run down ◇ (*calare, diminuire*) to fall, to drop, to decrease ◇ (*pendere*) to come down, to fall, to hang down ◇ (*di astro*) to go down, to sink ◇ (*fig*) (*abbassarsi*) to lower oneself ♦ *vt* to go down, to come down

sceneggiàto *sm* (*TV*) serial

sceneggiatóre *sm* scriptwriter

sceneggiatùra *sf* script

scenografìa *sf* set designing, set

scenògrafo *sm* set designer, scene painter

sceriffo *sm* sheriff

scervellàrsi *vpr* to rack one's brains

scèttico *a* sceptical

scèttro *sm* sceptre

schèda *sf* card ◇ (*elettorale*) voting paper ● *s. prepagata* prepaid phonecard; *s. ricaricabile* rechargeable card

schedàre *vt* to record, to register, to card index

schedàrio *sm* card index, file

schéggia *sf* splinter

schèletro *sm* skeleton

schèma *sm* scheme, pattern, outline, draft ◇ (*tecn*) diagram

schemàtico *a* schematic

schérma *sf* fencing

schermàglia *sf* skirmish

schermàre *vt* to screen, to shield

schermatùra *sf* screening, shielding

schérmo *sm* screen, shield ◇ (*inform*) display, screen ● *grande s.* big screen

schérno *sm* mockery, sneer

scherzàre *vi* to joke ◇ (*prendere alla leggera*) to trifle, to joke, to make light of

schérzo *sm* joke, jest, (*tiro*) trick ◇ (*inezia*) child's play, trifle ● *per s.* for fun, for a joke

scherzóso *a* joking, laughing

schèttino *sm* rollerskate

schiaccianóci *sm* nutcracker

schiacciàre *vt* to crush, to squeeze, to squash, (*premere*) to press ◇ (*ridurre in poltiglia*) to mash ◇ (*sopraffare*) to crush, to overwhelm ● *s. un sonnellino* to have a nap

schiaffeggiàre *vt* to slap, to smack, to cuff

schiàffo *sm* slap, smack, cuff

schiamàzzo *sm* din, row, racket

schiantàre *vt/pr* to break

schiànto *sm* crash

schiarìre *vt* to clear, to make clear ◇ (*sbiadire*) to fade ◆ *vi* to clear up, (*illuminarsi*) to brighten up ◇ (*sbiadire*) to fade

schiarìta *sf* clearing up

schiavitù *sf* slavery

schiàvo *a/sm* slave

schièna *sf* back ● *mal di s.* backache

schienàle *sm* back

schièra *sf* (*mil*) formation ◇ (*gruppo*) group, crowd

schieraménto *sm* array, formation ◇ (*fig*) line-up

schieràre *vt* (*mil*) to marshal, to draw up ◇ (*disporre in ordine*) to line up ◆ *vrif* to draw up, to line up ◇ (*parteggiare*) to side

schiètto *a* pure ◇ (*franco*) frank, open

schifézza *sf* filth, disgusting thing

schìfo *sm* disgust

schifóso *a* disgusting, revolting ◇ (*pessimo*) awful, dreadful

schioccàre *vt/i* (*frusta*) to crack, (*le dita*) to snap, (*le labbra*) to smack

schiodàre *vt* to unrivet, to unnail

schiòppo *sm* gun, rifle, shotgun

schiùdere *vt* to open (a little) ◆ *vpr* to open, (*bot*) to unfold ◇ (*di uova*) to hatch

schiùma *sf* foam, froth, (*di sapone*) lather

schiumóso *a* foamy, frothy, (*di sapone*) lathery

schivàre *vt* to avoid, to dodge

schìvo *a* averse, reluctant, shy

schizofrenìa *sf* schizophrenia

schizzàre *vt* to splash, to spatter, to squirt (out), to spurt (out) ◇ (*abbozzare*) to sketch ◆ *vi* to spurt, to squirt ◇ (*saltar fuori*) to jump, to spring ◆ *vrif* to splash oneself

schizzinóso *a* fussy

schìzzo *sm* squirt, spurt ◇ (*macchia*) splash, stain ◇ (*disegno*) sketch ◇ (*abbozzo*) draft

sci *sm* (*attrezzo*) ski, (*attività*) skiing ● *s. d'acqua* water-ski

scìa *sf* wake ◇ (*traccia*) trail, track

sciàbola *sf* sabre

sciacquàre *vt* to rinse

sciacquóne *sm* flush, flushing device

sciagùra *sf* disaster

sciaguràto *a* (*sfortunato*) unlucky, (*miserevole*) wretched ◇ (*malvagio*) wicked

scialacquare *vt* to squander, to waste

scialàre *vi* to squander money

scialbo *a* pale, faint ◇ (*fig*) dull

scialle *sm* shawl

scialùppa *sf* tender ● *s. di salva-taggio* lifeboat

sciame *sm* swarm

sciaràda *sf* charade

sciàre *vi* to ski

sciàrpa *sf* scarf

sciàtica *sf* sciatica

sciatóre *sm* skier

sciàtto *a* slovenly

scientifico *a* scientific

sciènza *sf* science, (*conoscenza*) knowledge

scienziàto *sm* scientist

scimmia *sf* monkey

scimmiottàre *vt* to ape

scimpanzé *sm* chimpanzee

scìndere *vt* to divide, to separate ◆ *vpr* to split

scintìlla *sf* spark

scintillàre *vi* (*mandare scintille*) to spark ◇ (*risplendere*) to shine, to sparkle, to twinkle

scintillìo *sm* sparkling, twinkling

sciocchézza *sf* foolishness, stupidity ◇ (*azione, parole*) folly, foolish thing, nonsense ◇ (*inezia*) trifle

sciòcco *a* silly, stupid ◆ *sm* fool

sciògliere *vt* to melt, to dissolve ◇ (*slegare*) to loose, to untie, to undo ◇ (*liberare*) to release, to set free ◇ (*risolvere*) to resolve, to solve ◇ (*porre fine, annullare*) to dissolve, to annul, to wind up ◆ *vpr/rif* (*slegarsi*) to loosen ◇ (*terminare*) to be dissolved, to break up ◇ (*liquefarsi*) to melt, to dissolve, (*di neve*) to thaw

scioglilìngua *sm* tongue-twister

scioltézza *sf* nimbleness, agility ◇ (*nel parlare*) fluency

sciòlto *a* (*liquefatto*) melted ◇ (*slegato*) untied, loose ◇ (*agile*) nimble ◇ (*disinvolto*) easy ◇ (*non confezionato*) loose ◇ (*annullato, concluso*) dissolved, closed

scioperàre *vi* to strike, to go on strike

sciòpero *sm* strike

sciovìa *sf* ski-lift

scippàre *vt* to snatch, to bag-snatch

scippatóre *sm* bag-snatcher

scìppo *sm* bag-snatching

sciròppo *sm* syrup

scìsma *sm* schism

scissióne *sf* split, division

sciupàre *vt* (*danneggiare*) to damage, to spoil ◇ (*sprecare*) to waste, to squander ◆ *vpr* to spoil, to get damaged

scivolàre *vi* to slide, to glide ◇ (*involontariamente*) to slip ◇ (*aut*) to skid

scìvolo *sm* slide ◇ (*aer*) slipway ◇ (*tecn*) chute

scivolóne *sm* slip

scivolóso *a* slippery

scleròsi *sf* sclerosis

scoccàre *vt* to shoot ◆ *vi* (*scattare*) to be released ◇ (*di ore*) to strike ◇ (*balenare*) to flash

scocciàre *vt* to bother, to pester ◆ *vpr* to be annoyed, to be fed up

scocciatùra *sf* bother, nuisance

scodèlla *sf* bowl, (*piatto fondo*) soup bowl

scoglièra *sf* cliff, reef

scòglio *sm* rock, reef ◇ (*fig*) difficulty

scoiàttolo *sm* squirrel

scolapàsta *sm* colander

scolapiàtti *sm* plate-rack

scolàre (1) *a* school

scolàre (2) *vt/i* to drain

scolarésca *sf* pupils *pl*

scolàro *sm* schoolchild, pupil

scolàstico *a* scholastic, school ● *tasse scolastiche* school fees

scoliòsi *sf* scoliosis

scollàre *vt* to unglue, to unstick ◆ *vpr* to get unstuck

scollatùra *sf* (*di abito*) neckline, neck

scollegàre *vt* to disconnect

scolorìre *vt* to discolour, to bleach ◆ *vi/pr* to fade, to lose colour

scolpìre *vt* to sculpt, to engrave, to cut, to carve

scombinàre *vt* to upset, to mess up

scombussolàre *vt* to upset, to unsettle

scomméssa *sf* bet, wager ◇ (*somma scommessa*) stake ● *fare una s.* to make a bet

scomméttere *vt* to bet, to wager ● *s. alle corse* to bet on horses

scomodàre *vt* to trouble, to disturb ◆ *vi* to be inconvenient ◆ *vrif* to trouble oneself

scòmodo *a* uncomfortable, inconvenient

scompagnàto *a* unmatched, odd

scomparìre *vi* to disappear

scompàrsa *sf* disappearance ◇ (*morte*) death ● *a s.* foldaway

scompàrso *a* missing

scompartiménto *sm* compartment, section

scompàrto *sm* compartment, section

scompigliàre *vt* (*sconvolgere*) to upset ◇ (*mettere in disordine*) to disarrange ◇ (*arruffare*) to ruffle

scompìglio *sm* mess, confusion

scomponìbile *a* decomposable, dismountable

scompórre *vt* (*smontare*) to take to pieces ◇ (*decomporre*) to decompose ◇ (*scompigliare*) to disarrange, to upset, (*arruffare*) to ruffle ◆ *vpr* to get upset

scomposizióne *sf* decomposition ◇ (*mat*) factorization

scomùnica *sf* excommunication

scomunicàre *vt* to excommunicate

sconcertànte *a* disconcerting

sconcertàre *vt* to disconcert, to bewilder ◆ *vpr* to be disconcerted, to be bewildered

sncóncio *a* indecent, obscene ◆ *sm* disgrace

scondìto *a* plain, undressed

sconfessàre *vt* to disavow, to repudiate

sconfìggere *vt* to defeat ◇ (*eliminare*) to eliminate

sconfinàre *vi* to cross the frontier, (*in una proprietà*) to trespass ◇ (*fig*) to digress from

sconfìtta *sf* defeat ◇ (*eliminazione*) elimination

sconfòrto sm discouragement, dejection

scongelàre vt to defrost, to thaw out ◇ (sbloccare) to unpeg, to unfreeze

scongiuràre vt (supplicare) to beseech, to implore ◇ (evitare) to avoid, to avert

sconnèsso a disconnected ◇ (fig) incoherent

sconosciùto a unknown ♦ sm stranger

sconsacràre vt to deconsecrate

sconsideràto a thoughtless, rash

sconsigliàre vt to advise against

sconsolànte a discouraging

sconsolàto a disconsolate, dejected

scontàre vt (banca) to discount ◇ (detrarre) to deduct ◇ (fare uno sconto) to reduce ◇ (espiare) to pay for, to atone for, (in carcere) to serve

scontàto a (banca) discounted ◇ (ribassato) reduced ◇ (espiato) paid for ◇ (previsto) foregone, expected

scontentàre vt to displease, to dissatisfy

scontènto a discontented, displeased ♦ sm discontent

scónto sm discount, rebate

scontràrsi vpr to clash ◇ (urtarsi) to collide

scontrino sm receipt, ticket, coupon, voucher ● s. fiscale receipt (for fiscal purposes)

scóntro sm (combattimento) encounter, fight ◇ (urto di veicoli)

collision, crash ◇ (contrasto) clash

scontróso a sullen, peevish

sconveniènte a improper, unsuitable

sconvòlgere vt to upset, to disturb, to throw into confusion

scópa sf broom

scopàre vt to sweep

scopèrta sf discovery ● andare alla s. to scout

scopèrto a uncovered ◇ (non vestito) bare ◇ (aperto) open ◇ (di conto, assegno) overdrawn, uncovered ♦ sm (banca) overdraft

scòpo sm aim, end, object, purpose

scoppiàre vt to burst, to explode ◇ (manifestarsi improvvisamente) to break out

scòppio sm burst, explosion ◇ (rumore) bang, crash ◇ (manifestazione improvvisa) outbreak

scoprìre vt (togliere ciò che copre) to uncover, to bare ◇ (mostrare) to disclose, to show ◇ (arrivare a conoscere) to discover, to find (out) ◇ (scorgere) to sight, to descry ◇ (mil) to expose ♦ vrif (di abiti, coperte) to throw off one's clothes ◇ (manifestarsi) to show oneself

scoraggiàre vt to discourage ♦ vpr to be discouraged

scorbùtico a cantankerous, peevish

scorciatóia sf short cut

scórcio sm (arte) foreshortening ◇ (visuale) (partial) view ◇ (di tempo) end, close

scordàre vt/pr to forget

scòrgere *vt* to make out, to see, to notice

scòria *sf* scoria, slag • *scorie radioattive* radioactive waste

scorpacciàta *sf* bellyful

scorpióne *sm* scorpion ◊ *(astr)* Scorpio

scorrazzàre *vi* to run about • *vt* to take around

scórrere *vi* to run, to glide, to slide ◊ *(fluire)* to flow, to stream ◊ *(di tempo)* to roll by, to pass • *vt* *(leggere in fretta)* to look through, to glance over

scorretto *a* incorrect, *(sleale)* unfair ◊ *(maleducato)* improper

scorrévole *a* flowing, fluent ◊ *(mecc)* sliding

scórso *a* last, past

scorsóio *a* running

scòrta *sf* escort ◊ *(provvista)* store, supply • *di s.* spare

scortàre *vt* to escort

scortése *a* rude, impolite

scortesìa *sf* rudeness, impoliteness ◊ *(azione scortese)* rude act

scorticàre *vt* to skin ◊ *(produrre un'abrasione in)* to graze

scòrza *sf* rind, peel, skin, *(di albero)* bark • *s. d'arancia* orange peel

scoscéso *a* steep

scòssa *sf* shake, shock ◊ *(di terremoto)* tremor, shock ◊ *(strattone)* jerk ◊ *(trauma)* shock • *prendere la s.* to get a shock

scòsso *a* shaken ◊ *(sconvolto)* upset

scossóne *sm* shake, jolt, jerk

scostànte *a* unfriendly, disagreeable

scostàre *vt* to move away, to push aside • *vrif* to move away, to stand aside ◊ *(fig)* to stray from

scottàre *vt* to burn, to scorch, *(con liquido)* to scald ◊ *(cuc)* to scald, *(rosolare)* to brown, to sear, *(fig)* to hurt, to sting • *vi* to be hot, to be burning • *vpr/rif* to burn oneself, to scorch oneself, *(con liquido)* to scald oneself ◊ *(fig)* to get one's fingers burnt

scottatùra *sf* burn, *(da liquido)* scald, *(da sole)* sunburn

scovàre *vt* to find (out)

scozzése *a* Scottish, *(cose)* Scotch • *sm/f* Scot, Scotsman *m*, Scotswoman *f* • *sm* *(lingua)* Scotch, Gaelic

screditàre *vt* to discredit • *vpr* to lose credit

screpolàre *vt* to crack, *(di pelle)* to chap • *vpr* to crack, *(di pelle)* to get chapped

screpolatùra *sf* cracking, *(di pelle)* chapping

scrèzio *sm* disagreement

scricchiolàre *vi* to creak

scrigno *sm* casket

scritta *sf* inscription, *(cartello)* poster, *(avviso)* sign, notice, *(su muro)* graffiti

scritto *a* written ◊ *(che reca scritte)* with writing on ◊ *(destinato)* destined • *sm* writing ◊ *(opera letteraria)* work, writing • *s. a mano* handwritten

scrittóio *sm* writing-desk

scrittóre *sm* writer

scrittùra *sf* writing, *(calligrafia)*

handwriting ◇ (*contabile*) entry, record ◇ (*dir*) deed, document ◇ (*contratto*) contract

scrivania *sf* (writing) desk

scrivere *vt* to write ◇ (*registrare*) to enter, to record ◇ (*redigere*) to draw up ♦ *vi* to write ●*s. a macchina* to type; *macchina per s.* typewriter

scroccóne *sm* moocher

scròfa *sf* sow

scrollàre *vt* to shake ♦ *vpr* to shake oneself ◇ (*fig*) to rouse oneself

scrosciàre *vi* to pelt, to roar

scròscio *sm* (*di pioggia*) shower ◇ (*fig*) roar, burst

scrostàre *vt* to scrape, to peel off ♦ *vpr* to peel off, to fall off

scrostatùra *sf* scraping, peeling

scrùpolo *sm* scruple ◇ (*impegno*) care ● *senza scrupoli* unscrupulous

scrupolóso *a* scrupulous

scrutàre *vt* to watch, to scan, to search

scrutìnio *sm* (*elettorale*) poll, ballot ◇ (*scolastico*) assignment of (a term's) marks

scucìre *vt* to unstitch ♦ *vpr* to come unstitched

scuderìa *sf* stable ◇ (*automobilistica*) racing team

scudétto *sm* (*sport*) championship, (*distintivo*) shield

scùdo *sm* shield

sculacciàre *vt* to spank

scultóre *sm* sculptor

scultùra *sf* sculpture

scuòcere *vi/p* to overcook

scuòla *sf* school ●*s. media* middle class, *s. media superiore* secondary school; *s. dell'obbligo* compulsory education

scuòtere *vt* to shake, to stir ◇ (*turbare*) to upset, to shake ◇ (*smuovere*) to rouse ♦ *vpr* to start, to jump ◇ (*fig*) to stir oneself, to rouse oneself

scùre *sf* axe

scurìre *vt* to darken ♦ *vi/pr* to grow dark

scùro *a/sm* dark

scùsa *sf* apology ◇ (*pretesto*) excuse ♦ *inter* sorry! ● *chiedere s. a qn* to apologize to sb

scusàre *vt* to excuse, (*perdonare*) to pardon, to forgive ◇ (*giustificare*) to justify ♦ *vrif* to apologize, to make one's excuses ◇ (*giustificarsi*) to justify oneself

sdégno *sm* disdain ◇ (*indignazione*) indignation, anger

sdentàto *a* toothless

sdoganàre *vt* to clear (customs)

sdolcinàto *a* mawkish, cloying

sdoppiàre *vt/p* to divide, to split (in two)

sdraiàre *vt* to lay, to lay down ♦ *vrif* to lie down

sdràio *sf* deckchair

sdrucciolévole *a* slippery

se *cong* (*condizionale, causale, concessivo*) if ◇ (*dubitativo*) whether, if ◇ (*desiderativo*) if only ●*se mai* if (ever), (*nel caso che*) in case; *se non* (*eccetto*) but, except

sé *pr.pers* (*compl ogg e ind*) oneself, him(self) *m*, her(self) *f*, it(-self) (*per cosa o animale*) them(selves) *pl* ●*da sé* self-

sebbène *cong* (al)though, even though

sécca *sf* shoal, shallows *pl* ● *fiume in s.* dry river

seccànte *a* annoying, tiresome

seccàre *vt* to dry (up) ◇ *(annoiare)* to bore, *(irritare)* to annoy ♦ *vpr (diventare secco)* to dry (up) ◇ *(annoiarsi)* to get bored, *(irritarsi)* to get annoyed

seccatùra *sf* bother, nuisance, bore

sécchio *sm* pail, bucket ● *s. della spazzatura* dustbin

sécco *a* dry ◇ *(seccato)* dried, *(appassito)* withered ◇ *(magro)* thin ◇ *(brusco)* sharp, *(freddo)* cold ● *restare a s. di qc* to run out of st

secessióne *sf* secession

secolàre *a* secular

sècolo *sm* century ◇ *(fig)* ages *pl*, years *pl*

secónda *sf (aut)* second gear ◇ *(seconda classe)* second class

secónda, a *loc.avv* **a s. di** depending on

secondàrio *a* secondary

secondìno *sm* jailer

secóndo (1) *a* second ♦ *sm (minuto secondo)* second ◇ *(secondo piatto)* second course

secóndo (2) *prep* in accordance with, according to

secondogènito *a/sm* secondborn

secrezióne *sf* secretion

sèdano *sm* celery

sedativo *a/sm* sedative

sède *sf* seat ◇ *(comm)* office,

(sede centrale) head office ● *la Santa Sede* the Holy See

sedentàrio *a* sedentary

sedére (1) *vi* to sit, to be seated ◇ *(mettersi a sedere)* to sit down, to take a seat ♦ *vpr* to sit, to sit down

sedére (2) *sm* bottom, backside

sèdia *sf* chair ● *s. a sdraio* deck chair; *s. a rotelle* wheelchair

sédici *a/sm* sixteen

sedìle *sm* seat

sedizióne *sf* sedition, rebellion

seducènte *a* seductive, fascinating

sedùrre *vt* to seduce, to allure ◇ *(affascinare)* to charm

sedùta *sf* sitting, session, *(riunione)* meeting ● *s. stante* immediately

seduttóre *a* seductive ♦ *sm* seducer

seduzióne *sf* seduction

séga *sf* saw

ségale *sf* rye

segàre *vt* to saw

segatùra *sf* sawdust

sèggio *sm* seat, chair ◇ *(stallo)* stall ◇ *(elettorale)* poll, polling station

sèggiola *sf* chair

seggiolìno *sm (per bambini)* baby's chair ◇ *(aer)* seat

seggiolóne *sm* high chair

seggiovìa *sf* chair-lift

segherìa *sf* sawmill

segménto *sm* segment

segnalàre *vt* to signal ◇ *(annunciare)* to announce, to report ◇ *(far conoscere)* to point out ♦ *vrif* to distinguish oneself

segnalazióne *sf* signalling, (*segnale*) signal

segnàle *sm* signal ● *s. d'allarme* warning signal; *s. orario* time signal; *s. stradale* road sign

segnalètica *sf* signs *pl*, signals *pl*

segnalìbro *sm* bookmark

segnapósto *sm* place card

segnapùnti *sm/f* (*persona*) scorekeeper ◇ (*tabellone*) scoreboard

segnàre *vt* to mark ◇ (*prendere nota di*) to write down, to register ◇ (*indicare*) to show, to mark, to read ◇ (*sport*) to score

ségno *sm* sign, mark ◇ (*cenno*) sign, gesture, (*con il capo*) nod ◇ (*indizio*) indication, sign, (*sintomo*) symptom ◇ (*prova*) mark, token, (*simbolo*) symbol ◇ (*bersaglio*) target ◇ (*limite*) limit, (*grado*) degree

segregazióne *sf* segregation, isolation

segréta *sf* dungeon

segretàrio *sm* secretary

segreterìa *sf* secretariat ◇ (*ufficio*) secretary's office ● *s. telefonica* answering machine, (*servizio*) answering service

segréto *a/sm* secret

seguàce *sm/f* follower

seguènte *a* following, next

segùgio *sm* (*zool*) bloodhound

seguìre *vt* to follow ◇ (*sorvegliare*) to supervise ◇ (*frequentare*) to attend ◆ *vi* to follow ◇ (*continuare*) to continue ◇ (*accadere*) to occur, to happen

séguito *sm* (*scorta*) retinue, train, suite ◇ (*insieme di segua-*

ci) followers *pl* ◇ (*sequela*) succession, series ◇ (*continuazione*) continuation ◇ (*effetto*) sequel, consequence ◇ (*consenso*) following ● *in s.* later on; *in s. a* in consequence of

sèi *a/sm* six

seicènto *a/sm* six hundred ● *il S.* the seventeenth century

sélce *sf* flint

selciàto *sm* pavement

selettìvo *a* selective

selezionàre *vt* to select, to pick out

selezióne *sf* selection ◇ (*tel*) dialling

sèlla *sf* saddle

sellàre *vt* to saddle

sellìno *sm* saddle, (*posteriore*) pillion

sélva *sf* wood

selvaggìna *sf* game

selvàggio *a* wild, savage

selvàtico *a* wild

semàforo *sm* traffic-light, (*ferr*) semaphore

sembiànza *sf* (*fattezze*) countenance, face ◇ (*apparenza*) appearance

sembràre *vi* to seem, to appear, to look (like) ◇ (*impers*) to seem, (*credere*) to think

séme *sm* seed, (*di frutto*) pip ◇ (*fig*) seed, cause ◇ (*delle carte da gioco*) suit

semènza *sf* seed

semèstre *sm* semester, half-year

semiàsse *sm* axle-shaft

semifinàle *sf* semifinal

semilavoràto *a* semifinished

seminàre *vt* to sow ◇ (*spargere*)

to scatter, to spread ◇ (*lasciare indietro*) to leave behind

seminàrio *sm* (*relig*) seminary ◇ (*università*) seminar

seminarìsta *sm* seminarist

seminfermità *sf* partial infirmity, (*mentale*) partial insanity

seminterràto *sm* basement

semmài *cong* if (ever), (*nel caso che*) in case

sémola *sf* bran

sémplice *a* (*di un solo elemento*) simple, single ◇ (*solo*) simple, mere ◇ (*non ricercato*) simple, plain ◇ (*facile*) easy, simple ◇ (*di basso grado*) common, ordinary

semplicità *sf* simplicity

semplificàre *vt* to simplify

sèmpre *avv* always, all the time ◇ (*senza interruzione*) always, throughout, ever ◇ (*ancora*) still ● *s. che* provided (that), as long as; *per s.* for ever; *s. meglio* better and better; *s. peggio* worse and worse

sempreverde *a/sm/f* evergreen

sènape *a/sf* mustard

senàto *sm* senate

senatóre *sm* senator

senilità *sf* senility

sénno *sm* sense, judgment ● *col s. di poi* with hindsight

séno *sm* breast, bosom ◇ (*mat*) sine ◇ (*anat*) sinus

sensàto *a* sensible

sensazionàle *a* sensational, thrilling

sensazióne *sf* sensation, feeling ◇ (*scalpore*) sensation

sensìbile *a* (*che ha sensibilità*)

sensitive ◇ (*che si percepisce coi sensi*) sensible ◇ (*rilevante*) notable, considerable

sensibilità *sf* sensitivity ◇ (*scient*) sensibility

sènso *sm* sense ◇ (*sensazione*) sensation, feeling ◇ (*significato*) sense, meaning ◇ (*direzione*) direction, way ● *buon s.* common sense; *s. unico* one-way, one-way only; *avere s.* to make sense

sensuàle *a* sensual

sentènza *sf* (*dir*) sentence ◇ (*massima*) saying

sentièro *sm* path, track

sentimentàle *a* sentimental

sentiménto *sm* sentiment, feeling

sentinèlla *sf* sentry

sentìre *vt* to feel ◇ (*gustare*) to taste ◇ (*odorare*) to smell ◇ (*udire*) to hear, (*ascoltare*) to listen to ◆ *vi* (*udire*) to hear ◆ *vrif* to feel ● *sentirsi bene/male/stanco* to feel well/ill/tired; *sentirsela* to feel like

sènza *prep* (*mancanza*) without ◇ (*negazione*) un-, in-, -less (*con agg e avv*) ◇ (*esclusione*) excluding ◆ *cong* without (*col gerundio*) (ES: **s. mangiare** without eating)

separàre *vt* to separate, to divide, to part ◆ *vrif* to separate, to part

separazióne *sf* separation

sepolcràle *a* sepulchral

sepólcro *sm* grave, sepulchre

sepólto *a* buried

sepoltùra sf burial ◇ (sepolcro) grave
seppellìre vt to bury
séppia sf cuttlefish
sequènza sf sequence
sequestràre vt (dir) to seize, to sequestrate, to confiscate ◇ (portar via) to take away ◇ (rapire una persona) to kidnap
sequèstro sm sequestration, seizure ◇ (di persona) kidnapping
sequòia sf redwood, sequoia
séra sf evening, night ● di s. in the evening
seràle a evening, night
seràta sf evening, night ◇ (spettacolo) performance
serbàre vt (mettere da parte) to lay aside ◇ (conservare) to keep ◆ vrif to keep, to remain
serbatóio sm tank, reservoir
serenità sf serenity
seréno a clear, serene ◇ (fig) calm, tranquil ◆ sm clear sky
sergènte sm sergeant
seriàle a serial
sèrie sf series ◇ (assortimento) set ◇ (fila) row, line ◇ (sport) division, league ● s. A first division, big league, (football) premier league, (baseball) major league; di s. B second division, (fig) second-rate; numero di s. serial number; produzione in s. mass production
serietà sf seriousness ◇ (gravità) gravity
serigrafìa sf silk-screen printing, serigraphy
sèrio a serious, earnest ◇ (grave) serious, grave

sermóne sm sermon
serpeggiàre vi to wind, to meander ◇ (insinuarsi) to spread
serpènte sm snake ◇ (pelle) snakeskin
sèrra sf greenhouse
serrànda sf shutter
serràre vt to shut, to close, (a chiave) to lock ◇ (stringere) to tighten, to clasp ◇ (incalzare) to press hard upon ◆ vrif to lock oneself ◆ vpr to tighten
serràta sf lock-out
serratùra sf lock
servìle a servile, slavish ◇ (gramm) auxiliary
servìre vt to serve, to attend ◇ (di persona di servizio) to wait on ◇ (offrire cibi) to serve, to help ◇ (dare le carte) to deal ◆ vi (prestare servizio) to serve ◇ (a tavola) to serve, to wait ◇ (giovare) to serve, to be of use ◇ (fare l'ufficio di) to serve, to act as ◇ (sport) to serve ◇ (occorrere) to need ◆ vpr (usare) to use, to make use of ◇ (a tavola) to help oneself ◇ (fornirsi) to buy, to get, (abitualmente) to be a steady customer
servitù sf servitude, slavery ◇ (personale di servizio) servants pl
servìzio sm service ◇ (mil) service, duty ◇ (favore) favour ◇ (serie di oggetti) set, service ◇ (giornalistico) report ◇ al pl services pl ● s. clienti customer service; in s. on duty; fuori s. out of duty, (non funzionante) out of order; servizi igienici bathroom

sèrvo *sm* servant

servocomàndo *sm* servocontrol

servofréno *sm* brake booster

servostèrzo *sm* power steering

sessànta *a/sm* sixty

sessióne *sf* session

sèsso *sm* sex ◆ *fare s.* to have sex

sessuàle *a* sexual, sex

sessualità *sf* sexuality

sèsto *a/sm* sixth

séta *sf* silk

setacciàre *vt* to sieve, to sift ◊ (*fig*) to search

setàccio *sm* sieve

séte *sf* thirst ◆ *avere s.* to be thirsty

sétola *sf* bristle

sètta *sf* sect

settànta *a/sm* seventy

settàre *vt* to set up

settàrio *sm* sectarian, (*fazioso*) factious

sètte *a/sm* seven

settèmbre *sm* September

settentrionàle *a* northern, north

settentrióne *sm* north

sèttico *a* septic

settimàna *sf* week

settimanàle *a* weekly, week ◆ *sm* weekly (magazine)

sèttimo *a/sm* seventh

sètto *sm* septum

settóre *sm* sector ◊ (*fig*) field, area, sector

severità *sf* severity, strictness, rigour

sevèro *a* severe, strict ◊ (*sobrio*) austere

sevizia *sf* torture

seviziàre *vt* to torture ◊ (*violentare*) to rape

sezionàre *vt* to dissect

sezióne *sf* section ◊ (*reparto*) division, department

sfacciatàggine *sf* impudence, cheekiness

sfacciàto *a* impudent, cheeky ◊ (*di colore*) gaudy

sfamàre *vt* to feed ◆ *vrif* to appease one's hunger, to feed oneself

sfàrzo *sm* pomp, magnificence

sfasaménto *sm* (*el*) phase displacement ◊ (*stordimento*) bewilderment, confusion

sfasciàre (1) *vt* (*sbendare*) to unbandage

sfasciàre (2) *vt* (*rompere*) to shatter, to smash ◊ (*fig*) to break up ◆ *vpr* to fall to pieces, to break up

sfatàre *vt* to discredit

sfavorévole *a* unfavourable

sfèra *sf* sphere ◊ (*mecc*) ball

sfèrico *a* spheric(al)

sferràre *vt* to land, to deliver

sferzàre *vt* to whip ◊ (*fig*) to lash out at, (*incitare*) to drive

sfida *sf* challenge

sfidàre *vt* to challenge, to defy ◊ (*affrontare*) to face, to brave ◆ *vrif* to challenge each other

sfidùcia *sf* mistrust, distrust ◊ (*pol*) vote of no confidence

sfiguràre *vt* to disfigure, to spoil ◆ *vi* to cut a poor figure

sfilàre *vt* to unthread ◊ (*togliere di dosso*) to slip off ◆ *vpr* to unravel

sfilàta *sf* parade ◊ (*serie*) string ◆ *s. di moda* fashion show

sfinge *sf* sphinx

sfinire *vt* to exhaust, to wear out ♦ *vpr* to wear oneself out

sfioràre *vt* to graze, to skim ◇ (*fig*) to touch on ◇ (*stare per raggiungere*) to be on the verge of

sfiorire *vi* to fade, to wither

sfocàto *a* (*fot*) out of focus, blurred ◇ (*fig*) hazy, vague

sfociàre *vi* to flow (into) ◇ (*fig*) to result (in)

sfoderàre *vt* (*togliere la fodera*) to remove the lining ◇ (*sguainare*) to unsheathe ◇ (*ostentare*) to make a display (of)

sfogàre *vt* to give vent to, to let out ♦ *vi* to come out ♦ *vpr* to relieve one's feelings, to open one's heart ◇ (*prendersela*) to take it out ◇ (*levarsi la voglia*) to take one's fill

sfoggiàre *vt* to show off

sfòglia *sf* (*lamina*) foil ◇ (*pasta sfoglia*) puff pastry

sfogliàre (1) *vt* (*togliere le foglie*) to strip the leaves off, (*un fiore*) to pluck the petals off ♦ *vpr* to lose leaves, (*di fiore*) to shed petals

sfogliàre (2) *vt* (*scorrere frettolosamente*) to leaf through, to turn over the pages of ♦ *vrif* (*sfaldarsi*) to flake

sfógo *sm* vent, outlet ◇ (*eruzione cutanea*) rash ◇ (*di sentimenti*) outburst, relief

sfolgorànte *a* blazing, shining

sfollàre *vt* to disperse, to clear, to evacuate ♦ *vi* to disperse, to evacuate

sfoltire *vt* to thin (out) ◇ (*fig*) to cut, to reduce

sfondàre *vt* (*rompere il fondo di*) to knock the bottom out of, to break the bottom of ◇ (*rompere passando*) to break through, to break down, (*una porta*) to break open ◇ (*mil*) to break through ♦ *vi* to make a name for oneself, to have success ♦ *vpr* to break at the bottom

sfóndo *sm* background

sformàre *vt* (*togliere la forma*) to put out of shape ◇ (*togliere dalla forma*) to remove from the mould, to turn out ♦ *vpr* to lose one's shape

sfornàre *vt* to take out of the oven ◇ (*produrre*) to bring out

sfornìto *a* deprived, (*di merci*) unstocked

sfortùna *sf* bad luck, ill luck, (*disgrazia*) misfortune

sfortunàto *a* unlucky, unfortunate ◇ (*con esito negativo*) unsuccessful

sforzàre *vt* to force, to strain ♦ *vpr* to force oneself, to strive

sfòrzo *sm* effort, strain ◇ (*mecc*) stress, strain

sfrattàre *vt* to turn out, to evict

sfràtto *sm* eviction

sfrecciàre *vi* to speed

sfregàre *vt* to rub, (*per pulire*) to polish ◇ (*graffiare*) to scratch

sfregiàre *vt* to slash, to disfigure

sfrégio *sm* slash, cut

sfrenàto *a* unbridled, unrestrained

sfrontàto *a* impudent

sfruttaménto *sm* exploitation

sfruttàre *vt* to exploit, to overwork, to utilize ◇ *(approfittare di)* to exploit, to take advantage of, to profit by ◇ *(utilizzare al meglio)* to make the most of

sfruttatóre *sm* exploiter

sfuggìre *vi* to escape ◇ *(cadere di mano)* to slip, to drop ◆ *vt* to avoid

sfumàre *vi* to vanish, to disappear, to fade (away) ◇ *(andare in fumo)* to come to nothing ◇ *(di colore)* to shade, *(di suoni)* to fade away ◆ *vt* to shade

sfumatùra *sf* shade, nuance ◇ *(tocco)* touch, hint ◇ *(di capelli)* tapering

sfuriàta *sf* fit of anger ◇ *(rimprovero)* tirade

sgabèllo *sm* stool

sgabuzzìno *sm* closet, storeroom

sganciàre *vt* to unhook, *(staccare)* to disconnect ◇ *(fam) (denaro)* to stump up ◆ *vpr/rif* to be unhooked ◇ *(liberarsi)* to get away

sgarbàto *a* rude

sgargiànte *a* showy, gaudy

sgelàre *vt/i* to thaw, to defrost

sghémbo *a* oblique ◆ *di s.* crookedly, obliquely

sghignazzàre *vi* to laugh scornfully

sgobbàre *vi* to work hard, to grind away

sgocciolàre *vi* to drip, to trickle ◆ *vt* to drip ◇ *(svuotare)* to drain, to empty

sgombràre *vt* to clear, to clear

away ◇ *(un alloggio)* to vacate, to move out of ◆ *vi* to clear out

sgómbro *sm* *(zool)* mackerel

sgoménto *sm* dismay, fright

sgonfiàre *vt/pr* to deflate

sgónfio *a* deflated, flat

sgòrbio *sm* scrawl, scribble

sgorgàre *vi* to gush out, to flow ◆ *vt* to unclog

sgozzàre *vt* to cut the throat of

sgradévole *a* disagreeable, unpleasant

sgradìto *a* unpleasant, unwelcome

sgranàre *vt* to shell, to hull ◆ *s. gli occhi* to open one's eyes wide

sgranchìre *vt/rif* to stretch

sgranocchiàre *vt* to munch, to crunch

sgrassàre *vt* to degrease

sgraziàto *a* awkward, clumsy

sgretolàre *vt/pr* to crumble

sgridàre *vt* to scold, to rebuke

sguaiàto *a* coarse

sgualcìre *vt/pr* to crease

sguàrdo *sm* look, glance ◇ *(occhi)* eyes *pl* ◆ *dare uno s. a qc* to have a look at st

sguazzàre *vi* to wallow, to splash

sgusciàre (1) *vt* *(togliere il guscio)* to shell, to hull

sgusciàre (2) *vi* *(sfuggire)* to slip away

shampoo *sm* shampoo

shock *sm* shock

si *pr* *(con i v rifl)* himself *m*, herself *f*, itself *n*, themselves *pl*, *(con sogg impers)* oneself (ES: **vestirsi** to dress oneself; **egli si vestì** he dressed himself; **essi si**

vestìrono they dressed themselves) ◇ (*con i v rifl impropri, in funzione di compl di termine*) **si rende con l'agg poss** (ES: **si è fatto male a un ginocchio** he hurt his knee) ◇ (*con i v intr pr*) idiom (ES: **si dimentica sempre di chiudere la finestra** he always forgets to close the window) ◇ (*indefinito*) one, they, people, we, you, man (ES: **si vede che ...** one can see that...; **si dice che ...** people say that ...; **in Inghilterra si beve molta birra** in England they drink a lot of beer) ◇ (*indefinito: con valore passivo*) (ES: **si parla inglese** English is spoken here) ◇ (*indefinito: con valore pleonastico*) idiom (ES: **si è mangiato un dolce intero** he ate a whole cake) ◇ (*reciproco*) one another, (*tra due*) each other (ES: **i miei genitori si amano** my parents love each other)

sì *avv* yes ◆ *sm* yes ◇ (*voto favorevole*) ay

sìa *cong* (*tanto quanto*) both ... and ◇ (*o o*) whether ... or, either ... or

sibilàre *vi* to whistle, to hiss

sìbilo *sm* whistle, hissing

sicàrio *sm* (hired) killer

sicché *cong* (*perciò*) so ◇ (*così che*) so that

siccità *sf* drought

siccóme *cong* as, since, because

sicuraménte *avv* certainly, of course

sicurézza *sf* security, safety ◇ (*l'esser sicuro*) assurance,

(self-)confidence ◇ (*certezza*) certainty

sicùro *a* safe, secure ◇ (*certo*) sure, certain ◇ (*saldo*) steady ◇ (*esperto*) skilful, expert, confident ◇ (*affidabile*) reliable, trusty ● **al s.** in a safe place; **di s.** certainly

siderurgìa *sf* iron metallurgy

sìdro *sm* cider

sièpe *sf* hedge

sièro *sm* serum, (*del latte*) whey

sieropositìvo *a/sm* (*all'HIV*) HIV-positive

sièsta *sf* siesta, nap

sifóne *sm* siphon

sigarétta *sf* cigarette

sìgaro *sm* cigar

sigillàre *vt* to seal

sigìllo *sm* seal

sìgla *sf* initials *pl*, abbreviation ◇ (*mus*) signature tune

siglàre *vt* to initial, to sign

significàre *vt* to mean, to signify ◇ (*valere*) to mean, to matter, (*simboleggiare*) to stand for

significatìvo *a* significant, expressive, meaningful ◇ (*importante*) important

significàto *sm* meaning, sense ◇ (*importanza*) importance, significance

signóra *sf* lady, woman ◇ (*davanti al nome*) Mrs, (*vocativo, senza nome*) madam

signóre *sm* gentleman, man ◇ (*davanti al nome*) Mr, (*vocativo, senza nome*) sir

signorìa *sf* rule, dominion

signorìle *a* elegant, luxury, (*raffinato*) refined

sintonia

signorìna sf young lady, girl ◇ (*davanti al nome*) Miss, (*vocativo, senza nome*) madam, miss

silenziatóre sm silencer

silènzio sm silence ● *s. stampa* news blackout; *fare s.* to stop talking; *s.!* shut up!

silenzióso a silent ◇ (*senza rumori*) quiet

silìcio sm silicon

sìllaba sf syllable

silùro sm torpedo

silvèstre a silvan

simbiòsi sf symbiosis

simbòlico a symbolic(al)

sìmbolo sm symbol

sìmile a similar, like, alike (*pred*) ◇ (*tale*) such ◆ sm (*prossimo*) fellow

similitùdine sf (*lett*) simile ◇ (*mat*) similitude ◇ (*rassomiglianza*) likeness

simmetrìa sf symmetry

simmètrico a symmetric(al)

simpatìa sf liking, attraction ● *prendere in s. qn* to take a liking to sb

simpàtico a nice, pleasant ◇ (*anat*) sympathetic

simpatizzànte sm/f sympathizer, supporter

simpatizzàre vi to take a liking to ◇ (*sostenere*) to sympathize with

simulàre vt to simulate, to sham

simulazióne sf simulation

simultàneo a simultaneous

sinagòga sf synagogue

sincerità sf sincerity

sincèro a sincere, true

sìncope sf syncope

sindacàle a union

sindacalìsta sm/f trade unionist

sindacàto sm trade union, (*USA*) labor union ◇ (*fin*) syndicate, pool

sìndaco sm mayor ◇ (*di società*) auditor

sìndrome sf syndrome

sinfonìa sf symphony

sinfònico a symphonic

singhiozzàre vi (*avere il singhiozzo*) to hiccup ◇ (*piangere*) to sob

singhiózzo sm hiccup ◇ (*di pianto*) sob ◆ *a s.* jerking, by fits and starts

singolàre a (*gramm*) singular ◇ (*strano*) singular, unusual, strange ◇ (*raro*) rare ◆ sm (*gramm*) singular ◇ (*tennis*) singles

sìngolo a single, individual, separate ◇ (*unico*) single, sole ◆ sm individual ◇ (*mus*) single

sinìstra sf left ● *a s.* on the left; *di s.* left-wing

sinìstro a left ◇ (*minaccioso*) sinister, grim ◆ sm accident

sìno → **fino** (2)

sinònimo sm synonym

sintàssi sf syntax

sìntesi sf synthesis, (*riassunto*) summary

sintètico a synthetic(al) ◇ (*conciso*) concise ● *fibre sintetiche* synthetic fibres

sintomàtico a symptomatic ◇ (*significativo*) significant, indicative

sìntomo sm symptom

sintonìa sf (*TV*) tuning ◇ (*fig*)

agreement, syntony ● *essere in s.* to be on the same wavelenght

sintonizzàre *vt* to tune in ♦ *vpr* to be tuned in

sinuóso *a* winding

sinusite *sf* sinusitis

sipàrio *sm* curtain

sirèna *sf* mermaid, siren

siringa *sf* ◇ syringe ◇ (*utensile da cucina*) icing bag

sisma *sm* seism, earthquake

sismico *a* seismic(al)

sistèma *sm* system ◇ (*modo, metodo*) way, method ◇ (*potere costituito*) establishment

sistemàre *vt* (*ordinare*) to arrange, to put in order ◇ (*definire*) to settle, to resolve ◇ (*collocare*) to place, (*in un alloggio*) to accomodate, to put up ◇ (*procurare lavoro, far sposare*) to fix up ♦ *vrif* (*trovare alloggio*) to settle ◇ (*trovare lavoro*) to find a job ◇ (*mettersi a posto*) to settle down

sistemàtico *a* systematic

sistemazióne *sf* organization, arrangement, (*collocazione*) placing, layout ◇ (*definizione*) settlement ◇ (*alloggio*) accomodation ◇ (*impiego*) job

sito *sm* place, site ● *s. Internet* website

situàre *vt* to site, to place ♦ *vpr* to be situated

situazióne *sf* situation

slacciàre *vt* to unlace, to loosen, (*sbottonare*) to unbotton

slàncio *sm* rush, run ◇ (*fig*) impulse, fit ●*di s.* (*fig*) on impulse

slavina *sf* snowslide

slàvo *a* Slavic ♦ *sm* Slav

sleàle *a* disloyal, (*non corretto*) unfair

slegàre *vt* to untie, to unfasten ♦ *vrif* to untie oneself, to loosen

slip *sm* panties *pl*, briefs *pl*

slitta *sf* sleigh, sledge, (*USA*) sled ◇ (*mecc*) slide ● *andare in s.* to go sledding, to go sleigh-riding

slittàre *vi* (*scivolare*) to skid, (*mecc*) to slip ◇ (*perdere valore*) to slide, to fall ◇ (*essere rinviato*) to be postponed

slogatùra *sf* dislocation

sloggiàre *vt* to drive out, (*sfrattare*) to evict ♦ *vi* to clear out

smacchiàre *vt* to clean

smacchiatóre *sm* stain remover

smàcco *sm* slap in the face, disappointment

smagliatùra *sf* (*di calza*) ladder, (*USA*) run ◇ (*di pelle*) stretch mark ◇ (*fig*) gap

smaliziàto *a* knowing, shrewd ◇ (*capace*) skilful

smaltàre *vt* to enamel, (*ceramica*) to glaze ◇ (*unghie*) to paint, to polish

smaltatùra *sf* enamelling, (*di ceramica*) glazing

smaltìre *vt* (*digerire*) to digest, (*fig*) to swallow ◇ (*vendere*) to sell off, to clear ◇ (*eliminare*) to take off, (*acque*) to drain, (*rifiuti*) to dispose of ◇ (*sbrigare*) to finish off

smàlto *sm* enamel ◇ (*per unghie*) nail varnish, (*USA*) nail polish ◇ (*fig*) shine

smània *sf* (*desiderio*) longing,

craving ◇ (*frenesia*) agitation, frenzy

smantellàre *vt* to dismantle

smarriménto *sm* loss, (*di lettera, pacco*) misplacing, mislaying ◇ (*confusione*) confusion, bewilderment

smarrìre *vt* to lose, to mislay ◆ *vpr* (*perdere la strada*) to lose one's way ◇ (*andare perduto*) to get lost ◇ (*confondersi*) to get confused

smascheràre *vt* to unmask, to reveal

smentìre *vt* to belie, to deny ◇ (*ritrattare*) to withdraw ◆ *vrif* to contradict oneself

smentita *sf* denial

smeràldo *sm* emerald

sméttere *vt/i* to stop, to leave off, to give up, to quit

smilzo *a* thin, slim

sminuìre *vt* to belittle, to play down

sminuzzàre *vt* to mince, to crumble

smistaménto *sm* sorting ◇ (*ferr*) shunting, switching

smistàre *vt* to sort ◇ (*ferr*) to shunt, to switch

smodàto *a* immoderate

smoking *sm* dinner jacket

smontàggio *sm* disassembly

smontàre *vt* to disassemble, to take apart ◇ (*scoraggiare*) to discourage, to deflate ◇ (*demolire*) to demolish ◆ *vi* (*da un mezzo*) to get off, (*da cavallo*) to dismount ◇ (*finire il turno*) to go off duty, to stop work

smòrfia *sf* grimace

smorfióso *a* simpering

smorzàre *vt* (*luce*) to shade, to dim, (*suono*) to deaden, (*colore*) to tone down ◇ (*estinguere*) to slake, (*fig*) to appease ◆ *vpr* to grow fainter, to fade ◇ (*fig*) to be appeased

smottaménto *sm* landslip

smuòvere *vt* to move, to shift ◇ (*dissuadere*) to dissuade, to budge ◇ (*commuovere*) to move, to touch

smussàre *vt* to round off ◇ (*fig*) to soften, to smooth

snaturàto *a* heartless

snèllo *a* slender, slim

snervànte *a* enervating

snidàre *vt* to flush, to dislodge

snobbàre *vt* to snub

snobìsmo *sm* snobbery

snocciolàre *vt* to stone, to rattle off ◇ (*spiattellare*) to tell

snodàre *vt* (*sciogliere*) to loosen ◇ (*rendere agile*) to make supple ◆ *vpr* to come loose ◇ (*di strada*) to wind

snowboard *sm* (*sport*) snowboarding ◇ (*tavola*) snowboard

soàve *a* sweet

sobbalzàre *vi* to jerk, to jolt ◇ (*trasalire*) to start

sobbarcàrsi *vrif* to take upon oneself, to undertake

sobbórgo *sm* suburb

sobillàre *vt* to stir up

sòbrio *a* sober, moderate ◇ (*semplice*) simple, plain

socchiùdere *vt* (*chiudere*) to half-close, to close a little ◇ (*aprire*) to half-open, to leave ajar

soccórrere *vt* to help, to aid, to assist

soccorritóre *sm* helper, rescuer

soccórso *sm* help, aid, (*salvataggio*) rescue ◇ (*med*) aid ● *pronto s.* first aid; *s. stradale* breakdown service

sociàle *a* social ◇ (*di società*) corporate, company ◇ (*di associazione*) club

socialìsmo *sm* Socialism

società *sf* society ◇ (*econ*) company, partnership, firm, (*USA*) corporation

sociévole *a* sociable

sòcio *sm* member ◇ (*di accademia, società scientifica*) fellow ◇ (*econ*) partner, associate

sociologìa *sf* sociology

sodalìzio *sm* association ◇ (*legame amichevole*) fellowship

soddisfacènte *a* satisfactory

soddisfàre *vt* to satisfy, to please, to gratify ◇ (*adempiere*) to fulfil, to meet, to discharge, (*pagare*) to pay off ◆ *vi* to fulfil, to discharge

soddisfazióne *sf* satisfaction, pleasure ◇ (*adempimento*) fulfilment

sòdio *sm* sodium

sòdo *a* solid, firm, hard ● *uovo s.* hard-boiled egg

sofà *sm* sofa

sofferènza *sf* suffering, pain

soffiàre *vi* to blow ◆ *vt* to blow, to puff ◇ (*fam*) (*portar via*) to steal ● *soffiarsi il naso* to blow one's nose

sòffice *a* soft

sóffio *sm* puff, whiff, breath ◇

(*med*) murmur ● *in un s.* in a flash

soffìtta *sf* attic

soffìtto *sm* ceiling

soffocaménto *sm* choking, suffocation

soffocànte *a* choking, stifling

soffocàre *vt/i* to choke, to suffocate, to stifle

soffrìggere *vt/i* to fry slightly

soffrìre *vt* to suffer, to endure ◇ (*sopportare*) to stand, to bear ◆ *vi* to suffer

sofisticàto *a* sophisticated ◇ (*adulterato*) adulterated

software *sm* software ● *s. applicativo* application software

soggètto (1) *a* (*sottoposto*) subject ◇ (*incline*) subject, prone ◇ (*dipendente*) dependent

soggètto (2) *sm* (*argomento*) subject, (subject) matter, topic ◇ (*individuo*) subject, person, (*spreg*) character ◇ (*gramm*) subject

soggezióne *sf* subjection ◇ (*timore*) awe, (*imbarazzo*) uneasiness ● *mettere in s. qn* to make sb uneasy

sogghignàre *vi* to sneer

soggiornàre *vi* to stay

soggiórno *sm* stay ◇ (*stanza*) living-room

sòglia *sf* threshold

sògliola *sf* sole

sognàre *vt/i* to dream

sognatóre *sm* dreamer

sógno *sm* dream ● *s. nel cassetto* secret dream

sòia *sf* soya-bean

solàio *sm* attic

solaménte *avv* only, just

solàre *a* solar, sun

sólco *sm* furrow, *(traccia)* track

soldàto *sm* soldier

sòldo *sm* *(moneta)* coin, penny ◇ *al pl* money, *(spiccioli)* (small) change

sóle *sm* sun, *(luce, calore)* sunshine ● *prendere il s.* to sunbathe, to tan

soleggiàto *a* sunny

solennità *sf* solemnity ◇ *(festività)* holiday

solféggio *sm* solfeggio

solidàle *a* united, solidly behind *(pred)* ◇ *(dir)* jointly liable ◇ *(mecc)* integral ● *commercio equo e s.* fair trade

solidarietà *sf* solidarity

solidità *sf* solidity, soundness

sòlido *a* *(geom)* solid ◇ *(stabile)* solid, stable, *(di colore)* fast ◇ *(saldo)* sound ◆ *sm* solid

solìsta *a* solo ◆ *sm/f* soloist

solitàrio *a* *(di persona)* solitary, lone ◇ *(di luogo)* lonely ◆ *sm* *(brillante)* solitaire ◇ *(con le carte)* patience

sòlito *a* usual, customary ● *come al s.* as usual; *di s.* usually

solitùdine *sf* solitude

sollecitàre *vt* to urge, to press for, to solicit ◇ *(mecc)* to stress

sollécito *a* prompt, ready ◆ *sm* request, reminder

sollecitùdine *sf* promptness, speed ◇ *(interessamento)* concern, care ◇ *(attenzione)* kindness

solleticàre *vt* to tickle

sollético *sm* tickle, tickling

sollevàre *vt* to raise, to lift ◇ *(fig)* to relieve, to comfort ◇ *(far sorgere)* to raise ◇ *(far insorgere)* to stir up ◆ *vpr/rif* to rise, to arise ◇ *(riprendersi)* to get over ◇ *(insorgere)* to rise

solliévo *sm* relief

sólo *a* alone *(pred)* ◇ *(unico)* only ◇ *(esclusivo)* sole ◆ *sm* only one ◆ *avv* only, just ● *da s.* by oneself

soltànto *avv* only, just

solùbile *a* soluble ◇ *(risolvibile)* solvable

soluzióne *sf* *(chim)* solution ◇ *(spiegazione)* solution, solving

solvènte *a/sm* solvent

somàro *sm* ass, donkey

somigliànza *sf* resemblance, likeness

somigliàre *vt/i* to resemble, to be like, to look like ◆ *vrif* to be like each other, to be alike

sómma *sf* *(mat)* sum, total, amount, *(operazione)* addition ◇ *(di denaro)* sum (of money), amount

sommàre *vt* to add, to sum ◆ *vi* *(ammontare)* to amount ● *tutto sommato* all things considered, all in all

sommàrio *a* summary, brief ◇ *(dir)* summary ◇ *(approssimativo)* perfunctory ◆ *sm* summary ◇ *(TV)* news headlines *pl*

sommèrgere *vt* to submerge, *(inondare)* to flood ◇ *(colmare)* to overwhelm

sommergibile *sm* submarine

sommésso *a* humble ◇ (*di suono*) low, soft

somministràre *vt* to give (out), to administer

sommità *sf* top, summit, peak

sómmo *a* highest, greatest ◇ (*fig*) supreme, (*grande*) great ◆ *sm* summit, top, peak ● *per sommi capi* briefly

sommòssa *sf* rising, revolt

sommozzatóre *sm* scuba diver, frogman

sonàglio *sm* rattle ● *serpente a sonagli* rattlesnake

sonàre → **suonare**

sónda *sf* (*med*) probe ◇ (*meteor*) sonde ◇ (*min*) drill

sondàggio *sm* sounding ◇ (*med*) probing ◇ (*indagine*) poll, survey

sondàre *vt* to sound, to probe

sonétto *sm* sonnet

sonnàmbulo *a* sleepwalking ◆ *sm* sleepwalker

sonnecchiàre *vi* to doze

sonnellino *sm* nap, doze

sonnìfero *sm* sleeping pill, sleeping draught

sónno *sm* sleep ● *avere s.* to be sleepy

sonnolènza *sf* sleepiness, drowsiness

sonorità *sf* sonority, acoustics *pl*

sonòro *a* sonorous, resonant ◇ (*rumoroso*) loud ◇ (*cin*) sound ◇ (*fonetica*) voiced ◆ *sm* (*cin*) talkie ◇ (*audio*) sound

sontuóso *a* sumptuous

soporìfero *a* soporific

soppàlco *sm* mezzanine, loft

soppesàre *vt* to weigh (in one's hand) ◇ (*fig*) to consider carefully, to weigh

soppiàtto, di *loc.avv* stealthily

sopportàre *vt* to bear, to endure, to stand, to put up with ◆ *vrif* to stand each other

sopprìmere *vt* to suppress, to abolish, to cancel ◇ (*uccidere*) to kill, to put down

sópra *avv* up, on, above ◇ (*al piano superiore*) upstairs ◇ (*precedentemente*) above ◆ *prep* (*sovrapposizione con contatto*) on, upon, up, on to, (*in cima a*) on top of ◇ (*sovrapposizione senza contatto, rivestimento*) over ◇ (*più in alto di*) above ◇ (*oltre*) over, beyond ◇ (*di seguito*) after ◇ (*riguardo*) on

sopràbito *sm* overcoat

sopraccìglio *sm* eyebrow

sopraffàre *vt* to overcome, to overwhelm

sopraggiùngere *vi* to arrive, to come ◇ (*accadere*) to happen, to turn up

sopralluògo *sm* on-the-spot investigation, inspection

soprammòbile *sm* knick-knack

soprannóme *sm* nickname

sopràno *sm/f* soprano

soprattùtto *avv* above all

sopravvalutàre *vt* to overestimate, to overvalue

sopravvènto *sm* upper hand

sopravvivènza *sf* survival

sopravvìvere *vi* to survive, to outlive ◇ (*fig*) to live on (*nei ricordi*)

soprùso *sm* abuse of power

soqquàdro *sm* confusion ● *mettere a s.* to turn upside-down

sorbétto *sm* water ice, sorbet

sorbìre *vt* to sip ◇ *(sopportare)* to put up with

sòrdido *a* sordid, dirty

sordìna *sf* mute ● *in s.* on the sly

sordità *sf* deafness

sórdo *a* deaf ◇ *(di suono)* dull, muffled ◆ *sm* deaf person

sordomùto *a* deaf and dumb ◆ *sm* deaf mute

sorèlla *sf* sister

sorgènte *a* rising ◆ *sf* spring, source

sórgere *vi* *(levarsi)* to rise ◇ *(scaturire)* to rise, to arise, to spring out ◇ *(elevarsi)* to stand, to rise

sormontàre *vt* to surmount

sornióne *a* sly, crafty

sorpassàre *vt* to go beyond, to exceed, to surpass ◇ *(aut)* to overtake

sorpàsso *sm* overtaking ● *divieto di s.* no overtaking

sorprèndere *vt* *(cogliere di sorpresa)* to catch ◇ *(meravigliare)* to surprise ◆ *vpr* to be surprised

sorprésa *sf* surprise

sorrèggere *vt* to support, to hold up

sorridènte *a* smiling ◇ *(benevolo)* good-natured

sorrìdere *vi* to smile ◇ *(attrarre)* to make happy, to appeal

sorrìso *sm* smile

sorseggiàre *vt* to sip

sórso *sm* sip, gulp, draught ◇ *(goccio)* drop

sòrta *sf* kind, sort

sòrte *sf* fate, destiny, fortune ◇ *(caso)* chance

sortéggio *sm* draw

sortilègio *sm* sorcery, witchcraft

sorveglianza *sf* watch, surveillance, supervision

sorvegliàre *vt* to guard, to watch, *(sovrintendere)* to supervise ◇ *(tenere d'occhio)* to look after, to watch (over)

sorvolàre *vt/i* to fly over, to overfly ◇ *(fig)* to pass over, to skip

sòsia *sm/f* double

sospèndere *vt* *(attaccare)* to suspend, to hang (up) ◇ *(interrompere)* to suspend, to stop, to interrupt ◇ *(da una carica, da scuola)* to suspend

sospéso *a* hanging, suspended ◇ *(interrotto)* suspended, interrupted ◇ *(trepidante)* in suspence ◆ *sm* *(pagamento)* outstanding payment ● *in s.* pending, in abeyance

sospettàre *vt/i* to suspect

sospètto *a* suspicious ◇ *(discutibile)* suspect, questionable ◇ *(di cui si teme l'esistenza)* suspected ◆ *sm* suspicion ◇ *(persona)* suspect

sospettóso *a* suspicious

sospiràre *vi* to sigh ◆ *vt* to sigh for, to long for

sospìro *sm* sigh

sòsta *sf* *(fermata)* halt, stop ◇ *(pausa)* pause ◇ *(interruzione)* interruption, break ● *senza s.* nonstop

sostantìvo *sm* noun

sostànza *sf* substance, essence ◇ *(materia)* substance, matter, material, stuff ◊ *(nutrimento)* nourishment ◊ *al pl (ricchezze)* property, possessions *pl* • *in s.* *(fig)* in short, essentially

sostanzióso *a* substantial

sostàre *vi* to stop, to stay ◊ *(fare una pausa)* to have a break

sostégno *sm* support, prop

sostenére *vt (tenere su)* to support, to sustain, to hold up ◊ *(portare su di sé)* to carry, to take ◊ *(sopportare)* to bear, to stand, *(reggere)* to stand up to ◊ *(resistere a)* to withstand ◊ *(appoggiare)* to support, to uphold, *(difendere)* to defend ◊ *(affermare)* to maintain, to assert ◊ *(mantenere)* to keep up, to support • *vpr/rif (reggersi in piedi)* to stand up, *(appoggiarsi)* to support oneself ◊ *(sostentarsi)* to sustain oneself

sostenitóre *sm* supporter

sostentaménto *sm* sustenance, maintenance

sostenùto *a (riservato)* reserved, distant ◊ *(solenne)* elevated ◊ *(elevato)* fast

sostituíre *vt (rimpiazzare)* to replace, to substitute ◊ *(prendere il posto di)* to take the place of, to substitute for, to replace • *vrif* to take sb's place

sostitùto *sm* substitute

sostituzióne *sf* replacement, substitution

sottacéto *a* pickled • *sm* pickle

sottàna *sf* slip, petticoat ◊ *(gonna)* skirt

sotterfùgio *sm* trick, expedient

sotterràneo *a* underground • *sm* basement, cellar

sotterràre *vt* to bury

sottile *a* thin ◊ *(acuto)* sharp, subtle

sottilizzàre *vi* to subtilize, to split hairs

sottintèndere *vt* to understand, to imply

sottintéso *a* understood, implied • *sm* implicit meaning, allusion

sótto *avv* down, under, below, beneath, underneath ◊ *(al piano sotto)* downstairs ◊ *(più avanti)* below ◊ *(in perdita)* short • *prep (in posizione inferiore)* under, beneath, underneath ◊ *(più in basso)* below ◊ *(meno di)* under • *sm* bottom, underside • *s. s.* deep down

sottobicchière *sm* coaster, *(piattino)* saucer

sottobòsco *sm* undergrowth

sottobràccio *avv* arm in arm

sottocòsto *avv* below cost • *vendere s.* to sell (at) below cost

sottolineàre *vt* to underline, to underscore ◊ *(fig)* to underline, to stress

sottomarino *a/sm* submarine

sottométtere *vt (assoggettare)* to subdue, to subject ◊ *(subordinare)* to subordinate ◊ *(presentare)* to submit • *vrif* to submit

sottopassàggio *sm* underpass, subway

sottopórre *vt (assoggettare)* to subdue, to subject ◊ *(presentare)* to submit, to present ◊ *(costringere a subire)* to subject, to put through ◆ *vrif* to submit ◇ (*subire*) to undergo

sottoprodótto *sm* by-product

sottoscàla *sm* space under a staircase

sottoscritto *a/sm* undersigned

sottoscrivere *vt* (*firmare*) to sign, to undersign, (*aderire*) to subscribe ◇ (*approvare*) to support, to subscribe to

sottoscrizióne *sf* subscription

sottosópra *avv* upside down

sottostànte *a* below, underneath

sottosvilùppo *sm* underdevelopment

sottotèrra *avv* underground

sottotìtolo *sm* subtitle

sottovèste *sf* slip, petticoat

sottovóce *avv* in a low voice

sottovuòto *a/avv* vacuum-packed

sottràrre *vt* (*portare via*) to take away, to remove, (*rubare*) to steal ◇ (*liberare*) to save, to rescue ◇ (*mat*) to subtract ◇ (*dedurre*) to deduct ◆ *vrif* to get out, to evade, to shirk

sottrazióne *sf* (*mat*) subtraction ◇ (*il portar via*) taking away, (*furto*) abstraction

soviètico *a/sm* Soviet

sovraccaricàre *vt* to overload, to overburden

sovraespórre *vt* to overexpose

sovraffollàto *a* overcrowded

sovràno *a/sm* sovereign

sovrappéso *a/sm* overweight

sovrappórre *vt* to put on, to place on, to superimpose ◆ *vpr* to be superimposed, to overlap

◇ (*aggiungersi*) to arise in addition

sovrastàre *vt/i* to stand above, to overlook, to overhang ◇ (*essere imminente*) to be imminent, to hang over ◇ (*essere superiore*) to surpass

sovrumàno *a* superhuman

sovvenzióne *sf* subvention, aid, subsidy

sovversivo *a/sm* subversive

sózzo *a* dirty

spaccàre *vt/pr* to break, to split

spaccatùra *sf* split

spacciàre *vt* (*vendere*) to sell (off) ◇ (*mettere in circolazione*) to circulate, (*clandestinamente*) to peddle, to utter, (*droga*) to push ◇ (*divulgare*) to spread ◆ *vrif* to pretend (to be)

spacciatóre *sm* dealer, utterer, (*di droga*) pusher

spàccio *sm* (*negozio*) shop ◇ (*vendita*) sale ◇ (*traffico illegale*) traffic

spàcco *sm* slit, cleft, (*taglio*) tear ◇ (*di vestito*) vent

spàda *sf* sword

spaesàto *a* lost

spagnòlo *a* Spanish ◆ *sm* (*abitante*) Spaniard ◇ (*lingua*) Spanish

spàgo *sm* string, twine

spalancàre *vt* to open wide ◆ *vpr* to throw open

spalàre *vt* to shovel away

spàlla *sf* shoulder ◇ *al pl* (*schiena*) back ◇ (*attore*) straight man ● *alle spalle* behind; *fare da s.* to stooge

spalleggiàre *vt* to back, to support

spallièra *sf* (*di sedia*) back ◇ (*di letto*) head (of the bed) ◇ (*di piante*) espalier ◇ (*attrezzo ginnico*) wall bar

spalmàre *vt* to spread, to smear ● *s. di burro* to butter

spàndere *vt/pr* to spread

spànna *sf* span ● *a spanne* at a guess

sparàre *vt/i* to shoot, to fire

sparatòria *sf* shooting

sparecchiàre *vt* to clear

sparéggio *sm* (*sport*) play-off ◇ (*squilibrio*) unbalance

spàrgere *vt* to scatter, to strew ◇ (*divulgare*) to spread ◇ (*versare*) to shed, (*liquidi*) to spill ◆ *vpr* to scatter, to disperse ◇ (*diffondersi*) to spread

sparìre *vi* to disappear, to vanish

sparizióne *sf* disappearance

sparlàre *vi* to run down, to talk behind sb's back

spàro *sm* shot

sparpagliàre *vt/pr* to scatter

spartiàcque *sm* watershed

spartìre *vt* (*separare*) to separate ◇ (*distribuire*) to share out, to divide

spartito *sm* score

spartitràffico *sm* traffic divider

spàsimo *sm* pang

spàsmo *sm* spasm

spassionàto *a* impartial, unbiased

spàsso *sm* amusement, fun ● *andare a s.* to go for a walk

spassóso *a* funny

spàstico *a/sm* spastic

spauràcchio *sm* bugbear, bugaboo

spavàldo *a* bold, arrogant

spaventapàsseri *sm* scarecrow

spaventàre *vt* to frighten, to scare ◆ *vpr* to be frightened, to get scared

spavènto *sm* fright, fear

spaventóso *a* frightful, frightening, dreadful

spaziàle *a* spatial, space ◇ (*eccezionale*) fantastic, exceptional

spazientìre *vt* to try the patience of ◆ *vpr* to lose one's patience

spàzio *sm* space

spazióso *a* spacious

spazzanéve *sm* snowplough

spazzàre *vt* to sweep ◇ (*portar via*) to sweep away, to wipe out

spazzatùra *sf* garbage, rubbish, (*USA*) trash ● *TV s.* trash TV

spazzino *sm* street-sweeper

spàzzola *sf* brush ● *s. per capelli* hairbrush

spazzolàre *vt* to brush

spazzolino *sm* brush, (*da denti*) toothbrush

specchiàrsi *vpr/rif* to look at oneself (in a mirror) ◇ (*riflettersi*) to be reflected

specchiétto *sm* hand-mirror ◇ (*aut*) rear-view mirror ◇ (*tabella*) table

spècchio *sm* mirror

speciàle *a* special ◇ (*particolare*) peculiar ◇ (*di qualità*) first-class ◆ *sm* special

specialista *smf* specialist

specialìstico *a* specialized

specialità *sf* speciality ◇ (*sport*)

event ◇ *(piatto tipico)* typical dish

specialménte *avv* especially

spècie *sf* kind, sort ◇ *(scient)* species

specificàre *vt* to specify

specìfico *a/sm* specific

speculàre (1) *a* specular

speculàre (2) *vi (indagare)* to speculate ◇ *(approfittare)* to trade on

speculazióne *sf* speculation

spedìre *vt* to send, to mail, to dispatch, *(via mare)* to ship

spedìto *a* quick, prompt ◇ *(sciolto)* fluent

spedizióne *sf (invio)* sending, forwarding, dispatch ◇ *(scientifica, militare)* expedition

spedizionière *sm* carrier, forwarder, *(marittimo)* shipping agent

spègnere *vt* to extinguish, *(fuoco)* to put out, *(luce, radio)* to turn off, to switch off ◆ *vpr* to be extinguished, to go out, *(di fuoco)* to burn out ◇ *(scomparire)* to die (down), to fade ◇ *(morire)* to pass away

speleòlogo *sm* spel(a)eologist

spellàre *vt* to skin ◆ *vpr* to peel, to get skinned

spellatùra *sf* graze, excoriation, *(da sole)* peeling

spèndere *vt* to spend ◇ *(impiegare)* to spend, to put in

spennàre *vt* to pluck ◇ *(fig)* to rip off

spensieràto *a* happy, careless

spènto *a* extinguished, out *(pred)*, *(di apparecchi)* turned off *(pred)*, switched off *(pred)* ◇ *(scialbo)* dull

sperànza *sf* hope

speràre *vt* to hope ◇ *(aspettarsi)* to expect ◆ *vi* to hope, to trust in

sperdùto *a* dispersed ◇ *(isolato)* secluded, lonely ◇ *(smarrito)* lost

spergiùro *sm (chi spergiura)* perjurer ◇ *(falso giuramento)* perjury

spericolàto *a* reckless

sperimentàle *a* experimental

sperimentàre *vt* to experiment with, to test, to try ◇ *(fare esperienza di)* to experience

sperimentàto *a* tried ● *non s. su animali* cruelty-free

spèrma *sm* sperm

speronàre *vt* to ram

speróne *sm* spur ◇ *(naut)* ram

sperperàre *vt* to squander, to waste

spésa *sf* expense, *(costo)* charge, cost ◇ *(acquisto)* buy, purchase ◇ *(compera)* shopping ● *a spese di* at the expense of; *fare spese* to go shopping

spésso *a* thick ● *avv* often

spessóre *sm* thickness ◇ *(fig)* depth

spettacolàre *a* spectacular

spettàcolo *sm* show, spectacle, sight ◇ *(teat)* performance, *(cin)* showing

spettàre *vi* to be for, to be up to ◇ *(competere)* to be due

spettatóre *sm* spectator, *al pl* audience ◇ *(testimone)* bystander, witness

spettinàre *vt* to mess up sb's hair ◆ *vpr/rif* to ruffle one's hair

spèttro *sm* ghost ◇ (*scient*) spectrum

spèzie *sf pl* spices *pl*

spezzàre *vt/pr* to break

spezzatino *sm* stew

spia *sf* spy, informer, (*riferito a bambini*) sneak ◇ (*indizio*) indication, sign ◇ (*luminosa*) (warning) light

spiacènte *a* sorry

spiacére *vi* to be sorry ◇ (*nelle frasi di cortesia*) to mind ◆ *vpr* to be sorry

spiacévole *a* unpleasant ◇ (*increscioso*) regrettable

spiàggia *sf* beach, shore

spianàre *vt* to level, to make level ◇ (*radere al suolo*) to raze ◇ (*appianare*) to smooth

spiàre *vt* to spy on, (*origliare*) to eavesdrop (on) ◇ (*aspettare ansiosamente*) to wait for

spiàzzo *sm* open space

spiccàre *vt* (*staccare*) to pick, to pluck ◇ (*emettere*) to issue ◆ *vi* to stand out, to show up ● *s. un salto* to jump

spiccàto *a* marked, strong ◇ (*nitido*) distinct, clear

spicchio *sm* slice, (*di agrume*) segment, (*di aglio*) clove, (*di luna*) crescent

spìcciolo *sm* change

spiedino *sm* skewer

spièdo *sm* spit ● *allo s.* on the spit

spiegàre *vt* (*svolgere*) to unfold, to spread out ◇ (*far capire*) to explain ◆ *vrif* to explain oneself ◆ *vpr* to spread out, to open out

spiegazióne *sf* explanation

spiegazzàre *vt* to crumple ◆ *vpr* to get crumpled

spietàto *a* pitiless, cruel

spifferàre *vt* to blurt out, to blab

spiffero *sm* draught

spiga *sf* ear, spike

spigliàto *a* self-confident

spìgolo *sm* edge, corner

spilla *sf* pin ◇ (*gioiello*) brooch

spillàre *vt* to tap, to draw off ◇ (*fig*) to worm, to get out

spillo *sm* pin

spilòrcio *sm* miser

spina *sf* thorn ◇ (*di pesce*) fishbone ◇ (*el*) plug ● *s. dorsale* backbone

spinàcio *sm* spinach

spinèllo *sm* joint

spìngere *vt* to push, to shove, (*ficcare*) to drive, to thrust ◇ (*condurre*) to drive, (*indurre*) to induce, (*stimolare*) to urge ◆ *vi* to push ◆ *vpr* to push ◇ (*arrivare*) to go

spinóso *a* thorny ◇ (*fig*) troublesome, awkward

spinta *sf* push, shove, thrust ◇ (*aiuto*) helping hand, (*stimolo*) incentive, spur ◇ (*tecn*) thrust

spinto *a* pushed, driven ◇ (*audace*) risqué

spionàggio *sm* espionage, spying

spiovènte *a* sloping ◆ *sm* slope

spira *sf* coil

spiràglio *sm* (small) opening, crack, vent ◇ (*di luce*) glimmer ◇ (*fig*) hope, chance

spiràle *sf* spiral

spiràre (1) *vi* (*soffiare*) to blow ◆

vt (*emanare*) to give off ◇ (*fig*) to express

spiràre (2) *vi* (*morire*) to pass away

spìrito *sm* spirit ◇ (*fantasma*) spirit, ghost ◇ (*mente, intelligenza*) mind ◇ (*disposizione d'animo*) spirit, attitude ◇ (*significato essenziale*) spirit, sense ◇ (*arguzia*) wit, (*umorismo*) humour ◇ (*vivacità*) life, liveliness ◇ (*chim*) spirit, alchool

spiritóso *a* witty ● **fare lo s.** to try to be funny

spirituàle *a* spiritual

splèndere *vi* to shine

splèndido *a* splendid, wonderful

splendóre *sm* (*luce*) brilliance, brightness ◇ (*fig*) splendour

spogliàre *vt* to undress, to strip ◇ (*privare*) to deprive, to strip, (*derubare*) to rob ◆ *vpr/rif* (*svestirsi*) to undress, to strip ◇ (*privarsi*) to deprive oneself, to strip oneself ◇ (*di albero*) to shed

spogliarèllo *sm* striptease

spogliatóio *sm* changing room, dressing room

spòglie *sf pl* (*vesti*) dress ◇ (*preda di guerra*) spoils *pl*, booty ◇ (*resti*) mortal remains *pl*

spòglio *a* (*nudo*) bare ◇ (*libero*) free ◆ *sm* (*conteggio*) counting ◇ (*esame*) examination

spòla *sf* shuttle ● **fare la s.** to commute, to shuttle

spolveràre *vt* to dust

spónda *sf* (*bordo*) edge ◇ (*riva*) bank, side, (*di mare, lago*) shore ◇ (*parapetto*) parapet

sponsorizzàre *vt* to sponsor

spontaneità *sf* spontaneity

spontàneo *a* spontaneous, natural ● **spontanea volontà** free will

sporàdico *a* sporadic

sporcàre *vt* to dirty, to soil, to stain ◆ *vpr/rif* to dirty oneself, to get dirty

sporcìzia *sf* (*l'essere sporco*) dirtiness, filthiness ◇ (*cosa sporca*) dirt, filth

spòrco *a* dirty, filthy

sporgènza *sf* projection

spòrgere *vi* to put out, to stretch out ◆ *vi* to jut out, to stick out ◆ *vrif* to lean out

sport *sm* sport ● **fare s.** to practice a sport

spòrta *sf* shopping bag

sportèllo *sm* door ◇ (*di ufficio*) counter, window

sportìvo *a* sporting, sport ◇ (*corretto*) sportmanlike, fair ◆ *sm* sportsman, (*appassionato*) (sports) fan

spòsa *sf* bride ● **abito da s.** wedding dress

sposàre *vt* to marry, to get married to ◇ (*dare in matrimonio*) to marry (off) ◇ (*abbracciare, sostenere*) to embrace ◆ *vrif* to marry, to get married ◇ (*armonizzarsi*) to go well

spòso *sm* bridegroom ◇ **al pl** (*marito e moglie*) newlyweds *pl*

spossànte *a* exhausting, laborious

spostàre *vt* to move, to shift ◇ (*cambiare*) to change ◇ (*differi-*

re) to postpone ♦ *vpr/rif* to move, to shift

spray *sm* spray ● *bomboletta s.* spray can

spràzzo *sm* flash

sprecàre *vt* to waste, to squander ♦ *vpr* to waste one's energy ◇ (*ironicamente*) to put oneself out

sprèco *sm* waste

spregévole *a* despicable

spregiativo *a* pejorative

spregiudicàto *a* unprejudiced, unconventional ◇ (*senza scrupoli*) unscrupulous

sprèmere *vt* to squeeze ● *spremersi il cervello, le meningi* to rock one's brain

spremiagrùmi *sm* citrus-fruit squeezer

spremùta *sf* juice

sprezzànte *a* scornful

sprigionàre *vt* to emit, to give off ♦ *vpr* to emanate, to burst out

sprizzàre *vt/i* to squirt, to spray, to spurt ● *s. gioia* to be all smiles; *s. salute* to be bursting with health

sprofondàre *vi* (*di terreno*) to subside, to give way ◇ (*affondare*) to sink ♦ *vrif* to sink

spronàre *vt* to spur

spróne *sm* spur

sproporzionàto *a* disproportionate

spropòsito *sm* (*errore*) mistake, blunder ◇ (*eccesso*) enormous quantity ● *a s.* at the wrong moment

sprovvedùto *a* unprepared, inexperienced

sprovvìsto *a* devoid, unprovided ● *alla sprovvista* unawares, unexpectedly

spruzzàre *vt* to spray, to sprinkle ◇ (*inzaccherare*) to splash

sprùzzo *sm* spray, sprinkling, (*di fango*) splash

spùgna *sf* sponge ◇ (*tessuto*) sponge-cloth, terry-cloth

spùma *sf* foam, froth

spumànte *sm* sparkling wine

spuntàre *vt* (*rompere la punta di*) to blunt, to break the point of ◇ (*tagliare la punta di*) to cut the tip of, to trim ◇ (*controllare*) to check (off) ◇ (*ottenere*) to obtain, to get ♦ *vi* (*di astro*) to rise, (*di pianta*) to sprout, (*di capelli, ecc*) to begin to grow, (*di lacrime*) to well up ◇ (*apparire*) to appear, to come out ◇ (*sporgere*) to stick out ♦ *vpr* to get blunt

spuntìno *sm* snack

spùnto *sm* (*suggerimento*) cue, hint ◇ (*punto di partenza*) starting point

spurgàre *vt* to purge, to clean

sputàre *vt/i* to spit

spùto *sm* spit

squàdra *sf* (*sport*) team ◇ (*mil*) squad ◇ (*gruppo*) team, (*di operai*) gang ◇ (*mecc, da disegno*) square

squadràre *vt* to square ◇ (*guardare*) to look up and down

squalìfica *sf* disqualification

squalificàre *vt* to disqualify ♦ *vrif* to bring discredit

squàllido *a* bleak, dreary ◇ (*triste*) dismal ◇ (*abietto*) wretched

squallóre *sm* dreariness, squalor

squàlo sm shark

squamàre vt/pr to scale

squarciagóla, **a** loc.avv at the top of one's voice, of one's lungs

squilibràto a unbalanced ◇ (pazzo) insane, mad ◆ sm madman, lunatic

squilibrio sm imbalance ◇ (mentale) derangement, insanity

squillàre vi to ring

squillo sm ring, (di tromba) blare ● fare uno s. a qn to give sb a buzz, to give sb a ring; ragazza s. call girl

squisìto a exquisite, delicious

sradicàre vt to uproot

srotolàre vt/pr to unroll

stàbile a stable, steady ◇ (permanente) permanent, durable ◆ sm premises pl, building

stabiliménto sm factory, plant, works ◇ (edificio pubblico) establishment ● s. balneare bathing establishment

stabilìre vt to establish, to fix, to set ◇ (accertare) to establish, to ascertain ◇ (decidere) to decide, to arrange ◆ vrif to settle, to establish oneself

stabilità sf stability, steadiness

staccàre vt to take off, to detach, to cut off, (strappare) to tear off, to pull off, (tirare giù) to take down ◇ (sganciare) to unhook ◇ (scostare) to move away ◇ (separare) to separate ◇ (togliere) to disconnect ◇ (lasciare indietro) to leave behind ◆ vi (spiccare) to stand out ◇ (smettere di lavorare) to knock off ◆ vpr to come

off, to come out, to get detached ◇ (slegarsi) to break away, (sganciarsi) to get unhooked ◇ (scostarsi) to move away ◇ (separarsi) to leave ◇ (abbandonare) to detach oneself, to give up ◇ (distanziarsi) to pull ahead ◇ (essere differente) to be different

stàdio sm (sport) stadium, ground ◇ (fase) stage

stàffa sf stirrup

staffétta sf courier ◇ (sport) relay

stage sm training period, internship

stagionàle a seasonal

stagionàre vt to season, to let age ◆ vpr to age

stagióne sf season

stàgno (1) sm (chim) tin

stàgno (2) a watertight

stàgno (3) sm pond, pool

stagnòla sf tinfoil

stàlla sf shed, (per cavalli) stable, (per bovini) cowshed

stamattìna avv this morning

stambécco sm rock-goat, ibex

stàmpa sf print, printing ◇ (giornali, giornalisti) press ◇ (riproduzione) print ◇ al pl (nelle spedizioni postali) printed matter

stampànte sf printer

stampàre vt to print ◇ (pubblicare) to publish ◇ (imprimere) to imprint

stampatèllo sm block letters pl

stampèlla sf crutch

stàmpo sm die, mould ◇ (genere) kind, sort

stanàre vt to drive out

stancàre vt to tire, to weary ◇

(*infastidire*) to bore, to annoy ◆ *vrif* to get tired

stanchézza *sf* tiredness

stànco *a* tired

standardizzàre *vt* to standardize

stànga *sf* bar, shaft

stanòtte *avv* tonight, (*appena trascorsa*) last night

stantìo *a* stale

stantùffo *sm* piston

stànza *sf* room

stanziàre *vt* to allocate, to appropriate ◆ *vpr* to settle, to establish oneself

stàre *vi* to stay, (*rimanere*) to remain ◇ (*essere*) to be ◇ (*abitare*) to live ◇ (*andare*) to go, to be ◇ (*dipendere*) to depend ◇ (*spettare*) to be up ● *come stai?* how are you?; *starci* (*essere d'accordo*) to count sb in, to agree, (*esserci spazio*) to have room for; *s. per fare qc* to be about to do st

starnutìre *vi* to sneeze

starnùto *sm* sneeze

staséra *avv* this evening, tonight

statàle *a* state, government

statìsta *sm* statesman

statìstica *sf* statistics *pl* (*v al sing*)

stàto *sm* state, condition ◇ (*posizione sociale*) position, standing ◇ (*politico*) state, country ◇ (*dir*) status ◇ (*fis*) state ● *s. civile* civil status; *s. d'animo* mood

stàtua *sf* statue

statunitènse *a* United States ◆ *sm/f* United States citizen

statùra *sf* height ◇ (*morale*) stature

statùto *sm* statute, charter

stavòlta *avv* this time

stazionàrio *a* stationary

stazióne *sf* station ● *s. balneare* seaside resort

stécca *sf* stick, rod, (*da biliardo*) cue, (*di ombrello*) rib, (*di busto*) bone, (*di vela*) batten ◇ (*mus*) false note ◇ (*confezione di sigarette*) carton ◇ (*tangente*) bribe

steccàto *sm* fence

stèle *sf* stele

stélla *sf* star ● *s. di mare* starfish; *s. filante* streamer; *s. cadente* falling star; *alle stelle* (*di prezzi*) sky-high

stèlo *sm* (*bot*) stalk, stem ◇ (*sostegno*) stand

stèmma *sm* coat of arms

stemperàre *vt/pr* to dissolve, to melt

stendàrdo *sm* standard, banner

stèndere *vt* (*distendere, allungare*) to stretch (out) ◇ (*spiegare*) to spread (out), to lay out ◇ (*mettere a giacere*) to lay ◇ (*spalmare*) to spread ◇ (*mettere per iscritto*) to draw up, to draft ◆ *vpr* (*estendersi*) to stretch ◆ *vrif* (*sdraiarsi*) to lie down

stenografìa *sf* shorthand

stentàre *vi* to find it hard, to have difficulty

stéppa *sf* steppe

stèrco *sm* dung

stereòtipo *sm* stereotype, commonplace

stèrile *a* sterile, barren ◇ (*inutile*) vain, fruitless ◇ (*med*) sterile, sterilized

sterilizzàre *vt* to sterilize

sterilizzazióne *sf* sterilization

sterlìna *sf* pound, sterling

sterminàre *vt* to exterminate, to wipe out

stermìnio *sm* extermination

stèrno *sm* breastbone

sterzàre *vi* to steer ◊ *(cambiare direzione)* to swerve

stèrzo *sm* steering (gear), *(volante)* steering wheel

stésso *a (identico)* same ◊ *(dopo un pronome personale o un sostantivo) (io stesso)* I myself, *(tu stesso)* you yourself, *(egli stesso)* he himself, *(ella stessa)* she herself, *(esso stesso)* it itself, *(noi stessi/stesse)* we ourselves, *(voi stessi/stesse)* you yourselves, *(essi stessi/esse stesse)* they themselves (ES: **lo farò io s.** I'll do it myself; **l'artista s. presenziò all'inaugurazione** the artist himself presided over the opening) ◊ *(rifl)* -self, -selves *pl* ◊ *(proprio, esattamente)* very (ES: **oggi s.** this very day) ◊ *(in persona)* in person ◆ *pr (la stessa persona)* same ◊ *(la stessa cosa)* the same ◊ **è lo s.** it's just the same; **fa lo s.** it doesn't matter, never mind

stesùra *sf* drawing up

stìle *sm* style

stilìsta *sm/f* stylist, fashion designer

stillàre *vt/i* to drip

stilogràfica *sf* fountain pen

stìma *sf (valutazione)* estimate, evaluation, appraisal ◊ *(prezzo stimato)* valuation ◊ *(buona opinione)* esteem

stimàre *vt (valutare)* to estimate, to appraise, to value ◊ *(tenere in considerazione)* to esteem ◊ *(giudicare)* to consider, to think

stimolàre *vt* to stimulate, to spur

stìmolo *sm* stimulus

stìngere *vt/i* to fade

stipèndio *sm* salary, pay

stìpite *sm* jamb

stipulàre *vt* to stipulate, *(redigere)* to draw up

stiràre *vt* to stretch ◊ *(col ferro)* to iron ◊ *(i capelli)* to straighten ◆ *vrif* to stretch (oneself) ◊ *(procurarsi uno stiramento)* to strain a muscle

stìrpe *sf* lineage, stock, family, descent ◊ *(prole)* offspring

stitichézza *sf* constipation

stìtico *a* constipated

stìva *sf* hold

stivàle *sm* boot

stìzza *sf* anger

stizzìre *vt* to irritate ◆ *vpr* to get angry

stòffa *sf* cloth, material, fabric ◊ *(fig)* stuff

stólto *a* foolish

stòmaco *sm (anat)* stomach ◊ *(coraggio)* guts *pl*

stonàre *vi (mus)* to be out of tune ◊ *(fig)* to be out of place, *(di colori)* to clash

stop *sm (segnale)* stop signal ◊ *(luci)* stop-light

stoppìno *sm* wick

stòrcere *vt* to twist, to wrench ◆ *vpr/rif* to twist, to writhe ● **s. il naso** to turn up one's nose

stordìre *vt* to stun, to daze ◊ *(assordare)* to deafen ◊ *(sbalordi-*

re) to stun, to stupefy ◆ *vrif* to dull one's senses

stòria *sf* history ◇ (*racconto*) story, tale ◇ (*faccenda*) affair, business ◇ (*bugia*) story, fib ◇ (*pretesto*) pretext, excuse ◇ (*smanceria*) fuss

stòrico *a* historic(al) ◆ *sm* historian

storièlla *sf* funny story, joke

storióne *sm* sturgeon

stórmo *sm* flight

stornàre *vt* to avert, to divert, to avoid ◇ (*fin*) to transfer ◇ (*cancellare*) to cancel, to write off

stórno *sm* (*trasferimento*) transfer, diversion ◇ (*cancellazione*) reversal, cancellation ◇ (*zool*) starling

stòrpio *a* crippled ◆ *sm* cripple

stòrta *sf* sprain, twist

stòrto *a* crooked, twisted ● *andare s.* to go wrong

stovìglie *sf pl* dishes *pl*

stràbico *a* cross-eyed, squinting ◆ *sm* cross-eyed person, squinter

strabìsmo *sm* (*med*) strabismus ◇ (*fam*) squint

stracciàre *vt* to tear, to rip ◇ (*battere*) to defeat, to lick

stràccio *sm* rag, cloth, (*per la polvere*) duster ● *carta straccia* scrap paper; *sentirsi uno s.* to feel exhausted

stracòtto *a* overcooked ◆ *sm* stew

stràda *sf* road, (*di città*) street ◇ (*tragitto, cammino*) way ● *s. a senso unico* one-way street; *s. dissestata* uneven road

stradàle *a* road

strafalcióne *sm* blunder

strafottènte *a* arrogant

stràge *sf* (*massacro*) slaughter, carnage ◇ (*distruzione*) destruction

stràllo *sm* stay

stralunàto *a* (*di occhi*) rolling ◇ (*sconvolto*) bewildered

stramazzàre *vi* to fall heavily

stràmbo *a* strange, odd, eccentric

stranézza *sf* strangeness ◇ (*atto, parola strana*) eccentricity

strangolàre *vt* to strangle, (*soffocare*) to choke

stranièro *a* foreign ◆ *sm* foreigner

stràno *a* strange, odd, queer

straordinàrio *a* extraordinary, special ◇ (*enorme*) immense, enormous ◇ (*di lavoro*) overtime ◆ *sm* (*cosa straordinaria*) extraordinary thing ◇ (*lavoro straordinario*) overtime

strapazzàre *vt* to ill-treat, to mistreat ◇ (*trattare senza cura*) to take no care of ◆ *vrif* to tire oneself out

strapiómbo *sm* cliff, overhang ● *a s.* sheer

strapotére *sm* excessive power

strappàre *vt* to tear ◇ (*togliere tirando*) to pull up, to pull away, to rip ◇ (*ottenere*) to wring, to get ◆ *vpr* to tear, to get torn

stràppo *sm* tear, rent, rip ◇ (*tirata, strattone*) pull, snatch, jerk ◇ (*infrazione*) infringement ◇ (*muscolare*) strain ◇ (*fig*) split ◇ (*passaggio in auto*) lift ● *s. alla regola* exception to the rule

strapuntìno sm folding seat

straripàre vi to overflow

strascicàre vt to trail, to drag, (i piedi) to shuffle, (le parole) to drawl ♦ vi to trail ♦ vrif to drag oneself

stràscico sm train ◊ (conseguenza) after-effect ◊ (pesca) trawling, trawl

stratagèmma sm stratagem, trick

stratèga sm strategist

strategìa sf strategy

stràto sm layer, stratum, (di rivestimento) coat

stravagànte a queer, odd, eccentric

stravècchio a very old, (sorpassato) out-of-date

stravòlgere vt (torcere) to twist ◊ (fig) to distort, (snaturare) to change radically ◊ (turbare) to upset

straziàre vt to lacerate, to torture ◊ (fig) to murder

strèga sf witch, hag

stregàre vt to bewitch

stregóne sm wizard

stremàre vt to exhaust

strènna sf gift, present

strènuo a brave, courageous ◊ (infaticabile) tireless

strepitóso a uproarious, resounding, clamorous

stress sm stress

strétta sf grasp, hold, grip ◊ (dolore) pang ◊ (situazione difficile) dire straits pl ◊ (momento culminante) climax ◊ (econ) squeeze ● mettere qn alle strette to put sb with his back against the wall; s. di mano handshake

strétto a narrow ◊ (di abito) tight ◊ (serrato) tight, fast, (di denti) clenched ◊ (rigoroso) strict, firm, close ◊ (intimo) close ◊ (preciso) exact, precise ◊ (chiuso) close ◊ (pigiato) packed ♦ sm (geogr) sound, strait, straits pl (v al sing) ● lo s. necessario the bare minimum

strettóia sf narrow passage, bottleneck

strillàre vt/i to scream, to shout

strillóne sm newspaper seller

striminzito a stunted

strimpellàre vt to strum, to bang away

strìnga sf lace ◊ (inform) string

strìngere vt to grip, to clasp, to grasp, to clench ◊ (rendere più stretto) to tighten, (un abito) to take in ◊ (concludere, stipulare) to make, to draw up ◊ (accelerare) to quicken ♦ vi (incalzare) to press ◊ (essere stretto) to be tight ◊ (condensare) to be brief, to be short ♦ vrif to squeeze (oneself), to press (oneself), to squeeze together ♦ vpr (restringersi) to shrink

strìscia sf strip, stripe ◊ (scia) streak, trail ◊ (di fumetti) (comic) strip ● strisce pedonali zebra crossing; a strisce striped

strisciàre vt to drag ◊ vi to crawl, to creep ◊ (sfregare) to scrape ◊ (fig) to grovel ♦ vrif to rub oneself

striscióne sm banner

stritolàre *vt* to grind, to crush, to smash

strizzàre *vt* to squeeze, (*panni*) to wring (out) ● *s. l'occhio* to wink

stròfa *sf* stanza, strophe

strofinàccio *sm* cloth, (*per spolverare*) duster, (*per asciugare piatti*) tea cloth, (*per pavimenti*) floor cloth

strofinàre *vt* to rub ◇ (*pulire*) to clean, (*lucidare*) to polish ◆ *vrif* to rub oneself

stroncàre *vt* to break off, to cut off ◇ (*reprimere*) to put down, to crush ◇ (*criticare*) to slash, to pan, to tear apart

stropicciàre *vt* to rub ◇ (*sgualcire*) to crumple, to crease ◆ *vpr* to get creased

strozzàre *vt* to strangle, (*soffocare*) to choke ◇ (*occludere*) to block ◆ *vpr* to choke ◇ (*restringersi*) to narrow

strozzatùra *sf* narrowing, bottleneck

strumentàle *a* instrumental ◇ (*che serve da strumento*) exploitable

strumentalizzàre *vt* to exploit, to manipulate

strumentista *sm/f* instrumentalist

struménto *sm* tool, instrument, implement ◇ (*mus*) instrument

strùtto *sm* lard

struttùra *sf* structure, frame

strutturàre *vt* to structure ◆ *vpr* to be structured

strùzzo *sm* ostrich

stuccàre (1) *vt* (*decorare con stucco*) to stucco ◇ (*riempire di stucco*) to plaster, to putty

stuccàre (2) *vt* (*nauseare*) to sicken, to make sick

stucchévole *a* sickening, nauseating

stùcco *sm* (*per decorazioni*) stucco, (*riempitivo*) plaster, putty, filler ● *restare di s.* to be left speechless

studènte *sm* student, (*scolaro*) pupil

studentésco *a* student, students'

studiàre *vt* to study, (*all'università*) to read ◇ (*esaminare*) to study, to examine ◆ *vpr* to try

stùdio *sm* study, studying ◇ (*indagine*) study, analysis ◇ (*progetto*) plan ◇ (*stanza*) study ◇ (*ufficio di professionista*) office, (*di artista*) studio ◇ (*TV*) studio

studióso *a* studious ◆ *sm* scholar

stùfa *sf* stove, (*elettrica*) heater

stufàre *vt* (*cuc*) to stew ◇ (*annoiare*) to bore ◆ *vpr* to get tired, to be fed up

stùfo *a* bored, fed up, sick and tired

stuòia *sf* mat

stupefacènte *a* stupefying, amazing ◇ (*med*) stupefacient ◆ *sm* drug

stupèndo *a* stupendous, marvellous, wonderful

stupidàggine *sf* stupidity ◇ (*cosa, azione stupida*) stupid thing, nonsense ◇ (*inezia*) trifle

stupidità *sf* stupidity

stùpido *a* stupid, foolish ◆ *sm* idiot, fool

stupire *vt* to astonish, to amaze ♦ *vpr* to be astonished, to be amazed

stupóre *sm* astonishment, amazement

stupràre *vt* to rape

stùpro *sm* rape

sturàre *vt* to unblock, to unplug ◇ *(bottiglie)* to uncork

stuzzicadènti *sm* toothpick

stuzzicàre *vt* to prod, to poke, to pick ◇ *(molestare)* to tease ◇ *(eccitare)* to excite, to whet

su *avv* up ◇ *(al piano superiore)* upstairs ◇ *(indosso)* on ♦ *prep* *(sovrapposizione con contatto)* on, upon, up, on to, *(in cima a)* on top of ◇ *(sovrapposizione senza contatto, rivestimento, protezione, dominio, superiorità)* over ◇ *(più in alto di)* above ◇ *(lungo)* on, *(affacciato su)* on to ◇ *(verso, intorno a)* about, at ◇ *(in direzione di)* to(wards), *(contro)* on, at ◇ *(riguardo a)* on, about ♦ *due su tre* two out of three; *in su* upwards, *(in avanti)* onwards

subàcqueo *a* subaqueous, underwater ♦ *sm* skin diver

subaffittàre *vt* to sublet

subbùglio *sm* confusion, mess

sùbdolo *a* sly, devious

subentràre *vi* to follow, to take the place of, to replace

subire *vt* to undergo, to suffer

sùbito *avv* at once, immediately ◇ *(in breve tempo)* soon ● *s. dopo/prima* just after/before

sublime *a/sm* sublime

subodoràre *vt* to suspect

subordinàto *a/sm* subordinate

succèdere *vi* *(subentrare)* to succeed ◇ *(seguire)* to follow ◇ *(accadere)* to happen, to occur ♦ *vrif* to follow one another ● *che ti succede?* what's up with you?

successióne *sf* succession ◇ *(serie)* succession, series, sequence ● *imposta di s.* inheritance tax

successivaménte *avv* subsequently

successìvo *a* following

succèsso *sm* success, *(esito)* outcome ◇ *(opera di successo)* hit

successóre *sm* successor

succhiàre *vt* to suck

succìnto *a* *(di vestito)* scanty ◇ *(conciso)* concise

sùcco *sm* juice ◇ *(fig)* essence, point

succursàle *sf* branch

sud *sm* south

sudafricàno *a/sm* South African

sudamericàno *a/sm* South American

sudàre *vt/i* to sweat

sudàto *a* sweaty

sùddito *a/sm* subject

suddivìdere *vt* to subdivide, to split up

sudìcio *a* dirty, filthy

sudóre *sm* sweat, perspiration

sufficiènte *a* sufficient, enough ◇ *(altezzoso)* arrogant, haughty ♦ *sm* sufficient, enough

sufficiènza *sf* sufficiency ◇ *(alterigia)* arrogance, conceit ◇ *(voto scolastico)* passing mark, passing grade ● *a s.* enough

suffisso sm suffix

suffràgio sm suffrage

suggerire vt to suggest ◇ (teatro, scuola) to prompt

suggestionàre vt to influence ♦ vpr to persuade oneself

suggestióne sf suggestion ◇ (fascino) charm

suggestivo a suggestive, striking

sùghero sm cork

sùgo sm juice ◇ (cuc) sauce ◇ (fig) essence

suicida a suicidal ♦ sm/f suicide

suicidàrsi vrifl to commit suicide

suicidio sm suicide

suìno sm swine

sultàno sm sultan

sùo a.poss (di lui) his, (di lei) her, (di cosa o animale) its, (suo proprio) his own, her own, its own ◇ (nella forma di cortesia) your ◇ (con sogg impers) one's, (suo proprio) one's own ♦ pr.poss (di lui) his, (di lei) hers, (nella forma di cortesia) yours ♦ sm (denaro, averi) his/her own money ◇ al pl (familiari) his/her family, (i suoi seguaci) his/her supporters

suòcera sf mother-in-law

suòcero sm father-in-law

suòla sf sole

suòlo sm soil, ground, land

suonàre vt to sound, (campanello, campane) to ring ◇ (strumenti musicali) to play ◇ (di orologio) to strike ♦ vi to sound, (di campanello, campane) to ring, (di sveglia) to go off ◇ (eseguire musica) to play ◇ (scoccare) to strike ◇ (risuonare) to ring, to resound ● te le suono! I'll give you a thrashing!

suonatóre sm player

suoneria sf striking mechanism ◇ (di telefono cellulare) ring, ringing

suòno sm sound

suòra sf nun, sister

superàre vt to exceed, to go over, to be over, (di persona) to surpass, to outdo ◇ (passare al di là di) to get over, (di veicolo) to overtake ◇ (vincere, sormontare) to overcome, to get over, to get through

supèrbia sf arrogance, pride, conceit

supèrbo a proud, arrogant, haughty ◇ (magnifico) superb, magnificent

superficiàle a superficial, surface ◇ (fig) superficial, shallow

superficie sf surface

superfluo a superfluous

superióre a superior ◇ (più alto) higher ◇ (sovrastante) upper ◇ (al di sopra) above ◇ (di grado) senior ◇ (avanzato) advanced ♦ sm superior ◇ al pl (scuole) secondary school

superiorità sf superiority

superlativo a/sm superlative

supermercàto sm supermarket

supèrstite a surviving ♦ sm/f survivor

superstizióne sf superstition

superstizióso a superstitious

superstràda sf highway, motorway

supervisóre sm supervisor

supìno *a* supine

suppergiù *avv* about, nearly, roughly

supplementàre *a* supplementary, additional, extra

supplemènto *sm* supplement, *(di spesa)* extra (charge)

supplènte *a* temporary, substitute ◆ *sm/f* substitute, *(insegnante)* supply teacher

sùpplica *sf* petition, plea

supplicàre *vt* to beg, to implore

supplìre *vt* to replace, to stand in for ◆ *vi* to make up to, to compensate

supplìzio *sm* torture, torment

suppórre *vt* to suppose

suppòrto *sm* support, stand, bearing

supposizióne *sf* supposition, assumption ● *fare supposizioni* to speculate

suppòsta *sf* suppository

suprèmo *a* supreme ◇ *(principale)* prime, chief, *(straordinario)* extraordinary ◇ *(massimo)* great(est), highest ◇ *(estremo)* last

surgelàre *vt* to (deep-)freeze

surgelàto *a* frozen ◆ *sm* frozen food

surrealìsta *sm/f* surrealist

surriscaldàre *vt/pr* to overheat

surrogàto *sm* surrogate, substitute

suscettìbile *a* susceptible ◇ *(permaloso)* touchy

suscitàre *vt* to stir up, to excite, to arouse

susìna *sf* plum

sussidiàrio *a* subsidiary

sussìdio *sm* subsidy, grant, *(aiuto)* aid ● *s. di disoccupazione* unemployment benefit

sussistènza *sf* *(esistenza)* existence ◇ *(sostentamento)* subsistence

sussultàre *vi* to start ◇ *(di cose)* to shake

sussurràre *vt* to whisper, to murmur

sussurrìo *sm* whispering

sutùra *sf* suture

suturàre *vt* to suture

svagàre *vt* to divert, to distract (attention) ◇ *(divertire)* to amuse, to entertain ◆ *vrif* to distract one's mind ◇ *(divertirsi)* to amuse oneself

svàgo *sm* relaxation, *(passatempo)* hobby ◇ *(divertimento)* amusement

svaligiàre *vt* to rob, *(una casa)* to burgle

svalutàre *vt* to devalue, to depreciate ◇ *(sminuire)* to undervalue ◆ *vpr* to be devalued, to depreciate

svanìre *vi* *(sparire)* to disappear, to vanish ◇ *(venir meno)* to be lost, to fade (away)

svantàggio *sm* disadvantage, drawback ◇ *(danno)* detriment

svasatùra *sf* flare

svàstica *sf* swastika

svedése *a* Swedish ◆ *sm/f* Swede ◆ *sm* *(lingua)* Swedish

svéglia *sf* call ◇ *(orologio)* alarm-clock ● *s. telefonica* telephone alarm service

svegliàre *vt* to wake (up), to awaken ◇ *(fig)* to stir, to arouse

♦ *vrif* to wake (up), to awake ♦ *vpr* to reawaken, to be roused

svéglio *a* awake (pred), (*alzato*) up ◇ (*fig*) on-the-ball, quick

svelàre *vt* to reveal, to disclose

svèlto *a* quick, fast, rapid ◇ (*fig*) quick-witted, smart

svéndita *sf* (clearance) sale

svenimento *sm* faint

svenìre *vi* to faint

sventàre *vt* to foil

sventolàre *vt/i* to wave, to flutter

sventùra *sf* misfortune

svergognàto *a* shameless

svernàre *vi* to winter

svestìre *vt/rif* to undress

svezzàre *vt* to wean

sviàre *vt* to divert, to turn aside ◇ (*distrarre*) to distract ◇ (*traviare*) to lead astray ♦ *vpr* to go astray, to deviate

svignàrsela *vpr* to slink off

sviluppàre *vt* (*far crescere*) to develop, to expand ◇ (*rinvigorire*) to strengthen ◇ (*elaborare*) to develop, to work out ◇ (*produrre*) to generate, to produce ◇

(*mat*) to develop ♦ *vpr/rif* to develop ◇ (*crescere*) to grow, (*rinvigorirsi*) to strengthen ◇ (*espandersi*) to expand, to develop

sviluppo *sm* development

svìsta *sf* oversight

svitàre *vt* to unscrew ♦ *vpr* to come unscrewed

svìzzero *a/sm* Swiss

svogliàto *a* unwilling, indolent

svolazzàre *vi* to flutter, to fly about

svòlgere *vt* to unwind, to unroll ◇ (*sviluppare*) to develop ◇ (*eseguire*) to carry out, to do ♦ *vrif* to unwind, to unroll ◇ (*svilupparsi*) to develop ♦ *vpr* (*accadere*) to happen, to occur

svolgiménto *sm* unwinding, unrolling ◇ (*esecuzione*) execution ◇ (*sviluppo*) development, progress

svòlta *sf* (*lo svoltare*) turning ◇ (*di strada*) turn, bend

svoltàre *vi* to turn

svuotàre *vt* to empty

T

tabaccàio *sm* tobacconist

tabàcco *sm* tobacco, (*da fiuto*) snuff

tabèlla *sf* table, schedule

tabellóne *sm* board, noticeboard

tabernàcolo *sm* tabernacle

tabù *sm* taboo

tàcca *sf* notch

taccàgno *a* miserly, stingy ♦ *sm* miser

tacchìno *sm* turkey

tacciàre *vt* to accuse

tàcco *sm* heel ● *tacchi a spillo* stiletto heels, stilettos

taccuìno *sm* notebook

tacére *vi* to be silent, to keep silent ◇ (*non far rumore*) to be still ◆ *vt* to pass over in silence, to leave out

tachìmetro *sm* speedometer

tàcito *a* tacit, implicit ◇ (*quieto*) still

tacitùrno *a* taciturn

tafferùglio *sm* brawl, scuffle

tàglia *sf* (*misura*) size ◇ (*ricompensa*) reward

tagliacàrte *sm* paper knife

tagliàndo *sm* coupon, slip

tagliàre *vt* to cut ◇ (*attraversare*) to cut across, (*intersecare*) to intersect ◇ (*interrompere, staccare*) to cut off, to interrupt ◇ (*escludere*) to cut out ◇ (*ridurre*) to cut down ◇ (*mescolare*) to blend ◆ *vi/pr* to cut ◆ *vrif* to cut oneself, to get cut

taglière *sm* chopping-board

tàglio *sm* cut, cutting ◇ (*ferita*) cut ◇ (*parte tagliente*) edge ◇ (*tono*) tone ◇ (*pezzo*) cut, (*di stoffa*) length, (*di banconota*) denomination ◇ (*dimensione*) size ◇ (*di vite*) slot

tagliòla *sf* trap

tàlco *sm* talc ● *t. in polvere* talcum powder

tàle *a* (*simile*) such, like that (*pred*) (ES: **tali sono i suoi problemi** such are his problems; **tali fatti accadono ogni giorno** things like that happen every day) ◇ (*intensivo*) so, such (ES: **c'era una t. confusione!** there was such a chaos!) ◇ (*un certo*) a, certain (ES: **un t. signor Smith** a certain Mr Smith) ◇ (*preceduto dall'art determ*) such and such (ES: **il t. giorno alla t. ora**

on such and such a day, at such and such a time) ◇ (*dimostr*) this, that (ES: **in t. caso** in that case) ◆ *pr* (*dimostr*) he *m*, she *f*, the/that person, the/that fellow (ES: **è lui il t. che cercavi** that's the fellow you were looking for) ◇ (*indef*) (*preceduto dall'art indeterm*) someone, (*preceduto da 'quel', 'quella'*) the man, the woman (ES: **c'è un t. che ti aspetta** there's someone waiting for you; **c'è quel t. dell'assicurazione** the insurance man is here)

talènto *sm* talent

talismàno *sm* talisman

talloncìno *sm* coupon, slip

tallóne *sm* heel

talménte *avv* (*con agg e avv*) so ◇ (*con v*) so much. in such a way

talóra → **talvolta**

tàlpa *sf* mole

talvòlta *avv* sometimes, at times

tamarìndo *sm* tamarind

tamburellàre *vi* to drum

tamburèllo *sm* tambourine

tambùro *sm* drum ◇ (*arch*) tambour

tamponàre *vt* to stop up, to plug ◇ (*med*) to tampon ◇ (*aut*) to collide with, to crash into

tampóne *sm* plug, stopper ◇ (*med, assorbente*) tampon ◇ (*per timbri*) pad ◇ (*el*) buffer ● *memoria t.* buffer

tàna *sf* den

tangènte *a* tangent ◆ *sf* tangent ◇ (*quota*) share, percentage, (*illegale*) rake-off, cut

tangenziàle *a* tangential ◆ *sf* (*strada*) bypass, ring road

tàngo *sm* tango

tànica *sf* can, tank

tànto *a* (*intensivo*) so much, such, so many *pl*, (*così grande*) so great (ES: **te l'ho detto tante volte** I've told you so many times) ◇ (*molto*) much, many *pl*, a lot of, lots of (ES: **hanno t. denaro** they have lots of money) ◇ (*comp, spesso in correlazione con 'quanto'*) as much, as many *pl*, (*in frasi neg*) so much, so many *pl* (ES: **ho tanti soldi quanto te** I have as much money as you; **non hai tanti giocattoli quanti ne ho io** you don't have as many toys as I have) ◇ (*altrettanto*) as much, as many *pl* ◆ *avv* (*così, talmente*) (*con agg e avv*) so, (*con v*) such a lot, so (much) (ES: **sono t. felice che non riesco a stare fermo** I am so happy that I cannot keep still; **l'amava t.!** he loved her so much!) ◇ (*in correlazione con 'quanto'*) (*con agg e avv*) as, so, (*con v*) as much, so much (ES: **lavoro t. quanto mi basta** I work as hard as I need to) ◇ (*molto*) (*con agg e avv*) so, (*con v*) so much (ES: **gli era t. affezionato** he was so fond of him) ◇ (*temporale*) (for) a long time, long, so long (ES: **l'ho aspettato t.** I waited for him a long time) ◇ (*moltiplicativo*) as much (ES: **due volte t.** twice as much) ◇ (*soltanto*) just (ES: **t. per cambiare** just for a change) ◇ (*comunque*) in any case (ES: **parla pure, t. faccio come voglio** you can go on talking, I'll do as I please in any case) ◆ *pr* (*molto*) much, many *pl*, a lot, (*molte persone*) many people, a lot of people (ES: **tanti guidano in modo pericoloso** many people drive dangerously) ◇ (*comparativo in correlaz con 'quanto'*) as much, as many *pl*, so much, so many *pl* (ES: **prendine t. quanto basta** take as much as is necessary) ◆ *sm* so much (ES: **un t. per cento** so much per cent) ◆ *t. più che ...* all the more that ...; *t. ... quanto* (*sia sia*) both ... and; *una volta t.* once in a while

tapis roulant *sm* conveyor belt ◇ (*per persone*) moving walkway, travelator

tàppa *sf* (*luogo di sosta*) stopping place ◇ (*fermata*) halt, stop, stay ◇ (*parte di percorso*) stage, leg, (*di gara sportiva*) lap ◇ (*momento fondamentale*) stage

tappàre *vt* to plug, to cork, to stop (up) ◆ *vrif* to shut oneself up ◆ *t. un buco* to fill in a hole, (*fig*) to replace sb

tapparèlla *sf* roll-up blind

tappéto *sm* carpet ◇ (*sport*) mat, (*boxe*) canvas

tappezzàre *vt* to paper ◇ (*coprire*) to cover ◇ (*foderare*) to upholster

tappezzerìa *sf* (*arte, professione*) upholstery ◇ (*di tessuto*) tapestry, (*di carta*) wall-paper, (*per mobili, auto*) upholstery

tàppo *sm* plug, stopper, (*di bottiglia*) cap, (*di sughero*) cork

tàra *sf (comm)* tare ◇ *(difetto)* defect, blemish

tardàre *vt* to delay, to put off ♦ *vi* to be late ◇ *(indugiare)* to be long, to delay

tàrdi *avv* late

tardìvo *a* late ◇ *(che arriva tardi)* tardy, belated

tàrdo *a (lento)* slow ◇ *(ottuso)* dull ◇ *(di tempo)* late

tàrga *sf* plate ◇ *(aut)* number-plate, *(USA)* license plate

targhétta *sf* plate

tariffa *sf* tariff, rate, price, *(di biglietto)* fare

tariffàrio *sm* tariff, price list, rate table

tàrlo *sm* woodworm

tàrma *sf* moth

tarmicida *sm* moth-killer

taròcco *sm* tarot, tarok

tartagliàre *vi* to stutter, to stammer

tàrtaro *sm* tartar

tartarùga *sf* tortoise, *(di mare)* turtle

tartìna *sf* canapé

tartùfo *sm* truffle

tàsca *sf* pocket

tascàbile *a* pocket ♦ *sm (libro)* paperback

taschìno *sm* breast-pocket, *(interno)* inside pocket

tàssa *sf* tax, duty, dues *pl*, *(per iscrizione)* fee

tassàre *vt* to tax, to assess

tassazióne *sf* taxation

tassèllo *sm* plug

tassì → **taxi**

tàsso (1) *sm (zool)* badger

tàsso (2) *sm (bot)* yew

tàsso (3) *sm* rate ● *t. di natalità* birthrate

tastàre *vt* to touch, to feel ◇ *(fig)* to sound out

tastièra *sf* keyboard

tàsto *sm* key

tastóni, **a** *loc.avv* gropingly, feeling one's way

tàttico *a* tactical ♦ *sm* tactician

tàtto *sm* touch ◇ *(fig)* tact

tatuàggio *sm* tattoo

tavèrna *sf* tavern, inn ◇ *(edil)* basement room

tàvola *sf (asse)* board, plank ◇ *(tavolo)* table ◇ *(illustrazione)* plate ◇ *(tabella)* table ● *t. a vela* windsurfer; *t. calda* lunch counter, snack bar

tavolàto *sm (pavimento)* wooden(en) floor ◇ *(geogr)* plateau

tavolétta *sf* tablet, bar

tàvolo *sm* table

tavolòzza *sf* palette

tàxi *sm* taxi, cab

tàzza *sf* cup

tazzìna *sf* (small) cup

te *pr.pers* you ● *se fossi in te* if I were you; *tocca a te* it's your turn

tè *sm* tea

teatràle *a* theatrical

teàtro *sm* theatre, *(USA)* theater

tèca *sf* reliquary

tècnica *sf* technique ◇ *(tecnologia)* technics *pl (v al sing)*

tècnico *a* technical ♦ *sm* technician, engineer, *(esperto)* expert

tecnologìa *sf* technology

tedésco *a/sm* German

tegàme *sm* pan, saucepan, frying pan

téglia *sf* baking-tin, baking pan, pie dish

tégola *sf* tile

teièra *sf* tea-pot

téla *sf* cloth, canvas

telàio *sm* loom, *(da ricamo)* tambour ◇ *(ossatura)* frame

telecàmera *sf* telecamera ● *t. a circuito chiuso* closed circuit camera

telecomàndo *sm* remote control

telecomunicazióne *sf* telecommunication

telefèrica *sf* cableway

telefonàre *vt/i* to telephone, to phone, to ring up, to call

telefonàta *sf* (phone) call ● *t. a carico del destinatario* charge call, *(USA)* collect call

telefonìa *sf* telephone services *pl*

telefonìno *sm* mobile phone, mobile, cellular phone

telèfono *sm* telephone, phone ● *t. cellulare* cellular phone; *t. fisso* wireline phone

telegiornàle *sm* news

telègrafo *sm* telegraph

telegràmma *sm* telegram, wire

telemàtica *sf* telematics *pl (v al sing)*

Telepàss *sm* remote toll payment

telepatìa *sf* telepathy

telescòpio *sm* telescope

telespettatóre *sm* viewer, televiewer

televisióne *sf* television, *(apparecchio)* television set

televisìvo *a* television

televisóre *sm* television set

télo *sm* length of cloth ● *t. da spiaggia* beach towel

telóne *sm* tarpaulin

tèma *sm* subject, topic, theme ◇ *(scolastico)* composition ◇ *(mus)* theme

temeràrio *a* temerarious

temére *vt* to fear, to be afraid of ● *temo di no/sì* I fear not/so, I'm afraid not/so

tèmpera *sf* tempera, distemper

temperamatìte *sm* pencil sharpener

temperaménto *sm* temperament, disposition

temperàre *vt (mitigare)* to temper, to mitigate ◇ *(fare la punta)* to sharpen

temperàto *a* temperate, moderate ◇ *(mus)* tempered

temperatùra *sf* temperature

temperìno *sm (coltellino)* penknife ◇ *(temperamatite)* pencil sharpener

tempèsta *sf* storm, tempest

tempestàre *vt (colpire)* to batter, to pound ◇ *(subissare)* to annoy, to pester ◇ *(ornare)* to stud

tempestìvo *a* opportune, timely

tèmpia *sf* temple

tèmpio *sm* temple

templàre *sm* Templar

tèmpo *sm* time ◇ *(atmosferico)* weather ◇ *(mus)* tempo, time ◇ *(gramm)* tense ◇ *(fase)* stage, phase ● *t. fa* some time ago; *t. libero* spare time; *t. morto* idle time, dead time; *t. pieno* full time; *un t. (nel passato)* once

temporàle *sm* storm

temporàneo *a* temporary

temporeggiàre *vi* to play for time

tempràre *vt (met)* to temper, to harden ◇ *(fortificare)* to strengthen ◆ *vpr/rif* to be strengthened

tenàce *a* tenacious

tenàglie *sf pl* tongs *pl*, pincers *pl*, pliers *pl*

tènda *sf* tent ◇ *(di finestra)* curtain

tendènza *sf* trend, tendency ◇ *(attitudine)* disposition, bent

tendenzióso *a* tendentious

tèndere *vt (porgere)* to stretch (out), to hold out ◇ *(mettere in tensione)* to stretch, to tighten ◇ *(predisporre)* to lay, to set ◆ *vi* to tend, to be inclined ◇ *(mirare)* to aim, to intend

tendìna *sf* curtain

tèndine *sm* tendon, sinew

tendóne *sm* awning, *(impermeabile)* tarpaulin, *(da circo)* tent, big top

tènebre *sf pl* dark, darkness

tenebróso *a* dark, gloomy

tenènte *sm* lieutenant

tenére *vt* to hold, to keep ◇ *(prendere)* to take ◇ *(occupare)* to take up ◇ *(contenere)* to contain ◇ *(considerare, ritenere)* to consider, to regard ◇ *(organizzare)* to hold, to deliver ◆ *vi (resistere)* to hold ◇ *(essere a tenuta stagna)* to be watertight ◇ *(dare importanza)* to matter, *(avere caro)* to value, *(volere)* to like, to want ◇ *(parteggiare)* to be for, to support ◆ *vrif* to keep oneself, to hold oneself ◇ *(trattenersi)* to keep from *(col gerun-*

dio) ◇ *(attenersi)* to stick, to follow

tenerézza *sf* tenderness

tènero *a* tender, soft ◇ *(fig)* tender, loving, *(di parole)* fond

tènia *sf* tapeworm, taenia

tennìsta *sm/f* tennis player

tenóre *sm (modo)* tenor, way ◇ *(contenuto)* tenor, contents *pl* ◇ *(mus)* tenor

tensióne *sf* tension ◇ *(el)* voltage

tentàre *vt* to try, to attempt ◇ *(indurre in tentazione)* to tempt

tentatìvo *sm* attempt, try

tentazióne *sf* temptation

tentennàre *vi* to stagger, to totter, *(oscillare)* to swing ◇ *(fig)* to waver, to hesitate ◆ *vt* to shake

tènue *a* slender, slight ◇ *(delicato)* soft

tenùta *sf (proprietà agricola)* estate, farm ◇ *(capacità)* capacity ◇ *(abbigliamento)* clothes *pl*, *(uniforme)* uniform ◇ *(tecn)* seal ◆ *a t. di* -tight; *t. di strada* roadholding

teòlogo *sm* theologian

teorèma *sm* theorem

teorìa *sf* theory

teòrico *a* theoretic(al) ◆ *sm* theorist, theorician

tepóre *sm* warmth

teppìsmo *sm* hooliganism

terapèutico *a* therapeutic(al)

terapìa *sf* therapy

tergicristàllo *sm* windscreen wiper

tergilunòtto *sm* rear-windshield wiper

tergiversàre *vi* to prevaricate

tèrgo *sm* back ● *vedi a t.* see overleaf, PTO

termàle *a* thermal ● *sorgenti termali* hot springs; *stabilimento t.* spa

tèrme *sf pl* thermal baths *pl*, hot springs *pl*, spa ◇ (*archeol*) thermae *pl*

tèrmico *a* thermic, thermal

terminàle *a/sm* terminal

terminàre *vt/i* to end, to finish

tèrmine *sm* (*fine*) end, close ◇ (*limite*) limit ◇ (*confine*) boundary ◇ (*scadenza*) expiry, date, time ◇ (*condizione, rapporto*) term ◇ (*parola*) term, word ◇ (*mat*) term

terminologìa *sf* terminology

tèrmite *sf* termite

termodinàmica *sf* thermodynamics *pl* (*v al sing*)

termòmetro *sm* thermometer

termosifóne *sm* radiator

termòstato *sm* thermostat

tèrra *sf* (*pianeta*) earth, (*mondo*) world ◇ (*opposto ad acqua*) land ◇ (*terreno*) ground, (*materiale terroso*) earth, (*suolo coltivabile*) soil, (*pavimento*) floor ◇ (*paese, regione*) land, country ◇ (*proprietà*) land, estate, property

terracòtta *sf* terracotta ● *vasellame di t.* earthenware

terrafèrma *sf* dry land, (*continente*) mainland

terràglia *sf* earthenware

terrapièno *sm* bank, (*mil*) rampart

terràzza *sf* terrace, (*balcone*) balcony

terrazzaménto *sm* terracing

terremòto *sm* earthquake ◇ (*fig*) upheaval

terréno *a* earthly ◆ *sm* ground, (*suolo*) soil ◇ (*proprietà, porzione di terra*) land ◇ (*campo*) field ● *piano t.* ground floor, first floor

terrèstre *a* terrestrial, earthly, land

terrìbile *a* terrible, awful, dreadful

terrificànte *a* terrifying, appalling

territoriàle *a* territorial

territòrio *sm* territory, region

terróre *sm* terror, dread

terrorìsmo *sm* terrorism

terrorìsta *sm/f* terrorist

tèrso *a* clear

terziàrio *sm* tertiary

terzìno *sm* back

tèrzo *a/sm* third

terzùltimo *a* last but two, (*USA*) third from last

tèschio *sm* skull

tèsi *sf* thesis

téso *a* tight, stretched, tense ◇ (*mirante*) aimed

tesòro *sm* treasure

tèssera *sf* card, ticket, pass ◇ (*di mosaico*) tessera

tèssere *vt* to weave

tèssile *a* textile

tessitóre *sm* weaver

tessitùra *sf* weaving, (*disposizione dei fili*) texture

tessùto *sm* fabric, material, cloth ◇ (*biol*) tissue

tèsta *sf* head ● *a t.* per head, each;

essere in t. to be in the lead; *mal di t.* headache

tèsta-códa *loc.sm* spin, about-face

testaménto *sm* will, testament

testàrdo *a* stubborn

testàre *vt* to test

testàta *sf* head ◇ *(di giornale)* heading, *(giornale)* newspaper ◇ *(mil)* warhead ◇ *(colpo)* butt

tèste *sm/f* witness

testìcolo *sm* testicle

testimòne *sm/f* witness

testimoniànza *sf* testimony, witness ◇ *(prova)* evidence, proof

testimoniàre *vt/i* to testify

tèsto *sm* text

testuàle *a* textual ◇ *(preciso)* exact, precise

testùggine *sf* tortoise, *(di mare)* turtle

tètano *sm* tetanus

tètro *a* gloomy

tétta *sf* tit, boob

tétto *sm* roof ◇ *(livello massimo)* ceiling

tettóia *sf* roofing, canopy

ti *pr.pers* *(compl ogg)* you, *(compl ind)* (to) you, (for) you ◇ *(rifl)* yourself

tìbia *sf* tibia, shin-bone

ticchettìo *sm* ticking

tièpido *a* tepid, lukewarm

tifàre *vi* to be a fan of

tìfo *sm* *(med)* typhus ◇ *(sport)* support, enthusiasm ● *fare il t. per* to be a fan of

tifóne *sm* typhoon

tifóso *sm* fan, supporter

tìglio *sm* linden

tignòla *sf* moth

tìgre *sf* tiger

timbàllo *sm* timbale, pie

timbràre *vt* to stamp, *(lettera)* to postmark ● *t. il cartellino* to clock in, *(uscendo)* to clock out

tìmbro *sm* stamp, *(postale)* postmark ◇ *(mus)* timbre

timidézza *sf* shyness

tìmido *a* shy, timid

tìmo (1) *sm* *(bot)* thyme

tìmo (2) *sm* *(anat)* thymus

timóne *sm* rudder, helm ● *ruota del t.* steering wheel

timonière *sm* helmsman, steersman

timóre *sm* fear, dread

timoróso *a* fearful, afraid *(pred)*

tìmpano *sm* *(anat)* tympanum, eardrum ◇ *(mus)* kettledrum ◇ *(arch)* tympanum, gable

tìngere *vt* to dye ◇ *(colorare)* to colour, to stain, *(lievemente)* to tinge

tìno *sm* tub, vat

tinòzza *sf* tub

tìnta *sf* *(sostanza colorante)* dye, *(pittura)* paint ◇ *(colore)* colour

tintarèlla *sf* (sun-)tan

tinteggiàre *vt* to paint

tintinnàre *vi* to tinkle

tintorìa *sf* dry cleaner's

tintùra *sf* dyeing, dye, *(per capelli)* hair dye

tìpico *a* typical

tìpo *sm* type, model, pattern ◇ *(varietà)* kind, sort ◇ *(individuo)* fellow, chap, character, *(USA)* guy

tipografìa *sf* *(procedimento)* typography ◇ *(stamperia)* printing works *pl*

tipògrafo sm printer, typographer

tipologìa sf typology

tiràggio sm draught, (USA) draft

tirànno sm tyrant

tiràre vt to pull, to draw, (trascinare) to drag ◇ (lanciare) to throw ◇ (tendere) to draw ◇ (stampare) to print ◆ vi (avere tiraggio) to draw ◇ (soffiare) to blow ◇ (sparare) to shoot ◇ (tendere) to tend ◇ (di vestito) to be tight ◇ (essere teso) to feel tight ◆ vrif to draw, to drag ● t. a lucido to polish; t. fuori to draw out; t. giù to pull down, (abbassare) to lower; t. su to pull up, (raccogliere) to pick up; t. sul prezzo to bargain

tiratóre sm shooter, shot

tiratùra sf printing, edition ◇ (numero di copie) circulation

tìrchio a mean, stingy ◆ sm miser

tìro sm (trazione) draught ◇ (lancio) throw, cast ◇ (di arma) shot, fire, (lo sparare) shooting ◇ (muta) team ◇ (scherzo) trick ◇ (di sigaretta) puff, drag ● t. a segno target-shooting; t. con l'arco archery

tirocìnio sm apprenticeship, training

tiròide sf thyroid

tisàna sf infusion, (herb) tea

titolàre a regular, (che ha solo il titolo) titular ◆ sm/f (proprietario) owner, (detentore) holder

tìtolo sm title, (di giornale) headline ◇ (onorifico, accademico) title, (qualifica) qualification ◇ (ragione) reason, (diritto) title, right ◇ (fin) bond, security

titubànte a hesitant

tìzio sm person, someone

toccàre vt to touch, (sfiorare) to touch in, (tastare) to feel, (maneggiare) to handle ◇ (raggiungere) to reach ◇ (commuovere) to touch, to move ◇ (riguardare) to concern, to affect ◇ (colpire) to hurt ◆ vi (capitare) to happen, to fall ◇ (spettare) to fall, to be up to, (essere di turno) to be one's turn ◇ (dovere) to have ◆ vrif to touch each other

tócco sm touch, (di pennello) stroke

tòga sf robe, gown

tògliere vt to take away, to take out, (vestiti) to take off ◇ (rimuovere) to remove ◇ (sottrarre) to take ◇ (liberare) to relieve, to free ◇ (interrompere l'erogazione di) to cut off ◆ vrif to go away, to get out

toilette sf (bagno) toilet, lavatory ◇ (mobile) dressing table

tolleànza sf tolerance ◇ (scarto) allowance

tolleràre vt to tolerate, to bear, to stand ◇ (concedere) to allow

tómba sf tomb, grave

tombàle a tomb, grave

tombìno sm manhole

tómbola sf tombola, bingo ◇ (ruzzolone) tumble

tòmo sm tome, volume

tomografìa sf tomography

tònaca sf (di frate) cowl, frock, (di prete) soutane (di monaca) nun's dress

tonalità *sf* tonality ◇ (*sfumatura*) tone, shade

tóndo *a* round ◆ *sm* round, (*cerchio*) circle, ring ◇ (*arte*) tondo

tónfo *sm* thud, (*in acqua*) splash ◇ (*fig*) fall, crash

tònico *a* tonic ◆ *sm* tonic ◇ (*cosmetico*) toner

tonificàre *vt* to tone (up), to brace

tonnellàta *sf* ton

tónno *sm* tuna, tunny, (*in scatola*) tuna fish

tòno *sm* tone ◇ (*mus*) pitch, key, (*intonazione*) tonality ◇ (*tel*) dial tone ● *in t.* in tune

tonsìlla *sf* tonsil

tonsillìte *sf* tonsillitis

tónto *a* stupid, dull ◆ *sm* foolish, dunce

topàzio *sm* topaz

topicìda *sm* rat-poison

tòpo *sm* mouse

topografìa *sf* topography

topònimo *sm* toponym

tòppa *sf* (*pezza*) patch ◇ (*della serratura*) keyhole

toràce *sm* chest, thorax

tórba *sf* peat

tórbido *a* (*di liquido*) turbid, cloudy ◇ (*fosco*) gloomy ◇ (*inquieto*) troubled

tórcere *vt* to twist, to wring ◇ (*curvare*) to bend ◆ *vrif* to twist, to writhe

torchiàre *vt* to press ◇ (*fig*) to grill

tórchio *sm* press

tòrcia *sf* torch

torcicòllo *sm* stiff neck

torménta *sf* snow storm

tormentàre *vt* to torture, to torment, (*annoiare*) to pester ◆ *vrif* to be tormented, to worry

torménto *sm* torment, agony, (*seccatura*) nuisance

tornacónto *sm* advantage, profit

tornàdo *sm* tornado

tornànte *sm* hairpin bend

tornàre *vi* to return, (*andare di nuovo*) to go back, (*venire di nuovo*) to come back, (*essere di ritorno*) to be back ◇ (*ridiventare*) to become again ◇ (*quadrare*) to balance, to square

tornèo *sm* tournament

tórnio *sm* lathe

tòro *sm* bull ◇ (*astr*) Taurus

torpóre *sm* torpor, numbness

tórre *sf* tower ◇ (*scacchi*) castle, rook

torrefazióne *sf* (*di caffè*) roasting ◇ (*negozio*) coffee shop (where beans are freshly ground and sold)

torrènte *sm* stream, torrent

torrenziàle *a* torrential

torrétta *sf* turret

torrióne *sm* keep, tower

torsióne *sf* torsion

tórso *sm* trunk, torso ● *a t. nudo* bare-chested

tórsolo *sm* core

tórta *sf* cake, pie, tart ● *t. di mele* apple-pie

tortièra *sf* baking-tin, cake-pan

tòrto *sm* wrong ◇ (*colpa*) fault ● *a t.* wrongly

tórtora *sf* turtledove

tortuóso *a* winding, tortuous ◇ (*fig*) tortuous, devious

tortùra sf torture ◇ (fig) agony, torment

torturàre vt to torture ♦ vrif to torment oneself, to worry

tórvo a grim

tosàre vt to shear, to clip

tósse sf cough

tòssico a toxic

tossicodipendènza sf drug addiction

tossicòmane sm/f (drug) addict

tossìna sf toxin

tossìre vi to cough

tostapàne sm toaster

tostàre vt to toast, (caffè) to roast

totàle a total, complete, whole, utter ♦ sm total

totalità sf totality ◇ (numero complessivo) mass, whole

tòtano sm squid

tovàglia sf tablecloth

tovagliòlo sm napkin

tòzzo a squat ♦ sm piece

tra → fra

traballàre vi to stagger, to totter

traboccàre vi to overflow

trabocchétto sm trap

tràccia sf trace, sign, (impronta) track, trail, (di uomo) footprint ◇ (schema) outline

tracciàre vt to trace (out), to mark out, to draw, to plot ◇ (delineare) to outline

tracciàto sm plan, route

trachèa sf trachea, windpipe

tracòlla sf shoulder strap ● borsa a t. shoulder-bag

tracòllo sm collapse, ruin, crash

tradiménto sm treason, (inganno) betrayal ◇ (slealtà) treachery

tradìre vt to betray ◇ (essere infedele a) to be unfaithful to ◇ (ingannare) to deceive ◇ (venir meno a) to fail ♦ vrif to betray oneself

traditóre a treacherous ♦ sm traitor, betrayer

tradizionàle a traditional

tradizióne sf tradition

tradùrre vt to translate ◇ (esprimere) to express ◇ (dir) to transfer

traduttóre sm translator

traduzióne sf translation ◇ (dir) transfer

trafficànte sm/f dealer, trafficker

trafficàre vi to trade, to deal ◇ (fare traffici illeciti) to deal, to sell, (spacciare) to push ◇ (affaccendarsi) to bustle about

tràffico sm traffic ◇ (commercio) trade, (illecito) traffic ● t. telefonico telephone traffic

trafìggere vt to stab, to pierce through

trafìla sf procedure

trafilétto sm paragraph

traforàre vt to bore, to drill

tràforo sm perforation, boring, tunneling ◇ (galleria) tunnel

trafugàre vt to purloin, to steal

tragèdia sf tragedy

traghettàre vt to ferry

traghétto sm ferry(boat)

tràgico a tragic(al)

tragìtto sm (percorso) way ◇ (viaggio) journey, (per mare) passage, crossing

traguàrdo sm finishing line ◇ (fig) goal, aim

traiettòria sf trajectory

tràina sf towrope ● *pescare alla t.* to troll

trainàre vt to tow, to draw

tràino sm haulage, drawing

tralasciàre vt to leave out, to omit ◇ (*desistere da*) to give up

tralìccio sm trellis, pylon

tram sm tram, (*USA*) streetcar

tràma sf (*di tessuto*) weft ◇ (*intreccio*) plot, plan ◇ (*macchinazione*) plot, conspiracy

tramandàre vt to hand down

tramàre vt to plot, to intrigue

trambùsto sm confusion, bustle

tramestìo sm rummaging

tramezzìno sm sandwich

tramèzzo sm partition wall

tramontàna sf north wind

tramontàre vi to set ◇ (*fig*) to fade, to wane

tramónto sm (*del sole*) sunset, (*di astri*) setting ◇ (*fig*) decline, fading

tramortìre vt to stun

trampolière sm wading-bird, wader

trampolìno sm spring board, diving board, (*per sci*) ski-jumping board

tràmpolo sm stilt

tramutàre vt to change, to convert ◆ vpr to change into, to turn into

tranciàre vt to cut (off)

tràncio sm slice

tranèllo sm trap, snare

trànne prep except, save, but

tranquillità sf quiet, calm, (*di spirito*) tranquillity

tranquillizzàre vt to tranquillize,

to calm down ◆ vpr to calm down

tranquìllo a peaceful, calm, quiet, (*di spirito*) tranquil

transatlàntico sm (trasatlantic) liner

transazióne sf arrangement ◇ (*comm*) transaction

transènna sf barrier ◇ (*arch*) transenna

transessuàle sm/f transsexual

transètto sm transept

transgènico a transgenic

transìgere vi to come to an agreement, to come to terms ◇ (*dir*) to come to a transaction

transìstor sm transistor

transitàbile a practicable

transitàre vi to travel, to pass

transitìvo a transitive

trànsito sm transit ● *divieto di t.* no thoroughfare; *t. interrotto* road closed

transitòrio a temporary

tranvière sm tram driver, (*USA*) streetcar operator

trapanàre vt to drill, to bore

tràpano sm drill

trapàsso sm transition ◇ (*dir*) transfer

trapelàre vi to leak out

trapèzio sm (*geom*) trapezium ◇ (*anat*) trapezius ◇ (*ginnastica, vela*) trapeze

trapiantàre vt to transplant ◆ vrif to settle

trapiànto sm transplant, transplantation

tràppola sf trap

trapùnta sf quilt

tràrre vt to draw, to pull ◇ (*deri-*

vare) to derive, to get ◇ (*condurre*) to lead ◆ *vrifl* to draw

trasalire *vi* to start, to jump

trasandàto *a* careless, shabby

trasbordàre *vt* (*naut*) to tranship, (*ferr*) to transfer ◆ *vi* to change

trascéndere *vt* to transcend, to go beyond ◆ *vi* to let oneself go, to lose control

trascinàre *vt* to drag, to trail ◇ (*avvincere*) to fascinate ◆ *vrifl* to draw oneself along ◆ *vpr* to drag on

trascórrere *vt* to spend, to pass ◆ *vi* to pass, to elapse

trascrìvere *vt* to transcribe ◇ (*registrare*) to register

trascrizióne *sf* transcription ◇ (*registrazione*) registration

trascuràre *vt* to neglect ◇ (*tenere in poco conto*) to disregard, to ignore ◆ *vrifl* to let oneself go

trascuràto *a* careless, negligent ◇ (*non curato*) neglected

trasferiménto *sm* transfer ◆ *t. di chiamata* call forwarding

trasferìre *vt* to move, to transfer ◆ *vpr/rifl* to move

trasfèrta *sf* transfer ◇ (*indennità*) travelling allowance ● *partita in t.* away game

trasfiguràre *vt* to transfigure ◆ *vpr* to become transfigured

trasformàre *vt* to transform, to change ◆ *vpr* to transform oneself, to turn into

trasformatóre *sm* transformer

trasfusióne *sf* transfusion

trasgredìre *vt/i* to infringe, to transgress

trasgressióne *sf* transgression, infringement

traslitterazióne *sf* transliteration

traslocàre *vt/i* to move

traslòco *sm* removal, move

trasméttere *vt* to pass, to transfer, to convey ◇ (*mandare*) to send, to pass on ◇ (*TV, radio*) to broadcast, to transmit ◆ *vpr* to be transmitted

trasmissióne *sf* transmission

trasparènte *a* transparent

trasparìre *vi* to shine through ● *lasciar t.* to betray, to reveal

traspiràre *vt* to transpire ◆ *vi* to perspire ◇ (*fig*) to transpire

traspiràzióne *sf* perspiration, transpiration

trasportàre *vt* to transport, to carry, to convey ◇ (*spostare*) to move, (*trasferire*) to transfer

trasportatóre *sm* carrier, conveyor

trasportò *sm* transport, conveyance, carriage, (*di merce*) freight ◇ *al pl* transport ◇ (*fig*) transport

trasudàre *vt* to ooze with ◆ *vi* to transude, (*sudare*) to perspire, (*umidità*) to ooze

trasversàle *a* transversal, cross ◇ (*indiretto*) indirect ◆ *sf* transversal ◇ (*via*) cross street

trasvolàre *vt* to fly across

trasvolàta *sf* flight, (air) crossing

tràtta *sf* (*traffico*) trade ◇ (*banca*) draft, bill ◇ (*tratto*) distance, (*ferr*) section

trattaménto *sm* treatment, service ◇ (*tecn*) treatment ◇ (*economico*) pay, wages *pl* ● **t. dei dati** data processing

trattàre *vt* to treat, to deal with ◇ (*maneggiare*) to handle ◇ (*discutere*) to deal with, to discuss ◇ (*contrattare*) to handle, to transact, to negotiate ◇ (*commerciare*) to deal in, to handle ◇ (*med*) to treat ◆ **vi** (*di un argomento*) to deal with, to be about ◇ (*avere a che fare*) to deal ◇ (*condurre trattative*) to negotiate ◇ (*essere*) to be (about), (*essere questione*) to be a question ◆ **vrif** to treat oneself ● **di che si tratta?** what is it about?

trattativa *sf* negotiation, talks *pl*
trattàto *sm* (*libro*) treatise ◇ (*accordo*) treaty
trattazióne *sf* treatment
tratteggiàre *vt* to outline ◇ (*disegnare a tratti*) to dash ◇ (*descrivere*) to describe
trattenére *vt* (*far rimanere*) to keep, to retain ◇ (*frenare*) to hold back, to keep, to restrain ◇ (*intrattenere*) to entertain ◇ (*fare una trattenuta*) to deduct ◆ **vrif** (*rimanere*) to stop, to stay, to remain ◇ (*frenarsi*) to restrain oneself, to keep oneself
trattenimento *sm* entertainment, party
trattenùta *sf* deduction
trattino *sm* dash, (*nelle parole*) hyphen
tratto *sm* (*di penna, matita*) stroke ◇ (*frazione di spazio*) part, tract, stretch, (*di tempo*) period, while ◇ (*caratteristica*)

trait, feature ◇ **al pl** feature ● **d'un t.** suddenly
trattóre *sm* tractor
trattorìa *sf* restaurant, trattoria
tràuma *sm* trauma ● **t. cranico** head injury
traumàtico *a* traumatic
travàglio *sm* anguish, pain, suffering ◇ (*del parto*) labour
travasàre *vt* to pour off
tràve *sf* beam
travèrsa *sf* crossbar ◇ (*via*) side road, cross road
traversàre *vt* to cross
traversìa *sf* misfortune, trials *pl*, adversity
travèrso *a* transverse, cross ◇ (*obliquo*) oblique ◆ *sm* width ● **andare di t.** (*di cibo*) to go the wrong way
travestimento *sm* disguise
travestìre *vt* to disguise ◆ **vrif** to disguise oneself
travestito *sm* transvestite, drag queen
traviàre *vt* to mislead, to lead astray ◆ **vpr** to go astray
travisàre *vt* to distort, to alter, to misinterpret
travòlgere *vt* to sweep away, to carry away ◇ (*sopraffare*) to overwhelm ◇ (*investire*) to run over
trazióne *sf* traction ◇ (*aut*) drive ● **t. integrale** four-wheel drive, 4WD
tre *a/sm* three
trebbiàre *vt* to tresh
tréccia *sf* plait, braid
trecènto *a/sm* three hundred
trédici *a/sm* thirteen

trégua sf truce ◇ (*riposo*) respite, rest

tremàre vi to tremble, to shake, to quiver, (*di freddo*) to shiver, (*di paura*) to quake

tremèndo a frightful, awful, terrible

tremila a/sm three thousand

trèmito sm tremble, shake, quiver

tremolàre vi to tremble, (*di luce*) to flicker

tremóre sm trembling, shaking ◇ (*med*) tremor

trèno sm train ● *t. interregionale* through train; *t. espresso* express train; *t. ad alta velocità* high speed train

trénta a/sm thirty

trepidàre vi to be anxious

trésca sf intrigue

tréspolo sm trestle, (*per pappagallo*) perch

triangolàre a triangular

triàngolo sm triangle

tribù sf tribe

tribùna sf (*per oratori*) tribune, platform ◇ (*per uditori*) gallery ◇ (*sport*) stand ◇ (*arch*) apse

tribunàle sm court, tribunal

tribùto sm tribute

trichèco sm walrus

triciclo sm tricycle

tricolóre a tricolo(u)r

tridènte sm trident

tridimensionàle a tridimensional, three dimensional

trifòglio sm clover

trilocàle sm three-room(ed) flat

trimèstre sm quarter, trimester

trimotóre sm three-engined aircraft

trina sf lace

trincèa sf trench

trinciàre vt to cut (up)

trinità sf trinity

trìo sm trio

trionfàle a triumphal, triumphant

trionfàre vi to triumph

triónfo sm triumph

triplicàre vt/pr to triple, to treble

triplo a/sm triple, treble

trippa sf tripe

trìste a sad, unhappy ◇ (*cupo*) gloomy, bleak

tristézza sf sadness, unhappiness ◇ (*cupezza*) gloominess

tritacàrne sm mincer

tritaghiàccio sm ice-crusher

tritàre vt to mince, to chop up, to grind

tritatùtto sm mincer, food-grinder

trìto a (*tritato*) minced, chopped ◇ (*comune, fin troppo noto*) trite, worn-out

trìttico sm triptych

trivellàre vt to bore, to drill

triviàle a coarse, vulgar

trofèo sm trophy

troglodìta sm/f troglodyte

trómba sf trumpet ◇ (*delle scale*) well ● *t. d'aria* tornado

trombettìsta sm/f trumpet (player)

trombóne sm trombone ◇ (*fanfarone*) braggart

trombòsi sf thrombosis

troncàre vt to cut off, to break off

tronchése *sm/f* (cutting) nippers *pl*

trónco *sm* trunk, (*d'albero abbattuto*) log ◇ (*ceppo*) stock ◇ (*tratto*) section ◇ (*geom*) frustum

tròno *sm* throne

tropicàle *a* tropical

tròpico *sm* tropic

tròppo *a* (*quantità*) too much, too many *pl*, (*durata*) too long, (*estensione*) too far ◆ *pr* too much, too many *pl* ◆ *avv* (*con avv e agg*) too, (*con v*) too much ◇ (*molto*) too, so (*very*)

tròta *sf* trout

trottàre *vi* to trot

tròtto *sm* trot

tròttola *sf* spinning-top

trovàre *vt* to find ◇ (*scoprire*) to find out, to discover ◇ (*incontrare*) to meet ◇ (*sorprendere*) to catch ◇ (*far visita a*) to see ◆ *vpr* to find oneself ◇ (*essere*) to be ◇ (*sentirsi*) to feel ◆ *vrif* to meet

trovàta *sf* trick

truccàre *vt* to make up ◇ (*mascherare*) to disguise ◇ (*falsificare*) to fix, to rig, to falsify ◆ *vrif* to make oneself up ◇ (*travestirsi*) to disguise oneself

trùcco *sm* trick ◇ (*con cosmetici*) make-up

trùce *a* grim

trucidàre *vt* to slaughter

trùciolo *sm* chip, shaving

trùffa *sf* fraud, swindle, cheat

truffàre *vt* to defraud, to cheat, to swindle

trùppa *sf* troop

tu *pr.pers* you ● *tu stesso* you yourself

tùba *sf* tuba

tubatùra *sf* piping, pipes *pl*

tubazióne *sf* piping, pipes *pl*

tubétto *sm* tube

tùbo *sm* tube, pipe

tuffàre *vt* to plunge, to dip ◆ *vrif* to dive, to plunge

tuffatóre *sm* diver

tùffo *sm* dive, plunge

tùfo *sm* tuff

tulipàno *sm* tulip

tumefazióne *sf* tumefaction

tumóre *sm* tumour, (*USA*) tumor

tùmulo *sm* (*archeol*) tumulus ◇ (*cumulo di terra*) mound

tumùlto *sm* tumult, uproar ◇ (*sommossa*) riot

tumultuóso *a* tumultuous, riotous

tùndra *sf* tundra

tùnica *sf* tunic

tùo *a.poss* your ◇ *pr.poss* yours ◆ *il (ciò che è tuo)* your property, what you own ◇ *al pl (i tuoi familiari)* your family, (*i tuoi sostenitori*) your supporters

tuonàre *vi* to thunder

tuòno *sm* thunder

tuòrlo *sm* yolk

turàcciolo *sm* cork

turàre *vt* to plug, to stop

turbaménto *sm* disturbance ◇ (*agitazione*) perturbation

turbànte *sm* turban

turbàre *vt* to upset, to trouble ◆ *vpr* to get upset, to become agitated

turbìna *sf* turbine

tùrbine *sm* whirl

turchése *a/sm* turquoise

turchino *a/sm* deep blue

tùrco *a* Turkish ♦ *sm* (*abitante*) Turk ◇ (*lingua*) Turkish

turismo *sm* tourism ● *t. sessuale* sex tourism

turista *sm/f* tourist

turìstico *a* tourist

tùrno *sm* turn ◇ (*di lavoro*) shift, (*di servizio*) duty

tùrpe *a* base, vile, shameful ◇ (*osceno*) obscene, filthy

turpilòquio *sm* foul language

tùta *sf* overalls *pl*, (*sportiva*) tracksuit, jogging suit, sweatsuit ● *t. mimetica* camouflage

tutèla *sf* (*dir*) guardianship, tutelage ◇ (*protezione*) protection, (*difesa*) defence, safeguard

tutelàre *vt* to protect, to defend

tutóre *sm* (*dir*) guardian ◇ (*med*) brace

tutt'al più *loc.avv* (*al massimo*) at (the) most ◇ (*alla peggio*) at (the) worst

tuttavìa *cong* but, yet, nevertheless, however

tùtto *a* all, (*intero*) (the) whole (of) (ES: **t. l'anno** all the year, the whole year) ◇ *al pl* all, (*ogni*) every, (*ciascuno*) each, (*qualsiasi*) any (ES: **tutti gli uomini sono uguali** all men are equal; **ci vediamo tutti i giorni** we see each other every day) ◇ (*completamente*) all, quite (ES: **sei t. bagnato** you're all wet) ♦ *pr* all, (*ogni cosa*) everything, (*qualsiasi cosa*) anything (ES: **t. dipende da te** everything depends on you) ◇ *al pl* all, (*ognuno*) everybody, everyone, (*ciascuno*) each one (ES: **lo sanno tutti** everybody knows) ♦ *sm* whole, total, (*ogni cosa*) everything (ES: **mescolate il t.** mix everything) ● *a tutta velocità* at full speed; *a t. spiano* all out; *di t. punto* completely; *prima di t.* first of all; *tutt'altro!* not at all!; *t. intorno* all around

tuttofàre *a* general

tuttóra *avv* still

U

ubbidiènte *a* obedient

ubbidìre *vi* to obey

ubicazióne *sf* location, site

ubiquità *sf* ubiquitousness, ubiquity

ubriachézza *sf* drunkenness ● *in stato di u.* in a drunken state

ubrìaco *a/sm* drunk

uccèllo *sm* bird

uccìdere *vt* to kill ♦ *vrif* (*rimanere ucciso*) to get killed ◇ (*suicidarsi*) to kill oneself

uccisióne *sf* killing, (*assassinio*) murder

udiènza *sf* audience, hearing, (*colloquio*) interview ◇ (*dir*) hearing, sitting ● *u. a porte chiuse* closed hearing

udìre *vt* to hear

udìtivo *a* auditory

udìto sm hearing

uditòrio sm audience

uffa inter ooh, phew

ufficiàle a official, formal ◆ sm officer

ufficio sm office, bureau, (reparto) department, (edificio) premises pl ◇ (carica) office, task, function ◇ (dovere) duty ● orario d'u. office hours; u. postale post office; u. turistico tourist office

ufficióso a unofficial

ugèllo sm nozzle, jet

ùggia sf boredom, nuisance

uggióso a boring, tiresome, (di tempo) gloomy

uguagliàre vt (rendere uguale) to equalize, to make equal, (livellare) to level ◇ (essere uguale a) to equal, to be equal ◇ (sport) to equal ◇ (paragonare) to compare

uguàle a equal, (identico) same, like, identical ◇ (uniforme) even, regular, uniform ◆ sm equal ◇ (la stessa cosa) the same

ugualménte avv equally ◇ (malgrado tutto) all the same

ùlcera sf ulcer

ulterióre a further

ultimàre vt to complete, to finish

ùltimo a last, final ◇ (il più recente) latest, last ◇ (estremo) farthest, utmost ◇ (principale) ultimate ◇ (più in alto) last, top ◇ (più in basso) bottom, last ◆ sm last ◇ (momento finale) end

ultrasuòno sm ultrasound

ultraviolétto a/sm ultraviolet ●

raggi ultravioletti UV rays, ultraviolet rays

ululàre vi to howl, (di sirena) to hoot

umanìsta sm/f humanist

umanità sf humanity, (genere umano) mankind ◇ (bontà) humanity

umanitàrio a humanitarian

umàno a human ◇ (gentile) humane

umidificàre vt to humidify

umidificatóre sm humidifier

umidità sf dampness, moisture, humidity

ùmido a damp, moist, humid

ùmile a humble, modest

umiliànte a humiliating

umiliàre vt to humiliate, to humble ◆ vrif to humble oneself

umiliazióne sf humiliation

umiltà sf (virtù) humility ◇ (l'essere di modesta condizione) humbleness

umóre sm humour ◇ (stato d'animo) mood, temper ● essere di cattivo/buon u. to be in a bad/good mood

umorìsmo sm humour

umorìsta sm/f humorist

un → **uno**

unànime a unanimous

unanimità sf unanimity

uncinétto sm crochet

uncìno sm hook

ùngere vt to grease, to oil ◇ (sporcare di grasso) to make greasy ◇ (fig) to flatter, to butter up ◆ vpr/rif to grease oneself

ungherése a/sm/f Hungarian

ùnghia sf nail ◇ (artiglio) claw

unghiàta sf scratch

unguènto sm ointment

unicaménte avv only, merely

ùnico a only, one ◇ (esclusivo) sole ◇ (singolo) single ◇ (senza pari) unique, the best ◆ sm only, one

unifamiliàre a one-family

unificàre vt to unify ◇ (uniformare) to standardize ◆ vrif to join (together)

unificazióne sf unification, union ◇ (uniformazione) standardization

uniformàre vt (conformare) to conform, to adapt, to fit ◇ (rendere uniforme) to standardize, to make uniform ◆ vrif to conform, to comply

unifórme a uniform, even ◆ sf uniform

uniformità sf uniformity

unilateràle a unilateral, one-sided

unióne sf union ◇ (accordo, armonia) unity, agreement ◇ (associazione) union, association

unìre vt to unite, to join (together), to put together ◇ (collegare) to connect, to link ◇ (aggiungere) to add ◆ vrif (mettersi insieme) to join, (fondersi) to merge ◇ (legarsi) to unite, to join up, to come together

unità sf unity ◇ (misura, valore, inform) unit ◇ (mat) unit

unitàrio a unitary, unit

unìto a united ◇ (accluso) enclosed ◇ (uniforme) uniform, even

universàle a universal, general ◇ (multiuso) multipurpose

università sf university

universitàrio a university

univèrso sm universe

univoco a univocal, unambiguous, (di rapporto) one-to-one

ùno a/sm one ◆ art a, an ◇ (circa) some, about ◆ pr (qualcuno) someone, (un tale) a man, a fellow, (con partitivo) one ◇ (ciascuno) each ◇ (impersonale) one, you ● l'u. e l'altro both; l'un l'altro (reciprocamente) one another, each other; (l')u. ... l'altro one ... the other

ùnto a greasy, oily ◆ sm grease

untuóso a greasy, oily

uòmo sm man

uòvo sm egg ● uova strapazzate scrambled eggs

uragàno sm hurricane

urànio sm uranium

urbanista sm/f town-planner, (USA) city-planner

urbanizzazióne sf urbanization

urbàno a urban, city, town ◇ (cortese) urbane, polite

urèa sf urea

urètra sf urethra

urgènte a urgent, pressing

urgènza sf urgency, (fretta) hurry ◇ (emergenza) emergency

urina sf urine

urlàre vt/i to shout, to yell

ùrlo sm cry, shout, yell

ùrna sf urn ◇ (elettorale) ballot-box ● andare alle urne to go to the polls

urologìa sf urology

urtàre vt to bump (into), to knock

(against), to crash (into), to collide with ◇ (*infastidire*) to irritate, to annoy, (*offendere*) to hurt, to offend ◆ *vi* to knock, to strike ◆ *vrif* to collide, to bump into one another ◇ (*fig*) to quarrel

urticànte *a* urticant

ùrto *sm* (*spinta*) push, shove ◇ (*collisione*) bump, crash, collision ◇ (*attacco*) attack ◇ (*contrasto*) clash, collision

ùsa e gètta *a* disposable, oneway

usànza *sf* custom, usage ◇ (*abitudine*) habit

usàre *vt* to use, to make use of ◇ (*essere solito*) to be accustomed (to), to be used to (◆) ◆ *vi* (*servirsi*) to make use of ◇ (*essere di moda*) to be in fashion, to be fashionable

usàto *a* (*non nuovo*) used, second-hand ◇ (*in uso*) in use (*pred*) ◆ *sm* (*cose usate*) second-hand goods *pl*

uscière *sm* usher

ùscio *sm* door

uscìre *vi* to get out, (*andare fuori*) to go out, (*venire fuori*) to come out ◇ (*di pubblicazione*) to come out, to be issued ◇ (*lasciare*) to leave ◇ (*essere prodotto*) to be turned out ◇ (*essere estratto*) to be drawn ◇ (*provenire*) to come ◇ (*cavarsela*) to get out ◆ *u. di strada* to go off the road

uscìta *sf* going out, leaving ◇ (*passaggio*) exit, way out ◇ (*sbocco*) outlet ◇ (*spesa*) expense, outlay ◇ (*motto di spirito*) witty remark ◇ (*desinenza*) ending ◆ *u. autocarri* lorry turnoff, truck-exit; *u. di sicurezza* emergency exit

usignòlo *sm* nightingale

ùso *sm* use ◇ (*usanza*) usage, custom, (*abitudine*) habit ◆ *fuori u.* out of order

ustionàre *vt* to burn, to scald ◆ *vrif* to burn oneself, to scald oneself

ustióne *sf* burn, scald

usuàle *a* usual, customary

usufruìre *vi* to take advantage, to benefit

usufrùtto *sm* usufruct

usùra (1) *sf* usury

usùra (2) *sf* (*logorio*) wear and tear ◆ *resistente all'u.* wear-resistant

utensìle *sm* tool, (*domestico*) utensil

utènte *sm/f* user, (*consumatore*) consumer

utènza *sf* use, consumption ◇ (*insieme degli utenti*) users *pl*, consumers *pl*

ùtero *sm* uterus, womb

ùtile *a* useful, helpful ◇ (*utilizzabile*) usable ◆ *sm* (*econ*) profit, benefit, (*interesse*) interest, (*guadagno*) gains *pl* ◇ (*fig*) profit

utilità *sf* utility, usefulness ◇ (*vantaggio*) profit, benefit

utilizzàre *vt* to use, to make use of, to utilize

utilìzzo *sm* use, utilization

utopìa *sf* utopia

utopìsta *sm/f* utopian

ùva *sf* grapes *pl*

uxoricìda *sm* uxoricide, (*donna*) woman that has murdered her husband

uxoricìdio *sm* uxoricide, (*contro il marito*) murder of one's husband

V

vacànte *a* vacant, empty

vacànza *sf* holiday, vacation ◊ (*assenza*) vacuum ● *vacanze estive* summer holidays

vàcca *sf* cow

vaccinàre *vt* to vaccinate

vaccinazióne *sf* vaccination

vaccìno *sm* vaccine

vacillàre *vi* to totter, to stagger, to wobble ◊ (*di luce*) to flicker ◊ (*essere incerto*) to waver, to vacillate

vàcuo *a* vacuous, inane

vagabondàre *vi* to wander about

vagabóndo *sm* vagrant, tramp ◊ (*fannullone*) loafer

vagàre *vi* to wander, to roam

vagheggiàre *vt* to long for, to dream of

vagìna *sf* vagina

vagìre *vi* to cry, to whimper

vàglia *sm* money order ● *v. postale* postal order; *v. telegrafico* telegraphic money order

vagliàre *vt* to riddle, to screen ◊ (*considerare*) to examine, to weigh

vàglio *sm* riddle, screen ◊ (*fig*) sifting, examination

vàgo *a* vague, faint ◆ *sm* vagueness

vagóne *sm* wagon, car, van, coach ● *v. letto* sleeping car

vaiòlo *sm* smallpox

valànga *sf* avalanche

valènte *a* clever, skilful

valére *vi* (*avere valore*) to be worth ◊ (*esser valido*) to be valid, (*essere in vigore*) to be in force ◊ (*aver peso*) to count, to be of account, to have weight ◊ (*servire, giovare*) to be of use, to be of avail ◊ (*equivalere*) to be worth, to be equal to ◆ *vt* to win ◆ *vpr* to make use, to take advantage, to avail oneself

valeriàna *sf* valerian

vàlico *sm* (mountain) pass

validità *sf* validity ◊ (*valore*) value ◊ (*efficacia*) effectiveness

vàlido *a* valid ◊ (*fondato*) sound, well-grounded ◊ (*di pregio*) valid, good ◊ (*efficace*) efficient, effective

valìgia *sf* suitcase ● *fare/disfare le valigie* to pack/to unpack

vàlle *sf* valley

vallóne *sm* deep valley

valóre *sm* value, worth ◊ (*mus*) value ◊ (*coraggio*) valour, bravery, courage ◊ (*validità*) value, validity ◊ *al pl* (*oggetti preziosi*) valuables *pl*, (*titoli*) securities *pl*

valorizzàre *vt* (*aumentare il valore di*) to increase the value of, to appreciate, (*migliorare*) to

improve ◇ (*sfruttare*) to exploit ◇ (*mettere in risalto*) to set off

valoróso *a* valiant, brave

valùta *sf* currency, (*moneta*) money

valutàre *vt* (*giudicare il valore di*) to value, to estimate, to appraise ◇ (*considerare*) to consider, to weigh ◇ (*calcolare*) to calculate, to reckon ◇ (*stimare*) to value, to esteem

valutazióne *sf* valuation, estimation ◇ (*valore attribuito*) estimate ◇ (*giudizio, considerazione*) judgement, consideration

vàlvola *sf* valve

vàlzer *sm* waltz

vampàta *sf* blaze, burst of flame ◇ (*folata*) blast ◇ (*al viso*) flush, blush

vampìro *sm* vampire

vandàlico *a* vandalistic, vandalic ◇ (*stor*) Vandalic

vàndalo *sm* vandal

vaneggiàre *vi* to rave

vanèsio *a* foppish, vain, conceited ♦ *sm* fop, vain person

vangàre *vt* to spade

vangèlo *sm* Gospel

vanìglia *sf* vanilla

vanità *sf* vanity ◇ (*inutilità*) futility, uselessness

vanitóso *a* vain

vàno *a* (*inutile*) vain, useless ◇ (*privo di fondamento*) vain, empty ◇ (*vanitoso*) vain ♦ *sm* (*parte vuota*) space, hollow, (*apertura*) opening ◇ (*stanza*) room

vantàggio *sm* advantage, benefit ◇ (*sport*) lead, (*tennis*) advantage

vantàre *vt* to boast ◇ (*esaltare*) to extol, to praise ◇ (*millantare*) to boast of ◇ (*pretendere*) to claim ♦ *vpr/rif* to boast, to show off

vànto *sm* boast(ing) ◇ (*motivo d'orgoglio*) pride, merit

vànvera, a *loc.avv* haphazardly, without thinking ● *parlare a v.* to talk nonsense

vapóre *sm* vapour, (*acqueo*) steam ◇ *al pl* (*fumi*) fumes *pl* ◇ (*nave a vapore*) steamer ● *ferro a v.* steam iron

vaporizzatóre *sm* vaporizer, atomizer

vaporóso *a* gauzy, (*di capelli*) fluffy

varàre *vt* to launch

vàrco *sm* opening, passage

variàbile *a* variable, changeable, (*volubile*) fickle ♦ *sf* variable

variàre *vt* to vary, to change ♦ *vi* to vary, to change ◇ (*fluttuare*) to fluctuate

variatóre *sm* variator, (*el*) converter

variazióne *sf* variation, (*cambiamento*) change, (*fluttuazione*) fluctuation

varìce *sf* varix, varicose vein

varicèlla *sf* chicken-pox, varicella

variegàto *a* variegated, multi-coloured, (*screziato*) speckled ◇ (*fig*) diversified

varietà (1) *sf* (*diversità*) variety, (*differenziazione*) variedness ◇

(*gamma*) assortment, variety ◇ (*specie*) kind, type

varietà (2) *sm* (*teat*) variety (show), vaudeville

vàrio *a* (*variato*) varied ◇ (*differente*) various, different ◇ *al pl* (*parecchi*) several

variopìnto *a* multi-coloured

vàro *sm* (*naut*) launch, launching ◇ (*di legge*) passing

vasàio *sm* potter

vàsca *sf* basin, tank ◇ (*da bagno*) bath, (*USA*) bathtub, tub ◆ *v. idromassaggio* Jacuzzi

vascèllo *sm* vessel, ship

vaselìna *sf* vaseline

vàso *sm* pot, jar, (*ornamentale*) vase ◇ (*anat*) vessel ◇ (*tecn*) bowl, tank

vassóio *sm* tray

vàsto *a* wide, large, vast

vecchiàia *sf* old age

vècchio *a* old ◇ (*maggiore*) (*comp*) older, (*sup*) oldest ◇ (*antico*) ancient, old ◇ (*stantio*) stale ◇ (*stagionato*) seasoned ◆ *sm* old man ◇ (*ciò che è vecchio*) the old

véce *sf* place, stead ● *fare le veci di qn* to take sb's place

vedére *vt* to see ◇ (*incontrare*) to meet, to see ◇ (*esaminare*) to examine, to have a look at ◇ (*capire*) to see, to understand ◇ (*fare in modo che*) to see, to try, to take care ◇ (*decidere*) to decide ◆ *vi* to see ◆ *vrif* to see oneself ◇ (*sentirsi*) to feel ◇ (*reciproco*) to meet

vedétta *sf* look-out, vedette

védova *sf* widow ● *v. nera* black widow

védovo *sm* widower

vedùta *sf* (*panorama*) view, sight ◇ (*quadro, foto*) picture ◇ *al pl* (*opinioni*) views *pl*, ideas *pl*

veemènza *sf* vehemence

vegetàle *a/sm* vegetable

vegetàre *vi* to grow ◇ (*fig*) to vegetate

vegetariàno *a/sm* vegetarian

vegetazióne *sf* vegetation

veggènte *smf* seer, clairvoyant

véglia *sf* watch, vigil

vegliàre *vt* to watch over ◆ *vi* to stay awake ◇ (*fare la veglia*) to keep watch

veglióne *sm* party, dance ● *v. di fine d'anno* New Year's Eve dance

veìcolo *sm* vehicle ◇ (*mezzo*) carrier, vehicle, medium

véla *sf* sail, (*il fare vela*) sailing

velàto *a* veiled

veleggiàre *vi* to sail

velèno *sm* poison

velenóso *a* poisonous, venomous ◇ (*fig*) venemous

velièro *sm* sailing ship

velìna *sf* tissue paper

velìvolo *sm* aircraft

velleità *sf* foolish aspiration

vellùto *sm* velvet

vélo *sm* veil ◇ (*strato sottile*) film

velóce *a* fast, quick, swift

velocìsta *sm/f* sprinter

velocità *sf* speed, velocity ● *v. massima* maximum speed; *v. minima* lowest speed, (*USA*) idle speed; *eccesso di v.* speeding; *limite di v.* speed limit

velòdromo *sm* velodrome, cycle-track

véna *sf* vein ◇ (*filone*) vein, lode ◇ (*d'acqua*) spring ◇ (*ispirazione*) inspiration ◇ (*umore*) mood

venàle *a* sale, saleable ◇ (*fig*) venal, mercenary

venatùra *sf* vein

vendémmia *sf* vintage, grape harvest

vendemmiàre *vt/i* to harvest grapes

véndere *vt* to sell ◇ (*esercitare il commercio di*) to deal in

vendétta *sf* revenge, vengeance

vendicàre *vt* to avenge, to revenge ◆ *vrif* to avenge oneself, to revenge oneself

vendicativo *a* revengeful, vindictive

véndita *sf* selling, sale ◇ (*negozio*) shop ● *in v.* on sale, for sale; *v. all'asta* auction; *v. per corrispondenza* mail-order selling

venditóre *sm* seller, vendor

veneràre *vt* to revere, to venerate

venerdì *sm* Friday

venèreo *a* venereal

veniàle *a* venial

venìre *vi* to come ◇ (*derivare*) to derive ◇ (*manifestarsi*) to have got ◇ (*risultare, riuscire*) to come out, to turn out ◇ (*costare*) to cost ◇ (*spettare*) to be due, to be owed ◇ (*aus nella forma passiva*) to be ● *mi viene da ridere* I feel like laughing; *v. a conoscenza* to hear; *v. avanti* to come forward; *v. meno* (*svenire*)

to faint, (*svanire*) to fade away, to die out; *v. via* to come away, (*staccarsi*) to come off

ventàglio *sm* fan ◇ (*gamma*) range, spread

ventàta *sf* gust of wind ◇ (*fig*) wave

ventèsimo *a/sm* twentieth

vénti *a/sm* twenty

ventilàre *vt* to air, to ventilate

ventilatóre *sm* fan

vènto *sm* wind

ventola *sf* (*per fuoco*) fire-fan ◇ (*mecc*) fan

ventósa *sf* sucker

ventóso *a* windy

vèntre *sm* stomach, belly, tummy (*fam*)

ventùra *sf* chance, luck

venùta *sf* coming, arrival

verànda *sf* veranda, (*USA*) porch

verbàle *a* spoken, oral ◇ (*gramm*) verbal ◆ *sm* minutes *pl*, record

verbalizzàre *vt* to record, to minute

vèrbo *sm* verb

vérde *a/sm* green ● *v. pubblico* parks and gardens, green

verdétto *sm* verdict

verdùra *sf* greens *pl*, vegetables *pl*

vérga *sf* rod, staff

vérgine *a/sf* virgin

verginità *sf* virginity

vergógna *sf* shame, (*disonore*) disgrace, (*imbarazzo*) embarrassment, (*timidezza*) shyness

vergognàrsi *vpr* to be ashamed, to feel ashamed ◇ (*per timidezza*) to be shy, to feel embarrassed

verìfica sf verification, control, check ◇ (contabile) audit

verificàre vt to verify, to check, to control ◆ vpr (accadere) to happen ◇ (avverarsi) to come true

verìsmo sm verism, realism

verità sf truth

vèrme sm worm

vermìfugo sm vermifuge

vermìglio a/sm vermilion

vernìce sf paint, (trasparente) varnish ◇ (apparenza) veneer ◇ (pelle lucida) patent leather

verniciàre vt to paint, (con vernice trasparente) to varnish ◆ v. a spruzzo to spray

véro a true, real ◇ (completo, perfetto) perfect, absolute ◆ sm truth

verosìmile a likely, probable

verrùca sf verruca, wart

versaménto sm pouring, spilling ◇ (deposito) deposit, (pagamento) payment ◇ (med) effusion

versànte sm side

versàre vt to pour ◇ (rovesciare) to spill ◇ (spargere) to shed ◇ (depositare) to deposit, (pagare) to pay ◆ vi (trovarsi) to be ◆ vpr (sfociare) to flow

versàtile a versatile

versióne sf version

vèrso (1) prep (direzione) toward(s), -ward(s) (suffisso) ◇ (in prossimità) near ◇ (tempo) about, toward(s) ◇ (nei confronti di) to, towards, (contro) against

vèrso (2) sm (riga di poesia) line ◇ (poesia) verse, poetry ◇ (suo-

no) sound, (di animali) call, cry ◇ (direzione) direction, way ◇ (modo, maniera) way ◇ (smorfia) grimace, face ● non c'è v. di fare qc there's no way to do st

vèrso (3) sm (retro) verso, reverse, back

vèrtebra sf vertebra

vertènza sf controversy, dispute ● v. sindacale labour union dispute

verticàle a/sf vertical

vèrtice sm top, summit ◇ (geom) vertex ◇ (direzione) top management ◇ (incontro) summit

vertìgine sf dizziness, giddiness

vérza sf savoy cabbage

vescìca sf (anat) bladder ◇ (della pelle) blister

véscovo sm bishop

vèspa sf wasp

vespàio sm wasps' nest

vèspro sm vespers pl

vessìllo sm standard, banner

vestàglia sf dressing gown

vèste sf garment, clothes pl ◇ (apparenza) guise, appearance, (aspetto) format ◇ (funzione) capacity ● in v. di as

vestiàrio sm clothes pl, clothing

vestìbolo sm (atrio) hall ◇ (archeol) vestibule

vestìre vt to dress, (provvedere di vestiti) to clothe ◇ (fare vestiti a) to make sb's clothes ◇ (indossare) to wear ◆ vi to dress, to be dressed ◆ vrif to dress (oneself), to get dressed

vestìto sm (da uomo) suit, (da donna) dress

veteràno sm veteran

veterinàrio *sm* veterinarian

vetràio *sm* glass-worker

vetràta *sf* (*finestra*) glass window ◊ (*porta*) glass door

vetrìna *sf* (*shop*) window

vetrinìsta *sm/f* window dresser

vétro *sm* glass, (*di finestra*) windowpane

vétta *sf* top, summit, peak

vettóre *sm* (*biol*) vector ◊ (*corriere*) carrier

vettùra *sf* (*carrozza*) coach, (*automobile*) car ◊ (*ferr*) carriage, coach

vetustà *sf* ancientness

vezzeggiàre *vt* to fondle, to pamper

vezzeggiatìvo *sm* term of endearment ◊ (*nomignolo*) pet name

vézzo *sm* (*abitudine*) habit ◊ *al pl* (*moine*) mincing ways *pl*

vezzóso *a* (*grazioso*) charming ◊ (*lezioso*) mincing

vi (1) *pr.pers* (*compl ogg*) you, (*compl di termine*) (to) you (ES: **vi aiuterò volentieri** I'll help you with pleasure) ◊ (*rifl*) yourselves (ES: **vi siete vestiti?** have you dressed yourselves?) ◊ (*rec*) one another, each other (ES: **vi amate davvero?** do you really love each other?)

vi (2) → **ci** (2)

vìa (1) *sf* (*strada*) road, street ◊ (*percorso, cammino*) way, path ◊ (*modo*) way, (*mezzo*) means ◊ (*anat*) duct, tract

vìa (2) *sm* (*segnale di partenza*) start, starting signal

vìa (3) *avv* away, off ♦ *inter* go!,

(*scacciando*) go away!, off with you!, (*coraggio!*) come on! ● *e così v.* and so on

Viacàrd *sf* prepaid motorway toll card

viadótto *sm* viaduct

viaggiàre *vi* to travel, to make a trip, to journey ● *v. per lavoro* to travel on business

viaggiatóre *a* travelling ♦ *sm* traveller ◊ (*passeggero*) passenger

viàggio *sm* journey, trip, (*per mare*) voyage, (*giro turistico*) tour ● *buon v.!* have a nice journey!; *v. organizzato* package tour

viàle *sm* avenue, boulevard, (*di giardino*) path

viavài *sm* coming and going

vibràre *vt* (*agitare*) to brandish ◊ (*colpi*) to strike ◊ (*lanciare*) to hurl ♦ *vi* to vibrate ◊ (*fremere*) to tremble

vibrazióne *sf* vibration

vicàrio *a* vicarious ♦ *sm* (*sostituto*) deputy, substitute ◊ (*relig*) vicar

vìce *sm/f* deputy, assistant

vicènda *sf* event, happening ● *a v.* each other, one another, (*alternatamente*) in turn

vicepresidènte *sm* vice president

vicevèrsa *avv* vice versa ◊ (*invece*) but

vicinànza *sf* closeness, nearness, proximity ◊ *al pl* neighbourhood, (*dintorni*) outskirts *pl*

vicinàto *sm* neighbourhood ◊

(*insieme dei vicini*) neighbours *pl*

vicino *a* near, nearby, close, near at hand (*pred*) ◇ (*adiacente*) adjoining, adiacent, next, (*limitrofo*) neighbouring ◇ (*affine*) close ✦ *sm* neighbour ✦ *avv* near (by), nearby, close (by) ✦ *prep* near (to), close to ✦ *qui v.* across the way

vicolo *sm* alley ● *v. cieco* blind alley, dead end

video *sm* video ◇ (*inform*) screen, monitor

videocàmera *sf* videocamera, camera

videocassétta *sf* videotape

videocitòfono *sm* videointercom

videoregistratóre *sm* video recorder

vietàre *vt* to forbid, to prohibit, to prevent

vietàto *a* forbidden ● *senso v.* no entry

vigènte *a* current, effective, in force

vigilànza *sf* supervision, vigilance, surveillance ● *v. notturna* nightwatch

vigilàre *vt* to watch over, to supervise ✦ *vi* to keep watch

vigile *a* vigilant, watchful ✦ *sm* (*urbano*) policeman ◇ (*del fuoco*) fireman

vigilia *sf* eve

vigliàcco *a* cowardly ✦ *sm* coward

vigna *sf* vineyard

vignétta *sf* cartoon

vigóre *sm* vigour, strength ◇ (*va-*

lidità) force, effectiveness ● *in v.* in force, effective

vile *a* cowardly ◇ (*meschino*) base, vile ◇ (*senza valore*) worthless, filthy

villa *sf* villa

villàggio *sm* village ● *v. turistico* holiday village, (*USA*) resort

villàno *a* rude, impolite ✦ *sm* boor, lout

villeggiatùra *sf* holiday, (*USA*) vacation ● *luogo di v.* holiday resort

villétta *sf* (detached) house ● *villette a schiera* terraced houses

villóso *a* hairy

viltà *sf* cowardice ◇ (*azione meschina*) mean action

vìmine *sm* wicker

vìncere *vt* to win ◇ (*sconfiggere*) to beat, to defeat ◇ (*sopraffare*) to overcome ✦ *vi* to win ✦ *vrifl* to control oneself

vìncita *sf* win ◇ (*ciò che si vince*) winnings *pl*

vincitóre *a* winning, victorious ✦ *sm* winner

vincolàre *vt* to bind ◇ (*fin*) to tie up ◇ (*mecc*) to constrain

vìncolo *sm* bond, tie

vìno *sm* wine ● *v. spumante* sparkling wine

viola (1) *sf* (*bot*) viola, violet ● *a/ sm* (*colore*) violet, purple

viòla (2) *sf* (*mus*) viola

violàre *vt* (*trasgredire*) to break, to infringe, to violate ◇ (*profanare*) to profane ◇ (*violentare*) to rape

violazióne *sf* violation, infringement ◇ (*profanazione*) profanation • **v. di domicilio** house breaking, house trespassing

violentàre vt to rape ◇ (fig) to do violence to

violènto a violent

violènza sf violence • **non v.** non-violence; **v. carnale** rape

violinìsta sm/f violinist

violìno sm violin, fiddle (fam)

violoncellìsta sm/f (violon)cellist

violoncèllo sm (violon)cello

viòttolo sm path, lane

vìpera sf viper

viràle a viral

viràta sf veer

vìrgola sf comma • **v. decimale** decimal point

virgolétte sf pl inverted commas pl, quotation marks pl • **tra v.** quote ... unquote

virìle a manly, masculine, virile

virilità sf manliness, virility

virtù sf virtue ◇ (potere) power, property • **in v. di** by virtue of

virtuàle a virtual

virtuóso a virtuous ◆ sm virtuous man ◇ (mus) virtuoso

vìrus sm virus

vìscere sm internal organ ◇ **al pl** viscera pl, (intestino) bowels pl, (di animale) entrails pl ◇ **al pl** (fig) bowels pl

vìschio sm mistletoe

vìscido a viscid, slimy ◇ (scivoloso) slippery ◇ (fig) slimy, oily

visibilità sf visibility • **scarsa v.** poor visibility

visièra sf peak, (USA) visor

visionàrio a/sm visionary

visióne sf vision ◇ (vista) sight

vìsita sf visit, (breve) call ◇ (ispezione) inspection, control ◇ (med) examination ◇ (persona che visita) visitor • **v. medica** medical examination

visitàre vt to visit ◇ (andare a trovare) to visit, to call on, to see ◇ (med) to examine

visitatóre sm visitor

visìvo a visual

vìso sm face

visóne sm mink

vìspo a lively, sprightly

vissùto a experienced, worldly ◇ (reale) real

vìsta sf sight ◇ (veduta) sight, view ◇ (campo visivo) view

vìsto sm approval, endorsement, (su passaporto) visa

vistóso a showy ◇ (grande) big, large

visuàle a visual ◆ sf (vista) sight, view ◇ (campo visivo) view

vìta (1) sf life, (durata) lifetime ◇ (modo di vivere) living, (necessario per vivere) living ◇ (animazione) animation, (vitalità) vitality

vìta (2) sf (parte del corpo) waist

vitalità sf vitality

vitalìzio a for life, life ◆ sm life annuity

vitamìna sf vitamin

vìte (1) sf (bot) vine

vìte (2) sf (mecc) screw

vitèllo sm calf ◇ (cuc) veal ◇ (pelle) calf(skin)

viticoltóre sm wine-grower

vitìgno sm vine

vìtreo a vitreous

vìttima sf victim

vitto sm (cibo) food ◇ (pasti) board ● v. e alloggio board and lodging, (USA) room and board

vittòria sf victory ◇ (sport) win

vittorióso a victorious, winning

viva inter hurrah, up with

vivàce a lively, vivacious ◇ (sveglio) quick ◇ (di colore) bright

vivàio sm (di piante) nursery, (di pesci) fish farm

vivànda sf food ◇ (pietanza) dish

vivavóce sm speakerphone, (per auto) in-car kit

vivènte a living ◆ sm/f living being

vìvere (1) vt/i to live

vìvere (2) sm life, living

vìveri sm pl food, supplies pl, victuals pl, provisions pl

vivisezióne sf vivisection

vìvo a living, alive (pred), live ◇ (vivace) lively ◇ (profondo) deep, sharp ◇ (vivido) vivid ◇ (di colore) bright ◆ sm living person ◇ (parte viva) living part, heart ● v. e vegeto alive and well

viziàre vt to spoil ◇ (dir) to vitiate

vìzio sm vice ◇ (cattiva abitudine) bad habit ◇ (difetto) fault, defect

vizióso a vicious, corrupt

vocabolàrio sm (insieme di termini) vocabulary ◇ (dizionario) dictionary

vocàbolo sm word, term

vocàle a vocal ◆ sf vowel

vocazióne sf vocation, calling

vóce sf voice ◇ (diceria) rumour ◇ (parola) word, (di dizionario) entry ◇ (gramm) voice, part ◇ (mus) voice, part ◇ (contabile) item, entry ● a v. alta/bassa in a loud/low voice

vociàre vi to shout

vóga sf (il vogare) rowing ◇ (moda) fashion ● essere in v. to be in fashion

vogàre vi to row

vòglia sf (desiderio) wish, longing, fancy, desire ◇ (volontà) will ◇ (macchia della pelle) birthmark ◇ (di gestante) craving

vói pr.pers you ● v. stessi you ... yourselves

volàno sm (gioco) badminton ◇ (mecc) flywheel

volànte (1) a flying ◇ (movibile) movable ◆ sf (polizia) flying squad

volànte (2) sm (aut) wheel

volantìno sm leaflet

volàre vi to fly ◇ (librarsi) to blow ◇ (passare velocemente) to fly by, to pass quickly ◇ (precipitare) to fall off

volàtile sm bird

volenteróso a willing, keen

volentièri avv willingly, with pleasure

volére (1) vt to want (ES: **voglio restare qui** I want to stay here) ◇ (gradire) to like (spec al condiz) (ES: **fai come vuoi** do as you like; **volete andare al cinema stasera?** would you like to go to the movies tonight?) ◇ (desiderare) to wish (ES: **vorrei saper risolvere questo problema** I wish I could solve this problem) ◇

(*nelle richieste*) will, can, would, (*nelle offerte*) will have, would like (ES: **vorresti chiudere la porta?** would you close the door?; **vuoi un po' di zucchero?** would you like some sugar?) ◇ (*essere intenzionato a*) to intend, to be going (to), (*essere disposto*) to be willing (to) (ES: **cosa volete fare adesso?** what would you like to do now?) ◇ (*disporre, stabilire*) to will (ES: **il destino ha voluto così** fate has willed it so) ◇ (*permettere*) to let, to allow (ES: **mio padre non vuole che ti veda** my father won't allow me to see you) ◇ (*pretendere, aspettarsi*) to expect, to want, to demand (ES: **tu vuoi troppo da lei** you're expecting too much of her) ◇ (*richiedere, aver bisogno di*) to need, to require, to want (ES: **è un animale che vuole molte attenzioni** it's an animal that requires much care) ◇ (*seguito da v impers*) to be going (to), to look (like) (ES: **secondo me vuole piovere** I think it's going to rain) ◇ (*volerci, impers*) to take, to be required, to need (ES: **quanto ci vuole da qui a casa di Mary?** how long does it take from here to Mary's?) ● *voler dire* to mean; *vuoi... vuoi...* both... and...

volére (2) *sm* will

volgàre *a* vulgar, common, coarse ◇ (*zool*) trivial ◆ *sm* vernacular

vòlgere *vt/i/rif* to turn ◇ (*fig*) to devote

volièra *sf* aviary

vólo *sm* flight ● *v. a vela* gliding

volontà *sf* will, wishes *pl* ● *a v.* as one wishes, as much as one pleases

volontàrio *a* voluntary ◆ *sm* volunteer

vólpe *sf* fox

vòlta (1) *sf* time ◇ (*turno*) turn ● *a mia v.* in my turn; *C'era una v. ...* Once upon a time there was ...; *una v. o due* once or twice

vòlta (2) *sf* (*arch*) vault

voltafàccia *sm* about-turn

voltàre *vt/i/rif* to turn

volteggiàre *vi* to circle, to twirl

voltéggio *sm* vaulting

vólto *sm* face ◇ (*aspetto*) aspect, appearance

volùbile *a* fickle, inconstant

volùme *sm* volume

voluminóso *a* voluminous, bulky

volùta *sf* (*arch*) volute ◇ (*spira*) spiral

voluttà *sf* voluptuousness, (*piacere*) delight

vomitàre *vt* to vomit, to retch, to throw up

vòmito *sm* vomit ● *conato di v.* dry heaves

vóngola *sf* clam

voràce *a* voracious

voràgine *sf* chasm

vòrtice *sm* whirl ◇ (*fis*) vortex

vòstro *a.poss* your ● *pr.poss* yours ◆ *sm* (*ciò che è vostro*) what is yours, your property ◇ *al pl* (*i vostri parenti*) your relatives *pl*, (*i vostri seguaci*) your supporters *pl*

votànte *a* voting ◆ *sm/f* voter
votàre *vt* to vote, (*approvare*) to pass ◇ (*dedicare*) to offer, to dedicate ◆ *vi* to vote ◆ *vrif* to devote oneself
votazióne *sf* voting, poll ◇ (*scolastica*) marks *pl*
votìvo *a* votive
vóto *sm* (*promessa*) vow ◇ (*per elezione*) vote ◇ (*scolastico*) mark
vulcàno *sm* volcano
vulneràbile *a* vulnerable
vuotàre *vt/pr* to empty
vuòto *a* empty ◆ *sm* empty space, gap ◇ (*bottiglia*) empty ◇ (*fis*) vacuum ● *a v.* in vain

W

water *sm* toilet bowl
western *a/sm* western
whisky *sm* whisky, (*USA, Irlanda*) whiskey
windsurf *sm* (*tavola*) (windsurf) board ◇ (*sport*) windsurfing
würstel *sm* frankfurter

X

xenofobìa *sf* xenophobia
xenòfobo *sm* xenophobe ◆ *a* xenophobic
xerocòpia *sf* xerox copy
xilòfono *sm* xylophone

Y

yacht *sm* yacht
yard *sf* yard
yògurt *sm* yoghurt
yùcca *sf* yucca